ISBN 978-0-428-78675-5
PIBN 11307174

Geschichte

von

Böhmen.

— ... ..

Vierter Band.

Zweite Abtheilung.

Geschichte

von

Böhmen.

Größtentheils nach
Urkunden und Handschriften.

Von
Franz Palacky.

Vierter Band.
Das Zeitalter Georgs von Podiebrad.

Zweite Abtheilung.
K. Georgs Regierung 1457—1471.

Prag.
Bei Friedrich Tempsky.
1860.

~~14575.8~~

Slav 7275.30

~~Ans 62015.1~~

1873, Juii 23.
Minot Fund.

Inhalts-Uebersicht.

Zehntes Buch.
Die Regierung K. Georgs. Vom J. 1457—1471

Zehntes Buch.

Die Regierung Georgs von Podiebrad.

1457—1471.

Erstes Capitel.

Wahl und Anfänge der Regierung.
(J. 1457—1458.)

Charakter der Zeitereignisse und Erwägung ihrer geschichtlichen Quellen. Georg von Podiebrad und die Candidaten für den böhmischen Thron. Matthias Hunyady in Prag. Herzog Wilhelm von Sachsen. Matthias wird König von Ungarn; Verabredung in Strážnic. Wahllandtag in Prag; Erwählung König Georgs. Aufnahme desselben seitens der Nachbarfürsten und der mährischen und schlesischen Stände. Des Königs Schwur und Krönung, und deren günstige Folgen. Besitznahme von Mähren; Verzögerung derselben in Schlesien. Heereszug nach Oesterreich. Zusammentreffen mit dem Kaiser und Verabredungen auf einer Donau-Insel. Unterwerfung Iglau's. Die Schinderlinge.

Der Gegenstand und Inhalt unserer bevorstehenden Erzählung, die Regierung Georgs von Podiebrad, gehört zu den wichtigsten Perioden der Geschichte Böhmens. Das Postulat der ältesten Staatsweisen, daß „Herrscher sei, wer zum Herrschen der tauglichste," und der langjährige Wunsch des böhmischen Volkes selbst, einen regierungsfähigen König wieder zu haben, gingen dabei gleichzeitig in vollem Maaße in Erfüllung. Man erblickte auf dem Throne wieder nicht nur die Macht und den Willen für das allgemeine Wohl, sondern auch ein musterhaftes Beispiel unermüdeter Thätigkeit, hoher Staatsweisheit, allumfassender Sorgfalt und unbeugsamer Energie. Darum wurde der König auch bald der Mittel-

1*

1457 punkt aller geschichtlichen Entwickelung, und die Nation
blieb im Hintergrunde auch da, wo sie etwa Widerstand ent=
gegenstellte. Doch blieb Böhmen diesmal als Staat nicht
auf seine innere Thätigkeit allein beschränkt, sondern betrat
wieder, und zwar zum letzten Male, die große Weltbühne als
eine europäische Macht; noch einmal offenbarte sich die ganze
Bedeutung der Stellung des böhmischen Volkes inmitten
Europa's, die Fülle der ihm für staatliche und humane Wirk=
samkeit verliehenen Kräfte, und das Gewicht der Stimme,
welche es zur Entscheidung großer Weltfragen mitabzugeben
berufen war. Solches erfolgte freilich weder durch Waffen=
lärm und Siegesruhm, noch durch Entzündung neuer welt=
umwälzender Ideen, noch selbst durch jene fast sprichwört=
liche Weisheit und Staatsklugheit, welche den König von
Böhmen einige Jahre hindurch zum Schiedsrichter unter den
Herrschern von Mitteleuropa machte und nahe daran war,
ihn auch auf den römischen Königsthron zu erheben; die
Bedeutung seines Wirkens lag nicht in der Menge vergossenen
Blutes, nicht in dem Umfange streitiger materieller Interessen,
sondern in dem Vorzuge, welcher dem Kampfe für geistige
Güter überhaupt gebührt. Denn es galt abermals, und nicht
für Böhmen allein, die Frage zu entscheiden, ob die Ideen
des Mittelalters oder der Neuzeit zur Weltherrschaft be=
rufen und berechtigt waren. Es dürfte nicht unstatthaft er=
scheinen, uns bei der Auseinandersetzung dieses inhaltvollen
Gedankens ein wenig aufzuhalten.

Allgemein, doch kaum begründet ist die Meinung, es
beginne die neue Zeit in der Geschichte Europa's erst im XVI
Jahrhunderte, und zwar mit der Einführung der Reformation
in Deutschland, Frankreich und England. Denn die Ideen,
welche die Reformation veranlaßten, waren in dieser Zeit
nicht an und für sich neu, sondern nur bezüglich ihrer Ausbrei=
tung und Stärke. Sie waren schon um ein Jahrhundert
früher, in den Zeiten des Constanzer Concils ins Völkerleben

eingetreten, und man verhandelte auch schon damals ziemlich 1457
gründlich und allseitig über sie, doch fanden sie anfangs sehr
beschränkte Gunst, und fast nur bei einer einzigen Nation,
so daß die Zeit kam, wo die naturgemäß erfolgende Reaction
sogar den Versuch wagen konnte, sie wieder zu ersticken und
auszurotten. Im XVI Jahrhunderte erneuerten sie sich zwar
in solcher Ausbreitung und Stärke, daß an ihre Unterdrückung
nicht mehr gedacht werden konnte, allein ihr Sieg war auch
nur ein theilweiser, da er sich kaum über die Hälfte der
Christenheit erstreckte. Der Unterschied beider Epochen war
also nur einer dem Grade nicht dem Wesen nach.

König Georg wurde, vielleicht ohne Wissen und Willen,
der Herold und Kämpe der Neuzeit in zweierlei Beziehung:
einmal als Husit, und dann als Herrscher und als Kurfürst
des römischen Reichs. Die erste Richtung betraf das geistige
und christliche Leben überhaupt und hatte daher eine ausge-
breitetere und höhere Bedeutung als die zweite, die sich auf
Staatsverhältnisse bezog und zumeist nur auf das deutsche
Reich beschränkt blieb.

Das ganze geistige Leben überhaupt richtet sich entweder
nach der Vernunft oder der Autorität, also entweder nach
eigener Einsicht und Wissen, oder nach Angewöhnung und
Glauben, und in Folge dieses Unterschiedes herrscht in ihm
entweder Recht und Freiheit, oder Gewalt und Ordnung vor.
Wir sagen nicht, daß der Widerstreit dieser beiden Elemente
ein unversöhnlicher sei; wir sind vielmehr der Ansicht, daß
das Heil der Menschheit auf ihrer gegenseitigen Befreundung
und Durchdringung beruhe, so daß die Vernunft Autorität
genießen und die Autorität von Vernunft getragen werden
soll; wie denn in allen Erscheinungen des Lebens das eine
Princip gar selten ohne alle Beimischung des andern zum
Vorschein zu kommen pflegt. Die unendlich mannigfaltige
Naturgestaltung dieser Lebenserscheinungen aber, die sich durch
kein bestimmtes Maaß kennzeichnen, in keine fire Formel zu-

1457 sammenfassen läßt, fordert überall Fortschritt, und zwar durch
Anstalten und Anordnungen, die den Veränderungen im Leben
entsprechen. Denn ein gewaltsames Festhalten hat Erstarrung
zur Folge und diese den Tod; eine zügellose Unstättigkeit dagegen läßt das wahre Leben gar nicht aufkommen. Wo daher
angemessene Reformen zurückgewiesen werden, dort versiegt
das Leben entweder mit der Zeit ganz, oder es schafft sich
Hilfe durch gewaltsame Umwälzungen.

Das Merkmal des Mittelalters war das übermäßige
Walten des Grundsatzes der Autorität im geistigen Leben
überhaupt und im christlichen insbesondere; die Neuzeit begann
eigentlich mit der Emancipation der Vernunft von der Autorität und mit dem Princip der freien Forschung und Selbstbestimmung (examen liberum). Nach dem außerordentlichen
sittlichen Verfall des ersteren Princips (durch innere Ent-
zweiung und den Streit seiner beiden Repräsentanten, der
Kaiser und der Päpste) und nach dessen erstem heftigen Zu-
sammenstoß mit dem Princip der Selbstbestimmung, welcher
sich der Welt durch die auf dem Constanzer Concil ange-
zündeten Scheiterhaufen ankündigte, rückte die Zeit der Krise
heran, der wichtigste Moment in der Geschichte des letzten
Halbjahrtausends, wo es sich entscheiden mußte, ob in dem
Leben der Christenheit die Principien der Vernunft und der
Autorität sich durch Annahme der vom Zeitgeist geforderten
Reformen miteinander befreunden, oder durch gegenseitiges
Abstoßen je länger je mehr divergiren sollten. Wäre, wie
man verlangte, in das Wahlprogramm des Papstes Martin V
der Grundsatz der Reformen wirklich aufgenommen worden,
so hätten die Weltbegebenheiten seitdem wohl eine andere
Richtung genommen, die Kirchenversammlungen von Siena
und Basel hätten andere Erfolge gehabt, es hätte keinen
Gallicanismus, kein Wiener Concordat von 1448, keinen
Krieg gegen Georg, ja keinen Luther, keinen dreißigjährigen
Krieg und was weiter daran hing, gegeben. Die in Constanz

versäumte Gelegenheit ließ sich kaum wieder einbringen,
weder in Basel, noch vollends in Trient, so daß jene beiden
Gegensätze auch heute noch mehr und mehr auseinander
laufen und das Ende der verhängnißvollen Antinomie nicht
abzusehen ist.

Die römischen Päpste, namentlich Pius II, gingen von
der Ueberzeugung aus, daß der apostolische Stuhl zu Grunde
gehen müsse, wenn ihm auch nur die geringste Concession zu
Gunsten des anderen Princips abgerungen werde; jeder Christ
sollte allem Rechte zur freien Forschung und Selbstbestimmung
entsagen und sich ihrer Lehre in Allem bedingungslos fügen.
Selbst Bedingungen des Gehorsams setzen, glich in ihren
Augen strafbarer Widersetzlichkeit. Nach erfolgter Unterdrückung der Conciliar-Partei überhaupt und in Deutschland
insbesondere, waren die utraquistischen Böhmen und ihr König
die einzige übrig gebliebene Abweichung von der allgemeinen
Regel, die einzige lebendige Protestation gegen die Weltherrschaft Roms, die einzigen sichtbaren Vertreter und Beschützer
des Rechtes der Selbstbestimmung in christlichen Angelegenheiten.

Diese Stellung, schon an und für sich bedeutsam, wurde
noch wichtiger durch die Verhältnisse, in welche der König
als Kurfürst des deutschen Reiches trat. Wir werden hier
nicht in die Schilderung eingehen, wie sich deutsche Fürsten
seit lange mit den Päpsten verbunden hatten, um des Kaisers
Macht zu untergraben und zu vernichten, und wie dieses
Streben so über alles Maß gelungen war, daß der Kaiser
dieser Zeit nur noch als eine Art Werkzeug angesehen und
gebraucht wurde, um den von seinem Willen so wenig wie
von seiner Macht abhängigen Veränderungen im Staate, die
unter seinen Augen vollzogen wurden, die höchste weltliche
Sanction zu ertheilen. Die einst imposante Idee von der
Statthalterschaft Gottes auf Erden schrumpfte am Ende zu
einem solchen unmaßgeblichen Rechte zusammen, dem in der
Wirklichkeit schon alle feste Grundlage abhanden gekommen

1457 war. Das aber dürften die Fürsten kaum erwartet haben, daß der Kaiser, seiner Macht entkleidet, nicht nur des Papstes Hoheit und Uebermacht anerkennen, sondern sich auch mit ihm gegen sie verbinden werde, um dessen Streben nach Erlangung wirklicher politischer Herrschaft im Reiche wo nicht offen zu unterstützen, doch stillschweigend gewähren zu lassen. In dieser Beziehung erlangten die persönlichen Verhältnisse zwischen Pius II und Friedrich III eine außerordentliche Bedeutung. Der Papst durfte schon z. B. nicht nur unter dem Vorwande des Türkenzugs wahre Steuern im Reiche auszuschreiben suchen, sondern auch prätendiren, daß die Reichstage nicht mehr ohne sein Wissen und Wollen ausgeschrieben werden. Das wurde den Fürsten allerdings zu arg, so daß verschiedene Oppositionsversuche gemacht wurden, die am Ende unter König Georgs, als des mächtigsten und tüchtigsten unter den Kurfürsten, Schutz sich flüchteten. Er sollte als Schild dienen gegen Papst und Kaiser und wieder gut zu machen suchen, was verdorben war.

Endlich war selbst die Thatsache, daß in der Christenheit und inmitten des heiligen römischen Reichs ein Staat und ein Volk außerhalb des Gehorsams gegen Papst und Kaiser und unter ausschließlicher Führung von Laien, nicht nur sich behaupten, sondern auch in Frieden, Ordnung und Wohlstand vor anderen erblühen konnte, ein für Roms Herrschaft gefährliches Beispiel, da es zum Beweise diente, wie sehr sich die Ideen des Mittelalters bereits überlebt hatten, wie die Christenwelt nicht mehr der ausschließlichen Leitung von Rom bedurfte, mit einem Worte, wie eine neue Epoche der Weltgeschichte herandrängte.

Da solchergestalt alle Elemente der Opposition, welche die Mitwelt in und außerhalb Böhmens in ihrem Schooße barg, an die Person König Georgs sich anschloßen, so ist es leicht begreiflich, warum die Päpste ihm so viel Aufmerksamkeit zuwendeten, warum sie sich vor allem bemühten, ihn

in Güte und Liebe für sich zu gewinnen, und warum, als 1457
die Hoffnung darauf schwand, seine gewaltsame Unterdrückung
ihnen noch bringender erschien, als der Schutz der Christenheit
gegen die Türken. Denn sie waren lange Zeit der Meinung,
der römische Stuhl müsse nothwendig zu Grunde gehen, wenn
der König von Böhmen nicht entweder seine Sonderstellung
gutwillig aufgebe, oder mit Gewalt unschädlich gemacht
werde. [1]

So entbrannte endlich ein nicht minder furchtbarer und
mörderischer Religionskrieg wieder, als jener war, welcher
ein halbes Jahrhundert früher in Böhmen gewüthet hatte;
der Unterschied lag zunächst nur darin, daß dasjenige, was
in den ersten Zeiten des Husitismus als Revolution und
Demokratie erschien, diesmal in conservatives und monarchi-
sches Gewand gekleidet war, und daß der Angriff von der
Seite ausging, die sich zuvor mehr defensiv verhalten hatte.
Obwohl jedoch dieser Kampf von beiden Seiten mit Anstrengung aller Kräfte geführt wurde, so blieb er doch unent-
schieden und endete mit beiderseitiger Erschöpfung. Denn es
konnte weder die mittelalterliche Macht, wie trefflich auch sie
organisirt war, die Keime der Neuzeit in der Christenheit
erdrücken und ausrotten, noch besaß die Neuzeit Kraftent-
wickelung genug, um mit der Wurzel zu vernichten, was ihr
im Geiste der Vorzeit entgegenstand, nämlich die moralische
Basis der kaiserlichen und päpstlichen Gewalt. Die Geschicke
der Welt schreiten zwar unaufhaltsam fort, doch haben sie

1) Wichtig sind in dieser Hinsicht die Worte des Wyschehrader Propstes
Johann von Rabstein (1457—1473), der, ein Zögling einst des
Aeneas Sylvius, von K. Georg häufig zu Gesandtschaften an die
Päpste gebraucht wurde, und in seinem Dialog über die Ereignisse
von 1467—1469 (s. am Schluße dieses Buches) berichtet: Coram
id ex pontifice audivi, ex tribus unum necessario fiendum: vel
Sedem apostolicam destrui oportere, vel Georgium expellendum,
vel bonum catholicum futurum. (MS.)

1457 keine Eile, ja sie scheinen oft sich nach rückwärts wenden zu wollen. Allein das Leben einiger Generationen ist kein genügender Maßstab der Zeiten überhaupt, und selbst längere Perioden in der Entwickelung der Menschheit bilden der Ewigkeit gegenüber nur einen Tropfen im Ocean. Wenigstens war der damalige Kaiser Friedrich III der letzte, der seinen Titel noch in Rom suchte.

Wie nun in der Geschichte Böhmens überhaupt das tragische Element vor dem epischen vorwaltet, so macht sich dieser Zug auch im Leben und der Regierung Podiebrads insbesondere bemerkbar. Seine patriotischen Bestrebungen und Verdienste wurden so allgemein anerkannt, daß die königliche Krone ihm gelegentlich wie von selbst, gleichsam als Ersatz für eine Bürgerkrone zufiel. Er wurde auch als Herrscher unter die ersten seiner Zeit gezählt, so daß man überall mit Bewunderung und Achtung zu seiner Weisheit und Geschäftstüchtigkeit emporblickte. Doch erreichte sein Glück gar bald den Höhepunkt, und es trat eine um so heftigere Reaction ein, je ansehnlicher sein früheres Wirken gewesen. Denn war gleich der Fortschritt, den er fördern half, an sich nicht sehr bedeutend, so wurde er doch, als der Sturm losbrach, von vielen verlassen, die ihn dazu angetrieben hatten, und diejenigen, die ihm am meisten zu Dank verpflichtet waren, wurden seine grimmigsten Feinde. Seine Haltung aber im verhängnißvollen Kampfe zeugte von mehr Würde, Festigkeit und Muth als von Glück.

Bevor wir aber noch zur Erzählung der ganzen Reihe von Begebenheiten uns wenden, können wir uns der Klage über die Beschaffenheit der Quellen, aus welchen wir sie zu schöpfen haben, nicht erwehren. Man darf nie außer Acht lassen, daß der Historiker die Geschichte nicht schöpferisch beherrschen und daher nicht Alles zur Anschauung bringen kann, was in Wirklichkeit sich ereignete, sondern nur so viel, als zu seiner Kenntniß gelangte; daß aber diese Kenntniß

von Ueberlieferungen abhängig iſt, und daher, wo es an 1457
Denkmälern und Ueberlieferungen mangelt, auch von einer
Geſchichte keine Rede ſein kann. Die Ereigniſſe unter Podiebrad können nur entweder aus den Aufzeichnungen glaub-
würdiger Beobachter, oder aus dem Schriftwechſel ihrer Urheber und Theilnehmer erkannt werden; die Belehrung darüber
müſſen wir entweder bei gleichzeitigen Geſchichtſchreibern, als
Zeugen, oder in den hinterbliebenen ämtlichen Acten und
Correſpondenzen ſuchen; Chroniken und Archive ſind daher
die Quellen all unſeres Wiſſens. Und wie jede That zwei
Seiten vorausſetzt, die eine, woher ſie ausgeht, die andere,
wohin ſie trifft, ſo erheiſchen auch ganze Reihen von Er-
eigniſſen zu ihrem Verſtändniß die Quellen beider Seiten;
wollen wir gerecht urtheilen, ſo ſind wir ſchuldig, in gleichem
Maße die Handlungen und Abſichten ſowohl der Gegner
Podiebrads, als ſeine eigenen kennen zu lernen und zu würdigen. Dies iſt aber leider ganz unmöglich geworden; denn
ſeine Gegner hinterließen eine Fülle geſchichtlicher Denkmäler,
von ihm iſt beinahe kein einziges mehr übrig. Papſt Pius II
ſorgte ſelbſt für ſeine Geſchichte, da ſeines Secretärs Johann
Gobelin biographiſches Werk (1405—1463) unter ſeiner
eigenen Aufſicht geſchrieben wurde, und ſein vertrauter Freund,
der Cardinal von Pavia, Jakob degli Amanati, mit dem
Beinamen Piccolomini († 1479) es nach ſeinem Tode fort-
ſetzte. Auch die Breslauer, Podiebrads hartnäckigſte Feinde,
fanden einen überaus beredten Vertreter; ihr Stadtſchreiber,
Peter Eſchenloer, von Geburt ein Nürnberger († 1481), der
Verfaſſer einer ausführlichen Geſchichte der Stadt Breslau
von den Jahren 1440—1479, ragte durch Geiſt und lebendige Schilderung unter allen Chroniſten ſeiner Zeit hervor.
Mit dem größten polniſchen Geſchichtſchreiber, Johann Dlugoš, Canonicus zu Krakau († 1480), kam König Georg
in häufige und immer freundliche Berührung, aber ſeinen
zelotiſchen Haß zu entwaffnen und ihn zu einer gerechten

1457 Würdigung der böhmischen Dinge zu stimmen vermochte er
als Ketzer nicht. Die ungarischen Chronisten, insbesondere
der Italiener Anton Bonfini († 1502), dem es vor allem
um die Verherrlichung seines Gebieters Mathias Corvinus
zu thun war, trugen bezüglich der Wirksamkeit Podiebrads
mehr zur Verhüllung als zur Aufklärung der Wahrheit bei.
Auch aus Oesterreich sind von dem Wiener Professor und
Domherrn, Thomas Ebendorfer von Haselbach († 1464),
dann von einem ungenannten Chronisten von 1454—1467
und anderen gleichzeitige Nachrichten in ziemlicher Menge
vorhanden, doch ohne Maß und Haltung und in durchaus
feindseligem Tone geschrieben. Nur in Böhmen suchen wir
zu dieser Zeit vergebens nach einem Manne, der es der
Mühe werth erachtet hätte, das, was vor seinen Augen
Merkwürdiges sich ereignete, mit etwas Fleiß und Sorgfalt
zu verzeichnen. Die gleichzeitigen Annalisten, obwohl ehren-
werth, haben bei der Armuth ihres Geistes und der Beschränktheit ihres Horizonts weder einen Namen in der Geschichte, noch verdienen sie ihn; aus allem, was sie berichten,
läßt sich nichts zusammenstellen, was zu einem nur einigermaßen entsprechenden Bilde der Regierung König Georgs
hinreichte; und die späteren, der Zeit nach nächsten Schriftsteller, wie Priester Wenzel Hajek von Libočan und Bischof
Johann Dubravius, stellten sich aus kirchlichen Rücksichten
auch selbst in die Reihen der Gegner, ohne übrigens neues
und ergiebiges Licht zu bringen. [2]

2) Die hier erwähnten Werke erschienen unter den Titeln: Pii secundi
pontif. max. commentarii rerum memorabilium, quae temporibus
suis contigerunt, a Joanne Gobellino compositi. Quibus acce-
dunt Jacobi Piccolominei cardinalis Papiensis comentarii. Franco-
furti, 1614 fol. — Peter Eschenloers Geschichten der Stadt Breslau,
oder Denkwürdigkeiten seiner Zeit von 1440—1479, herausg. von
J. G. Kunisch. 2 Bde. Breslau 1827—1828 in 8. — Joannis Dlugossi
historiae Polonicae libri XIII. Lipsiae, 1711—12, voll. II in fol.
— Ant. Bonfinii rerum Hungaricarum decades IV cum dimidia.

Nicht geringer wird unsere Klage sein, wenn wir unsern   1457
Blick den urkundlichen Denkmälern der Podiebradschen Zeit
zuwenden. Nichts geht an Reichthum über die Schätze des
vaticanischen Archivs, aus welchen es dem Geschichtschreiber
der römischen Kirche, Odoricus Raynaldi, nicht schwer wurde,
eine zwar nicht parteilose, aber stets begründete und beach=
tenswerthe Darstellung zu entwerfen. Auch im benachbarten
Deutschland, zumal in München und in Dresden, wird eine
große Masse von Urkunden und sonstigen Archivalien aus
jener Zeit aufbewahrt, deren einen Theil auch uns zu be=
nützen vergönnt war, obgleich der größere Theil noch des
Forschers harrt, der diese Schätze heben und bekannt machen
soll. Des Görlitzer Bürgermeisters Barthol. Scultetus († 1614)
handschriftliche Annalen, eine reichhaltige Sammlung gleich=
zeitiger Briefe und Urkunden, sind uns erst vor Kurzem be=
kannt geworden. Das böhmische Kronarchiv in Prag und
in Wien enthält nur, allerdings wichtige, Rechtsurkunden
mit hängenden Siegeln. Die übrigen Archivalien und na=
mentlich Correspondenzen, welche der Geschichte erst Licht und
Leben verleihen, sind längst vernichtet, und vergeblich ist jede
Klage und Frage nach ihnen. Nicht anders verhält es sich
mit dem Familien=Archive König Georgs, das heutzutage in
der Stadt Oels in Schlesien aufbewahrt wird; auch dort
finden sich nur einige Rechtsurkunden, nicht aber der einst
reiche und wichtige Briefwechsel des Königs. In dem einzigen
Rosenberg'schen Archiv zu Wittingau haben sich noch inter=
ressante Denkmäler dieser Art erhalten, gering an Zahl, so
lange Johann von Rosenberg dem Könige treu blieb, zahl=

Posonii, 1744 fol. — Thomae Ebendorferi de Haselbach chro-
nicon Austriacum libris V comprehensum, in Hieron. Pez scrip-
tor. rerum Austriac. tomo II. Lipsiae 1725, pag. 682—986 in fol.
— Anonymi chronicon Austriacum ab ann. 1454—1467 in H. C.
Senkenberg, Selecta juris et historiarum, tom. V p. 1—346 in 8.
Dies sind die Ausgaben, welche von uns benützt wurden.

1457 reicher von der Zeit, wo er sein Gegner wurde. Einigen
Ersatz für diese Archivsarmuth bieten nur zwei gleichzeitige
Brief= und Actensammlungen der böhmischen königlichen
Kanzlei, welche eigentlich als bloße Formelbücher angelegt
wurden, um als Muster des geschäftlichen Stils zu dienen,
jedoch als Sammlungen von wirklich erlassenen Briefen und
Acten einen ungleich höheren historischen als stilistischen Werth
besitzen. [3]

3) Odorici Raynaldi († 1671) Annales ecclesiastici ab ann. 1198—1565.
Tom. XIX, ab ann. 1458—1503. Coloniae 1691 fol. — Die wich=
tigste Sammlung gleichzeitiger deutscher Urkunden und Briefe ist
J. J. Müller's Reichstags=Theatrum, wie selbiges unter K. Fried=
rich III von 1440—1493 gestanden, Jena, 1713, 3 Bde. in Fol. —
Dann das Kaiserliche Buch des Markgrafen Albrecht Achilles,
1440—1470, herausg. von Const. Höfler, in der Quellensammlung
für fränkische Geschichte, Bd. II, Bayreuth 1850 in 8. Dasselbe
von 1470—1486 herausg. von Jul. v. Minutoli, Berlin 1850 in
8. — Ungarische Urkunden sind zumeist gesammelt in Steph. Kaprinai Hungaria diplomatica temporibus Matthiae regis, II voll.
Vindob. 1767—71 in 4, in Steph. Katona historia critica regum
Hungariae, tom. XIV et XV, Colotzae, 1792 in 8, und in Graf
Jos. Telleki's großem Werke Hunyadiak Kora Magyarországon,
XII Bde. Pest, 1852 fg. in 8. — Die wichtigsten Sammlungen
österreichischer Acten sind: Jos. Chmel, Materialien zur österr. Ge=
schichte, 2 Bde., Linz 1832 und Wien 1838 in 4. Desselben Regesten
des röm. Kaisers Friedrich III, 2. Abtheil. Wien, 1840 in 4. Copey=
Buch der gemainen Stat Wienn 1454—1464 herausg. von H. J.
Zeibig in Fontes rerum Austriac. Bd. VII, Wien, 1853 in 8. —
Die zwei böhmischen handschriftlichen Actensammlungen, von welchen
schon Thom. Pešina (Mars. Morav. p. 691) Nachricht gab, werden
gegenwärtig aufbewahrt, die eine (bei Pešina Codex minor) in
der Bibliothek des Prager Domcapitels (unter der Signatur Ms.
G, XIX in fol.), die andere (bei Pešina Cod. major, sonst auch
Cancellaria regis Georgii, meist Briefe aus der Feder Gregor's
von Heimburg enthaltend) in zwei Exemplaren, jedes einen ziem=
lichen Band füllend, in der Bibliothek der Fürsten von Lobkowitz
in Prag. Wir citiren letztere Sammlung stets als „MS. Sternberg",
um das ältere Exemplar zu bezeichnen, das, einst in Balbin's und

Dieser Uebelstand in der böhmischen Geschichte begründet 1457 zwischen dem edlen König Přemysl Otakar II und Georg von Podiebrad um eine Aehnlichkeit mehr. Da beide, jener dem Kaiserthum, dieser dem Papstthum, gefährlich wurden, erblickten sie eines Tags fast halb Europa in Waffen gegen sich; beide vielfach und leidenschaftlich geschmäht, nicht wegen persönlichen Unwerths, sondern nur der Stellung und Wirksamkeit ihrer Macht wegen, fanden daheim nicht einen wohlgesinnten Dolmetsch ihrer Absichten und Handlungen; die Geschichte des einen wie des anderen muß fast ausschließlich in den Aufzeichnungen ihrer Gegner gesucht und aus ihnen studirt werden. Wie wird es da möglich, Aufschlüsse zu geben über so manche Erscheinungen, die auf den Schooß der Heimath beschränkt, vielleicht entscheidenden Einfluß übten auf die Entschlüsse und Unternehmungen der Herrscher, so wie auf die ganze Haltung ihrer Politik nach Außen, und doch der Aufmerksamkeit der Fremden entgingen? Solchen Momenten begegnen wir auch in der Geschichte Georgs von Podiebrad nicht selten: gar mancher Knäuel wird unentwirrt, gar manche Frage unbeantwortet bleiben müssen, gar oft werden wir in Dunkel gerathen und vergebens nach Licht suchen. Freilich leidet durch diese theilweisen Uebelstände der mächtige Strom der Geschichte kaum wesentlich, noch ändert er darum seine Richtung; der Erfolg bleibt stets derselbe. Die Moldau gelangt von Prag stets nach Melnik, wenn es uns auch verborgen bleiben sollte, ob in geradem oder krummem

Pešina's Besitz, aus dem Nachlasse des Grafen Franz Sternberg in die fürstl. Bibliothek kam, und von welchem das andere Exemplar nur eine Abschrift ist. Eine ähnliche Sammlung fanden wir auch in der Gersdorf'schen Bibliothek in Bautzen, andere, die minder reichhaltig sind, in Bibliotheken von Wien, Leipzig, Breslau u. a. m. Die in böhmischer Sprache verfaßten und von uns gesammelten Briefe und Acten haben wir in dem Werke Archiv český, 4 Bde. in 4, Prag 1840—46, noch nicht alle herausgeben können.

1457 Lauf, durch Auen oder Felsenklüfte, ob sanft oder in Wellen-
stürzen. Allein es wird darunter leiden die Fülle, Klarheit und Le-
bendigkeit der Bilder, die wir vor den Augen der Leser zu entfalten
haben werden; es wird vielleicht auch die Gerechtigkeit leiden,
da der Angriff stets mehr auf der Hand liegen wird, als
die Abwehr. Urkunden und Briefe gewähren zwar eine treffliche Kenntniß der Absichten und Handlungen im Einzelnen,
und ihr Vorrath in Böhmen übertrifft wenigstens den der
Ueberlieferungen von Chronisten: allein das lebendige Ge-
sammtbild des Geschehenen und seiner Fortentwicklung läßt
sich in seiner Fülle kaum anders erfassen, als mit dem Auge
eines anwesenden Beobachters.

Georg von Podiebrad würde, wenn König Ladislaw länger
regiert hätte, die Zahl der schlesischen Fürsten durch sein Geschlecht ohne Zweifel eben so vermehrt haben, wie einst die
Herzoge von Troppau. Läßt sich auch nicht verbürgen, daß er
mit seinem königlichen Herrn stets in gutem Einvernehmen
geblieben wäre, so berechtigt doch nichts zur Annahme einer
etwa zweifelhaften Ergebenheit und Treue von seiner Seite.
Allein durch Ladislaws Hinscheiden änderte sich ein solches
Verhältniß gar wesentlich. Wer sollte jetzt König von Böhmen
werden? Die bisher beinahe müßige Frage von dem Rechte
der Nation, sich ihren Herrscher selbst zu wählen, gewann
plötzlich große praktische Bedeutung. Wenn schon Ladislaw
selbst, der einzige Enkel und Erbe einst Kaiser Sigmunds,
nicht läugnete, daß er die böhmische Krone doch nur Herrn
Georgs gutem Willen zu verdanken hatte: wie durfte jetzt ein
anderer sich Hoffnung machen, den erledigten Thron ohne
seinen Willen zu besteigen? Zu groß war seine Macht im
Volke, als daß irgend Jemand ihn hätte zwingen können, sein
Unterthan zu werden. Und wenn sogar Ladislaw auf dem
Sterbebette von seiner künftigen Regierung sprach und ihm
dieselbe gleichsam letztwillig vermachte, wie viel fehlte da noch,
um dessen Augenmerk und Hoffnung auf den verwaisten Thron

zu lenken? Gewiß ist auch, daß Georg keineswegs verschämt 1457
und blöde that, daß er nicht wartete, bis das Glück ihn
aufsuchte, sondern daß er ihm nicht minder entschlossen als
vorsichtig entgegen schritt, wahrscheinlich mit dem Bewußtsein,
daß die oberste Gewalt von jeher überall genommen und
nicht geschenkt werde.

Der Bewerber um den böhmischen Thron gab es diesmal viele: doch je größer ihre Gesammtzahl, um so geringer
war die Gefahr von Seite jedes Einzelnen. Die wichtigsten
unter ihnen waren ohne Zweifel die Fürsten des Hauses
Oesterreich, Kaiser Friedrich III, sein Bruder, Herzog Albrecht,
und Herzog Sigmund von Tirol: denn obwohl bei den
letzten Königswahlen in Böhmen die unter Kaiser Karl IV
geschlossenen Erbverträge nicht mehr berücksichtiget wurden,
so hätte doch das durch sie begründete Recht unter günstigen
Verhältnissen immer noch zur Giltigkeit gebracht werden können. Es erhoben auch wirklich alle drei Ansprüche auf die
böhmische Krone; der Kaiser wollte überdies geltend machen,
daß Böhmen als ein Reichslehen auch deshalb verfallen sei,
weil der letzte Besitzer keine Belehnung nachgesucht habe.
Aber bei dem bekannten Charakter des Kaisers läßt sich
kaum anders denken, als daß er aus seinen Ansprüchen nur
anderweitig Nutzen ziehen wollte. In Böhmen wirklich zu
regieren lag so wenig in seinem Wunsche, daß er, hätte man
ihm die Krone unter dieser Bedingung angeboten, ihr gewiß
entsagt haben würde; denn er war, als ehemaliger Vormund
Ladislaws, der böhmischen Wirren ganz und gar satt geworden. Viel lieber hätte er gewünscht, König von Ungarn zu
werden: denn obwol er auch dort keine Gemächlichkeit und
Ruhe zu gewärtigen hatte, so gab es da doch keine Reli-
gionsstreitigkeiten, die ihm vor allem zuwider waren. Auch
war der zwischen ihm, seinem Bruder und ihrem Vetter schon
lange herrschende Unfriede durch den Streit wegen des Heim-
falls des Landes Oesterreich zu solcher Heftigkeit und Bitter-

2

1457 keit gestiegen, daß die Fürsten, ehe sie die böhmische Krone
einer dem andern gegönnt hätten, es vorzogen, sie lieber ei=
nem Fremden zu überlassen. [4]

Der Erste, der gleich nach Ladislaws Tode Anstalten
traf, um wirklicher Erbe aller seiner Throne und Länder zu
werden, war der Gemahl seiner älteren Schwester Anna,
Herzog Wilhelm von Sachsen. Er fertigte unverzüglich sei=
nen gewandtesten Agenten, den Probst Heinrich Leubing, nach
Böhmen und nach Oesterreich ab, um über den Stand der
Dinge Erkundigungen einzuholen; und dieser schrieb ihm schon
12 Dec. am 12 December aus Wien, er möchte nicht säumen, seine
Ansprüche wie auf die böhmische und ungarische Krone, so
auch auf Oesterreich geltend zu machen, da man ihm in allen
diesen Ländern mit vieler Gunst entgegen kommen werde. [5]
In Schlesien warteten viele nicht einmal seine Erklärung ab,
sondern kamen ihm mit Unterwerfungen von selbst zuvor.
Nicht unbekannt war freilich sein Benehmen gegen die be=
dauernswerthe Frau, die er nun bei den Völkern als Erbin
vorschob; doch davon abgesehen, war er als ein beherzter und
verständiger, unternehmender und gewandter Herr geachtet,
und lebte mit seinem älteren Bruder dem Kurfürsten Friedrich
schon lange wieder in vollkommener Eintracht. Daher wurde
er bald der mächtigste und für Podiebrad gefährlichste Com=
petent.

Auch König Kasimir von Polen, Gemahl der zweiten
Schwester Ladislaw's, Elisabeth, erhob Ansprüche auf die
Nachfolge in Böhmen, obgleich er dazu weder eine Berech=
tigung, noch das Geschick besaß. Denn gab es ja ein weib=

4) Anon. chron. Austriac. p. 84—5: So was souiel in den sachen
    zu verstehen, das der Römisch Khaiser sein brueder herzog Albrecht
    und herzog Sigmunden sein vetter der Ehren vielleicht nicht gunnet
    und deßgleichen sie Im herwider; und also ist das Rhünigreich von
    Böhaimb und die Margraffschaft zu Märhern von den von Oester=
    reich dizmal gestanden.
5) Orig. Bericht im königl. sächs. Archiv in Dresden.

liches Erbrecht, so gebührte es diesmal der älteren Schwester 1457
allein. Ueberdies erwies sich der König, wenn gleich nicht
schlimm, doch so unfähig zur Regierung seiner eigenen Länder,
daß es sich eben damals in Polen selbst darum handelte, ihm
einen Verweser als Vormund beizugeben, der ihn der Re-
gierungssorgen überheben sollte. Großer Verschwender und
leidenschaftlicher Jäger, wußte er doch nie zu rechter Zeit
Nachdruck zu zeigen, aber er genoß mehr Glück, als irgend
einer seiner Vorfahren oder Nachfolger. Auch bei dieser Gelegenheit schien es, als wartete er, bis die Böhmen und die
Ungarn kommen würden, ihm ihre Kronen anzutragen. Denn
von selbst unternahm er nichts, was ihn hätte zum Ziele
führen können.

Nebst den Fürsten, welche wie immer geartete Rechts-
ansprüche erhoben, gab es noch mehrere, die sich den Böhmen
entweder direct oder durch Vermittler anboten, und allerlei
Vortheile schilderten oder versprachen, die aus ihrer Wahl
entspringen sollten. Für den Kurfürsten Friedrich von Brandenburg verwendeten sich besonders die lausitzer Stände; sie
priesen die Tüchtigkeit und Weisheit dieses Herrschers, und
vergaßen nicht hervorzuheben, daß er der slawischen Sprache
mächtig war, deren Kenntniß er am Hofe des Königs von
Polen, wo er erzogen worden, sich erworben. Fürsprecher
unter den Böhmen selbst fanden auch sein oft genannter
Bruder, Markgraf Albrecht Achilles, auf Anspach und Baireuth, und Herzog Ludwig von Bayern, zugenannt der Reiche,
auf Landshut und Ingolstadt. Der mächtigste unter den Competenten dieser Art war jedoch König Karl VII von Frankreich, von dessen Anerbietungen bald ausführlicher die Rede
sein wird.

Herr Georg benahm sich in dieser kritischen Zeit nach
dem Spruche des Evangeliums, vorsichtig wie eine Schlange
und unschuldig wie eine Taube. Gleich des folgenden Tags 24 Nov.
nach Ladislaws Tode berief er die höchsten Beamten und

1457 Richter des Landes, und eröffnete ihnen, sein Verweser-Amt sei noch nicht zu Ende, sondern habe noch bis zu den nächsten Pfingsten zu währen; und da Niemand eine neue Anarchie im Lande herbeiwünschen durfte, so widersprach ihm auch Niemand. Der wichtigste Machthebel, der damit in seine Hand gelangte, war die Ausschreibung und Leitung der allgemeinen Landtage, als der damals einzigen Quelle der Souveränetät. Doch er bediente sich desselben mit so viel Maß und Zurückhaltung, daß er keinen sogenannten „gebotenen" Landtag (zápowĕdný sněm) ausschrieb, sondern sich begnügte, denjenigen abzuwarten, der zu Folge einer uralten Gewohnheit, in den Quatembertagen der Adventzeit von selbst zu-

14 Dec. sammenkommen sollte. Auch als die Stände am 14 December in ziemlich großer Anzahl erschienen und von der Nothwendigkeit zu sprechen begannen, einen neuen König zu wählen, wurde der Name des Gubernators unter den Candidaten noch nicht genannt, wenigstens nicht öffentlich; am günstigsten schien die Stimmung für den Kaiser, dann den König von Polen, Herzog Albrecht und Markgrafen Albrecht von Brandenburg. Vor der Rückkehr der nach Frankreich abgegangenen Gesandtschaft konnte jedoch zu keiner Verhandlung darüber geschritten werden. Daher vertagte sich zu diesem Zwecke der Landtag selbst⁶ bis zu den nächsten Fastenquatembertagen (22 Febr. 1458). Bevor er jedoch auseinander-

19 Dec. ging, ermahnte er durch zahlreiche am 19 December in alle Länder der böhmischen Krone abgeschickte Schreiben besonders die dortigen Stände, der böhmischen Krone die schuldige Treue zu bewahren und sich von ihr weder durch Versprechungen

---

6) Was die Staři letopisowé von dem großen zu Prag nach dem heil. Drei-Königtag (6 Januar 1458) gehaltenen Landtag berichten, ist in Bezug auf die Zeit irrig, und muß von dem oben erwähnten Landtage von 14—19 December verstanden werden. Dies beweist die ziemlich reiche Correspondenz aus diesen Tagen, die in dem königl. sächsischen Staatsarchive in Dresden aufbewahrt wird.

noch durch Drohungen abwendig machen zu laffen, da ihnen
der nöthige Schutz nicht fehlen werde gegen jedermann, der
sie mit Gewalt oder List von ihr abzubringen verfuchen würde.
Zugleich kündigte er ihnen an, daß auf dem Landtage in den
Fastenquatembertagen von Allem werde gehandelt werden, was
der böhmischen Krone Noth thue, und forderte sie auf, sich
in großer und hinlänglicher Zahl dabei einzufinden.

Aehnliche Sorgen beschäftigten auch in Ungarn die Gemüther. Den damals umlaufenden Gerüchten zufolge bildeten
sich dort drei Parteien: die eine war für Kaiser Friedrich,
die andere wollte den mächtigsten Magnaten in Ungarn,
Niklas Fristacky von Ujlak, zum Könige haben, der größere
Theil der Nation aber kehrte das Augenmerk auf den einzigen
hinterbliebenen Sohn des Gubernators, Matthias Hunyadi,
der seit März 1457 im Gefängniß schmachtete. Dieser damals
achtzehnjährige Jüngling war, noch auf K. Ladislaws Befehl, nach Prag gebracht worden, wo er gerade am Tage
nach des Königs Tode ankam. Herr Georg nahm ihn nicht
als Gefangenen, sondern als willkommenen Hausfreund und
Gast bei sich auf, und behandelte ihn mit so viel Auszeichnung, daß er bald als ein Glied der Familie angesehen
wurde, zumal er schon zu Anfange des Decembermonats seine
Verlobung mit der erst neunjährigen Tochter desselben, Katharina, zugenannt Kunhuta (Kunigunde) feierte. [7] Es läßt
sich nicht ermitteln, ob bei dieser Verlobung schon ein Vorwissen oder doch eine Ahnung seiner bevorstehenden Erhebung
obgewaltet habe; als aber sein ehemaliger Lehrer, jetzt Bischof
von Großwardein, Johann Vitéz von Zredno, ein namhafter

---

7) Hierüber schrieb Propst Leubing an den Herzog Wilhelm von
Sachsen von Wien aus am 12. Dec. 1457: Es ist eine gemeine
Rede hie, daß der Huniad Mattia, der gefangen gelegen hat zu
Wienne, den andern Tag, als der Kunig verschieden ist, von dem
Jörzig zu Prag zeirlich ingefürt wurden sei, und Ime seine Tochter
zu der Ee gegeben habe. (Orig. im sächf. Staatsarchiv in Dresden.)

Gelehrter seiner Zeit, am 13. December nach Prag kam, gesandt von seiner Mutter Elisabeth und seinem Oheim Michael Szilágyi, konnten ihre Hoffnungen und Bemühungen um so weniger ein Geheimniß bleiben, je bekannter sie in Ungarn schon damals gewesen. Es hieß zwar allgemein, der staatskluge Bischof sei gekommen, um seinen Zögling aus der Gefangenschaft zu befreien; doch war der Zweck seiner Sendung unzweifelhaft ein höherer, glänzenderer und schwierigerer, nämlich ihm auch in Prag den Weg aus der Gefangenschaft zum Throne zu bahnen. Herr Georg eignete sich in dieser Hinsicht ganz vorzüglich zum Vermittler. Die Wahl des jungen Hunyadi konnte nur dann eine Aussicht auf Erfolg haben, wenn es gelang, zu seinen Gunsten eine große Kriegsmacht ins Feld zu stellen, und die in Ungarn den Hunyadis abgeneigte mächtige Partei, deren Häupter die Herren Niklas von Ujlak, Wojvode von Siebenbürgen und der Palatin Ladislaus Gara, beide Herrn Georgs vorzügliche Freunde waren, zu gewinnen oder doch wenigstens zu beschwichtigen. Herr Georg säumte nicht, sich zu Gunsten seines künftigen Schwiegersohnes zu verwenden, da er wohl einsehen mochte, daß durch des Matthias Erhebung in Ungarn seine eigenen Aussichten in Böhmen gefördert würden. Die Abneigung gegen alle Fremdherrschaft, und namentlich die deutsche, war damals bei dem Volke in Ungarn wie in Böhmen gleich lebhaft und entscheidend: konnte aber dort ein noch unerfahrener Jüngling für seines Vaters Verdienste so hoch belohnt werden, warum sollte hier dem gereiften Manne für seine eigenen Verdienste nicht dasselbe widerfahren? Herr Georg bewirkte also durch eigens abgesandte Boten, daß die böhmischen Kriegsrotten, die in Ungarn schon seit zwanzig Jahren eine so unwillkommene aber große Macht ausübten, fast insgesammt in Michael Szilágyis Dienste traten, der bereits die Rolle eines Gubernators des ganzen Königreichs spielte. Auch brachte er für seinen künftigen Schwiegersohn Verträge zu

Stande, nicht allein mit dem berühmten Feldherrn Johann Jiskra, 1457
sondern auch mit dem Wojwoden Niklas Ujlaki, in deren
Folge beide, unter gewissen Bedingungen, in dessen Erhebung
willigten. [8] Denn Ujlakis Tochter Hieronyma lebte damals
in Prag im Hause Herrn Georgs, als Verlobte seines
Sohnes Heinrich, wogegen dieser Sohn selbst eine Zeitlang
in Ungarn an Ujlaki's Hofe erzogen wurde; und da auf
diese Weise Ujlaki mit seinem künftigen Könige in nahe Ver=
wandtschaft gerathen sollte, so unterliegt es keinem Zweifel,
daß diese mehrfache Familienbefreundung wesentlich zur all=
seitigen Aussöhnung und zu Matthias Erhebung beitrug. [9]

8) Die Beweise schöpfen wir aus Briefen des Königs Matthias selbst,
und zwar vom 15, 27 und 29 März 1458, welche wir im MS. des
Prager Domcapitels sign. G, XIX, fol. 180 181 finden Er schrieb
über Ujlaki am 15 März an K. Georg: Quod de Nicolao waywoda Transsylvano de Wylak Vestra Fraternitas nobis alias
significarat, ut idem ex V. Frat. monitionibus edoctus omnia
illa facturus foret, quae nobis idem grata cognovisset: nos ita
suasionibus et documentis V. Frat. edocti, indubitatam fidem
de eodem Nicolao waywoda sperantes exspectabamus: sed aliter
evenit, quam rati eramus, cum tamen nos omnia illa adimple-
verimus, quae parte ejusdem Nicolai waywodae V. Frat. a nobis
exoptabat etc. Von Jiskra heißt es in einem Briefe vom 29 März:
Novissime scripsimus Ser. Vrae per alias literas, quemadmodum
contra dispositionem Ser. Vrae, quam cum in Strasnicz con-
stitueremur, eadem Vrae Ser. inter nos et Johannem Giskram
de Brandis, pro qua tractanda illac nuntios suos miserat, firma-
verat, idem Joh. Giskra inique nobiscum et cum regno nostro —
agere conetur etc. Vgl. Kaprinai, I, 426. II, 131. — Einen zu
Segedin am 13 Januar 1458 zwischen dem Palatin Gara und
den Hunyadi's geschlossenen Vertrag machte Graf Teleki (Hunyadiak kora, X, 565—569) erst unlängst aus dem Original bekannt.
9) Was man sich bisher von der Wahl des Königs Matthias Corvinus in Ungarn zu erzählen pflegte, ist höchst ungenau und parteiisch: seine beiden Lobredner Thurocz und Bonfini kannten entweder die Wahrheit nicht, oder wollten sie nicht sagen. Daß diese
Wahl den Bemühungen Podiebrad's wesentlich mit zu danken war,

1457   Unter solchen Verhältnissen ist es nicht uninteressant, wahrzunehmen, wie Herr Georg sich seinem zudringlichsten Nebenbuhler Herzog Wilhelm von Sachsen gegenüber betrug.

19 Dec. Dieser schrieb ihm am 19 December ziemlich freundschaftlich, bezeugte sein Leid über K. Ladislaw's Tod, erklärte daß er seiner Gemahlin Erbrecht geltend zu machen gesonnen sei, und ersuchte ihn um Gunst und Förderung in dieser Ange-

29 Dec. legenheit. In seiner Antwort vom 29 December beklagte Herr Georg noch lebhafter das plötzliche Hinscheiden des jungen Herrschers, auf dessen Leben die ganze Christenheit mit vollem Rechte große Hoffnungen gesetzt habe, doch der Allmächtige habe geruht, seine holde Seele in das B ch des ewigen Lebens einzuschreiben und ihn, der schon hienieden mehr als Engel, denn als Mensch gelebt, den Chören der Engel einzureihen. „Weiter", schrieb er, „haben wir verstan= den, was Ihr in Betreff der durchlauchtigsten Fürstin Anna, Eurer Frau Gemahlin, erinnert, und geben Ew. Gnaden zu wissen, daß diese Sache nicht allein uns, sondern das ganze Königreich Böhmen berührt, dessen Stände, Herren und Ritter jetzt nicht beisammen sind, und daß es uns nicht

bezeugen: 1) König Matthias selbst, da er in der Urkunde vom 8 Febr. 1458 (s. unten) sagte: D. Georgius — quantum in eo exstitit, fautor noster fuit et adjutor, ut ad dignitatem regalem eligeremur. 2) Herzog Wilhelm von Sachsen, der von Weimar aus am 11 April 1458 bei Papst Calixt III klagte: Gyrsicus — praefatum Madiasck carcere quo tenebatur liberatum — in regem Hungariae de facto dumtaxat erigi fecit et procuravit. (Vgl. Menken, II, 1082—1085.) 3) Der Erzbischof von Florenz Antoninus († 1459) berichtet in seiner Geschichte: Gubernator Boemiae — filium Joannis Voyvodae, quem captivum tenebat, sponte dimisit liberum abire, et regem Hungariae ipsum fieri procuravit et fecit. 4) Doctor Paul Židek in seinem 1470 dem Könige Georg selbst überreichten encyklopädischen Werke (vgl. unten) erzählt, nach K. Ladislaus Tode „wurde zum Könige von Ungarn, durch Ver= anstaltung Herrn Georgs gewählt der Sohn des Huniad Janus, dem Herr Georg seine Tochter gab." u. s. w.

ziemt, ohne ihr Wissen und ihren Willen Antwort für sie 1458
zu ertheilen. Allein an den künftigen Fastenquatembertagen
werden sie sich wieder zum Landtag versammeln, und wollt
Ihr Eure Gesandten dazu schicken, so werden wir alle Eure
Ansprüche, Wünsche und Schreiben der allgemeinen Erwägung unterziehen. Was dann einstimmig beschlossen werden
wird, soll Ech unverhalten bleiben. Denn worin wir Ech
nach Recht dienen können, dazu sind wir gar willig und
bereit". Im Einschluße fügte er jedoch hinzu, es seien Nachrichten eingelaufen, Herzog Wilhelm habe die Fürsten und
Städte Schlesiens aufgefordert, ihn als ihren künftigen Herrn
anzuerkennen. Dies scheine nicht in der Ordnung zu sein.
Die Schlesier seien Glieder der böhmischen Krone, und wüßten
wohl, wohin sie ihre Blicke nach einem künftigen Herrn dem
Rechte gemäß zu richten hätten. Eine solche Aufforderung
sei bei ihnen um so weniger nöthig gewesen, je mehr zu
hoffen sei, daß sie sich nach Ehre und Pflicht verhalten
werden. [10]

Herzog Wilhelm ließ sich dadurch von weiterem Vorgehen nicht abschrecken; am 14 Januar erließ er Zuschriften 14 Jan.
an alle bedeutenderen Herren und Städte in Böhmen, an
jeden und jede einzeln, und seine Verbindung mit Schlesien
und den Lausitzen wurde mit jedem Tage inniger. Aus Böhmen aber erhielt er keine Antwort, außer von dem alten
Herrn Ulrich von Rosenberg einige immer nur unbestimmte
Zusagen, da vor Rückkehr der Gesandten aus Frankreich in
der Sache überhaupt nicht verhandelt werden könne.

Als indeß am 24 Januar auf dem rakoscher Felde bei 24 Jan.
Pesth des Mathias Wahl zum Könige von Ungarn durchgesetzt
wurde, gab Herr Georg seinem Sohne Victorin den Auftrag,
ihn mit stattlichem Gefolge durch Böhmen und Mähren zu
geleiten; er selbst folgte später bis Strażnic nach, wo die

10) Diese und andere Schreiben aus dieser Zeit fanden wir im königl.
sächsischen Staatsarchive in Dresden.

1458 ungarischen Stände in großer Zahl und Pracht der Ankunft
ihres Königs harrten. Da wurden in den Tagen des 8. und
9 Febr. 9. Februars viele und wichtige Verträge geschlossen. Mathias
dankte für die große Gunst, die er in Prag genossen, verband
sich dem künftigen Schwiegervater zu ewiger Dankbarkeit
und seiner Familie zu unwandelbarer Freundschaft, und es
wurde von beiden Seiten das Verlöbniß bestätigt, obwohl
die Hochzeit wegen beiderseits unzureichenden Alters verschoben
werden mußte. Herr Georg bemühte sich in Strażnic alle
noch übrigen Anstände zwischen dem neuen Könige und seinen
ehemaligen Gegnern, namentlich Ujlaki und Jiskra, zu beheben,
und ein Uebereinkommen erfolgte unter uns unbekannten
Bedingungen. Zeugen dabei waren, von ungarischer Seite
die Mutter des Königs, Elisabeth, und deren Bruder Michael
Szilágyi, der neue Gubernator, Johann Vitéz Bischof von
Großwardein, Vincenz Bischof von Waizen, Johann und
Sebastian Rozgonyi, Michael Orszägh u. a. m., von böhmischer Seite die Herren Georg Strażnický von Krawař,
Johann Jičinský von Cimburg, Johann von Pernstein,
Wolfgang von Kreig und Landstein, Zdeněk Kostka von Po-
stupic u. a. m. [11]
18 Febr. Nach Prag am 18 Februar zurückgekehrt, traf Herr

---

11) Die Strażnicer Verträge gab zuerst Pešina (Mars Morav. 690 flg.)
dann vollständiger Graf Teleti, X, 573—77 heraus, beide aus den
Handschriften des Prager Domcapitels und der Fürsten von Lobkowitz. Das Herrn Georg in Strażnic für Matthias dargebrachte
sogenannte Lösegeld wird verschieden von 40 bis 80 tausend Gulden
angegeben. Wir fanden im Wittinganer Archiv eine von einem
Beamten Herrn Georgs herrührende Nachricht folgenden Wort-
lauts: „Auch wollet wissin, das der Irwelte hungarische Konig
meins herrn Gnade zu geschenke gegebin hat Sechczig tausint
guldin vnd XIV zeentner silbirs vnd eczlich hundirt ochsen do-
rezu, ouch eczliche dreylinge weyn." Es war also kein Lösegeld,
sondern ein Geschenk, zum Ersatz für die Kosten bei der geleisteten Hilfe.

Georg daselbst nicht allein eine Botschaft vom Könige von 1458
Frankreich, die in Begleitung der böhmischen Gesandten zu
Ende des Faschings (12.—14. Februar) angekommen war,
sondern auch neue dringende Briefe von Herzog Wilhelm
von Sachsen an, auch wurden Gesandte Kaiser Friedrichs
erwartet, die jedoch, wie es scheint, ausblieben. Je mehr
jedoch der entscheidende Augenblick nahte, desto mehr machte
sich auch zu Gunsten des Gubernators eine neue und zuletzt
unwiderstehliche Macht geltend, die der öffentlichen Meinung
nämlich, daß es in Ungarn, so auch in Böhmen keines Herrschers
aus fremdem Stamm bedurfte, und daß es an der Zeit war,
sich endlich der deutschen Uebermacht zu entledigen. Auch M.
Rokycana soll nicht aufgehört haben, in diesem Sinne von der
Kanzel herab zu eifern und zu rathen, man möge Böhmen lieber,
nach dem Beispiel der Richter Israels, in eine Republik verwan-
deln, wenn es keinen Eingebornen gebe, der einer Königskrone
würdig wäre. Unter den Weltlichen soll Herr Zdeněk Kostka
von Postupic, Herr auf Leitomyschl, der thätigste Agent in
diesem Sinne gewesen sein. Ob es überdies noch nöthig
war, die vornehmsten Barone zu bestechen, wie wenigstens das
Gerücht ging,[12] können wir weder behaupten, noch verneinen.

Es ist uns zwar nicht alles bekannt, was vor und bei
dem Landtage vorging, ehe Herr Georg gewählt wurde:
allein was wir wissen, genügt zum Beweise der ungemeinen
Vorsicht, ja Schlauheit des Mannes, der sein Glück sich zu
sichern, und doch nicht allein die Rechtsform, sondern auch
den Schein vollkommener Gerechtigkeit und Unparteilichkeit

---

12) Dlugoš berichtet lib. XIII pag. 223: Georgius — Bohemorum prin-
cipales auro dato fascinaverat, vulgatus, in unum solum Joannem
Rozemberski decem et septem millia aureos effudisse. Obgleich
der gutmüthige aber stets geldbedürftige Johann von Rosenberg
auch später von K. Georg mit Darlehen unterstützt werden mußte,
so kann die Angabe immerhin nur durch bloße Verdrehung dieses
Verhältnisses entstanden sein.

1458 zu bewahren verstand. In dem Landtagsprogramm war, wie
es scheint, nicht von einer Königswahl, sondern nur von der
Anhörung der Gesandten jener Fürsten die Rede, welche sich
zur Wahl antrugen; wenigstens ist gewiß, daß die Stände
der Kronländer nur zu einem Landtage nach Prag, nicht aber
zur Wahl eines Königs berufen wurden. Aber es ist auch
von keinem Wähler-Ausschuße die Rede, wie er sonst bei
Königswahlen vorzukommen pflegte; alles sollte öffentlich,
nichts insgeheim verhandelt werden, und wer das Recht hatte,
am Landtage zu erscheinen, wurde auch des Wahlrechtes theil-
haft. Ohne Zweifel wußte Herr Georg schon, wohin der
Strom des Volkswillens seine Richtung nahm, und kannte
die aufgeregte Stimmung, die zumal in Prag herrschte; er
brauchte nur zu beseitigen, was der Kundgebung dieses Willens hinderlich sein konnte. Andere sorgten dafür, daß derselbe an sein Ziel gelangte.

Folgendes waren die Namen der vornehmsten Herren,
22 Feb. welche den auf den 22 Februar ausgeschriebenen, jedoch wie
27 Feb. es scheint erst Montags den 27 Februar begonnenen Landtagsverhandlungen beiwohnten: Johann von Rosenberg,
Hauptmann von Schlesien, Zdeněk von Sternberg, Prager
Oberstburggraf, Heinrich von Lipa, Oberstlandmarschall, Heinrich von Michalowic, Oberstlandkämmerer, Zbyněk von Hasenburg, Oberstlandrichter, Johann von Hasenburg, Hoflehnrichter, Johann von Kolditz, Boreš von Riesenburg, Heinrich
von Duba, Heinrich von Straž (Platz), Wilhelm Rabstý
von Riesenberg, Heinrich von Plauen, Johann und Bohuslaw
von Schwamberg, Bohuslaw von Seeberg, Johann von Kunstadt, Otto von Bergow, Heinrich, Johann, Beneš und zwei
Albrechte von Kolowrat, Dietrich und Jenec von Janowic,
Leo von Rozmital, Wilhelm von Ilburg, Johann von Wartenberg, Johann von Swihau, Jaroslaw Plichta von Žiro-
tin; dann die Ritter Burian von Gutstein, Prokop von
Rabstein, oberster Kanzler, Johann Calta von Kamennahora

(Steinberg), Münzmeister, Zdeněk Kostka von Postupic, Bu- 1458
rian Trčka von Lipa, Oberstlandschreiber, Přibik von Klenau
und Jakaubek von Wřesowic, die alten Heerführer, Soběslaw
von Milettnek und Pardubic, Ernst Leskowec, Johann Malowec, Beneš von Mokrowaus, Racek von Janowic auf
Riesenberg, Wenzel Walečowský von Kněžmost (Fürstenbruck),
Landesunterkämmerer, Johann Bechyně von Lažan, Ojíř von
Očebělic, Zbyněk von Soběšin, Johann Pardus von Wratkow, Johann Sablo von Smilkau; endlich die Prager und
Abgeordnete anderer königlichen Städte. Alle Landtags-
sitzungen wurden auf dem altstädter Rathhause abgehalten.

Es ist zwar gewiß, daß alle Fürstengesandten, welche
auf dem Landtage gehört zu werden wünschten, auch wirklich
Gehör erlangten, aber es läßt sich nicht angeben, wann und
in welcher Ordnung es geschah. Nur über den Vortrag der
französischen Gesandten, der am Dienstag den 28 Februar 28 Feb.
erfolgte, besitzen wir bestimmtere Nachrichten. Karl VII trug
den Böhmen seinen jüngeren damals erst eilfjährigen Sohn
Karl zum Könige an und erbot sich, alle verpfändeten böhmischen Krongüter auf seine Kosten auszulösen, dann nach
vier Jahren seinen Sohn mit einem Schatze nach Böhmen
zu senden, der für alle Bedürfnisse hinreichen würde; inzwischen sollte die nächsten vier Jahre hindurch die Regierung
in den Händen des Herrn Gubernators verbleiben. Es war
das ein nicht nur glänzender und lockender, sondern auch
abgesehen von den angebotenen Schätzen der vortheilhafteste
Vorschlag, der gemacht werden konnte; auch fand er so viel
Anklang und Beifall im Landtage, daß Herrn Georgs Freunde
darüber erschracken; er selbst, wenn er hätte sein und des
Landes Schicksal unter seiner Regierung voraussehen können,
wäre wohl der Erste darauf eingegangen. Als aber die
Sache in der Stadt ruchbar wurde, entstand im Volke große
Aufregung und man soll sogar einen Aufstand befürchtet ha-
ben. Die Abgeordneten von Bautzen und Görlitz, die aus

1458 den Kronländern die einzigen zugegen waren, nahmen dieß zum Anlaß, den Landtag und die Stadt zu verlassen und traten noch am selben Tage die Heimreise an.

1 März   Des folgenden Tages, am 1 März, wurden die Ge= sandten Herzog Wilhelms von Sachsen gehört. Ihre Rede war arm an Versprechungen, erging sich jedoch um so um= ständlicher in Beweisführung des Erbrechts, indem man sich auf alte Urkunden berief, durch welche in Böhmen auch die weibliche Nachfolge gesichert sei.[13] Es war wohl nur ein Zeichen der auf dem Landtage herrschenden Zucht und Ord= nung, daß die große Stille und Aufmerksamkeit, womit der Vortrag angehört wurde, von den Gesandten in dem noch am selben Tage an Herzog Wilhelm abgefertigten Bericht als ein Zeichen der Gunst ausgelegt werden konnte, mit der er aufgenommen worden sei. In der That ging die Wirkung ihrer Rede so weit, daß gleich vom Landtage aus zwei Be= amte nach Karlstein abgefertigt wurden, um unverzüglich aus dem Kronarchive alle Urkunden zu holen, auf welche die Be= rufung geschehen war. Der Gubernator hatte die sächsischen Gesandten, Ehren wie Schutzes halber, mit ansehnlicher Wache umgeben: eine besondere Audienz konnten sie aber bei ihm nicht erlangen, da er sie, sich mit Geschäftsüberladung ent= schuldigend, stets aufschob.

2 März   Als endlich Donnerstags am 2. März dem Landtage die aus Karlstein mitgebrachten Urkunden vorgelegt und die versammelten Stände daraus in ihrer Ansicht nur bestärkt wurden, daß ihnen allerdings das Recht der freien Wahl zustehe: bedeutete eine unzählige, auf allen Straßen und Plätzen wogende Volksmenge, die laut nach einem Könige

13) Den näheren Inhalt der Rede sammt den Beweisgründen kann man auch aus dem Vortrag entnehmen, welchen die Gesandten Herzog Wilhelms über diese Angelegenheit im März 1459 an K. Karl VII von Frankreich hielten. S. Ludewig, Reliquiae MSS. tom. IX, pag. 707—736.

rief, daß der entscheidende, verhängnißvolle Augenblick gekommen war. Schon hatten Hoffnungen und Zweifel, Zuversicht und Zagen die Gemüther aller, die innerhalb und
außerhalb des Rathhauses harrten, in die höchste Spannung
versetzt, als nach Vollendung des beim Landtage üblichen
Gebets der Oberstburggraf Zdenek von Sternberg bei den
Ständen ganz leise die Umfrage hielt und sich mit wenig
Worten über des Vaterlandes Noth und Recht erklärend, dem
Erwählten der Nation der erste seine Stimme gab, und
plötzlich hinkniend vor dem alten Freunde, mit Begeisterung
ausrief: „Es lebe Georg, unser gnädigster König und Herr!"
Seinem Beispiele folgten andere Herren, und in einem Au-
genblicke lag nicht nur der ganze Landtag auf den Knien,
Treue und Gehorsam gelobend, sondern es erscholl auch vor
dem Rathhause, auf den Straßen und Plätzen der tausend-
stimmige Ruf: „Hoch lebe Georg, der König Böhmens!"
Mit großer Rührung dankte Georg den Ständen und nahm
die angebotene königliche Würde unter der Voraussetzung an,
daß ihm alle zum Wohle des Vaterlandes, so wie zum Glanz
und Ruhm der böhmischen Krone, mit Rath und That behilflich sein würden. Darüber brachen viele in Freuden-
thränen aus, und als jemand, wie in Verzückung Te deum
laudamus zu singen begann, stimmte der ganze Landtag ein.
Der gleichzeitige Anschlag an die sogenannte Königsglocke auf
dem Rathhause gab der ganzen Stadt das Zeichen zu lär-
mendem Jubeln und den Glocken aller Kirchen Prags zu
festlichem Geläute. Bald darauf schritten die Stände in feier-
lichem Zuge, von großem Volksgedränge begleitet, in die
Teinkirche, wo dem neuen Könige gehuldigt wurde, die Priester und Diacone wieder das Te deum laudamus anstimmten,
und M. Rokycana tiefgerührt dem Himmel und den Ständen
dankte, daß sie dem Vaterlande einen Herrscher gegeben, von
dessen Regierung zu erwarten stehe, daß sie Gott gefällig
und dem Lande ersprießlich sein werde. Aus der Kirche

1458   wurde der neue König gleich festlich und unter gleich freu-
2 März diger Theilnahme in seinen nunmehrigen Hof, nämlich den Königshof geführt, der unweit vom jetzigen Pulverthurm in der
Altstadt lag.   Weder Reisige noch Trompeter geleiteten den
Zug: aber das fromme Lied „Swatý Wáclawe" erklang in
allen Straßen aus aller Munde.   Herr Heinrich von Lipa,
als Marschall, trug das Schwert vor dem Könige, Zbeněk von
Sternberg ging ihm zur Seite und nächst ihm schritten Johann
von Rosenberg und Zbyněk Zajic von Hasenburg, die vornehmsten Herren der katholischen Kirche, zum Zeichen für
Einheimische und Fremde, daß das kirchliche Bekenntniß bei
der Königswahl diesmal weder als Förderung noch als Hinderniß galt oder gelten sollte. [14]

Mit der Königswahl jedoch war das Werk des Land-

14) Uiber die Wahl König Georgs haben wir dreierlei bisher unbekannte, doch glaubwürdige und übereinstimmende Berichte aufgefunden: 1) Drei Schreiben der sächsischen Gesandten an Herzog
Wilhelm, eins datirt von Prag 1 März Abends, das zweite 2 März
Mittags, als der neugewählte König eben in die Teynkirche geführt wurde, das dritte schon unterwegs auf der Heimreise, von
Freiberg, aus am 5. März, — alle drei im Original im kön.
sächs. Staatsarchiv in Dresden. 2) Das Zeugniß Johann von
Rabstein in seinem Gespräch von den Jahren 1467—69 (f. Beilage), wo es ausdrücklich heißt: Cum omnium aliorum in dubio
vota tenerentur, per Zdenkonem (de Sternberg) primo omni
haesitatione dissoluta Georgius rex nuntiatur, primus ex genu-
flexo salutationem regiam exhibet; cui — ab omni nobilitate et
facile assentiente vulgari populo acclamatum est: Vivat Bohemorum rex Georgius! Georgium regem veneratione cum sub-
dita salutamus! 3) Das Schreiben des Paul Dětřichowec, gewe-
senen Bürgermeisters der Neustadt, der 1448 als ein Erzfeind
Herrn Georgs aus Prag vertrieben wurde, bei den Herren von
Rosenberg in Dienste trat und ihrem Schreiber Johann Ritschauer
folgende Nachricht gab: „Ich schreibe Euch etwas Neues, doch
wollt' ich es lieber nicht schreiben, daß nämlich heute Mittags um
die 18te Stunde Herr Georg zum Könige gewählt worden. Und
da sangen gleich die Herren auf dem Rathhause Te deum lauda-

tages nicht geschlossen: es begannen neue Sorgen und Be-   1458
rathungen, wie dem Willen der Nation und dem Rechte des
Erwählten im In- und Auslande Anerkennung zu verschaffen
sei; hauptsächlich wurde darüber verhandelt, wer und wie
man ihn krönen solle. Vor allem wurde festgesetzt, daß dies
nach dem alten Ritus der römischen Kirche zu geschehen habe,
gleichsam zum Ersatz für die Bereitwilligkeit, welche die katholischen Herren bei der Wahl gezeigt hatten. Weil es
jedoch in Prag noch keinen Erzbischof gab, der von Olmütz
aber, Protas von Boskowitz, vom Papste erst unlängst ernannt, seinen Stuhl noch nicht bestiegen hatte, und der von
Breslau, Jost von Rosenberg, noch in der Reihe der Gegner
sich hielt: so wurde beschlossen, bei König Mathias und dem
noch in Ungarn weilenden päpstlichen Legaten, Cardinal Jo-

mus zu singen an und in ganz Prag ward mit den Glocken ge-
läutet. Und da gelobten alle Herren ihm treu zu sein und mit
Rath und That beizustehen, und Herr Georg bat alle Herren, ihm
mit Rath und That behilflich zu sein, wenn er sie darum anginge,
was sie ihm viele weinend gelobten. Dann gingen sie gleich ad
Laetam curiam, da sangen sie wieder das Te deum laudamus,
und M. Rokycana predigte und dankte den Herren, Rittern und
Städten, daß sie etwas gutes gethan und vom lieben Gott einen
König für Böhmen gewählt. Und da gingen sie und geleiteten ihn
in sein Haus, und Herr Zdenĕk führte ihn und unser Herr mit
Herrn Zagic gingen hinter ihm. Dat. Pragae repentissime fer. V
post Reminiscere (2 März.) Gern hätt' ich Euch mehr geschrieben,
doch hatt' ich, weiß Gott, keine Zeit. (Das Original im Wittingauer Archive.) Nach diesen unverdächtigen Belegen wird es leicht
sein, den Werth späterer Insinuationen, die sich auch bei Balbin,
Beckowsky und Pubička einschlichen, nämlich über die Art und
Weise, wie König Georg gewaltsam gewählt worden sei, zu beurtheilen. Die Nachrichten der sächsischen Gesandten stimmen mit
denen des Paul Dĕtřichowec oft wörtlich überein, und auch die
Gegenschrift des Breslauer Predigers Dr. Niclas Tempelfeld wider-
legt sie nicht, sondern bestätigt sie vielmehr (MS.) Eine Art moralischen Zwanges, wenn man es so nennen will, waltete dabei
allerdings ob: es war die Pression des allgemeinen Volkswillens.

3

1458 hann Carvajal, um die Delegirung irgend eines ungarischen Bischofs zu diesem Zwecke anzusuchen.

Es säumten auch die Stände und der König selbst nicht, das Geschehene sowohl dem Kaiser, dem Papste, den benach= barten Fürsten, als auch den Ständen der Kronländer Mäh= ren, Schlesien, der Sechsstädte und der Lausitz anzuzeigen. Diesen wurden besonders die hohen Tugenden und Verdienste des neuen Königs gepriesen und angelobt, daß er ihnen ein gerechter und huldvoller Herr sein werde. Es scheint jedoch, daß außerhalb der Gränzen Böhmens, mit Ausnahme des Königs Mathias von Ungarn, niemand recht über Georgs Erhebung sich freute. Hinsichtlich des Papstes galt es zwar als gutes Zeichen, daß sein Legat Carvajal schon am 20. März in einem ziemlich herzlichen Schreiben den neuen böh= mischen König beglückwünschte, und daß Calirt III selbst ihm
22 Feb. noch vor der Wahl am 22 Februar so ungewöhnlich liebreich schrieb, als hätte er seine Erhebung vorausgesehen. Kaiser Friedrich, dessen Stimme das meiste Gewicht hatte, betrug sich seinem Naturell gemäß ziemlich gleichgiltig und unternahm wenigstens nichts Ernstes gegen ihn, obwohl er namentlich auf Mähren Ansprüche machte. Allein die übrigen Fürsten erwiesen sich durchaus feindselig. Herzog Albrecht suchte, als er König Georgs Wahl erfuhr, seinen Zorn an dessen Freunde in Oesterreich, Herrn Ulrich Eizinger, zu kühlen, lud
5 März ihn am 5. März verrätherisch zu sich nach Wien, verhaftete ihn und ließ ihn einem Verbrecher gleich einkerkern; es hieß, er habe ihm K. Ladislaws Tod Schuld gegeben, obwohl er sich zu solcher Beschuldigung öffentlich nicht bekannte. Nächst ihm legten die Herzoge von Sachsen die größte Erbitterung
11 März an den Tag. Schon am 11 März erließ Wilhelm in Wei= mar an den Kaiser, den Papst und die Kurfürsten eine Pro= testation gegen die prager Wahl, und sein Bruder Friedrich ver= wendete sich eifrig sowohl bei dem päpstlichen Nuntius Marino de Fregeno, als bei den benachbarten Fürsten und Bischöfen,

um die Krönung „des alten Feindes des katholischen Glau= 1458
bens" zu hintertreiben und das Kurfürsten=Collegium gegen
dessen Aufnahme in seinen Schooß zu stimmen. Ihnen stimmte
auch Markgraf Albrecht von Brandenburg bei, den man in
allen wichtigeren Reichsangelegenheiten um Rath anzugehen
pflegte, und der im Laufe dieses Jahres auch Friedrichs von
Sachsen Schwiegersohn geworden war. Ein einziger deutscher
Herrscher erkannte Herrn Georg gleich Anfangs als König
an und befreundete sich mit ihm: es war dies Johann von
Grumbach, Bischof von Würzburg. Andere gaben ihm wenigstens
keine Antwort, indem sie ihn weder mit dem königlichen Titel be=
ehren, noch durch Verweigerung desselben beleidigen wollten. [15]

Ueber das Verhalten der mährischen Stände unter diesen
Umständen ist überhaupt wenig bekannt. Der alte hochver=
diente Landeshauptmann, Johann Towačovský von Čimburg,
war seit lange Herrn Georgs vorzüglicher Freund und Ver=
ehrer gewesen: [16] nahm er auch nicht offen Partei für ihn,

---

15) Nach ziemlich zahlreichen Acten im Dresdner Staatsarchive. Andere
Briefe darüber stnden sich im MS. des prager Domcapitels G. XIX,
namentlich der von Carvajal, datirt aus Ofen vom 20 März, wo
es heißt: Intelleximus ex literis baronum Vestri inclyti regni
Bohemiae, Vestram Serenitatem electionis ipsorum baronum mi-
nisterio ad regale culmen regni ipsius esse evectam: pro quo
congratulantes baronibus ipsis magnificis et toti regno vestro,
attentissime pr.ce divinam pietatem precamur etc. Nos vero
plurimum laetati sumus, sperantes quod divina spiritu inflam-
mata Vestra Majestas reddet honorem pro beneficiis Vrae Serti
collatis etc. Wichtig ist auch, was Gregor von Heimburg an den=
selben Carvajal am 8 Sept. 1465 schrieb: De morte Ladislai ga-
visi .unt, qui necem ejus lugere tenebantur, — cum rex (Georgius) tam subito mergens a cunctis irridebatur, imperator
primus eum recognovit etc. (Ibid.)

16) Nach dem Zeugnisse der mährischen Landtafel hatte er schon um
1448, für den Fall seines frühen Todes (er starb aber erst 1464),
seinen beiden nachmals berühmt gewordenen Söhnen, Ctibor und
Johann, Herrn Georg zum väterlichen Vormund bestimmt.

3*

1458 so schien er doch auch gegenwärtig nur um die Erhaltung der Ruhe des Landes, nicht um die Wahl eines neuen Herrn besorgt zu sein. In Mähren schafften Herrn Georg, dem Nachkommen eines eigentlich urmährischen Geschlechtes,[17] auch seine Familienverhältnisse eifrige Freunde und heftige Feinde; unter den ersteren sind besonders die Herren von Cimburg, Pernstein, Lipa und Boskowic, unter den letzteren vorzüglich Hynek Bitowsky von Lichtenburg, Herr auf Zornstein zu nennen. Die Stände kamen den ersten Sonntag nach Ostern 9 April (9 April) in Brünn sehr zahlreich zusammen, und beschlossen den neuen König unter folgenden Bedingungen anzuerkennen: den katholischen Prälaten, Herren und Städten sollte vollkommene Religionsfreiheit zugesichert, das den Ständen durch die Nichtberufung zur Königswahl geschehene Unrecht wieder gut gemacht, und sämmtliche Privilegien der Markgrafschaft bestätigt werden; der König sollte suchen, die Urkunden, welche K. Ladislaw vom Schloße Spielberg nach Oesterreich hatte schaffen laffen, dem Lande wieder zurückzuerstatten; die

17) Schon vor Ende des XV Jahrhunderts hat irgend Jemand die Fabel in Umlauf gesetzt, K. Georg stammte eigentlich von den deutschen Grafen von Berneck und Nidda ab, weil sein vermeinter Ahnherr Boček, Burggraf von Znaim seit 1239, † 20 Dec. 1255, von K. Otakar II seit 1251 auch mit der Verwaltung der an die Znaimer Provinz gränzenden Grafschaft Berneck in Oesterreich betraut wurde, daher in Urkunden auch comes de Bernekke, rector provinciae Bernekcensis hieß. Die von Prof. Roepell in Breslau unlängst entdeckte und edirte Chronica domus Sarensis hat aber diesen Täuschungen ein Ende gemacht, indem sie nachwies, daß Boček's des Grafen von Berneck Nachkommenschaft schon in seinem Enkel Smil 1312 erlosch, und das ganze Geschlecht der Kunstadte, folglich auch die Linie von Podiebrad, von Boček's Bruder Kuno, dem Erbauer von Kunstadt (1243—1286) abstammte, bei welchem eben so wenig, wie bei den übrigen Brüdern Mikul und Smil, und deren gemeinschaftlichem Vater Her* alt oder Gerhard von Obřan (1210—1240) irgend eine Meldung von Berneck zu finden ist.

Angelegenheiten Mährens sollten künftig nur nach dem Gut- 1458
achten mährischer Räthe verwaltet, der Unterthaneneid aber
dem neuen Herrscher erst dann geleistet werden, bis er selbst
nach Mähren kommen würde. Die Bürger von Olmütz jedoch, von Brünn, Znaim und Iglau, größten Theils Deutsche
und durchaus Katholiken, wollten sich mit keiner Zusage binden, und richteten ihre Blicke mehr zu den Herzogen von
Oesterreich, von denen sie auch fleißig gemahnt wurden, in
der Treue zu verharren. Als aber die Gesandtschaft, die vom
Landtage nach Prag geschickt worden war, mit „guten Nachrichten" zurückkehrte, benahm sie der sich bildenden Opposition
wenigstens ihre moralische Kraft, so daß zu der angekündigten
Krönung in Prag auch die mährischen Großen in großer
Zahl sich rüsteten.[18]

Bedenklicher war der Widerstand, auf welchen der neue
Herrscher bei den Fürsten, Prälaten und Städten von Schlesien stieß. Diese beschwerten sich gleichfalls, daß man sie
nicht zur Wahl berufen habe: allein noch mehr verdroß die
Fürsten, daß ein Mann von niedrigerer Geburt ihr Herr,
die Prälaten, daß ein Ketzer König sein, die Städte, daß ein
Böhme und Slawe ihnen gebieten sollte. Gleiche Ansichten
herrschten auch in den Sechsstädten und der Lausitz. Es
wurden deshalb viele Berathungen gehalten, die erste zu
Liegnitz am 19 März, die zweite zu Breslau am 16 April 16 Apr.
u. s. w. An beide Versammlungen ordnete auch Georg seine
Gesandten ab: nach Liegnitz Dietrich Humlowsky von Janowic, Otto von Sparnek Hauptmann zu Eger und Hanuš
Wölfel von Warnsdorf, Hauptmann von Glatz; nach Breslau
Zdenk von Sternberg, Heinrich von Duba auf Lipa, Prokop
von Rabstein und Otto von Sparneck. Bei beiden Versammlungen waren auch Gesandte Herzog Wilhelms von

---

18) Mehrere Urkunden über diese Verhandlungen, aus Znaimer Archiven
geschöpft, sind gedruckt in Fontes rerum Austriacarum, Abtheil. II,
Band II, pag. XXVIII—XXXIV.

1458 Sachsen, bei der Breslauer zugleich Gesandte der Herzoge von Oesterreich, Albrecht und Sigmund, zugegen.

Die Mehrzahl der Schlesier und mit ihnen der lausitzer Sechsstädte neigten sich augenscheinlich auf Herzog Wilhelms Seite. Es wurde jedoch nichts übereilt beschlossen, sondern von Liegnitz aus zur Antwort gegeben, die Fürsten und Städte müßten noch in größerer Zahl zusammen kommen, um einen gemeinschaftlichen Beschluß zu fassen. Zu Breslau, wo die Versammlung ziemlich zahlreich war, [19] kam man nach langer Berathung endlich am 19. April überein, daß die Schlesier zwar sich zur Krone von Böhmen, so fern ihnen das als christlichen Fürsten und Landen zu Ehren gebühre, treu zu halten entschlossen seien: da aber an sie von den Herrschaften zu Sachsen, Oesterreich und Böhmen verschiedene Ansprüche gemacht würden, so seien sie übereingekommen, niemanden als König anzuerkennen und aufzunehmen, bevor nicht an geeigneten Orten entschieden würde, wem sie mit Gott, Ehre und Recht·als einem christlichen Herrn und König in Böhmen gehorchen sollten. [20] Es war dies scheinbar eine Berufung auf den Kaiser und Papst, im Grunde aber nur ein

19
April

19) Der Breslauer Bundbrief unterschrieben Bischof Jost, die Herzoge Heinrich und Wlodek von Glogau, Konrad der Weiße von Oels, Balthasar von Sagan, Johann von Priebus, Friedrich von Liegnitz, dann die Städte und Lande Breslau, Schweidnitz und Jauer, Liegnitz, Löwenberg, Bunzlau, Namslau und Neumarkt. Herzog Bolek von Oppeln, ein bekannter Husit, und Konrad der Schwarze von Oels waren zwar auch bei dem Tage, unterfertigten aber die Urkunde nicht. Eschenloer S. 50—58.

20) „Nymands vor eynen Konig vnd erbherren zu birkennen, uffzunemen, bis so lange das es birkant werde an geburlichen steten, wen wir billich mit gote eren, gleich vnd recht als eynen cristenlichen herren vnd Konig in Behmen uffnemen sullen" — so lautete es in der Antwort, die man dem Hauptmann von Schlesien, Herrn Johann von Rosenberg, darüber gegeben. Orig. im Wittingauer Archiv. Eschenloer l. c. Klose documentirte Geschichte von Breslau III, II, p. 13.

diplomatiſcher Kunſtgriff, um Zeit zu gewinnen. Aufrichtig 1458
dürfte nur der Breslauer Biſchof Joſt von Roſenberg ſo gedacht haben; dieſer hatte ſich gleich Anfangs, theils aus
religiöſem Bedenken, theils aus Nachgiebigkeit gegen ſeinen
Vater, gegen Georg erklärt, und ging nun, da er des Papſtes
gute Stimmung für Georg wahrnahm, perſönlich nach Rom,
um dort Belehrung einzuholen. Am leidenſchaftlichſten unter
den Gegnern des neuen Königs erwieſen ſich die Breslauer,
die ſchon ſeit lange von ihren Predigern gegen ihn aufgereizt
worden waren, und nun bald nachher (25 Juni) einen ge- 25 Juni
heimen Bund untereinander ſchloßen, „daß ſie Georg von
Podiebrad für einen König oder Erbherrn nimmermehr haben
noch aufnehmen wollten in keinerlei Weiſe“, und daß ſie
„deſſen einander mit Leib und Gut rathen und beiſtändig
ſein ſollten.“ Das ſchmähliche Benehmen des Breslauer
Pöbels gegen die böhmiſchen Geſandten, die obgleich unter
ſicherem Geleit gekommen, ihres Lebens doch keinen Augenblick ſicher waren, beleidigte ſelbſt die übrigen Schleſier ſo
ſehr, daß beſchloſſen wurde, in Sachen der böhmiſchen Krone
nie mehr in Breslau zu tagen. [21]

In Böhmen und in Prag insbeſondere war man indeſſen
guten Muthes, und traf Anſtalten zur feierlichen Krönung
des geliebten Königs, obgleich das Feſt nahe daran war,
von einer Seite her gehindert zu werden, wo man es am
wenigſten erwartete. In Ungarn nämlich brachen plötzlich ſo
ſchwere Unruhen aus, daß es zweifelhaft war, ob König
Mathias ſo bald im Stande ſein werde, den verſprochenen
Biſchof nach Böhmen zu ſchicken. [22] Doch kamen zu Ende

---

21) Eſchenloer und Kloſe l c. J. J. Müller Reichstags-Theatrum (Jena,
1713) S. 726—736. Eſchenloer (S. 68) berichtet von den Breslauern aufrichtig: Und ſagte die Gemeine, ob es auch der Papſt
und Keiſer erkenneten und geböten, ſo wolte ſie Girſigen nicht ufnemen.

22) Ueber dieſe wichtigen, doch überaus dunkeln Begebenheiten werden
wir im zweiten Capitel dieſes Buches einige nähere Andeutungen
geben.

Aprils zwei von ihm und dem Cardinal Carvajal abgeord=
nete Bischöfe, Augustin von Raab und Vincenz von Waizen,
nach Prag, unter dem Geleit und Schutz einiger ungarischen
Großen, darunter auch des Wojwoden Nikolaus Ujlaki. Die
Krönung war auf den nächsten Sonntag nach Georgi, den
30. April, angesagt, mußte jedoch um eine Woche verschoben
werden. Die Ursache des Verzuges wird nicht angegeben,
doch ist sie leicht zu errathen. Carvajal hatte den Bischöfen
anbefohlen, den König erst dann zu krönen, wenn er voll=
kommenen Gehorsam gegen den römischen Stuhl, gleich allen
christlichen Königen, gelobt haben würde. Bei Formulirung
des Eides, den Georg zu diesem Zwecke abzulegen hatte, han=
delte es sich darum, ob er den Kelch und die Compactaten
aufgeben und somit sein Religionsbekenntniß ändern solle oder
nicht. Es war das eine äußerst zarte und bedenkliche, in ihren
Folgen aber über die Maßen wichtige Frage: gab er der
Forderung der Bischöfe nicht nach, so erlangte er auch nicht
mit der Krönung, die Anerkennung seiner königlichen Würde;
verläugnete er seine Ueberzeugung, so verlor er den Frieden
seiner Seele und die Unterstützung der Nation. Endlich wurde
beiderseits eine Formel genehmigt, [23] in der weder von den

23) Kaprinai gab sie (Hungar. diplomat. II, 163—166) nach einer
Handschrift des Vaticans heraus: Ego — promitto — atque juro —
quod abhinc et inantea — obedientiam et conformitatem more
aliorum catholicorum regum in unitate orthodoxae fidei, quam
ipsa S. Romana — ecclesia — tenet, fideliter observabo, ipsam-
que, catholicam — fidem protegere — volo toto posse, popu-
lumque mihi subjectum secundum prudentiam a deo datam ab
omnibus erroribus, sectis et haeresibus, et ab aliis articulis S.
Rom. ecclesiae et fidei catholicae contrariis revocare et ad
verae — fidei observationem ac obedientiam, conformitatem
et unionem ac ritum cultumque S. Romanae ecclesiae reducere
et restituere volo. König und Königin, die kein Latein verstanden,
schworen böhmisch: nun hatte aber die Uebersetzung der ganzen
Formel gewiß eigenthümliche und bedeutende Schwierigkeiten.

Compactaten noch von dem Kelche die Rede war, sondern 1458
nur von der Verpflichtung zum Gehorsam und zur Einheit
im Glauben, sowie zur Vertilgung aller Secten und Ketzereien in Böhmen überhaupt. Dieser Eid wurde vom Könige
und der Königin insgeheim im königlichen Gemache am 6 6 Mai
Mai geleistet, in Gegenwart der erwähnten ungarischen Bischöfe und Magnaten und einiger Böhmen, wie des Bischofs
Protas von Olmütz und des obersten Landrichters und obersten
Kanzlers von Böhmen; er ist daher nicht mit dem später
bei der Krönung selbst abgelegten gewöhnlichen Eide zu verwechseln, der die Aufrechthaltung sämmtlicher Rechte und
Privilegien des Landes, somit auch der Compactaten in sich
faßte. Bekanntlich entstand in der Folgezeit ein gewichtiger
Streit über die Frage, ob sich der König durch jenen Eid
verbunden habe, vom Kelche sammt seinem Volke abzulassen
oder nicht? Die Katholiken bejahten, er verneinte sie, indem
er behauptete, es könne ihm niemals in den Sinn gekommen
sein, dasjenige als Ketzerei anzusehen, was durch die Basler
Compactaten gebilligt worden war. Die ungarischen Bischöfe
wurden später nicht um eine authentische Auslegung des
Eides angegangen; Georgs ferneres Bemühen aber, die Bestätigung der Compactaten von Seite des römischen Stuhls
zu erlangen, scheint an und für sich für die Wahrheit seiner
Behauptung zu sprechen. Hätte er nämlich ihnen durch jenen
Eid in vorhinein entsagt, so hätte er von da an nicht mehr
sich für deren weitere Giltigkeit öffentlich verwenden können. [24]

24) Kein Kundiger wird jemals annehmen, die Nichterwähnung des
Kelches und der Compactaten in der Eidesformel sei die Folge des
Zufalls oder Vergessens und nicht eines Compromisses. Wichtig
ist diessfalls eine dem Markgrafen Albrecht von Brandenburg von
dessen Agenten in Prag am 9 Mai 1458 gegebene Nachricht, die
wir im königl. geh. Cabinetsarchiv in Berlin gefunden. Da heißt
es: „Ouch so thu ich Eur. Gnadin zcu wissin, das yn dy py-
schoffe nicht kronen wolthin, her müst yn gelabin vnd sweren,
das her der Romischen Kirchin vnderthenig wellet sein vnt

Für die Abwesenheit fremder Fürsten und Prälaten
bei der Krönung Georgs, Sonntags am 7 Mai, und seiner
Gemahlin Johanna von Rožmital, Montags am 8 Mai,
bot die zahlreiche und freudige Betheiligung sowohl des in=
ländischen böhmischen und mährischen Adels, als des gemeinen
Volkes hinlänglichen Ersatz. In dem feierlichen Zuge, von
welchem der neue König der Sitte gemäß auf dem prager
Schloße gesucht und in die St. Veitskirche geführt wurde,
trug ihm Zdenêk von Sternberg die Krone, Johann von
Rosenberg das Scepter und Heinrich von Michalowic den
goldenen Apfel voran, ihm zur Seite schritten die beiden
ungarischen Bischöfe. In der Kirche wurde es offenbar, welch'
große Macht die Sterndeuterei auf das Gemüth des Königs
ausgeübt haben muß, da man etwa eine Stunde auf das
Zeichen zu warten gebot, bis es erlaubt wurde, ihm die
Krone auf das Haupt zu setzen. Bei der festlichen Tafel, die
hierauf im Schloßpalaste folgte, verrichteten wieder die an=
gesehensten böhmischen Barone ihren Dienst. Dabei fand ver=
schiedene Kurzweil, Tanz und Schauspiel statt, und Heiterkeit
und Frohsinn herrschte, als hätte man schon die ganze Welt
gewonnen. Eine der ersten Handlungen des neuen Königs
scheint die Erhebung seines zweitgebornen erst 15jährigen
Sohnes Victorin zum Herzog von Münsterberg und Troppau

auff vnsern gelauben trethin. Darauff hat her yn eyn antwort
gegebin, her welle potschafft zcu vnsern hyligen vater den pabst
schigkin, vnd was yn vnser heiliger vater bijet vnd reth, das
wil her thun Darauf hat her zcwene hyn geschigkt yn den
Romischen hoff. Auch habe ich heymlich vernomen, wie her
dannoch von der Compactat wegen auch hyn geschigkt hat vnd
begert von vnsern heiligen vater bi zen bestetigen." Ist das
nicht eben so bezeichnend, wie der Umstand, daß, als er im
J. 1462 um die feierliche Bestätigung der Compactaten einkam,
ihm in Rom gar nicht entgegengehalten wurde, wie er durch seinen
Krönungseid ihnen schon factisch in vorhinein entsagt habe? (Vgl.
unten.)

gewesen zu sein, der erstgeborne Namens Boček, wurde in 1458 der nunmehr königlichen Familie, wegen seines Blödsinns, fortan ignorirt. Die Landes= und Hofbeamten aber bestätigte der König in ihren Aemtern alle ohne Ausnahme. [25]

Unmittelbar nach diesen Festlichkeiten fertigten wie die Bischöfe, so auch der König Gesandte nach Rom ab. Jene gaben Rechenschaft über ihr Verfahren, dieser aber erklärte seinem Eide gemäß, daß er dem heiligen Vater ein getreuer und gehorsamer Sohn sein und insbesondere auf den Schutz der Christenheit gegen die überhandnehmende Macht der Türken Bedacht nehmen wolle; doch bat er zugleich, der Papst möchte seine Hilfe zur Beruhigung der Gemüther einiger seiner Unterthanen nicht versagen. Auch der Procu= rator einst K. Ladislaws in Rom, Heinrich Rohrau, ein Geistlicher, verwendete sich bei Calirt III mit allem Fleiße für den neuen König, und soll in dessen Namen unbedenklich alles versprochen haben, was man nur immer von ihm for= dern mochte. So soll es gelungen sein, den schon etwas schwachen und leichtgläubigen Greis auf dem päpstlichen Stuhle dahin zu bringen, daß er nicht lange vor seinem Tode († 6 August 1458) ihn mit einer Bulle beehrte, welche die übliche Ueberschrift trug: „dem geliebtesten Sohne Georg, König von Böhmen." [26]

25) Aufschlüsse über die Krönungsfeier bietet dasselbe Schreiben vom 9 Mai, wie oben. Ebendorfer, der sein Werk gleichzeitig schrieb (ap. Pez. II, 892), nannte Victorin schon 1458 ducem Opaviae et de Munsterberg, also vor den darüber erschienenen kaiserl. De= freten von 1459. Der Herzog Wilhelm von Troppau und Münster= berg war 1452 gestorben, und bald nach ihm auch seine unmündi= gen zwei Söhne; von seinem Bruder Ernst erkaufte Georg von Podiebrad das ganze Herzogthum auf dieselbe Weise, wie er früher den ganzen Besitz der Herren von Castolowic an sich gebracht hatte.

26) So stellten der Cardinal von Pavia, Jakob degli Amanati, zu= genannt Piccolomini, in seinen Commentarii (lib. VI. ap. Gobelin p. 430 sq) und nach ihm Raynaldi wie auch andere Schriftsteller

1458   Die Krönung nach römischen Brauche und die treue
Ergebenheit der angesehensten Herren der katholischen Partei,
namentlich Johanns von Rosenberg, Zdenks von Sternberg
und anderer, [27] gewannen dem Könige den Gehorsam nicht
nur aller böhmischen Katholiken, sondern auch der Mehrzahl
der mährischen, indem ihre Zweifel dadurch vollkommen be-
hoben wurden. Der Bischof von Olmütz, Protas von Boskowitz, ließ sich auch herbei, das Geschäft eines Kanzlers bei
dem Könige, wenigstens in und für Mähren, eine Zeit lang
persönlich zu versehen. Nur die mährischen Städte Olmütz,
Brünn, Znaim und Iglau ließen sich nicht so leicht beschwichtigen, da sie in ihrer Widersetzlichkeit von Herzog Albrecht
unterstützt wurden, der ihnen auch wirklich mit Bewaffneten
zu Hilfe kam. Aus diesem Grunde entstand in denselben
Zwietracht und Streit zwischen den vornehmeren Bürger-Ge-
schlechtern und dem gemeinen Volke: denn die aus jenen gewählten Stadtschöppen und Aeltesten, welche doch einige politische Erfahrung und Bildung besaßen, hätten unter gewissen

den Vorgang dar, und beschuldigten den König einer absichtlichen
Ueberlistung des Papstes. Man darf jedoch nicht außer Acht setzen,
daß weder Nicolaus V noch Calixt III, die ja beide nahe daran
waren, die Compactaten offen zu bestätigen, so entschiedene und
leidenschaftliche Gegner derselben gewesen sein können, wie Pius II
und dessen zwei Neffen, Jakob und Franz Piccolomini, oder deren
Freund Carvajal, und daß das Ganze somit recht wol bona fide
und ohne alle Arglist vor sich gegangen sein kann.

27) Nicht uninteressant ist, was Johann von Rabstein in seinem Dialog
(s. Beilage) über das Verhältniß zwischen Zdenk von Sternberg
und dem neuen Könige berichtet: Postquam Georgius regni gu-
bernationem potenti manu suscepit, nonne tu Zdenko in omnibus consiliis suis interfuisti? Cum affirmabat, et per te affir-
mabatur; cum negabat, negasti; ipse album, per te nix addita
est; ipse nigrum, tu veluti corvum ajebas etc. Der alte Ulrich
von Rosenberg konnte es seinem Sohne Johann lange nicht verzeihen, daß er Georg zum König hatte wählen helfen; nach seiner
Ansicht hätte Herr Johann selbst König von Böhmen werden sollen.

Bedingungen gerne sich gefügt, da sie bei längerem Wider= 1458
stande schwere Stürme heranbrechen sahen; das niedere Volk
aber und der Pöbel verwarfen überall so kleinmüthige Rück=
sichten, und namentlich in Znaim mußten die Rathsherren
am 17 April ihre Stellen eifrigeren und entschlosseneren 17
April
Nachfolgern abtreten. Als auch in Iglau die Gemeindeältesten
zur Ruhe riethen, vereitelte der von Albrecht am 3 Mai 3 Mai
abgeschickte Hauptmann, Wolfgang Kadauer, nachdem er in
die Stadt war aufgenommen worden, jede weitere Friedens=
bemühung.

Konig Georg erkannte, daß für ihn die Zeit zu nach=
drücklichem Handeln gekommen war. Er verließ mit seinem
Sohne Victorin Prag am 30 Mai, rückte nach Mähren 30 Mai
und wandte sich zuerst gegen Iglau. Als die Bürger die
Heeresmacht des Königs erblickten, erschracken sie, unterwarfen
sich und gelobten Gehorsam; sobald jedoch das böhmische
Heer weiter nach Znaim gezogen war, empörten sie sich
wieder. Auch die Znaimer nahmen ihn ohne Widerstand in
ihre Stadt auf, und verpflichteten sich zur Treue, die sie
dann nicht mehr brachen. Dort brachte er namentlich die
Tage vom 11 bis 16. Juni in Verhandlungen mit den 11—16
Juni
Oesterreichern und insbesondere mit den Eizingern zu, die
ihn um Hilfe zur Befreiung ihres Bruders Ulrich aus dem
Gefängnisse anriefen. Von da rückte er gegen Brünn, dessen
Bürger zwar ihre Thore vor ihm verschlossen; des folgenden
Tages aber, als sie sahen, daß er Anstalten zum Sturme
traf, sich eines Bessern besannen, und ihn nun mit um so
mehr Ehren und Festgepränge als ihren Herrn aufnahmen,
je schwerer sie sich vorher gegen ihn vergangen hatten. Nach
Brünn beriefen der König und der Landeshauptmann auf
den 4 Juli einen Landtag, wo dem neuen Herrscher im
Namen der ganzen Markgrafschaft Gehorsam gelobt, und von
ihm die Privilegien des Landes der Sitte gemäß bestätigt
wurden; die königl. Städte Olmütz, Hradisch und Neustadt

1458 leisteten ihm am 5 Juli die Huldigung. Nachdem er sich so in den Besitz von Mähren gesetzt, entsandte er aus Brünn zwei Heere: eines nach Oesterreich, den Brüdern Eizinger zu Hilfe gegen Herzog Albrecht; das andere gegen die aufrührerischen Iglauer, unter dem Befehl Burian Trčka's von Lipa. Er selbst begab sich weiter nach Olmütz, wo man ihn mit vielen Ehren als Herrn aufnahm; und von da aus langte er am 21 Juli zu Glatz an, wohin er schon früher alle seine Anhänger in Schlesien berufen hatte.[28]

21 Juli

Auch in Schlesien hatte die prager Krönung eine bedeutende Umstimmung der Gemüther bewirkt, und noch mehr nützte dem Könige das vom Papst Calirt III erhaltene Schreiben, worin ihm die mit dem Königstitel verbundenen Ehren erwiesen wurden; denn für die Verlautbarung desselben in den Nachbarländern wurde auf alle Weise gesorgt. Viele geriethen dadurch in Zweifel, so daß auf dem zu Lieg-

28) Die Geschichte Mährens dieser Zeit ist sehr dunkel und verworren, insbesondere in den Zeitangaben. Nach Urkunden war der König unzweifelhaft vom 30 Juni bis 6 Juli in Brünn, am 14 Juli in Olmütz. Zwei böhmische Briefe von ihm, die aus Znaim datirt sind „dno XI měsiec· července", (Orig. im Wittingauer Archiv), müssen daher nach altböhmischem Sinn und Brauch nicht auf den 11 Juli, sondern auf unsern 11 Juni gedeutet werden. Der König verließ also Prag nicht erst am 6 Juni, wie Weleslawin und Pešina meinten, sondern um eine Woche früher, am Dienstag nach dem heil. Dreifaltigkeitstage, d. i. den 30 Mai. Die Absagebriefe des Königs an Herzog Albrecht, Herzog Sigmund und die Wiener, von Bischof Protas lateinisch verfaßt, waren aus Brünn vom 2 Juli datirt (nach einer Nachricht im Münchner Archiv, vergl. Gemeiner's Regensburg. Chronik, 3 Theil, S. 282—5), und wurden in Oesterreich am 5 Juli übergeben (Anon. chron. Austr. ap. Senckenberg, V, 63.) Ihre Formel erhielt sich bei Barthol. Scultetus, Annales Gorlic. III, fol 88 (MS.) Einige noch ungedruckte znaimer und iglauer Urkunden aus dieser Zeit sind uns durch Hrn. Chytil bekannt geworden; andere sind gedruckt in den Fontes rer. Austriac. l. c. und Bd. VII, S. 146. Von den iglauer Zuständen spricht auch des Königs Schreiben vom 26 Juli (s. unten.)

nitz am 28 Juni gehaltenen Tage, wo Heinrich der Aeltere, 1458
Herzog von Glogau, auf Krossen und Freistadt, zum Bun=
deshauptmann gewählt wurde, der in Breslau geschlossene
Bund selbst schon zu zerfallen begann. Ein weiterer nach
der Stadt Lüben auf den 17 Juli angesetzter Tag ist, wie 17 Juli
es scheint, nicht einmal mehr zu Stande gekommen. In Glatz
stellten sich zwar persönlich beim Könige nur Bolek von
Oppeln und Konrad der Schwarze von Oels ein, die ihm
auch zu huldigen gelobten: allein Bischof Jost und sein Ca=
pitel, eben so die Edlen von Schweidnitz und Jauer, hatten
dort wenigstens ihre „treffliche Bothschaft," und nicht allein
Wlodek von Glogau, sondern auch Konrad der Weiße von
Oels fing an, sich um des Königs Gunst zu bewerben, ob=
gleich es allgemein hieß, die Brüder von Oels hätten die
eigenthümliche Laune gehabt, daß dem Einen immer das
mißfiel, was der Andere zu lieben schien.

Nur der Herzog von Freistadt, als Haupt des Bundes,
dann die Brüder Balthasar und Johann von Sagan und
Friedrich von Liegnitz, so wie auch die Bürger von Breslau,
verharrten noch im Widerstande und bewarben sich um so
angelegentlicher bei Herzog Wilhelm von Sachsen um Schutz,
je schwächer sie ihren Bund werden sahen. König Georg,
der diese ihm günstige Wendung der Dinge erkannte und
dringend nach Oesterreich gerufen wurde, verlegte den be=
absichtigten Zug nach Schlesien auf gelegenere Zeit, und
langte eilends über Nachod und Königgrätz, wo man ihn
mit Jubel als König begrüßte, am 28 Juli wieder in 28 Juli
Prag an.[29]

Ueber die Ereignisse in Oesterreich nach K. Ladislaws
Tode haben sich zwar ziemlich viele, aber gleichwohl unzu=
reichende und einseitige Nachrichten erhalten, da sie nur über
die Streitigkeiten Aufschluß geben, welche zwischen den Für=

29) Eschenloer p. 62—65. Staří letopisové p. 270—1. Cochlaeus sagt,
daß der König Pragam rediit feria VI post festum S. Jacobi.

1458   sten des Hauses, besonders Kaiser Friedrich und seinem Bruder Albrecht, aus Anlaß des erblichen Anfalls dieses Landes
entstanden. Jeder von ihnen wollte Anfangs der einzige
Erbe und Herr von ganz Oesterreich werden: als aber das
nicht anging, und Verhandlungen über die Theilung des
Landes unter alle drei Erben begannen, widersetzten sich die
österreichischen Stände. Die Fürsten wählten nun in dieser
Sache die Stände selbst zu ihren Schiedsrichtern, und diese
trafen am 27 Juni einen vorläufigen Vergleich, vermöge
dessen der Kaiser drei Jahre über Nieder-Oesterreich, Herzog
Albrecht über Ober-Oesterreich herrschen, beide aber einen
Theil ihrer Einkünfte H. Sigmund überlassen sollten; Wien
sollte bis zur weiteren Entscheidung um die nächste Lichtmesse
in der Gewalt der Stände bleiben. Dieser Vergleich kam
jedoch nicht ganz auf friedlichem Wege zu Stande, da Albrecht und Sigmund am 25 Juni gegen das gegebene Wort
ihr Kriegsvolk mit Gewalt hatten in die Stadt einrücken
lassen. Diese Gewaltthat scheint den Kaiser veranlaßt zu
haben, sich um Hilfe umzusehen und dem Könige in Böhmen
etwas freundlicher sich zu nähern. Gewiß ist, daß der König
und der Kaiser schon früher in nicht unfreundlichem Briefwechsel standen,[30] insbesondere wegen der Gefangenhaltung
Ulrich Eizingers, die auch dem Kaiser widerwärtig war. Um
so weniger Bedenken trug jetzt der Kaiser, gegen den Bruder
Hilfe zu verlangen oder wenigstens anzunehmen, der König,
sie zu leisten. Von einer wirklichen Befreundung derselben
konnte wohl keine Rede sein; genug, daß die Interessen beider
sich vereinigen ließen. Dem Könige bot sich über dies die
willkommene Gelegenheit dar, den Gegner für die Unterstützung zu strafen, die er dem Widerstand in Mähren hatte
angedeihen lassen.

30) Einen Beweis von einem solchen Briefwechsel gibt das Schreiben
K. Georgs aus Brünn vom 30 Juni an die Stadt Regensburg.
Gemeiner l. c.

Die Schreiben, womit der König die böhmischen und 1458
mährischen Barone und Ritter wieder unter die Waffen rief,
liefern den Beweis, daß er einen stärkern Kriegszug im Sinne
hatte, als gewöhnlich. „Es sind uns," so schrieb er einem
jeden insbesondere, „dringende Anliegen der Krone Böhmen
vorgekommen, derentwegen wir mit Fleiß ersuchen, daß du
dich in Person mit Deinen Mannen zu Roß und zu Fuß,
so wie auch mit dem Drittheil all' der Leute, die Dir zu=
gehören, auch mit Wagen, Geschütz und anderem Kriegsge=
räth, ferner mit Lebensmitteln auf vier Wochen, zum nächsten
St. Laurenztag (10 August) bei Iglau einfindest. Auch wir 10 Aug.
werden nicht säumen, dahin zu ziehen, und wollen dann ge=
meinschaftlich, was für gut und nützlich erachtet werden wird,
unternehmen. Schicke auch an die Edlen in deiner Nachbar=
schaft, die nicht deine Angehörigen sind, in unserem Namen
daß auf unser Ersuchen jeder zum Wohl und zur Ehre des
Vaterlandes, und zu unserem und seinem Besten sich mit dem
Drittheil seiner Leute gleich Dir aufmache und ausrücke, wie
wir ihm solches wohl vertrauen." [31] Es kam auch wirklich
ein bedeutendes Heer zusammen, worin von den angesehensten
Baronen und Rittern gegenwärtig waren Zdeněk von Stern=
berg, Heinrich von Michalovic, Heinrich von Lipa, Bohuslaw
von Schwamberg, Leo von Rozmital, Heinrich von Kolowrat,
Johann von Cimburg, Karl von Wlašim, Wilhelm von
Rabie, Johann von Pernstein, Johann von Wartenburg,
Wilhelm Krušina von Lichtenburg, Ješek von Boskovic,
Hanuš von Kolowrat, Dietrich und Jenec von Janovic,
Burian von Gutstein, Beneš von Kolowrat, Johann von
Waldstein, Johann Štěpanovec von Wrtba, Zdeněk Kostka
von Postupic, Johann Calta von Kamena hora, Soběslaw
von Pardubic, Johann Pardus von Wratkow, Bořita von
Martinic und Heinrich von Roztok. Der König verließ Prag

31) Zwei Schreiben dieser Art und dieses Inhalts vom 26 Juli fanden
    wir im wittingauer Archive.

1458 am 10 August, und scheint ihnen erst bei Iglau seine Absicht
eröffnet zu haben, nach Oesterreich zu rücken, nicht nur wegen
des geringen Erfolges, den der dort geführte Krieg bisher
gehabt, sondern auch einer Schuld willen, deren Zahlung das
Land verweigerte, und um dem Kaiser durch Bedrängung
seines Bruders und Gegners einen Dienst zu erweisen. Er
verweilte daher nur zwei Tage vor Iglau, ließ dort seinen
Hofmeister Heinrich von Straß als Leiter der Belagerung
zurück, und zog selbst mit großer Eile nach Oesterreich weiter. [32])

Das mit den Eizingern verbundene böhmische Heer
hatte sich am Anfange des Monats August des Marktes
Göllersdorf bemächtigt und verwüstete die umliegende Gegend.
Als Albrecht bei Korneuburg starke Truppenmassen sammelte,
rückte es in geordneter Wagenburg ihm entgegen und bot
ihm bei dem Dorfe Leubersdorf drei Tage lang eine Schlacht
an. Da es jedoch nicht angegriffen wurde, kehrte es mit dem
Scheine einer Flucht bis gegen Laa zurück, und lockte die
Feinde nach. Inzwischen erfuhr der Herzog, daß ein neues,
vom Könige selbst geführtes Heer in drei Säulen gegen

---

32) Die Namen der bei dem Heere anwesenden Barone gibt ihr später
bei Stockerau am 9 Sept. erlassenes Schreiben an die Schlesier
und Lausitzer. Daß aber der ganze Krieg nicht allein zum Besten
des Kaisers, sondern auch auf seinen Antrieb geführt worden sei,
behauptet Dlugoš (p. 235), indem er sagt: Georgius — nec prius
destitit, — donec Austriae ducatus, ex morte Ladislai regis
vacans, Frederico imperatori, in cujus et suggestionem et fa-
vorem bellum gerebatur, redditus est Auch Johann von Guben
sagt (Script. rer. Lusat. I, 80): Idem rex intravit cum consensu
D. Friderici imperatoris Austriam cum manu valida, — impe-
perator per eundem regem sibi acquisivit Wiennam et alia bona
regis Ladislai contra fratrem suum ducem Albertum. Solchen
ausdrücklichen Zeugnissen gegenüber hat das Schweigen der gleichzeitigen österreichischen Quellen keine Beweiskraft. Ueber des Königs
Zug s. auch Staré letopisy S. 171. Sonntags am 20 August
erließ er ein Schreiben „im Felde bei Opatau" zwischen Iglau
und Znaim. (Original im witting. Archiv.)

ihn heranrückte: da gab er nicht nur alle Hoffnung des 1458
Sieges auf, sondern begann auch zu fürchten, er könnte persönlich in Feindeshände gerathen. Er kehrte daher schnell
nach Korneuburg zurück, entließ dort sein Heer und eilte zum
Kaiser nach Wiener-Neustadt. Hier entsagte er in einem mit
seinem Bruder rasch abgeschlossenen definitiven Vertrage schon
am 21 August allen Rechten auf Wien und Niederösterreich, 21 Aug.
indem er sich für gewisse Ansprüche mit baarem Gelde ab-
finden ließ, und in seinem Streit mit den Böhmen und den
Eizingern des Kaisers Vermittlung in Anspruch nahm. König
Georg zog ihm bis an die Donau nach, da er jedoch keine
Feinde fand, wandte er sich hinauf gegen Krems, und fing
die Stadt am 1 September zu belagern an. Dorthin kamen 1 Sept.
des Kaisers Boten mit dem Verlangen, daß er aufhöre, das
Land, das des Kaisers Eigenthum geworden sei, zu verheeren.
Der König erkannte an, daß er als Albrechts und nicht als
des Kaisers Feind ins Land gerückt sei, da er jedoch auch
seine eigenen Forderungen an dasselbe zu stellen habe, so
könne er sich nicht mit bloßen Worten abfertigen lassen, und
müsse in persönliche Verhandlung darüber mit dem Kaiser
eingehen. Es wurde daher der Krieg eingestellt und eine Zusammenkunft der beiden Herrscher bei der Stadt Korneuburg
auf den 16 September verabredet. Das böhmische Heer zog 16 Spt.
zuerst nach Stockerau, später aber, als der Kaiser den erwähnten Tag versäumte, lagerte es, nicht ohne vielerlei
Schaden der Umgebung, bei dem Dorfe Aspern, bis endlich
der Kaiser in Wien anlangte und ein neuer Tag zur Verhandlung anberaumt wurde, die dann auch auf einer Donau-
insel bei Wien vom 25. September bis zum 3. October 25 Spt.
statt fand. [33]   bis
                                                                 3 Oct
Das erste persönliche Zusammentreffen der beiden Herr-

33) Anon. chron. Austriac. ap. Senkenberg, V, 67—73. Thom. Ebendorfer ap. Pez, II, 892—4. Fürst Lichnowsky Regesten l. c. Schreiben der böhm. Barone vom 9 Sept. (MS.)

4*

1458 ſcher hätte einem ſinnigen Beobachter gewiß mannigfachen
Stoff zu intereſſanten Schilderungen dargeboten: wie hier die
Majeſtät der höchſten Würde der alten Welt, doch mit bereits
geſchwächter und der Stütze bedürftiger Macht, einem Manne
gegenüber ſtand, der ohne Vergangenheit und Ruhm, doch
getragen von dem ſiegreichen Willen des Volkes, aus dem=
ſelben zu glanzvoller Höhe emporgeſtiegen war, und wie dort
alter Glanz und Etiquette, bedächtiges Maaß und Sorge der
Erhaltung, hier junge Kraft, friſcher Entſchluß und kluge
Eroberung ſich geltend zu machen ſuchten. Da man noch
nicht wußte, ob ſie als Freunde oder als Feinde zuſammen=
kamen, und weder Herzlichkeit noch Vertrauen waltete, ſo
gewannen mannigfache Liſt und Ränke um ſo freieren Spiel=
raum. Schade daß wir von dem ganzen Auftritte, anſtatt
eines lebendigen Bildes, kaum dürftige und lückenhafte No=
tizen überkommen haben. Als der König, von zwei Rittern
am Arme über die Brücke geführt, zum erſtenmale dem Kaiſer
nahte, verneigte er ſich vor ihm, als ſeinem Oberen, bis zu
den Knien und wurde von ihm umarmt; dann traten beide
in die für ſie vorbereiteten reichgeſchmückten Zelte. Auf die
Schwierigkeiten, auf welche die Verhandlung ſtieß, läßt ſich
nur aus der Länge der Zeit ſchließen, welche ſie in Anſpruch
nahm, und aus den Erfolgen, die man erzielte oder auch
nicht erzielte. Seit Menſchengedenken hatte kein böhmiſcher
König mehr daran gedacht, ſich vom Kaiſer belehnen zu
laſſen: Georg erkannte jedoch in ſeiner eigenthümlichen Lage
das Bedürfniß der Belehnung, insbeſondere den Lauſitzern
und Schleſiern gegenüber. Doch wie eifrig er ſich auf der
Inſel darum beworben haben mag, ſo iſt es gewiß, daß er
damals noch nicht einmal die volle und direkte Anerkennung
ſeiner Königswürde erlangte.[34] Es iſt daher nicht zu wun=

34) Daß damals wirklich über die Belehnung verhandelt worden, er=
   ſehen wir aus einem Schreiben Johann Hrobſty's von Sedlec an
   den wittingauer Schloßhauptmann über die aus dem königl. Lager

bern, daß auch er sich dann nicht zu Allem bereitwillig finden 1458
ließ. Doch da der Kaiser für seine Person keine Ansprüche
auf die böhmische Krone machte, so erkannte er ihn als Schieds=
richter in dem Streite mit den habsburgischen Herzogen an.
Der Kaiser entschied, daß sowohl sein Bruder Albrecht als
sein Vetter Sigmund allen Ansprüchen auf die böhmische
Krone zu entsagen hätten und Ulrich Elzinger ohne weitere
Beschwerden in Freiheit zu setzen sei. In die vom Herzoge
Albrecht für die Iglauer verlangte Amnestie willigte der Kö=
nig nur unter der Bedingung ihrer unverweilten Unterwer=
fung. Die Oesterreicher verpflichteten sich zur Zahlung von
16.000 Gulden, welche vor einem Jahre für Konrad Hölzler
ausgelegt wurden und auf ihrem Lande hafteten. Andere
minder bedeutende Streitsachen wurden künftiger Entscheidung
vorbehalten, und durch kaiserlichen Erlaß vom 2 October 2 Oct.
endlich der Friede nebst allem was dazu gehörte befestigt;
worauf das böhmische Heer, um das Land zu schonen, in
vier Abtheilungen in seine Heimath zurückkehrte.[35]
    Die Stadt Iglau war die letzte Zufluchtstätte aller
fanatischen Gegner des Königs Georg in Mähren geworden.
Der Herzog Albrecht hatte noch zu Anfang August Herrn
Hynek Bitovsky von Lichtenburg, dessen persönlicher Haß
gegen den König unauslöschlich war, dort als obersten Be=

gekommenen Nachrichten. (Orig. im wittingauer Archiv.) In den
Urkunden aus dieser Zeit nannte Kaiser Friedrich den König: „Her
Jeorg, der von den Bonnherrn, rittern vnd knechten, den Bonn=
stetten vnd der lanndschaft des kunigreiches zu Behem zum konig
erwellt vnd gekront ist." Wie viel Kopfbrechens mag den Diplo=
maten jener Zeit so ein Terminus gekostet haben, bis er beiden
Theilen beliebig wurde?

35) Die Urkunde vom 2 Oct. mit der Ueberschrift: „Die Bericht, so
der kaiser mit dem Jorsigku der sich nennt kunig zu Behem ze
Wienn vor den prukken beslossen hat", ist in Chmel's Materialien
abgedruckt (II, 163—3.) Nachrichten darüber finden sich vorzüglich
in Anon. chron. Austriac. und bei Ebendorfer l. c.

1458 fehlshaber eingesetzt. Aus dem Umstande, daß etwa zwanzig
der besseren Familien, die zum Frieden gerathen, die Stadt
wegen innerer Unruhen verließen und sich in des Königs
Schutz begaben, läßt sich schließen, welche Stimmung unter
den Einwohnern herrschte, und man kann sich nicht wundern,
daß das Volk in seiner Aufregung jene Gnade verschmähte,
die ihm der Kaiser unter Bedingung der sofortigen Unter=
werfung ausgewirkt hatte. Es entbrannte ein außerordentlich
blutiger, wüthender Kampf bis gegen die Mitte Novembers;
die Stadt wurde vom königlichen Heere von allen Seiten
eingeschlossen, die Vorstädte niedergebrannt, die Teiche ab=
gegraben, und was nur die damalige Belagerungskunst rieth,
Gräben graben, Schanzkörbe und Faschinen flechten, alles
wurde angewendet. Die Belagerten bewiesen eine außer=
ordentliche Tapferkeit bei mehrfachen Ausfällen, und nicht
selten führten sie Heldenthaten aus, die einer bessern Sache
und eines dauernderen Andenkens werth waren. Als aber
endlich auch die blindeste Wuth die Hoffnungslosigkeit des
Kampfes einsehen mußte, fing man zu unterhandeln an, und
15Nov. am 15 November wurde ein Vertrag geschlossen, dessen Inhalt
im Einzelnen uns zwar unbekannt ist, in dessen Folge aber
die Auswanderer wieder zur Herrschaft in der Stadt ge=
langten und fortan dem Könige Treue bewahrten. Aus der
Nachricht, daß einige der tapfersten Vertheidiger der Stadt
hinterher enthauptet wurden, läßt sich schließen, daß dieselben
sich nicht so leicht und nicht ohne Widerstand ergeben hatten.
Die Wunden, welche diese Vorgänge der früher sehr blü=
henden Stadt versetzten, heilten nur schwer und spät.[36]

36) Ueber diese Ereignisse von Iglau sind nur sehr dürftige Nachrichten
vorhanden. Die meisten bietet noch Johann von Guben (in Scriptor. rer. Lusatic. I, 79—80), dann die Staří letopisové, Cochläus
u. A. In einem Iglauer Stadtbuch findet sich eine gleichzeitige
Aufzeichnung darüber, wo es heißt: Orta est divisio, democratia
regnante. Quid sequebatur? Communitas extollit cornua, prae-

Auch einen andern Umstand bei Schließung des Wiener 1458
Friedens dürfen wir nicht mit Stillschweigen übergehen, da
er für den Wohlstand des Volkes in Böhmen und Mähren
die weitgreifendsten Folgen nach sich zog. Herzog Albrecht
hatte in den letzten Jahren, um dem trostlosen Zustande seiner
Finanzen aufzuhelfen, zu dem leider nicht in Oesterreich und
nicht im Mittelalter allein beliebten Mittel der Münzver-
schlechterung gegriffen, und Kaiser Friedrich begann schon aus
dem Grunde seinem Beispiel zu folgen, um nicht selbst am
Ende darunter leiden zu müssen. Der Uebelstand war zwar
schon im J. 1458 empfindlich, erreichte jedoch seine höchste
Stufe erst 1460. Der Name der „Schinderlinge,“ welchen
das österreichische Geld aus jener Zeit erhielt, ist noch nicht
ganz aus des Volkes Gedächtniß entschwunden. König Georg
hatte noch als Gubernator im Januar 1458 solche Münzen
in Prag öffentlich an den Pranger nageln lassen und ihren
Umlauf so strenge verboten, daß er die fremden Kaufleute,
die sie in den Handel gebracht, aus dem Lande wies mit
dem Beifügen, daß, wer damit noch ferner betreten werde,
nicht nur den Verlust seiner Waare, sondern auch den seiner
Freiheit zu gewärtigen habe. Jetzt aber wo das böhmische
Heer über neun Wochen in Oesterreich gelegen und der König
selbst die Rückzahlung der Hölzler'schen Schuld in österrei-
chischem Gelde sich hatte gefallen lassen, erlaubte er nicht
nur, sondern befahl sogar dessen Annahme, wahrscheinlich
ohne die nachtheiligen Folgen zu bedenken. Es dauerte nicht
lange, so überschwemmten Speculanten Böhmen und Mähren
mit dem schlechten österreichischen Gelde, kauften dafür die

varicatur legem, opprimit senatum, paretque mandatis vilium,
suorum sapientum spreta relatione. Vallatur civitas, incendia
suburbiorum, desolatio villarum, suffossio piscinarum, pluraque
incommoda inferuntur. Et licet repugnabant strenue, sed sine
commodo etc. Die ganz gleichartigen Vorgänge im Inneren von
Breslau könnten dazu als Beleg und Aufklärung dienen.

1458 schönen alten böhmischen Groschen auf und führten sie außer
Landes. Von dem Elende und den Unordnungen, die aus
dieser Unbedachtsamkeit entstanden, so wie von den bedeutenden Opfern, die nöthig waren, um das Uebel wieder
auszurotten, werden wir seiner Zeit ausführlicher berichten.

Zweites Capitel.

Allgemeine Anerkennung.

(J. 1458—1460.)

Des Königs Wirksamkeit im Verhältniß zur Zeitgeschichte. Das deutsche Reich und seine staatlichen Verhältnisse, Territorialpolitik, Opposition gegen Kaiser und Papst, Erscheinungen patriotischen Sinnes. Papst Pius II, Kaiser Friedrich III, Markgraf Albrecht Achilles, Pfalzgraf Friedrich und Herzog Ludwig von Baiern. Tag zu Bamberg und Bruch unter den Fürsten. Die ungarischen Verhältnisse und König Matthias Charakter. K. Georg und das Königreich Ungarn. Pius II und K. Georg. Tag zu Wunsiedel. Wichtige Verträge in Eger. Bündniß des Königs mit dem Kaiser; der Kaiser in Brünn. Besitznahme von Schlesien und Widerstand der Breslauer. Vertrag zu Taus, Tag in Pilsen, Trauung in Eger. Einigung mit den Breslauern und dem Könige von Polen. Der Congreß von Mantua.

Durch die bei Wien geschlossenen Verträge fand sich 1458 König Georg in der Hoffnung, für den dem Kaiser erwiesenen Dienst die Anerkennung der Fürsten seiner Zeit zu erlangen, noch getäuscht: in Kurzem jedoch entspannen sich im Westen wie im Osten neue Reihen gewichtiger Ereignisse welche die Fürsten nöthigten, die Gunst des mächtigen Böhmenkönigs zu suchen und ihm nicht allein die verlangten Titel, sondern auch Aussichten auf noch höhere, bisher gar nicht geahnte Würden zu bieten. Günstige Umstände trugen nicht weniger als persönliches Verdienst dazu bei, daß durch

1458 eine Reihe von Jahren (1459—1464) die politischen Angelegenheiten Mitteleuropas mehr oder weniger alle ihrer Entscheidung von Prag entgegensahen und die hochgehenden
Wogen der Weltereignisse an Podiebrad's Geistesenergie
gleichwie an einem Felsen sich brachen, der sie dämmte und
theilte. Deßhalb wird es nöthig, mit Ueberschreitung der
engen Gränzen des Vaterlandes, den Blick wie den gleichzeitigen Weltereignissen überhaupt, so auch den deutschen und
ungarischen Angelegenheiten insbesondere zuzuwenden.

Die vorherrschenden Momente in der Geschichte der
Podiebrad'schen Zeit waren: zunächst die gewaltsame Ausbreitung des Mohammedanismus nach Westen, und ihm
gegenüber stille aber höchst bedeutende Fortschritte der christlich-
europäischen Gesittung; dann die zeitweilige Restauration
der päpstlichen neben dem gänzlichen Verfall der Kaiser-
macht, und ihnen gegenüber das Wachsen der landesherrlichen Fürstengewalt, wie in Europa überhaupt, so in Deutschland insbesondere. Historische Bedeutung erlangten alle Ereignisse nur dadurch, daß sie diesen Hauptströmungen fördernd
oder hemmend entgegentraten; was sie in keiner Weise berührte, verging unbeachtet und vergessen. Wir werden bald
Gelegenheit haben zu zeigen, wie wichtig die Stellung und
das Wirken des böhmischen Hofes in der türkischen Frage
war, die anfangs alle übrigen beherrschte. Hinsichtlich der
Fortschritte der europäischen Cultur trug K. Georg freilich
zur Aufnahme weder der humanistischen oder altclassischen
Studien, noch der Buchdruckerkunst, noch der großen über-
seeischen Unternehmungen bei, welche die Gedankenwelt Europa's damals vorzugsweise umgestalteten: für freiere christliche
Ideen jedoch wirkte und litt keiner wie er, in Wort und
That, mittelbar und unmittelbar. Als größtes, wo nicht
einziges Hinderniß der päpstlichen Restauration reizte er
endlich gegen sich alle die Gewalten auf, über die der kirchliche Fanatismus seiner Zeit noch zu gebieten hatte. Diese

Verhältnisse werden mit der Zeit von selbst in vollem Lichte   1458
sich darstellen: wir wollen jetzt vor Allem die Veränderungen
der weltlichen Herrschermacht in's Auge fassen, welche allerdings auch mehr neben ihm als durch ihn erfolgten. Zu
leichterem Verständniß der Geschichte wollen wir sie zuerst
in Deutschland, dann in Ungarn erwägen, und uns zugleich
mit dem persönlichen Charakter derjenigen Herrscher bekannt
zu machen suchen, von welchen die leitenden Ereignisse vorzugsweise ihre Richtung und ihren Anstoß erhielten.

Die Staats= und Rechtsverhältnisse Deutschlands änderten sich von jeher mit jedem Jahrhunderte. Karl der
Große hatte zuerst, nach dem Sturze aller alten selbstherr-
lichen Stammesfürsten, die Regierung seines weitumfassenden
Reiches in bewundernswürdiger Weise centralisirt; die Namen
Herzog, Graf, Markgraf u. dgl. bezeichneten unter ihm und
nach ihm bloße kaiserliche Aemter, nicht erbliche Würden und
Herrlichkeiten; alle öffentliche Macht im Staate wurde nicht
nur in seinem Namen, sondern auch nach seinem Willen
ausgeübt. Der Umstand jedoch, daß jene Beamten den Kaiser zu wählen hatten und sich dabei mit den Päpsten in's
Einverständniß zu setzen pflegten, hatte gar bald eine De-
centralisation des Reichs zur Folge, welche im Verlauf der
Jahrhunderte immer mehr zunahm, und den deutschen Staat
zuletzt in eine Art Staatenbund auflöste, der seines Gleichen
weder in der alten noch in der neuen Welt fand. In den
Zeiten Podiebrad's war Deutschland schon ein Conglomerat
der verschiedensten, großen, kleinen und allerkleinsten Mächte
und Herrschaften, von Herzogen und Fürsten, Erzbischöfen
und Bischöfen, Markgrafen, Pfalzgrafen und Landgrafen,
Aebten und Aebtissinen, Grafen, Herren, Rittern und Freisassen, ja Städte= und Bauerngemeinden ohne Zahl, die von
einander unabhängig, ihre Besitzungen eigentlich vom lieben
Herrgott zu Lehen nahmen, indem sie den Kaiser nur so weit
beachteten, als ihnen selbst lieb war. Der Kaiser, dessen

1458 man, wie schon erwähnt, im Reiche noch zur Sanctionirung
der obgleich ohne seinen Willen vor sich gehenden Veränderungen bedurfte, und der verbunden war, sich dem Volke
gegenüber noch in seiner alten Majestät zu zeigen, — obwohl
er vom Reiche kein Einkommen bezog, außer Kanzleitaren,
Kammergelder einiger Städte, Judensteuer und einige Zölle,
— mußte deshalb zunä ch aus jenen Fürstenhäusern gewählt
werden, die, wie Böhmen und Oesterreich, durch eigene Hausmacht stark, die Kaiserkrone gleichsam nur zur Zierde und
zur Erhöhung ihres Glanzes annahmen. Daher kam es
aber auch, daß die Kaiser den Reichsangelegenheiten nicht
mehr jene Sorgfalt und Thätigkeit zuwendeten, welche zur
Einführung wünschenswerther Reformen in den Staatsverhältnissen erforderlich war. Ja oft schien es, als ob sie den
Kaisertitel nur als ein Mittel zur Kräftigung und Mehrung
ihrer Hausmacht ansähen, um sich und ihre Freunde mit den
ärmlichen Resten einer Gewalt zu bereichern, die einst der
glorreiche Hort Aller, nunmehr der allgemeinen Plünderung
preisgegeben schien.

Nach so unglaublicher unendlicher Zerklüftung konnte es
nicht ausbleiben, daß frühzeitig wieder eine Centralisation
anderer Art sich zu bilden begann, welche unter dem Namen
der Territorialpolitik in der deutschen Geschichte bekannt genug
ist. Diejenigen Fürstenhäuser, denen es gelungen war, bei
der Theilung größere Stücke der Reichsmacht erblich an sich
zu bringen, bemühten sich seit lange die erworbene Landes-
hoheit auch da zur Geltung zu bringen, wo ihnen ursprünglich
nur eine Reichsamtsgewalt zustand. So gab es z. B. in
Bayern, Franken, der Pfalz, Sachsen u. s. w. eine Menge
reichsunmittelbarer Städte und Familien, die sich nur als
des Kaisers Unterthanen, freilich in dem bereits angedeuteten
Maße, ansahen. Die Fürsten suchten nun allenthalben diese
reichsfreien Edlen und Städte nach und nach zu ihren Unterthanen, zu bayrischen, pfälzischen, sächsischen Ständen u.

dgl. zu machen. Es ist begreiflich, daß solches Streben zu 1458
endlosen Streitigkeiten und Fehden, wie mit den Kaisern, so
auch mit den Ständen selbst Anlaß geben mußte: und in
der That bilden Erscheinungen dieser Art den größten Theil
des Inhalts der deutschen Geschichte. Bemerkenswerth ist
dabei die Eigenthümlichkeit des deutschen Geistes, daß die
Gemeinden sowohl als einzelne Edle, bei ihren Kämpfen mit
den Fürsten, nicht zur Stärkung der sie alle einigenden und
schützenden Centralmacht des Kaisers ihre Zuflucht nahmen,
sondern in Associationen, in Bündnissen mit ihren Nachbarn
und besonderen Wehrgenossenschaften Hilfe suchten. Die ersten
Beispiele dieser Art von größerem Belang gaben die schwei-
zerischen Eidgenossen, der rheinische Städtebund, die Ritter-
schaften u. s. w.

Frühzeitig hatten die vornehmsten unter den Fürsten, die
Kurfürsten, angefangen, auch die Regierung im Reiche, zumal während der Abwesenheit des Kaisers, sich anzumaßen.
Wir haben bereits erzählt, wie dieselben schon am 17 Januar 1424 zu Bingen einen Vertrag unter einander geschlossen hatten, in Folge dessen man sich im Reiche auch
ohne den Kaiser behelfen konnte, da die oberste Gewalt
jährlich unter ihnen selbst wechseln sollte. Noch wichtiger
waren die Beschlüsse des Kurfürstenvereins von Frankfurt
am 21 März 1446 gegen die schon damals sich bildende
Allianz des Kaisers und des Papstes. Auf Grundlage dieser
Beschlüsse erhob sich schon im Monate November 1456 auf
dem Reichstage von Nürnberg eine ernstere patriotische Opposition der Fürsten gegen Kaiser und Papst zugleich; dem
Kaiser insbesondere drohte man wegen seiner Unthätigkeit
nicht sowohl mit Absetzung, wie bei König Wenzel, als vielmehr mit der Wahl eines römischen Königs, der als eine
Art Coadjutor bessere Sorge für das allgemeine Wohl tragen
sollte. Obgleich jedoch viel geschah, um solchen Versuch in's
Werk zu setzen, gelang er endlich doch nicht, da inzwischen

1458 einige Kurfürsten sich wieder durch Schenkungen und Ge=
währungen hatten gewinnen lassen.

Freilich war jene Opposition unter den Fürsten weder
geboren, noch recht in Aufnahme gekommen. Ein so trostloser
Zustand, der die deutsche Macht und Politik gegenüber den
andern Völkern Europa's nicht nur lähmte, sondern beinahe
vernichtete, konnte allerdings der allgemeinen Beachtung kaum
entgehen: hatten doch die Deutschen schon die husitischen
Böhmen nur mit Schaden und mit Schmach bekämpft, und
nun drohte von Seite der Türken eine noch viel ernstere
Gefahr. Wie gerecht auch die Klagen über das Erlöschen
alles patriotischen Geistes im Volke, über zügellose Selbst=
sucht und Sittenverwilderung aller Stände und Personen sein
mochten, so fanden sich doch immer auch Männer von edlerer
Gesinnung, die nur mit Schmerz auf solches Unwesen blickten,
und um so eifriger es sich angelegen sein ließen, die staat=
lichen Verhältnisse ihres Vaterlandes hoffnungsvoller zu ge=
stalten. Unter diesen sind insbesondere zwei Staatsredner be=
merkenswerth, die Doctoren der Rechte, Gregor von Heim=
burg und Martin Mayr, als Wecker des vaterländischen
Sinnes und als Vorkämpfer für die Rechte ihres Volkes;
denn als Räthe der Fürsten und als vorzügliche wo nicht
ausschließliche Adepten der politischen Wissenschaft übten sie
einen noch größeren Einfluß, als die modernen Diplomaten,
auf die Ereignisse ihrer Zeit aus. [37] Die Lust an den damals

37) Von diesen beiden Männern, die nachmals auch K. Georgs Räthe
wurden, wird später oft die Rede sein. Gregor von Heimburg, zu
Würzburg zu Anfange des XV Jahrh. geboren, stammte aus einer
fränkischen adeligen Familie. Als Syndikus der Stadt Nürnberg
gelangte er 1433 an das Concil zu Basel und im mehrjährigen
Umgange mit den hervorragendsten Männern seiner Zeit reifte sein
Geist zu höheren Ansichten. Seiner ausgezeichneten Wirksamkeit
als Vertreter der deutschen Fürsten in Rom und Frankfurt im
J. 1446 wurde schon gedacht. Im J. 1454 erbat sich ihn K. Ladi=
slaw von den Nürnbergern in seinen Rath; nach dessen Tode stand

erst in Aufnahme kommenden humanistischen Studien schloß 1458
sie beide nicht nur aneinander, sondern auch an den vorzüglichsten Vertreter derselben in Deutschland, an Aeneas Sylvius,
obgleich die Freundschaft mit Letzterem im Conflict der Interessen, die sie vertraten, bald wieder schwand; im Verlaufe der
Zeit erwies sich auch Gregor von Heimburg, wo nicht verständiger und klüger, so doch energischer, beharrlicher und un-
bescholtener, als sein jüngerer Freund Mayr. Es ist kein
Zweifel, daß jene Versuche deutscher Opposition gegen Rom,
jene ungewöhnlichen Aeußerungen patriotischen Sinnes in den
deutschen Reichstags- und Staatsacten vom J. 1454 bis
1461, welche den Forscher überraschen, ihre Entstehung zunächst
dem Geiste und der Thätigkeit dieser zwei Männer verdankten;
denn nur zu bald erwies es sich, insbesondere nach dem Tode
des Kurfürsten von Trier, Jakob von Sirk († 1456), daß es
den Fürsten, die ihre Namen dazu hergaben, an eigentlichem
Sinn dafür, so wie an ernstlichem Willen mangelte. Daher
entstanden auch jene blutigen Kämpfe, welche im J. 1458 das
deutsche Reich zu erschüttern und zugleich K. Georg die Bahn
zu seiner Erhöhung zu ebnen begannen, weniger aus jener
Opposition gegen Kaiser und Papst, obgleich sie damit immer

er 1458—61 in Diensten der habsburgischen Herzoge Albrecht und
Sigmund; später vom päpstlichen Bann getroffen lebte er meist bei
seiner Familie zu Würzburg, bis er 1466 in K. Georgs Dienste trat,
und nach dessen Tode (1471) bald selbst (Aug. 1472) zu Dresden
starb. — Martin Mayr war von Heidelberg gebürtig, bildete sich
größtentheils in Nürnberg bei „seinem väterlichen Freunde" Gregor
von Heimburg, erschien zuerst als Kanzler des Mainzer Kurfürsten
Schenk von Erbach auf dem Reichstage zu Wiener-Neustadt 1455,
wurde später Rath des Pfalzgrafen Friedrich und K. Georgs, und
trat auch schon am 21 Dec. 1459 in die Dienste Herzog Ludwig
des Reichen von Baiern-Landshut, in welcher Stellung er bis
zu dessen (1478) und bis zu seinem eigenen Tode (1481) blieb,
indem er nach und nach, als vorzüglichster Rath sämmtlicher Herzoge von Baiern, großen Einfluß erlangte.

1458 zusammenhingen, als vielmehr aus der obenerwähnten Territorialpolitik oder der landesherrlichen Centralisation.

Nach dem Tode Calirt's III gelangte auf den päpstlichen
Stuhl derselbe Aeneas Sylvius (erwählt 10 August und gekrönt 3 September 1458), den wir schon als ausgezeichneten
Schriftsteller, wie auch als feinen und tüchtigen Geschäftsmann
am kaiserlichen Hofe kennen gelernt habeu. Seine Erhebung
unter dem Namen Pius II war ein bedeutenderes Ereigniß,
als man bisher anzunehmen pflegt. In ihm bestieg ein Mann
den päpstlichen Stuhl, der wirklich auf der Höhe seiner Zeit
stand und die Vergangenheit nicht minder wie die Gegenwart
mit seinem Blicke durchdrang. Er wußte besser als irgend ein
Zeitgenosse alle auf der Weltbühne den Ausschlag gebenden
physischen und moralischen Kräfte und Gewalten zu erkennen
und zu würdigen; er kannte die Verhältnisse und Ansichten von
Freund und Feind aus eigener Anschauung und Erfahrung, da
es so zu sagen keine Partei gab, in deren Lager er nicht einige
Zeit selbst verweilt hätte. Man bemerkte wohl, daß er, von
Jugend auf verschiedenen Grundsätzen und Parteien zu verschiedenen Zeiten, aber mit gleich lebhaftem Eifer und gleicher
Redekraft huldigend, sein Herz an keine derselben hinzugeben
pflegte und allemal bereit war, die Farben je nach der Aussicht,
welche sich ihm eröffnete, anzunehmen und zu tragen: doch versprach eben diese praktische Geläufigkeit und Geschmeidigkeit,
einmal auf den höchsten Standpunkt der Welt gelangt, um so
größere Erfolge, je weniger zu fürchten stand, er könne sich von
seinem Ehrgeize auf eine noch glänzendere Bahn leiten lassen.
Denn wie scharf auch sein Verstand, wie groß seine Bildung
und die Kraft seines Willens waren, dennoch glich er keineswegs jenen seinen Vorgängern, die wie ein Gregor VII, ein
Innocenz III, dem Papstthum so zu sagen ihres eigenen Geistes
Stempel aufdrückten, vielmehr überkam sein Geist Form und
Stempel von der hohen Stellung, zu der er berufen wurde. Er
verstand es nicht, neue Bahnen zu brechen und dem Papstthum

selbst eine zeitgemäßere Form zu geben: aber zur Wiederher=
stellung seiner alten Herrlichkeit und Größe dürfte kaum jemand
geeigneter gewesen sein als er. Schon hatte diese seit der
Auflösung des Basler Concils durch die Sorge seiner nächsten
Vorfahren bedeutend sich wieder gehoben: ihm war es vor=
behalten, sie noch höher zu bringen und auf einige Zeit
gleichsam die Aera Bonifaz VIII zurückzuführen.

Wir haben schon bemerkt, daß Pius II lange vor seiner
Erhebung besser als irgend ein Zeitgenosse sowol die der
Christenheit von den Türken drohende Gefahr, als auch die
Dringlichkeit erkannte, ihrer täglich wachsenden Macht Schran=
ken zu setzen. Da er den Mohammedanismus von zwei
Seiten auf die Christenheit losstürmen sah, aus Afrika über
Granada nach Spanien, aus Asien über das zerstörte byzan=
tinische Reich in die Donauländer, überzeugte er sich, daß zur
Abwendung dieser Gefahr kein Volk einzeln genügte, sondern
daß es dazu der vereinten Kräfte der ganzen Christenheit be=
durfte. Auch war und blieb dies stets die erste und höchste
Sorge seines Pontificats, der er sich ohne Rücksicht auf seine
häufigen Körperleiden mit bewunderungswürdiger Beharrlich=
keit und Energie hingab. Es war ihm ohne Zweifel nicht
unbekannt, daß die Rettung und Erhaltung der christlichen
Welt der nächste und geeignetste Weg war, die Herrschaft
über dieselbe sich zu sichern. Er hätte freilich zu dem Zwecke,
altem Brauche und neueren Zusicherungen gemäß, an die
Berufung eines allgemeinen Concils denken sollen, da ein
Jahrzehend seit der letzten Kirchenversammlung schon lange
abgelaufen war: aber die Curie hatte bereits eine monar=
chische Richtung in der Kirche eingeschlagen, zu welcher die
Concilien nicht stimmen mochten. Es wurde dafür ein Surro=
gat beliebt und die christlichen Herrscher zum Congreß nach
Mantua berufen, wie wir bald umständlicher nachweisen
werden.

Pius II Verhältniß und Benehmen zu *Kaiser Fried=*

1458 rich III war ein ganz eigenthümliches und absonderliches. Er hörte auch als Papst nicht auf, seinem ehemaligen Wohlthäter herzlich ergeben zu sein: aber Friedrich konnte, so aufrichtig auch seine Pietät gegen den päpstlichen Stuhl war, eines gewissen Unbehagens sich kaum erwehren, so oft er vor seinem ehemaligen Diener sich neigen sollte. Gleichwohl benützte er den persönlich günstigen Moment nicht, um wenigstens einen Theil dessen zurückzugewinnen, was die Kaiser in den letzten Jahrhunderten an die Päpste verloren hatten, sondern gedachte des Papstes Ergebenheit nur zur Ausbreitung und Befestigung seiner Hausmacht zu benützen, und zeigte sich empfindlich, ja beleidigt, wenn der Papst seinen Wünschen nicht vollständig nachkam. Die Nachwelt würde überhaupt das Andenken Friedrichs III in größeren Ehren halten, wenn er nicht Kaiser geworden wäre und nicht als solcher eine historische Rolle zu spielen gehabt hätte. Seine äußere Gestalt war zwar eines Kaisers würdig, auch besaß er als Mensch viele Tugenden: er war gottesfürchtig, friedfertig und gerecht, ein guter Gatte und Vater, scharfen Geistes und von ungewöhnlicher Gedächtnißstärke, liebte Kunst und Wissenschaft, befaßte sich besonders gerne mit Gärtnerei und Bauwesen, so wie auch mit Natur- und Kunstseltenheiten. Bei diesen Liebhabereien vergaß er jedoch zu viel seines Berufs als Herrscher und wich so viel möglich den damit verbundenen Pflichten und Anstrengungen aus; ein nicht minderes Gebrechen war sein fast sprichwörtlich gewordener Geiz, die Quelle so mancher drückenden Abgaben und Widersetzlichkeiten: am meisten war jedoch bei ihm die gänzliche Unempfänglichkeit für Ideen überhaupt, zumal im Staatsleben, und die Gleichgiltigkeit gegen dieselben zu beklagen. Welchen Nutzen werde ich davon haben? war seine gewöhnliche Frage, wenn in seinem Rathe staatliche oder kirchliche Reformen besprochen wurden; und wo er keinen handgreiflichen Gewinn ersah, da blieb er thatlos und verschob alle noch so dring-

lichen Anliegen. Und führte er auf den Reichstagen den 1458
Vorsitz, was freilich wohl sehr selten vorkam, so brachte er
durch sein unerbittliches Einschlummern selbst bei den glü-
hendsten Ergüssen der Beredsamkeit die Reichstagsredner zur
Verzweiflung. Bei alledem war er empfindlich und ob seiner
kaiserlichen Würde eifersüchtig, ja eigensinnig, und nicht leicht
vergab er denjenigen, die sich gegen ihn vergangen hatten.

Kaiser Friedrich III hätte sich kaum durch mehr als ein
halbes Jahrhundert auf dem Throne behauptet, wenn nicht
ein Fürst freiwillig sich ihm an die Seite gestellt und seine
Mängel gewissermaßen ersetzt hätte. Es war dies Markgraf Albrecht von Brandenburg, der dritte Sohn
jenes Nürnberger Burggrafen Friedrich, der während des
Constanzer Concils von Kaiser Sigmund zum Markgrafen
von Brandenburg erhoben, später meist oberster Anführer des
Reichsheeres gegen die Hussiten geworden war und 1440
starb. Albrecht, geboren 1414, wurde bei der Erbtheilung
mit den Brüdern Johann, Friedrich II dem Kurfürsten und
Friedrich dem Jüngern, Herr und Erbe von Ansbach, später
auch von Baireuth in Franken, daher er sich eine Zeit lang
bemühte, den Titel und die Rechte eines Herzogs von Franken
an sich zu bringen. Wir haben seit 1439, wo König Albrecht
sich seiner Hilfe in Schlesien gegen die Polen bediente, schon
oft von ihm gesprochen: denn es begab sich im Reiche kaum
etwas von Bedeutung, woran er nicht unter den Ersten,
meist an des Kaisers Statt und für ihn, sich betheiligt hätte.
Er war ein Mann von ungewöhnlicher Geistes= und Körperkraft. Nicht nur auf Turnieren fand er seines gleichen nicht,
auch in blutigen Schlachten war schwer zu sagen, ob er
größer war als Heerführer oder als wackerer und unerschro-
kener Krieger; ja man sagte, daß er manche Niederlage, die
er als Führer erlitt, durch seine persönliche Tapferkeit als
Krieger in Sieg umgewandelt habe; sein Leib war voll
Narben, gewonnen in zahllosen Schlachten; in ihm erglänzte

5*

1458 eines der letzten Musterbilder eines mittelalterlichen Helden.
Sein Unternehmungsgeist und seine Thätigkeit kannten keine
Gränzen, und jedermann war sein kluger Rath wie seine
Hilfe willkommen. Leidenschaftlichkeit, Heftigkeit trübten jedoch
oft seinen frischen Muth, wild begegnete er allen, die ihm
irgendwie entgegen traten, obgleich er anderseits nicht nur
klug und verständig, sondern selbst herzlich gegen diejeni=
gen sich zu benehmen wußte, denen er seine Liebe und
Achtung schenkte. Leute niederen Standes achtete er gering,
Städter und Krämer verachtete er; kaum gab er zu, daß sie
Rechte auch ihm gegenüber besäßen; den Kaisern, den Päpsten
erwies er dafür stets unbegränzte Achtung und Ergebenheit.
„Gehorsam gegen weltliche und geistliche Obrigkeit thut vor
allem Noth," pflegte er zu sagen; „wir sterben und genesen
bei kaiserlicher Majestät, und in deren Heil suchen und finden
wir auch unser eigenes." Durch sein Bemühen wurde zumal
im J. 1461 eine Umkehr im Reiche abgewendet, die dem
Kaiserthum wie dem Papstthum gleich gefährlich geworden
wäre. Darum lobte ihn auch Aeneas Sylvius vor allen
deutschen Fürsten seiner Zeit, und nannte ihn „den deutschen
Achilles", welcher Beiname ihm auch blieb, wenngleich meh=
rere Zeitgenossen es vorzogen, ihn als „den deutschen Fuchs"
(vulpes Germaniae) zu bezeichnen. Denn es ist nicht zu
läugnen, daß er, seinen Vortheil auf allen Wegen verfolgend,
nicht immer konsequent verfuhr, und bei all seiner Kraft und
Ehrenhaftigkeit auch krumme Wege nicht scheute, wo sie zum
Ziele führen konnten. Von seiner ersten Gemahlin, Marga=
retha von Baden, hatte er sechs, von seiner zweiten, Anna
von Sachsen, dreizehn Kinder, und starb erst 1486. Das
gegenwärtige königliche Haus von Preußen zählt ihn unter
seine unmittelbaren Ahnen.

Friedrich Pfalzgraf am Rheine war ein Gegen=
bild von Albrecht von Brandenburg und unterschied sich von
ihm meist durch seine Liebe zu den Wissenschaften und zur

Literatur überhaupt. Lobend wird erwähnt, daß er an alten 1458
Classikern wie an der Naturkunde überhaupt Geschmack fand;
gewiß ist es, daß Gelehrte und Dichter an dem damals glänzenden Hofe zu Heidelberg einer günstigen Aufnahme sicher
waren. Doch verstand er sich auf Waffen nicht minder als
auf das Kriegs- und Staatswesen überhaupt, und erlangte
durch Kunst und umsichtige Sorge noch mehr erfolgreiche
Siege, als Albrecht durch sein stürmisches Wesen, so daß
ihm noch heutzutage der Name „Friedrich des Siegreichen"
gegeben wird, obgleich er auch mit dem Namen „der böse
Fritz" bezeichnet zu werden pflegte. Denn sein Benehmen war
stolz und eher großmüthig als gutmüthig; Unbilden rächte
er an Feinden wie an Widerspenstigen oft sehr grausam. Er
war ein Enkel Ruprechts, des römischen Königs, und Sohn
des Pfalzgrafen Ludwig III, geboren 1425 von Mathilde
von Savoyen; die Kurfürstenwürde gehörte eigentlich dem
ältern Bruder, Ludwig IV, welcher bei seinem Tode (1449)
ein einjähriges Söhnlein (Philipp) hinterließ. So wurde
Friedrich zunächst nur Vormund und Verweser, übernahm
jedoch bald, auf Begehren der Unterthanen, die volle Kurfürstenwürde seines Hauses mit der Bedingung, daß er nie
heirathen, sondern den Neffen an Sohnes Statt annehmen
und ihn somit zu seinem Erben und Nachfolger machen sollte.
Zu diesem Vertrage, den man gewöhnlich mit dem Worte
Arrogation bezeichnete, gaben nach und nach alle Reichsfürsten, auch der Papst, ihre Einwilligung, nur der Kaiser
verweigerte sie eigensinnig. Darum gerieth Friedrich vom Anbeginn in eine Opposition gegen denselben, und wie Albrecht
von Brandenburg in allem des Kaisers Stütze war, so förderte im Gegentheil der Pfalzgraf alles, was auf dessen
Demüthigung und Schwächung abzielte. Die heutigen Fürsten
von Löwenstein sind seine Nachkommen aus einer morgana-
tischen Ehe.

Neben dem erwähnten Markgrafen und dem Pfalzgrafen

1458 ragte Herzog Ludwig von Bayern auf Landshut und Ingolstadt weniger durch persönliche Eigenschaften als durch die Stellung seiner Macht und den Nachdruck, den er seinem Willen zu geben im Stande war, hervor. Man gab ihm, wie vormals auch seinem Vater Heinrich, den Zunamen „der Reiche," der für seine verständige Regierungsweise ein nicht minder giltiges Zeugniß bietet, wie für den blühenden Zustand seiner Finanzen. An Ehrgeiz, Entschlossenheit und Unternehmungsgeist übertraf er jedenfalls seinen Vetter Herzog Albrecht von München und Straubing, welchen die Böhmen 1440 zu ihrem Könige hatten erheben wollen, und welchen man jetzt nur wegen seiner Friedfertigkeit, Andacht und Musikliebe pries († 1460). Ludwig der Reiche hatte im J. 1451 die Tochter des Kurfürsten Friedrich von Sachsen Amalia zur Ehe genommen, und wurde somit später Schwager des Markgrafen Albrecht, seines Jugendgenossen. Den Böhmen war und blieb er zumeist freundlich gesinnt.

Die erwähnten Fürsten waren die Hauptpersonen im Drama voll stürmischer Katastrophen, welches im J. 1458 begann und erst 1463 mit dem Prager Frieden endigte. Nebenrollen spielten darin die Herzoge Albrecht von Oesterreich und Sigmund von Tyrol, die Herzoge Friedrich und Wilhelm von Sachsen, Friedrich II Kurfürst von Brandenburg, Karl Markgraf von Baden, Ulrich Graf von Würtemberg, Ludwig Landgraf von Hessen und unter den Geistlichen vorzüglich der Mainzer Erzbischof Diether von Isenburg. Wir werden davon nur so viel anführen, als zum Verständniß der böhmischen Geschichte und des Wirkens K. Georgs nothwendig sein wird.

Als Kaiser Friedrich, aus Dank gegen den Markgrafen Albrecht, die Befugnisse des Landesgerichts von Nürnberg erneuert und erweitert hatte, begannen die Irrungen mit dem 6 Febr. am 6 Februar 1458 zwischen dem Pfalzgrafen Friedrich und Herzog Ludwig dem Reichen abgeschlossenen Vertrage, dessen

eigentlicher Sinn laut eines geheimen Zusatzartikels vom 24 	1458
Februar dahin ging, daß beide Verbündeten sich zu gegen-	24 Feb.
seitigem Rath und Beistand verpflichteten, wenn Markgraf
Albrecht sie und ihre Unterthanen durch das erwähnte Nürn-
berger Gericht behelligen oder bedrängen sollte; da des
Markgrafen Streben nicht unbekannt war, mittelst jenes
Gerichtes sich als Landesherr in Franken geltend zu machen.
Ein solcher Anlaß ergab sich bald durch einen Streit um
das Schloß und die Herrschaft Widdern. Es war dies eine
Ganerbschaft, wovon drei Viertel dem Würzburger Bisthum,
ein Viertel dem Pfalzgrafen am Rhein zu Lehen gingen.
Einer der Ganerben, Namens Horneck, wegen Plünderns
und anderer Gewaltthaten vor des Markgrafen Landgericht
geladen, stellte sich nicht und zog sich damit und seinen Genossen eine nachdrückliche Strafe zu. Denn der Markgraf
überfiel mit starker Macht Schloß Widdern, nahm es ein
und zerstörte es am 29 Juni, ohne auf die Erbietungen des 	29 Juni
Bischofs und des Pfalzgrafen, so wie auch auf die Hilfe,
die der Pfalzgraf den Seinigen sich zu leisten anschickte,
Rücksicht zu nehmen.

Ein noch wichtigerer Anlaß zu Streit ergab sich bald
darnach. Herzog Ludwig konnte den Verlust der Stadt
Donauwörth nicht verschmerzen, die ehemals seinen Vorfahren
unterthänig, sich frei gemacht und zu einer Reichsstadt em-
porgeschwungen hatte. Darum überfiel er sie nach langen
und großen Vorbereitungen plötzlich mit bedeutender Waffen-
macht, Mitte September 1458, und zwang sie, sich am 19 	19 Oct.
October zu ergeben. Bei diesem Unternehmen war er sowohl vom Pfalzgrafen und dem Bischof von Würzburg, als
auch von anderen Fürsten und Bischöfen, und selbst vom
Markgrafen Albrecht, seinem Jugendfreunde, unterstützt worden. Kaiser Friedrich jedoch erklärte, auf Antrieb seines
Reichsmarschalls, Heinrich von Pappenheim, und des Städte-

1459   bundes, die Eroberung für einen Reichsfriedensbruch und
berief deßhalb einen Reichstag nach Eßlingen.

In der Voraussicht eines nahenden Sturmes kamen die
Fürsten in großer Zahl und nicht geringer Pracht zum Neu=
jahr 1459 in Bamberg zusammen, um die Mittel zu be=
rathen, demselben vorzubauen. Neben dem Markgrafen Alb=
recht, dem Pfalzgrafen Friedrich, Herzog Ludwig von
Bayern, Sigmund von Tyrol und anderen war auch Herzog
Wilhelm von Sachsen anwesend, um eine Reichshilfe gegen
Böhmen zu suchen, und K. Georg hatte Hanns Stampach,
einen Edelmann des Elbogner Kreises, wahrscheinlich nur als
Kundschafter hingeschickt. . Die Versammlung hatte jedoch ei=
nen umgekehrten Erfolg und führte zum stürmischen gänz=
lichen Bruch unter den Fürsten. Denn beim Streit wegen
des Schlosses Widdern, als Markgraf Albrecht in seiner
heftigen Weise mit Hindeutung auf den Pfalzgrafen die
Worte hinwarf: „Horneck sei ein Schalk, und ein Schalk sei
auch, wer ihn in Schutz nehme," zog Friedrich sein Schwert
und rief: „Du lügst, wie ein Fleischverkäufer, ich bin Fürst
in allen Ehren," und hätten die Fürsten die Beiden nicht
mit Gewalt getrennt, sie hätten sich gemordet. Von da an
schwand jede Hoffnung auf einen dauernden Frieden im
Reiche. Beide Parteien begannen sich aufs Neue zu rüsten
und wendeten ihre Blicke nach Böhmen, das seit lange als
ein Hauptdepot von Kriegsmitteln und Kriegskunst angesehen
wurde. Albrecht gestand dem Herzoge Wilhelm offen, daß
seine Ansprüche auf die böhmische Krone nun nicht mehr
durchzuführen seien, und daß es dagegen sehr erwünscht
wäre, wenn er sich mit dem gewählten Könige aussöhnen
und ihn für sich zu gewinnen suchen wollte; er trug sich
dazu als Vermittler an, da auch der König ihn schon darum
angegangen hatte. Es wurden daher durch Stampach Ver=
handlungen angeknüpft, um eine Zusammenkunft der Fürsten
herbei zu führen, und es folgten die Tage von Wunsiedel

und Eger, von welchen in Bälde umständlicher die Rede 1459
sein wird.[38]

Von anderem Gepräge, aber nicht minder bedeutenden
Folgen, war die Reihe von stürmischen Scenen, die gleich=
zeitig im Osten, namentlich im Königreiche Ungarn, sich
entwickelte. Als die ungarischen Magnaten, und namentlich
der Gubernator, Michael Szilagy, einen achtzehnjährigen
Jüngling ohne Verdienste wie ohne Erfahrung zu ihrem
Könige wählten, hofften sie wohl selbst in seinem Namen
lange zu regieren. Auch die böhmischen Kriegsrotten, die so
wesentlich zur Erwählung K. Mathias beigetragen hatten,
rechneten nicht minder auf Belohnung als auf Schutz gegen
den Ungestüm der ungarischen Stände, die nicht abließen auf
die Beseitigung dieser fremden unfügsamen Waffenmacht zu
bringen. Der persönliche Charakter des Königs Mathias
täuschte jedoch bald alle diese auf seine Jugend gebauten
schiefen Hoffnungen. Er war ein Jüngling voll männlichen
Geistes, mit ungewöhnlichen Gaben von Gott ausgestattet,
von großer Schärfe des Verstandes, starker unbeugsamer
Willenskraft und unermüdlicher Thätigkeit; an Körper un=
ansehnlich, eine kleine gedrungene Gestalt, doch kräftig gebaut,
mit reichen falben Locken, einem Löwen an Leib und Seele
nicht unähnlich. Er wollte nicht nur, er wußte auch zu
herrschen gleich von Anbeginn, und litt Niemanden weder
über sich, noch auch neben sich. Als Herr war er sich keiner

---

38) Für die deutsche Geschichte dieser Zeit dient „J. J. Müller's Reichs=
tags=Theatrum" u. f. w. wenigstens als reiche Urkunden= und Akten=
sammlung. Unter den übrigen Schriften zeichnet sich Chr. Jak. Kre=
mer's Geschichte des Kurfürsten Friedrich I von der Pfalz (Mann=
heim, 1766, 2 Bde, 4.) durch seine Gründlichkeit aus. Das Be=
deutendste aus neuerer Zeit ist Joh. Gust. Droysen Geschichte
der Preußischen Politik (2. Bd. Berlin, 1857), obgleich es so zu
sagen nur in den Spitzen der Ereignisse verweilt, ohne in's De=
tail der Erzählung einzugehen.

1459 Pflichten, nur seiner Rechte bewußt; was er wollte, sollte der Welt als Gesetz gelten. Herz hatte er nur für sich und für seinen Ruhm, und sein Egoismus war um so mehr zu fürchten, in je edlere Formen er ihn zu kleiden wußte. Alle Gemeinheit und Kleinlichkeit lag ihm ferne; immer heiter und voll Witz, fand er Geschmack an der Literatur wie an schöner Kunst; er zeigte sich gerne freigebig und prachtliebend, übte rasche und kräftige Justiz, wo sein Interesse nicht mit im Spiele war; aber weder Sittengesetz noch Ehrgebot machten ihm Bedenken, wo ein höherer Gewinn entgegenstand. Dankbarkeit, Zärtlichkeit, Güte und Barmherzigkeit waren ihm unbekannte Tugenden; außer seiner Mutter weiß man von keinem seiner Freunde und Wohlthäter, den er nicht von sich gestoßen hätte, dem er nicht am Ende ein Todfeind geworden wäre. Auch verschmähte sein stolzer Sinn, in Zeiten der Noth, nicht den Schein tiefster Demuth, und scheute dann keinen Trug, wie keine Heuchelei. Es läßt sich zwar einzeln nicht bestimmt angeben, was alles zu Anfange seiner Regierung sich ereignete: nur das ist gewiß, daß er seinem Oheim die Gubernatorswürde schon im Mai 1458 abnahm, und sich auch früher schon mit anderen Herren, wie mit den böhmischen Kriegsrotten, blutig überworfen hatte. Wir besitzen nur unbestimmte Nachrichten von inneren Unruhen, die schon in den Monaten März und April ausgebrochen waren, und für den jungen König nicht durchwegs günstig abliefen.[39] Die Mißvergnügten und die Feinde mehrten die Schwierigkeiten seiner Lage durch die Nachrede, er sei niedriger und nicht nationaler Herkunft, ein walachischer Sprößling ohne Verdienst und ohne Tugend, nur durch Trug und Gewalt

---

39) Schon am 2 März 1458 gaben dem Herzoge Wilhelm von Sachsen dessen Gesandte aus Prag folgende Nachricht: Uns ist auch hud warhafftig zuuersichen gegeben, sich begebe zu Hungern wider den nüuen vffgerückten Konig gros krieg vnd Irrthum ꝛc. (Orig. im Dresdner Staatsarchive.)

auf den Thron erhoben.[40] Er wußte gleichwohl sich so zu $\quad$ 1459
benehmen, daß das gemeine Volk, der niedere Adel und die
Geistlichkeit in Masse ihm anhingen und die Monarchie solchergestalt auch hier auf demokratischer Grundlage sich befestigte. Zu seiner Popularität trug nicht wenig auch der
Kampf bei, den er gegen die böhmischen Kriegsrotten im
Lande eröffnete, erst unter Leitung Sebastian Rozgonyi's,
dann nachdem ein Waffenstillstand am 29 Sept. abgelaufen 29 Spt.
war, unter Leitung anderer einheimischer Führer; Peter
Aksamit war schon zu Ende Mai in einer Schlacht bei
Saros-Patak gefallen, Ziska suchte zu wiederholten Malen
in Polen Zuflucht: doch wurde die Macht jener Kriegsrotten erst nach Verlauf mehrerer Jahre theils mit Gewalt gebrochen, theils durch Verträge beseitigt.[41] Michael
Szilagyi, Ladislaus Gara und Nikolaus Ujlaki schloßen

40) Graf Joseph Teleki (Hunyadiak kora. I. 26 flg.) bemüht sich zwar
nachzuweisen, daß die Familie Hunyadi magyarischer und nicht
walachischer oder rumänischer Abkunft gewesen sei: seine Beweis-
gründe haben jedoch zu wenig Gewicht gegenüber den einstimmigen
Zeugnissen von Aeneas Sylvius, Bonfini und des päpstlichen Legaten vom J. 1462, von welchem in den folgenden Anmerkungen
die Rede sein wird. Doch beweist des Matthias Unkenntniß der
walachischen Sprache wenigstens so viel, daß er schon von Jugend
auf magyarisch war erzogen worden.

41) Bonfini p 411 sq. Kaprinai II, 27, 161, 168, 179, 203 etc.
Katona, XIV, 145, 149 sq. Teleki, III, 83 u. s. w. Ueber Ziska
schrieb am 28 Juni 1458 W. Reischperger, Hauptmann in Pettau,
nach Bayern: Ich bitt Ew. Gn. zu wissen, daß die Hungern dem
Ziska als bei 1200 Mannen vor zu zwein malen erslagen und gefangen haben: also hat er sie itz bezalt und hat inen als bei
5000 Mannen erslagen und gefangen. Aber er hat auch Schaden
an seinem Volk genomen, nachdem er viel grenger gewesen ist,
dann sie. (Orig. in München.) Ziska war bei dem Könige von
Polen zum ersten Mal schon zu Anfang Mai 1458 in Petrikau
und verhandelte mit den Preußen erfolglos (Dlugos p. 225—7);
dann kehrte er nach Ungarn zurück, führte Krieg mit dem Könige,
und war im Monat August schon wieder in Polen (Dlugos p. 229.)

im Städchen Simontornya schon am 26 Juli ein Schutz=
bündniß ab gegen Jedermann, wer sie oder einen von ihnen
unrechtmäßig bedrängen wollte, und es war kein Geheimniß,
daß ihr Bund hauptsächlich gegen Mathias gerichtet war.[42]
Um sich vor Schaden zu bewahren, ließ daher dieser seinen
Oheim gefangen setzen (Anfangs Oktober) und hielt ihn lange
Zeit in Gewahrsam; Ujlaki aber und Gara nahm er ihre
Aemter.[43] Da die Herren aus solcher Strenge ihre Gefahr
erkannten, sannen sie wie auf ihre Verstärkung im Innern,
so auch auf Schutz und Hilfe von Außen. Bald schloßen
sich ihnen die ungarischen Grafen von St. Georgen und
Pösing an, ferner Martin Graf Frangipani, Johann Szécsi,
Paul Bánfi, Ladislaus und Niklas Kanizai, Berthold Eller=
bach, Johann Witowec Banus von Slavonien und die
Oesterreicher Andreas Baumkirchen, Ulrich von Grafeneck
nebst vielen anderen Herren; auch wurden die böhmischen
Kriegsrotten für sie gewonnen.

Bei dieser unerwarteten Umkehr aller Verhältnisse kann
es nicht auffallen, daß auch die Freundschaft zwischen dem böh=
mischen und ungarischen Hofe litt, daß aller freundliche Verkehr
durch Briefe und Boten zwischen ihnen auf lange Zeit ein=
gestellt wurde und an seine Stelle, wo nicht Feindschaft,
doch Entfremdung und Gleichgiltigkeit trat. Die Thatsache
selbst steht fest, obgleich ihre nähere Veranlassung und Ent=

---

42) Der Bundbrief vom 26 Juli 1458 ist gedruckt bei Teleki, X, 593.
43) Ueber Szilagyi's Verhaftung gab Matthias selbst aus Belgrad
8 Oct. 1458 Nachricht (Katona XIV, 161.) Dieselbe stimmt auch
mit den Worten des päpstlichen Legaten von 1462 überein: Il re
Mathias andò verso Belgrado et mandò per il detto Szilagyi
Mihaly suo barba; il quale senza sospetto venne, et giunto
che fu, da lui fu preso et posto in gran strettura, et fu in
grandissimo pericolo della vita, et se non fosse stata l'opera
del revmo Cardinale di S. Angelo, il re lo haveria fatto morire.
(S. Anmerkung 45.)

wicklung nicht mehr bekannt sind.[44] Wie hätte es auch 1459
anders kommen können, da alle die eifrigsten Anhänger des
böhmischen Königs in Ungarn, Ujlaki, Itskra und die Brüderrotten, eben Hauptfeinde des Matthias geworden waren?
Die gegenseitige Spannung mußte schon einen hohen Grad
erreicht haben, wenn die ungarischen Mißvergnügten nicht
nur Hilfe in Böhmen suchen, sondern auch sogar König
Georg oder einen seiner Söhne auf den ungarischen Thron
rufen konnten. Die Sache gewann so viel Ernst und Bedeutung, daß Georg die Regierung von Böhmen am 23 23 Jan.
Januar 1459 seiner Gemalin übergab und persönlich nach
Mähren zog, um dort mit ihnen Rücksprache zu nehmen.
In Olmütz war er bei dem Anfangs Februar gehaltenen
Landtag anwesend, auch gibt man Meldung, daß er in Znaim
gewesen, um mit des Kaisers Gesandten heimlich zu verhandeln, später in Hradisch und in Brünn, von wo er sich
endlich nach Glatz begab.[45] Ujlaki redete dem Könige zu,
er möge die ungarische Regierung zu Handen seines jüngeren
Sohnes Heinrich übernehmen, der bei Ujlaki, als dessen
künftiger Schwiegersohn, bereits längere Zeit gelebt und sich
auch die ungarische Sprache angeeignet hatte.[46] Außer dieser

44) Vergl. was zum 25 Nov. 1460 (nach erfolgter Aussöhnung) aus
Urkunden darüber beigebracht wird.

45) Des Königs Auftrag vom 23 Jan. und mehrere in Olmütz erlassene Urkunden (MS.) Im mährischen Landtagsschluß vom 9. Feb.
wurden in Betreff der königl. Berna und einiger Polizeimaßregeln
zur Befriedung des Landes fast wörtlich die Bestimmungen des
nach K. Ladislaws Krönung in Prag 1453 gehaltenen Landtags
wiederholt. (MS.) Von des Königs Aufenthalt in Mähren sprechen
Cochlaeus und Pessina (Mars Mor. p. 700), seine Ankunft in
Glatz am 28 Febr. meldet Eschenloer p. 74—5.

46) Li baroni — non cessano di tentare il re di Boemia — che
se l'vuole torre l'impresa di venire a fare suo figliolo Re, che
gli vogliono dar ogni favore, persuadendo gli, che meglio et
piu honor gli sara, che il figliolo fosse Re, che la figliola

1459 nackten Thatsache wissen wir jedoch nicht mehr, als daß K. Georg diesen Antrag nicht annahm, und daß die Mißvergnügten, vielleicht auf sein Anrathen, sich dann an Kaiser Friedrich wandten.

Kaiser Friedrich hatte sich im vorigen Jahre, während des böhmischen Einfalls in Oesterreich, geneigt erwiesen, sich mit K. Matthias unter ziemlich annehmbaren Bedingungen gänzlich zu vergleichen und ihm wie beide ungarische Kronen, so auch andere Reichskleinode, die bei ihm verpfändet waren, herauszugeben.[47] Der Grund, warum der Vergleich auf dem

5 Jan. Reichstage zu Segedin (5 Januar 1459) nicht angenommen

Reina etc. Dieser Bericht (Relatio nuntii apostolici etc. gedruckt in d. Fortsetzung der allgem. Welthistorie, Theil 49, Halle 1798, Bd. II in 4. von J. Chr. von Engel p. 6—17, in latein. Uebersetzung in M. G. Kovachich Scriptores rer. Hung. minores, II, 13—32) wurde nicht erst 1480, sondern schon in der ersten Hälfte 1462, daher wahrscheinlich vom Erzbischof Hieronymus Landus von Kreta, verfaßt, und die angeführte Thatsache gehört nicht erst zum J. 1462, wie Teleki meinte (III, 241—2), sondern zu 1459, wie leicht zu erweisen. Auch bei Scultetus (Annal. Gorlic. III, 93) lesen wir einen Brief vom 11 Febr. 1459, wo es heißt: „Geruchet zu wissen, das ich vernommen habe, wij das bij Vngern den Gubernatorem nichten haben wöllen zu eynem konige. Wenn die Vugern sullin habin gesprochen, sie wellen noch viel lieber uffnemen den Girziken zu einem Konige. Vnd der Gubernator auch nichten wil nemen des Girziken tochter." Aus diesen Daten erhalten erst Licht und Sinn Pius II Briefe an Carvajal 24 Febr. 1459 (bei Kaprinai, II, 254 vgl. ib. p. 293) und Dr. Martin Mayr's Worte in einem an K. Georg (m. Febr. 1460) gerichteten Berichte, wo es heißt: Si Vestra regalis Majestas vel regno Hungariae, vel Romano imperio praeficeretur etc. (S. Anmerkung.) Von des Prinzen Heinrich Verweilen bei Ujlaki in Ungarn s. Kaprinai, II, 515.

47) Friedrich hatte zu Wiener-Neustadt am 1 Sept. 1458 von den Gesandten Matthias entweder den lebenslänglichen Pfandbesitz der Städte Eisenstadt und Oedenburg und der Schlösser Forchtenstein, Kabolsdorf, Hornstein, Güns und Rechnitz zu 50.000 Ducaten,

wurde, ist nicht bekannt; eben so unbekannt ist, was in 1459
Ungarn unter den Ständen vorgefallen sein mag, bevor sie
auf dem Reichstage zu Ofen am 10 Februar Matthias 10 Feb.
neuerdings Gehorsam gelobten und von ihm die eidliche Zu=
sage erhielten, ihre Rechte und Freiheiten unverletzt zu be=
wahren. Die Partei Szilagyi's, der noch gefangen saß,
Ujlaki's und Gara's, da sie K. Georg nicht hatte für sich
gewinnen können, versammelte sich in dem Städtchen Güßing
(Német Ujvár) am 17 Februar, und wählte dort den Kaiser 17 Feb
Friedrich zum Könige von Ungarn; und aus allen Umständen
ist ersichtlich, daß diese Dinge nicht etwa insgeheim vorbe=
reitet, sondern mit aller Oeffentlichkeit verhandelt wurden.
Der Kaiser nahm die Wahl am 4 März feierlich an und 4 März
schrieb sich seitdem einen König von Ungarn. Bald kam es
zu offenem Kriege, und die Niederlage, welche die Truppen
Matthias am 7 April bei Körmend erlitten, brachte den 7 April
jungen König wirklich in Gefahr. Er behauptete sich jedoch
in diesen kritischen Momenten durch seltene Umsicht und List
und unerwartetes Glück. Er stellte das Feld wieder her,
und gewann einen Gegner nach dem Andern, durch Bitten,
Geschenke und große Verheißungen; einer der wichtigsten,
Ladislaus Gara, starb eben in diesen Tagen und Matthias
nahm dessen Wittwe und Kinder in seinen Schutz; Szilagyi
gab er frei und söhnte sich mit ihm aus; Ujlaki ließ sich
durch die Aussicht auf den königlichen Thron von Bosnien
gewinnen, und mehrere Andere unterwarfen sich und verließen
den Kaiser, der sich ihnen weder freundlich noch freigebig

oder die alsbaldige Auslösung von Oedenburg, Güns und Rechnitz
mit 50.000 Ducaten verlangt, wogegen die übrigen noch verpfändet
bleiben sollten. Matthias ging im Anbot bis zu 80.000 Ducaten
im Baaren, wollte aber namentlich Eisenstadt alsogleich zurück=
haben. Acten darüber in MS G, XIX, fol. 188 des Prager Dom=
capitels. Bekanntlich wurde der Vergleich auf ähnliche Grundlagen
wirklich abgeschlossen, jedoch erst 19 Juli 1463 (f. unten).

1459 genug erwiesen hatte.[48] So kam es, daß der Sieger sich
bald wieder geschwächt und ohne Kampf überwunden[49] erblickte und nun nach neuer Hilfe sich umsehen mußte — bei
dem Könige von Böhmen.

Ehe wir jedoch unsere Erzählung fortsetzen, müssen wir
noch eine dritte Seite der nachfolgenden Ereignisse zu beleuchten suchen: das Verhältniß nämlich, in welches Papst
Pius II sich zu K. Georg insbesondere setzte. Da der römische Hof ihn schon unter Calixt III als König anerkannt
hatte, so konnte Pius ihm den Königstitel nicht versagen,
ohne zuvor einen ordentlichen Proceß gegen ihn eingeleitet
zu haben. Wir können nicht sagen, welchen Eindruck auf
K. Georg die Nachricht von des Aeneas Sylvius Papstwahl
gemacht, noch ob er die Gefahr geahnt habe, die ihm und
Böhmen von daher drohte: doch war schon der erste Erlaß
dieses Papstes in böhmischen Dingen geeignet, Bedenken her-
vorzurufen. Der Dechant des Prager Domkapitels, Wenzel
von Krumau, dem neuen Papste persönlich wohlbekannt, war
bei dessen Krönung anwesend, indem er nach Rom gekommen,
Belehrung zu suchen, wie er sich gegen den König nach dessen
Krönung und Eidesleistung zu benehmen habe. Pius bestellte
ihn schon am 10 Sept. 1458 neuerdings zum Administrator

48) Gobelinus l. c. pag. 328: Hungari imperatori faventes, eo minora faciente quam promiserat, cito ab eo defecerunt et in
gratiam Matthiae redierunt.

49) Matthias versicherte in einem am 14 Apr. 1459 zu Ofen datirten
Briefe die Saroscher, daß die ihnen früher mitgetheilte Nachricht
unrichtig gewesen und er erst gestern im Gegentheil den vollständigen Sieg seines Heeres erfahren habe. (Wagner diplom. Saros.
P. 12. Katona XIV, 227.) Dies haben ungarische Schriftsteller,
unter andern auch Graf Teleki, auf eine von der bei Körmend
verschiedene, spätere Schlacht beziehen wollen, was im Ernst zu
widerlegen kaum nöthig sein dürfte. Dagegen ist es allerdings
gewiß, daß Matthias schon im Juni wieder die Offensive ergriffen
hatte (Fontes rer. Austr. VII, 175—6.) Die übrigen Quellen sind
hinreichend bekannt.

des Prager Erzbisthums mit erweiterter Macht; so daß 1459 dieser nach seiner Rückkehr aus Rom auch die Priester der Kelchpartei unter seine Jurisdiction zu ziehen begann. Das führte zu vielfachen Anstößen zwischen seinen und Rokycanas Anhängern, welche im März 1459, wo der König, mit Vorbereitungen gegen die Breslauer beschäftigt, noch in Glatz weilte, einen so gefährlichen Charakter annahmen, daß er alle andern Sorgen aufgeben und nach Prag eilen mußte, um die Unruhen zu dämpfen. In dem darüber ausgebrochenen Streit geschah es, daß der Oberstburggraf Zdeněk von Sternberg, als Haupt der Katholiken des Landes, den König zum ersten Mal an seinen vor der Krönung abgelegten Eid erinnerte. Georg erwiederte, er habe und könne seine Pflichten gegen beide Parteien, Katholiken und Calixtiner, wolle daher und müsse sie auch beiden gegenüber erfüllen.[50]

Pius II benahm sich öffentlich gegen K. Georg gleich von Beginn dergestalt, als wäre es selbstverständlich, daß er sich durch seinen Krönungseid vom Kelche und den Compactaten losgesagt habe. Darum ließ er auch die in dem Berufungsdekrete zum Mantuaner Congreß an die Könige überhaupt gerichteten lobenden Worte: „stets wurdest Du, geliebter Sohn, als ein sehr frommer Fürst und als vorzüglicher Verehrer des Glaubens und der Religion angesehen" u. s. w. in dem am 1 Oct. 1458 auch an ihn gerichteten Exemplar nicht unterdrücken. Dagegen fehlte es im besondern Verkehr

---

50) Cochlaeus ad h. a. führt des Königs Worte an: Fateor, domine de Sternberg, me manutentionem, tuitionem, defensionem et libertatem vobis et parti de fide vestra promisisse: cum hoc tamen non nego, imo fateor, me his quoque, qui de alia fide sunt, manutentionem et defensionem promisisse. Quod quidem promissum, tamquam in debitum cadens, volo iis qui de illa parte sunt possibiliter servare. Vgl. Raynaldi ad h. a. Pessina Phosphor. septic. p. 242. Eschenloer (p. 75) sagt, es seien in den obenerwähnten Unruhen in Prag mehrere Personen um's Leben gekommen.

1459   nicht an Anzeichen, daß sein Vertrauen kein ungetrübtes war.
Der König hatte auch noch vor Weihnachten 1458 eine nicht
unansehnliche Gesandtschaft auf zehn Rossen nach Rom ab=
geordnet, deren Häupter der Wyßehraber Probst Johann von
Rabstein, ein jüngerer Bruder des Kanzlers Prokop, und der
Doctor Fantinus de Valle, ein aus Trau in Dalmatien ge=
bürtiger Slave waren. Dieselben trafen den Papst, zu Ende
des Monats Februar, auf seiner Reise zum Congreß zu
Mantua in Siena, wo sie dann bei ihm bis Mitte April
verweilten.   Der König ließ durch sie dem Papste seinen
Gehorsam und die Geneigtheit bezeugen, alle Irrlehren und
Ketzereien in seinem Lande auszurotten; doch sollten sie ihn
zugleich entschuldigen, daß er wegen Auflehnung einiger seiner
Unterthanen verhindert sei, in Mantua persönlich zu erscheinen.
1 April   Nach ihnen kamen am 1 April auch die Gesandten des schle=
sischen Bundes an, der Domherr Peter Wartenberg und
andere, die den Papst bringend baten, den Erzketzer Georg
nicht als König anzuerkennen und die Schlesier überhaupt
von jeder Verpflichtung gegen ihn zu entbinden. Im Streit
dieser Forderungen benahm sich der Papst mit bemerkens=
werther Klugheit, um sich durch keine Erklärung weder zu
Gunsten des Königs noch zu Gunsten seiner Gegner zu bin=
den.   Er empfing zwar Johann von Rabstein, den Bruder
seines Jugendfreundes, seinen ehemaligen Zögling und nun=
mehrigen Protonotar, sehr liebreich; mit seiner Botschaft jedoch
zeigte er sich nicht ganz zufrieden, da sie bezüglich der Aus=
rottung von Ketzereien nur Versprechungen, keine Thatsachen
brachte, und den Gehorsam nur im Namen des Königs und
nicht auch im Namen des ganzen Volkes aussprach; das
wurde auch als Grund angegeben, weshalb ihm am päpst=
lichen Hofe nicht die bei königlichen Gesandtschaften üblichen
19 Apr.   Ehren erwiesen wurden.[51]   Dann schrieb er am 19 April

51) Alle die Nachrichten, welche Gobelinus p. 47, Jacobus cardinalis
Papiensis ib. p. 432 und Raynaldi ad ann. 1459 §§. 19 und 20

an die Herren Johann von Rosenberg, Zdeněk von Sternberg, 1459
Heinrich von Michalowic, Zbyněk von Hasenburg „und an=
dere Barone des Königreichs Böhmen: Es sind zu uns die
Gesandten Georgs gekommen, den ihr für euren Herrn an=
erkennt, und nach ihnen die Gesandten der schlesischen Lande,
die wir gerne gesehen und deren Vorträge von Seite des
gedachten Georgs und anderer Herren wir in Gnaden auf=
genommen haben. Sie bezeugten in schuldiger Ehrfurcht ihren
Gehorsam gegen uns und den apostolischen Stuhl, und be=
kannten, daß in dem Königreiche mannigfache Mängel und
Irrthümer herrschen, zum nicht geringen Nachtheil des katho=
lischen Glaubens und des Seelenheils, worüber sie uns auch
um Rath ersuchten. Obgleich wir nun ihnen auf alles voll=
ständige Antwort ertheilt haben, wollen wir doch auch Euer
Wohlgeboren dieses wenige schreiben und euch bringend
bitten, ihr möchtet nach eurer Gottergebenheit und Hingebung
an uns und den apostolischen Stuhl den genannten Georg
ersuchen, daß er in Allem, was die Einigkeit des katholischen
Glaubens, das Gedeihen der Religion und den Frieden und
die Eintracht dieses Königreichs betrifft, sich ruhig und friedlich
verhalte, bis der in Böhmen entstandene Unfriede und Streit
von uns, so Gott will, auf dem Tage zu Mantua entschieden
und geschlichtet werden wird. Inzwischen befleißigt euch in
That und Willen alles dessen, was Ehrbarkeit, Gerechtigkeit
und Billigkeit fordern und erregt keine Unruhen und Stürme
weder in dem Königreich noch in den schlesischen Landen,

über die Verhandlungen der böhmischen Gesandten in Siena bieten,
sind durchgehends unrichtig, einseitig und irrig, und nach viel
später vorkommenden Verhältnissen formulirt. Raynaldi hat auch
seine Quellen nicht gehörig verstanden. Johann von Rabstein, Pro=
kops Bruder, in Rom erzogen, war protonotarius apostolicus und
nicht protonotarius Boemiae, und sein Bruder, der böhmische Kanz=
ler, war nicht orator Boemiae. Die zwei päpstlichen Breven
vom 15 April 1459 zu Siena waren das eine an Johann, das
andere an Prokop von Rabstein gerichtet.

1459 noch läßt solche erregen, so weit euch unsere Gnade, Segen und Beifall lieb und werth sind. Wir hoffen auch, daß ihr Edelleute so gottesfürchtig, ehrerbietig und vorsichtig um den Frieden eures Landes Sorge tragen werdet, daß ihr um eures Gehorsams willen gegen uns und den apostolischen Stuhl wirkliches Lob verdienet."[52] Ein gleichlautendes Schreiben wurde auch an die Schlesier überhaupt erlassen, dann ein besonderes an die Schweidnitzer zum Lobe dafür, daß sie erklärt hatten, demjenigen gehorchen zu wollen, der ein Recht auf ihren Gehorsam habe, endlich auch an die Breslauer eine Ermahnung in ihrem Glaubenseifer und ihrer Ergebenheit zu beharren; nur König Georg erhielt keine geschriebene directe Antwort. Diese Behutsamkeit zeugt schon von des Papstes Sorgfalt, jeden entscheidenden Schritt zu vermeiden; noch mehr Aufschlüsse gaben darüber die Nachrichten, welche die Gesandten beider Parteien über ihre Erfolge verbreiteten.

11 Apr. Peter Wartenberg schrieb am 11 April triumphirend an die Breslauer, wie er mit eigenen Augen gesehen, daß der Papst den Titel der böhmischen Gesandten, „oratores regis Bohemiæ in oratores regni Bohemiæ" eigenhändig umgeändert habe, und somit Georg noch nicht als König anerkenne. Doctor Fantin dagegen, der nach Johann Rabsteins Abreise als königlicher Procurator am päpstlichen Hofe blieb,

30 Apr. versicherte K. Georg in einem am 30 April aus Florenz datirten Schreiben, die Schlesier hätten gar nichts ausgerichtet, indem der Papst von Seiner Majestät Weisheit und Eidestreue überzeugt sei und sich darin besonders gefalle, vor den Cardinälen den hohen Sinn und die vielen Tugenden des

52) Dieses bei Lünig (Cod. Germ dipl. I, 1484) fehlerhaft abgedruckte Schreiben fanden wir in der gleichzeitigen Handschrift der Leipziger Universitätsbibliothek Num. 1092 fol. 136. Unvollständig wird es auch bei Scultetus, III, 95 gelesen. Eine Erwähnung desselben findet sich im Schreiben Fantin's vom 30 April, und Wartenberg sandte es den Breslauern schon 19 April zu.

böhmischen Königs zu preisen.[53] Diese unentschiedene unbe= 1459
stimmte Haltung des Papstes dauerte bis zum Monate Mai
1459; eine günstigere Wendung in seiner Stimmung war
die Folge von Begebenheiten, die wir erst erzählen werden.

Der Tag zu Wunsiedel sollte am 18 Januar be= 18 Jan.
ginnen, wurde jedoch auf den 2 Februar verlegt; König
Georg schrieb am 21 Januar an den Markgrafen Albrecht, 21 Jan.
er habe seinerseits die Herren Zbeněk Zajic von Hasenburg,
Heinrich von Plauen, Wilhelm von Riesenburg und Johann
Calta von Kamennahora (Steinberg) dazu bevollmächtigt.
Nun begann zwar der Tag am 3 Februar wirklich, ging 3 Febr.
aber schon am 13 Februar unverrichteter Dinge wieder aus= 13 Feb.
einander. Nach dem Erkenntniß des Markgrafen waren die
Räthe beiderseits nicht einmal mit gehörigen Vollmachten
versehen. Darum verlangte man einen neuen Tag nach
Eger, und daß König Georg, als Partei, persönlich dabei
erscheine; auch bedingte sich der Markgraf, daß ihm nicht
alle von Alters her zwischen Böhmen und Sachsen strittigen
Punkte zur Entscheidung zugewiesen wurden, sondern nur
diejenigen, deren Beilegung zur Herstellung des Friedens
unerläßlich sei. Inzwischen ließ Herzog Wilhelm eine Gesandtschaft nach Frankreich, und eine zweite an den Kaiser
abgehen. Erstere klagte bei Karl VII den König Georg als
Usurpator an (3 März), legte für die Rechte der Herzogin
Anna als böhmischer Erbin Verwahrung ein, und verkaufte
durch einen am 24 März abgeschlossenen Vertrag ihr Anrecht 24 März
an das Herzogthum Lurenburg für 50.000 goldener Schilde
(scuta). Die zweite Gesandtschaft ging von Wunsiedel weiter
nach Oesterreich, um noch einen Versuch zu machen, ob des

53) Fantin's Schreiben an den König (d. ex Florencia, die lunae,
ultima Aprilis) steht in der Handschrift des Prager Domcapitels
G. XIX fol. 189. Eine Abschrift des Wartenberg'schen Berichts
(ddt. Siena 11 April) fanden wir im königl. sächsischen Archiv in
Dresden.

1459 Kaifers Gunſt und Hilfe zur Erlangung wenigſtens der
böhmiſchen und ungariſchen Krone zu gewinnen wäre; denn
auf des Markgrafen Anrathen hatte Wilhelm ſeine Anſprüche
auf die öſterreichiſchen Lande bereits aufgegeben, um den
Kaiſer nicht gegen ſich aufzubringen. Die Berichte ſeiner
Geſandten über die Erfolgloſigkeit ihrer Verhandlungen ſowohl
mit dem Kaiſer in Neuſtadt, als mit dem Erzherzoge Albrecht
in Wien, konnten jedoch ſeinen Hoffnungen keine Nahrung
geben, und noch friedfertiger ſtimmte ihn ſein perſönliches
18 Feb. Tagen in Kottbus am 18 Februar mit den Schleſiern und
Lauſitzern, da er wahrnahm, daß ſie ihn mehr zum Schutze
gegen die Böhmen brauchen, als zum Herrn haben wollten.[54]

Während des Wunſiedler Tages wurde anderſeits auch
auf eine perſönliche Zuſammenkunft König Georgs mit dem
Pfalzgrafen Friedrich hingearbeitet; und obgleich in dieſen
Verhältniſſen, aus Mangel an Nachrichten, vieles dunkel iſt,
ſo leidet es doch keinen Zweifel, daß der thätigſte Förderer
und Vermittler dieſer Einigung der Biſchof von Würzburg
geweſen, ein alter Freund des Pfalzgrafen und König Georgs
erſter Bundesgenoſſe unter den deutſchen Fürſten.[55] Aus des

54) Einige Acten des Wunſiedler Tages finden ſich im ſelben Dresdner
Archive, eben ſo Nachrichten über die ſächſiſche Geſandtſchaft nach
Oeſterreich. Die Verhandlungen Sachſens mit Karl VII ſind aus
den in Ludewig Reliquiae MS. (tom. IX, 707—736) gedruckten
Urkunden bekannt, wo jedoch durch die Verlegung einiger Theile
(S. 714 „hemorum est progenita“ vor S. 725 „de sanguine
regis Bo-“) eine Verwirrung entſtanden iſt. Karl VII hat auch
der Königin Eliſabeth von Polen ihre Anſprüche auf Lurenburg
abgekauft (ſ. Časopis česk. Museum, 1827, I, 57.) Von dem
Tage zu Kottbus ſpricht Eſchenloer l. c.

55) Auch Dr. Martin Mayr ſcheint daran Theil genommen zu haben.
Derſelbe war früher Kanzler des Mainzer Kurfürſten geweſen, trat
jedoch aus deſſen Dienſt, als derſelbe ſich mit dem Pfalzgrafen
entzweit hatte, wurde des letzteren Rath und endlich 1459 auch
Rath K. Georgs. In Eger war er wenigſtens ſchon im April
1459 mit dem Pfalzgrafen anweſend. (Münchner Archiv.)

Königs Worten, mit welchen er den böhmischen Adel auf- 1459
forderte, ihn nach Eger zu begleiten, läßt sich schließen, daß
ihm die Zusammenkunft mit dem Pfalzgrafen mehr am Herzen
lag, als jene mit dem Markgrafen von Brandenburg. Auch
war der Aufzug, mit dem er am 4 April nach Pilsen kam 4 April
und am 7 April seinen ersten königlichen Einzug in die Stadt 7 April
Eger hielt, ungemein glänzend. Außer seinem Sohne Viktorin
folgten ihm die vornehmsten Männer des böhmischen und
mährischen Adels: Johann von Rosenberg, Zdeněk von
Sternberg, Zbyněk Zajic von Hasenburg, Heinrich von Stráž,
Heinrich von Lipa, Johann Zajic, Leo von Rozmital, Wil-
helm der jüngere von Riesenberg und Rabi, Dietrich von
Janowic, Johann von Wartenberg, Heinrich von Plauen,
Heinrich von Gera, Bohuslaw von Schwamberg, Bohuslaw
von Seeberg, Johann von Cimburg, Johann, Heinrich und
Albrecht von Kolowrat, Ješek von Boskowitz, Johann von
Waldstein, Heinrich von Roztok, dann die Ritter Johann
Calta, Albrecht Kostka, Wilhelm von Schönhof, Hynek von
Roupow, Burkhard Kamaret von Žirownic und Beneš Weit-
mil, jeder mit zahlreichem Gefolge.

Ueber das lange und wichtige Tagen des Königs in
Eger besitzen wir zwar nur spärliche und fragmentarische,
aber doch ziemlich interessante Nachrichten. Beide deutschen
Hauptgegner, der Pfalzgraf und der Markgraf, langten dort,
wie es scheint, am 9 April an; denn schon Tags darauf, 9 April
Dienstag den 10 April, erschienen zufällig beide zur selben 10 Apr.
Stunde in der Wohnung des Königs — in der Stadt bei
Kaspar Jungherr, — doch so, daß sie nicht zusammentrafen,
indem jeder in einem besonderen Gemach sich aufhielt. Die
Herzoge von Sachsen warteten in der Nähe auf den Ausgang der Unterhandlungen, Herzog Wilhelm auf dem Schlosse
Thierstein, sein Bruder Friedrich etwas entfernter. Der Pfalzgraf ließ sich laut und mit einer gewissen Absichtlichkeit ver-
nehmen, er sei gekommen, um nicht allein Georg als König

1459   und Kurfürsten anzuerkennen, sondern auch um einen engen
Freundschaftsbund mit ihm zu schließen. Er wollte allsogleich
auch seinen Freund, Herzog Ludwig von Baiern, in denselben
einbeziehen, doch ergaben sich da unerwartete Anstände. Georg
beschwerte sich, daß Ludwig sich auf den Tagen zu Nürnberg
und Bamberg sehr widerwärtig gegen ihn benommen habe,
und forderte von ihm die Anerkennung nicht allein seiner
Würde als König, sondern auch seiner Oberherrlichkeit über
diejenigen Schlösser in den bayrischen Landen, die der Krone
Böhmen zu Lehen verschrieben waren; wozu der Pfalzgraf
freilich keine Vollmachten besaß. Es wurde daher zur Austragung dieses Streites ein Tag nach Prag angesetzt, bei
welchem der Pfalzgraf als Vermittler interveniren sollte, und
15 Apr. am 15 April verbanden sich der König und der Pfalzgraf
zu ewiger Freundschaft, mit dem Zusatze, daß kein Bündniß,
in welches einer von ihnen auch weiterhin treten werde, diesem
Vertrage jemals zum Abbruch gereichen dürfe; womit deutlich genug auf den Vergleich angespielt wurde, der in Kurzem mit dem sächsischen und brandenburgischen Hause abgeschlossen werden sollte. Bezüglich des Herzogs Ludwig wurde
durch ein Separatabkommen nur das bestimmt, daß der zwischen ihm und dem Pfalzgrafen seit lange bestehenden Freundschaft durch den Egerer Vertrag kein Eintrag geschehen sollte. [56]
Aus den Verhandlungen mit dem Markgrafen sind uns

---

56) Die Urkunden vom 15 April hat Kremer l. c. abdrucken lassen.
Die übrigen Daten schöpfen wir aus bisher unedirten Acten in
den Archiven von Dresden, München und Wittingan. Auf den
Pfalzgrafen und auf den Herzog Ludwig ist wohl zu beziehen, was
Herzog Wilhelm in einem Schreiben vom 16 Mai 1459 sagte,
daß sich einige Fürsten nicht nur zu Erbverträgen mit dem Könige
herbeigelassen haben, sondern auch zu Geldvorstreckungen, damit er
sich um so stattlicher den Sachsen entgegenstellen könne: „merckliche
summen geldes zcu lahin, vnsern Bruder vnd vns damit dester
stattlicher zcu erfürdern.“ (Eschenloer schreibt S. 83: „vns damit
stetiglich zu fördern“, was den umgekehrten Sinn gibt.)

wenigstens die Reden bekannt, welche gleich im Beginne, am 1459
10 April, beiderseits gewechselt wurden.　Erstlich kam man 10 Apr.
überein, daß in Eger auf die endliche Beilegung aller Irrungen zwischen Böhmen und Sachsen hingearbeitet werden
müsse: denn sollte die Sache dem Kaiser oder den Kurfürsten
zur Entscheidung überlassen werden, so wäre eine Beendigung
derselben nicht zu hoffen. Der König verlangte vor allem, es
sollten der böhmischen Krone nicht nur Stadt und Schloß
Brür, in deren Besitz er sich bereits wieder gesetzt hatte, sondern auch die Schlösser Riesenburg (Osek) mit Dur, Königstein, Lauenstein, Senftenberg und Hohenstein zurückgestellt
und abgetreten werden: geschähe solches, dann sei er zu jeg-
lichem Vertrage und weiterem Bündnisse willig und bereit.
Markgraf Albrecht setzte nun weitläufig auseinander, wie die
sächsischen Herzoge diese und andere Schlösser aus viererlei
Titeln besäßen: 1) als Pfandschaft oder Kauf, 2) als Lehen
der Krone, 3) als Ersatz für Kriegsdienste, die den Königen
von Böhmen geleistet wurden, und 4) durch Eroberung zu
einer Zeit, wo sie gestattet und geboten war (im Hussiten-
kriege); er fügte jedoch hinzu, als Mittelsmann wolle er
das nicht etwa zur Schwächung der Rechte der Krone, sondern nur zur Unterweisung der Parteien vorgebracht haben.
Dann wurden die Ersatzansprüche berührt, welche die Erben
Friedrichs von Dohn und die Herren von Plauen, Johann
Calta und die Vitzthume an Sachsen stellten. Endlich kamen
Herzog Wilhelms Erbansprüche an die Krone zur Sprache.
K. Georg legte umständlich auseinander: von Rechtswegen
erbe eine Tochter nicht, so lange männliche Erben vorhanden
seien, und da es solche in Oesterreich gebe, so hätten die Ansprüche der Gemahlin Herzog Wilhelms keine Geltung. Auch
sei dieselbe durch eine Aussteuer von hunderttausend Gulden
von der Krone abgewiesen worden, und könne schon deßhalb
keine weiteren Ansprüche erheben. Doch hätten auch die Herzoge von Oesterreich nicht als Erben auftreten können, da

1459 die Nation das Recht besitze, sich ihren König frei zu wählen, und demgemäß schon auch Sigmund, Albrecht und Ladislaw nicht durch Erbrecht, sondern durch Wahl Könige von Böhmen geworden seien. Halb scherzend, doch nicht ohne Schärfe, warf der König die Bemerkung hin, wie die Herzoge von Sachsen nicht aufhörten, ihn den „Uffgerückten" zu schelten. Der Markgraf nenne ihn zwar etwas höflicher den „Erwählten," doch habe auch er es bisher vermieden, ihm direct zu schreiben, um ihn nicht als „König" ansprechen zu müssen: er sei aber nunmehr ein nicht bloß erwählter und gekrönter, sondern ein vollberechtigter und der einzige mögliche König von Böhmen vor Gott und den Menschen.

17 Apr. Ueber die weiteren Verhandlungen können wir fast nur nach dem Erfolge berichten. Am 17 April ritt Markgraf Albrecht nach Thierstein, und forderte den Herzog Wilhelm dringend auf, nach Eger zu kommen, da der Vertrag bereits dem Abschlusse nahe sei. Wilhelm schrieb daher seinem Bruder, er wolle Tags darauf zum „Könige" nach Eger sich begeben, und wünsche, daß Friedrich ihm 150 Pferde zu seinem Einzuge schicke. Im nächsten Briefe zeigte er dann dem Bruder an, wie ehrenvoll er in Eger empfangen worden: erst habe der König ihm seinen Hofmeister Heinrich von Plaß (Stráž), dann Zdeněk von Sternberg mit Gefolge entgegengeschickt, endlich sei er selbst in zahlreichem Aufzuge hergeritten gekommen; beim Ansichtigwerden seien sie alle, der König, Wilhelm und Albrecht, von ihren Rossen abgestiegen und hätten einander herrlich bewillkommt. Gleich nach ihrem Einzuge in die Stadt sei in ihrer Gegenwart ein Turnier abgehalten worden, nach dessen Beendigung Wilhelm den König zuerst in dessen Herberge geleitet, und dann sich selbst in die seinige begeben habe. Die Ebeberedung zwischen dem Sohne des Königs und der Tochter Wilhelms werde wohl Fortgang haben; darum bitte er den Bruder, bei seinem Sohne Albrecht auch „daran zu sein," daß er der Verbindung nicht etwa ent-

gegentrete. Er Wilhelm und der Markgraf Albrecht hätten 1459
beschloffen, auch ihn (Friedrich) am nächsten Sonntage,
22 April, nach Eger zu bringen; man werde schon dafür 22 Apr.
sorgen, daß es gar ehrenvoll geschehe. [57]

Nachdem auf diese Weise in Eger nicht nur alle sächsischen Herzoge, sondern auch des Markgrafen Albrecht
älterer Bruder, Friedrich Kurfürst von Brandenburg mit
glänzendem Gefolge zusammengekommen waren, schritt man
endlich Mittwoch den 25 April zum Abschluß des langersehn- 25 Apr.
ten und, wie es hieß, ewigen Freundschaftsbundes der regie-
renden Häuser von Böhmen, Sachsen und Brandenburg.
Zuerst verkündigte der Markgraf seinen wichtigen Obmanns-
spruch in dem langen Streite der Krone Böhmen mit Sachsen, daß zur Herstellung und Festigung des Friedens und
der Freundschaft zunächst eine Doppelheirath verabredet sei,
einerseits zwischen Friedrichs jüngerem Sohne Albrecht und
Zdena der Tochter des Königs, anderseits zwischen Hynek
dem Königssohne und der Tochter Wilhelm's, Katharina.
Weiter entschied er, daß dem Könige und der Krone Böhmen
bis zum 27 Mai abgetreten und übergeben werden sollen 27 Mai
an Schlöffern diesseits des Waldes: die Stadt Brür mit
dem Schlosse Landeswart, [58] und die Riesenburg (Osek) mit
dem Städtchen Dur und allem Zugehör. Dann sollten auch
jenseits des Waldes der Krone Böhmen direct, wie zuvor,
zu Lehen gehen: die Herren von Plauen mit ihren Schlössern
Plauen, Johannisgrün und Tervil; die von Schönburg mit

---

57) Diese ganze Darstellung ist den darüber im königl. sächsischen
Staatsarchive in Dresden enthaltenen Originalacten, Briefen und
Berichten entnommen.

58) In den Urkunden steht an dieser Stelle der Name „Landeskron",
vielleicht durch Irrthum. Denn es ist nicht das Schloß dieses
Namens bei Görlitz gemeint, sondern das Brürer Schloß, das in
altböhmischen Quellen eigentlich „Landeswart" heißt, obgleich man
sich dieses Namens von jeher nur selten bediente.

1459 Glauche, Markt Meher und Stadt und Schloß Waldenburg;
die Grafen von Schwarzburg mit den Herrschaften Rudolf=
stadt, Kuenz, Brochenstein und Leutemberg; die Herren von
Gera mit der Burg Lobenstein; die Herren Reuße von
Plauen und deren Schlösser Stein bei Altenburg, Blanken=
burg, Schönbach, Walde und Baruth, und die Herzoge von
Sachsen sollen der Krone Böhmen darin keinen Eintrag
mehr thun. Dagegen wurde bedungen, daß die jenseits des
Waldes in Thüringen, im Voigtlande und in Meißen ge=
legenen Schlösser und Güter, namentlich das halbe Schloß
Dohna, Lauenstein, Leisnek, Ilenburg, Kolbitz, Finsterwalde,
Senftenberg, Hohenstein, Wildenstein, Pirna, Dippoldswalde,
Königstein, Voitsberg, Ölsnitz, Salfeld, Gottleube, der
Zoll zu Dresden, Tharant und Radeberg, Stolberg, Schwar=
zenberg, Milan, Reichenbach, Falkenstein, Schönek, Gatten=
dorf, Spornberg, Karlswalde, Reizenstein, Frauenhain, Sa=
than, Elsterwerd, Strehel, Glubzk, Tiefenau, Zabeltitz, Doln,
Grube, Werdenhain, Weisenstain, Bernstein, Wehlen, Mücken=
berg, Schönfeld, Herstein, Rathen, Mühlendorf, Plohn,
Rembe, Mühlberg, Liebenthal, Lichtenwald, Sachsenberg,
Sayda, Fridmannswalde, Dahlen, Elsterberg, Auerbach, Re=
chenberg und Rabenau, den sächsischen Herzogen derart erblich
verbleiben sollen, daß jetzt der junge Herzog Albrecht, künftig
aber jedesmal derjenige von seinen Nachkommen, welchen der
Kurfürst zum Lehenträger bestimmen wird, sie von Böhmen
im Ganzen zu Lehen übernehme, wornach derselbe dann alle
Afterlehen selbst zu verleihen haben werde; sollte es sich aber
finden, daß irgend eines dieser Lehen eigentlich Reichslehen
sei, so werde dagegen das Recht des Reiches gewahrt. Was
die Herren von Dohna, Heinrich von Plauen, Niklas Pflug,
die von Kolbitz und von Ilburg an Forderungen an die Herzoge
von Sachsen stellen, soll später entschieden werden. Hierauf
verbanden sich in einer besonderen Urkunde vom selben Tage
die Herzoge Friedrich und Wilhelm und Friedrichs Söhne,

Ernst und Albrecht, mit König Georg und der böhmischen 1459
Krone auf ewige Zeiten zu wechselseitiger Freundschaft und
Liebe und zu Schutz und Hilfe gegen jedermann; sie ent=
sagten allen Ansprüchen, die sie hatten oder haben konnten,
an die Krone Böhmen und deren Lande und Güter in Böh=
men, Mähren, Schlesien, Budissin und Görlitz und der Nieder=
lausitz, so wie an deren Lehengüter in Franken, Bayern und
andern deutschen Ländern, und bestimmten das Verfahren,
welches fortan bei Streitfällen ihrer beiderseitigen Unter=
thanen zu beobachten sei. Dagegen stellte K. Georg eine die
gleichen Verbindlichkeiten seinerseits anerkennende Verschrei=
bung aus, und sicherte ihnen den Besitz aller ihrer namentlich
angeführten Länder und Güter zu.   Ju weiteren Schriften
wurden die Eheberedungen des nähern bestimmt und fest=
gesetzt, daß beide Bräute, die noch im Kindesalter standen,
am nächsten Martinifeste nach Eger gebracht und dort ihren
künftigen Schwiegerältern zur weiteren Erziehung und Pflege
übergeben werden sollen. Man sprach schon damals im Volke,
die Eltern hätten den Kindern ihre gegenseitigen Ansprüche
zur Aussteuer mitgegeben, K. Georg auf die genannten
Schlösser, Herzog Wilhelm auf die Erbfolge in Böhmen:
doch waren dieß bloße Deutungen und Vermuthungen, die
keine diplomatische Bestätigung erhielten. Dagegen verbanden
sich die Herzoge von Sachsen überdies zur Zahlung von
20,000 rheinischen Gulden an Böhmen als einer besonderen
Kaufsumme für Pirna Schloß und Stadt. [59]

An demselben 25 April wurden auch die Freundschafts=
verträge zwischen K. Georg und dem ganzen markgräflich

[59] Noch sind die Egerer Vertragsurkunden nicht alle (bei Müller,
Lünig, Dumont u. a.) gehörig abgedruckt. Wir haben ihren Inhalt
meist nach den Originalen angeführt, welche sich heute noch im
böhmischen Kronarchive befinden; zum Theil auch nach Briefen,
welche sowohl K. Georg selbst, als Herr Johann von Rosenberg
über die Verhandlungen zu Eger schrieben.

1459 Brandenburgischen Hause ausgefertigt, nämlich mit Johann,
dem ältesten, mit Friedrich II dem Kurfürsten, mit Albrecht
Achilles und mit Friedrich dem jüngsten der Brüder. Des
alten Streits wegen der Niederlausitz und der böhmischen
Lehen in Franken wurde darin gar nicht gedacht, dagegen
wechselseitig Hilfe zugesagt, wenn eine der Parteien widerrechtlich angegriffen werden sollte, und angelobt, daß etwaige
Streitfälle zwischen den Herrschern wie zwischen ihren Unterthanen künftig nicht mehr durch das Schwert, sondern durch
freundschaftliche Ausgleichung oder durch ordentliche Gerichte
beigelegt werden sollen. Ausgenommen wurden beiderseits
bloß der Kaiser und der Papst, soferne sie sich offener Ge-
waltthättgkeit enthielten, und dann schieben die Brüder von
Brandenburg insbesondere die Herzoge von Sachsen und
den Landgrafen von Hessen, König Georg aber seinerseits
wieder den Pfalzgrafen Friedrich aus, daß aus diesem Vertrag ihnen kein Nachtheil erwachsen sollte. [60]

Diese Egerer Verträge bilden einen entscheidenden Wende-
punkt von solcher Bedeutung für Böhmen und für die Re-
gierungsgeschichte K. Georgs insbesondere. Die Ansprache
als „lieber Schwäher," welche von der Zeit an in seinem
diplomatischen Verkehr mit allen vorzüglichen Reichsfürsten,
wie auch mit dem Kaiser selbst, gebräuchlich wurde, [61] gab
ein sprechendes Zeugniß seiner fortan unbestrittenen Aufnahme
in die Regenten-Hierarchte seiner Zeit. Durch die Ent-
sagung auf so viele Schlösser erlitt freilich wohl die böhmische

---

60) Die Verträge mit Brandenburg sind gedruckt zu finden bei Lünig
(Cod. Germ. dipl. I, 1478), Sommersberg (I, 1026) und F. A.
Riedel (B. Bd. V, 47—50.)

61) Die Herzogin von Sachsen, Margaretha, Schwester des Kaisers
Friedrich und des Herzogs Albrecht, an Herzog Friedrich 1431 vermählt und erst 1486 verstorben, war die Mutter nicht allein der
Herzoge Ernst und Albrecht von Sachsen, sondern auch der Her-
zoginen Amalie und Anna, deren erstere an Ludwig von Baiern,
die zweite an Albrecht von Brandenburg vermählt worden war.

Krone einen namhaften Verlust: doch war das ein so zu 1459
sagen nur diplomatischer, kein reeller Verlust, da jene Schlösser
schon längst mit theils mehr theils weniger klarem und
haltbarem Rechte in sächsischen Besitz übergegangen waren.
Ihre Wiedererlangung würde eben so viel Kraftanstrengung
und Blut gekostet haben, wie irgend eine neue Eroberung,
und der Lehensverband, in welchem sie zur böhmischen Krone
verblieben, erhielt, so locker er auch war, doch immer noch
eine Form der Oberherrlichkeit. Ach ließ der junge Herzog
Albrecht von seinem künftigen Schwiegervater wirklich noch
in Eger in aller Form mit ihnen sich belehnen, und es war
nicht vorauszusehen, daß während Albrechts und Zdena's
Nachkommenschaft in Sachsen fortblüht, auf dem böhmischen
Throne in den folgenden Jahrhunderten mehrere Dynastien
wechseln sollten. Daher ist wohl Georg nicht zu tadeln, daß
er durch ein mehr eingebildetes als wirkliches Opfer aus
früher gefährlichen Nachbarn sich treue und beständige Freunde
schuf; er verdiente im Gegentheil wohl das Lob, welches
man ihm eben zu jener Zeit und aus dieser Veranlassung
gab, daß er „ein Fürst sei, der seine hohe Vernunft nicht
klein gebrauche." Und in der That lohnten ihm die Herzoge
von Sachsen dieses Opfer: denn als nach Jahren böse Tage
kamen, wo alle Welt sich zu seinem Verderben verschworen
zu haben schien, waren sie fast die einzigen, die ihn nie ver-
läugneten und ihm Treue bis zum Tode bewahrten. Das
Volk jedoch schenkte wie in Deutschland, so auch in Böhmen
den Egerer Verträgen gar wenig Beifall. Nicht nur die
Schlesier und Lausitzer murrten, daß der Herzog sie anwies,
sich demjenigen zu unterwerfen, gegen den er sie zu schützen
versprochen hatte; auch die Sachsen ärgerte es, daß ihre
Fürsten sich mit Ketzern befreundet und ihr Haus der Gefahr
der Ansteckung durch Ungläubigkeit ausgesetzt hatten. Ebenso
beklagten die Böhmen nicht allein den eingebildeten Verlust
an Gränzschlössern, sondern die angeblich unvermeidliche

1459 Verleitung des königlichen Hauses zum Abfall vom heil-
bringenden Kelche.

Der Tag von Eger ging erst Anfangs Mai auseinander, und hatte noch die gute Wirkung, daß die Besitzer
jener zahlreichen Herrschaften in Deutschland, welche seit
Karl IV Zeiten der böhmischen Krone zu Lehen verpflichtet
waren, nicht länger zögerten, K. Georgs Oberherrlichkeit
anzuerkennen und sich von ihm belehnen zu lassen. Den
Anfang machten die Nürnberger, welche schon im selben
Monat Mai durch eine Gesandtschaft in Prag Huldigung
leisteten und die Lehen empfingen. Später folgten, ohne daß
es anzugeben ist, wann und wie, die Grafen von Würtemberg, von Schwarzburg, von Wertheim, von Barby und
eine Menge deutscher Edelleute, so daß die Wiederherstellung
der Rechte wie des alten Glanzes der böhmischen Krone
beinahe vollständig gelang. Nur von Herzog Ludwig von
29 Mai Baiern schrieb vorerst am 29 Mai König Georg: „seine
Räthe waren zwar nach dem in Eger mit dem Pfalzgrafen
geschlossenen Abkommen bei uns in Prag (25 Mai) und
eben so des Pfalzgrafen Räthe als Vermittler: doch gingen
wir ohne Erfolg auseinander, so daß die Rechte unserer
Krone den Herzogen von Baiern gegenüber noch ungeordnet
bleiben." [62]

Zwischen dem Kaiser und dem Könige wurde zu Znaim
20 Apr. noch am 20 April der Friede für Böhmen, Mähren und
Oesterreich auf ein ganzes Jahr erneuert, und aus dem Tone
der Reden, welche die Bevollmächtigten beiderseits dabei
führten, läßt sich schließen, daß damals die Beziehungen

---

62) Ein Schreiben des Königs darüber an Johann von Rosenberg
findet sich im Wittingauer Archive (Orig. in böhm. Sprache). Von
der Huldigung der Nürnberger in Prag spricht Johann von Guben
(Script. rer. Lusat. I, 81); von der der deutschen Fürsten und
Grafen macht K. Georg selbst Erwähnung in einem Briefe vom
1 April 1465 (MS.)

zwischen den beiden Herrschern noch nicht die freundlichsten 1459
gewesen. Aber schon am 14 Mai schrieb Herr Johann von 14 Mai
Rosenberg seinem Bruder, dem Breslauer Bischof Jobst nach
Italien, der Kaifer habe dem Könige den Antrag gemacht, ihn
nicht allein als König anzuerkennen und zu belehnen, sondern
auch einen ganz engen Freundschaftsbund mit ihm einzugehen,
wenn er ihm in Ungarn gegen König Matthias behilflich
sein wolle.[63] Es bildete sich also unmittelbar nach dem Tage
von Eger jene Kette von Verhältnissen und Entwickelungen,
welche in K. Georgs Hände für einige Jahre das Schieds-
richteramt nicht allein über das Königreich Ungarn, sondern
auch über einen großen Theil von Europa legte.

Kaiser Friedrich hatte gleich nach seiner Berufung auf
den ungarischen Thron sich an den Papst um Rath gewendet,
in der Hoffnung, daß Pius II bei seiner alten Ergebenheit
entschieden für ihn Partei ergreifen werde. Der Papst antwortete jedoch zuerst, er wisse nicht zu rathen, da ihm die

63) Rosenbergs eigene Worte in dem wichtigen Briefe vom 14 Mai
    1459 (Orig. im Witting. Archiv) lauten: Ciesařova Milost obe-
    slal krále, aby přijel wezma majestát swůj, že ráčí jemu uči-
    niti wšecko jakožto králi, což učiniti má, do Lawy neb do
    Egenburka; a dále žádaje, aby přijel a jel jako král Český
    s mocí JMti ke cti, a dále aby jel s JMtí do Uher: ale kterak
    ty wěci půjdau, tohoť newím, aneb sjedauli se čili nic. Také rač
    wěděti, že Cies. Mt rozkázal králi, aby dcery swé nedáwal uher-
    skému králi Matiášowi, a že ji sám wýše a důstojněji wydati a
    wyprawiti ráčí. (Des Kaifers Gnaden sandte zum Könige, er
    möge in seiner Majestät nach Laa oder Egenburg kommen, er (der
    Kaifer) wolle ihm alles leisten, was ihm als König gebühre; und
    verlange ferner, er solle als ein König von Böhmen mit Macht
    Seiner kaif. Gnaden zu Ehren fahren und weiter mit Sr. Gnaden
    nach Ungarn ziehen. Wie alles jedoch abläuft, weiß ich nicht,
    oder ob sie wirklich zusammenkommen. Wisse auch, daß Se. kaif.
    Gnaden dem Könige sagen ließ, er solle seine Tochter dem Un-
    garnkönige Mathias nicht geben, denn er (der Kaifer) wolle sie
    selbst höher und würdiger verehelichen und ausstatten.)

1459 Zeitumstände nicht genug bekannt seien, der Kaiser allein sei
im Stande, dieselben richtig zu beurtheilen, doch scheine es,
daß die ungarischen Großen, als sie ihn wählten, mehr ihren
eigenen als seinen Vortheil im Auge gehabt hätten. Später
aber, noch im Laufe des Aprils, rieth er und mahnte in
einigen Schreiben, er möge nicht durch die Sucht nach der
ungarischen Krone sich und die ganze Christenheit in Gefahr
bringen: denn wenn im Innern von Ungarn Unruhen aus-
brächen und Friedrich und Mathias einander bekriegten, wie
könnte dann das Land, das bisher gleichsam der Schild der
Christenheit war, eines Einfalls der Türken sich erwehren?
Des Papstes ganzes Bestreben war ohnehin damals auf das
Zustandebringen eines gewaltigen Kriegszuges aus allen
christlichen Ländern gegen die Türken gerichtet, welcher keinen
anderen Weg als durch Ungarn einschlagen konnte; darum
27 Mai war er auch schon persönlich am 27 Mai nach Mantua zur
Eröffnung des Congresses gekommen. Es konnte ihm daher
nichts ungelegener kommen, als dieses neue Hinderniß seiner
großen Entwürfe, und er hatte auch nichts Dringenderes zu
thun, als dasselbe zu beseitigen. Obgleich er nun nicht aufhörte zu versichern, er kenne Niemanden auf der Welt, dem
er mehr Macht und Ruhm wünsche als dem Kaiser, seinem
ehemaligen Wohlthäter: so hielt doch sein Legat in Ungarn,
der Cardinal Carvajal, offen und unumwunden zu Matthias.
Der Kaiser, der dies für Undank ansah und sich dadurch verletzt fühlte, beschloß, da er sonst keinen Ausweg kannte, sich
endlich mit dem böhmischen Könige um so enger zu verbinden,
je mehr Genugthuung er durch diesen dem Papste wie dem
Legaten unliebsamen Schritt seinem gekränkten Gefühl zugleich
gegen beide verschaffte. Ohne Zweifel hoffte er, weil K.
Georg weder für sich noch für seinen Sohn die ungarische
Krone angenommen hatte, so werde er an ihm einen auf-
richtigen und ergebenen Bundesgenossen haben.

Die ersten Schritte und Verhandlungen in dieser An-

gelegenheit sind in Dunkel und Ungewißheit gehüllt. Cardinal 1459
Carvajal, der den ganzen Monat Mai in Wiener-Neustadt
zugebracht und den Kaiser nicht abzuhalten vermocht hatte,
sich in K. Georgs Arme zu werfen, begab sich Anfangs
Juni selbst nach Böhmen an einen uns unbekannten Ort;[64]
auch können wir von seinen dortigen Verrichtungen nicht
mehr berichten, als was sich aus dem Erfolge schließen läßt.
Inzwischen waren des Königs Gesandte, Zdeněk von Sternberg, Prokop von Rabstein und Wilhelm von Rabj zu Anfang Juni zum Kaiser nach Baden gekommen,[65] und der
Kaiser stellte an sie das Verlangen, „ihr König solle ihm in
seinen Sachen und Nothdürften beiständig sein und ihm den
Rücken halten, insbesondere in Ungarn: thue er das, so solle
er dafür Ehre und Nutzen haben, und der Kaiser verbinde

64) Von Carvajal's Reise nach Böhmen ist nur in den Briefen des
Papstes an ihn vom 11 Juni und 6 Juli die Rede. Im ersten
schrieb er ihm: In facto Bohemorum gratissimum nobis erit, ut
cum diligentia facias, quod facturum te scribis etc., und im
letzteren heißt es: Ad literas tuas, quas nobis ex Bohemia duo-
decima et decimasexta Junii misisti nuper haec solum respon-
dere habemus etc. S. Majláth Geschichte von Ungarn, 3r Band,
Wien, 1829, Anhang p. 34 und 52, und Kaprinai, II, 318, 355.
Der Papst pflegte damals überhaupt mit Absicht sich in den böhmischen Angelegenheiten nicht deutlicher an Carvajal auszusprechen; so schrieb er z. B.: Propter ea, quae tu nobis tacentibus
per te ipsum intelligis (l. c. p. 78, Kaprinai 378) und wieder:
diaetam cum imperatore tenendam dilatam esse usque ad ad-
ventum nonnullorum, quos commemoras (ib. p. 56, Kaprin. 339),
wo an beiden Stellen K. Georg und die Böhmen gemeint sind.
Andererseits gab Carvajal damals die besten Hoffnungen von K.
Georg, wie aus den bei Kaprinai II, 578 abgedruckten Nachrichten
zu ersehen.

65) Der Kaiser hatte wegen ihrer Ankunft und ihres Geleits schon
am 18 Mai einen Auftrag an seine Beamten in Oesterreich ergehen lassen. (S. Chmel Regesten 3705.) Ihre Anwesenheit beim
Kaiser am 3 Juni 1459 bezeugt eine Apel von Vitzthum betreffende Urkunde, die in Chmel's Materialien II, 173 abgedruckt ist.

1459 sich mit seinem Worte, alle seine Sachen im Reiche, in Ungarn und in seinen übrigen Landen mit seinem Rathe zu handeln." Zur Antwort darauf erklärte K. Georg in einem 15 Juni ganz eigenhändigen Geheimschreiben am 15 Juni: „Da wir ersehen, daß Se. Maj. auf uns hofft und vertraut, so vertrauen wir Sr. Maj. auch, und haben darein gewilligt und willigen ein und versprechen mit unserm königlichen Worte, Sr. Maj. treu und eifrig beizustehen und in ihren Sachen zu handeln und zu wirken, sei es im Reiche, sei es anderswo, als wären es unsere eigenen; insbesondere aber wollen wir Sr. Maj. behilflich sein und verhandeln im Königreiche Ungarn, daß Se. Majestät darin zur Krönung und zur Herrschaft gelange, sei es durch Verträge oder mit·Gewalt, und wollen Se. Maj. weder darin noch sonst in andern Dingen verlassen, sondern treu und ohne alle Gefährde zu ihr halten." Es scheint freilich, daß eine in solcher Weise dargebotene Hilfe den König in Kürze zu einer Art von Vormund erhoben hätte, ohne dessen Rath und Willen der Kaiser nichts Wichtiges hätte unternehmen können, obgleich es keinem Zweifel unterliegt, daß er keinen Vormund, sondern nur einen Diener suchte. Nun verband er sich zwar durch ein Schrei-
14 Juli ben vom 14 Juli dennoch, seine Sachen im Reiche, in Ungarn und sonst überall nach des Königs Rath zu handeln und dafür zu sorgen, daß die von ihm geleistete Hilfe ihm zu Ehr und Vortheil gereiche: aber beide Verschreibungen,
15 Juni sowohl die des Königs vom 15 Juni als die des Kaisers vom 14 Juli wurden wieder kaffirt und als nicht erflossen angesehen. [66] Dagegen wurde bestimmt, daß der Kaiser und der König in Brünn zusammentreffen und ein freundschaftliches Bündniß abschließen sollten.

66) Die Originale beider Verschreibungen (die erste ist in böhmischer Sprache) befinden sich noch heute im k. k. geh. Archiv in Wien, und Hr. Chmel, der sie beide herausgab, bemerkte dazu: „NB. Bei jedem dieser Briefe steht: Non emanavit." Material. l. c. p. 175—7.

Einiges Licht verbreitet über diese dunklen Verhältnisse 1459
und Verhandlungen ein Schreiben, welches der Kaiser am
20 Juli von Wiener Neustadt an K. Georg richtete, mit 20 Juli
den Worten: „Durchlauchtigster König, geliebtester Schwäher!
Da wir zur Fortsetzung der neulichen Verabredungen in we=
nigen Tagen nach Brünn kommen sollen, erfuhren wir gestern,
wie Matthias von Hunyad Kriegsvolk sammelt, um in unserer
Abwesenheit uns und den Unsern Schaden zuzufügen. Wir
hätten längst das Königreich wüsten können und wären auch
heute im Stande ihm Schaden zu thun: doch schonten wir
das Land, dessen König wir sind, und wollen mit Gottes
und Eurer Hilfe dasselbe in Ehren, zur Erheiterung des
Antlitzes seiner Bewohner betreten, ihnen auch lieber Gutes
als Böses thun. Sollten wir jedoch von Matthias und sei=
nen Leuten durch Brand, Plünderung oder andere Wege
Schaden erleiden, insbesondere während unserer Abwesenheit
und Euerer friedlichen Verhandlung: dann wären wir ja
offenbar, wenn gleich wider Willen, zur Rache und Abwehr
genöthigt, und dieses Verfahren könnte, wie Ihr wohl be=
greift, weder Eueren freundschaftlichen Unterhandlungen, noch
unserer Zusammenkunft förderlich sein. Darum begehren wir,
daß Ew. Liebden mit den Gesandten Mathias, die sich bei Euch
befinden, und auch sonst, wo es noth thut, dahin wirke, daß
der heilige Friede nicht gestört und eine freundliche Uiberein=
kunft nicht unmöglich gemacht werde. Denn das könnten
wir in keiner Weise dulden, daß unter solchen Umständen
vom Kriege gegen uns und die Unseren nicht abgelassen
würde." [67]

Aus alle dem scheint hervorzugehen, daß K. Georg,
vielleicht auf Carvajals Antrieb, sich eigentlich zu einem Ver=
mittler zwischen Friedrich und Matthias hergegeben, und daß
die ungarischen Gesandten, Johann Vitéz Bischof von Groß=

---

67) Dieses Schreiben steht in der Handschrift des prager Domcapitels
G. XIX, fol. 182.

1459 warbein und Oswald Rozgonyi, welche ursprünglich an den
20 Juli Kaiser waren abgesendet worden, schon vor dem 20 Juli bei dem
böhmischen Könige in Brünn sich befanden, wohin ihnen ihr
29 Juli König Mathias erst am 29 Juli neue Vollmachten schickte. [68]
So konnten sie dann während ihres Aufenthalts am böh=
mischen Hofe bis zum 12 August — und vielleicht noch
länger — alles beobachten, was dort zwischen dem Kaiser
und dem Könige verhandelt wurde.

30 Juli Der Kaiser kam am 30 Juli mit glänzendem Gefolge
nach Brünn, wo er mit ungemeinem Pomp aufgenommen
wurde. Der böhmische und mährische Adel war in großer
Zahl versammelt und was die damalige Zeit an Pracht und
Glanz, an Festlichkeiten und Ergötzlichkeiten kannte, wurde
zu Lust und Ehren des hohen Gastes aufgeboten. [69] Gleich
31 Juli Tags darauf, den 31 Juli, bestätigte er in der gewöhnlichen
Weise alle Rechte und Freiheiten des Königreichs Böhmen
im römischen Reiche, und — wie der König noch am selben Tage
den Pragern schrieb — „verlieh und reichte uns unsere Regalien
mit großer Feierlichkeit, in Gegenwart von geistlichen und
weltlichen Fürsten, Grafen und Herren aus verschiedenen
Ländern des heiligen Reichs, im Glanze kaiserlicher Majestät
auf dem Ringe öffentlich mit großer Liebe und Willigkeit;

---

68) In derselben Handschrift fol. 184 findet sich auch K. Mathias
Schreiben an K. Georg vom 29 Juli mit den Eingangsworten:
Intimantibus nobis — oratoribus nostris, intelleximus Vestram
Serenitatem inter nos et Fridericum Rom. imp. mediare et
tractatui pacis operam dare velle etc.

69) Den Geleitsbrief des Kaisers zur Reise nach Brünn unterschrieben
dort schon 18 Juli nebst dem Könige die böhmischen Herren:
Johann von Rosenberg, Zdenĕk von Sternberg, Heinrich von Stráž
(Platz), Heinrich von Lipa, Heinrich von Michalowic, Leo von
Rozmital, Wilhelm von Riesenberg, Dietrich von Janowic, Bohu=
slaw von Schwamberg, Johann von Wartenberg, Heinrich von
Kolowrat, Wilhelm von Ilburg, Zdenĕk Kostka von Postupic und
Sobĕslaw von Miletinek; dann die mährischen Barone Johann

und nachdem er mit allem fertig war, zeigte und stellte er 1459
uns zu seiner Rechten als den rechten und unzweifel-
haften König von Böhmen und vornehmsten Kurfürsten der
ganzen Menge vor. Und so haben wir uns mit Sr. Majestät verbündet, daß dieses Bündniß, so Gott will, bis an
unsern Tod dauern wird." Auch wurde bei dieser Gelegenheit des Königs Sohn Viktorin, Herzog von Münsterberg,
unter die Fürsten des heiligen römischen Reiches aufgenommen.

Uiber den weiteren Gang politischer Unterhandlungen
in Brünn belehrt uns keine gleichzeitige Uiberlieferung, sondern nur eine Reihe von Urkunden, die sich zufällig erhalten
haben. Am 2 August schloßen der Kaiser und der König 2 Aug.
einen Bund, in welchem sie einander Einigkeit, Liebe und
wechselseitige Hilfeleistung in allen ihren Nothdürften angelobten; am 4. August verband sich der Kaiser zur Zahlung
von 8000 Ducaten an den König, wenn dieser ihm durch
friedliche Uibereinkunft zur Herrschaft in Ungarn verhelfe,
und zu 31000 Ducaten, wenn dazu, nach vergeblichem Unterhandeln, Waffenhilfe nothwendig werde; am 5 August 5 Aug.
wurde letztere Summe auf den dreijährigen Nutzgenuß der
Hälfte sämmtlicher Einkünfte des Königreichs Ungarn und
eine endliche Abfertigung — nach Ablauf der drei Jahre —

von Eimburg Landeshauptmann, Georg Strážnický von Krawař,
Beneš und Wenzel von Boskowic, Johann von Pernstein, Johann
Zajimač von Kunstat, Marquard von Lomnic, Matthäus von
Sternberg, Johann Žičinský von Eimburg, Johann von Waldstein
u. s. w. (Chmel Material. II, 178—9). Aus Pernstein'schen Handschriften führt Pešina (Mars Morav. p. 701) an, in den Ritter-
spielen und Turnieren, die dem Kaiser zu Ehren in Brünn gegeben wurden, habe sich vor allen ausgezeichnet Herr Wilhelm,
Johanns von Pernstein jüngerer Sohn, derselbe, der später nach
Stibors von Eimburg Tode sich vor allen Männern des böhmischen
und mährischen Adels glänzend hervorthat und in hohem Alter
erst 1521 starb.

1459 von 60.000 Ducaten erhöht; auch versprachen beide Mon=
archen, falls Verhandlungen nicht zum Ziele führen sollten,
in der nächsten Erntezeit zu Jakobi 1460 persönlich mit ihrer
ganzen Kriegsmacht bei Preßburg ins Feld zu rücken; am

6 Aug. 6 August bezeugte der König in einer besonderen Urkunde,
daß wirklich ein solches Abkommen getroffen worden sei, und

8 Aug. am 8 August schrieb der Kaiser an die Breslauer, daß sie
dem Könige als ihrem natürlichen Herrn Gehorsam zu leisten
schuldig seien. Uiber das vom Kaiser gegebene Versprechen,
seinen Hof wie seine Regierung im Reiche nach des Königs
Rath zu besetzen und zu führen, fehlt zwar heutzutage die
Verschreibung: doch ist es gewiß, daß eine solche in Brünn,
von des Kaisers eigener Hand gefertigt, erlassen wurde. [70]

Erst nach des Kaisers Abreise von Brünn erfolgte des
Königs erster Spruch in den Angelegenheiten Ungarns, er=
lassen an die Bevollmächtigten des Kaisers Friedrich, „er=
nannten Königs von Ungarn,“ Georg Kainacher und Ulrich
von Grafeneck, wie auch an die des Mathias, gleichfalls
„ernannten Königs von Ungarn,“ Johann Bischof von War=
dein und Oswald Rozgonyi, mit deren beiderseitigem Ein=
verständnisse. Es hieß darin: da im Kriege der Sieg ungewiß,
um so gewisser dagegen des Landes Schaden und Verderben
sei, so lege er beiden Parteien zunächst eine Verlängerung
des Waffenstillstandes bis zum 24 Juni 1460 auf, zu wel=
cher beide ihre Beitrittserklärung bis zum 14 September
schriftlich auf dem Schlosse Spielberg einzubringen hätten;
inzwischen dürfe von keiner Seite etwas Feindliches unter=

---

70) Den Beweis dafür liefert die von K. Georg seinen Gesandten
nach Rom im J. 1461 gegebene Instruction, wo es heißt: Als
der Kaiser und Er (K. Georg) zu Brünn bei einander gewesen
sein, da hat sich der Kaiser gein dem Konig verpflicht vnd mit
seiner aigen hanndt verschriebenn, das Er seinen kaiserlichen Hof
well besetzen vnd auch denselben hofe vnd das Reich Regieren nach
des Konigs rate 2c. (Im k. k. geh. Archiv in Wien, Num. 1739,
fol. 28.)

nommen und alle Gefangenen sollten freigelassen werden; 1459
auf den 20 Januar 1460 aber wurde ein Tag nach Olmütz
angesetzt, wo der König weitere Versuche der Einigung den
beiden Parteien in Aussicht stellte. Diesem Spruche hängten
außer dem Könige auch der Cardinal=Erzbischof Dionys von
Gran und der Erzbischof Stefan von Kolocza ihre Siegel
an, obgleich von ihrer Anwesenheit in Brünn sonst keine
Rede war. [71]

Durch die Vorgänge in Brünn wurde K. Georgs Stel=
lung ohne Zweifel bedeutend befestigt; ja allgemein verwun=
derte man sich, daß der in Sachen der Etikette strenge Kaiser
es über sich vermochte, ihn in seinen Landen selbst aufzu=
suchen: doch scheint der König auch gewahr worden zu sein,
auf welche schlüpfrigen Wege er damit gerieth, und das über=
triebene Maß seiner Forderungen blieb nicht das einzige Zeichen
seines Bestrebens, sich den Verbindlichkeiten wieder zu ent=
winden, die er da eingegangen. [72]

Von Brünn wandte sich der König der endlichen Bei=
legung der schlesischen Wirren zu, und war schon am 23 23 Aug.
August in Glatz, fast den ganzen folgenden September
brachte er aber in Schweidnitz und Jauer zu. Wir wollen
hier nicht wiederholen, was indessen alles zwischen den Böh=
men und den Schlesiern sich ereignet hatte, auch nicht, welche
Mahnungen und Drohungen von Zeit zu Zeit ergingen und

71) Die Brünner Verschreibungen sind aus Kaiser Friedrichs Regesten
bei Chmel und Lichnowsky bekannt; gedruckt sind sie bei Kurz und
Teleki, einige auch bei Eschenloer, Goldast, Kaprinai und andern.
Die Urkunden vom 4 August, bisher unbekannt, befinden sich im
königl. böhmischen Kronarchiv in Prag. Von den Siegeln der
ungarischen Erzbischöfe an dem Spruche vom 12 August, dessen
Original sich im k. k. geh. Archiv in Wien befindet, gibt das MS.
des Prager Domcapitels G. XIX fol. 185 besondere Auskunft.

72) Besondere Berücksichtigung verdient in dieser Hinsicht der außer=
ordentliche Sprung, den die Forderungen vom 4 zum 5 August
nachweisen.

1459 wie sie beantwortet wurden; es genüge die Bemerkung, daß die böhmischen Stände es für Landesverrath und für Rebellion erklärten, wenn man die Rechte der böhmischen Krone durch eine Berufung an Kaiser und Papst in Frage stellen wollte; es sei das ein strafbarer Versuch, dieselbe um ihre Freiheit zu bringen. Doch schwand, wie wir schon bemerkten, die Auflehnung so zu sagen mit jedem Tage mehr und mehr. Unter den Fürsten waren Bolek von Oppeln und Konrad der Schwarze von Öls die ersten, welche schon im März 1459 die Huldigung leisteten; auch der Adel der Herzogthümer Schweidnitz und Jauer ergab sich frühzeitig und zog auch die Städte nach sich, deren Widerstand etwas anhaltender gewesen; sonst an vielen Orten entspann sich Zwiespalt wie in den Landen, so auch in Familien, indem die Einen sich zu Böhmen wandten, die Andern noch zum Breslauer Bund hielten. Die Genossen des letzteren kamen, nach vielen vergeblichen Versuchen sich zu stärken, zum letzten 20 Mai Male am 20 Mai in Lüben zusammen. [73] Herzog Heinrich von Glogau legte seine Hauptmannschaft nieder und kam durch seinen Schwiegersohn, den Herrn Johann von Rosenberg, beim König zu Gnaden. Auch Konrad der Weiße von Öls und Friedrich von Liegnitz unterwarfen sich, und es beharrten zuletzt nur noch Balthasar von Sagan und die Städte Breslau und Namslau im Widerstande. Diesen aber sandten schon im Juni nicht allein Wladek, sondern auch Heinrich von Glogau Fehdebriefe im Namen des Königs zu.

Die Widerspänstigkeit der Stadt Breslau gehört unter die denkwürdigsten Erscheinungen ihrer Zeit und verdient eine um so eingehendere Beachtung, je reicher die Zahl in-

73) Die Tage des Bundes waren im J. 1458 zu Liegnitz 28 Juni, zu Lüben 17 Jul., Striegau 7 Aug., Lüben wieder 20 Aug., 25 Sept. und 6 Dec. Im J. 1459 zu Cotbus 18 Febr., Lüben 12 März, Liegnitz 25 März, Lüben 23 April und endlich 20 Mai.

1459

tereffanter Nachrichten ift, die wir darüber befitzen. [74] Wir
haben bereits bemerkt, daß die Berufung an Kaifer uud
Papft eine bloß fcheinbare gewefen: hatten doch die Bres=
lauer feierlich befchloffen und befchworen, den „Girik," komme
was da wolle, nie als ihren Herrn anzuerkennen, auch wenn
Papft und Kaifer es ihnen anbefehlen würden. Die Saat,
die Capiftran in der Stadt einft ausgeftreut, ging jetzt ver=
derblich fruchtbar auf. Religion aber und Chriftenglaube,
wenn auch noch fo feurig angerufen, blieben bloßer Vor=
wand: das eigentliche Motiv war tiefer Nationalhaß gegen
die Böhmen und Racheburft für die in dem Hufitenkrieg er=
littenen Unbilden. [75] Die Stadträthe verkündeten es laut, ehe
fie fich Georg unterwürfen, wollten fie lieber Haus und Hof
verlaffen und mit Weib und Kind in fremde Länder ziehen.
Aber nicht die Räthe waren es, welche die Stadt und die
Gemüther der Bewohner beherrfchten, fondern die Geiftlich=
keit und Priefterherrfchaft; und auch da hörte man keines=
wegs den Bifchof, nicht das Capitel und die Prälaten, fon=
dern nur einige Pfarrer und gemeine Mönche; je toller einer
von diefen in feinen Predigten gegen den Girik und die
Ketzer zu toben wußte, je höher ftieg fein Anfehen und feine
Macht im Volke. Girik, fo fprach man, bete nicht zu Gott,
fondern zu feinem Erzketzer Rokycana, und finne auf nichts,
als auf die Ausrottung des Chriftenthums und die Vertil=
gung aller feiner Bekenner; er fei der wüthendfte Nero und
der andere Decius, der große Drache, welcher die Kirche

74) Wir meinen zunächft des gleichzeitigen Stadtfchreibers Peter
   Efchenloer, eines geborenen Nürnbergers († 12 Mai 1481) „Ge=
   fchichten der Stadt Breslau" (440—1479), in Druck gegeben
   1827, — unftreitig eines der bedeutendften Werke der deutfchen
   hiftorifchen Literatur des XVten Jahrhunderts.

75) Efchenloer l. c. I, 130: Aus den langgewarten Krigen zwifchen
   uns und den Behmen hat fich entzundet eine angeborne Feind=
   fchaft und der Stachel der Rächung; fo fie über Bressla folden
   herrfchen, würden fie uns zuftören und unfer Leben in Verluft geben.

1459 vergiftet, der reißende Wolf, Dieb und Mörder, welcher in
den Schafstall Christi gebrochen, der schrecklichste Löwe, wel=
cher mit seinen Klauen, weit mehr als die Türken, den un=
genähten Rock Christi zu zerreißen trachte. [76] Gestachelt durch
solche Reden konnte der gemeine Mann den Krieg mit den
Ketzern kaum erwarten, und war in seinem Eifer, wie man
sagte, bereit, mit dem Kopfe durch die Wand zu rennen. Ob=
gleich in Breslau an gebildeten und vernünftigen Männern
kein Mangel war, so durfte doch keiner von ihnen wagen,
zur Vorsicht und Mäßigung zu rathen: denn nur wer in
den Schenken und im Schweidnitzer Keller am besten zu
trinken und zu schelten wußte, der war der tüchtigste, der
vernünftigste, der frömmste. Die volkreiche Stadt wurde von
so viel Herren regiert, als es in den Schenken Spieler,
Säufer und Schreier gab: was die wollten, mußte geschehen,
ihr Wille war der Stadt Gesetz. [77] Wehe demjenigen, der

76) Solcher Ausdrücke bedienten sich die Breslauer wirklich in ihrem
    Berichte an den Papst über K. Georg. S. Klose docum. Gesch. III, 38.
77) Eschenloer l. c. Aus den Predigten entstund und kam es, daß der
    Pöbel vor der Zeit streiten wolte und mit dem Heupte durch die
    Wende laufen. Aller kluger Rate muste verborgen bleiben, und
    welche in dem Schweinitzen Keller und in Kretschemhensern baß
    trinken und schelden kunden, die waren die besten, die klügsten, die
    christlichsten; da warde aller Rate bei der Quofferei gefunden und
    gehandelt dieser christlichen Sache, wenne sie das von den Predi=
    gern lernten (S. 80.) — Biel trefliche weise gelarte Herren und
    Manne waren gegenwertig, die nach Vernunft wol hetten gewußt
    in den Sachen zu raten: sondern das gemeine Volk war also be=
    stendig und zornig, daß Niemand seine Meinunge sagen dorfte
    (S. 80.) — O eine färliche Sache in einer ieglichen Stat, wo
    also das gemeine geringe Volk one Furchte und one Strafe oder
    one Gehorsam lebet. Es waren die Zeit als viel Ratleute zu
    Breslau, als viel Trinker und Seufer, Spieler und Lotter. Diese
    regireten, diese hatten der Stat Macht; was diese wolden, das
    muste geschehen. Das war wol eine vorkarte Ordnunge: die un=
    bersten über die obersten. Diese waren auch auf den Predigstülen
    die frömsten und die besten gelobet und benannt. (S. 81—82.)

nicht etwa mit Worten, sondern schon durch Geberden zu 1459
erkennen gab, daß er nicht zu den Eiferern gegen die Ketzer
und ihren König gehörte. Die Räthe selbst, so eifrig sie
waren, geriethen nicht selten in Lebensgefahr, weil sie nicht
etwa zum Frieden, sondern nur zur Vorsicht gerathen hatten.
Die Prediger lehrten, das Volk dürfe Niemanden vertrauen,
und sich nur auf sich selbst verlassen: darum witterte man
überall Verrath und Verräther. Der Hauptstifter dieser Pre-
digerherrschaft, Bartholomäus, Pfarrer bei S. Elisabeth,
zeichnete sich nur durch Beredsamkeit, nicht auch durch sittlichen Lebenswandel aus. [78] Mochte man nun den sittlichen
Werth dieser Kundgebung noch so gering anschlagen, so war
doch die materielle Macht des Widerstandes jedenfalls nicht
zu verachten. Die Stadt konnte im äußersten Nothfall bis
an 20,000 kampflustige Bewaffnete stellen, zwar nicht in's
Feld, aber doch hinter ihre Wälle und Gräben; und Pilsen
im J. 1434 stand als warnendes Beispiel da, wie wenig
selbst die tüchtigsten und geübtesten Heere gegen Stadtmauern vermochten, so lange das Geschützwesen gleichsam
noch in seiner Wiege lag.

Darum traf zwar K. Georg allerlei Vorkehrungen, um
die Aufrührer zu schrecken, aber sein Sinn war mehr auf
Unterwerfung derselben durch friedliche Mittel gerichtet, und
er bediente sich dazu, wiewohl ungern, der Vermittlung des
päpstlichen Hofes, als des einzigen Weges, der endlich zum
Ziele führen konnte. Seit Pius II erfahren hatte, daß der
böhmische König sich mit der Pfalz, mit Sachsen und Brandenburg befreundet und als Vermittler in der ungarischen

---

78) Eschenloer l. c. S. 126: Sonderlich der Prediger zu S. Elisabeth,
Herr Bartholomäus, war vor anderen in diesen Sachen hitzig, sehr
gespräche, wol redende, und alles Volk hörte ihn gerne. Als er
starbe (1462), beschied er all sein gut einer schönen ehelichen Frauen,
die Renkerin genannt, die was eine große Hure, mit seine Freundin
der Geburt. Daraus zu erkennen stund sein Leben u. s. w.

1459 Frage zwischen Friedrich und Mathias aufgetreten, empfand
er es zwar übel, daß diese Vermittlung nicht bei dem römi=
schen Stuhle nachgesucht worden sei, begann aber gegen K.
Georg sich offenbar günstiger und freundlicher zu bezeigen.
Den schlesischen Bund lobte, ja entschuldigte er nicht mehr,
sondern ermahnte das Volk zum Gehorsam, den König aber
bat er sich aller Kriegsmittel gegen ihn zu enthalten, um
nicht Christen gegenüber seine Kräfte zu vergeuden, deren
man gegen die Türken so dringend bedürfe. Er wünschte
sich und ihm Glück zum Abschluß der Verträge mit Sachsen,
da er nun hoffen durfte, daß der auf dieser Seite gesicherte
Friede ihn um so geneigter machen werde, gegen die Türken
zu rüsten, und lud ihn auf's freundlichste ein, persönlich nach
Mantua zu kommen und so thatsächlich die Verleumder zu
beschämen, die Freunde aber zu erfreuen und in ihrer Liebe
zu festigen. Nicht minder bezeichnend und wichtig waren die
18 Aug. Schreiben, die er am 18 August an Bischof, Geistlichkeit und
Gemeinde der Stadt Breslau und am folgenden Tage, den
19 Aug. 19 August, an K. Georg richtete. Im ersten äußerte er sein
Mißfallen über die dort herrschenden Unruhen und verlangte
die Absendung von Gesandten nach Mantua; denn da der
König dasselbe thun werde, so könne da über ihre Aussöh=
nung und über die von ihnen zu leistende Türkenhilfe unter
Einem gehandelt werden. Zugleich befahl er streng, alle Be=
schimpfung und Lästerung der Person des Königs in der
Stadt zu meiden und zu strafen, und ermahnte, ihm lieber
das zu leisten, wozu man verpflichtet sei: denn der König
höre nicht auf, seine Ergebenheit und Treue gegen den apo=
stolischen Stuhl täglich zu bezeugen. In dem Schreiben an
Georg dankte er ihm für den Entschluß, den Mantuaner
Congreß zu beschicken und versprach diejenigen, die er senden
werde, wie es bei königlichen Gesandten zieme, ehrenvoll
zu empfangen. Er rechtfertigte sich, daß er die Schlesier nie=
mals, weder in Wort noch in Schrift zur Empörung an=

gereizt habe; nichts anderes habe er ihnen geschrieben, als
Tröstungen in ihren Drangsalen, dergleichen ein Vater seinen
Kindern nie versage. Auch durch das an den König gestellte
Verlangen, sich jedes Krieges gegen sie zu enthalten, habe
er sich keineswegs zum Richter zwischen ihm und ihnen auf-
werfen, oder ein königliches Recht, sei dies beschaffen wie
immer, in Zweifel stellen wollen; denn er wollte und wolle
noch nichts anderes, als ein friedliches Abkommen unter
ihnen zu Stande bringen. Die Breslauer dem Gehorsam des
Königs zuzuführen sei übrigens Sache des Kaisers und nicht
des Papstes; des Letzteren Sorge gehe nicht weiter als auf
Erhaltung des Friedens unter den Christen.

. Der König hatte, wie erwähnt, schon vor seiner Ankunft in Schlesien Vorkehrungen treffen lassen, die Aufständischen einzuschüchtern: die Breslauer erhielten eine Menge
Absagebriefe nicht allein aus Schlesien, sondern auch aus
Böhmen und Mähren, und an verschiedenen Orten ergaben
sich blutige Scharmützel als Vorspiele des Krieges: aber zu
einer großen und regelmäßigen Heerfahrt traf man nirgend
Anstalten, sei es daß der König ihre Erfolglosigkeit voraussah, oder daß er dem Verlangen des Papstes nicht geradezu
entgegen handeln wollte. Zuerst ergoß sich die Verwüstung
über die Güter des Breslauer Domcapitels: wodurch dieses
um so eher zum Gehorsam gebracht wurde, als auch Bischof
Jobst, aus Italien vom Papste zurückgekehrt, öffentlich seine
Anhänglichkeit an den König an den Tag legte. Die Breslauer erkannten je länger je mehr ihre Isolirung und schickten
einige ihrer vornehmsten Mitbürger an Kazimir, König von
Polen, mit der Bitte um Schutz: doch erlangten sie, außer
schönen Worten, nichts weiter. Inzwischen leisteten am 1 Sep- 1 Sept.
tember fast alle Schlesier, Fürsten, Mannen und Städte, zu
Schweidnitz die Huldigung mit den gewöhnlichen Feierlichkeiten. Am 21 Sept. geschah dasselbe zu Jauer von Seite 21 Spt.
der Sechslande und Städte mit Ausnahme von Görlitz,

1459
20 Spt.

welches jedoch nach einigen Tagen sich besann und auch unterwarf. In Jauer wurde am 20 Sept. auch wegen des Herzogthums Liegnitz ein Vergleich geschlossen zwischen dem Könige einerseits und der Herzogin Hedwig und deren Sohn Friedrich anderseits. Bei den Breslauern verfingen jedoch weder die Friedensversuche von Seiten vieler Herzoge und Prälaten, noch die vielen ziemlich blutigen Händel, besonders am 8 September und 1 October, zumal letztere nicht selten zu ihren Gunsten ausschlugen. Am 3 October kam Bischof Jobst unter einem Geleitsbrief in die Stadt, wies dem Volke die päpstlichen Bullen vor, ermahnte im Namen des Kaisers und des Papstes zum Gehorsam, wendete alle Mittel der Ueberzeugung und Ueberredung an, eiferte und gebot als geistlicher Vater der Stadt, rügte die Prediger und Mönche, die das Volk zum Aufstande verführt, und drohte endlich sogar mit dem Kirchenbann: aber alles vergebens. Die Geist=lichen verstummten zwar in seiner Gegenwart und wußten gegen seine Gründe wie gegen seine Beredsamkeit nichts we=sentliches vorzubringen: doch kaum war die Versammlung auseinander gegangen, so entbrannte der Grimm von Neuem, man schrie, der Bischof sei ja auch ein Böhme, folglich wo nicht selbst Ketzer, so doch Ketzerfreund, der Papst sei von ihm getäuscht worden, man müsse ihn daher durch besondere Boten über die Schlechtigkeit der Böhmen besser unterrichten; denn das sei ja mit der Vernunft unvereinbar, daß der Papst den Ketzern wohlwolle. Und so mußte auch der Bischof unverrichteter Sache sich zurückziehen. [79]

Der König, zufrieden, den Aufruhr einstweilen wenig=stens räumlich beschränkt und moralisch unschädlich gemacht zu haben, verließ Schlesien gegen Ende September und langte

1 Oct.
3 Oct.

79) Alle diese Vorgänge schildert Eschenloer umständlich und gibt auch die betreffenden Briefe des Papstes. Der Vertrag wegen Liegnitz vom 20 Sept. 1459 befindet sich im k. k. geheimen Archive in Wien.

am 6 October wieder in Prag an. Es riefen ihn nicht 1459
minder bringende und wichtige Geschäfte nach Westen. Die 6 Oct.
großen Stürme in Deutschland waren zwar im Verlaufe des
Jahres einigermaßen beschwichtigt worden, drohten jedoch
täglich auf's Neue und viel heftiger auszubrechen. Wegen
Einnahme der Stadt Donauwörth hatte der Kaiser dem
Reichstagsschluß von Eßlingen gemäß am 4 Juni über Her- 4 Juni
zog Ludwig die Reichsacht ausgesprochen und Alvrecht Markgrafen von Brandenburg und Herzog Wilhelm von Sachsen
mit dem Vollzug derselben beauftragt. Die mächtigen Kriegsrüstungen, welche beide Parteien machten, wurden auf das
Einschreiten päpstlicher Legaten eingestellt, und auf dem Tage
zu Nürnberg auf S. Kiliani (1 — 9 Juli) entschloß sich 1—9
Ludwig Donauwörth dem Bischof von Eichstädt zu getreuen Juli
Händen zu übergeben, bis ein neuer auf den 14 Sept. an- 14 Spt.
gesetzter Tag entschieden haben würde, was damit schließlich
zu geschehen habe. Es wurden auch andere den Pfalzgrafen
Friedrich wie den Markgrafen Albrecht betreffende Beschlüsse
gefaßt, gegen welche jedoch beide protestirten. Als man nun
in solchen Anordnungen und Maßregeln fortfuhr, deren Par-
teilichkeit gegen die Fürsten des bairischen Hauses nicht zu
verkennen war, und als der Bischof von Eichstädt am 29 Sep- 29 Spt.
tember Donauwörth wieder dem Reichsmarschall von Pappenheim überantwortete, appellirte Pfalzgraf Friedrich an den
Papst, erklärte laut, er werde, komme was da wolle, ungerechten Sprüchen niemals Folge leisten und suchte nun gegen
den Kaiser wie gegen den Markgrafen durch neue Bündnisse
sich zu stärken.

Nach den erfolglosen prager Verhandlungen vom 25 Mai
hatte K. Georg dem Herzoge Ludwig das Leid zugefügt, daß
er einem alten Landesgesetze gemäß, welches Kriegsdienste bei
Mächten, die mit dem Königreiche nicht im Frieden standen,
unter Verlust von Gut und Leben verbot, all das Kriegsvolk
zurückberief, welches in den Monaten Mai und Juni aus

1459 Böhmen zu ihm in großer Zahl geströmt war. [80] Dieser empfindliche Schlag hatte den Herzog auf dem Nürnberger Kilianitage eben nachgiebiger gemacht, und derselbe hatte unter die Friedensbedingungen mit Albrecht auch einen Artikel beigefügt, demzufolge Letzterer ihm bei K. Georg einen friedlichen Anstand bis Martini erwirken sollte. Albrecht zeigte dies dem Könige zwar an, erbot sich aber zugleich zur Hilfeleistung, wenn er etwa einen Krieg gegen Ludwig beginnen wollte. Durch eifriges Zuthun des Herrn Johann Calta von Kamennahora (Steinberg), Herrn auf Rabenstein, kam es dennoch zu Friedensverhandlungen wieder und es wurde zur Schlichtung aller Streitigkeiten zwischen Böhmen und Baiern ein Tag nach Taus anberaumt. Der König beanspruchte nämlich für sich und seine Krone die Oberherrlichkeit über die Schlösser Parkstein, Weiden, Hersbruck, Lauf, Floß, Vohendräs, Hohenstein und Neidstein: Herzog Ludwig verweigerte die Anerkennung und forderte dagegen die Bezahlung einer Schuld von hunderttausend Gulden, für welche Karl IV bei seinen Vorfahren sich verschrieben. Auf dem Tage zu Taus erschienen als Bevollmächtigte von böhmischer Seite der gedachte Herr Calta, Herr Racek von Janowic auf Riesenberg und Bernhard Vitzthum, von bairischer Seite Georg Klosner, Johann von Degenberg, Sebastian Pflug und der Kanzler Christian Dorner. Der wichtige Vertrag, den sie am 18 September schloßen, lautete dahin, daß

18 Spt. 1) beide Herrscher zu Galli persönlich in Pilsen zusammenkommen und dort in eine ähnliche Einung, wie zu Eger zwischen dem Könige und dem Pfalzgrafen verabredet worden,

---

80) In dieser Zeit dienten dem Herzoge um Sold z. B. Heinrich von Kolowrat auf Liebstein und Beneš von Kolowrat auf Maschau, Dobrohost von Ronsperg, Heinrich von Metelsko, Niklas Kaplek von Sulewic auf Winterberg, Stibor von Dešenic, Přibjk Šatawa u. a. m. Aus der Brüderrotte Peter Hustopecký und Johann Šwehla mit ihren Leuten. (Münchner Archiv.)

treten sollten; 2) daß alle Ansprüche und Forderungen zwi= 1459
schen ihnen für ihre Lebenszeit ruhen und es erst nach ihrem
Tode den Erben und Nachkommen beider Parteien freistehen
sollte, sie auf dem Rechtswege wieder zu verfolgen; 3) Lud=
wig soll dem Könige 30.000 Gulden rheinisch „leihen,"
welche dieser ihm auf die genannten Schlösser Parkstein,
Weiden u. s. w. verschreiben wird, und 4) zu größerer Si=
cherheit soll jeder an die Briefe die Namen seiner vornehmsten
Räthe hinzusetzen u. s. w. [81]

Der Tag von Pilsen, der nun folgte, war nicht
ohne Glanz und Bedeutung. Zuerst kam K. Georg dahin,
wie es scheint, am 11 October, mit Johann von Rosenberg, 11 Oct.
Zbeněk von Sternberg, Heinrich von Stráž, Zbyněk Zagic,
dem Kanzler Prokop und vielen andern Baronen und Rit=
tern; dann kamen mit Herzog Ludwig Graf Wolfgang von
Schaumburg, Graf Ludwig von Oettingen, Johann della
Scala u. m. a., mit dem Pfalzgrafen aber der Bischof von
Worms, Graf Heß von Leiningen, ein Landgraf von Leuch=
tenberg, Philipp Schenk von Erbach u. s. w. Von den per=
sönlichen Verhandlungen der Herrscher unter einander wissen
wir nur so viel, daß beide Fürsten Klage führten über die
Unbilden, die sie im Reiche zu leiden hatten und daß sie
den König für sich zu gewinnen suchten, während es keinen
Zweifel leidet, daß er es verstand, sich jedermann unentbehr=
lich zu machen, es mit keinem zu verderben und sich auch
keinem ganz hinzugeben. Der Taußer Vertrag wurde jedoch
bestätigt und vollzogen, man fing auch an von Verlobung
einer der Töchter des Königs, sei es mit dem jungen Pfalz=
grafen Philipp, sei es mit einem Sohne Ludwigs zu reden,
und am 18 October gab der König auch als Kurfürst seinen 18 Oct.
Willebrief zur Arrogation im pfälzischen Hause u. s. w. Nicht
minder denkwürdig war auch die Sitzung der vereinigten

---

81) Die betreffenden Acten fanden wir im Münchner Reichsarchive,
zumal in den sogenannten Neuburger Copialbüchern.

böhmischen, bairischen und pfälzischen Räthe am 17 October, wo der König über die Frage verhandeln ließ, „wie man wieder im Reiche zu einer guten beständigen Münze kommen könne," und wo beschlossen wurde, daß zum bevorstehenden Martinitage zu Eger Bevollmächtigte in der Sache sowohl vom Kaiser als von den Fürsten verlangt werden sollten; dann sprach man über Sicherstellung der Straßen für Kauf= leute, über Hintanhaltung öffentlicher Schäden und deren Verfolgung auf dem Rechtswege u. dgl. m. [82]

.   Großartiger noch und glänzender, als der Tag zu Pilsen, war die Hochzeitfeier zu Eger, welche vertragsmäßig am S. Martinstage begann. Es erschienen dabei der König und die Königin mit ihren Kindern und 3000 Rossen, die vornehmsten böhmischen Barone, Herren und Edelfrauen mit zahlreichem Gefolge, die Herzoge Wilhelm und Albrecht von Sachsen, die Markgrafen Friedrich und Albrecht von Brandenburg, Otto Herzog von Baiern, der Erzbischof von Magdeburg, und eine Menge Grafen und Edle, zusammen gleichfalls an 3000 Rosse mit sich führend; auch fehlten nicht Räthe benachbarter Fürsten als Gesandte. [83] Die Prin= zessin Zdena, obgleich erst zehn Jahre alt, wurde dem Her= zoge Albrecht durch den Magdeburger Erzbischof angetraut und dann nach Sachsen geführt, wo sie die Stammmutter des gesammten gegenwärtig königlichen Hauses wurde und den Ruf besonderer Frömmigkeit erlangte; auch wurde Wil= helms Tochter Katharina, sechs Jahre alt, in die königliche Familie als Braut des jüngsten Königsohnes Hynek, der damals auch erst sieben Jahre alt war, aufgenommen und

---

82) Die Acten in den Archiven wie oben. Das Original des Freund= schaftsbundes vom 16 Oct. befindet sich auch im k. k. geheimen Archiv in Wien. Vgl. Kremer Urkund. p. 182.

83) Nähere Nachrichten aus den sächsischen Archiven findet man in: F. A. von Langenn, Herzog Albrecht der Beherzte, Stammvater des königl. Hauses Sachsen. Leipzig, 1838, p. 40 fg.

nach Prag geführt, wo sie in Kurzem eine solche Böhmin 1459
wurde, daß sie im J. 1464 schon die deutsche Sprache ganz
vergessen hatte. Die Familienfeste in Gegenwart so vieler
Regenten schloßen freilich politische Verhandlungen nicht aus.
Das Münzwesen scheint zwar gar nicht zur Sprache gekommen zu sein, da von Seiten des Kaisers kein Bevollmächtigter erschienen war; dagegen wurde fast der ganze 16 No- 16Nov.
vember in weitläufigen Debatten über die Beschwerden beider
Parteien im Reiche zugebracht. Für Herzog Ludwig und
für den Pfalzgrafen führte Wilhelm Fruchtlinger das Wort;
Markgraf Albrecht sprach für sich selbst, bis endlich K. Georg
die Redner bat, vom Streite abzustehen, da die Fortsetzung
desselben die „Unfreundschaft" nur mehren · müßte und er
kein „Entscheider" der Sache sei, es auch nicht sein wolle.
Eben so vergebens bemühte sich der König, zwischen Herzog
Wilhelm und den Gebrüdern Vitzthum eine Versöhnung herbeizuführen. Dagegen wurde am 20 November eine gewöhn- 20Nov.
liche freundliche „Einung" zwischen Böhmen und den batri-
schen Herzogen der Münchner Linie, dem alten Albrecht und
seinen Söhnen Johann und Sigmund, erzielt. [84] Endlich kam,
wenigstens zwischen dem Könige und dem Markgrafen Albrecht
insgeheim, jener große politische Plan zur Sprache, welchen
Doctor Martin Mayr hier in Eger zuerst entwickelte, und
wovon wir im nächsten Abschnitte umständlicher sprechen werden.

Schon im September hatte Pius II zur Schlichtung
und Beseitigung der Breslauer Wirren besondere Legaten abgeordnet, [85] damit sie durch Herstellung der Eintracht und des

---

84) Aus den Archiven von Dresden und München. Das Original des
Einigungsbriefs vom 20 Nov. auch im böhm Kronarchiv in Prag.

85) Das Datum der päpstlichen Vollmacht war zu Mantua, 1459,
XII kalendas Octobris, nicht 12 Oct. wie bei Eschenloer S. 166.
Die von den Legaten in Prag und in Breslau gehaltenen Reden
sind lateinisch in der Handschrift des Prager Domcapitels G. XX
zu lesen.

1459 Friedens dem Könige sowohl Luft als Möglichkeit zu einer ergiebigen Türkenhilfe bereiteten. Am 25 October zogen sie nun in Prag ein: der Erzbischof von Creta, Hieronymus Landus, ein Venetianer von Geburt und Doctor Franz von Toledo, Erzdiacon von Sevilla, und wurden mit allen Ehren aufgenommen. Der König hörte ihre Reden in einer feier=
28 Oct. lichen Versammlung am 28 October, gab ihnen seine Er= mächtigung und sandte sie reich beschenkt mit einem Ehren= geleite nach Schlesien. In Breslau jedoch stießen die Lega= ten, trotz allen Ehren und Festlichkeiten, mit welchen sie am
11 Nov. 11 November empfangen wurden, auf größere Schwierigkei= ten, als sie erwartet haben mochten. Die Rede, womit sie
13 Nov. am 13 November die Stadt zu bewegen suchten, sich dem Könige zu unterwerfen, war in vielfacher Beziehung merk= würdig. Vor allem bemühten sie sich den Breslauern die Uiberzeugung beizubringen, daß ihr Widerstand ein hoffnungs= loser sei. „Bedenkt," so sprachen sie, „welche Veränderung mit euch vorgegangen ist. Anfangs, da der König erwählt worden, stand ganz Schlesien zu euch, die Fürsten, die Städte und das Volk; die Reichsfürsten lobten und unterstützten euch, eure Bürger hatten freien Handel durch die ganze Welt, der König aber hatte wenig Freunde, überall traf er auf Wider= stand, selbst im eigenen Lande: jetzt seid ihr allein, von allen verlassen, euer Handel liegt gänzlich darnieder, ohne Lebens= gefahr könnt ihr kaum vor die Thore eurer Stadt gehen, und der König herrscht nicht allein über ganz Böhmen fried= lich, sondern besitzt auch Mähren, hat auch andere Länder sich unterworfen, seine Feinde befriedet und zu Freunden ge= macht; ganz Schlesien, euch allein ausgenommen, hat ihn als Herrn anerkannt; in allen seinen Landen sind die Stra= ßen offen, frei und sicher; er ist gekrönt mit großer Gunst, hat alle deutschen Fürsten für sich gewonnen und schließt täg= lich neue Bande der Verwandtschaft mit ihnen. Von seiner hohen in so vielen Geschäften erprobten Weisheit wollen

wir euch nicht reden, auch nicht sein großmüthiges Herz, 1459
seine Erfahrung in Kriegssachen und sein Glück schildern, da
dies ja alles bekannt ist; denn was er schweres und großes
gedenkt, das darf er unternehmen, und was er unternimmt,
das geht nach seinem Wunsche, und alles erreicht er durch
seine Weisheit. Er waltet frei und mächtig in seinem ganzen Reiche, ihr lebt verschlossen in euren Stadtmauern und
habt außerhalb derselben keinen Freund mehr außer dem heiligen Vater, und auch dieser wünscht und verlangt eure Aussöhnung mit dem Könige, damit euer Widerstand nicht den
Türken, unsern gemeinschaftlichen Feinden, zum Vortheil gereiche. Ihr wißt ja selbst, wie gefährlich deren Macht um
sich greift, und wie der heilige Vater, um sie zu brechen,
persönlich nach Mantua sich begab und die Könige und Fürsten in großer Zahl zu Rath und Hilfe dahin berief. Nur
die böhmischen und eure Gesandten kamen nicht, da ihr euch
in Unfrieden befindet. Darum ist es der Wunsch und Wille
seiner Heiligkeit, daß ihr euch zum Frieden wendet, damit
euer Streit aufhöre, dem gemeinen Besten der Christenheit
hinderlich zu sein." Mit großer Verwunderung horchten die
Breslauer solchen Reden und legten sie nach ihrem Sinne
verschieden aus: einige sagten, „Girik" habe die Legaten bestochen, andere, daß es Wälsche seien, die selbst selten gute
Christen wären; die Gemeine fluchte ihrer Ankunft, die sie
kurz zuvor in den Himmel erhoben hatte, Friede war dem
Volke und den Predigern wie ein Gift zu hören, und die
päpstlichen Legaten selbst wurden Ketzer genannt. Mit der
Antwort, die man ihnen zu geben hatte, verzog es sich bis
zum 1 December, da niemand sich getraute sie aufzusetzen, 1 Dec.
und alle Geistlichen, die dazu aufgefordert wurden, die Arbeit
ablehnten, so daß endlich die Legaten fragten, ob denn die
Breslauer nicht genug Verstand hätten, ihre Sachen gehörig
vorzubringen, oder so eigensinnig und unfolgsam wären, daß
sie ihren Spott trieben mit den Legaten? Endlich trug der

1459 Rath den Stadtschreibern und insbesondere Peter Eschenloer auf, eine Entgegnung zu verfassen, welche auch genehmigt und den Legaten übergeben wurde. In derselben wurden die Anlässe zu Haß und Feindschaft der Parteien ziemlich treffend hervorgehoben, alle Schuld auf den König und die Böhmen überhaupt gewälzt, über ihre Gottlosigkeit und Grausamkeit geklagt und Papst wie Legaten gebeten, die Stadt nicht unter die Herrschaft von Ketzern zu bringen; Seine Heiligkeit sollte sich ja nicht durch Georgs Angelobungen und Eide irre führen lassen, denn derselbe habe sich nicht allein dem heiligen Vater, sondern auch den Ketzern, zu welchen er selbst zeitlebens sich bekannte, eidlich verbunden. Die Legaten replicirten scharf, über Ketzerei zu entscheiden stehe dem Papste und nicht der Breslauer Gemeinde zu; der letzteren gebühre es, dem Rufe des heiligen Vaters zu folgen, wenn sie nicht selbst in Ketzerei und in den Bann verfallen wolle. Als sie 8 Dec. aber am 8 December dem Stadtschreiber Eschenloer zumutheten, ihre Replik dem Volke vorzulesen und deutsch zu erklären, antwortete dieser: „Wenn ich zwei Häupter hätte, das eine in Rom, das andere hier, möchte ich solches wohl wagen." Die Rathleute setzten hinzu, wenn die Legaten keinen günstigeren Auftrag hätten, so wäre es besser, sie entfernten sich, um nicht in Lebensgefahr zu gerathen. Darüber erschracken die geistlichen Herren, und wandelten die Drohungen in Bitten um. In einer neuen sehr weitläufigen Schrift suchten sie den Beweis zu führen, daß „es mit Ketzern nicht allein möglich, sondern auch schicklich sei in Frieden zu leben, wenn man sie weder überzeugen noch überwältigen könne." Der König habe nicht geschworen, die Ketzer zu fördern, sondern sie nur bei ihren Gebräuchen zu lassen, und das sei nicht nur keine Sünde, sondern sogar löblich. Ihr wißt ja wohl, ob ihre Zahl und Macht in Böhmen gering und ihre Ausrottung ohne Blutvergießen möglich sei; ihr werdet selbst einsehen, daß sie nicht durch Strenge, sondern durch Liebe,

nicht im Sturmschritt, sondern allmählig zu bekehren seien.
Wenn der König mit einigen von ihnen, als mit seinen
Freunden oder Dienern gerne Umgang pflege, so liebe er
ihre Personen, nicht ihre Ketzerei und sollte darum weder
Ketzer noch Ketzerfreund heißen, denn auch Christus der Herr
selbst entzog sich dem Umgang mit offenbaren Sündern nicht.
Auch in Bosnien gebe es mehr Manichäer als rechtgläubige
Christen, und König sei bald ein Manichäer, bald ein Recht-
gläubiger: dennoch leben beide Parteien im Frieden mit einander. Ein ähnlicher Gebrauch herrsche auch in Spanien bei
den Christen und Saracenen, um gegenseitig Mord und Todt-
schlag zu vermeiden. Den neuen böhmischen König, der überall
das Aufblühen und nicht den Untergang seiner Städte im
Auge habe, brauchten sie doch nicht zu fürchten. Sollte er
jedoch wider Erwartung ihnen Unrecht thun wollen, werde
der Papst auch über ihn Macht haben, wie über andere Könige u. s. w. Gegen solche und ähnliche Gründe wußte vollends
niemand etwas vorzutragen: gleichwohl erhob sich noch am
14 December ein neuer Sturm im Volke und man fürchtete
für das Leben der Legaten. In Gegenwart derselben äußerte
jemand im Stadtrathe den Wunsch, daß es möglich gemacht
werde, wenigstens die zu leistende Huldigung etwa um ein Jahr
zu verschieben: und die Legaten, die dies hörten, ergriffen dieses
Auskunftsmittel sogleich, um aus ihrer mißlichen Lage herauszukommen, versprachen auch, nicht nur sich dafür beim Könige zu verwenden, sondern es auch zur Bedingung jeder
Ausgleichung zu machen. Es wurde unverzüglich ein Entwurf zum Vergleiche aufgesetzt und im selben eine dreijährige
Frist verlangt, mit der bloß mündlichen Beifügung, daß es
den Legaten frei stehen solle, dieselbe bis auf ein Jahr
herabzumindern, wenn jene beim Könige nicht durchzusetzen
wäre. Dann wurden drei Abgesandte ernannt, einer aus dem
Rathe, einer aus den Kaufleuten und einer aus der übrigen
Bürgerschaft, und ihnen der Stadtschreiber Peter Eschenloer

1459 zugegeben, um in Gemeinschaft mit den Legaten den ent=
worfenen Vertrag dem Könige vorzulegen.   Die eben in der
Stadt anwesenden Räthe des Herzogs Balthasar von Sagan
baten, daß auch ihr Herr in den Vergleich eingeschlossen
werden möchte, und erhielten eine Zusage darüber.

20 Dec.   Als die gedachten Unterhändler am 20 December nach
Prag kamen, fanden sie bei dem Könige eine Nachgiebigkeit,
die sie selbst in Verwunderung setzte.   Er willigte nicht nur
ohne Bedenken in die dreijährige Frist, sondern fügte selbst,
wie aus Scherz, noch einen Monat hinzu. Eine größere, ja
die einzige Schwierigkeit bereitete die Aufnahme des Herzogs
von Sagan in den Vertrag: doch auch dies wurde erlangt,
und man beeilte sich, die Breslauer wie den Herzog zur schleu=
nigen Abfertigung von Bevollmächtigten aufzufordern, um den
Vertrag giltig abzuschließen.   Herzog Balthasar sandte Nie=
manden, sei es daß ihm die Vermittlung der Breslauer nicht
ehrenvoll und seiner würdig dünkte, oder daß er sich überhaupt
nicht aussöhnen wollte; er wurde daher, wie es heißt, zu nicht
geringer Zufriedenheit des Königs, vom Vertrage ausgeschlossen.

1460   Von Breslau kam dagegen eine ansehnliche Gesandtschaft, mit
13 Jan. welcher das Versöhnungswerk endlich am 13 Januar 1460
vollends zu Stande gebracht wurde.   Die Breslauer knieten
vor dem Könige nieder und baten, ihnen alles zu vergeben,
jeden Groll gegen sie fahren zu lassen, ihnen fortan ein gnä=
diger Herr zu sein, sie im Weltlichen wie im Geistlichen bei
ihren Rechten, Freiheiten, alten und neuen Verträgen zu er=
halten und auf ihren Huldigungseid nicht zu drängen, bis sie
durch willigen Diensteifer seine Liebe wiedergewonnen haben
würden, auch sie in seinen Schutz zu nehmen, wenn ihnen
irgendwoher Gewalt drohen sollte.   Der König reichte allen
und jedem insbesondere die Hand und sprach: „Alles sei ver=
geben und vergessen, und gelobe euch zu halten alles, was ich
durch meine Briefe wie auch durch die Legaten zugesagt habe,
und will fortan euer gnädiger Herr sein." Zwölf im könig=

lichen Hofe aufgestellte Trompeter verherrlichten eine Stunde 1460
lang den Versöhnungsact; Rokycana ließ ihn durch Glocken=
geläute in allen Stadtkirchen feiern. Dem später aufgekom=
menen Gerüchte, als hätten die Breslauer bereits gehuldigt,
widersprachen sie: doch scheint wie die öffentliche Meinung
jener Zeit, so auch der König selbst, dem Ceremoniell der
Huldigung wenig Wichtigkeit beigemessen zu haben, sobald
nur Anerkennung und Gehorsam angelobt worden waren.
Mannigfache „Ehrung“ wurde zwischen dem Könige und
seinen neuen Unterthanen ausgewechselt; die päpstlichen Le=
gaten ebenfalls reich beschenkt, kehrten mit den Breslauern
in ihre Stadt zurück, um sich von dort nach Polen weiter
zu begeben. [86]

Durch Vermittlung des Herzogs Přemyslaw von Te=
tschen wurde um dieselbe Zeit auch zur Anknüpfung freund=
schaftlicher Verhältnisse zwischen Böhmen und Polen ein
Tag nach Beuthen angesetzt und am 6 Januar 1460 von 6 Jan.
beiderseitigen Bevollmächtigten wirklich gehalten. Da jedoch
die Polen nicht aufhörten, auf ein vermeintes Erbrecht zur
Krone von Böhmen Ansprüche zu erheben, konnte nichts wei=
ter beschlossen werden, als die Abhaltung eines neuen Tages
darüber am nächstkünftigen St. Johannisfeste.

Während aller dieser Vorgänge beherrschte der bereits
oft erwähnte Congreß von Mantua als leitendes Er=
eigniß die Geschichte; er hatte die Bestimmung, gleichsam un=
vermerkt neue Rechtsverhältnisse in die Christenheit einzufüh=
ren. Erreichte Pius II seine Absichten, so verwirklichte sich

---

86) Die Belege zu den Breslauer Geschichten dieser Zeit findet man
  bei Peter Eschenloer u. a. O. in reicher Fülle. Die Vergleichs=
  urkunde vom 13 Januar 1460 bietet in lateinischer Sprache das
  MS. des Prager Domcapitels G. XIX. Den Act der Abbitte und
  Demüthigung der Breslauer am 13 Januar schildert Eschenloer
  mit unverkennbarer Zurückhaltung und Kürze; dagegen scheint
  wieder das, was die Staří lotopisové S. 74 darüber erzählen,
  einigermaßen übertrieben zu sein.

1460 die Vorstellung, welche die asiatischen Völker von jeher über
Europa sich machten, daß nämlich der Papst als oberster
König alle Könige der Christenheit regierte, indem der Unterschied zwischen geistlicher und weltlicher Herrschaft, den
Asiaten unbekannt, auch in Europa immer mehr hinschwand.
Konnte der Papst aus eigener Machtvollkommenheit Könige
und Völker zu Versammlung berufen, die Programme ihrer
Verhandlungen entwerfen und ihre Berathungen leiten, was
fehlte dann noch zur Ausübung wirklicher Herrschaft? Nun
läßt sich zwar nicht behaupten, daß die weltlichen Herrscher
gleich die ihnen drohende Gefahr erkannten: gleichwohl fand
jeder von ihnen zu Hause Anläße genug, nicht nach Mantua zu gehen.   Der Kaiser sandte an seiner Statt drei so
unansehnliche Botschafter, daß Pius II sie sogar zurückweisen
zu müssen glaubte; an ihrer Spitze stand Anton Bischof von
Triest, gleichsam zur Erinnerung an den Papst, der seine
glänzende Laufbahn einst dem gleichen Titel zu verdanken
hatte.   Nicht viel bedeutender waren die Vertreter der übrigen Fürsten, und der König von Frankreich schickte erst spät,
und nur aus Eifersucht gegen Burgund, seine Räthe.   Aus
Italien allein kamen nicht bloß Gesandte in größerer Zahl,
sondern auch regierende Fürsten, mit Ausnahme der Venetianer, die aus Furcht vor dem Sultan an keinen Berathungen
gegen ihn Theil zu nehmen sich getrauten.   Bei der Eröffnung der Sitzungen am 21 Juni 1459 klagte Pius II bitter
und laut über die Gleichgiltigkeit der Christen.   „Wir hofften," sagte er, „Bevollmächtigte aller Länder in großer Zahl
hier versammelt zu finden, und sehen unsere Hoffnung getäuscht; der Anblick der Lauheit, ja Kälte bei Fürsten und
Völkern erfüllt uns mit Wehmuth und mit Scham. Die Türken sind stets bereit, für ihren fluchwürdigen Unglauben in
den Tod zu gehen: die Christen scheuen für Vertheidigung
des Glaubens selbst die geringsten Mühen und Kosten. Geht
das fort, so so wird es bald um das Christenthum geschehen

sein. Wir aber wollen hier ausharren, bis uns die Absichten
der Fürsten vollständig kund werden. Kommen sie, so wollen
wir mit ihnen das allgemeine Beste berathen; bleiben sie
aus, so ergeben wir uns in das unabwendbare Geschick."
Es läßt sich hier nicht umständlich anführen, wie im weiteren Verlaufe mit den einzelnen Bevollmächtigten über die
Beiträge verhandelt wurde, welche jedes Land zum allgemeinen Türkenzug an Geld oder bewaffneter Mannschaft stellen
sollte, zumal auch das, was wirklich bewilligt wurde, zuletzt
in Nichts sich auflöste. Die Congreßsitzungen dauerten bis
Ende Januar 1460. In Betreff des deutschen Reichs begannen jedoch erst nach der Ankunft neuer kaiserlicher Gesandten,
der Bischöfe Johann von Eichstädt und Georg von Trient
und des Markgrafen Karl von Baden, eines Schwagers des
Kaisers, Verhandlungen, die sich durch die Monate October,
November und December 1459 hinzogen. Unter den Gesandten der Fürsten befand sich auch Gregor von Heimburg als
Bevollmächtigter der Erzherzoge Albrecht und Sigmund. Kein
Wunder daher, daß zwischen den Abgeordneten des Kaisers
und der Fürsten Streit entstand: denn letztere verlangten,
da das Christenheer jedenfalls durch Ungarn seinen Zug
werde nehmen müssen, daß vor allem der Streit wegen dieses Landes beseitigt werde, daß der Kaiser mit König Mathias sich friedlich vertrage und der ungarischen Krone entsage. In der Schlußconferenz am 19 Dec. siegte zwar die
Partei des Kaisers der Form nach, indem Mathias Hunyadi im Protokol nur als Graf von Bistritz bezeichnet wurde,
im Wesentlichen aber wurde die Entscheidung zweien im Reiche,
einem zu Nürnberg, dem andern am kaiserlichen Hofe abzu-
haltenden Reichstagen vorbehalten. Zum obersten Heerführer
wurde im Voraus der Kaiser bestimmt, doch durfte er sich
einen Stellvertreter unter den kriegskundigen Fürsten erwählen, als welche bald der Markgraf Albrecht von Brandenburg, der auch zuletzt persönlich nach Mantua gekommen war,

1460 bald deſſen Hauptgegner, der ſiegreiche Pfalzgraf Friedrich bezeichnet und empfohlen wurden, — Zeichen genug, wie wenig praktiſch der ganze Vorſchlag geweſen. Der an ſich rühmliche und heilſame Zweck, die Vereinigung der Chriſten= macht gegen die Türken, wurde auf dieſe Weiſe, durch Ein= miſchung fremdartiger Elemente verfehlt, und der Mantuaner Congreß, der erſt die politiſche Geſtalt von Europa zu ändern angethan war, verging am Ende ohne eine Spur zurückzu= laſſen. Das einzige, was ihn einigermaßen überdauern ſollte,

23 Jan. war das am 23 Januar 1460 erlaſſene päpſtliche Dekret, welches jeden in vornhinein als Ketzer erklärte, der ſich un= terſtehen würde, von einem Ausſpruch oder Gebot des Pap= ſtes an ein künftiges Concil zu appelliren. Decrete dieſer Art in Sachen des Glaubens und der Ketzerei war man bisher gewohnt, von Papſt und Concilium gemeinſchaftlich erlaſſen zu ſehen: aber es nahte auch ſchon die Zeit, wo nach gänzlichem Aufhören aller Concilien man kaum mehr um einen Schutz gegen den Blitzſtrahl des Vaticans ſich umſah, indem man anfing, denſelben für unſchädlich zu halten.[87]

87) Ueber den Congreß von Mantua bringt, außer Gobelinus und Raynaldi, zumal Müller's Reichstags=Theatrum reichhaltige Nach= richten. Die bei Senkenberg IV, 326—354 abgedruckte Schrift fanden wir auch im MS. des Prager Domcapitels G, XIX, fol. 140 sq. mit vielen Beilagen.

Drittes Capitel.

Erfolgloses Höherstreben.

(J. 1460—1462.)

Volksthümlichkeit der Regierung Georgs. Sein Rath. Anton Martini und Martin Mayr. Project der römischen Königswahl. Unordnung im Münzwesen in Böhmen und Oesterreich. Die österreichischen Wirren trüben die Beziehungen zwischen dem Kaiser und dem Könige. Der Tag von Olmütz erfolglos. K. Georg erfreut sich der Gunst des römischen Hofes; Cardinal Bessarion. Annäherung an die bairische Partei. Reichstag in Wien. Bruch zwischen dem Kaiser und dem Könige. Geheime Uebereinkunft mit Ludwig von Baiern. Erneuerung des Bundes mit Mathias und Kasimir; Mißhelligkeiten mit Brandenburg. Der Tag von Olmütz. Die patriotische und Conciliarpartei in Deutschland regt sich wieder. Der Tag von Eger und der Oppositionsreichstag zu Nürnberg. Markgraf Albrecht und der Kaiser; des Letzteren Verbindung mit dem Papste. Umschwung im Mai. Unruhige Stimmung in Böhmen; der König gibt die deutschen Hoffnungen auf. Schlimme Folgen des Projects; Krieg mit Brandenburg. Verhandlungen in Prag. Der König hintergangen; Tag zu Budweis. Krieg in der Lausitz und Verhandlungen zu Brür. Zusammenkunft in Glogau. Friede in der Lausitz. Die Siege der bairischen Partei.

König Georg pflegte zwar, wie Andere vor ihm und 1460 nach ihm, sich einen König von Gottes Gnaden zu schreiben: doch war er nicht durch Geburt, sondern durch persönliche Verdienste und den Willen des Volkes auf den Thron ge-

1460 langt. Nun nahmen ihn wohl die Herrscher ohne vieles
Säumen in ihre Mitte auf und suchten sich mit ihm viel=
fach zu befreunden: er aber durfte nie außer Acht setzen,
wie verschieden die Grundlage ihrer und seiner Macht gewe=
sen, und mußte daher nicht nur andere Ziele verfolgen, son=
dern auch von anderen Grundsätzen sich leiten lassen, als die
Erbfürsten. Wie sein Ursprung und seine Herrschaft, so
mußte auch seine Politik national und keineswegs dynastisch
sein; er durfte keine anderen Interessen sich zu Herzen neh=
men, als die Sicherheit und Wohlfahrt seiner Unterthanen.
Das Wohl und Wehe des Volkes mußte auf sein Gemüth
wie auf seine Entschlüsse einen viel wirksameren Einfluß üben,
als es bei den benachbarten Fürsten der Fall war, und seine
Macht und Regierung durfte sich nicht zu weit von ihrem
Stamme entfernen, damit sie nicht etwa dem Heimatsboden
entrissen, auch gänzlich zu Grunde gehe. Es war auch dies
ein Zeichen seiner Weisheit, daß er diesen Sachbestand früh=
zeitig erkannte und sein Benehmen darnach einrichtete. Be=
schränkte dieß aber seinen Willen einerseits, so verlieh es
demselben anderseits mehr Nachdruck und Kraft, und machte
ihn beinahe unwiderstehlich.

Bemerkenswerth ist dabei die Erscheinung, daß er, nach
der Meinung der Zeitgenossen der verständigste und tüchtigste
Herrscher, der am besten sich selbst wie auch andern zu rathen
verstand, dennoch in allen Regierungsfragen fleißiger als an=
dere Machthaber sich fremden Raths zu erholen pflegte. Nie=
mals entschied er aber irgend eine Sache, ohne sie vorher
seinen Räthen zur Begutachtung vorgelegt zu haben, [88] erst
nachdem er verschiedene Stimmen angehört, pflegte er sich

---

88) Von dieser Eigenheit erlangten wir aus einigen Relationen bai=
rischer Gesandten in den Münchner Archiven Kenntniß. Auch in
Angelegenheiten des Auslands, wo der König Schiedsrichter war,
pflegte er seine Räthe zu Rathe zu ziehen, oft auch über Dinge
von geringerer Bedeutung.

nach ſeinem eigenen Sinne zu entſchließen, und was einmal 1460
beſchloſſen war, wurde ſtets mit großem Nachdruck durchge=
führt. Seinen Rath wählte und beſtellte er ſich freilich ſelbſt
aus Perſonen verſchiedener Stände, nicht Eingebornen allein,
ſondern auch aus Fremden, und zwar bei jeder Angelegenheit aus
anderen; Geiſtliche herrſchten nicht darin, und die vornehm=
ſten Barone, die daran Theil nahmen, waren mehr Vollſtre=
cker als Lenker der königlichen Entſchlüſſe. Unter die einfluß=
reichſten Rathgeber gehörten, allem Anſcheine nach, die Köni=
gin Johanna und Herr Zdeněk Koſtka von Poſtupic auf
Leitomiſchl, den der König zugleich mit deſſen Bruder Albrecht
in den Herrenſtand des Landes aufnehmen ließ; die Zahl der
übrigen, welchen beſtimmte Wochengelder bei der Kuttenberger
Urbur angewieſen zu werden pflegten, war ziemlich anſehnlich.
Auf den wichtigen Unterſchied der eigentlichen Landesräthe von
den übrigen Hofräthen werden wir ſpäter noch zurückkommen.
Unter den Ausländern ragten im Rathe des Königs durch
Einfluß und Wirkſamkeit hervor, in den erſten Jahren der
Franzoſe Anton Marini aus Grenoble und der Deutſche
Martin Mayr aus Heidelberg; in den ſpäteren insbeſondere
Gregor von Heimburg, auch ein Deutſcher. Die nicht geringe
Bedeutung dieſer Umſtände heiſcht eine etwas eingehendere
Betrachtung derſelben. [89]

Es war in der Diplomatie des XV Jahrhunderts Ge=
brauch, daß Männer, die in den politiſchen Wiſſenſchaften
bewandert, als Kenner des internationalen Rechtes galten,
nicht dem Dienſte eines einzigen Hofes ausſchließlich ſich
widmeten, ſondern gegen einen jährlichen oft ſehr mäßigen
Gehalt an mehrere Höfe als Räthe und Redner ſich zu ver=

---

89) Gregor von Heimburg ſchrieb, bevor er noch ſelbſt in des Königs
Rath berufen wurde, am 8 Sept. 1465: Rex Bohemiae — multorum
principum consiliarios sibi conciliavit. Quisquis enim illius regis
familiaritate potitur, is ab omnibus prudens judicatur; tamquam
prudentissimi regis judicio approbatus.

1460 dingen pflegten. Ihre Aufgabe war, mit ihren Kenntnissen
und ihrer Einsicht zur Lösung verschiedener politischen Fragen
beizutragen, schriftliche Gutachten darüber einzureichen, Gesandtschaften zu übernehmen und Unterhandlungen oft über
wichtige Gegenstände einzuleiten und überhaupt das gute Einvernehmen zwischen den Höfen zu fördern. Durch ihren
Eid waren sie nicht weiter gebunden, als bloß solchen Höfen
zugleich zu dienen, die mit einander in Frieden und Freundschaft lebten; entstand ein Zerwürfniß zwischen ihren Herren,
so mußten sie den Dienst entweder des einen oder des andern
Theils verlassen. Solche Männer, die gleichsam einen eigenen
Stand oder eine Corporation für sich bildeten, in deren Händen sich beinahe ausschließlich die ganze Diplomatie jener
Zeit befand, waren nicht nur untereinander, sondern auch an
allen königlichen und fürstlichen Höfen ihrer Zeit persönlich
bekannt. Die Fürsten bedienten sich ihrer als Vermittler
und Agenten in allen ihren auswärtigen Angelegenheiten,
auch um Kunde über Ereignisse und Zustände in der Fremde
zu erlangen. Oft jedoch war auch damals schon der Titel
eines Rathes nicht mehr, als eine persönliche Auszeichnung:
so ernannte z. B. König Ludwig XI von Frankreich Herrn
Albrecht Kostka zu seinen Geheimrath, bloß um damit einen
Beweis seiner freundschaftlichen Gesinnung gegen K. Georg
zu geben.

Es läßt sich nicht angeben, wann und wie Anton
Marini, der zugleich des Königs von Frankreich Rath
gewesen, in K. Georgs Dienst kam. Gewiß ist nur, daß
er als böhmischer Gesandter in den Jahren 1460—1464
alle königlichen Höfe Europa's bereiste, einige Monate in den
Geschäften K. Georgs auch am päpstlichen Hofe zubrachte,
und inzwischen auch eine Botschaft König Ludwigs XI an
die Venetianer und die Könige von Polen und von Ungarn
besorgte, — ein überaus gewandter und zungenfertiger Mann,
ein kecker Viel- — ja Allwisser, ein Pedant mit genialen Gei-

stesblitzen, vorzüglich bewandert, wie es scheint, in Fragen 1460
der National-Oekonomie. Um mit K. Georg, der kein Latein
und wenig Deutsch verstand, unmittelbar verkehren zu können,
lernte er die böhmische Sprache in solchem Grade, daß er
ihm auch böhmische Aufsätze liefern konnte. Der König, der
seine Kenntnisse auf alle Art zu erweitern suchte und sich
darum überhaupt gern mit Gelehrten unterhielt, pflegte auch
mit ihm häufig in Gespräche sich einzulassen. Es ist wenigstens das bekannt, daß er eines Abends, nachdem er mündlich viel mit ihm über die Mittel sich besprochen, seinem
Lande Frieden und Eintracht, Schutz nach Außen und Wohlstand im Innern zu sichern, ihm endlich auferlegte, über
nachstehende sieben Fragen sein schriftliches Gutachten zu erstatten: 1) wie es möglich wäre, die Böhmen, die auf ihren
Compactaten bestünden, ohne Aufhebung derselben mit der
römischen Kirche auszusöhnen? 2) Wie es möglich wäre, unter den Königen und Fürsten der Christenheit eine solche allgemeine Uebereinkunft zu Stande zu bringen, der zu Folge
sie sich verpflichteten, nicht allein untereinander des Friedens
zu pflegen, sondern auch Kaiser und Papst innerhalb des
Kreises ihrer Befugnisse zu erhalten, und vereint die Christenheit gegen die Türken zu schützen? 3) Wie es möglich
wäre in Böhmen eine so feste Münze einzuführen, daß ihr
Werth und Gehalt sich niemals änderte? 4) Wie der Bergbau in Böhmen und den dazu gehörigen Ländern in Aufnahme zu bringen wäre? 5) Welche Einrichtung man den
Regalien (königlichen Aemtern) in Böhmen zu geben hätte?
6) Wie es möglich wäre, die Menge des Imports und Ex-
ports im böhmischen Handel zu erfahren, und wohin die
Bilanz sich wende, ob zu Gunsten der Böhmen oder des
Auslandes? und endlich 7) wie es möglich wäre, den Handel
in Böhmen wieder zur Blüthe zu bringen? Man sieht wohl,
daß so vielen und großen Fragen selbst der ausgezeichnetste
Forscher unserer Zeit kaum zu genügen im Stande wäre.

1460 Herr Anton aber hatte die Antwort auf alles gleich bei der
Hand. Schade, daß seine Aufsätze beinahe sämmtlich verloren
gingen: denn in Betreff der dritten Frage gab er sich selbst
das Zeugniß, er habe über dieselbe so umständlich geschrieben,
daß es ihm der König, wenn er nur alles ausführe, und
seine Söhne und die böhmische Nation in alle Zukunft ge=
denken würden; bezüglich der vierten habe er etwas so Mei=
sterhaftes ausfindig gemacht, daß er zu Gott und der heili=
gen Jungfrau Maria hoffe, man werde Geldkräfte genug
bekommen, um allen Gold=, Silber= und andern Bergbau in
der Krone Böhmens betreiben zu können; auch über die
fünfte habe er ausführlich gehandelt, wie Seine Majestät
selbst bezeugen könne; über die sechste endlich habe er „eine
so vortreffliche, feine und nützliche Schrift verfaßt, wie sie
in dieser Welt überhaupt nur geliefert werden könne, und
den Titel führe „von der Landtafel des Königreichs," obgleich
sie eigentlicher „Blume aller Blumen, Schlüssel aller Schlüs=
sel" heißen könne." Nur über den siebenten und letzten
Punkt, vor der Verbesserung des Handelswesens, hat sich
eine kurze Schrift erhalten, aus deren Inhalt sich einiger
Maßen auf den Werth der verloren gegangenen schließen
läßt. [90] Man ersieht daraus, es habe dem Könige eigent=
lich daran gelegen, daß die Böhmen selbst sich dem Handel
ergeben und ihn bei sich nicht immer nur den Deutschen und
Italienern überlassen möchten. Marini wußte keinen besseren

90) Diese Schrift (Rada králi Jiřímu o zlepšení kupectví w Čechách,
Rath für K. Georg, wie den Handel in Böhmen in Aufnahme
zu bringen,) haben wir aus einer gleichzeitigen Abschrift im gräfl.
Czernin'schen Archiv zu Neuhaus geschöpft und mit einer Einleitung
versehen abdrucken lassen im Časopis česk. Museum, 1828, III,
S. 3—24; beigefügt ist ein Schreiben desselben Verfassers an K.
Georg dd. Viterbo, 8 Aug. 1461. Erst in der neueren Zeit sind
wir inne worden, daß sein Name „de Gratioli eine Abkürzung für
Gratianopoli" (Grenoble in Frankreich) war. In Rom nannte
man ihn einmal auch Antonius carbonista de Francia (MS.)

Bescheid zu geben, als daß er sagte, wenn man seine Worte 1460
auf den einfachsten Ausdruck reducirt: „König, gebt den
Böhmen Geld, so viel sie brauchen, verlangt keine Zinsen,
verschafft ihnen Credit, steht für den Schaden, und laßt
ihnen allen Gewinn," wonach freilich das Handeln ein sehr
bequemes Geschäft wäre. [91] Von der Idee eines Parlaments
aller weltlichen Könige und Fürsten, als eines Areopags der
Christenheit, die auf den ersten und zweiten Punct zur Antwort diente, werden wir später ausführlicher zu reden haben.
Marini war, wenn nicht der Urheber, so doch der Hauptträger dieser Idee; auch hatte er schon 1461 Pius II aus
eigenem Antrieb zugemuthet, K. Georg zum Oberbefehlshaber
des Krieges gegen die Türken zu bestellen und ihm in vorhinein den Titel eines Kaisers von Constantinopel zuzusichern,
— denn es schien keinem Zweifel zu unterliegen, daß ihm
der Sieg über Sultan Mohammed ein Leichtes sein werde.

Ein Mann von ganz anderem Gepräge war Doctor
Martin Mayr, den wir gleichfalls in K. Georgs Diensten
finden in den Jahren 1459—1461. Wir haben schon erwähnt,
daß er einer der vorzüglichsten deutschen Patrioten seiner
Zeit gewesen; bisher kennt man ihn meist nur durch Aeneas
Sylvius, seinen ehemaligen Freund und Gegner zugleich, der
als Cardinal das bekannte Werk „De moribus Germano-
rum" gegen ihn schrieb, um seine patriotischen Klagen und
Wünsche zu widerlegen. Doch nicht allein nach Außen, gegen
Rom, verfocht Mayr die Rechte seines Volkes, auch im In-

---

91) Um dem Manne kein Unrecht zu thun, wollen wir nicht verschweigen, daß sich in seinem Werke auch treffliche Lehrsätze finden, z. B.
die Stelle: „Gute Kaufleute pflegen fünf Dinge zu beobachten:
erstens ihr Geld nie todt liegen zu lassen, sondern stets damit Erwerb zu treiben; zweitens, es nicht an einem Orte beisammen zu
haben; drittens, jedes Versprechen zu halten; viertens, sich nie auf
große Sicherheit zu verlassen; fünftens, nie ihr Wort zu brechen
und zu betrügen.

1460   nern des Reichs war er mehr als irgend einer seiner Zeitgenossen auf die nöthigen Reformen bedacht. Seine Klage
über die öffentlichen Zustände von Deutschland war wahrhaft rührend. „Vergeblich ist's,“ sagt er, [92] „die Deutschen
zu spornen, daß sie gegen die Türken zu den Waffen greifen,
so lange sie derselben daheim selbst bedürfen, wo einer den
andern fürchtet. Gott sei's geklagt, das ganze Reich ist von allen
Seiten so erschüttert und zerrissen, daß es nirgend mehr zu-
sammenhält. Die Städte führen mit den Fürsten, die Fürsten
mit den Städten unaufhörlich Krieg, und Niemand ist so
niedrigen Standes, daß er seinem Nachbar nicht die Fehde
ansagen dürfte. Es gibt daher in ganz Deutschland keinen
ruhigen Winkel; wohin man sich wende, hat man sich vor
Nachstellung, Raub und Mord zu hüten; die Geistlichkeit
genießt keinen Frieden, der Adel keine Ehren. Und obgleich
wir uns alle nach Ruhe sehnen, die Kämpfe hassen und über

92) Mayr's eigene Worte sind: Teutonici nullo pacto cum exteris
arma sument, quamdiu domi alterutrum timeant. Videmus ipsam
Teutoniam undique quassatam, laceratam et nulla in parte sibi
cohaerentem. Nam hic civitates cum principibus lites immortales ducunt, hic princeps principi, civitas civitati bella mo-
vent, nec est tam infimae conditionis, qui vicinis ex arbitrio
bella indicere non praesumat; et inde nullus angulus Teutoniae
quietus, quocumque pergamus, insidias, spolia et mortem ti-
meamus; neque pax clero, neque nobilitati honor est. Et licet
omnes Teutonici pacem optemus, bella odiamus et rapinas ac
spolia accusemus, modum tamen habendae pacis non quaeri-
mus. Nusquam enim sine justitia pacem recipiemus; quietum
regnum judicia reddunt; frustra leges condimus, judicia tenemus et sententias ferimus, nisi manus esset armata. quae con-
tumaciam coerceret subditorum. Quia cum illa non sit, idcirco
tantum paremus, quantum volumus; unde lites immortales,
cum se quisque regem dicit etc. Mit diesen Worten schilderte
Mayr im Januar 1460 am Hofe zu Mailand die Zustände des
deutschen Reichs. MS. des Prager Capitels G, XIX, fol. 151—2.
Vgl. Anmerk.

Räubereien klagen, so treffen wir doch keine Anstalten, den 1460
Frieden im Vaterlande herzustellen. Denn ohne Gerechtigkeit
werden wir niemals Frieden haben; die Reiche werden nur
durch die Rechtspflege beruhigt; doch ist es vergebens, Gesetze zu geben, Gericht zu halten und Urtheile zu fällen, wenn
es keine bewaffnete Macht gibt, welche die Willkür der Untergebenen im Zügel hält. Da nun keine da ist, so gehorchen
wir nur, so weit wir selbst wollen; der Streit wird unver-
gänglich, da jedermann sich selbst Herr und König ist." Da
er nun auf Kaiser Friedrich keine Hoffnung setzte, so war
er schon als Kanzler des Erzbischofs von Mainz auf Mittel
bedacht gewesen, den Abgang einer starken vollziehenden Gewalt im Reiche zu ersetzen, nicht etwa durch Absetzung des
Kaisers, sondern durch Einsetzung eines tüchtigen Coadjutors,
etwa unter dem Titel eines römischen Königs, an seiner
Seite. Sein Auge war zuerst auf Herzog Philipp von Burgund gerichtet, als sich dieser 1454 zum regensburger Reichstage begab; später (1456) betheiligte er sich bei dem Vorschlage, den Erzherzog Albrecht zum römischen König zu erheben. [93] Jetzt, bei den Vermählungsfesten zu Eger um Martini 1459, da er Zutritt bei dem Könige von Böhmen hatte
und in dessen Landen so viel Ruhe und Ordnung, so viel
öffentliche Sicherheit und Gerechtigkeit wahrnahm, erfaßte ihn
seine patriotische Sehnsucht wieder. Er stellte ihm Deutschlands beklagenswerthe Lage dar und fügte dann mit schmeich-
lerischer Wendung hinzu, so jammervoll sie auch sei, so könne
sie doch Seiner Majestät zu erwünschter Befriedigung gereichen: „denn es scheine, als ob Gott selbst alles so einge-
richtet hätte, um Ihr Gelegenheit zu bieten, hohe Verdienste
und unsterblichen Ruhm zu gewinnen. Denn wer Anderer,

---

93) M. Heinrich Erlbach († 1472), von welchem weiter unten (Anmerk. 111) umständlicher die Rede sein wird, behauptete, Mayr
sei nicht nur bei diesem Vorschlage betheiligt, sondern dessen Urheber gewesen.

1460 als Euer Majeſtät, kann im deutſchen Reiche Ordnung und
Gerechtigkeit herſtellen? Ihr ſeid der erſte unter den Kur=
fürſten, ſowohl Euerer Stellung als Eurer Macht nach; Ihr
ſeid nicht verflochten in die alten Streithändel der Fürſten
untereinander, darum blicken ſie alle nach Euch um Rath
und Hilfe, und der Kaiſer ſelbſt bedarf ihrer und ſucht ſie
bei Euch; Ihr allein könnt die Ruhe im Reiche nicht nur
erhalten, ſondern auch befehlen. Darum bitte ich Euer Ma=
jeſtät, waget ein großes Werk, werdet ein Reſtaurator des
heiligen römiſchen Reichs und ſichert Euch ein geſegnetes
Andenken für ewige Zeiten. Verſuchet zuerſt bei dem Kaiſer
und den Fürſten, ob ſie nicht geneigt wären, Euch die Ad=
miniſtration im Reiche von ſelbſt zu überlaſſen? Ich meine,
daß ſolches geſchieht, und gewiß wird Euch daraus nicht nur
Nutzen, ſondern auch Macht und Ruhm erwachſen!" [94]

Die Berufung auf des Königs Ehrgeiz verfehlte nicht
ihre Wirkung. Der Gedanke an eine Regierung des Reichs
mochte für einen thatkräftigen und unternehmenden Geiſt um
ſo mehr Lockendes haben, je größere Schwierigkeiten ſie in

---

94) Im Februar 1460 ſchrieb Doctor Mayr an König Georg: Si
suasio mea quidquam posset, suanderem, quod Vestra Majestas
celeriter id apud imperatorem et electores sollicitaret, per quod
administrationem et majoritatem in imperio sub modis et for-
mis, quas vobis pridem in Egra detexi, quaereretis. (L. c. fol.
156.) Und an einem andern Orte ſagt er: Quamvis lugubris
sit hoc tempore fortuna imperii et nimis dolenda, Suae tamen
Majestati, si gloriae cupidus existat, optanda est haec occasio,
quae eandem Suam Majestatem possit in altum vehere et cla-
rissimum reddere, atque hoc decus reservare, ut defensor et
auctor sacri Romani imperii existat etc. (L. c. fol. 152.) Quis
est inter principes imperii, qui non partialis sit, cujus potentia
tanta sit, quod possit pacem indicendam conservare, nisi Vestra Majestas? Et ideo, si Vestrae Serenitati placitum fuerit,
ego — clanculum et per indirectum sollicitabo, quod principes
supplicabunt vobis, ut officium conservatoris pacis in imperio
accipiatis et assumatis. (L. c. f. 157.)

Aussicht stellte; der König dürfte überdieß darin ein treff=   1460
liches Mittel erblickt haben, nicht nur den Frieden seiner
Länder zu sichern, sondern sich auch in ein günstiges Ver=
hältniß mit dem römischen Hofe zu setzen. Gewiß ist, daß er
die Worte seines Rathes nicht unbeachtet ließ, sondern ihm
befahl, über die Sache weiter nachzudenken, und auch vor=
läufig zu erforschen, welche und wie groß die Einkünfte des
Reiches seien. Auch nahm er keinen Anstand, sich in dieser
Sache sogleich dem in Eger anwesenden Markgrafen Albrecht
von Brandenburg zu vertrauen und ihn um seine Meinung
wie um seinen Rath zu ersuchen. Der Markgraf fand den
Vorschlag gut, besonders wenn er sich mit des Kaisers und
der Kurfürsten Einwilligung durchführen lasse, sagte jedoch,
er selbst könne, da er kein Kurfürst sei, nichts Unmittelbares
dazu thun. Der König erwiderte, er hoffe auf die Einwilli=
gung des Kaisers und werde sich um sie bewerben. Man
beschloß vorläufig, den Vorschlag geheim zu halten und durch=
aus niemanden zu entdecken. Martin Mayr wurde vom Kö=
nige zur Einleitung eines Freundschaftsbündnisses mit dem
Herzog Franz Sforza nach Mailand abgeschickt. Als er auf
der Rückreise von dort im Februar 1460 erkrankte und nicht
persönlich zum Könige kommen konnte, schrieb er ihm aber=
mals ausführlich über seinen Vorschlag und lag ihm beson=
ders an, er möchte auf dem nächsten Reichstage, der in Folge
der Mantuaner Beschlüsse am 2' März zu Nürnberg eröffnet   2 März
werden sollte, sich zum Conservator pacis per totum im=
perium, und zwar mit des Kaisers Zustimmung bestellen
lassen, worauf ihm die Administration des Reichs von selbst
zufallen werde. Auch wäre es, sagte er, gut, wenn der König
an des Kaisers Statt zum obersten Heerführer der Christen=
heit gegen die Türken ernannt würde; darum müsse auch bei
der im Reiche auszuschreibenden Türkensteuer bei Zeiten an
die ihm als obersten Heerführer gebührende Quote gedacht
werden. „Geruhe Ew. Majestät nur ihre königliche Einwil=

1460 ligung dazu zu geben: dann werde ich ſchon alles führen, als ob es von mir käme, und getröſte mich des glücklichen Gelingens." [95]

Mayr's Vorſchlag hatte im Beginn ſo wenig Verletzendes für den Kaiſer, daß der König wie ſein Rath unbedenklich auf deſſen Zuſtimmung rechnen konnten. Wir kennen freilich die vertrauteren perſönlichen Verhältniſſe zwiſchen Kaiſer und König nur ſehr ungenau: doch nachdem der Erſtere ſchon im vorigen Jahre freiwillig ſich erboten hatte, des Königs Rath wie überhaupt, ſo bei den Reichsgeſchäften insbeſondere zu befolgen und auch auf deſſen Ehre und Vortheil Bedacht zu nehmen, ſo ſcheint es, war die Hoffnung nicht unbegründet, er werde bereit ſein, ihm den größeren Theil der Sorgen abzutreten, mit denen er ſich, wie bekannt war, nur ungern beſchäftigte. Es bedurfte nur eines Schrittes weiter auf der Bahn, die bereits mit beiderſeitiger Zuſtimmung betreten war; und der König beſaß Mittel genug, ſich den Kaiſer zur Dankbarkeit zu verpflichten. Außer den ungriſchen und Reichsangelegenheiten, deren Entſcheidung bereits mehr oder weniger in ſeine Hände gelegt war, bereiteten ſich auch in Oeſterreich ſo bedenkliche neue Verlegenheiten und

95) Die oft gedachte Handſchrift des Prager Domcapitels G, XIX enthält nicht nur Mayr's umſtändlichen Bericht über ſeine Verrichtungen in Mailand (fol. 149—158), ſondern auch einige von dort datirte Briefe vom 17—19 Januar 1460 (fol. 203). Dem Berichte fügte Mayr auch Bemerkungen über ſeinen dem Könige in Eger entdeckten Plan bei; daher finden ſich darin nicht allein die in den Anmerkungen 91 und 93 von uns angeführten Worte, ſondern auch das, was wir oben (Anmerk. 45) daraus über die ungariſchen Angelegenheiten mitgetheilt haben. In der That ſprach Mayr in Mailand ſo, als wenn die Einſetzung eines Königs in Ungarn lediglich von K. Georgs Willen abgehangen hätte. Der zu Eger mit dem Markgrafen Albrecht gepflogenen Berathung gedenkt der Letztere ſelbſt in einem Actenſtück vom J. '461. (Kaiſerl. Buch herausg. von Conſtantin Höfler, S. 86.)

Wirren vor, daß auch da, mehr als irgendwo, sein Rath und seine Hilfe nöthig werden mußten. Was unter solchen Umständen vom Könige zu seiner neuen Erhebung direct beim Kaiser eingeleitet und veranlaßt wurde, bleibt ein Geheimniß, da durchaus keine Nachrichten vorhanden sind. Doch werden wir kaum irren, wenn wir das größte Hinderniß der Verwirklichung seiner neuen Pläne eben nur in seiner schon zu hoch gestiegenen Unwiderstehlichkeit und Unentbehrlichkeit wahrnehmen.

Die gedachten neuen Wirren rührten zunächst von Unordnungen im Münzwesen her, die in den letzten Jahren wie in Oesterreich, so auch in allen Nachbarländern überhand genommen hatten. Wir haben schon oft erwähnt, daß schwarze österreichische Münze im Herbste 1458 auch nach Böhmen kam. Damals war jedoch das Uebel noch einigermaßen erträglich, da es erst ein Jahr später, um Michaelis 1459, den Gipfel erreichte. Es ging die Rede, des Kaisers Kämmerer, und insbesondere sein vorzüglichster Günstling, Johann von Rohrbach, hätten ihrem Herrn den außerordentlichen Nutzen vorgestellt, den dessen Bruder Albrecht, der Herzog Ludwig von Baiern, der Erzbischof von Salzburg, der Bischof von Passau und andere aus der Prägung schlechterer Münze zogen, und hätten ihm lange vergebens zugeredet, diesem Beispiele zu folgen, da sein besseres Gefühl sich dagegen sträubte. Das Münzamt in Wien befand sich von Alters her in den Händen einer eigenen Corporation, der sogenannten Hausgenossen, die verantwortlich waren für den innern Werth und Gehalt der Münze. Endlich aber ließ sich der Kaiser bewegen, gegen das Privilegium der gedachten Hausgenossen, seinen Kämmerern das Recht zu verleihen, Münzen nach ihrem Vorschlage zu prägen, und zog es wieder an sich selbst zurück, als sie dadurch reich zu werden begannen. Bald jedoch verlieh er es wieder an andere Barone, insbesondere an die, welche im ungrischen Kriege seine

1460 Gläubiger geworden waren, wie die Grafen von St. Georgen und Pösing, Berchthold Ellerbach, Ulrich von Grafenek
und Andreas Baumkircher, zur Tilgung seiner Schuld: so
so daß die verrufenen „Schinderlinge" (so nannte man die
neuen Pfennige) ohne Controle in's Unendliche sich mehrten
und die alte silberhaltige Münze schnell vom Markte verschwand. Alles das ereignete sich zunächst gegen Ende 1459
und Anfang 1460. Die Folgen davon werden als höchst
traurig geschildert. Allerdings gelangten einige Münzer und
Speculanten, durch das Umwechseln der neuen gegen die alte
Münze, bei dem gezwungenen Kurse beider, schnell zu außer-
ordentlichem Reichthum: aber das gemeine Volk litt darunter
in unerwartetem und unglaublichem Maße. Es entstand nicht
allein eine unerhörte Theuerung, so daß der Kaufpreis aller
Waaren um das zehnfache stieg, sondern es stockte zuletzt aller
Handel, wie mit dem Auslande, so auch im Inlande, ja es
hörte selbst alle Lohnarbeit auf, da bald niemand mehr das
schwarze Geld annehmen wollte, während doch kein anderes
im Umlaufe war. Am höchsten stieg dieser Jammer in Oesterreich, wo der Schrei der Verzweiflung überall zu hören war,
und man sich nicht allein von häufigem Hungertode, sondern
auch vom Morden von Kindern durch Mütter u. dgl. erzählte.
Doch auch in Böhmen, Mähren und Ungarn riß das Uebel
verderblich ein, so daß schnelle und nachdrückliche Hilfe unerläßlich wurde.

König Georg erließ zu diesem Zwecke gleich nach der
Rückkehr von den Hochzeitfesten zu Eger, am 1 December
1459 aus Prag folgenden Befehl an alle böhmischen Stände
und Städte: „Es ist euch nicht unbekannt, welch' außerordentlicher Schaden uns und euch allen durch die schlechte fremde
weiße und schwarze Münze zugefügt wird, so daß das Land
zuletzt verarmen müßte, wenn man nicht dagegen Vorsorge
treffen würde. Uns geht dieses Uebel sehr zu Herzen, wie es
einem guten König und ordentlichen Hausvater geziemt, und

wir haben beschlossen ihm Einhalt zu thun und es nicht 1460
länger zu dulden, nachdem wir schon früher mit mehreren
benachbarten Fürsten darüber fleißige Rücksprache genommen;
nun haben wir sofort einige Mittel und Wege ergriffen, wie
ihr erfahren werdet, damit unsere gute Münze im Lande Um=
lauf habe und jede andere schlechte darin verschwinde. Wir
befehlen daher auf's nachdrücklichste, daß ihr in eueren Städten
einige Markttage hindurch ausrufen lasset, damit Niemand sich
mit Unwissenheit entschuldigen könne, daß Niemand, er sei In=
länder oder Ausländer, fremdes schwarzes oder weißes Klein=
geld in unser Land, und ebenso Niemand unser, das ist böh=
misches Geld (Pfennige) aus dem Lande schaffe, unter der
Strafe der Verwirkung des Lebens wie des Guts, deren jeder,
der dawider handelt, unnachsichtlich verlustig werden soll."
Die vom Könige ergriffenen Maßregeln wurden den auf dem
gewöhnlichen Weihnachts=Quatember=Landtage in Prag ver=
sammelten Ständen vorgelegt, gutgeheißen und sogleich als
Gesetz in die Landtafel eingetragen; der König ließ sie durch
ein Patent vom 2 Jänner 1460 dem ganzen Lande verkün= 2 Jan.
digen. Sie liefern einen merkwürdigen Beweis, welch strenge
und wirksame Polizei schon damals in Böhmen eingeführt war.
Es wurde ein nachdrückliches Verbot sowohl der Ausfuhr von
Gold und Silber überhaupt, und der böhmischen Groschen und
Pfennige insbesondere, als auch der Einfuhr von allerlei
neuen kleinen schwarzen oder weißen Münzsorten erlassen;
fremde Kaufleute waren daher genöthigt, entweder mit Gold
und Silber nach dem Gewichte, oder mit alten und größeren
Münzsorten zu zahlen. Zur Durchführung dieser Vorschrift
wurde aller Kauf und Verkauf in Dörfern und kleinen Städt=
chen, welche kein Marktprivilegium besaßen, streng untersagt;
alles dort etwa gekaufte war gestattet zum Besten der Po=
prawci (Kreisrechtspfleger) oder Städte, welche es entdeckten,
zu confisciren. In den marktberechtigten Städten aber wurden
zur Untersuchung der Waaren Beamte aufgestellt, wohlverhal=

1460 tene und glaubwürdige Männer, die dem Könige, dem Lande
und den Leuten, mit denen sie es zu thun haben würden, Recht
zu handeln eidlich angelobt hatten, bei jedem Thore und auf
jedem Marktplatze einer. Diese waren angewiesen, alle in die
Stadt kommenden Waaren und Werthgegenstände zu unter=
suchen und in Register einzutragen, wem sie gehörten, woher
sie kamen und wohin sie geführt wurden. Fanden sie etwas
„dem Könige oder dem Lande Schädliches, gefälschte Waaren
oder verbotenes Geld oder sonst dergleichen," so wurde es
sammt demjenigen, der es einführte oder brachte, in Beschlag
genommen, und bei dem Könige oder dessen Aemtern ange=
fragt, was weiter damit zu geschehen habe. Fand der Be=
amte beim Thore nichts dergleichen, so gab er demjenigen,
den er untersucht hatte, ein Zeichen (eine Marque) und ließ
ihn dann erst in die Stadt ein, wo der Verkäufer erst dem
Marktbeamten sein Zeichen übergeben mußte, bevor es ihm
gestattet war, seine Waare feil zu bieten. Aber auch wer zum
Stadtthore Waaren hinausführte oder trug, mußte daselbst
ein vom Marktbeamten erhaltenes Zeichen abliefern. Bei so
eindringlicher Controle, die schon ganz den zollbehördlichen
Einrichtungen der Neuzeit entspricht, mußte freilich die Aus=
merzung der fremden Münze bald gelingen, zumal der König
nicht säumte, gutes böhmisches Geld schlagen zu lassen und
in alle königlichen Städte Beamte abzuschicken, welche das
schwarze österreichische Geld gegen gute böhmische Münze
einwechselten. Bevor jedoch alle diese Anstalten getroffen
wurden, „geschah großer unersetzlicher Schaden, so daß weise
Leute behaupteten, wenn die Hälfte des Königreichs abgebrannt
wäre, so wäre kein so großer Schaden erfolgt, als der, welchen
das schwarze Geld anrichtete." Auch in Mähren herrschte ein
gleicher Münzunfug, so daß den Leuten allenthalben angst und
bange wurde," und wurde durch gleiche Maßregeln beseitigt. [96]

96) Ueber den Münzunfug dieser Jahre fanden wir in den böhmischen
    Archiven einige noch ungedruckte Acten. Das Patent vom 2 Ja=

Schwieriger war die Beseitigung solchen Unfugs in 1460
Oesterreich, obgleich auch der Kaiser, als ihm die Noth der Leute
geschildert wurde, willig und beflissen war, wieder gut zu
machen, worin er sich übereilt hatte. Hier aber gesellten sich
zu den Münzwirren auch noch mannigfache politische Be=
schwerden, gerechte und ungerechte. Schon seit dem Herbst
1459 bildete sich da ein neuer Bund von Mißvergnügten,
deren, obwohl lange unsichtbares Haupt wieder Ulrich Eizin=
ger war, denn es verdeckte ihn durch sein dreistes und stür=
misches Auftreten ein anderer österreichischer Edelmann, Ga=
maret Fronauer, ein zu allem entschlossener Mensch. Der Kai=
ser hatte schon bei König Ladislaws Lebzeiten sein Schloß
und seine Herrschaft Ort an der Mündung der March in
die Donau dem Gerhard Fronauer zu treuen Handen über=
geben, und man sagte, er habe sie ihm verkauft, damit La=
dislaw sie als ein Privatgut unbehelligt lasse und nicht an
sich zu ziehen suche. Als aber der erwähnte Gerhard plötzlich
im Kriege starb, setzte sich sein Bruder Gamaret ungesäumt
in den Besitz von Ort, als wäre es sein Erbtheil, und wollte
des Kaisers Rechte darauf nicht anerkennen. Deßhalb vor
Gericht gefordert, weigerte er sich zu erscheinen, wenn nicht
das Gericht auf altösterreichische Art, nämlich nicht mit den
Räthen des Kaisers, sondern mit dem Landesmarschall und
den Gliedern des österreichischen Herrenstandes besetzt werde;
und als der Kaiser die Brüderrotte aus Ungarn gegen ihn
in Dienst nahm, Ort am 7 Februar einschließen ließ und 7 Febr.
am 26 März zur Uibergabe zwang, klagte er über offenbare 26
März

nuar 1460 haben wir nach einer alten landtäflichen Abschrift im
Archiv český, IV, 434 nicht so vollständig mittheilen können, als
wir es seitdem besitzen. Umständlichere Nachrichten bieten auch
Staří letopisové S. 173—175. Von der ähnlichen Verwirrung
in Oesterreich geben die meisten Nachrichten Anonymi chron. Austriac., Ebendorfer und das Copey=Buch der Stadt Wien 1454
bis 1464, herausg. von Zeibig in Fontes rer. Austriac. Bd. VII.

1460 Gewalt und wurde ein erklärter Feind und so zu sagen ein
neuer Pankraz und Mladwanek für Oesterreich. Die mißver=
gnügten österreichischen Barone, welche bereits öffentliche Zu=
sammenkünfte zu halten begannen, schieden zwar ihre Sache
von der Fronauers, nahmen ihn aber nichts desto weniger in
ihren Bund auf: dann wählten sie sich vier Hauptleute,
unter denen Ulrich Etzinger und Heinrich von Lichtenstein
die vornehmsten waren. Das Programm ihrer Beschwerden
klagte im ersten Artikel über ungenügenden Landfrieden, so
daß vor Gewaltthaten, Räubereien, Morde und Beschädigun=
gen aller Art es den Einheimischen wie den Fremden nicht
mehr möglich sei, im Lande zu reisen und darin Handel zu
treiben; dann daß die Gerichte nicht, wie ehemals, gehalten
würden, womit indirect auf die vom Kaiser eingesetzten nicht=
österreichischen Richter hingewiesen wurde; ferner über den
schon geschilderten Münzunfug, weiter über die vom Kaiser
auf Wein, Salz und Getreide gelegte Steuer, die eine un=
erhörte Sache sei, über den Wucher der Juden und den
Schutz, den sie beim Kaiser genössen, über die Verleihung
von Lehen gegen Taren und dergleichen mehr. Die Herren
trugen zuerst dem Kaiser ihre Bitten und Vorstellungen vor;
da sie aber sahen, daß er sein wiederholtes Versprechen der
Abhilfe unerfüllt lasse, so wandten sie sich an die Herzoge
Albrecht und Sigmund um Fürsprache und Beistand, weil
der Kaiser über ihre zudringlichen Forderungen ungnädig zu
werden beginne. Als hierauf König Georg im Februar 1460
vom Olmützer Tage zurückkehrte, [97] kamen Abgesandte des

---

97) Nach dem Zeugnisse der Staří letopisowé (S. 175) kam Königin
    Johanna Freitag den 15 Februar nach Chrudim, der König aber
    nach ihr erst in der letzten Faschingswoche (17—23 Febr.) Dem
    zu Folge und auch aus anderen Gründen können wir dem sonst
    wohlunterrichteten Hrn. Droysen (Geschichte d. preuß. Politik, II,
    231,) nicht beistimmen, daß K. Georg in diesen Tagen bei dem
    Tage zu Eger gegenwärtig gewesen sei.

Bundes auch zu ihm nach Chrudim mit der Bitte, sich ihrer anzu= 1460
nehmen und ihnen beim Kaiser ein Fürsprecher und Vermitt=
ler zu sein, was er zwar Anfangs nicht zusagte, aber wegen
der Freundschaft, die er mit Ulrich Eizinger schon seit lange
unterhielt, und wegen seiner geheimen Pläne auch nicht un=
bedingt zurückwies. Im Monate März fertigte er darauf
eine Gesandtschaft an den Kaiser ab, — dieselben Männer,
Zbeněk von Sternberg, Prokop von Rabstein und Wilhelm
von Rabí, durch welche derselbe im vorigen Jahre ihn hatte
um Hilfe ersuchen lassen. Die ihnen ertheilten Instructionen
sind uns so wenig bekannt, wie die Verhandlungen, welche
sie pflegten, nur das wird berichtet, daß sie den Kaiser baten,
er möchte die Wünsche seiner Unterthanen, in wie weit sie
schicklich wären, nicht zurückweisen, und daß der Kaiser aus
Rücksicht für den König von Böhmen versprach, den Miß=
vergnügten die Schuld zu vergeben, daß sie gegen sein Ver=
bot sich versammelten und Berathungen pflogen. Ein Chronist
sagt, die böhmischen Gesandten wären mit unbefriedigender
Antwort zu ihrem Herrn zurückgekehrt, bis sie abermals und
zum drittenmal wieder kommend, es endlich erlangt hätten,
daß der König zwischen den genannten Ständen und dem
Kaiser als Vermittler auftreten sollte, worauf von ihm zur
Schlichtung und Beilegung des Streites ein Tag nach Wien
zum 1 Juli angesagt wurde. [98]

Zu dem in Ungarns Angelegenheiten nach Olmütz auf
den 25 Januar 1460 anberaumten Tage waren der König 25 Jan.

<hr>

98) Neben den bereits oft erwähnten österreichischen Quellen sind hier
insbesondere die in Chmel's Materialien II, 193—214, 257 usw.
gedruckten Acten und des Königs Brief an den Kaiser vom 30 Mai ·
(Fontes l. c. p. 209) von Bedeutung. Ebendorfer berichtet von
den böhm. Gesandten p. 899: hortabantur imperatorem, ut justis
votis compatriotarum condesceneret, und wieder ab-que ulte-
riori responso ad propria sunt reversi. Später p. 902 sagt er:
Rex Boh. iteratis vicibus suis ad Imperatorem destinatis tan-

1460
18 Jan.

und die Königin am 18 Januar von Prag abgereist, und kehrten gegen Ende Februar dahin wieder zurück, die Bevollmächtigten des Königs Mathias, Albrecht Bischof von Wesprim und Johann Rozgonyi, verlangten erst am 2 Februar von Trenčin aus ein sicheres Geleit dahin; wer von Seite des Kaisers gesandt wurde, ist unbekannt. Uiber die erfolglosen Verhandlungen dieses Tages sandte K. Georg an Papst Pius II einen umständlichen Bericht, der jedoch nicht auf uns gekommen ist. Wir wissen nur so viel, daß der König, da achttägige Bemühungen nicht zur Einigung führten und er sich nicht länger in Olmütz aufhalten konnte, die Parteien aufs Neue auf den 1 Mai nach Prag beschied. Aber auch auf letzterem Tage konnte nichts erreicht werden, da die Ungarn gegenüber den unmäßigen Forderungen des Kaisers ebenso unmäßig den Schaden schätzten, den sie während des Waffenstillstands von den kaiserlichen Völkern sollten erlitten haben. [99] König Georg, der in den ungarischen Händeln sich vor allem dem Papste gefällig erzeigen wollte, bat diesen selbst dahin zu helfen, daß die Waffenruhe zwischen dem Kaiser und dem Könige Mathias durch Zuthun der kirchlichen Auctorität verlängert und befestigt werde. Wahrscheinlich

2 Febr.

1 Mai

dem obtinuit, ut sibi ab eodem concederetur plenaria diffiniendi et concordandi facultas. Das wußte der Chronist freilich nicht, daß die Gesandten auch über die Reichsfrage und Dr. Mayr's Vorschlag mit dem Kaiser zu verhandeln hatten.

99) Zum Tage nach Prag am 1 Mai 1460 (nicht nach Olmütz, wie Pedina meinte), hatte K. Mathias den Bischof Elias von Neitra und einen böhmischen in seinen Diensten stehenden Edelmann, Mathias Libak von Radoweste, abgeordnet. Der ungarische Palatin Michael Ország von Guth schickte zum selben schriftliche Belege und Zeugen, daß der Schaden, den die Kaiserlichen (Sigmund und Johann Grafen von Pösing, Andreas Baumkircher, Berthold Ellerbach, der Grafenecker und Johann Enzersdorfer) während des Waffenstillstandes in Ungarn angerichtet hatten, mehr als hunderttausend Gulden betragen habe (MS. Capit. Prag. G, XIX, fol. 185 sq.)

suchte er ein solches Mittel aus bloßer Klugheit, um seine   1460
Unlust zum Kriege mit Mathias, dem Kaiser gegenüber, mit
des Papstes eigenem Wunsch und Willen zu decken.

Es erfreute sich in der That der König von Böhmen
der Gunst des römischen Hofes im Jahre 1460 in einem
Maße, wie man es weder früher noch später sah, so daß
zu erwarten war, auch seine neue Erhebung werde dort keinem erheblichen Widerstande begegnen. Die Nachgiebigkeit und
Friedfertigkeit, die er den Breslauern gegenüber, — aus Rücksicht
für den apostolischen Stuhl, wie er sagte, — gezeigt hatte, wurde
ihm hoch angerechnet, und der Papst selbst soll seine großen
Verdienste und Tugenden sowohl in seinen Anreden an's Consistorium, wie in vielfachen Schreiben an verschiedene Fürsten gepriesen haben. Besonders freute es Pius II, daß seinen Legaten
in Prag nicht nur nichts Widerwärtiges erfuhr, sondern sie auch
von König und Volk sogar mit vieler Ehrerbietung empfangen
und entlassen wurden. [100]   Daraus und aus der Einführung
des neuen Ordens der Capistraner-Mönche in Prag, welchen
auf Befehl des Königs in diesem Jahre das verlassene Stift
bei St. Ambros auf der Neustadt eingeräumt wurde, schöpfte
man in Rom die Hoffnung, daß von der Klugheit des Königs geleitet, das ganze böhmische Volk zum unbedingten
Gehorsam zurückkehren werde. [101]   Auch entsprach das Vorgehen des Königs in der ungarischen Frage so ganz dem
Sinne des Papstes, daß endlich Pius II froh war, mit dem
böhmischen Könige den Unwillen des Kaisers darüber theilen
zu können, daß der eine so wenig wie der andere sich beeilte,

100) Franz von Toledo, einer der vom Papste nach Breslau gesandten
Legaten, schrieb dem Könige darüber aus Siena am 16 April
1460 (MS. l. c. fol. 160) viel löbliches und schmeichelhaftes. Die
Schreiben des Papstes vom 28 März an den König und an Bessarion, aus welchen Raynaldi und Pešina bloße Bruchstücke anführen, sind in demselben MS. fol. 158 sq. vollständig zu lesen.
101) Siehe Hammerschmid Probromus gloriae Prag. pag. 292 — 5.
Pubička, IX, 75.

1460

28 März

ihn auf den ungarischen Thron zu setzen. In dieser Hinsicht ist ein Schreiben bemerkenswerth, welches er an ihn aus Siena am 28 März richtete. „Wir haben das Schreiben Deiner Durchlaucht erhalten und vollständig erfahren, was Dir auf dem Olmützer Tage bei den Gesandten des Kaisers und des Königs zu erreichen möglich war. Vor allem loben wir das heilsame Bestreben Deiner Hoheit, welches in Zeiten der Noth Gott und der Christenheit zur Beseitigung der Zwietracht unter den Gläubigen seinen Beistand lieh; leid thut es uns dann, daß nicht erfolgte, was Du dort gesucht, und was auch wir vorzugsweise erwartet und gewünscht hatten. Gott sei gepriesen für Alles. Nichtsdestoweniger soll Deine Majestät auch ferner sich anstrengen, daß, was dieß= mal nicht gelang, ein andermal durch Dein Zuthun glücklich zu Stande komme. Denn wenn es jemanden gibt, der den Frieden oder eine Waffenruhe unter den Parteien zu ver= mitteln vermag, so ist es nach unserm Dafürhalten Deine Durchlaucht, welche mit Vorzügen des Geistes und reicher Erfahrung das höchste persönliche Ansehen verbindet. Da Du aber wünschest, wir möchten um einer bequemeren Frie= densverhandlung willen aus apostolischer Macht einen län= geren Waffenstillstand anordnen, so erwiedern wir Deiner Ho= heit, daß wir zwar sehr wünschen, Dir jede Gelegenheit zur Bethätigung Deiner guten Absichten zu bieten, daß wir aber dabei jene Art und Weise wahren müssen, welche zu demsel= ben Ziele führt und der Sitte des apostolischen Stuhles besser entspricht. Wir haben bei der deutschen Nation unsern Legaten de latere, den Cardinal von Nicäa (Bessarion), der in der Nähe Deiner Majestät sich befindet, für das allgemeine Wohl sehr thätig und auch für diese Zwecke bevollmäch= tigt ist; diesen können wir, da er ohne Zweifel vollstän= dig über alles, was dabei Noth thut, unterrichtet ist, schick= samer Weise nicht umgehen. Wir schreiben ihm deshalb und zeigen ihm an, was Du verlangst; auch befehlen wir ihm,

zu Deiner Durchlaucht zu gehen oder Jemanden zu schicken 1460
und sich mit Dir über Alles zu besprechen. Denn wir zwei=
feln nicht, da Ihr beide friedliebend seid, daß Ihr Euch ganz
verständigen werdet, und daß zu Stande kommt, was Deine
Majestät zur Beseitigung der Zwietracht so sehr herbeiwünscht."

Der Carbinal Beffarion, bekanntlich ein Grieche von
Geburt und einer der ersten Wecker altgriechischer Studien
im neueren Europa, war vom Congreß von Mantua wäh=
rend eines ungewöhnlich harten Winters geraden Wegs nach
Nürnberg gekommen, wo wegen einer Heerfahrt gegen die
Türken am 2 März ein Reichstag eröffnet werden sollte. 2 März
Da derselbe jedoch gegen alle Erwartung schwach besucht
war, indem die feindlichen Parteien am Rheine in ihrer
Erbitterung bereits zu den Waffen gegriffen hatten, so ver=
legte ihn der Carbinal auf den 25 März nach Worms; aber
da er auch hier nichts erreichen konnte, so begab er sich end=
lich auf den Weg zum Kaiser nach Oesterreich. In Nürn=
berg erreichte ihn am 20 April der erwähnte päpstliche Be= 20 Apr.
fehl; er eilte deshalb weiter und schrieb am 26 April von 26 Apr.
Regensburg an den König, er gedenke zunächst des Kaisers
Absichten bezüglich Ungarns zu erforschen und ihn wo mög=
lich zum Frieden geneigt zu machen; dann wolle er ohne
Aufenthalt entweder selbst zum Könige kommen, oder Jeman=
den zu seiner Hoheit senden. „Und da die Zeit (1 Mai) 1 Mai
schon herannaht, wo diese Angelegenheit bei Ew. Majestät
soll verhandelt werden, so bitten wir inständig, ist es
Euch möglich, sie zu Ende zu bringen, dieß ja zu thun. Ihr
könnt nichts Gottgefälligeres, nichts dem heiligen Vater und
dem apostolischen Stuhl Willkommeneres, nichts für Euren
Namen Rühmlicheres ausführen. Sollte jedoch, was Gott
verhüten wolle, diese dringende und heilige Sache nicht zur
Erledigung kommen, so möge Ew. Majestät die Verhandlun=
gen durch einige Tage aufhalten und verlängern und die Ver=
sammlung nicht auseinander gehen lassen, bis wir, nach der

1460 Erforſchung der Abſichten des Kaiſers, entweder perſönlich
hinkommen oder Jemanden ſenden können. Einſtweilen bitten
wir bemüthig, Ew. Majeſtät wolle uns durch gegenwärtigen
Boten, den wir gefliſſentlich abgeſendet, Ihre Anſichten mit=
theilen, wie und was wir mit dem Kaiſer zu verhandeln
haben, denn wir erwarten Ew. Majeſtät Antwort mit dem
ſehnlichſten Verlangen in Wien. Und da dem Vernehmen
nach Ew. Majeſtät die Abſicht hat, bei dem Wiener Con=
greſſe, wo über den Schutz der Chriſtenheit verhandelt werden
ſoll, gegenwärtig zu ſein: ſo ermahnen wir und bitten Euch
in aller Ehrfurcht, wo möglich dieß zu thun und uns da
Eure perſönliche Gegenwart zu ſchenken. Es ſcheint unfehl=
bar, daß da, wo Ew. Majeſtät dabei iſt, alle Angelegen=
heiten nicht anders als gut und glücklich von Statten gehen
müſſen: ſo großes Vertrauen haben wir zur erhabenen Weis=
heit und Willenskraft, Erfahrung und Großmuth, Treue und
Ergebenheit und zu allen übrigen Tugenden Eurer Maje=
ſtät!" u. ſ. w. [102]

4 Mai   In Wien am 4 Mai angekommen und vom Kaiſer mit
außerordentlichen Ehren empfangen, wurde Beſſarion dort
bald eine Stimmung gewahr, welche ſeine Hoffnungen auf
den Erfolg der böhmiſchen Vermittlung gar ſehr herabſtimmte.
Der Kaiſer konnte ſich eines Mißmuths darüber nicht er=
wehren, daß König Georg, an dem er nur einen Gehilfen
und Diener zu haben wünſchte, ſich allenthalben zum Ver=
mittler und Schiedsrichter aufwarf, und anſtatt ihm zum
ungariſchen Throne zu verhelfen, ihn lehren wollte, wie er

---

102) Des Cardinals eigene Worte ſind: Hortamur tandem et ei cum
omni humilitate supplicamus, ut si fieri potest, omnino velit
ibi personaliter interesse. Videmus enim esse certi, quod prae-
sente Ser^{ma} Maj. V^{ra} non possunt res nisi bene et feliciter
succedere: tantum in summa prudentia et auctoritate, experien-
tia rerum et magnanimitate, fide ac devotione ceterisque vir-
tutibus V^{rae} Maj. spem habemus. (MS. G, XIX, fol. 159).

sowohl im Reiche, als in seinen Erblanden zu regieren habe. 1460
Dagegen fing der König an sich zu beschweren, daß der
Kaiser seinen Rath wie seine Wünsche nicht beachtend, den
im vorigen Jahre in Brünn gemachten Angelobungen und
eingegangenen Verpflichtungen offen zuwider handle. [103] Noch
ließen zwar beide Theile ihre Klagen nicht öffentlich laut
werden, zumal beide einander noch zu ihren gegenseitigen
Absichten bedurften: die Bande des Vertrauens und der
Freundschaft waren jedoch bereits gelockert, und Bessarion
bedurfte eben keines großen Scharfblickes, um dieß gewahr
zu werden. Darum neigte sich auch die böhmische Vermittlung zu Ende wie in der ungarischen, so in der österreichischen Frage. In Ungarn hatte zwar Georg keineswegs für
Mathias Partei genommen, im Gegentheil stand er wegen
der Verfolgungen, denen Ziskra trotz aller dem böhmischen
Könige gegebenen Versicherungen ausgesetzt war, ihm im
Laufe des Jahres 1460 als offenbarer Feind entgegen: den
Kaiser jedoch in Ungarn einzuführen dachte zu dieser Zeit
wohl Niemand mehr. Zum österreichischen Tage vom 1 Juli 1 Juli
kamen nach Wien neue Bevollmächtigte des Königs, der Olmützer Bischof Protas und dessen Vetter Benes Černohorský
von Boskowic, Heinrich von Kolowrat und der Kanzler
Prokop von Rabstein, und bemühten sich, mit geringem Erfolge, fast zwei Monate hindurch die Parteien zu versöhnen.
Es konnte freilich dem Kaiser eben nicht lieb sein, daß seine

103) „Also hab Im der Konig darnach mermals zuenpotten vnd gera-
ten, wie er das Reich solle Regieren dardurch er frid vnd gehorsam Im Reich möcht erlangen vnd all sach fürder despaß vollziehen: aber der Kaiser hab sein verpflichtunge sein verschreibunge
vnd auch des konigs Rat gantz veracht vnd der sachenn kainer
nachkomen, Als dann landkundig vnd wissenlich sey." So lauten
die Worte im Nachsatze der oben bei den Verhandlungen in Brünn
(im August 1459, Anmerk. 69) angeführten Belegstelle aus der
Instruction der böhm. Gesandten von 1561 (im k. k. geh. Archiv
in Wien, Num. 1379, fol. 28.)

1460 Unterthanen sich bei einem fremden Monarchen um Beistand bewarben, zumal sie sich offen seines Schutzes rühmten, und diesen mit Rechtsgründen zu stützen suchten, wenngleich der König und seine Gesandten selbst sich keine andere Macht zueigneten, als zu einem Vergleich in Güte zu führen. [104] Doch als dieser Zweck schon erreicht zu sein schien, führte das Verlangen einiger Stände, einen Landtag zur Sanctionirung der beschlossenen Uebereinkunft einzuberufen, zum plötzlichen Abbruch aller Verhandlungen; denn der Kaiser, der es ungeziemend fand, daß ihm seine Unterthanen die Einberufung eines Landtags vorschreiben wollten, verweigerte fortan jedes Zugeständniß, und die böhmischen Gesandten verließen Wien zugleich mit den unzufriedenen Ständen.

Je mehr der Kaiser auf diese Weise sich vom Könige entfernte, um so mehr näherte sich dieser dessen Feinden. Alle deutschen Lande waren in der ersten Jahreshälfte 1460 mehr als je in kriegerischer Bewegung; beide große Parteien des Reichs, die des Kaisers und jene des Pfalzgrafen, maßen ihre Kräfte, und es kam je länger je deutlicher zum Vorschein, daß die kaiserliche die schwächere war. Der Krieg

104) In ihrer Erklärung vom 4 Juli suchten die Stände die böhmische Intervention in ihrer Sache mit folgendem zu rechtfertigen: Da wir in solhm verderben vnd geprechen vnser, vnserr armen leut vnd des lands nicht harren vnd darin nicht gnad haben sinden mugen — haben wir — die sach pracht an — hern Görgen kunig zu Beheim, nicht das mynnist glid sunder als an den obristen kurfürsten des heil. reichs, nachdem wir vernomen haben, das Sein k. Gnad sein kunigreich vnd annder seine land gern in frid bei recht vnd in allen gnaden haltet, vnd daß auch vnser gn. herr kunig Laslaw zu Prag an seinen leczten Zeiten in beuolhen vnd gepeten, des er sich auch verwilligt hat, das er im seine land vnd leut sul lassen beuolhen sein vnd sunderlich das lannd Oesterreich u. s. w. Chmel Materialien II, 213. Vgl. Ebendorfer p. 905: Regis Bohemiae consiliarii — se nulla judicandi potestate, sed interloquendi et concordandi facultate suffultos protestati sunt. Vgl. daselbst pag. 915, 916.

wurde gleichsam in zwei Abtheilungen geführt: einerseits 1460
kämpften am Rheine der Pfalzgraf Friedrich und der Land=
graf Ludwig von Hessen gegen den neuen Erzbischof von
Mainz, Diether von Isenburg, gegen Ludwig Grafen von
Veldenz, den Grafen Ulrich von Wirtemberg, die Grafen von
Leiningen und andere mehr; andererseits stand in Franken
Ludwig von Baiern dem Markgrafen Albrecht von Branden=
burg und seinen würtembergischen, sächsischen und anderen
Verbündeten gegenüber. Pfalzgraf Friedrich errang nach
manchen Kämpfen am 4 Juli bei Pfeddersheim einen bedeu= 4 Juli
tenden Sieg, so daß der Erzbischof von Mainz und die
Wirtemberger bald den von ihm dictirten Frieden annahmen.
Ludwig von Baiern, der in seinem Heere mehr als 4000 Böh=
men hatte, nahm am 13 April das Bisthum Eichstädt ein, 13 Apr.
und lagerte gegen Ende April bei der markgräflichen Stadt Ende
Roth, die er auch wie einige andere Schlösser zur Uebergabe April
zwang; und als auch Markgraf Albrecht in seiner Nähe ein
verschanztes Lager bezog, schwächten sich die Heere gegen=
seitig in siebenwöchentlichen blutigen Gefechten ohne Zahl,
ohne jedoch eine entscheidende Schlacht zu wagen.

Während so beiderlei Heere gegen einander zu Felde
lagen, begab sich Ludwig heimlich mit einigen Vertrauten
zum böhmischen Könige nach Prag, und trat mit ihm in ein
enges Freundschaftsbündniß. Die Vorverhandlungen dazu
waren, insbesondere zwischen Johann Calta und Martin
Mayr, schon seit dem 23 März eröffnet, und am 8 Mai 23
wurde Ludmila, die jüngste Tochter des Königs, mit Lud= März
wigs Sohne Georg ordentlich verlobt, jedoch mit dem Bei= 8 Mai
satze, daß sie ihm erst nach 8 Jahren angetraut werden
sollte; am selben Tage wurden auch die Urkunden über den
zwischen beiden Herrschern geschlossenen Defensiv=Bund aus=
gewechselt, in welchen zwei Tage später, am 10 Mai, auch 10 Mai
Herzog Albrecht aufgenommen wurde. Durch diesen Ver=
trag verbanden sie sich einander mit all' ihrer Macht gegen

1460 alle ihre Feinde beizustehen. König Georg schied nur Papst und Kaiser in allen Kirchen= und Reichsangelegenheiten aus, dann die Bischöfe von Mainz und Würzburg, ferner die Herzoge von Sachsen und die Markgrafen von Brandenburg alle: doch sollten dabei sowohl der König als die Fürsten „einer des andern mächtig sein zu redlichen Rechten," und erst wenn die Gegenpartei, mit Hintansetzung des rechtlichen Erbietens, auf Gewaltmaßregeln eigenwillig bestünde, sollten sie einander in allem behilflich sein. [105] Es war dieß ein bedeutsames Wahrzeichen des beginnenden Bruches zwischen dem Kaiser und dem Könige, und sollte wohl den ersteren und dessen Partei belehren, daß er sie leichter, als sie ihn, entbehren könne. Es scheint, daß erst in Folge dieses Vertrags die Kriegsvölker der Bischöfe von Bamberg und Würzburg zu Ludwig übergingen. Dadurch und durch andere Unfälle mehr sah sich der Markgraf so geschwächt, daß er das
23 Juni Feld nicht länger behaupten konnte und am 23 Juni einen Frieden annahm, den zwar sein Freund Wilhelm von Sachsen vermittelt hatte, der jedoch für ihn so hart war, daß bei dessen Besiegelung ihm „die Augen übergingen." Denn durch denselben wurde die Competenz des Nürnberger Landgerichts über Ludwigs Unterthanen für immer beseitigt, der vorjährige Spruch von Nürnberg gegen Ludwig und den Pfalzgrafen aufgehoben u. dgl. m. Drei weitere Artikel jedoch über die eroberten Städte und Schlösser, über eine Kriegsentschädigung und über die für Beleidigungen, welche Ludwig vom Markgrafen erlitten haben sollte, zu leistende Genugthuung, wurden an die Entscheidung des Königs von Böhmen gesetzt. Diese Verhandlungen, die bei der Stadt Roth

---

105) Die Originalien der Verträge vom 8—10 Mai befinden sich in den Archiven in Wien und München; den Ehevertrag fanden wir nur abschriftlich in München. Einige Verhandlungen wurden zu dem Zwecke schon im Monat Januar durch Herrn Johann Calta gepflogen.

begannen und in Nürnberg endigten und vom 24 Juni bis 6 Juli dauerten, beruhigten das deutsche Reich auf einige Zeit und trugen nicht wenig zur Vermehrung des Ansehens wie des Einflusses K. Georgs in Deutschland bei. [106]

Dem Cardinal Bessarion wurde zwar, nach mehrmaliger Vertagung, endlich doch die Freude, den so sehnlich gewünschten Reichstag in Wien zur Veranstaltung eines Türkenzuges am 19 September eröffnet zu sehen: aber wie ein eigenes Mißgeschick ihn von jeher auf Schritt und Tritt zu verfolgen schien, so diente ihm auch dieser Erfolg zu nichts weiter, als zur Belehrung, wie eitel alle diese Hoffnungen waren, welche der römische Stuhl auf die deutschen Waffen setzte. Die fürstlichen und städtischen Abgesandten bemühten sich, in weitschweifigen Reden gründlich nachzuweisen, daß die Beschlüsse des Frankfurter Reichstags von 1454 nach so vielfacher Veränderung im Reiche ihre bindende Kraft verloren hätten; denn nun gebe es einen andern König in Böhmen, andere Kurfürsten in Mainz und Trier und andere Reichsfürsten mehr, welche zu jenen Beschlüssen keine Einwilligung gegeben hätten, und der neue böhmische König, dessen Kriegsmacht und Erfahrung das meiste Gewicht habe, sei auf dem Reichstage weder persönlich gegenwärtig, noch durch Gesandte vertreten; im Reiche wütheten die Fehden ärger als jemals, eine gänzliche Befriedung stehe nicht in Aussicht, und doch dürfe ohne einen Frieden im Innern und ohne Jemanden, der im Stande sei ihn zu überwachen und zu erhalten, an einen Krieg nach Außen gar nicht einmal gedacht werden; auch müsse erst Ungarn vollständig beruhigt und des Kaisers Streit mit dem Könige Mathias ausgeglichen sein u. s. w.

106) Die „Richtung im Felde bei Roth geschehen" ist in Müller's Reichstags=Theatrum S. 778—9 unvollständig abgedruckt. Eine vollständige Abschrift nebst dem am 6 Juli in Nürnberg geschlossenen Vertrage fand Droysen im Weimarer Archiv. (Geschichte d. preuß. Politik, II. 235).

Margin notes: 1460 24 Juni bis 6 Juli — 19 Spt.

1460 So trugen auch diese Verhandlungen zur Vermehruug des
Ansehens K. Georgs bei und machten die Gemüther empfäng-
licher für die Anerkennung der Zweckmäßigkeit und Dringlichkeit des Mayr'schen Planes. Von des Kaisers Thätigkeit
und Einfluß war bei diesen Berathungen fast keine Rede,
obgleich vor seinen Augen getagt wurde; ja alle Schuld der
Erfolgslosigkeit dieses Tagens wurde formell auf seine Abneigung gewälzt, seine Lande zu verlassen und einem Reichstage innerhalb des Reichs beizuwohnen. Cardinal Bessarion
ereiferte sich sehr gegen die Stände, ihnen Lauheit im Christenglauben, Wortbrüchigkeit und Ungehorsam gegen den Papst
vorwerfend; ja man erzählte sich, er habe, als sie vor dem
Auseinandergehen kamen, um Abschied von ihm zu nehmen,
nur seine linke Hand zum Segen erhoben. [107]

König Georg unternahm noch einen letzten Versuch, die
frühere Freundschaft mit dem Kaiser wieder herzustellen.
Gegen den Herbst — das Datum ist unbekannt — kamen
Zdeněk von Sternberg und Prokop von Rabstein an den
kaiserlichen Hof, um ihren König zu entschuldigen, daß er
sich der österreichischen Stände angenommen habe, nicht um
sie vom Kaiser abwendig zu machen, sondern vielmehr um
sie ihm wieder zuzuführen, in der Voraussetzung freilich, daß
auch der Kaiser ihnen leisten würde, was recht und billig
war. Ferner berichteten sie, wie ihr König schon im Begriff
gewesen, gegen Mathias in Ungarn, Ziskra zu Hilfe, zu
Felde zu ziehen: doch sei inzwischen Petermeister, von Mathias
gesandt, nach Prag gekommen, und habe einen neuen Tag
6 Dec. nach Olmütz auf den 6 December verabredet. Wäre daher
Se. kaif. Majestät geneigt, diesen Tag auch zu beschicken, so
könne dort auch über eine endliche Ausgleichung zwischen
ihm und den österreichischen Ständen verhandelt werden. Es

---

107) Das Tagen in Wien scheint bis Mitte October gedauert zu haben.
Einige seiner Verhandlungen sind aus dem Reichstags-Theatrum
S. 780—9, andere durch Senkenberg, IV, 334—354 bekannt.

war schon kein geringes Zeichen des kaiserlichen Unwillens, daß er den Inhalt dieser Botschaft der Wiener Universität zur Begutachtung übergeben ließ. Dann ließ er seine Räthe kurz antworten: er hoffe, der König von Böhmen werde sich der österreichischen Unterthanen entledigen und ihm sie anheimgeben; er wolle sich gegen sie den althergebrachten Rechten, Satzungen und Gebräuchen seines Landes gemäß, benehmen, doch so, daß auch sie ihm schuldige Treue und Gehorsam leisten; sollte er ihnen etwas schulden, so wolle er sich darin nach dem Rathe seiner Barone und Räthe halten, wie er sich schon oft erboten habe. Wenn erst solches geschehen und dann der König noch das Verlangen trage, daß Jemand zu ihm gesandt würde, so werde der Kaiser es thun in der Hoffnung, daß auch der König erfülle, was er Seiner kaiserlichen Majestät schuldig sei. [108]

Nach dieser so unwirschen und herrischen Antwort wandte sich der König in seinem Herzen vollends vom Kaiser ab und gab seine Vermittlerrolle in Oesterreich um so lieber auf, als auch sein alter Freund Ulrich Eitzinger kurz nachher mit dem Tode abging. Die Stände dagegen, welche für ihre Beschwerden keine Abhilfe finden konnten, nahmen von nun an ihre Zuflucht ausschließlich zum Herzog Albrecht, dem Bruder des Kaisers. Welche Folgen das hatte, wird sich später deutlicher ergeben. Der König und der Kaiser sahen einander nicht wieder, als bis nach zwei Jahren jener kam, diesen aus den Händen grimmiger Empörer zu retten. Es wurde freilich von vielen Seiten her gegen ihn geeifert, als habe er dem Kaiser seine Unterthanen abwendig machen wollen; selbst Pius II fand es nothwendig, ihn noch am

---

108) Die in Chmel's Materialien II, 257 und in den Fontes l. c. p. 221—22 gedruckten Aufsätze gehören offenbar zu einander, und hängen mit dem zusammen, was Ebendorfer p. 920 anführt, der in dieser Sache, als vorzügliches Mitglied der Universität, sich wohlunterrichtet erweist.

1460 27 November zu ermahnen, daß er, mit seinem eigenen
Reiche zufrieden, nicht die Unterthanen eines Monarchen in
Schutz nehme, dessen Unbilden der römische Hof wie ihm
selbst widerfahren ansehen müßte. [109] Doch handelte es sich
dabei nicht etwa um die Einführung einer neuen Regierung
in Oesterreich, sondern nur um die Art und Weise, wie man
die Unterthanen überhaupt behandeln sollte. Die Ansichten
des Königs wichen in dieser Hinsicht wesentlich von denen
des Kaisers ab: Dieser glaubte stets im Rechte zu sein, und
ihnen in allem nur Gnaden zu erweisen, Jener erkannte ihnen
auch Rechte zu; der König regierte in nationalem Geiste,
der Kaiser nach dynastischen Grundsätzen. [110]

Bei so veränderter Lage der Dinge konnte von einer
Durchführung des Mayr'schen Planes mit kaiserlicher Einwilligung nicht mehr die Rede sein, obgleich berichtet wird,
daß der Kaiser eine solche weder ertheilt, noch verweigert

109) Das Schreiben führt Raynaldi ad h. a §. 82 an. Im Vorbeigehen können wir nicht unerwähnt lassen, wie Raynaldi die Worte
des Papstes an Bessarion (dd. Corsiniani, 12 Sept. 1460, l. c.
§. 80) „execranda illa Bohemorum societas," welche auf die
von Fronauer aus Ungarn nach Oesterreich berufenen Brüderrotten Bezug haben, eben so ungerecht als irrig auf den König
und die ganze Nation deutete.

110) Ueber die Regierungsweise Kaiser Friedrichs ist hier auch das
unverdächtige Zeugniß Ebendorfer's anzuführen, der S. 945 sich
so vernehmen läßt: Principis (d. i. des Kaisers) — vix metien-
dam, quae principem plurimum dedecet, cupiditatem si quis
excusare sufficeret. ego non surdus auditor laetus adessem.
Sed dum insolitas dacias et varia telonia inaudita machinatur
instruere, laudabiles patriae mores et consuetudines nititur
abolere, per exteros (die Brüderrotten) incolas sua vi compel-
lere, bella contra subditos per eosdem instruere, eisdem de-
servita stipendia negare aut in longius protrahere, magistris et
doctoribus in sua universitate Viennensi, juxta suorum progeni-
torum fundationem, per decursum anni spatium differre deser-
vita non veretur salaria u s. w.

habe. Doch glaubte man, was dem Könige nicht gelungen, 1460
werde von seinen Freunden, den Kurfürsten, vielleicht noch
erlangt werden, wenn sie sich darum bemühen wollten. Es
wurde in dieser Richtung im Laufe des Jahres 1460 auf
mehreren Fürstentagen hingearbeitet, zuerst in Nürnberg, dann
in Bamberg, man weiß nicht, unter welchen Umständen und
mit welchem Erfolge. [111] Doch je freundlicher sich auch die

111) Gobellinus (d. h. Pius II) schreibt darüber: Rex Bohemiae — jam
hoc ipsum cum Federico ipse tentaverat, quamvis neque con-
sensum neque dissensum obtinuerat. Dem widerspricht, was
Markgraf Albrecht an den König schrieb (Höfler Kaiserl. Buch
S. 87): Ew. Gnad — hat vns gesagt, das Jr sulchs an vnnserm
Herrn den keyser nicht erlangen möcht — obgleich sich beide Worte
in gewissem Sinne vereinigen lassen. Weiter sagt Gobellinus: Con-
ventus ob eam causam frequentes habiti, modo Norembergae,
modo Bambergae, postremo apud Egram etc. Der Fürstentag
zu Nürnberg fand wahrscheinlich Mitte November Statt, der zu
Bamberg bestimmt am St. Lucientag (13 Dec.), doch fehlen nähere
Nachrichten über beide.

Ueber die Versuche, Georg von Podiebrad zum römischen König zu wählen, sind in den Archiven überhaupt nur dürftige Nachrichten vorhanden, da auch am Hofe Herzogs Ludwigs alles darauf Bezügliche frühzeitig vernichtet worden zu sein scheint. Deshalb beruht unsere ganze Kenntniß davon fast ausschließlich auf
der von M. Heinrich Erlbach veranstalteten Actensammlung, die
man einen Libellus famosus zu nennen pflegte, (sie ist bei Höfler
l. c. p. 50—78 unvollständig abgedruckt), und deren Geschichte
ziemlich interessant ist. Bekanntlich wurde Dr. Martin Mayr später
der vornehmste Rath aller Herzoge von Baiern. Als im J. 1471
Herzog Albrecht von der Münchner Linie, wie es hieß, auf sein
Anrathen, seinen unruhigen Bruder Herzog Christoph gefangen
setzen ließ, entbrannte der jüngste Bruder Herzog Wolfgang in
solchem Haß gegen ihn, daß er auf dem Regensburger Reichstage
dieses Jahrs, wo auch der Kaiser gegenwärtig war, öffentlich Klage
über ihn führte, ihn nicht anders als „der Bube Dr. Marten"
bezeichnend, und auch dessen Frau Katharina, eine Dichterin, wie
es scheint, für eine Here erklärend. (Müller's Reichstags-Theatrum
p. 405—420, vgl. Gemeiner's regensburg. Chronik III, 488—489,

Ausſichten bei Fürſten und Städten geſtalten mochten, um
ſo trüber wurden ſie wieder bei Kaiſer und Papſt zugleich.

Endlich am 8 October entſchloß ſich der König zu einem
wichtigen und entſcheidenden Schritte. Vermöge dreier an
dieſem Tage beſiegelten Urkunden trat er in einen noch innigeren Bund mit Herzog Ludwig von Baiern: in der erſten

Buchner Geſchichte von Baiern, VI, 437 flg.) Herzog Wolfgang
ſuchte nun auf alle Weiſe M. Mayr zu verunglimpfen, um ihn
zu ſtürzen, und ſein damaliger Kanzler, M. Heinrich Erlbach, half
ihm dabei mittelſt Entlockung der im beſagten Libellus famosus
enthaltenen Acten aus der Kanzlei des Markgrafen Albrecht von
Brandenburg, durch einen gewiſſen Anton Baumgartner, der vom
Herzog Wolfgang zu Tiſche geladen, dieſelben mit ſich brachte,
worauf Herzog Wolfgang ſie alſogleich von einigen Schreibern
eiligſt copiren ließ. Der Markgraf ſoll ſie von des Königs Sohne
Herzog Heinrich von Münſterberg erhalten haben. Erlbach ließ vier
Copien dieſer Sammlung anfertigen, eine für den Kaiſer, die
zweite für den am Reichstage anweſenden Cardinal von Siena,
Franz Piccolomini, die dritte für die Reichsfürſten, die vierte für
die Reichsſtädte. Am 18 Juni 1471 übergab er das für den Kaiſer
beſtimmte Exemplar dem Thürhüter deſſelben perſönlich, und zeigte
ihm die Stelle, wo es hieß: „Herzog Friedrich von Oeſterreich
der ſich nennet romiſcher kayſer," damit er den Kaiſer darauf auf-
merkſam mache. Erſt als ihm der Cardinal bemerkte, das ſei eine
ernſte Sache, eine Criminalgeſchichte, erſchrack er und meinte, er
habe nur Mayr ſchaden wollen. Er ſchadete aber nicht ihm, ſondern nur ſich ſelbſt. Herzog Ludwig ließ ihn, als ſeinen Verräther,
criminell belangen, der Rath der Stadt Regensburg ſetzte ihn feſt,
ließ ihn foltern und verhören und endlich im J. 1472 enthaupten.
Dieß alles erfuhren wir aus einem „Erlbach'ſche Inquiſitions-
Acten" überſchriebenen Actenfaſcikel im königl. Reichsarchiv in
München. (Vgl. Gemeiner u. a. O.) Es iſt nun die Frage: ſind
die Abſchriften in der Erlbach'ſchen Sammlung durchgehends treu
und nicht interpolirt? Es iſt wenigſtens ſichergeſtellt, daß man
keineswegs beabſichtigte, den Kaiſer auch ſeines Titels zu berauben.
Die Exemplare in Wien und in München, die wir beide geſehen,
ſtimmten nicht allein in allem überein, ſondern ſcheinen auch beide
von derſelben Hand geſchrieben zu ſein.

wurden zwar die früheren Verträge, der Pilsner vom 16
Oct. 1459 und der Prager vom 8. Mai bestätigt, aber die
ihnen beigefügten Bedingungen aufgehoben, so daß beide
Fürsten einander fortan unbedingt mit Wort und That bei=
stehen sollten, sobald einer von ihnen, sei es mit Waffenge=
walt, sei es mit geistlichen oder weltlichen Processen bedrängt
werde; auch sollte es anderen Reichsfürsten freistehen, die=
sem Bunde beizutreten oder nicht.   Mittelst der zweiten
Urkunde trat der König mit dem Herzog in einen Waffen=
bund gegen Mathias König von Ungarn, wegen der, wie
es hieß, gegen Ziskra geübten Gewaltthaten, und der Herzog
erließ mit dem Könige zugleich einen Absagebrief gegen „Ma=
thias, der sich König zu Hungarn nennet". Der britten und
wichtigsten Urkunde Gegenstand und Ziel war die Erhebung
K. Georgs zur römischen Königswürde.   Bei der Motivi=
rung derselben wurde zunächst über die heillosen Zustände
im Reiche geklagt, wie Mord, Raub, Brand und andere
Gewaltthaten öffentlich geübt würden, Friede und Gerechtig=
keit verschwinde und keine Sicherheit weder auf öffentlicher
Straße noch sonst wo zu finden sei; unter solchen Umständen
wäre an den Türkenzug, so dringend er auch sei, nicht zu
denken, ja es stünde zu befürchten, daß des Kaiserthumes
Ehre und Würde, mit so vielen Opfern, so vielem Blutver=
gießen erkauft, dem Reiche nicht endlich entzogen werde. Und
da der Kaiser, der von kaiserlicher Pflicht und Amts wegen
schuldig war, dafür zu sorgen, troß mannigfachem bringendem
Ersuchen stets säumig erscheine: so hätten der König, als
erster weltlicher Kurfürst, und der Herzog als ein Fürst des
Reichs, zur Ehre Gottes, zum Schuße der Christenheit gegen
die Türken und zum Ruhme des heil. römischen Reichs sich
verbunden und einander bei Ehren und Treuen an Eides
Statt gelobt, daß sie beide nach ihrem höchsten und besten
Vermögen bei den Erzbischöfen von Mainz und Köln, dem
Pfalzgrafen und den übrigen Kur= und anderen Fürsten

11

1460 „emsigen Fleiß fürkehren" sollen und wollen, damit er, der
König, „zu römischem Könige zugelassen, erwählt und angenommen werde." Sie verbanden sich zugleich, daß sie in dieser Frage, so wie in allem, was daraus folgen mag, sich
von einander niemals scheiden lassen werden, sondern wenn
ihnen deshalb einige Widerwärtigkeit mit geistigen und weltlichen Processen oder Geboten begegnen oder Kriegsgewalt
drohen sollte, daß sie einander anhängen und mit ihrer ganzen Macht wechselseitig schützen wollen, auch des andern Un-
bill oder Gefahr als die eigene ansehen, und alle „Heim-
lichkeiten" bei der Sache, die zu ihrer Kenntniß gelangen,
einander mittheilen u. s. w. [112] Um dabei des Herzogs
„Willigkeit" zu belohnen und zu befestigen, verschrieb sich ihm
der König, er werde als römischer König ihm, seinem Hause
und seinen Freunden alle Rechte und Privilegien, die sie vom
Reiche besaßen, bestätigen, ihm das Obersthofmeisteramt im
Reiche mit einem Jahrgehalt von 8000 Gulden der Art verleihen, daß er den gehörigen Dienst durch einen Stellvertreter
verrichten könne, ferner ihm auf die Stadt Donauwerd 40.000
Gulden verschreiben, das Amt eines Statthalters, wenn er
selbst im Reiche abwesend sein werde, Niemanden Anderem als
ihm und seinem Freunde, dem Pfalzgrafen, jedoch unter gewissen Bedingungen, übertragen u. s. w. Es ist wohl kaum
nöthig hinzuzufügen, daß dieser Vertrag ein strenges Geheimniß
bleiben sollte. Martin Mayr wurde mit Vollmacht abgeordnet,
die Kurfürsten persönlich anzugehen und für den Plan zu
gewinnen.

112) Bis hieher (in Höfler's Ausgabe S. 67 bis zu den Worten:
„globen sollen offenbaren") reichen beide uns bekannte Originale
dieser Urkunde im bairischen Staatsarchiv und im böhmischen
St. Wenzelsarchiv; was weiter folgt, ist bloß aus Erbach's Sammlung bekannt. Auch die beiden anderen erwähnten Urkunden vom
8 Oct. 1460 befinden sich im Original in demselben k. bairischen
Archive.

Aus der letzten Verschreibung ist deutlich zu entnehmen, 1641
daß der König wohl voraussah, mit welchen Schwierigkeiten
und welchem Widerstande seine beabsichtigte Erhebung zu
kämpfen haben werde. Die Erwähnung derselben zeugt eben
so für seine volle Entschlossenheit, wie der Eifer, den er bald
nach allen Seiten entwickelte, um seine Nachbarn sich zu
Freunden zu machen. Am meisten war ihm an den Königen
von Ungarn und Polen und am Markgrafen Albrecht von
Brandenburg gelegen. Da Mathias um einen neuen Tag
zu Unterhandlungen angesucht hatte, so sandte er dießmal
seinen vertrautesten Freund und Rath zu ihm, Herrn Zdenĕk
Kostka, ostensibel um zwischen Mathias und Zisfra zu vermitteln, insgeheim aber, um wo möglich die alte Freundschaft
zu erneuern und Mathias für den Mayr'schen Plan zu gewinnen. Herr Zdenĕk traf ihn in Kaschau, von wo er schon
lange gegen zwei Schlösser Zisfra's, Saros und Reichenau,
welche von dessen Hauptleuten Johann Talafaus und Mathias von Knĕžic vertheidigt wurden, einen erfolglosen Krieg
führte. Die Schlösser wurden Herrn Zdenĕk zu getreuen
Handen übergeben und der ganze Streit an die Entscheidung
des Königs von Böhmen gesetzt. [113] Nicht minder gelang
auch der zweite Punct, da Mathias rasch erkannte, welch
wichtiger und für ihn günstiger Umschwung der Dinge sich
da vorbereitete. Mit offenbarer Freude nahm er die Versicherung auf, des Königs Tochter Katharina Kunigunde werde
seine Gemalin, wie einst bestimmt worden, er verlangte deren
sofortige Uibergabe, da er Willens sei, sie auch vor der
Trauung schon als Königin zu versorgen und zu behandeln.
Es wurde daher beschlossen, daß am 21 December 1460 er 21 Dec.
in Trenčin, K. Georg in Olmütz sich einfinden und von da
das Nähere verabreden sollten; Michael Szilagyi, Johann
Vitéz, Bischof von Wardein, und andere Prälaten und Barone

113) Siehe darüber Kaprinai Hungaria diplom. II. 437 und 454.
Dlugoš p. 261.

1460 beiber Reiche follten zu einer Unterfuchung fchreiten und in
Güte entfcheiden, welcher von beiden Theilen am Bruche der
Strážnicer Verträge eigentlich Schuld trage; im Uebrigen
follten beide Könige und deren Lande nicht nur mit einander
Frieden halten, fondern auch gegen alle ihre Gegner und
Feinde einander beiftehen. [114] Somit hatte K. Georg feinen
Standpunct als Mittelsmann zwifchen Mathias und dem
Kaifer wenigftens virtuell fchon aufgegeben.

Mit dem Könige von Polen hatte der König, einer
getroffenen Uebereinkunft gemäß, um Johannis zufammen-
kommen follen; aber ein unerwarteter und ungewöhnlicher
Umftand hatte es verhindert. Der alte Annalift erzählt, es
fei in diefem Jahre der Verdacht aufgekommen, wie K. Ka-
fimir und deffen Gemahlin, eine Schwefter K. Ladislaw's,
„Leute nach Böhmen gefandt hätten, um dafelbft Städte,
Märkte und Dörfer in Brand zu ftecken. Deshalb habe K.
Georg in den Städten ausrufen laffen, daß man keine Polen
einlaffe, und habe auch alle von feinem Hofe verbannt.
Denn fie hätten durch Feueranlegung viel Schaden in Böhmen und fonft überall im Lande gethan. Und von den,
welche als Handwerker in den Städten oder als Gefinde
fich aufhielten, wurden viele aus dem Lande getrieben." [115]

114) Die darüber am 25 Nov. 1460 in Kafchau erlaffene Urkunde
wurde aus dem MS. capit. Prag. G, XIX fol. 186 sq. von Pešina, und nach ihm von Kaprinai weder vollftändig, noch ganz
treu edirt, namentlich die Stelle: Quod in illa dieta (21 Dec.)
praelati et barones utriusque regni et signanter — Michael
Zilaghij, — si interesse poterit, et — Johannes episc. Varad.
— videre et amicabiliter rectificare debeant hoc et id, quod
factum est contra illam dispositionem — in Straznicza — utrum
sit contraventum a nobis vel ab ipso D. Georgio rege Bohemiae. Mathias wußte alfo am 25 Nov. noch nichts von der großen
Niederlage Szilágyi's, in deren Folge er gefangen, nach Conftan-
tinopel geführt und dort auf Mohammeds Befehl enthauptet wurde.
115) Staří letopisowé S. 162, irrthümlich zum J. 1459.

Die aufgefangenen Brandstifter sollen auch wirklich auf den 1460
König von Polen ausgesagt haben: doch soll das nur eine
von den deutschen Ordensrittern in Preußen angestellte List
gewesen sein, welche auf alle Weise Feindschaft und Krieg
zwischen den Böhmen und den Polen hervorrufen wollten,
um selbst den Krieg mit den letzteren leichter führen zu können. Die Sache wurde so ernst, daß man in Prag schon
wirklich an einen Krieg mit den Polen gedacht haben soll. Darum sandte Kasimir zwei vornehme Polen an den böhmischen
Hof, um sich von dem Verdachte zu reinigen. Diese stellten
nicht allein vor, daß ihr König, wenn er den Böhmen Schaden zufügen wollte, dieß wohl offen mit bewaffneter Hand
thun würde, sondern erboten sich auch, nach der Sitte der
Zeit, zum Zweikampfe mit Jedermann, der ihren König in
der Sache beschuldigen wolle. König Georg erklärte, daß
er eine solche Beschuldigung stets als eine von irgend einem
Feinde ersonnene Verläumdung angesehen habe, und söhnte
sich mit Polen wieder aus. Es wurde daher eine Zusammenkunft böhmischer und polnischer Bevollmächtigter in der
Stadt Beuthen auf den 25 November 1460 zur vorläufigen 25 Nov.
Austragung der gegenseitigen Beschwerden angesetzt. Böhmi-
scherseits erschienen darauf Zdeněk von Sternberg, Wilhelm
der jüngere von Riesenberg und Rabi und Johann Jičínský
von Cimburg; unter den Polen finden wir neben Johann
von Tenčin, Stanislaus von Ostrorog und Anderen auch
den rühmlich bekannten Geschichtschreiber Johann Dlugoš,
Canonicus von Krakau. Dieselben kamen am 29 November
über folgende Puncte überein: 1) beide Könige sollen spätes-
tens bis 1 Mai 1462 persönlich in Groß-Glogau zusammenkommen; zeige sich auch später noch das Bedürfniß eines
ähnlichen Congresses, so sollte er in einer Stadt von Polen
stattfinden; 2) inzwischen und auch nachher sollen sowohl die
Herrscher als ihre Unterthanen in brüderlicher Liebe und in
Frieden mit einander leben, und mit Ausnahme des Papstes

1460 keiner geistlichen oder weltlichen Macht oder Person gegen
einander Beistand leisten; und wenn von ihren Unterthanen
Jemand den Frieden störe, so soll dessen König ihn nachdrücklich dafür bestrafen; 3) die alten Verträge zwischen
Böhmen und Polen sollen erneuert, bezüglich Mazoviens
aber solle K. Kasimir zu keiner Bürgschaft verhalten werden;
4) die Straßen in beiden Ländern sollen für alle Kaufleute
frei sein und die Könige dafür Sorge tragen, daß keine
schlechte Münze von ihnen in Verkehr gebracht werde; 5 der
Streit sowohl um die Burgen und Schlösser in Polen, auf
welche der König von Böhmen Ansprüche erhebt, als auch
über das Heirathsgut der Königin Elisabeth soll bis zur
besagten Zusammenkunft der Könige auf sich beruhen. [116]

Größeren Schwierigkeiten unterlag die Erhaltung guter
Verhältnisse mit dem Hause Brandenburg: nicht nur lag
aus alter und neuer Zeit so mancher Anstoß vor, sondern
man konnte auch nicht übersehen, daß K. Georg in dem
Maße, als er sich Ludwig von Bayern näherte, sich Albrecht
von Brandenburg entfremdete, dessen guter Wille doch unerläßlich schien, sollte er jemals römischer König werden. Der
Markgraf war die eigentliche Seele seines Hauses, er vertrat in Wort und That alle seine Brüder in allen Angelegenheiten; auch wo der ältere Bruder, Kurfürst Friedrich,
selbständig zu handeln schien, richtete er sich gewöhnlich nach
dessen Rathschlägen. Wegen Kottbus, als böhmischen Kron-
lehens, war zwischen Zdeněk von Sternberg und dem Kur-
18 Mai fürsten Friedrich ein Gerichtstag in Prag auf den 18 Mai
1460 angesetzt. Der Kurfürst erkannte Anfangs den König
als Richter an, und schickte seine Anwälte zu dem Gerichts-

116 Dlugoš's Bericht, so kurz und unvollständig er ist, stimmt doch
genau mit der Vertragsurkunde, wie sie das ofterwähnte MS. capit. Prag. G, XIX fol. 149 sq. bietet. Andere hieher gehörige
Acten bringt Dogiel cod. diplom. I, 10—13, und Auszüge daraus
Sommersberg, II, 86.

tage: als er jedoch wahrnahm, daß der Urtheilsspruch gegen 1460
ihn ausfallen dürfte, wollte er eine Berufung an den Kaiser
einlegen, was ihm von den Böhmen als Trotz angerechnet
wurde. [117]   Der König kündigte ihm die Absicht an, die
Vogtei der Lausitz wieder einzulösen, verschob aber die Aus=
führung durch ein Schreiben vom 22 September wieder, 22 Spt.
dann erhob er gegen den Kurfürsten am 15 October die 15 Oct.
Beschwerde, daß er gegen Heinrich Herzog von Glogau ge=
waltthätig verfahren sei. [118] Markgraf Albrecht sah sich durch
den Rother Vertrag und die noch unerledigten drei Artikel
einigermaßen genöthigt, des Königs Gunst zu suchen; auch
erschien er in den nächsten Tagen nach Martini persönlich
in Prag, um sich mit ihm möglichst zu befreunden, nachdem
der König ihm diesen Tag benannt hatte, um einen Vergleich
über jene drei Artikel zwischen ihm und Herzog Ludwig zu
versuchen.   Von dem Erfolg ist nur so viel bekannt, daß er
mißlang und der König beiden Parteien einen neuen Tag
auf Mariä Lichtmesse nach Eger anberaumen mußte. Die ge=
heimen Verhandlungen zwischen ihm und dem Könige um
diese Zeit betrafen jedoch hauptsächlich Georgs Erhebung zur
römischen Königswürde.   Es ist unbekannt, welche Vortheile
den brandenburg'schen Brüdern für ihre Stimme angeboten
wurden, oder welche An= und Aussichten der König ihnen
bezüglich seines künftigen Wirkens im Reiche eröffnete; jeden=
falls war aber vorauszusehen, daß er die Reichsregierung
selbstthätig in die Hände nehmen, somit des Markgrafen
gleichsam vicekaiserliche Wirksamkeit im Reiche zu Ende gehen
würde. Mochte daher K. Georg noch so viel bieten: Mark=
graf Albrecht konnte, so scheint es, nie ein verläßlicher Förs
derer so gearteter Entwürfe werden.   Auch bekannte letzterer
aufrichtig, da das Reich in zwei Parteien gespalten sei, so

---

117) Man vergleiche oben unsern Bericht zum 10 Januar 1454, und
     J. P. von Gundling's Leben Friedrich II u. s. w. Seite 504 fgg.
118) Nach Briefen, die wir in Berliner Archiven vorgefunden.

1460 werde der Beistand der einen immer den Widerstand der andern zur Folge haben. Kurfürst Friedrich von Sachsen war
seit der Aussöhnung mit Böhmen des erlangten Friedens
froh und enthielt sich fortan aller directen Theilnahme an
den politischen Ereignissen; seinem Schwager jedoch, dem
Kaiser Friedrich, blieb er bis zu seinem Tode (1464) immer
treu und anhänglich, und ließ sich darin durch nichts beirren.
Johann, Erzbischof von Trier, war ein Bruder des zweiten
Schwagers des Kaisers, Karls, Markgrafen von Baden, und
ihn zu gewinnen gab es gleichfalls keine Hoffnung. Dieß
stellte der Markgraf dem Könige vor und gab zu verstehen,
daß der Erfolg des Planes nicht in Aussicht stehe. Um ihm
indessen nicht wehe zu thun und ihn seinen Feinden nicht
noch mehr in die Arme zu treiben, stellte er sich auf alle
Weise günstig gesinnt, und versprach sich für den Entwurf
bei beiden Kurfürsten, dem von Sachsen, seinem Schwiegervater, und dem von Brandenburg, seinem Bruder, zu verwenden. Der König verlangte schließlich, er möge also thun
und des Vorschlags gegen sonst Niemanden erwähnen. Die
25 Nov. zu Ende ihres Beisammenseins, am 25 November, erfolgte
Verlobung ihrer Kinder, des Königsohnes Heinrich des Aeltern, mit des Markgrafen liebster Tochter Ursula, dient zum
Beweise, daß beide Fürsten in bester Freundschaft von einander schieden. [119]

Unterdessen brachte es Martin Mayr bei zwei rheinischen Kurfürsten, dem Pfalzgrafen Friedrich und dem neuen
Mainzer Erzbischof, Diether von Isenburg, dahin, daß sie
beide sich zur Wahl Georgs als römischen Königs verbindlich
machten, der Pfalzgraf mittelst einer zu Würzburg am 16 November datirten Erklärung, der Erzbischof mittelst einer ähn-

---

119) Das Original der Vertragsurkunde vom 25 Nov. 1460 befindet
sich heutzutage im Podĕbrad'schen Familienarchiv zu Oels in
Schlesien. Die weiteren Verhandlungen sind aus Höfler's Kaiserl.
Buch S. 87 bekannt.

lichen vom 3 December, jedoch beide unter vielerlei ziemlich
lästigen Bedingungen. Die für den König bedeutendste und
mißlichste dürfte wohl das vom Erzbischof gestellte Verlangen
gewesen sein, daß Georg von seiner Erwählung zum römischen Könige an das heil. Abendmahl nicht anders, als gleich
allen anderen christlichen Königen zu empfangen habe.

Noch ehe Georg von Mayr's Erfolgen Nachricht haben
konnte, hatte er an die Reichsfürsten Einladungen zum obenerwähnten Tage nach Eger ergehen lassen, nicht allein um
einen freundlichen Vergleich zwischen seinen lieben Schwägern Ludwig von Baiern nnd Albrecht von Brandenburg zu
erzielen, sondern auch zur Hintanhaltung anderer Schäden
und Gebrechen der Christenheit und des heil. römischen Reichs,
wie es ihm als obersten Kurfürsten wohl gezieme. Er konnte
nun nichts anderes thun, als den Dingen ihren Lauf zu
lassen, obgleich es uns scheinen will, daß seine Lust wie seine
Hoffnung bereits in Abnahme waren. Zuvor jedoch begab
er sich noch (vor Weihnachten 1460) [120] nach Olmütz mit
großem Gefolge, um den Kaschauer Beschlüssen zu Folge mit
K. Mathias zu tagen.

Der Olmützer Tag versprach gleich beim Beginn einen
nur geringen Erfolg. König Mathias erkrankte kurz nach
seiner Ankunft in Trenčin so schwer, daß man ihn fast aufgab; er mußte nach Ofen zurückgebracht werden, wo es lange
Zeit brauchte, bis er wieder genas. König Georg war nach
längerem erfolglosen Verhandeln — denn nicht nur ungrische
Bevollmächtigte und österreichische Stände hatten sich in Olmütz eingefunden, auch der Kaiser hatte, von den Unterthanen

---

120) Da der König schon am 24 Dec. 1460 in Olmütz war, wo er
    den Vertrag von Beuthen bestätigte (Dogiel l. c. p. 13), so kann
    die Nachricht Pešina's (p. 719) von Verlegung jenes Tages und
    von der Ankunft des Königs dahin am 5 Januar 1461 nur eine
    aus irrigen Combinationen geschöpfte sein, wie solche bei diesem
    Schriftsteller nicht selten vorzukommen pflegt.

1461 gedrängt, seine Räthe dahin abgeordnet, nicht um nachzu= geben, sondern um nachgiebig zu erscheinen — schon Willens gewesen, sich persönlich zu Mathias zu begeben: doch in Kremsier angelangt und von der Natur der Krankheit näher unterrichtet, änderte er seinen Entschluß, sandte seine Räthe nach Trenčin und wendete sich selbst nach Brünn. Zwischen dem Kaiser und Mathias wurde nur eine Verlängerung des Waffenstillstands erzielt; des Königs Schiedspruch zwischen Mathias und Iskra scheint aber letzteren so wenig befriedigt

10 März zu haben, daß er bald darauf (10 März 1461) offen in des Kaisers, als Königs von Ungarn, Dienste trat, wo doch das Zerwürfniß zwischen dem Kaiser und K. Georg schon offen zu Tage getreten war. Nur über die Vermälung der Tochter

25 u.26 Januar des Königs mit Mathias wurden in Trenčin am 25 und 26 Januar endgültige Beschlüsse gefaßt, und am 25 Mai

25 Mai verließ die junge Prinzessin Prag und ihre Familie für immer, wurde nach Trenčin gebracht und dort mit vielem Gepränge in die Gewalt ihres Bräutigams übergeben.

Nicht lange vor dem Tage von Eger, kurz vor Ablauf des Jahres 1460, bereitete sich in Deutschland eine Ver= änderung vor, die für den weiteren Verlauf der Dinge von wichtigen Folgen werden mußte. Die patriotische und Con= ciliar=Partei, von der schon seit Jahren fast nichts zu hören gewesen, lebte plötzlich wieder auf und erhob ihr Haupt, als der erste geistliche Kurfürst, Diether Erzbischof von Mainz, sich wenigstens für einige Zeit an ihre Spitze stellte. Es war wohl natürlich, daß, wie die Hierarchie immer mächtiger wurde und die Ansprüche der römischen Curie sich von Jahr zu Jahr mehrten, im deutschen Volke eben auch eine Reaction erwachte, die sich bei tausend Gelegenheiten und in tausend Anzeichen, oft roh genug, aber nur immer gleichsam spora= disch offenbarte. Einer der interessantesten Fälle dieser Art war der mehrjährige Streit des Herzogs Sigmund von Tyrol, eines ehemaligen Zöglings von Pius II, mit dem

berühmten Cardinal Cusa, Bischof von Brixen. Vom Her= 1461
zoge gefangen und mit Gewalt bedroht, hatte der Cardinal
feierlich alles angelobt, was man von ihm verlangte: als er
jedoch nach seiner Entlassung nach Rom entfloh, kamen von
dort nicht nur eine Entbindung von den gemachten Zusagen,
sondern auch scharfe Drohungen vom Papste. Die Gesandten
des Herzogs, die den Papst eines Bessern unterrichten, und
wenn das nicht gelänge, eine Appellation einlegen sollten,
wurden in Rom als Ketzer gefangen gesetzt, da sie an des
Papstes Unfehlbarkeit zweifelten, und über Sigmund selbst
wurde der Bann ausgesprochen (8 August 1460). Der 8 Aug.
Herzog ließ dagegen von seinem Rathe, dem Doctor Gregor
von Heimburg, eine ziemlich scharfe Appellation (13 Aug.) 13 Aug.
verfassen, wofür denn auch dieser (am 18 October) vom 18 Oct.
Papste mit dem Bann belegt ward. Nun schrieb Dr. Gregor
eine noch kühnere und eindringlichere Entgegnung, die, ob sie
auch durch den Druck noch nicht vervielfältigt werden konnte,
doch in ganz Deutschland große Verbreitung fand und gierig
gelesen wurde. Zu gleicher Zeit traf es sich, daß auch über
den gedachten Erzbischof der Bann verhängt wurde, zwar
nicht vom Papste selbst, wohl aber von den Richtern der
apostolischen Kammer, weil er eine bedeutende, bei den rö=
mischen Wechslern zur Berichtigung seiner Annaten contra=
hirte Schuld zur bestimmten Zeit abzutragen versäumt hatte.
Dadurch empfindlich gereizt, stellte sich Diether in offene
Opposition gegen Rom und nahm den Hauptgegner der
Curie, Dr. Gregor, in seinen Rath und seine Gesellschaft
auf. Auf dessen Anrathen appellirte auch er vom Papste an
ein künftiges Concil, und berief als Reichskanzler einen Für=
sten= und Reichstag zuerst nach Bamberg, dann nach Nürn=
berg, um vor den Fürsten und Städten ganz Deutschlands
Beschwerde zu führen. [121] Diese Wendung der Dinge war

121) Von dem Fürstentage zu Bamberg auf S. Lucia (15 Dec. 1460)
    geschieht in Höfler's Kaiserl. Buch S. 81 Erwähnung. Er scheint

1461 von nicht geringer Bedeutung; man dachte gleich an eine
Verbindung mit dem Könige Karl VII von Frankreich, der
wie wegen seiner bekannten pragmatischen Sanction, so auch
wegen der Zurücksetzung, welche die französische Partei in
Neapel vom Papste erlitten hatte, dem letzteren nicht eben
wohl wollte und schon seit lange für Concilien eiferte; [122]
im weiteren Verlaufe konnte man auch auf den Anschluß der
weltlichen Gegner des Papstes in Italien rechnen, deren Zahl
nicht gering und die Macht nicht unbedeutend war.

In solche Spannung waren zu Anfange des Jahres
1461 alle öffentlichen Verhältnisse Deutschlands, kirchliche
wie staatliche, gerathen; die gleichzeitig gegen Kaiser und
Papst sich erhebende Opposition floß zwar nicht in einander,
verflocht aber und stärkte sich wechselseitig in mannichfacher
Weise. Gegen den Papst führte sie dießmal kein Ketzer, sondern ein vornehmer Kirchenfürst; gegen den Kaiser rath-
schlagten Könige und Fürsten zusammen. Eine Fortentwicke-
lung dieses außerordentlichen Zustandes der Dinge hätte in
die Länge eine neue Gestaltung aller Verhältnisse nicht in
Deutschland allein herbeiführen müssen. Doch die Zeit der
Erfüllung war noch nicht gekommen: Papst und Kaiser er-
sahen die gemeinsame Gefahr, traten noch näher zusammen
und stellten sich zur Abwehr mit vereinter Kraft. Der Kaiser
entwickelte zum ersten Mal in seinem Leben etwas nachhal-
tigeren Eifer und erhöhte Thätigkeit, und bald bewährte sich
die Ueberlegenheit der trefflichen Organisation der hierarchischen Gewalt gegenüber den zwar starken, aber noch unver-
einten und ungeordneten oppositionellen Elementen. Und

ungewöhnlich bewegt, ja stürmisch gewesen zu sein. Der Reichstag
zu Nürnberg war auf Montag nach Esto mihi (16 Febr.) angesetzt, wurde jedoch erst um Reminiscere (1 März) abgehalten.
122) Noch am 10 Febr. 1461 erging im Namen Karls VII eine Protestation und Appellation an ein künftiges Concil gegen Pius II
und dessen auf dem Congreß zu Mantua geführte Reden.

Erzbischof Diether fehlte jener sittliche Gehalt, so wie die 1461
Kraft, die unerläßlich war, um eine neue Aera inauguriren
zu können.

Obgleich nun der Kaiser durch zahlreiche in's Reich abgesandte Schreiben den Versammlungen zu wehren suchte, die
ohne sein Zuthun angeordnet wurden, so kamen doch in Eger
zu Anfang des Monats Februar 1461 die deutschen Fürsten Anfang
und Städte in ungewöhnlicher Zahl zusammen. Außer König Febr.
Georg waren nämlich persönlich anwesend: Kurfürst Friedrich
und Markgraf Albrecht von Brandenburg, des Kaisers Bruder
Herzog Albrecht, die Herzoge Ludwig, Johann und Otto
von Baiern, und Wilhelm, Ernst und Albrecht von Sachsen,
Landgraf Ludwig von Hessen, die Bischöfe von Bamberg,
Würzburg, Breslau, Lebus und Freisingen, ein Markgraf
von Baden, die Grafen Philipp von Katzenelnbogen und
Wilhelm von Henneberg nebst anderen; ihre Räthe hatten
geschickt die Erzbischöfe von Mainz, Köln, Trier und Salzburg, der Cardinal Bischof von Augsburg, die Bischöfe von
Constanz und Eichstädt, Pfalzgraf Friedrich, Philipp Herzog
von Burgund, Graf Eberhard von Wirtemberg und andere
mehr; desgleichen die Reichsstädte Ulm, Augsburg, Nürnberg, Regensburg, Straßburg, Nördlingen, Speier, Worms
u. s. w. Seit langer Zeit soll man in Deutschland keine so
stattliche Versammlung gesehen haben. [123] Auch durften die
Häupter der patriotischen Partei, Doctor Gregor von Heimburg und Martin Mayr, ja nicht fehlen. Es ist zu bedauern,
daß von den vielen Verhandlungen, die bis zum 20 Februar 20.Feb.
gepflogen wurden, nur ärmliche, fragmentarische und einseitige
Berichte auf uns gekommen sind. Wir wissen nur, daß die
Aussöhnung Herzog Ludwigs mit dem Markgrafen Albrecht

123) Solches bezeugt Peter Eschenloer wörtlich I, 173, 174. Ebendorfer
sagt (p. 926), daß wegen großer Menge der Angekommenen es in
Eger an Quartieren mangelte. Hajek schöpfte sein bekanntes Verzeichniß der dort Anwesenden aus den Staři letopisowé S. 176.

1460 abermals fehlschlug. Was weiter vorgenommen wurde, beschreibt Gregor von Heimburg in einem am 14 Februar an Herrn Johann Calta von Kamennahora (Steinberg) gegebenen Briefe, wie folgt: „Drei Dinge sind hier gegenwärtig hauptsächlich in Berathung: 1) die vor Kurzem auf dem Reichstage zu Nürnberg auf drei Jahre geforderte Decima von den Einkünften der Geistlichkeit und die Tricesima von denen der Weltlichen, ob dieselben und auf welche Art zu erheben und auf den Türkenzug zu verwenden seien? Denn es gibt auch Leute, die da glauben, die Forderung sei nur ein Vorwand, um Geld zusammenzubringen und Gott weiß wozu zu benützen. 2) Wenn es zum Türkenzuge komme, wer soll dessen oberster Anführer sein? Viele stimmen für euren König, der als Feldherr andere überragt, hinreichend Waffen, Muth und Kriegserfahrung besitzt und auch bei allen die größte Achtung genießt. Er aber entschuldigt sich mit seinen heimischen Angelegenheiten und daß sein Reich noch nicht zur Gänze beruhigt sei: sollte jedoch seiner Heimath volle Sicherheit werden, so wolle er nicht anstehen, in einen so fernen Krieg zu ziehen, und so viel an ihm wäre, ihn zum Wohl der Christenheit tapfer zu führen. 3) Es solle nach Beseitigung aller Kriege und innerer Fehden der ersehnte Landfriede im ganzen Reich errichtet und einer der mächtigeren Fürsten zu dessen Erhalter und Beschützer ernannt werden. Da wenden sich nun die Gedanken und Wünsche Aller eurem Könige zu, und dieß mit Recht; denn welcher andere Reichsfürst hat so viel Ansehen und Macht, daß er den Frieden erhalten und dieß Ehrenamt würdig und rühmlich versehen könnte? Er besitzt Macht und Vermögen und ein gegen die Friedensstörer stets bereites Heer; allbekannt ist auch seine Umsicht, seine Großmuth und Gewandtheit in Staatssachen. Auch weigert er sich nicht: doch verlangt er, daß ihm daneben auch die Verwaltung und oberste Gewalt im Reiche übertragen werde. Nun sind viele, und namentlich die beiden Lud-

wige, von Baiern und von Hessen, der Bischof von Bamberg, 1461
die Gesandten des Kurfürsten von Mainz, des Pfalzgrafen,
des Erzbischofs von Salzburg, des Grafen von Wirtemberg
und der Städte Nürnberg, Regensburg und Augsburg, die
keinen Anstand nehmen ihm das zuzugestehen, da der Kaiser,
von inneren Stürmen in Anspruch genommen, und diese
kaum bewältigend, seinen Reichspflichten nachzukommen unvermögend sei. Anders jedoch urtheilt der Kurfürst von
Brandenburg nebst einigen wenigen anderen, welche der Meinung sind, man dürfe der kaiserlichen Majestät nicht in
dem Maße zu nahe treten, daß man ihm, als einen Unver-
mögenden, einen Mitregierer oder gar einen Führer und Lenker bestelle. Die Zeit wird lehren, was man endlich beschließen wird: mir scheint es wohl, daß der Tag unverrichteter
Dinge auseinandergehen, und die Mißhelligkeit zwischen dem
Könige und dem von Brandenburg in einen schweren und
blutigen Krieg ausarten dürfte." [124] Es ist aus diesen Worten zu entnehmen, daß in Eger über Mayr's Vorschlag in
seiner ursprünglichen Form verhandelt wurde, und daß von
der Ernennung Georgs zum römischen Könige wenigstens
öffentlich nicht die Rede war, obgleich kaum zu zweifeln ist,
daß in den vertrauten geheimen Conferenzen darauf allerdings gedrungen wurde. Ja man sagte, der König habe
dem Kurfürsten von Brandenburg jedes beliebige Reichsamt
angeboten, und den Streit seines Bruders Albrecht mit Ludwig von Baiern ganz nach seinem Wunsche zu erledigen
versprochen, wenn er ihm nur seine Stimme zur römischen

124) Heimburg's Schreiben ist uns nur aus Pešina's Mars Morav. p.
721 bekannt. An dessen Echtheit ist im Allgemeinen allerdings
nicht zu zweifeln: doch möchten wir nicht dafür einstehen, daß
Pešina es nicht in seiner Weise interpolirt, d. h. mißliebige Stellen
darin weggelassen, geändert oder andere hinzugefügt habe. Die
Handschrift, aus welcher er es geschöpft, haben wir bis jetzt nicht
wieder auffinden können.

1461 Königswürde gäbe. Friedrich soll entgegnet haben, nach dem
Kurfürstenvereine von 1446 dürfe kein Kurfürst in solchen
Dingen ohne Wissen und Willen seiner Collegen Entschlüsse
fassen, und so sei es ihm unmöglich, darin irgend etwas zu
thun. Auf des Königs Bemerkung, daß ja der von Mainz
und der Pfalzgraf bereits eingewilligt hätten, habe er erwiedert, daß diese beide noch nicht in den Kurfürstenverein aufgenommen seien, und ihre Stimmen deshalb keine hinreichende Geltung hätten; erst wenn der Mainzer im Kurfürstenverein seinen Eid geleistet, vom Kaiser die Regalien empfangen und dann einen ordentlichen Reichstag zu dem Zwecke
ausgeschrieben haben würde, wollte auch er, da er es dann
mit Ehren thun könnte, sich dem Könige gefällig erweisen. [125]
Die abschlägige Antwort war auf diese Weise wenigstens in
freundliche Worte gehüllt. Man beschloß endlich, die Sache
am nächsten Nürnberger Reichstage in weitere Erwägung zu
ziehen, und Friedrich versprach dafür zu sorgen, daß sowohl
der Mainzer als der Pfalzgraf dort in den Kurfürstenverein
aufgenommen würden. Bevor man auseinander ging, erneuerte noch der König Freundschaftsverträge mit den Münchner
Herzogen Johann und Sigmund, Söhnen des bereits verstorbenen Herzogs Albrecht, und mit dem Erzherzoge gleiches
Namens; auf die letzteren werden wir noch zurückkommen.

Auf dem Nürnberger Reichstage, der nun
folgte, waren persönlich anwesend drei Kurfürsten, von Mainz,
der Pfalzgraf und Friedrich von Brandenburg, von den übrigen Reichsfürsten und Ständen eine große Zahl. König Georg sandte Herrn Zbyněk Zajic, Dr. Mayr und andere Räthe,
auch von K. Mathias erschien eine Botschaft. Die Wichtigkeit und Denkwürdigkeit dessen, was da vor sich ging, steht

125) Die hier berührten Nachrichten sind ausschließlich nur aus dem
von Const. Höfler herausgegebenen Kaiserl. Buch des Markgrafen
Albrecht Achilles, Bayreuth, 1850, besonders S. 82 und 89 flgg.
bekannt.

gerade im umgekehrten Verhältnisse mit dem, was darüber 1461
in der Geschichte bekannt wurde. Zuerst klagte Erzbischof
Diether, daß seine zum Papste wegen Bestätigung seiner
Wahl abgeordneten Gesandten sich hatten verpflichten müssen,
einen dreifach höheren Annatenbetrag zu erlegen, als her-
kömmlich gewesen, und daß sie genöthigt wurden, einen Eid
in seine Seele zu schwören, daß er innerhalb Jahr und
Tag persönlich nach Rom kommen werde, um von Sr. Heiligkeit die Vorschrift zu empfangen, wonach er sich künftig
in seinen Handlungen zu bemessen habe. Diese Vorschrift
soll nun darin bestanden haben, daß er sich der für den Türkenzug verlangten Decima und Trecesima nicht zu widersetzen
habe, daß er künftig ohne des Papstes Wissen und Willen
weder einen Reichstag, noch eine Synode in seiner Diöcese
ausschreibe; daß er sich verbindlich mache, in die Berufung
eines allgemeinen Concils nicht zu willigen u. dgl. m. Dann
wurde öffentlich über Cardinal Bessarion und sein unziemli-
ches Benehmen auf dem Wiener Reichstage Klage geführt.
Weiter zog der Reichstag mit schwerem Unwillen in Erwägung, wie der römische Hof nach eigener Willkür Abgaben
im Reiche auferlege und vermehre, wie er eigenmächtig auf
die Erhebung der Decima und Tricesima bringe, obgleich
dieselbe noch von keinem Reichstag bewilligt worden sei, wie
er sich eine Controle der Reichsregierung anmaße, die ersten
Reichsfürsten mit äußerster Rücksichtslosigkeit zu behandeln
kein Bedenken trage, und in alle dem selbst die weiten Schranken des Wiener Concordats überschreite u. s. w. In patrio-
tischer Aufwallung darüber begann die ganze Versammlung
die Mittel in Erwägung zu ziehen, wie die so gefährdete
Ehre, Freiheit und Selbständigkeit „deutschen Gezunges" zu
wahren sei. Man protestirte feierlich gegen die besagte Decima und Tricesima, forderte die Zurücknahme des Mantuaner
Dekrets über die Appellationen, und sandte Gregor von Heimburg an den König von Frankreich, um dessen Meinung

1461 wegen der Concilien zu erforschen. Die Kurfürsten verban=
den sich zu voller Solidarität in dieser Angelegenheit und
zu gegenseitigem Schutze, wenn Einem von ihnen irgend
ein Leid widerfahren sollte. Und da alle diese und andere
Uibelstände eine Folge seien der Nachlässigkeit und Unthätig=
keit des Kaisers, so fiel auch gegen ihn manch hartes Wort,
1 März und die drei anwesenden Kurfürsten erließen am 1 März ein
Schreiben, worin sie ihn mit nachdrücklichen, ernsten Worten
aufforderten, auf dem von ihnen nach Frankfurt auf den
Dreifaltigkeitssonntag (31 Mai) angesetzten Reichstag per=
sönlich zu erscheinen, widrigenfalls sie dann selbst „betrachten
und vernehmen" müßten, „was der Christenheit und der
deutschen Lande Nothdurft" heische. Die böhmischen Abge=
ordneten betheiligten sich nicht an diesen Demonstrationen,
da ihr König auch jetzt noch nicht offen gegen den Kaiser,
und noch weniger gegen den Papst auftreten wollte. Auch
scheint in Nürnberg von seiner Wahl zum römischen Könige
gar nicht gehandelt worden zu sein, obgleich der Pfalzgraf
6 März und der Mainzer Erzbischof schon am 6 März in den Kur=
fürstenverein aufgenommen wurden; ja man sprach vielmehr
in dem Sinne, als seien die dießfalls gemachten Versuche
ordnungswidrig und unzulässig gewesen. Vielleicht war das
eine Folge des auf dem Reichstage lebhaft angefachten Eifers
für „deutsches Gezunge," da die Deutschen bei Georg Podie=
brad in den Fall gekommen wären, mit ihrem Könige größ=
tentheils mittelst Dolmetschen verkehren zu müssen; vielleicht
wollten auch die Kurfürsten vor dem Frankfurter Tage durch
keinen entscheidenden Schritt sich binden; der Pfalzgraf und
der Mainzer kamen damit nicht den Verpflichtungen nach,
welche sie in den geheimen Verträgen mit Martin Mayr
übernommen hatten. Die Versuche zur Aussöhnung Herzog
Ludwigs mit Markgrafen Albrecht, und somit der großen
Parteien im Reiche, blieben abermals erfolglos, und die un=
garische Botschaft, welche wegen der (nach Szilagyis Nie=

berlage und Tod) von den Türken neuerdings drohenden 1461
Gefahr die Fürsten zur raschen Berufung Georgs an die
Spitze des Christenheeres bewegen sollte, glich nur der
Stimme des Rufenden in der Wüste. Der Reichstag scheint
bis zum 15 März gedauert zu haben. [126]

15
März

Kaum war der Reichstag auseinander gegangen, und
schon eilte Markgraf Albrecht, den Kaiser über alles, was
vorgegangen war, „in großem Geheim" zu unterrichten. Er
wünschte ihm und sich selbst Glück dazu, daß es seinem und
seines Bruders Fleiße gelungen sei, den seit dem Bamberger
Fürstentage drohenden Sturm so zu beschwören, daß er sich
zu Nürnberg in eitel Rauch und Dunst aufgelöst habe, wie
Seine Majestät aus dem ziemlich ungefährlichen Reichstags-
abschiede entnehmen werde, welchen überdieß weder die sächsischen Herzoge, noch die Markgrafen von Brandenburg, verwilligt hätten. Er klagte, daß der Kaiser weder nach Eger,
noch nach Nürnberg einen der Seinigen gesendet habe, und
enthüllte ihm alles, was dort zumal über die Erhebung des
Böhmenkönigs verhandelt und wie durch die Bemühung beider
markgräflichen Brüder dieses Vorhaben bisher vereitelt worden

126) Alle bisher von diesem Nürnberger Reichstag — ohnehin spär-
lichen — edirten Nachrichten rühren fast ausschließlich von der
Brandenburger, also päpstlich-kaiserlichen Partei her; die Opposition scheint dießmal, gegen ihre Gewohnheit, geringe Thätigkeit
mit der Feder entwickelt zu haben. Nicht einmal der Reichstagsschluß hat sich erhalten, auch nicht die ganze Protestation gegen
die Decima u. s. w., da der Abdruck bei Senkenberg (IV, 369—380)
sehr unvollständig ist. Von Gregors von Heimburg Sendung ist
in Höfler's Kaiserl. Buch S. 84 die Rede. Anderweitige Nachrichten findet man im Reichstags-Theatrum (II, 6—18), am gründ-
lichsten jedoch in C. J. Kremer's Geschichte Friedrichs von der
Pfalz, I, 210—214 zusammengestellt. Vgl. Droysen Gesch. d. preuß.
Politik, II, 250—253. Ebendorfer sagt, daß bis Laetare (15 März)
getagt worden sei. Auffallend ist es, daß weder Gobelinus, noch
Raynaldi des ganzen Reichstags auch nur mit einem Worte gedenken.

12*

1461 sei. Er gab an, wie nach seiner Ansicht und seinem Wunsche der Kaiser und der Papst sich zu benehmen hätten, um diese Kette, wie vormals die Frankfurter Neutralität zu brechen; insbesondere rieth er zu einigen Concessionen von Seite sowohl des Kaisers als des Papstes. Seinem Bruder Friedrich bat er, möge der Kaiser erlauben, gleich den Anderen ein wenig den Patrioten zu spielen, da er sonst, als parteiisch, von deren Vertrauen und Gesellschaft ausgeschlossen, nicht im Stande wäre, dem Kaiser bei den Kurfürsten die gleichen Dienste zu erweisen, wie Albrecht unter den übrigen Fürsten. Er fügte endlich die Warnung hinzu, wie der Böhmenkönig, Erzherzog Albrecht, Ludwig von Baiern und der Bischof von Würzburg den Anschlag unter einander gemacht hätten, vor Pfingsten gegen den Kaiser in's Feld zu rücken, um ihn zu zwingen, König Georg seine Stimme zur römischen Königswürde zu geben, während von anderer Seite Mathias von Hunyad aufstehen und mit Waffen in der Hand seine Krone von ihm fordern sollte. Und ähnliche Berichte ließ der Markgraf auch an den Papst abgehen. [127]

Der Kaiser befand sich zu Grätz, als zu Anfange Aprils ihm diese Nachrichten und Warnungen zukamen. Dießmal erwachte in ihm in ungewohnter Kraft das Gefühl nicht von Furcht, sondern von gekränkter Ehre, von beleidigtem Stolze und demgemäß auch das Verlangen nach Rache. Die Aufregung an seinem Hofe war groß und man sann auf Mittel und Wege, die feindlichen Absichten nicht nur zu vereiteln, sondern auch zu strafen. Vor allem wandte man sich an den Papst. „Erwäget, heiliger Vater!" so schrieb der Kaiser am

127) „Heimlich Werbung an den Kayser, durch Herrn Wentzlaw geschehen," war aus dem Kais. Buch, woher C. Höfler sie edirte (S. 80—85), auch Gundling schon und anderen bekannt. Ihr beigefügt ist auch eine „Werbung an den konig von Beheym" (S. 85—91), da der Markgraf auch mit dem Könige sich gut zu stellen versuchte.

7 April, „wie keck die Factionen im Reich ihr Haupt erheben, wie sie uns beiden, ihrer geistlichen und weltlichen
Obrigkeit, in verruchter Verwegenheit Gesetze vorzuschreiben
sich unterfangen; es thut Noth, daß auch wir uns ungesäumt vereinigen und vereint ihren verbrecherischen Plänen
entgegentreten. Leiht uns eueren Rath und euere Hilfe, die
wir gerne annehmen wollen. An Diether möget ihr sehen,
wohin es führt, wenn ohne weltliches Vorwissen die kirchliche Bestätigung ertheilt wird; sorget doch dafür, daß er
wenigstens die erzbischöfliche Weihe, die er noch nicht hat,
auch ferner nicht erhalte" u. s. w. Auch that er sein Möglichstes, den beabsichtigten Frankfurter Reichstag zu hintertreiben; sein treuer Marschall Heinrich von Pappenheim
wurde in's Reich gesandt, um allenthalben davon abzurathen
und abzuschrecken. [128] Doch war des Kaisers Sinn nicht in
dem Maße von Leidenschaft übermannt, daß die Ueberlegung
und Klugheit darunter gelitten hätten. Er erkannte, daß unter
allen seinen Feinden K. Georg ihm der gefährlichste war,
obgleich er sich noch gar nicht als Feind erklärt hatte; gegen
ihn war daher seine Thätigkeit hauptsächlich gerichtet. Bei
der Unzulänglichkeit seiner bewaffneten Macht entschloß er
sich alle Mittel anzuwenden, die seine hohe Stellung ihm
gewährte, den böhmischen König zu isoliren und zu lähmen.
Er gab sich auch ferner den Schein einer halbfreundlichen
Gesinnung, suchte jedoch wie den Papst gegen ihn zu reizen,

128) Den Brief des Kaisers an den Papst vom 7 April brachte Ernst
    Birk im Archiv für österr. Geschichte, Bd. X im J. 1853. Es
    heißt darin: Cum in conventiculis hujusmodi, qui conveniunt,
    non solum Beat. Vestrae ac Sedi Apost. sed nobis legem sae-
    pius in nostris superioratatibus imponere et auctoritatem tam
    S. R. Ecclesiae, quam imperii sacri attenuare ausu sacrilego
    multipliciter quaerunt, expedit ut alter nostrum alterius onera
    in caritate portet etc. Ueber Pappenheims Sendung f. Reichs-
    tags-Theatrum, II, 19. Ueber die dem Pfalzgrafen gemachten An-
    träge f. die Urkunden bei Kremer l. c.

1461 so auch neue Allianzen in- und außerhalb des Reiches an-
zuknüpfen. Die römische Curie forderte täglich ungestümer
die Abordnung einer böhmischen Gesandtschaft, welche im
Namen sowohl des Königs als des Volkes Gehorsam leisten
sollte: und das soll nicht ohne des Kaisers Zuthun geschehen
sein. Der erste unter den Fürsten, den der Kaiser für sich zu
gewinnen suchte, war Ludwig von Batern selbst, der aber
jede Annäherung ablehnte; auch dem Pfalzgrafen ließ er
durch Sachsen die Gewährung seiner Wünsche und die Bestätigung der sogenannten Arrogation seines Hauses anbieten,
doch verfehlte auch dieses Mittel seinen Zweck. Endlich näherte
er sich, durch Vermittlung der Cardinäle Bessarion und Carvajal auch dem Könige Mathias von Ungarn: doch dieser
war erst neuerlich (4 April) mit dessen Bruder, dem Herzoge Albrecht, in einen Bund getreten, und wollte ohne
ihn nicht einmal in eine Verhandlung mit dem Kaiser sich
einlassen. Des letzteren Geduld ließ sich gleichwohl durch alle
diese vergeblichen Anstrengungen nicht ermüden, und er ließ
auch von weiteren fruchtlosen Versuchen nicht ab, um eine
Gelegenheit zur Rache zu gewinnen.

Noch umsichtiger und dabei erfolgreicher handelte Pius II.
15 Mai Aus dem Schreiben, das er dem Kaiser am 15 Mai zur
Antwort gab, [129] schien zwar hervorzugehen, daß er auf die
Angriffe Seitens des Nürnberger Reichstags kein Gewicht
lege, das seien, sagte er, Wurfpfeile von Buben, mit mehr
Wuth als Macht geschleudert. Der Kaiser werde in seiner
Weisheit selbst den besten Rath finden, wie und was er

---

129) Zweierlei Schreiben ergingen vom Papste an den Kaiser am selben
Tage, beide gleichen Inhalts, das eine kürzer gefaßt und für jeder-
mann ostensibel, das andere umständlicher und wie es scheint, zur
Kenntnißnahme für den Kaiser allein bestimmt. Graf Joh. Majláth
hat in seinem Anhang zum 3 Band der Geschichte der Magyaren.
Wien, 1829, beide abdrucken lassen, das erste S. 138, das andere
S. 128. Letzteres hat auch Kaprinai Hung. diplom. II, 489.

zu thun habe; nichtsbestoweniger sei den Legaten, die nach
Deutschland abgehen, aufgetragen, auf sein Bestes eben so,
wie auf das der Kirche Bedacht zu nehmen. Er lobte
es sehr, daß der Kaiser sich bemühe, die Fürsten der Gegenpartei für sich zu gewinnen und den Ort des Reichstags eigenmächtig zu ändern: doch rieth und bat er, sich zu
diesem Reichstage auch persönlich zu begeben; allgemein sei
die Verwunderung, warum er solches nicht schon längst gethan; es sei vor allem unerläßlich, damit man nicht sage, er
scheue den Aufwand für die Reise und vernachläßige die
Reichsangelegenheiten; seine Gegenwart werde den Gegnern
ihre Kühnheit benehmen und sie seinen Getreuen einflößen;
er rathe solches aus reiner Liebe, denn er wolle, daß der
Kaiser in allem vollkommen dastehe. „Deine Güte verwun-
dere sich nicht ob der Aufrichtigkeit dieser Rede; sind wir im
Irthume, so geschieht es aus übergroßer Liebe, nicht als ob
wir Dir etwas vorschreiben wollten." Die Aengstlichkeit dieser
Entschuldigung liefert den sichersten Beweis, wie ungerne sich
der Kaiser an diese seine Pflicht mahnen ließ. Der Papst
erließ dann Rechtfertigungsschreiben an alle Reichsfürsten insgesammt und an jeden einzelnen insbesondere, und ertheilte
seinen neuen Legaten nach Deutschland, Rudolf von Rüdesheim, Dechant des Wormser Capitels und Franz von Toledo,
die Vollmacht, daß sie die Fürsten auf dem nächsten Reichstage auch durch einige Concessionen für den römischen Stuhl
zu gewinnen suchen sollten.

Die Bürger von Frankfurt, der Befehle des Kaisers
eingedenk, weigerten sich, den Reichstag in ihre Mauern
aufzunehmen; Erzbischof Diether mußte ihn daher in seine
Stadt Mainz übertragen. Er wurde nun viel weniger zahlreich besucht, als man erwartet hatte, und glich beinahe einer
Privatversammlung der Anhänger Diethers. Gregor von
Heimburg war nicht nur anwesend, sondern erhielt auch unter
den Rednern den ersten Platz. Das Programm der Verhand-

1461 lungen war durchwegs ein kirchliches: von den Annaten,
vom päpstlichen Bann, von der Berufung an ein Concil,
von den Zehnten u. dgl. und die päpstlichen Gesandten wurden
Anfangs gleich den vor einem Gerichte Angeklagten in's Verhör
genommen: doch verfochten sie des Papstes Sache mit eben
so viel Muth als Erfolg. Sie behaupteten, das Vergehen
des Herzogs Sigmund und seines Anwalts Gregor sei zu
offenbar, und das des Letzteren insbesondere zu notorisch gewesen, als daß erst eine Vorladung vor Gericht hätte eintreten sollen; die Annaten seien vom Concil nicht gänzlich
aufgehoben und würden viel mäßiger eingefordert als je zuvor; die Tricesima sei nur innerhalb Italiens erhoben worden,
wo die Fürsten in Mantua dazu eingewilligt hätten; wollte
man in Deutschland die Decima oder Vicesima zum Behufe
des Türkenzugs selbst einheben und verwenden, so werde der
Papst nicht dagegen sein, der ohnehin aus der Türkensteuer
nicht nur kein Einkommen beziehe, sondern nicht einmal den
dringendsten Bedürfnissen in Ungarn, Albanien, auf Rhodus
u. s. w. genügen könne. [130] Ihr Sieg wurde bald offenkundig, als Diether, vom Markgrafen Albrecht insgeheim be-
ängstigt und von der Legaten Drohungen und Versprechungen
überwältigt, die neue Bahn verließ und alles widerrief, was
er gegen den Papst gesprochen und geschrieben hatte. Gregor
Heimburg verließ Mainz in tiefer Beschämung und in Gram;
Diethers Nachgiebigkeit war jedoch nicht im Stande, auch die

130) Hartmann Schedel hat in einer Handschrift der königl. Bibliothek
zu München (Clm 215 fol. 228 sqq.) gleichzeitige Nachrichten
über die Mainzer Verhandlungen und insbesondere auch den Vortrag aufbewahrt, den die päpstlichen Gesandten dort hielten und
auf Verlangen auch schriftlich einreichten. Daraus ist zu sehen,
daß Gobelinus (p. 144 sq.) dem Rudolf von Rüdesheim eine
Rede in den Mund legte, die er bei dieser Gelegenheit wohl hätte
halten können, aber keineswegs gehalten hat. Man vergleiche auch
des Papstes Bulle vom 4 Nov. 1461 bei Müller RTL. II, 29
und bei Senkenberg IV, 391 sqq.

ihm für seine Schuld zugedachte Strafe abzuwenden. Die 1461
Conciliarpartei ging über diesem Umschwung und über dem
Unglück, das König Karl VII in Frankreich traf, (dieser starb
auch bald darauf am 22 Juli 1461), wieder zu Grunde.

Auch das, was gleichzeitig· in Böhmen sich entwickelte,
war nicht geeignet, die Hoffnungen auf eine Wiedergeburt
Deutschlands zu beleben: denn Mayr's Plan begegnete in
diesem Lande einem Widerstand, der heftiger als irgendwo,
und endlich auch entscheidend wurde. Kaum war nämlich der
Gedanke, K. Georg auf den römischen Königsstuhl zu erheben, auf dem Egerer Tage ein so zu sagen öffentliches
Geheimniß geworden, so geriethen auch die Gemüther der
Böhmen in Bewegung, und die alten Parteien bemächtigten
sich der Idee, jenachdem sie ihnen Furcht oder Hoffnung zu
bringen schien. Bischof Jost von Rosenberg und die Katholiken Böhmens alle unterstützten den Plan auf jede mögliche
Weise, indem er ihnen den sichersten Weg anzeigte, den
König mit seiner Familie nach und nach vom Kelche und
von Rokycana abzuziehen. Was ihnen aber Gewinn verhieß,
davon fürchteten die Gegner Schaden; und das unkluge Benehmen Georgs, gleich nach seiner Rückkehr von Eger, trug
nicht wenig dazu bei, daß die heikliche politische Frage in
eine religiöse umschlug. Auf Befehl des Königs begann plötzlich eine grausame Verfolgung aller jener Utraquisten, welche
von den Kelchnern selbst als Irrgläubige und Ketzer bezeichnet wurden: nämlich nicht bloß der schwachen Ueberreste der
alten Taboritensecte, sondern auch der Mitglieder der eben
erst neu sich bildenden Kirchengemeinde, welche später unter
dem Namen der „böhmischen Brüderunität" bekannt wurde.
Den Anfang machte der Prager Universitätsrector mit der
Verhaftung einiger Studenten am 15 März, weil sie Zu- 15
sammenkünfte gehabt, und Dinge geschrieben und gesprochen März
haben sollten, welche die Rechtgläubigkeit der Böhmen in
Frage stellten und Aergerniß gaben; dann griff man auch

1461 nach einigen Professoren und Magistern, wie M. Nikolaus von Hořepnik und Baccalar Johann Morawek, bei denen Tractate und verschiedene Schreiben des ehemaligen Taboriten-Bischofs Nikolaus Biskupec vorgefunden wurden. Hořepnik wurde nach langer Haft aus der Stadt verwiesen; Morawek, der darüber schwer krank und zuletzt irrsinnig wurde, erlangte erst auf Verwendung namhafter Personen die Freiheit wieder. Auch vom gemeinen Volke kamen viele in's Gefängniß: so unter anderen der später berühmt gewordene Gründer der Brüdergemeinde Gregor, der sogar auch gefoltert wurde; andere, welche sich herbeiließen, ihre Irrthümer unter großen Feierlichkeiten in der Teinkirche öffentlich abzuschwören, wurden auch in Freiheit gesetzt. Es ist kein Zweifel, daß der König, auf dessen speciellen Befehl dieß alles vor sich ging, und der um diese Zeit die geforderte glänzende Gesandtschaft an den Papst abzufertigen gedachte, diese Vorgänge als Beweise geltend zu machen beabsichtigte, daß er seinem Krönungseide gemäß wirklich beflissen war, die Irrlehren und Ketzereien in seinem Lande auszurotten: das Volk jedoch fing an, die Sache anders aufzufassen und als ein Zeichen der erkaltenden Liebe zur hussitischen Lehre und einer Hinneigung zur römischen Partei zu deuten. In diesem Verdachte wurde es durch die Kühnheit des Breslauer Bischofs, Jobst von Rosenberg, noch mehr bestärkt, der auf

2 April dem Prager Schlosse am Gründonnerstage (2 April) offen gegen den Kelch predigte und als dieß in der Stadt „einen gewaltigen Sturm gegen den dicken Bischof" erregte, zum Könige, der damals in Kuttenberg sich aufhielt, seine Zuflucht nahm. Unter solchen Umständen ist auch die Ueberlieferung nicht unwahrscheinlich, daß selbst M. Rokycana offen gegen seinen König zu predigen anfing. Den sprechendsten Beweis der hochgestiegenen Aufregung liefert aber der Revers, welchen K. Georg den zum Landtage versammelten

15 Mai Ständen am 15 Mai über die Aufrechthaltung aller ihrer

Rechte und Freiheiten und namentlich der Compactaten aus- 1461
stellte. [131] Bis zu welchem Grade mußte nicht schon der Verdacht und das Mißtrauen sich verstiegen haben, wenn selbst
der Mann, dem die Compactaten zunächst ihren Bestand zu
danken hatten, Angesichts der Nation sich mit einem feierlichen Gelübde binden mußte, sie unversehrt zu erhalten?
Wir besitzen über den Vorgang keine Detailnachrichten, aber
aus dieser einzigen Thatsache läßt sich ein Schluß auf das
Ganze ziehen. Der König sah, daß er durch sein Streben
nach der deutschen Krone die Böhmen verlieren könnte, ohne
die Deutschen gewonnen zu haben; er entsagte daher demselben für immer in der Art, daß schon seit der Mitte Mai
1461 keine Spur mehr davon in den Ereignissen wahrzunehmen ist. Der Urheber des mißglückten Plans, Martin
Mayr, schied aus seinem Rathe und diente fortan dem Herzog Ludwig von Baiern ausschließlich und treu. [132] Auf
diese Art wurden endlich auch jene Eiferer beschwichtigt, die
bereits angefangen hatten klagend zu fragen, was es denn
genützt habe, einen Böhmen auf den Thron zu erheben, wenn
dieser selbst sich beeile, ein Deutscher zu werden?

Wie nach bekannter Maxime jedes Unternehmen Scha-

131) Ueber die Religionsverfolgung in Böhmen vom J. 1461 finden
sich wichtige Daten in den Statuta universitatis Pragensis, die
den britten Band der Monumenta histor. univ. Prag. bilden, auf
Seite 56, 57. Vgl. die Geschichte der böhm. Brüder, Stati letopisowé S. 176 und Hajek's Chronik zum J. 1461. Das Original des königl. Reverses vom 15 Mai befindet sich heutzutage im
böhm. Kron- oder St. Wenzelsarchive in Prag.

132) Obgleich uns wohl bekannt ist, daß M. Mayr später (1467 fgg.)
sogar K. Georgs Feind wurde und überhaupt in alter wie neuer
Zeit häufig als Ränkeschmied dargestellt wird (vgl. oben Anmerk.
110), so läßt sich doch keine Thatsache nachweisen, die als eine
Rechtfertigung seines bösen Rufes angesehen werden könnte. Sein
Betragen änderte sich freilich nicht selten, gleich der Politik des
Cabinets, dem er diente. Er starb erst 1481.

1461 den bringt, das unausgeführt verlaffen werden muß, so gilt
es auch in der Politik als Sünde, sich mit Plänen zu be-
faffen, die man nicht verwirklichen kann. Mögen daher die
Absichten des Königs, als er nach der Herrschaft in Deutschland strebte, noch so edel gewesen sein, so kann man nur
bedauern, daß sein gesunder Sinn sich eine Zeit lang berü-
cken ließ und er dadurch in schwierige Lagen und gefährliche
Chancen gerieth. Das Schlimmste war, daß er sich dem Papst
und dem Kaiser gegenüber compromittirt hatte, ohne am
deutschen Volke einen Stützpunkt gewonnen zu haben. Denn
was nützte es, daß er sich weder an den Protesten des Nürnberger Reichstags, noch an den Drohungen der Kurfürsten
betheiligte, da doch alle Welt wußte, daß er an beiden Schuld
sein sollte? Der Kaiser stand wegen der Kurfürsten nicht
in Sorgen, aber den König von Böhmen fürchtete er; der
Papst wußte, daß der Ungehorsam nirgends tiefere Wurzeln
gefaßt hatte, als im Hussitismus. Die mächtigsten Gegner
waren gereizt, nicht überwunden, und auch der König selbst
konnte sich nicht aller Empfindlichkeit über die getäuschten
Hoffnungen erwehren. Am Volke konnte, am Kaiser wollte
er, wenigstens offen, nicht Rache üben, sein Unwille wendete
sich schließlich gegen die Markgrafen von Brandenburg. In
den nachfolgenden Wirren suchten beide Parteien einander
zu überliften und durch allerlei Künste die Gegner von einander zu trennen, den Kaiser mit Albrecht, den König mit
Ludwig zu entzweien, so daß es bald schwer hielt, zu unterscheiden, wer des andern Freund oder Feind gewesen; verstand es aber der König schlau zu sein, so zeigte es sich gar
bald, daß seine Gegner in dieser Kunst ihm noch Meister
waren.

Die Gegner Friedrichs III sowohl im Reich, als im
Lande Oesterreich erschöpften sich in Betheuerungen, daß ihr
Kampf nicht dem Kaiser, sondern nur dem österreichischen
Landesherrn gelte; da er aber einen solchen Unterschied nicht

zuließ, so klagten sie, daß er seine hohe Stellung mißbrau- 1461
chend, das Reich in seine Privatfehden hineinzuziehen suche.
König Georg hatte bereits am 20 April an Herzog Ludwig 28 Apr.
und an den Markgrafen Albrecht ihren Streit zurückgewiesen,
ohne ihn entschieden zu haben. Als nun Albrecht, von Ludwig hart bedrängt, den Kaiser zum Einschreiten bewog, und
dieser am 18 Juli den Reichskrieg gegen Ludwig erklärte, 18 Juli
auch seinen Hauptleuten im Reiche (Albrecht selbst, Ulrich
von Wirtenberg und Karl von Baden) die Fahnen zustellen
ließ, unter welche sie alle Getreuen des Reichs, zumal die
Städte, berufen sollten: da sandte Ludwig ihm die Absagebriefe mit dem Bedeuten zurück, daß er mit dem Kaiser weder Krieg führe, noch auch führen wolle, obgleich es bekannt
war, daß er den Herzog Albrecht mit Hilfstruppen unterstützte. Eben so offen lag des Königs Bund mit Herzog
Ludwig und Herzog Albrecht vor: das aber stand der
offiziellen Dauer des Friedens und freundlicher Verhältnisse
zwischen dem kaiserlichen und königlichen Hofe nicht im Wege.

Bei so unnatürlichen Verhältnissen lag es nahe, daß
die inneren Unruhen in Oesterreich in ein Ferment des Hasses
der Fürsten unter einander ausarteten. Als die Stände, vom
Kaiser stets mit Phrasen hingehalten, in ihrer Erbitterung
schon jede andere Herrschaft lieber als die seine sich herbei-
wünschten, gab K. Georg, von Herzog Albrecht und dessen
Freunden gewonnen, ihnen den Rath, sich an diesen zu halten, damit ihr Land wenigstens bei dem Hause Oesterreich
verbleibe, und einigte sich mit ihm schon auf dem Tage von
Eger (vom 18—20 Februar) über die Bedingungen, unter
welchen er ihm zur Erlangung der Herrschaft auch in
Unterösterreich behilflich sein sollte; eine darunter lautete dahin, daß er das Land gerecht und den alten Satzungen und
Gebräuchen gemäß regiere. Später machte der Herzog auch
K. Mathias und Herzog Ludwig zu seinen Bundesgenossen. Zu dem Kriege nun, den Albrecht hierauf gegen seinen

1461 Bruder erhob, schickte K. Georg zwar keine Hilfstruppen, aber er erlaubte doch Herrn Albrecht Kostka, dem Kaiser wegen einiger Privatanliegen Fehde anzukündigen. [133]

Es folgten nun Einigungen und Drohungen, Fehden und Sühnversuche, Tagsatzungen und Widerrufe in so raschem Wechsel, aus so dunkeln Anlässen und unter so wenig bekannten Umständen, daß es unmöglich wird, darüber mehr als ein nacktes Verzeichniß zu bieten. Der Kaiser hatte am
6 Juni 6 Juni dem Könige in ziemlich empfindlichem und herrischem Ton geschrieben, er solle seinen Feinden keine Hilfe leisten, habe er irgend Beschwerden gegen ihn, so mögen sie auf einem beiderseits zu beschickenden Tage untersucht und freund-
2 Juli lich beigelegt werden. Ein solcher sollte nun am 2 Juli
18 Juni wirklich abgehalten werden, und ihm zu Raab am 18 Juni ein zwischen dem Kaiser und K. Mathias verabredeter vor-
19 Juni angehen: es scheint jedoch, daß die inzwischen am 19 Juni von Seite Herzog Albrechts und der österreichischen Stände erfolgte Kriegserklärung beide Tage vereitelte. Dann sollten
25 Juli zu Jacobi (25 Juli) der Kaiser, die Könige Georg und Mathias, Herzog Albrecht und Herzog Ludwig persönlich zu Korneuburg zusammenkommen: als aber K. Georg auf der Hinreise schon in Kuttenberg angelangt war, erhielt er die schriftliche Nachricht, die Versammlung werde nicht stattfinden; denn es war zur selben Zeit (18 Juli) der Reichskrieg gegen Ludwig und dessen Freunde erklärt worden, unter

---

133) Die Verschreibungen vom 18—20 Febr. 1461 sind bei Kurz, II, 215—220 gedruckt. In dem von Herzog Albrecht an K. Georg zu Freistadt am 28 April 1461 ausgestellten Revers (s. Rousset, Supplément au Corps universel diplomat. II, 2, p. 421) heißt es: Wir haben Herrn Georg — durch uns selbst und etlich ander Fürsten — ersucht, damit Sein Lieb mit denselben Landleuten darob wer, daß sie sich zu Uns hielten u. s. w. Ueber Kostka's Fehde siehe Copey-Buch der Stat Wien in den Fontes rer. Austr. VII, 242 fgg.

welchen wir auch K. Georg ausdrücklich genannt finden. 1461 Gleichwohl als der Kaiser sich von dem vereinten Heere des Bruders und des Königs von Ungarn täglich schwerer bedrängt sah, und sein Feldherr Johann Jiskra der wachsenden Macht der Feinde nicht mehr Stand zu halten vermochte, ließ er K. Georg durch Prokop von Rabstein wieder um die Uibernahme der Vermittlerrolle bitten, und soll ihm sogar die volle Macht gegeben haben, den Streit endgiltig beizulegen. Der König konnte wohl nicht wünschen, den Kaiser ganz erdrückt zu sehen, da er an ihm, für den Fall der Noth einen Fürsprecher bei dem Papste sich zu erhalten suchte. Als daher des Kaisers Ansuchen vor seinen Rath kam, ordnete er Zdeněk von Sternberg, Zbyněk Zajic, den Kanzler Prokop, Wilhelm von Rabi, Burian Trčka und den Sekretär Jobst von Einsiedel nach Oesterreich ab, um über einen Frieden zwischen den Brüdern zu unterhandeln. Am 20 20 Aug. August schrieb der Kaiser an Markgrafen Albrecht, daß er aus zwei böhmischen Gesandten die Uiberzeugung geschöpft habe, K. Georg sei keineswegs sein Feind; und in der That war der Vergleich, den die böhmischen Gesandten nach schwierigen und langen Verhandlungen endlich am 6 September 6 Sept. auf dem Felde von Lachsenburg zu Stande brachten, für den Kaiser eine wahre Wohlthat. In Folge dieses Vergleichs sollte aller Krieg in Oesterreich aufhören, die Truppen beiderseits entlassen werden und alle Gefangenen bis zum 24 Juni 1462 ledig sein. Auch Ungarn und Bayern wurden in denselben, jedoch nur bezüglich Oesterreichs eingeschlossen, so daß es Jiskra frei stehen sollte, den Krieg mit Mathias wegen seiner Schlösser in Ungarn fortzuführen, und ebenso auch Herzog Albrecht Hilfstruppen an Ludwig gegen den Markgrafen schicken durfte. Inzwischen sollte der König trachten, den Kaiser mit seinem Bruder zur Gänze auszusöhnen und die dazu nöthigen Tagsatzungen selbst bestimmen. Albrecht und Mathias willigten in diesen Vergleich höchst ungern, da

1461 sie sich bereits mit der Hoffnung geschmeichelt hatten, den Kaiser nach Gutdünken zu allem zwingen zu können. [134]

Vergebens hatten die böhmischen Gesandten sich bemüht, in den Vergleich bei Lachsenburg auch den in Deutschland geführten großen Streit und Krieg hineinzuziehen. Daher benützten beide Parteien die in Oesterreich geschlossene Waffenruhe zur Mehrung ihrer Streitkräfte in Franken. Die kaiserlichen Fahnen zeigten nur wenig Anziehungskraft; um so mehr dagegen Ludwigs noch immer unerschöpfte Kassen. Die böhmischen Hilfstruppen, beiläufig 8000 Mann stark, überschritten unter Anführung des königlichen Hofmeisters 18 Aug. Peter Kdulinec von Ostromiř am 18 August die baierischen 27 Aug. Gränzen, und vereinigten sich am 27 August mit dem Heere Ludwigs bei Altdorf unweit Nürnberg. Die Bischöfe von Bamberg und Würzburg sandten dem Markgrafen ihre Ab-
1 Sept. sagebriefe am 31 August, König Georg am 1 Sept. und
4 Sept. der Pfalzgraf am 4 Sept. zu. Der Krieg wurde mit solchem Erfolge geführt, daß Albrecht unvermögend das Feld zu halten, sich bei Schwabach verschanzte, bis ihm ausgiebige Hilfe vom Reiche und vom Kaiser käme. König Georg unterlegte seiner Kriegsansage einen sehr triftigen Grund, obgleich wohl kaum

---

134) Des Kaisers Schreiben vom 6 Juni 1461 gibt Kremer l. c. p. 228, und vom Tage 2 Juli ist gleichfalls bei ihm p. 232 die Rede. Der Tag zu Raab sollte stattfinden quintodecimo die festi sacratissimi corporis Christi (MS. G, XIX fol. 183), und nicht die festo SS. corp. Chr., wie Pešina (p. 723) und nach ihm alle andern Schriftsteller angaben. Die Absagebriefe vom 19 Juni sind in den Fontes VII, 251 gedruckt. Von dem Tag zu Kornenburg (25 Juli) und andern gleichzeitigen Ereignissen fanden wir Meldung in mehreren Acten des kön. baier. Reichsarchivs in München. Der Vergleich bei Lachsenburg ist in Müller's Reichstags-Theatrum p. 64 und bei Kurz II, 224 gedruckt. Vgl. Ebendorfer und Chronicon Austriac, eben so zwei Briefe des Königs Mathias an K. Georg dd. 19 Aug. und 14 Sept. 1461 bei Gr. Teleki, XI, 18—21.

denjenigen, der ihn vorzugsweise in Harnisch getrieben hatte. 1461
Markgraf Albrecht hätte die kaiserlichen Patente, wodurch
alle Unterthanen des römischen Reichs zu dem Kriege gegen
Herzog Ludwig einberufen wurden, auch nach Schlesien und
in die Sechsstädte versendet. Die Görlitzer schickten sie an den
König mit der Anfrage, wie sie sich zu verhalten hätten. Der
König bezeichnete den Vorgang nicht nur als einen Eingriff
in die Immunität seiner Krone, sondern auch als eine Verletzung der Verträge, die zwischen ihm und Albrecht bestanden, stellte jedoch weiter keine Truppen ins Feld, als welche
schon bei Ludwig standen. [135]

Nach Abschluß des Lachsenburger Vergleichs hatte der
Kaiser den Propst Johann Hinderbach an den König geschickt,
zur Verabredung des Tags, wo der König zwischen ihm
und seinem Bruder definitiv entscheiden sollte; es wurde dazu
der Gallitag und Egenburg bestimmt, und es sollte daselbst auch wegen des Reichsfriedens verhandelt werden. Um
den Kaiser zu vermögen, persönlich bei dem Tage zu erscheinen, der nur aus Rücksicht für ihn an einen ihm so gelegenen Ort anberaumt worden, sendete der König seinen vertrauten Secretär Jobst von Einsiedel an den kaiserlichen Hof.
Inzwischen aber entrüstete sich der Kaiser abermals hoch über
den König und führte in einem Schreiben aus Leoben vom
29 Sept. bei den böhmischen Ständen darüber Beschwerde, 29 Spt.
daß seinem Hauptmann im Reiche, Markgrafen Albrecht, im
Kriege gegen den ungehorsamen Ludwig von Baiern entge-
gengetreten werde, und verlangte nicht nur, sondern gebot dem
Könige, die Klagen, die er etwa gegen ihn habe, ihm, dem
Kaiser, zur Entscheidung vorzulegen. Als daher Jobst zu
ihm nach Neustadt kam, weigerte er sich in irgend eine Verhandlung in Egenburg einzugehen und wiederholte nachdrück=

135) Nach Actenstücken in den Archiven von München, Weimar und
Wittingau; vgl. Gemeiner Regensburg. Chronik, III, fg. Buchner
Gesch. VI, 404, auch Kremer, Müller c.

1461 lich seine Forderung wie seinen Befehl bezüglich des Markgrafen. Ueber dieses sein Benehmen erschrack selbst die Kaiserin Eleonora; sie rief den Sekretär Jobst zu sich, und über-
5 Oct. gab ihm am 5 Oktober ein interessantes Schreiben. Sie bat
darin den König inständig, des Kaisers Antwort nicht übel
aufzunehmen und sie sich nicht verdrießen zu lassen; sie wolle
alles thun, um die Zusammenkunft der Monarchen dennoch
zu Stande zu bringen, damit ihre persönlichen Beziehungen
sich wieder so gestalten, wie es der Ehre beider und dem
Frieden ihrer Unterthanen fromme. Doch sprach auch sie sehr
warm für den Markgrafen, der ja nichts verschuldet, als
daß er dem Kaiser sich gehorsam erwiesen habe; der König
möge ihr den Gefallen thun, und seine Fehde wenigstens bis
zu jener Zusammenkunft einstellen u. s. w. [136]

Noch war Secretär Jobst nicht bei dem Könige zurück,
13 Oct. als in Prag am 13 October die Absagebriefe auch gegen
Friedrich den Kurfürsten von Brandenburg, Albrechts Bruder, erlassen wurden. Der Gründe zum Kriege wurden drei
angegeben: 1) der Kurfürst habe, dem Egerer Vertrage von
1459 zuwider, den getreuen Herzog Heinrich von Glogau
mit Krieg und Brand überzogen, ohne vorher das Recht
gegen ihn gesucht zu haben, 2) in der Streitsache mit Zbenek
von Sternberg über das Kottbuser Lehen, da der König sie
nicht in Güte beilegen konnte und sie deshalb auf den Rechts-

---

136) Im kön. Reichsarchiv in München fanden wir zahlreiche hieher
gehörige Acten. Die eigenen Worte der Kaiserin Eleonora lauten:
— Begern vnd bitten wir Ewr. fruntschaft, solhs im pesten vnd
fruntlichisten zuerstehen vnd aufzunemen vnd dorin kain ver-
drissen noch belanngen zu haben, auch dozwischen nichtz anders
furzunemen. Wann wir zuemal begirlich sein, auch darzu Raten
vnd hellfen wellen, das solh zusamenkomen vnd gute fruntliche
verstentnuß vnd ainigkeit zwischen ewr furgenomen werd u. s. w.
Und in Bezug auf Markgraf Albrecht: Beweiset Ew. hierin vns
allso zu fruntschaft vnd geuallen, domit wir empfinden vns dorin
angesehen haben u. s. w.

weg kam, habe er sich nicht allein contumaz, sondern durch 1461
M. Sigmund auch ehrenkränkend gegen den König erwiesen;
3) dem gehässigsten Feinde des Königs, Herzog Balthasar
von Sagan, habe er in der Lausitz Schutz und Schirm
gegen ihn gewährt. Unerwähnt blieb, was wohl die Hauptsache war, daß er seinem Bruder gegen die Bischöfe von
Bamberg und Würzburg Beistand leistete, und daß er bei
der römischen Königswahl überhaupt sich feindselig erwiesen.
Die Führung des Krieges übertrug der König dem Obersten
Burggrafen Zdeněk von Sternberg und ließ ihn mit einem
Heere in die Lausitz rücken. Wie gewöhnlich, wurde das
Land vielfach beschädigt und Kottbus belagert, aber nicht
eingenommen. [137]

Als am 15 October Sekretär Jobst des Kaisers und 15 Oct.
der Kaiserin Briefe überbrachte und den König mündlich
unterrichtete, daß der Kaiser nicht abgeneigt sei, seine und

---

137) Den Absagebrief vom 13 October (Dinstag vor S. Gallentag)
fanden wir auch in bairischen Archiven in Abschrift. J. G. Droysen
berichtet (S. 273) nach uns unbekannten Quellen, dem Markgrafen Friedrich sei zu Anfang October von der Krone Böhmen
angezeigt worden, daß sie die Vogtei der Lausitz einlösen und am
28 October zu Luckau die vertragsmäßigen 7800 Schock Groschen
auszahlen werde: als er jedoch am bestimmten Tage hingekommen,
habe er statt des Geldes die Nachricht erhalten, wie Sternberg,
die Sechsstädte, viele schlesische Herren vor Kottbus lägen — „das
uns dann gar eine ungewöhnliche Bezahlung däucht." — Nach
Berichten bei J. G. Kloß (MS.) waren im böhmischen Heere zu
dieser Zeit anwesend: Nikolaus Berka von Duba, Burggraf des
Königgrätzer Kreises, Johann von Wartenberg, Oberlausitzer Vogt,
Albrecht von Duba auf Rabenstein, der Oberstlandkämmerer Heinrich von Michalowic, der Oberstlehnrichter Johann Zajic von Hasenburg, Johann Bezdružický von Kolowrat, Hynek Berka von
Duba genannt Dubský u. a. m. Die Belagerung von Kottbus begann um Allerheiligen (1 Nov.) Der König belobte am 15 Nov.
durch eigenes Schreiben die Stadt Luckau, daß sie im Streit mit
dem Markgrafen sich ihm treu und gehorsam erwiesen habe.

13*

1461 des Reichs Angelegenheiten in Prag auch ferner berathen und verhandelt zu sehen, gab der König der Kaiserin eine sehr freundliche, dem Kaiser eine ziemlich harte und stolze Antwort. Gleichwohl vermochte diese Botschaft so viel über ihn, daß er seinen Streit mit dem Markgrafen Albrecht selbst an des Kaisers Entscheidung setzte, allen Parteien am 17 Oct. 17 October einen Tag nach Prag auf den 1 November ansagte, seine Truppen aus dem Reiche zurückberief und an Herzog Ludwig das Verlangen stellte, des Markgrafen Lande bis zur Entscheidung jenes Tages zu räumen. Der Herzog gehorchte, wenn auch ungern, der Stimme des Königs, entließ die böhmischen Truppen, und fertigte seine Räthe, unter welchen auch Martin Mayr sich befand, in der Hoffnung einer endlichen Ausgleichung nach Prag ab.

Die Friedensverhandlungen in Prag verzogen sich vom 5 Nov. 5 November bis zum 7 December. Vom ersten Bevollmächtigten des Kaisers, Johann Rohrbacher, langte erst am 7 7 Nov. November Nachts ein Schreiben an, daß er, durch Krankheit zurückgehalten, demnächst erst eintreffen wolle; vom Markgrafen Albrecht kam Niemand. Nach langem Warten, als Rohrbacher endlich eingetroffen war, stellte sich des Kaisers Neigung zum Frieden durch auffallende Wahrzeichen immer zweifelhafter heraus. Während der Verhandlungen kam auch zu des Königs Kenntniß, wie die Gegenpartei durch M. Peter Knorr auch Ludwig XI von Frankreich und Philipp von Burgund gegen ihn einzunehmen gesucht und vorgegeben habe, der böhmische König und Herzog Ludwig hätten einen Bund gegen Philipp geschlossen, um ihm Luxemburg, Holland, Seeland und andere Gebiete mehr wieder abzunehmen. Es wurden daher im Stillen neue Entwürfe gemacht, wie gegen den Kaiser und seine Partei vorzugehen, wenn der Prager Tag erfolglos auseinandergehen sollte; darunter lautete ein Vorschlag dahin, daß Ziskra, der wegen Soldrückständen sich mit dem Kaiser auch schon überworfen hatte, in den Dienst

Herzog Albrechts aufgenommen werde. Nur um eine solche 1461
Katastrophe abzuwenden, willigte, wie es scheint, Rohrbacher,
der erste Vertraute und Bevollmächtigte des Kaisers, in die
Vergleichspuncte, welche, leider wieder nur provisorisch und
aufschiebend, am 7 December ausgetragen wurden. Es sollte 7 Dec.
nämlich aller Krieg im Reiche aufhören und beide Theile
am 21 December mit Sonnenaufgang in einen Friedensstand 21 Dec.
treten, die Gefangenen beiderseits betagen und binnen 4
Wochen alle ihre Beschwerden schriftlich formulirt zu Han=
den des Königs von Böhmen übergeben lassen: worauf dann
am Dorotheentage (6 Febr. 1462) in der Stadt Znaim ein
großer Congreß abgehalten und alle Feindseligkeiten geschlich=
tet werden sollten. Die Wahl eines dem Kaiser gelegenen
Ortes zeigt an, daß man sich mit der Hoffnung schmeichelte,
er werde daselbst auch persönlich erscheinen. Die kaiserlichen
Räthe, Rohrbacher und Mühlfelder, hatten im Namen ihres
Herrn sich des Markgrafen Albrecht „gemächtigt,“ und bürg=
ten dafür, daß er den Waffenstillstand halten werde. [138]

Durch diesen Vergleich war der Streit in der Lausitz
mit dem Markgrafen Friedrich gar nicht berührt worden,
und es wurden darüber besondere Verhandlungen eingeleitet.
Friedrich, der sich im Nachtheil sah und für seine Erblande
fürchtete, bat geradezu um den Frieden. Am 15 November 15 Nov.
empfing der König die sächsischen Gesandten, welche die
brandenburgischen Erbietungen brachten. Die mehrtägigen
Verhandlungen, wie sie von diesen an ihre Herrn heimbe=
richtet worden, zeigen, in welcher Ueberlegenheit der König
dastand, mit welchem Nachdruck er die Ehre der Krone Böh=
men geltend machte. Was er vor allem gegen Markgraf

---

138) Einige Acten des Prager Tages vom 5 Nov. bis 7 Dec. 1461
 sind sowohl im Reichstags=Theatrum als auch bei Dumont und
 Lünig gedruckt; eine reichhaltigere Sammlung derselben lernten
 wir im königl. Reichsarchiv in München kennen. Vgl. auch Ge=
 meiner a. a. O.

1461 Friedrich als Vorwurf aussprach, war, daß er ihn zu Hohn
und Schmähung auf den Kaiser provocirt, und daß er die
Lausitz, wo er als Vogt nur die bestimmten Renten, Nutzun=
gen und Gefälle beziehen durfte, besteuert habe. Doch wenn
der Markgraf in die Abtretung der Lausitz willige, so wolle
er „einen Waffenstillstand, ihm die Mark als sein Erbland
zu verschonen, gern leiden," auch einen Tag zum weiteren
Verhandeln am 10 Januar zu Brür halten. Das ward
angenommen. [139]

Des Königs Neigung zum Frieden unterlag keinem
Zweifel; allgemein war es bekannt, daß er trotz seiner Streit=
barkeit den Krieg haßte und in die Befriedung der Lande
allenthalben seinen Ehrgeiz wie seinen Stolz setzte. Auch Her=
zog Ludwig erklärte sich in einem Schreiben an den Pfalz=
grafen vom 17 December damit zufrieden, daß die blutigen
Kriege endlich einmal aufhören sollten. [140] Ein anderer Geist
beherrschte jedoch die Gegenpartei. Markgraf Albrecht hatte
auch in den Tagen seiner tiefsten Bedrängniß nichts vom
Frieden hören wollen. Schon am 8 October hatte er seinem
Bruder, dem Kurfürsten Friedrich geschrieben, er könne zu
keinen Unterhandlungen die Hand bieten, um nicht die Reichs=
städte zu beirren, von welchen er einer nicht minder ausgie=

---

139) Wörtlich nach J. G. Droysen begründeter Schilderung (Gesch. d.
preuß. Pol. II, 275.)

140) Herzog Ludwig fügte im selben Schreiben noch hinzu: — Wir
tun Ew. zu wissen, das der König von Behem vf des kaisers vlei=
sig ersuchen vnd begerung sein vehde gen Markgraf Albrechten ab=
gestellet vnd die vordrung darumb er des Marggrafen veinde worden
ist, an den kaiser gentzlich gesaczt hat. Sollden un der konig ge=
richtet vnd wir in dem krieg beliben sein, so wär vns der konig
damit abgezogen vnd hetten die von Sachsenn kain Irrung ge=
habt, sunder vnderstanden den von Würczburg vns auch abzu=
bringen Inmaß marggrane Fridrich den von Bamberg getan hat.
So ist auch Ewr. Lieb mit dem Mentzischen sachen beladen u. s. w.
(K. bair. Reichsarchiv.)

bigen Hilfe gewärtig war, als vom Grafen Ulrich von Wir= 1461
temberg, und daß er mehr Aussicht habe, die Feinde im
bevorstehenden Winter als zur Sommerszeit zu demüthigen.
Den Papst hatte er am 30 September gebeten, er möchte 30 Spt.
ja nicht säumen, mit geistlichen Censuren einzuschreiten gegen
seine und des Kaisers Feinde überhaupt, und gegen die Bi=
schöfe von Bamberg und Würzburg insbesondere; auch hatte
er nicht aufgehört, den Kaiser zu stacheln und mit der Aus=
sicht auf einen nahe bevorstehenden entscheidenden Sieg zu
trösten. Um so weniger war er nun zum Frieden geneigt,
als in den Monaten November und December das Kriegs=
glück sich ihm wirklich günstig zu zeigen begann. Als ihm
daher der Prager Vergleich vom 7 December bekannt wurde, 7 Dec.
erklärte er zwar, gleichsam aus Achtung für den König von
Böhmen ihn annehmen zu wollen, und ließ sogar ein Te
deum laudamus singen, löste jedoch sein Heer keineswegs
auf, sondern kehrte dasselbe auf kurze Zeit gegen den Pfalz=
grafen Friedrich. Und da ihm bald darauf ein vom 20 De= 20 Dec.
cember datirter kaiserlicher Befehl zukam, „des Kaisers und
seine eigenen Feinde zu suchen," so fing er gleich wieder an, 1462
Herzog Ludwig zu schädigen und ließ ihn am 18 Januar 18 Jan.
1462 als Reichsfeind erklären. Es hieß, der Kaiser habe
aus Mißvergnügen über den Prager Vergleich den Rohrba=
cher wegen Uiberschreitung seiner Vollmacht sogar festsetzen
lassen, obgleich er notorisch nicht aufhörte, sein innigster Ver=
trauter und Günstling zu sein. [141]

So viel stellte sich nun in Kürze thatsächlich heraus,

141) Albrechts Schreiben vom 30 Sept. und 8 Oct. fanden wir im
kön. bair. Reichsarchive. Da Pius II der deutschen Sprache mäch=
tig war, so schrieb er ihm vertraulich in dieser Sprache, und stellte
vor, wie nach solchen Vorgängen „all Oberkait baider haupt in
geistlichen und weltlichen Stand erlöschen würde." Das bei Riedel
(B. V, 67) gedruckte Schreiben war zu Bayersdorf 28 Dec. 1461
(nicht 1462) gegeben. Vgl. auch Müller's RTL., Droysen u. a. m.

1462 daß K. Georg ſelbſt es war, der durch den Prager Frieden
am meiſten getäuſcht wurde. Die kaiſerliche Partei begann
wie in Oeſterreich, ſo auch in den Reichslanden den Krieg
wieder; Markgraf Albrecht hörte nicht auf, in mehrfachen
Schreiben nach Gratz die erfreulichſten Siegeshoffnungen zu
berichten. [142]   Der König konnte ſeine Entrüſtung über ſolches Verfahren nicht bergen; und da er den Kaiſer aus
Gründen, die ſich ſpäter deutlicher herausſtellen werden, zu
ſchonen genöthigt war, ſo wendete ſich ſein Unwille um ſo
mehr gegen den Markgrafen, als auch das Schreiben vom
27 Jan. 27 Januar 1462, in welchem er ihm darüber Vorwürfe
machte, wo nicht ohne Antwort, doch ohne Wirkung blieb.
Er berief daher ſeine Freunde und Bundesgenoſſen, anſtatt
nach Znaim, zu einer Berathung nach Budweis gegen Ende
des Faſchings und begann inzwiſchen zu Hauſe umfaſſendere
Rüſtungen, als je zuvor. Die leidenſchaftlichen Wirren dieſer
Zeit müſſen in der That zu einer drohenden Höhe geſtiegen
ſein, da wir aus den Briefen des Markgrafen erfahren, daß
ſich ihm katholiſche Barone und Städte aus Schleſien, Mähren und ſelbſt aus Böhmen gegen ihren König zu Sold
anboten. Am bedauernswürdigſten war die Lage des Landes
Oeſterreich, wo die Brüderrotten, vom Kaiſer wie vom Herzog herbeigerufen und ohne Sold gelaſſen, die Einwohner
beider Parteien unbarmherzig plünderten.

Auf dem Tage zu Budweis [143] erſchienen nicht allein

142) Wegen der Gefahr des Auffangens der Briefe pflegte der Markgraf jedes ſeiner Schreiben an den Kaiſer auf dreifachen Wegen
zu expediren. Einige wurden auch von H. Ludwigs Leuten wirklich
aufgefangen und in bairiſchen Archiven aufgehoben, wo wir ſie
kennen lernten.

143) Wie wenig man in der Geſchichte dieſer Jahre überhaupt orientirt
iſt, beweiſt wohl am ſchlagendſten der Umſtand, daß von dem wichtigen Fürſtentage zu Budweis bisher allgemein das tiefſte Schweigen herrſcht, und ſelbſt J. G. Droyſen, der doch ſonſt ſo viel Licht
über dieſe Verhältniſſe brachte, keine Ahnung davon gehabt zu

König Georg, Herzog Albrecht, Herzog Ludwig und Räthe 1462
verschiedener bairischer Bundesgenossen, sondern auch ein
neuer päpstlicher Legat, Hieronymus Landus, Erzbischof von
Kreta, welchen Pius II am 17 December 1461, nach Zurück-
berufung der Cardinäle Bessarion und Carvajal, in die Donauländer abgeordnet hatte, um mit hoffentlich günstigerem
Erfolg, als seine beiden Vorgänger, für die Befriedigung
der Länder und Völker thätig zu sein. Derselbe kam soeben
vom Kaiser her, [144] und zeugte von dessen voller Bereitwilligkeit, in Friedensverhandlungen mit allen seinen Feinden
einzugehen; böhmische Gesandte, welche zu gleicher Zeit aus
Grätz zurückkehrten, sagten dasselbe aus. Es wurde daher
abermals ein Tag auf den 4 April nach Prag angesagt
und allen Kriegführenden im Reiche verkündigt: da jedoch
Herzog Ludwig zu wiederholten Malen darüber Klage führte,
„daß der Kaiser sperret dem Könige die Zeit aus der Hand mit
guten Worten:“ so wurde bestimmt, daß die neue Tagsatzung einer
nachdrücklichen Rüstung und Kriegführung gegen Markgrafen
Albrecht nicht hinderlich sein sollte. Herzog Ludwig nahm
gleich in Budweis eine Menge böhmischer Freiwilliger in
Sold auf; der König verpflichtete sich, ihm um die Mitte-
fasten seinen Sohn Victorin mit einem bedeutenden Hilfs-
corps zuzusenden und schickte schon am 5 März von Bud- 5 März
weis seine Fehdebriefe an den Markgrafen und die mit ihm

haben scheint. Was wir bringen, ist größtentheils aus bairischen
Archiven geschöpft. Herzog Albrecht und Herzog Ludwig beehrten
in diesen Tagen auch die Herren von Rosenberg auf Krumau mit
einem Besuche.

144) Hieronymus Landus schrieb am 17 Febr. von Linz aus an den
König: Venturus ad Maj. Vram et ad illmos dom. archiducem
Austriae et ducem Bavariae hodie huc applicui et deo adju-
vante die crastina summo mane transibo Danubium et veniam
usque ad Freistat; sequenti die conabor omnino pervenire ad
Maj. Vram etc. (MS. Sternb. p. 380.) Darnach scheint es, daß
der König schon 20 Febr. in Budweis gewesen sei.

1462 verbundenen Reichsstädte. Die mit dem Herzog Albrecht ge=
schlossenen Verträge wurden zwar erneuert, aber zu weite=
ren Schritten gegen den Kaiser ließ sich der König nicht
drängen, außer daß er Herrn Albrecht Kostka gestattete, neuer=
dings auf eigene Faust mit etwa 500 Reisigen des Kaisers
Feind zu werden. Der Legat Erzbischof, der zum Kaiser zu=
rückkehrte, versprach von ihm eine ansehnliche Beschickung
des neuen Prager Tages zu erwirken: sie unterblieb jedoch
und von dem ganzen Tage hat sich auch nicht die geringste
Spur in den Denkmälern dieser Zeit erhalten.

Auch von dem gleichzeitig in der Niederlausitz gegen
Markgrafen Friedrich geführten Kriege besitzen wir nur sehr
dürftige Nachrichten; und wir finden nicht, daß die wieder=
holten Fehdebriefe und Drohungen, welche König Christiern
von Dänemark, als des Markgrafen Verbündeter nach Böh=
men sandte, etwas mehr als das Lächeln der Neugier erregt
hätten. [145] Die sächsischen Herzoge Wilhelm und Albrecht
17 Jan. hatten zu Brüx am 17 Januar einen Waffenstillstand ver=
mittelt, der noch drei Wochen lang nach einer in Berlin
oder Prag vorzunehmenden Kündigung dauern sollte, und
die Anhänger sowohl des Königs als des Markgrafen in
der Lausitz in statu quo beließ; über die den Unterthanen
Herzog Heinrichs von Glogau zugefügten Schäden sollte
6 Febr. am 8 Dorotheentage (6 Febr.) von sächsischen Räthen die
Untersuchung gepflogen und in Obmannsweise entschieden wer=
den. Wann und wodurch dieser Waffenstillstand gebrochen
wurde, ist nicht anzugeben; wir wissen nur, daß, als die
Herzoge von Sachsen um dessen Erneuerung ansuchten, K.

145) Datirt sind sie in castro Gottorp die Martis post Andreae apo=
stoli (1 Dec.) 1461 und 2 Jan. 1462. Ihrem Ueberbringer, Ritter
Has Queis, entgegnete Zdenĕk von Sternberg, sein König möge
nur in die Nähe der böhmischen Kronländer heranrücken, man
werde seine Kampflust gerne befriedigen. (MS. der Münchner Bi=
bliothek, lat. 215 fol. 233 sq.)

Georg in einem Schreiben vom 25 März neue Beschwerde-
puncte gegen den Markgrafen erhob, aber doch endlich ein-
willigte, daß am 10 April zu Brür neuerdings über einen
Frieden verhandelt werde. Im Verlaufe dieser neuen Verhandlungen kam es an den Tag, daß er die Lausitz gerne
für einen seiner Söhne erworben hätte, der Friede aber kam
nicht zu Stande. Bald strömten neue Schaaren bewaffneten
Volkes aus Böhmen wie in die Lausitz, so auch nach Franken und Thüringen, und verbreiteten in Deutschland Furcht
und Schrecken, als sollten die verderblichen alten Hussiten-
züge wieder sich erneuern. [146]

Als indessen die Zeit herannahte, wo den Tractaten
gemäß die Könige von Böhmen und Polen in Glogau zusammenkommen sollten, und K. Georg mit überaus großem
Gefolge, das fast einem Heere glich, über Budissin und Görlitz dahin zog, da meinten viele, er ziehe den Seinigen gegen
den Markgrafen zu Hilfe; denn außer seinen zwei Söhnen
begleiteten ihn mehrere schlesische Herzoge, die Bischöfe von
Olmütz und Breslau, die vornehmsten Herren aus Böhmen
und Mähren, und unter ihnen auch der oberste Heerführer
in der Lausitz, Zdenĕk von Sternberg. Schon in vorhinein
hatte der Tag von Glogau großen Ruf und erregte die allgemeine Aufmerksamkeit. Obgleich aber die Böhmen in aller
Pracht dabei erschienen waren, wurden sie doch noch ver-
dunkelt von der Mannigfaltigkeit reicher Trachten, kostbarer
Edelsteine und Waffen aller Art, welche die ihren König
begleitenden Polen, Litthauer, Russen und Tataren, über
5000 Berittene, zur Schau trugen, der großen Zahl der
mitgekommenen Bischöfe, Fürsten und Wojwoden nicht zu

146) Droysen l. c. 275 fg. 283 fg. und einige Schreiben im Weimar-
schen Archiv MS. Nach dem Zeugnisse des Ebendorfer im Liber
Augustalis (MS. f. 342) war Prinz Victorin bei der Belagerung
von Lauingen (April 1462) gegenwärtig. Ein anderes böhmisches
Heer unter Apel Vitzthum stand damals bei Bayreuth.

gebenken. K. Georg traf schon am 14 Mai in Glogau ein;
Kazimir war zwar auch schon in der Nähe, aber aus Rück=
sichten der Etiquette hielt er erst am 18 Mai seinen Einzug,
nachdem ihn der König eine Meile vor der Stadt begrüßt
hatte, und ihn nun als seinen Gast in's Schloß geleitete,
während er selbst, als Hauswirth, im Rathhause seine Woh=
nung nahm. Beide Könige wünschten den Frieden aufrichtig:
daher fanden die Verhandlungen keine wesentlichen Schwie=
rigkeiten, und es herrschte im Ganzen ein nicht nur versöhn=
licher, sondern wohlwollender Geist, als suchten zwei Familien
sich einander zu befreunden. Es ist auch wirklich von der
nahen Verwandtschaft beider Völker und ihrer altherkömmlichen
Liebe zu einander die Rede gewesen, da ja Niemand eines
zwischen ihnen ausgebrochenen schweren Krieges zu gedenken
wußte; und es läßt sich denken, daß wenn die Herzen dar=
über warm wurden, sie es kaum unterließen, auch ihrer ge=
meinsamen Gegner, der Deutschen und der Ungarn, zu ge=
benken. Man einigte sich nun dahin, daß bei K. Georgs
Lebzeiten aller Streit wie über die im polnischen Besitze be=
findlichen böhmischen Gebiete von Auschwitz, Zator und andere,
so auch über das Heirathsgut der Königin Elisabeth, einer
Schwester weiland K. Ladislaws, völlig ruhen und gleichsam
begraben sein sollte; die vorigen Verträge wegen Erhaltung
des Friedens zwischen beiden Königreichen, wegen Sicherung
der Handelsstraßen und guter Münzwährung, wegen Beile=
gung der Privatstreitigkeiten der beiderseitigen Unterthanen
u. dgl. wurden erneuert und bestätigt, und das Ganze mit
einer besonders feierlichen und umständlichen Angelobung
wechselseitiger Hilfe gegen die — Türken gekrönt. Es wird
aus dem Verlauf der Geschichte demnächst einleuchtend werden,
welche außerordentliche und bedeutsame Veranlassung diesem
Angelöbnisse zu Grunde lag. Es sollte in Glogau auch zwi=
schen den Polen und den deutschen Ordensrittern in Preußen
unterhandelt werden. Letztere aber blieben bei dem Tage

aus; vielleicht setzten sie in K. Georgs Unparteilichkeit kein 1462
großes Vertrauen. Am 30 Mai ging der Congreß in der 30 Mai
besten Stimmung auseinander. [147]

Einige Tage später, am 5 Juni, kam in der Stadt 5 Juni
Guben auch ein definitiver Friede mit dem Markgrafen Friedrich von Brandenburg zu Stande. Des Königs persönliche
Gegenwart und des Markgrafen sichtbares Bestreben, ihn
wieder gut zu machen, erleichterten eine Aussöhnung, wie sie
wohl weder Freund noch Feind erwartet hatte. Der König
entschloß sich zum Rückkauf der Lausitz mit 10,000 Schock
böhmischer Groschen, und vereinigte dann das Land mit seinem Königreiche wieder, dem Markgrafen Kottbus und einige
andere Schlösser als böhmische Lehen überlassend. [148] Diese
Nachgiebigkeit, die wie Großmuth aussah, gewann ihm die
Freundschaft nicht nur des brandenburgischen, sondern auch
des sächsischen Hauses wieder, welch' letzteres in der jüngsten
Zeit ein unzuverlässiger Freund geworden zu sein schien. Es
ist anzunehmen, der König habe in Voraussicht einer neuen
Reihe schwerer Verwicklungen und Verhältnisse bei Zeiten
sich des altböhmischen Sprichworts eingedenk erwiesen: Ne-
hrad se waly, ale hrad se přately! (Mit Freunden, nicht
mit Wällen umschanze dich.)

Nur mit dem Markgrafen Albrecht war eine Befreun-

---

147) Dlugoš p. 290—2. Eschenloer p. 188—9. Der Vertrag vom
27 Mai 1462 steht im MS. capit. Prag. G. XIX, fol. 195 fg.
MS. der Leipziger Universitätsbibliothek Num. 486 u. a. m.

148) Ueber den Friedensschluß zu Guben siehe Sommersberg, I. 1028,
Riedel cod diplom. B. V, 63, 65. Mathias Döring bei Menken,
III. 27. Gundling 560. Droysen 289. In den Staří letopisové
heißt es (S. 171), daß der König, nachdem er die Lausitz wieder
mit der Krone vereinigt, das Jahr darauf (also 1463) seinen Hof-
procurator Herrn Čeněk von Klinstein dahin schickte, um die Nu-
tzungen und Gefälle dieses Landes zu erforschen. Sonst ist nur
noch bekannt, daß Herr Albrecht Kostka von Postupic zum Vogt
der (Nieder) Lausitz ernannt wurde.

1462 bung zur Zeit noch unmöglich; dieſer diente noch Grund-
ſätzen und Mächten, die keinen Frieden und kein Erbarmen
kannten, außer gegen Unterwürfige. Die Abſetzung des charak-
terſchwachen Diether von Iſenburg und die Einführung Adolfs
von Naſſau an ſeiner Stelle vermehrte und verwickelte noch
die beſtehenden Streitfragen in Deutſchland, und es bedurfte
ſo großer und überwältigender Mißgeſchicke, wie die denk-
30 Juni würdigen Schlachten bei Seckenheim (30 Juni) und Giengen
19 Juli (19 Juli), um die mittelalterliche Partei zu vermögen, zur
endlichen Ausſöhnung ihre Hand zu bieten.

Viertes Capitel.

Höhepunkt der Macht und des Friedens.

(J. 1462.)

König Georg ein Friedensfürst. Sein politischer Einfluß durch
religiöse Wirren gehemmt. Böhmen ein Laienstaat. Rück-
blicke. Die große böhmische Gesandtschaft in Rom; die
Compactaten von Papst Pius II für ungiltig erklärt. Project des Königs, durch einen europäischen Fürstenbund die
Macht des Papstes zu beschränken. Der Laurentii-Landtag
in Prag; Rechtfertigung des Königs und Gefangensetzung
des Legaten Fantin. Die Geistlichkeit beider Parteien vor
dem Könige.

Im Zeitalter Georgs von Podiebrad war die böhmische 1462
Kriegskunst bereits in allen Nachbarländern in Aufnahme
gekommen, und selbst in Schlachten, welche Deutsche einander lieferten, ist die Rede von Wagenburgen und andern
Kriegsmitteln, welche Žižka in seinem Lager zuerst in Anwendung gebracht hatte. Böhmen wurde gleichwohl noch
immer als das Hauptdepot von Kriegsmacht und Kriegskunst für ganz Mitteleuropa angesehen, und man beeilte sich
von dort nicht allein Heerführer, sondern auch gemeine Krieger nach allen Seiten hin zu berufen und zu miethen, als
wären sie überall die sicherste Bürgschaft des Sieges gewesen.[149] Es unterliegt daher keinem Zweifel, daß ein kriegs-

149) Man vergleiche, was wir am Schluße des vorigen Buches über
die böhmischen Kriegsrotten im In- und Auslande beigebracht haben.

1462 luftiger und eroberungsfüchtiger Fürft auf dem böhmischen
Throne der Selbftändigkeit aller umliegenden Länder hätte
gefährlich werden müffen. Ein folcher nämlich hätte nicht
allein, den alten Landesgefetzen gemäß, feinen Unterthanen
überhaupt verbieten können, im Auslande in Kriegsdienfte zu
treten, fondern er hätte auch jene vielgenannten Brüderrotten
an fich und unter feine Fahnen ziehen können, welche ob=
gleich ihrer Zufammenfetzung und ihrem Geifte nach bereits
kosmopolitifch, noch nicht aufgehört hatten, ihre Blicke zu=
nächft nach Böhmen, als ihrem eigentlichen Stammlande, zu
richten. Bei König Georg aber zeigte fich, trotz feinem an=
erkannten Feldherrntalente, keine Spur folcher Gelüfte, ja er
foll es fogar gerne gefehen haben, wenn unruhige und kriegs=
luftige Böhmen im Auslande ihr Fortkommen fuchten und
ihre Heimath in Ruhe ließen. Schon gleichzeitige Redner
pflegten ihn als einen Friedensfürften, als einen zweiten
Numa Pompilius zu preifen, der den Krieg verabfcheuend,
allenthalben die Künfte des Friedens zu wecken und Fort=
fchritte der Induftrie zu beleben befliffen gewefen fei. Er
felbft pflegte feine Regierung auch in diefem Sinne zu kenn=
zeichnen, indem er betheuerte, feit feiner Erhebung auf den
Thron kein eifrigeres Verlangen und Streben, als nach dem
Frieden gekannt zu haben. „Viele andere," fo fagte er,
„dürftete es nach Kampf und Sieg, uns war nur um die
Wahrung von Recht und Gerechtigkeit zu thun; viele fuch=
ten ihre Herrfchaft zu vermehren und auszubreiten, wir forg=
ten nur um die Ehre der Krone und das Wohl unferer
Unterthanen; andere ftrebten darnach, daß man ihre Macht
fürchte, wir forgten nur für das Volk und dienten ihm,
gleichwie ein Hausvater feinen Hausgenoffen." [150] Die Re=

---

150) Diefer Worte bediente fich der König in einem fehr weitläufigen
apologetifchen Schreiben an den Kaifer vom J. 1465, das jedoch
datumlos nur in einer böhmifchen Ueberfetzung fich erhalten hat.
(MS. Sternb. p. 143 sq.)

gierungshandlungen, die wir bisher zu schildern hatten, strafen diese Worte keineswegs Lügen. Freilich wohl sahen wir,
daß auch er Kriege führte, aber nur welchen er mit Ehren
kaum ausweichen konnte; man wird zugeben müssen, daß
wenn er vielfach in die Angelegenheiten der benachbarten
Fürsten eingriff, er es jedesmal nur auf ihr Verlangen und
stets in der Absicht, Versöhnung und Frieden zu stiften, that.
Er überkam das erhabene Mittleramt unter den Monarchen
Mitteleuropa's nicht so sehr durch die Uiberlegenheit seiner
Kriegsmacht, als vielmehr durch die Eigenschaft seines Geistes, welche von Freunden als Weisheit und Gerechtigkeit
gepriesen, von Feinden als Schlauheit bezeichnet wurde; [151]
denn es wurde von Feinden wie von Freunden anerkannt,
daß er darin die übrigen Herrscher seiner Zeit überragte.
Und darf man es wohl rügen, daß er eine solche Lage der
Dinge auch zu Befestigung und Erhöhung seiner eigenen
Macht benützte. Da eben diese Macht die Hauptstütze und
Erhalterin des Friedens war? war es Unrecht, wenn er,
der entscheidend zu sprechen hatte, Diejenigen etwa zur Furcht
zwang, die durch keine Gunst zu gewinnen waren? [152] Es

151) Selbst Gregor von Heimburg nannte in einem Schreiben vom
8 Sept. 1465 an den Cardinal Carvajal den König Georg: „cal-
lidissimus omnium hominum, quos terra sustinet.“ Er fügte
daselbst hinzu: Principes Germaniae — certatim omnes regis
gratiam, affinitatem, amicitiam et auxilia petunt; ut nemo se
tutum esse putet, nisi in illius regis aliqua necessitudine con-
fisus. Quisquis apud regem priorem sibi locum vendicare potest, is toti viciniae suae minas facit et quaerit esse formidini
etc. (MS. G, XIX, 168.)

152) Von Bedeutung ist das Zeugniß, welches erst unlängst (1857)
J. G. Droysen (Gesch. d. preuß. Politik, II, 271) dem Könige
in dieser Beziehung gegeben: „Freund und Feind mußte erkennen,
wo die Leitung der Dinge, die Entscheidung lag. Wie bunt und wirr
ihre einzelnen Heerzüge, Verhandlungen und Verträge durch einander
liefen, König Georg stand über ihnen, die Politik in ihren großen Zu-
sammenhängen fassend und lenkend, mit eben so viel Energie wie Vor-

1462 liegt kein Fall vor zum Beweise, daß er auf unrechtmäßige
Weise sich selbst hätte bereichern wollen; selbst das kurze
Streben nach der deutschen Krone ließ sich aus edlem Eifer
für Recht und Frieden in umfassenderen Kreisen erklären und
rechtfertigen.

Das Uibergewicht des Königs von Böhmen im politi=
schen System von Mitteleuropa hätte länger gewährt und
sich noch mehr entwickelt, wenn nicht der verhängnißvolle
kirchliche Streit ihm von vornherein hemmend entgegengetre=
ten wäre. Streitigkeiten auf religiösem Gebiete waren zwar
in der Christenheit nichts neues; der römische Stuhl führte
schon seit mehr als tausend Jahren einen ununterbrochenen
und wie gewöhnlich siegreichen Kampf mit dem, was er als
Ketzerei bezeichnete: die husitische Ketzerei aber war die erste,
die sich nicht überwältigen noch tilgen ließ, weder mit dem
Worte, noch mit dem Schwerte; die erste, die nun schon
ein ganzes Volksleben ergriffen hatte und die bürgerliche
Gesellschaft nach bisher ungewohnten Rechts=Grundsätzen zu
gestalten begann. Böhmen war schon seit 1419 der erste
reine Laienstaat in der Christenheit geworden, es hatte sich
am ersten von der hierarchischen Bevormundung losgesagt,

sicht, mit eben so kühner Entschiedenheit wie leidenschaftsloser Würdi=
gung des Möglichen und Nothwendigen. Er überragte diese wüsten,
heißblutigen, trotzwilden Händel und Fehden der deutschen Nobili=
tät, wie der Kaiser sie hätte überragen sollen, er beherrschte sie
u. s. w. Minder günstig, doch in demselben Sinne schrieb der
Zeitgenosse Jacobus cardinalis Papiensis (Comment. p. 431):
Georgius — vel cum principes consumpti invicem essent, vel
ad alterutros inclinare victoriam noscebat, pietatem simulans,
oratores mittebat de pace, cogebatque vel invitos latis a se
conditionibus assentiri, metu illato adhaesurum se hosti, ni ita
acciperent. Quibus operibus factum erat, ut pene jam Germa-
nicae res ad ejus arbitrium regerentur, inque illum omnes re-
spicerent, nunc oppressorem, nunc fautorem cum experti etc.
Vergl. auch Eschenloer, 1, 173.

und Gesetze, welche den Vorzug des Geistlichen vor dem 1462
Laien, nach Analogie des Geistes vor dem Leibe statuirten,
hatten da keine Geltung. Oberflächlich betrachtet schien es
zwar, als habe sich's zu K. Georgs Zeit schon um den Genuß des Kelches allein gehandelt: hinter dem einfachen Sym-
bol barg sich aber ein ganzes System von Rechtsverhältnissen,
welches in Rom nur als Auflehnung und Umsturz angesehen
werden konnte. Allerdings waren die Böhmen durch die
Compactaten von 1436 zum Gehorsam der römischen Kirche
wieder zurückgekehrt: ein Gehorsam aber, der nicht wie in
andern Ländern unbedingt sich kundgab, sondern Bedingungen stellte, schien in den Augen der Hierarchie viel mehr
Ungehorsam zu sein. In der ersten Hälfte des 15. Jahrhunderts, wo die Päpste nicht allein mit den Husiten, sondern auch mit der kirchenreformatorischen Conciliarpartei einen
schweren Kampf zu bestehen hatten, mußten sie wohl so
manche Abweichung, so manche Verletzung der althergebrachten hierarchischen Ordnung übersehen und dulden: nach vollständiger Uiberwindung der Concilpartei und ihrer Bestrebungen aber schien es an der Zeit zu sein, auch an die
Beseitigung dieser Anomalie im Schooße der Kirche Hand
anzulegen. Es mochte freilich nicht unbedenklich erscheinen,
eine Regierung in der Christenheit ruhig gewähren zu lassen,
an der die Priesterschaft weder Verdienst noch Antheil hatte:
ein um so gefährlicheres Beispiel, je auffälliger es von dem
Gedeihen aller Künste des Friedens und des allgemeinen
Wohlstandes begleitet war.

Man erneuerte also von Rom aus den Kampf mit den
ins Christenthum sich eindrängenden Elementen der Neuzeit;
und da man die Unzulänglichkeit der zu dem Ziele bisher
gebrauchten Waffen, Wort und Schwert, erkannte, so schlug
man einen neuen und bequemeren Weg ein. Es wurde dem
Eide, welchen der König bei seiner Krönung geleistet hatte,
eine andere Bedeutung und ein anderer Inhalt beigemessen,

14*

1462 als der Eidleistende selbst hineingelegt hatte; man verlangte von ihm, daß er den böhmischen Gehorsam vollkommen mache und dasjenige ins Werk setze, was bis dahin weder dem ganzen römischen und ungarischen Reiche, noch den Kreuzherren, noch ganzen Schaaren beredter Dialektiker und Missionäre hatte gelingen wollen. Er sollte nicht allein für seine Person dem Kelche und den Compactaten entsagen, sondern auch das böhmische Volk durch das Ansehen seines Wortes und Beispiels eben dazu bewegen und in Brechung alter Zugeständnisse und Verpflichtungen selbst die Initiative ergreifen. Daß die Curie ihm hinreichende Kraft zur Durchführung eines so wundersamen Umschwungs der Dinge zutraute, hätte man als das größte Compliment ansehen müssen, das seinen Fähigkeiten nur gemacht werden konnte, wenn die beklagenswerthen Folgen eines solchen Fehlschlusses nicht jede Ansicht dieser Art ausschlößen. Denn der unbeugsame Ernst, mit dem man von Rom aus auf dieser Maßregel beharrte, konnte schließlich nicht umhin, die blutigsten und unheilvollsten Ereignisse herbeizuführen.

Wir haben schon oben berichtet, daß Pius II sich mit dem Gehorsam nicht begnügte, welchen ihm König Georg durch seinen Gesandten Johann von Rabstein im J. 1459 „nach Art aller übrigen christlichen Könige" leisten ließ; er sagte, wie das Verhältniß des Königs von Böhmen zum apostolischen Stuhle ein eigenthümliches sei, so müsse auch der zu leistende Gehorsam eigenthümlich sein und auch das ganze Volk umfassen. Darum verlangte man die Absendung einer neuen, zahlreicheren und feierlicheren Gesandtschaft vom Könige und vom Königreiche zugleich. Der König weigerte sie zwar nicht, schob sie aber von Tag zu Tag, von Jahr zu Jahr auf, als hätte er das Unheil vorhergesehen, welches daraus erfolgen sollte. Der Aufschub wurde mit den endlosen Wirren in Deutschland entschuldigt; die Gesandten, hieß es, würden kommen, sobald man ihnen nur sichere und prä-

eise Instructionen werde ertheilen können.   So lange der 1462
König mit dem Kaiser auf gutem Fuße stand, wurde in
Rom ziemliche Nachsicht geübt: aber schon seit Anfang des
Jahres 1461 zeigte sich Ungeduld und wuchs zugleich die
Heftigkeit der Forderungen.   Was darüber bei der Curie
vorging und gesprochen wurde, zeigt am deutlichsten der Brief,
welchen Doctor Fantin de Valle, des Königs Procurator am
päpstlichen Hofe, am 5 April 1461 an ihn schrieb.   „Der
Franzose Anton," sagte er, „welchen Ew. Majestät rühmt,
daß er Eure Geschäfte treu besorge, ist endlich gekommen
und hat mir nichts als einige leichtfertige, ja nichtssagende
Entschuldigungen mitgebracht: denn er sagte, daß Ihr, mit
mancherlei Tagfahrten vollauf beschäftigt, die Glaubenssachen
bisher bei Seite gelegt hättet, nunmehr aber ohne Säumen
die Gesandten zu schicken beabsichtiget.   Daraus ist zu ent=
nehmen, daß Ihr bereits die Nothwendigkeit anerkennt, sie
abzusenden.   Ew. Majestät weiß, daß wo der Zwang ob=
waltet, von Tugend keine Rede sein könne: ich denke aber,
Ihr liebt die Tugend und achtet die Religion, wie es einem
christlichen Könige geziemt.   Darum werde ich Euch unauf=
hörlich zurufen, schicket Eure Gesandten, nehmet Gottes und
der Menschen Frieden an, betheiligt Euch an den Zierden
christlicher Könige; thut Ihr das nicht bald, so fallet Ihr
in Schimpf und Schande, die Ihr nicht so leicht los werdet.
Denn die hiesigen Väter führen schon mancherlei Reden von
Euch, und behaupten schließlich, wie ich höre, daß Ihr von
Allem, was Ihr dem apostolischen Stuhl versprochen, nichts
erfüllt habt. Welcher Schmerz und welche Schande! Thut
was Euch beliebt: ich weiß aber, daß Niemand mir glauben
will, daß alle mich für einen Lügner halten. Darum bin
ich auch nicht im Stande, in Euren Geschäften etwas zu
erlangen, obgleich ich mich sehr bemühe, dasjenige abzuwen=
den, was gegen Euch vorbereitet wird. Antons Hieherkunft
ist mir aber in nichts nütze, da hier der Glaube vorherrscht,

1462 Ew. Majestät wolle mit Zusagen und Aufschieben nur die Zeit hinbringen." Aus diesem Briefe ist übrigens auch schon der persönliche Charakter des Schreibers einigermaßen zu erkennen, der in Kurzem berufen war, in den Angelegenheiten K. Georgs eine noch viel bedeutendere Rolle zu spielen. Nicht minder bemerkenswerth ist, was der genannte Franzose Anton Marini, gleichfalls an den König am 8 August 1461 aus Viterbo in einem böhmisch abgefaßten Briefe brachte: „Alles ginge bisher gut, wenn nur die Gesandten Ew. Majestät schon hier wären. Ich bin so unentschlossen, daß ich nicht weiß, was zu beginnen; kommen sie bis Michaeli nicht, so gibt es großes Aergerniß. Der Papst kann ihnen ja nichts Böses anthun, wegen des sicheren Geleits, das acht Monate läuft. Der hochwürdigste Cardinal von St. Peter (Nicolaus Cusanus) und Herr Fantin waren sehr übel gegen mich gestimmt, und wollten keine längere als eine dreimonatliche Frist für die Ankunft der Gesandten in Rom gestatten. Alle eiferten sie gegen mich und sagten, Ew. Majestät werde Niemanden vor Weihnachten absenden. Ich bitte Ew. Majestät, lasset sie ohne Säumen kommen; alle Angelegenheiten Ew. Majestät gehen einer günstigen Erledigung entgegen; wären die Gesandten hier vor des Papstes Rückkehr nach Rom, so erlangten sie den trefflichsten Bescheid und wir hätten wenig Gegner zu fürchten" u. s. w. [153]

Beide hier angeführten Schreiben werfen ein bedeut-

153) Beide angeführten Briefe findet man im MS. Sternb., Fantin's auf S. 403, Marini's S. 502; letzteres haben wir auch im Časopis česk. Museum, 1828, III, 21—24 ganz abdrucken lassen. Der päpstliche Geleitsbrief, dessen Marini gedenkt, ist vom 30 Juni 1461 datirt und bei Sommersberg, I, 1031 gedruckt. Aus dem Schreiben des Dogen von Venedig an K. Georg (dd. Venedig, 18 Januar 1462, ap. Sommersberg, I, 1030) entnehmen wir, daß zu Ende des Jahres 1461 Johann von Rabstein abermals von Seite des Königs in Rom gewesen, doch ist uns von seiner Verrichtung daselbst nichts bekannt.

sames Licht auf K. Georgs vorhergegangenes Benehmen in 1462
den Reichsangelegenheiten, so wie auf dessen Gründe. Wir
haben schon bemerkt, daß, seitdem er den Hoffnungen auf die
deutsche Königswürde entsagen mußte, er gegen den Kaiser
gemäßigter auftrat und ihn mehr schonte, als seinen Bundesgenossen lieb war. Ohne Zweifel wollte er sich an ihm
einen Fürsprecher sichern, da ihm wohl bekannt war, welches
Gewicht bei Pius II seine Worte hatten. Man kann freilich nicht behaupten, daß der Kaiser bei dem Papste sich zu
Gunsten des Königs verwendet hätte: im Gegentheil war
offen davon die Rede, daß die je länger je ungestümeren
Forderungen von Seite Roms hauptsächlich durch ihn ange-
regt wurden. Sei dem wie ihm wolle, so viel ist gewiß,
daß der Kaiser seinen Beistand und seine Mitwirkung zusagte, damit die Gesandtschaft, welche der König nach Rom
zu richten im Begriffe war, dort mit günstigem Erfolge auf-
trete. Als daher um die Mitte des Monats Januar 1462 Mitte
diese Gesandtschaft ihrer verhängnißvollen Bestimmung wirk- Januar
lich entgegentrat, gab er ihr einen seiner bevollmächtigten
Räthe, Dr. Wolfgang Forchtenauer mit dem Auftrage mit,
den Böhmen gleichsam den Weg zu bahnen und dafür zu
sorgen, daß sie in Rom wo nicht freundlich, doch wenigstens
günstig aufgenommen und behandelt würden.

Zweck der Gesandtschaft war von böhmischer Seite das
Verlangen, durch offene Anerkennung und Bestätigung der
Basler Compactate von Seite der Päpste endlich einmal aus
der ungewissen und schiefen Stellung der römischen Kirche
gegenüber herauszukommen. Bekanntlich hatte schon Capistran die Giltigkeit jener Compactate offen zu bestreiten begonnen, die Päpste Nicolaus V und Calixt III aber hatten
dieselben weder bestätigt, noch ausdrücklich als ungiltig bezeichnet. Durch ein eigenes Zusammenwirken widriger Umstände geschah es, daß die Wünsche und Hoffnungen der
Böhmen keiner günstigeren Erledigung entgegengingen. Denn

1462 obgleich alle höheren Würdenträger der römischen Kirche an
den Ausschreitungen der Husiten Anstoß genommen hatten,
so verlangten doch nicht alle, daß die einmal zu ihrer Beruhigung beliebten Verträge aufgehoben würden, und darum
waren die Hoffnungen bezüglich deren Bestätigung keineswegs ganz grundlos. Aber ihre heftigsten Gegner befanden
sich, wenn gleich in der Minorität, doch gerade in diesen
Jahren im Genuße der obersten Macht und überwiegenden
Einflußes. Aeneas Sylvius war Papst geworden, Carvajal
galt unter den Cardinälen als der meistvermögende, und an
Capistrans Canonisirung als Heiliger wurde eben eifrig gearbeitet. Wir wollen hier nicht wiederholt auseinandersetzen,
mit welchem Eifer Pius II die Restauration der päpstlichen
Macht und Herrschaft in deren höchsten Ansprüchen förderte,
noch auch darstellen, wie es schon seinen nächsten Vorgängern gelungen war, vieles wieder gut zu machen, was die
Concilien des XV Jahrhunderts verdorben hatten. Nach
der durch das Concordat von Wien 1448 erlangten Aufhebung der Basler Decrete für Deutschland, erübrigte noch die
Beseitigung der bekannten pragmatischen Sanction Karls VII
in Frankreich: und der glänzendste Erfolg krönte in dieser
Hinsicht die Anstrengungen des Papstes eben in den Tagen,
wo die böhmische Gesandtschaft in Rom eintraf. Dem neuen
Könige von Frankreich Ludwig XI beliebte, aus Abneigung
gegen seinen Vater, in der Regel das Gegentheil von dem,
was diesem lieb gewesen, und so beeilte er sich auch die
Freiheiten der gallicanischen Kirche, die in der pragmatischen
Sanction ihre Grundlage fanden, preiszugeben. Zwar gelang
diese Absicht nicht ganz, weil weder das Parlament, noch
die Geistlichkeit Frankreichs die erwähnten Freiheiten aufgeben wollten, und der Papst sich durch die fortwährende Begünstigung der arragonischen gegen die französische Partei in
Neapel das Gemüth des Königs bald wieder abwendig
machte: aber wenigstens für den Augenblick war die Wir-

kung seiner Nachgiebigkeit groß und entscheidend. Die böh= 1462
mischen Gesandten langten Mittwochs den 10 März bei reg= 10
nerischem unfreundlichem Wetter in Rom an; Samstag den März
13 März folgte die viel glänzendere französische Gesandtschaft. 13
Nachdem diese am Montag 15 März in der feierlichsten März
Versammlung allen Privilegien ihrer Kirche entsagt hatte, 15
folgten in Rom dreitägige öffentliche Freudenfeste, jenen März
ähnlich, welche vor fünfzehn Jahren aus Anlaß des Sieges
über die deutsche Concilpartei waren gefeiert worden.

Auch aus dem gleichzeitigen Streite über das Mainzer
Erzbisthum schöpfte der römische Stuhl mehr Kraft und
Muth in der genommenen Richtung. Der geistesschwache Die=
ther von Isenburg, bei welchem Demuth und Trotz, Gehor=
sam und Widerspenstigkeit rasch wechselten, war durch ein
päpstliches Decret vom 21 August ab= und an seine Stelle 21 Aug.
Adolf von Nassau als Erzbischof eingesetzt worden. Nun ge=
wann er zwar an Pfalzgrafen Friedrich einen treuen und
ziemlich glücklichen Beschützer, konnte aber gleichwohl in seinem
Sitze und seiner Würde gegen die vereinte Auctorität des
Kaisers und des Papstes sich nicht behaupten. In die gro=
ßen von uns bereits berührten Reichshändel griff diese Streit=
sache mannigfach bestimmend ein, und war zu der Zeit, als
die böhmischen Gesandten in Rom erschienen, noch nicht ent=
schieden; es war jedoch vorauszusehen, daß die Entscheidung
für die römische Curie günstig ausfallen werde. Indem sie
daher den Strom der Restauration anschwellen machte, er=
wies auch sie den böhmischen Hoffnungen sich ungünstig. Und
ebenso brachte auch der Streit des Cardinals Cusanus mit
dem Herzog Sigmund um das Bisthum Brixen den Böh=
men nur Nachtheil, indem er die Gemüther in Rom ver=
härtete und zu größerer Unnachgiebigkeit gegen die Forde=
rungen der Laien überhaupt stimmte.

Als böhmische Gesandte traten in Rom auf, außer dem
Kanzler Prokop von Rabstein, Herr Zdeněk Kostka von

1462 Postupic, K. Georgs innigster Vertrauter und Freund; Anton Marini von Grenoble, sein französischer Rath; M. Wenzel Wrbenský, Dechant von St. Apollinar in Prag, und
M. Wenzel Koranda (der jüngere), derzeit Prager Bürgermeister. Letzterer führte über alles, was geschah, ein Tagebuch; sein Bericht, der später zur öffentlichen Lesung im
Landtage in Gegenwart des Königs gelangte, wurde von
beiden Parteien als richtig und wahrheitsgetreu anerkannt
und gelobt; [154] daher auch wir das Wesentliche aus ihm in
Kürze anführen wollen.   Der Herr von Rabstein wurde
vom Papste, als dessen ehemals innigst vertrauter Freund,
sehr herzlich aufgenommen und war an dessen Hofe wie zu
Hause; und obgleich er seine Pflicht als Gesandter keineswegs versäumte, so neigte sich sein Herz doch unverkennbar
mehr denen zu, zu welchen, als mit welchen er gekommen
war. Darum ruhte auch die ganze Verhandlung wesentlich
auf Herrn Zdeněk Kostka allein, welchen freilich sein Besitz
der Güter des ehemaligen Bisthums Leitomyschl in Rom
unmöglich populär machen konnte.

Am ersten Samstage nach ihrer Ankunft (13 März),
ließ Rabstein durch Fantin dem Herrn Kostka sagen, der
Papst wünsche, es möchten nur sie beide zu ihm kommen.

154) Gobelinus sagt p. 237: Procopius et Cosca omnem rei seriem
ex ordine narraverunt, nec quicquam mentiti sunt. Und Jacobus
cardin. Papiens. wieder p. 434: Legati contra exspectationem
nostram cuncta fideliter retulere. Den ausführlichen Bericht
von den Verhandlungen dieser Gesandtschaft findet man in mehreren alten Handschriften. In das Exemplar des Wittingauer Archivs (MS. A. 15) schrieb gleichzeitig der Bruder Kříž aus Teltsch
die Bemerkung hinzu: Koranda descripsit omnem legationem et
quae facta sunt, retorquens ad suam sectam multa. Wir benützten überdies auch den Bericht, welchen ein Ungenannter aus
Rom in jenen Tagen nach Breslau schickte, und welcher sich im
Ms. Sternb. p. 387 befindet: ferner einige Aufzeichnungen im Ms.
bibl. universit. Lipsiensis Num. 1237 fol. 41 sq.

Dies geschah, und Rabstein sprach nun: „Heiligster Vater! 1462
wir sind vom böhmischen Könige gesandt, um Ew. Heiligkeit
Gehorsam zu leisten und einige Bitten vorzutragen; den Gehorsam, wie es Gebrauch ist, und wie ihn auch seine Vorgänger geleistet haben, sind wir zu leisten bereit, sobald es
Ew. Heiligkeit belieben wird." Der Papst antwortete: „Von
Eurem Könige ist der Gehorsam nicht in der Weise anzunehmen, wie von den andern Fürsten der Christenheit; denn
sein Reich steht nicht, wie die andern, in der Einheit der
Kirche, sondern hat in den Gebräuchen sich von ihr getrennt,
und der König, der selbst dem Schooße dieser irrigen Secte
entsprossen ist, hat bei seiner Krönung geschworen, nicht nur
selbst treu im Gehorsam zu stehen, sondern auch sein Volk
dazu anzuleiten und zurückzuführen. Da er nun solches noch
nicht erfüllt hat, denn Rokycana, der böse Mensch, predigt
noch immer, das Volk communicirt unter zwei Gestalten, die
Königin besucht die Predigten, der König selbst verließ am
Fronleichnamstage die Procession der Prager Kirche und
mischte sich in den Umzug der Irrgläubigen und Ketzer: so
geziemt es uns nicht, seinen Gehorsam anzunehmen, es sei
denn er erfülle, was er versprochen; und Ihr werdet darauf
schwören, daß solches geschieht." Da beide Gesandten dagegen
bemerkten, sie könnten nichts leisten, als was ihnen aufgetragen sei, und thäten sie es dennoch, daß es ungiltig wäre,
so erwiederte der Papst: „Wir werden Euch vier Cardinäle bestimmen, vergleicht Euch mit ihnen über ein Mittel; was immer
mit unserer und dieses Stuhles Ehre verträglich sein wird, wollen
wir um Eures Königs und Königreichs willen gerne thun."

Es folgten also Privatverhandlungen namentlich mit den
Cardinälen Bessarion, Carvajal und Nicolaus von Cusa. In
der ersten Conferenz vom 14 März rügte Carvajal wiederholt 14
die Thatsache, daß der König seinem Krönungseide nicht März
nachgekommen sei, und verlangte, die Gesandten sollten ihre
ganze Angelegenheit der Entscheidung des Papstes unbedingt

1462 anheimstellen und sich im Voraus seinen Decreten unter=
werfen: dann würden sie von ihm . erlangen, was sie nur
immer wünschen möchten. Es ist kaum nöthig anzumerken,
daß sie sich dazu nicht verstehen konnten. Tags darauf, den
15 März, hatte die feierliche Audienz der französischen Bot=
schafter Statt; darum wurde in der böhmischen Sache nichts
16
März
vorgenommen. Dienstag den 16 März suchte Herr Rabstein
in der Conferenz bei Bessarion seinen König zu entschuldigen
und sagte, derselbe pflege nicht immer den Processionen Ro=
kycana's beizuwohnen, sondern gehe zuweilen zu den Dom=
herren hinauf auf das Schloß, insbesondere an größeren
Festtagen, zuweilen bleibe er bei Rokycana; „Ihr wißt ja,
(fügte er hinzu,) daß es in Böhmen zweierlei Leute gibt,
deren beider unser König Herr ist und die er beide leiden
muß; denn wollte er es mit einer Partei allein halten, wäre
zu besorgen, daß die andere von ihm abfiele." Bessarion wies
den Böhmen auf das glänzende Beispiel des Königs von
Frankreich hin, wie dieser sich dem Papste gänzlich unter=
worfen habe; „und Ihr müßt wissen, in Frankreich gibt es
101 Bischöfe, viele und große Abteien und Prälaturen, und
die Geistlichkeit widersetzte sich diesem Schritte ihres Königs
mit aller Gewalt; da aber der König wollte, so geschah es
dennoch. Ihr sahet, welche Ehren ihm dafür widerfuhren:
auch Euer König würde in gleicher Weise gefeiert werden,
wenn er dasselbe thun wollte."

19
März
Freitag den 19 März wurde . Herr Kostka allein zum
Papste berufen, bei welchem außer dem Cardinal Cusa nur noch
einige Bischöfe sich befanden. Der Papst suchte in einer langen
Unterredung Herrn Zdeněk zu belehren und zu überzeugen,
daß die Compactaten keine Geltung mehr hätten, indem sie
bloß einer Generation wären verliehen worden, die größten=
theils schon ausgestorben sei; übrigens hätten die Böhmen
allerlei Mißbrauch damit getrieben und so alles Recht darauf
verwirkt. „Und Du sollst wissen, Herr Zdeněk," fügte der

Papst hinzu, „daß man sie ihnen nicht anders, als bloß ihrer
Hartnäckigkeit wegen zugestand, nach dem Beispiel Moysis
gegen die Juden, damit um so eher Friede werde; ist aber
der Friede da, so sollten sie von solcher Communion abstehen
und sich mit der Kirche einigen. Und hätten auch übrigens
die Compactaten irgend eine Geltung gehabt, so steht es
immer in unserer Macht, sie um etwas Besseres willen auf=
zuheben." Herr Zdenĕk meinte, daß es nicht gut wäre, wenn
der Papst aus eigener Macht die Compactaten aufheben und
die Communion unter beiden Gestalten unbedingt verbieten
wollte: denn die Böhmen würden sie keineswegs aufgeben,
so lange man sie nicht mit mächtigen Gründen ihres Irr=
thumes überweise; und darum würden erst neue Disputa=
tionen in der Sache vorangehen müssen. Da sprach der
Papst: „Gott ist im Himmel, wir auf der Erde, wir müssen
Gottes und nicht unsere Ehre suchen; Gott aber verlangt
vor allem Gehorsam. Als Saul, König der Juden, mehr
seine Ehre als den Gehorsam bedachte, fiel er, und die Herr=
schaft wurde seinem Hause genommen; in gleicher Weise,
wenn ihr nicht schlechterdings gehorchen und thun wollt,
was Euch verordnet wird, so wird König und Königreich
widerrufen und zu Grunde gerichtet; und wisset, ich habe die
Macht dazu." Herr Zdenĕk versetzte: „In Böhmen ist man
der Ansicht, daß man sich stets im Gehorsam wie in der
Einheit der Kirche befinde, wenn man an den Compactaten
festhalte und darnach sich richte; denn was man da thue, sei
den Verträgen, dem Ausspruche und dem Willen des Basler
Concils gemäß." Der Papst ließ sich hierauf ein Buch brin=
gen, nahm es in die Hand und sprach: „Dieses Buch gab
mir Papoušek, darin habe ich die Compactaten und viele
Acten, die in Böhmen sich ereigneten; siehe was da steht,
daß die Böhmen verlangen und das Concilium gewähren sollte,
und weil sie nicht verlangt (?) ist es ihnen auch nicht gewährt
worden." Der Cardinal von Cusa fiel ihm dabei in die Rede

1462 und legte umständlich auseinander, was und wie es sich in Basel begab, um den Unterschied festzustellen, was das Concil bewilligt habe, und was nicht. Einer der anwesenden Bischöfe warf die Frage auf: „Hält man bei Euch an jener Communion fest, weil sie für das Seelenheil unerläßlich sei, oder nur weil sie vom Concil bewilligt wurde?" Herr Zbeněk entgegnete: „Einige behaupteten ihre Nothwendigkeit mit der Andeutung, daß man mehr Gnaden empfange unter zwei als unter einer Gestalt; Andere hielten sie bloß, weil sie vom Concilium bewilligt sei, doch seien diese nicht zahlreich." Der Papst brachte nun gegen die Einen wie gegen die Anderen Gründe vor und sprach: „Seht doch, woher diese Communion ihren Ursprung nahm: nicht von irgend einem großen und bedeutenden Manne, sondern von Jakobell, einem Kinderlehrer in der Grammatik! Warum folgt Ihr ihm? Kehrt zur Einheit der Kirche zurück, und es soll Eurem Könige und Lande wie auch Euch allen Ruhm und Heil werden, desgleichen kein König und kein Volk sich zu erfreuen hat!" Mit solchen Reden wurde viel Zeit verbracht, ohne daß man einander hätte überzeugen und für andere Ansichten gewinnen können.

20 März Samstag den 20 März erhielten die Gesandten die erste öffentliche Audienz. Im großen Consistorialsaale saßen dem Papste gegenüber 24 Cardinäle, hinter ihnen standen die Gesandten und dann der Erzbischöfe, Bischöfe, Prälaten, Doctoren und anderer Leute so viele, als eben der Saal faßte. Zuerst hielt Dr. Wolfgang Forchtenauer eine Rede, in welcher er im Namen des Kaisers die Bitten des Königs von Böhmen dem Papste zur Berücksichtigung empfahl. Dann entschuldigte der Kanzler Rabstein die bisherige Verzögerung der Gesandtschaft, und leistete dem Papste im Namen des böhmischen Königs den Gehorsam, wie ihm aufgetragen war. Dazu bemerkte der Papst: „Ihr leistet den Gehorsam von Seite des Königs allein, da es doch Gebrauch ist, ihn auch von Seite des Königreichs zu leisten?" Da frug Herr Rab=

stein Herrn Kostka zu seiner Seite leise: „Was wollen wir 1462
thun? Ich werde ihn im Namen der Meinigen leisten und
bin der Zustimmung gewiß; thue Du desgleichen von Seite
der Deinen, oder was sonst dir gefällig ist." „Sprich im
Namen Aller," entgegnete Herr Kostka; „denn was der König
thut, damit wird das ganze Land einverstanden sein." Und
so that der Kanzler. Darauf sprach der Papst: „Habt Ihr
sonst noch etwas am Herzen, so bringt es vor." Nun
trug Mag. Coranda, der dem Papste gerade gegenüber stand,
„mit heller Stimme und rascher Rede" [155] des' böhmischen
Volkes Bitte um Bestätigung der Compactaten vor. Er begann mit der Klage, daß die schwere, seinen geringen Kräften ganz unangemessene Aufgabe ihm geworden, in der Versammlung der hervorragendsten Häupter der gelehrten Welt
an den heiligsten „Vicar Christi und Stellvertreter des heiligen Petrus" das Wort zu richten, und bat um Nachsicht,
wenn es ihm in seiner Schwäche nicht gelingen sollte, Fehl-
griffe zu vermeiden. Dann schilderte er den ganzen Verlauf
der Husitengeschichte umständlich in einem Tone, der von
der Furcht wie von der Demuth gleich weit entfernt war:
denn was die Böhmen gethan, das hatten sie „durch Gottes
Gnade und die Erleuchtung des heiligen Geistes" unternommen; sie hatten sich der Wahrheit „aus wahrer Religion" zugewendet; und als „die Feinde" sie deshalb grausam zu verfolgen begannen, „gab Gott ihnen die Kraft und
verlieh das Heil ihrem Lande, daß ein Häuflein Böhmen
nicht ein- sondern vielmal den Sieg über große Heere errang; von Gott sei dieses Wunder unter den Augen aller
Welt noch in den jüngsten Tagen gekommen." Doch obgleich
die Böhmen und Mähren ihre Feinde oft besiegt hätten, so
wären sie doch nie „verstockten Herzens, nie unbeugsamen

---

155) Voce sonora et oratione praecipiti — bezeugt Gobelinus auf
    Seite 188; ein gleichzeitiger Bericht bei Raynaldi (ad h. a. §. 18)
    sagt: torrenti oratione peroravit.

1462 Rackens" gewesen; vielmehr hätten sie auf Verlangen des
Basler Concils gerne die Hand zum Vergleiche dargeboten,
um nur dem Blutvergießen Einhalt zu thun, und hätten
deshalb auch ihren „grausamsten Feind", den Kaiser Sigmund, als Herrn und König angenommen; denn er habe
sich so wie seine Nachfolger Albrecht und Ladislaw durch
einen Eid verpflichtet, jene Compactaten, als Bedingungen des
Landfriedens, unverbrüchlich zu beobachten. Ihrem Beispiele
sei auch König Georg gefolgt, durch dessen weise Fürsorge
ein Friede in's Königreich und die Markgraffschaft einkehrte,
wie sich seiner die ältesten Leute nicht erinnerten; wie denn
dieser erlauchte König nicht ablasse und nicht ermüde, die
Segnungen des Friedens auch über die Länder der benachbarten Könige und Fürsten eben so wie über seine eigenen
zu verbreiten. Doch werde dieser Segen von Uibelwollenden
leider täglich mehr gefährdet; viele sowohl In= als Ausländer
träten gegen jene Verträge auf, „schmähten mit unziemlicher
Dreistigkeit" die Böhmen als „Schismatiker und Ketzer" und
erfrechten sich zu behaupten, daß sie solches „mit Ew. Heiligkeit
und des apostolischen Stuhles Zustimmung und Eingebung thun;
wo doch der König wie sein Land es unwahrscheinlich, ja geradezu unglaublich finden müßten, daß von diesem Born aller
Liebe je ein so hartes und liebloses Werk ausgehen könne."
Auch übergehen die Böhmen alle derlei Schmähungen mit
tauben Ohren, indem sie der Vorschrift der Compactaten nachzukommen suchten, wo es heiße, daß wenn jemand gegen
dieselben verstoße, dies nicht als Friedensbruch anzusehen
sei, sondern nach Gebühr wieder gut gemacht werden solle.
Darum erwarteten sie mit Vertrauen, daß der heilige Vater
sich der Unrechtleidenden annehmen, die Störer der Eintracht
und des Friedens strafen, und zwischen den Böhmen und
der übrigen Christenheit ein freundliches Verhältniß für immer herstellen werde; darum bäten und fleheten sie, daß
durch öffentliche Anerkennung und Bestätigung der Compac-

taten jeder Anlaß zu Streit und Schimpf beiderseits beho-
ben werde, damit die Böhmen, im Innern beruhigt, um so
bereitwilliger den andern Völkern zum Kampf gegen den
Türken, den gemeinsamen Feind der Christenheit, sich beigesellen könnten. Man darf nicht unbemerkt lassen, daß der
Redner allen theologischen Streitfragen auswich, und daß
in der ganzen Verhandlung von einer Erhebung Rokycana's
auf den Prager erzbischöflichen Stuhl keine Rede war.

Als Koranda seine Rede geendet hatte, ergriff Pius II
selbst das Wort. „Um eure Herzen, geliebteste Brüder und
Söhne! nicht in Zweifel zu lassen, müssen wir wohl, nach
dem Verlangen des durchlauchtigsten Kaisers und nach dem
vom Könige und Königreiche geleisteten Gehorsam in die
vorgebrachte Bitte näher eingehen, um nachzuweisen, woher
sie entsprungen, welcher Natur sie sei und wohin sie ziele."
Erst erhob und pries er den Kaiser sehr ausführlich, dann
bemerkte er von dem Gehorsam, er habe sich sehr verspätet,
und „man sage insgemein, wer sich lange besinne, sei zur
That wenig willig. Weil aber unser stets treuer und lieber
Sohn, den ihr hier sahet: Herr Prokop, Kanzler des Königreichs Böhmen, zur Entschuldigung seines Königs einige
Gründe der Verzögerung vorbrachte, lassen wir dieselben gelten, da auch uns Einiges davon näher bekannt ist. Wisset,
daß dieser weise König nicht von königlichem Stamme, sondern von dem adeligen Geschlechte der von Poděbrad ab-
stammt und durch Volkswahl auf den Thron gelangte, obgleich das Reich früher durch erbliche Fürsten regiert worden
war." Und nun erging er sich, als gefeierter böhmischer Geschichtschreiber, in einer geographischen und historischen Schilderung Böhmens, bei Přemysl und Libussa beginnend, und
sprach volle zwei Stunden lang, um mit den sämmtlichen
böhmischen Zuständen, deren Kenntniß ihm allerdings geläu-
figer war, als irgend jemanden in Rom, seine Zuhörer vertraut zu machen. Vorzüglich verweilte er bei der grausamen

1462 Verfolgung derjenigen, welche zu Žižka's Zeiten treu zu Rom
hielten, bei den vielen Märtyrern, wie Ritter Jan Koblich
und andern, deren Böhmen in neuerer Zeit vor andern
Ländern sich rühmen könne, und bei der kläglichen Verwü=
stung von Kirchen und Klöstern, die durch Größe und Pracht
ausgezeichnet gewesen. „Als wir noch in niederen Würden,
unter König Ladislaw nach Beneschau kamen und solches
selbst betrachteten, konnten wir uns der Thränen darüber
nicht erwehren." Dann kam er auf die Verhandlungen des
Basler Concils zu sprechen, erklärte die vier sogenannten
Prager Artikel, würdigte dieselben seinen und der römischen
Kirche Ansichten gemäß, und wies nach, die Compactaten
wären nur den damals lebenden zu Gute gekommen und
wären auch in Böhmen vielfach mißbraucht worden. Über
die ihm vorgetragene böhmische Bitte äußerte er sich schließ=
lich dahin: „Der vollkommene Friede ist auch uns lieb und
wir wünschen ihn: aber wie könnte der Weg, auf dem er
gesucht wird, uns gefallen? Denn was ihr sucht und bittet,
widerstrebt der Einheit der Kirche. Da ihr aber um Brod
bittet, soll euch kein Skorpion, da ihr Fische verlangt, keine
Schlange gegeben werden. Wir mit unsern vielgeliebten Brü=
dern sind die Väter, ihr seid die Söhne: die Väter werden
nichts wollen, nichts anstreben, als das Wohl und das Heil
ihrer Söhne. Wir werden die Brüder berufen, uns mit ihnen
berathen, und nach fleißiger Erwägung des Gegenstandes
schließlich eine Antwort geben, wie sie sich mit unserer Ehre
auf's beste vertragen wird."

22
März
     Zwei Tage später, am 22 März, wurden Herr Kostka
und die beiden Magister Koranda und Wrbenský in das
Haus des Cardinals Bessarion berufen, wo auch Nicolaus
Cusanus, Carvajal und der Cardinal von Rouen (Rotamagen=
sis) anwesend waren. Carvajal erklärte zuerst, welch große
Freude der Papst und sein ganzer Hof über die von Seite
des ganzen Königreichs Böhmen offen geleistete Obedienz

empfunden haben; denn nun sei die Hoffnung vorhanden, 1462
daß die Böhmen in die Einheit der Kirche eintreten und
deren Gebote erfüllen würden, der König aber werde alle
Irrlehren im Lande ausrotten und mit Ernst diejenigen
strafen, welche im Ungehorsam verharren wollten. „Wir
aber," entgegneten die Böhmen, „sind der Ansicht und hoffen,
daß wir im heiligen Gehorsam stehen werden und auch früher
standen, bevor derselbe, wie jüngsthin geschehen, mit Worten
geleistet wurde; auch scheidet uns das, was das Basler
Concil vertragsmäßig bestimmt hat und wir zweifeln keines=
wegs an der Einheit der Kirche; endlich zweifeln wir nicht,
daß es keinen Böhmen geben wird, der jenen Gehorsam
weigere, und wenn irgendwo Irrlehren offen zum Vorschein
kommen, unterläßt es der König niemals, sie zu strafen."
Cusanus erwiederte: „Eure Bitte wegen der Compactaten führt
nicht zur Einheit, denn die Compactaten stehen mit alten und
löblichen Satzungen der Kirche in Widerspruch; diese Bitte
ist also unbegründet, führt nicht zum Guten und darf daher
auch nicht gewährt werden. Unser heiligster Herr war stets
der Hoffnung, euer Königreich werde bei der großen Umsicht
eures Königs unfehlbar zur Einheit der katholischen Kirche
gebracht und jener Irrlehren ledig werden, die es schänden;
daher hofft er auch jetzt, daß es von dem, was es von seiner
Mutter scheidet, nämlich von der Communion unter zwei
Gestalten, ablassen, und lieber dem Papste und der katho=
lischen Kirche, als dem unwissenden Jakobell gehorchen werde.
Ihr habt den Gehorsam einfach und unbedingt geleistet, daher
soll er auch einfach und unbedingt gehalten werden; auch
sollt ihr Gesandten Sorge tragen, daß es zum endlichen Ab=
schluße komme, denn so lautet das Schreiben eures Königs.
Uibergebt daher den ganzen Streit in die Hände des heiligen
Vaters: das wird euch, dem Könige und Königreiche nur zu
Ehre und Ruhm gereichen." Die Böhmen darauf: „Nehmt
es uns nicht übel, daß wir solches nicht thun können: wir
15*

1462 haben keinen andern Auftrag, und auch keine weitere Macht,
als den Gehorsam zu leisten, die Bitten vorzutragen, und
dem Könige so wie dem Lande die Antwort zu überbringen,
die wir erhalten werden." Cusanus wieder: „Um Gotteswillen,
besinnt euch eines Bessern und seht was ihr thut: ihr sprechet
von Gehorsam und wollt ihn in der That nicht leisten; soll
man nicht von euch sagen, daß ihr mit dem heiligen Vater
nur List und Spott treibt? Besser wäre es, sich zur Obe=
dienz gar nicht zu bekennen, als sich Anordnungen zu wider=
setzen. Darum thut wie gesagt, tretet zunächst ihr in die
Einheit ein, leistet wirklichen Gehorsam und legt diesen Streit
in die Hände des heiligen Vaters: er, der so gnädig ist,
wird ihn gewiß gut ordnen." Die Gesandten baten sich nun
26 eine Bedenkzeit aus: als sie aber am 26 März abermals
März bei Cardinal Bessarion mit den Obgenannten und auch mit
Laurenz Rovarella, Bischof von Ferrara, und den Herren Rab=
stein und Forchtenauer zusammentraten, erklärten sie, es sei
ihnen ganz unmöglich dasjenige zu thun, was der Cardinal
von St. Peter von ihnen verlangt habe. Weder der König,
noch das Volk von Böhmen hätten sich dessen versehen, daß
ihr Gehorsam nicht angenommen und ihre Bitten nicht er=
füllt werden sollten; daher bezögen sich auch weder ihre In=
structionen noch ihre Vollmachten auf einen dergleichen Act;
auch sei ihnen nicht gestattet, solche Puncte, welche durch
die Compactaten bereits erledigt sind, von Neuem in Frage
zu stellen und zum Gegenstand neuer Verhandlungen zu
machen. Wünsche der heilige Vater etwas der Art, so möge
er seine Doctoren nach Böhmen senden, welchen es denn
frei stehen werde, nach Abhaltung neuer Disputationen allen=
falls neue Compactaten abzuschließen. Carvajal suchte nach=
zuweisen, daß in Böhmen auch die Bestätigung der Com=
pactaten keine Einigkeit im Glauben zur Folge haben würde,
wie ihm bei seiner Anwesenheit in Prag Rokycana selbst
gestanden habe, indem die sub una darum doch nicht auf=

hören würden, auf ihrem Ritus zu bestehen; darum sei es 1462
zur Erreichung jener Einigkeit rathsamer, die Compactaten
gänzlich fallen zu lassen. Herr Kostka antwortete, daß in
Folge der Bestätigung derselben wenigstens der Haß der
Parteien wegfallen würde, indem sie dann aufhörten, einander zu schelten und aufzureizen; und das thue gewaltig
Noth, wenn unter den Böhmen Friede herrschen solle. Handelte es sich bei der ganzen Sache nur um eine Gefälligkeit
gegen den heiligen Vater, so wären weder der König noch
die Gesandten im Zweifel, was sie zu thun hätten. Wollten
aber Letztere den Anordnungen sich fügen und den Compactaten einfach entsagen, so würde das Volk von Böhmen
auf diesen Act nicht eingehen, und die Folgen davon wären
nur neue Stürme und neues Blutvergießen.

Nachdem auf diese Weise die Unmöglichkeit, sich zu verständigen, offen zu Tage getreten war, wurde auf Mittwoch
den 31 März ein Consistorium berufen, wo der Papst in 31
feierlicher Sitzung und in Gegenwart von etwa 4000 Per- März
sonen, seine verhängnißvolle Entscheidung zur Antwort gab.
Erst lobte er, daß der König dem apostolischen Stuhle Gehorsam geleistet, denn ohne ihn gebe es weder Kirche noch
Christenthum, und der Papst (er wies dabei mit dem Finger
auf sich selbst) sei die Pforte, durch welche die Gerechten
zum Heile eingehen, wer auf anderen Wegen eintreten wolle,
sei ein Dieb, ein Räuber. Die wörtlich geleistete Obedienz
genüge jedoch nicht, sie müsse thatsächlich sich erweisen. Die
Böhmen hätten sich ehemals des wahren Gehorsams befleißigt, später wären sie davon abgefallen: darum werde es
dem Könige zur Pflicht gemacht, sie wieder zur alten Weise
zurückzuführen, sonst könne sein Gehorsam beim apostolischen
Stuhle weder genehmigt werden, noch genehm sein. Bezüglich der vorgetragenen Bitte sei aus dem Munde des böhmischen Redners zu entnehmen gewesen, wie er die Meinung,
das heilige Abendmal müsse unter beiderlei Gestalten ge-

1462 nommen werden, als eine heilſame Lehre pries: eine ſolche
Rede ſtelle ſich aber in Widerſpruch mit den Decreten der
Concilien von Konſtanz und Baſel, welche nicht nur den
Laien die Communion unter beiderlei Geſtalten verboten,
ſondern auch die Lehre Jakobell's, daß dieſelbe zum Heile
nothwendig ſei, als Irrlehre und Ketzerei verdammt hätten.
Die Compactaten wären den Böhmen nur bedingungsweiſe
und auf Zeit gewährt worden; die Erlaubniß habe ſich nur
auf diejenigen erſtreckt, welche in die Einheit der Kirche eintreten würden, aber nie ſei dieſer Eintritt eine Thatſache,
und ſomit auch die Bewilligung des Kelchs nie eine Wahrheit geworden. Auch ſollte dieſe Bewilligung nur bis zur
Entſcheidung des Concils und nicht länger dauern: das ſpäter
erfolgte Decret aber, daß die Laien das Abendmal nur unter
einer Geſtalt empfangen ſollen, habe den Compactaten alle
Macht und Geltung benommen. Wir haben darum mit
unſern Brüdern die Abſchriften jener Verträge revidirt und
gefunden, erklären es auch hiemit öffentlich, daß ſie keinerlei
Kraft noch Geltung haben. Ihr habt freilich gebeten, wir
ſelbſt ſollten euch die Bewilligung zur Communion unter
beiderlei Geſtalten ertheilen: aber gleichwie ein barmherziger
Vater ſeinen Söhnen, ein Meiſter ſeinen Schülern nichts
Schädliches bietet, keine anderen als unnachtheilige Bitten
erhört und nichts, als was heilſam iſt, verleiht, ſo müſſen
auch wir handeln, die wir, wenn auch unwürdig, Gottes
Stelle auf Erden vertreten. Könnten wir annehmen, daß
Eure Bitten um die Communion der Laien unter zwei Geſtalten der allgemeinen chriſtlichen Kirche kein Aergerniß
brächten, ſo würde die Gewährung derſelben keinen Anſtand
finden: da aber das, was Ihr verlangt, gegen Recht und
Ehre iſt, wie kann es gewährt werden? Es könnte uns keineswegs zur Ehre gereichen, wenn wir geſtatteten, was zwei
unſerer Vorgänger verweigert und zwei Concilien verdammt
haben; und zu Eurem Wohle würde es auch nicht dienen,

da jeder Theil, der zu seinem Ganzen nicht paßt, eine Miß=
gestalt bildet. Wir können es übrigens auch aus vielen be=
sondern Gründen nicht zugeben: 1) wegen Gefahr einer
Ketzerei, damit nicht etwa geglaubt werde, Christus sei in
der ersten Gestalt nicht ganz vorhanden; 2) wegen der Ge=
fahr bei der Ausspendung des Sacraments, daß das Blut
Christi, wie es schon vorgekommen, auf den Boden verschüttet
werde. 3) Wegen der Einigkeit und des Friedens Eures Kö=
nigreichs. Denn Ihr wißt, daß jedes in sich zerspaltene Reich
dem Verderben entgegengehe, und es deshalb nothwendig
sei, daß die Einen den Andern nachgeben; es ist aber nicht
zu verlangen, daß diejenigen solches thun, die in den Fuß=
stapfen ihrer Väter wandeln, sondern die, welche sich den
Neuerungen zugewendet haben. 4) Wegen des Friedens zwi=
schen Euch und Euern Nachbarn, den Deutschen, Ungarn und
Polen, auf daß zwischen Euch und ihnen Handelsverkehre, wech=
selseitige Ehen und Freundschaften Statt finden können; denn
wenn wir Euch auch willfahrten, würden sie nicht aufhören, Euch
übel zu wollen, solange ihr Euch nicht entschließt, Eines Sinnes
mit ihnen zu werden. Endlich 5) um Eurer Demuth willen, da=
mit wir Euch nicht Anlaß geben zum Stolz und zur Selbstüber=
hebung, als wäret Ihr etwa weiser als Eure Väter und besser
als andere Christen. Höret darum die Stimme des Apostels
und wollet Euch nicht mehr Einsicht beilegen, als recht ist.
Der römische Stuhl als oberster Bewahrer göttlicher Ge=
heimnisse hat Eure Bitten wohl erwogen und erkannt, daß
sie unnöthig, unheilsam und unbillig sind. Ihr wißt selbst
nicht, was Ihr verlanget; daher kann Euch nicht willfahrt
werden. Gleichwie ein treuer Hirt seine Schafe hütet, daß
sie nicht auf Abwege gerathen, so sind auch wir zu wachen
verpflichtet, daß die Völker nicht vom Wege des Heils ab=
weichen. Als die Jünger nach Emaus kamen, erkannten sie
den Herrn am Brodbrechen: begnügt auch Ihr Euch mit dem
Abendmal nach alter Weise, der Worte des Herrn geben=

1460 kend: ich bin das Brod des Lebens, das vom Himmel ge=
kommen ist; wer dieses Brod isset, der wird das ewige Le=
ben haben. Vereinigt euch mit der heiligen Kirche, eurer
Mutter, die niemals irrt; seid mit ihr eines Sinnes und
gehorchet ihrem Rufe; dann wird in euer Königreich wieder
der alte Glanz des Ruhmes und Friedens einkehren, und
Segen und Heil werden dort wieder walten, wo leider nur
zu lange Fluch und Verderben lasteten!" [156]

Nachdem Pius II geendet hatte, stand der Glaubens=
procurator Anton von Eugubio auf und sprach mit erho=
bener Stimme: „Ich erkläre öffentlich vor der Versammlung
der hochwürdigsten Herren Cardinäle, Erzbischöfe, Bischöfe
und aller jener, die anwesend sind, daß der heilige Vater
die vom Basler Concil den Böhmen verliehenen Compacta=
ten widerrufen und aufgehoben, daß er die Verleihung des
Abendmals unter beiderlei Gestalten dem Laienvolke einge=
stellt und verboten, und den Gehorsam des böhmischen Königs
nur unter der Bedingung angenommen hat, daß derselbe die
Irrlehren ausrotte, in die Einheit der römischen Kirche ein=
trete und sich wie sein Land unbedingt in allem nach ihr
richte. Und ich fordere die öffentlichen Notare auf, diese
Thatsache durch einen oder mehrere schriftliche Aufsätze für
alle Zukunft zu constatiren."

1 Apr.   Als am folgenden Tage, den 1 April, die Gesandten
zum Papste in einen Garten kamen, um Abschied zu neh=
men, segnete er sie in Gegenwart von sechs Cardinälen und
einem Bischof, und sprach: „sagt Eurem Könige, daß wir

---

156) Pius II erließ seine Rede vom 31 März 1462 auch schriftlich,
und sowohl Cardinal Jacob Piccolomini als Peter Eschenloer
führten sie im Auszuge in ihren Werken an. Auch wir konnten
sie nur verkürzt wiedergeben, und hielten uns dabei zumeist an
Koranda's Bericht, der sich als vollständig und treu erwies, bis
auf kleine Abweichungen, wo das geschriebene Wort allem An=
scheine nach von dem gesprochenen sich unterschieden haben mochte

ihn lieben und stets bereit sind, für sein und seines Landes 1462
Wohl alles zu thun, was mit unserer und unseres Stuhles
Ehre sich verträgt. Das aber, um was Ihr gebeten, war unzulässig, wie Ihr bereits aus unserer Antwort vernommen.
Wir ermahnen Euch darum, beredet den König, die Königin
und die Barone, daß sie von diesen Neuerungen ablassen;
und Du Herr Zdenek, der Du dem Könige so viel giltst, und
den er vor andern liebt, ermahne ihn, daß er nach unserm
Gebote handle und sein Volk zur Einheit des Glaubens und
der Kirche zurückführe. Dz wird ihm und seinem Lande
hohen Ruhm bringen, wie wir es ihm vorgestellt, als wir
in Beneschau beisammen waren. Er wage nur den Versuch,
communicire selbst öffentlich unter einer Gestalt und halte
auch die Königin, seine Kinder und seinen Hof dazu an:
dann wird das böhmische Volk, das, wie wir wissen, seinen
gegenwärtigen König gar sehr liebt, ihm ohne Widerstand
folgen, und die Geistlichen werden sich dem nicht widersetzen
können; denn das Volk pflegt gerne dem Beispiele seines
Fürsten zu folgen, zumal eines solchen, den es liebt. Und
Ihr Magister, lasset es Euch angelegen sein, die Eurigen zu
spornen, daß sie unsern Befehlen gehorsam leisten. Denn
sollten die Neuerungen stets unter der Decke fortgenährt
werden, müßten wir sammt der Kirche Maßregeln ergreifen,
damit das Königreich jedenfalls zur Einheit zurückgebracht
werde. Es ist doch besser, Ihr thut es aus eigenem Antriebe
und nicht aus Zwang, auch sollt Ihr Euch dessen nicht schämen; denn so wie es den Spaniern nicht zur Schande gereichte, daß sie auf Befehl dieses Stuhls den arianischen
Irrlehren entsagten, so werdet auch Ihr aus dem Gehorsam
nur Ehre und Lob ernten. Schließlich ermahnet den König,
daß er mit dem Kaiser liebevoll und freundschaftlich umgehe,
da er ihm befreundet ist, und von ihm er die königliche, sein
Sohn die fürstliche Würde empfing, auch ein König einem
Kaiser unterthan sein soll; und es ist billig, daß er ihn auch

1462 deshalb liebe, weil auch wir ihm mit Liebe ergeben und für
seine Ehre besorgt sind. Was also immer Euer König ihm
Gutes erweist, werden wir dankbar anerkennen, als wäre es
uns selbst geschehen, und jede Kränkung, die ihm widerfährt,
wird uns leid thun, als würde sie uns selbst angethan."

3 April   Samstag den 3 April verließen die böhmischen Gesandten Rom; Tags darauf folgte ihnen Herr Prokop von Rabstein, und einige Tage später auch Doctor Fantin, in der
Eigenschaft eines päpstlichen Legaten. Es hieß, die Böhmen
hätten selbst um die Absendung von Jemanden gebeten, der
die Antwort des Papstes in authentischer Form überbrächte,
damit darin kein Zweifel obwalten könne; und als man
Fantin als solchen vorschlug, hätten sie ihn vor anderen
wegen seiner Kenntniß der böhmischen Sprache geeignet gefunden, da er mit dem Könige ohne Dolmetsch würde sprechen können. Sie gelangten erst gegen Ende Mai nach
Prag, während der König, nach der Zusammenkunft zu Glogau, in der Lausitz eben über den Frieden mit dem Markgrafen Friedrich von Brandenburg verhandelte. Doch hatten
sie ihn schon früher durch einen Eilboten von dem ungün-
stigen Ausgang ihrer Werbungen in Kenntniß gesetzt. [157]

Es läßt sich nicht sagen, ob der Papst alle Folgen seiner verhängnißvollen Entscheidung vorausgesehen und erwogen
habe. Eben so vermessen, wie unwahrscheinlich wäre die
Annahme, daß er leichtsinnig nur Krieg und Blutvergießen

157) Die Gesandten kehrten nach Prag, nach dem Zeugnisse der Staři
letopisowé (p. 177) in der Mitte der vierten Woche nach Ostern
(po welice noci w puol čtwrté neděli), also um den 20 Mai;
nach Cochlaeus sub festum pentecostes, also vor dem 6 Juni;
Pešina sagt (p. 726) Pragam die 5 Mai omnes appulerunt, was
an sich unwahrscheinlich, durch kein Zeugniß gestützt wird. Es
scheint aber, daß Ritter Anton Marini von Grenoble vor den
übrigen Gesandten als Eilbote zum König gekommen sei; gewiß
ist, daß der König schon vor der Abreise nach Glogan von der
Antwort des Papstes Kenntniß hatte.

unter den Christen habe erneuern wollen: und doch, da er 1462
jene einst heiß herbeigewünschten und mit allgemeiner Befriedigung aufgenommenen Verträge vernichtete und jeden weitern Weg zur Verständigung und Vermittlung ausschloß,
ließ er den Böhmen nur die Wahl zwischen unbedingter Unterwerfung und einem Kampf auf Tod und Leben. Er schlug,
so scheint es, sein Recht wie seine Macht zu hoch, die der
Gegner aber zu niedrig an, und meinte wohl, es werde genügen, den vollsten Ernst nur zu zeigen, um Gehorsam zu
erzwingen. Der religiöse Glaube aber bildet und entwickelt
sich im menschlichen Gemüthe nach ganz eigenthümlichen Gesetzen; zwar wird er auf dem Autoritätswege überkommen,
einmal aber aufgenommen, läßt er sich auf Befehl weder
tilgen noch ändern. Wo daher irgend ein Volk sein Glau-
bensbekenntniß nach fremdem Befehl und Willen ändert, da
deutet solches entweder auf Gleichgiltigkeit, Ungläubigkeit und
damit Hand in Hand gehende Heuchelei, oder auf völlige
Versunkenheit und Erschlaffung des Geistes. Bei den Böhmen war weder Glaubenslosigkeit noch Geistes-Schlaffheit
wahrzunehmen, daher konnten Pius II kategorische Befehle
nur Widerstand und Empörung zur Folge haben. Seine
Entscheidung tilgte gleichsam die letzten dreißig Jahre im
Leben des böhmischen Volkes und stellte die Verhältnisse wie
vor dem Basler Concil wieder her, mit dem einzigen Unterschiede, daß die Nachbarvölker insgesammt schon aufgehört
hatten, die Böhmen zu fürchten wie zuvor. König Georg
aber konnte nichts Widrigeres, nichts Kläglicheres begegnen;
es traf sein ganzes Leben wie ein Todesstreich. Jenem Ein-
trachts- und Friedensbau, welchem er nicht ohne Verdienst
und Ruhm all sein Bemühen seit seiner Jugend gewidmet
hatte, war nun gleichsam der Grundstein hinweggenommen;
es war, als wenn er künftig ohne Ruder wie ohne Anker
die stürmische See durchschiffen müßte. Gerade als er erreicht
zu haben schien, was er von jeher ersehnt, als er auf dem

1462 Höhepunkt friedlicher Machtentwickelung angelangt war, sah
er zu seinen Füßen einen Abgrund sich öffnen, der alles zu
verschlingen drohte, was ihm lieb und theuer war. Bei solchen Erwägungen konnte er nicht kalten Blutes bleiben und
an Pius II den „muthwilligen" Zerstörer seines Glückes
fortan nicht anders als mit Bitterkeit und Leid gedenken.
Man darf gleichwohl nicht läugnen, daß ein unbefangenes
und kühles Erwägen der Verhältnisse in den Geboten des
Papstes kaum mehr Muthwillen als im Ungehorsam des
Königs nachweisen dürfte: beide erscheinen fast gleichmäßig
als Opfer ihrer gegenseitigen Stellung wie ihrer Uiberzeu-
gungen. Wir haben gleich im Beginne dieses Buches an-
gedeutet, [158] welche Gefahr der Papst in der Beschränkung
der römischen Autorität durch die Eigenthümlichkeit der böhmischen Kirche zu erblicken glaubte: dem apostolischen Stuhle
drohte, nach seiner Meinung, gänzliches Verderben, wenn es
nicht gelang, Böhmen wieder zum unbedingten Gehorsam
zurückzuführen. So kam es, daß beide Parteien sich gleichmäßig auf der Defensive hielten und gegenseitig ihre Existenz
vertheidigten, so daß es nicht leicht zu entscheiden war, von
wem der erste Anstoß, das erste Unrecht ausgegangen. Bei
alledem ist vorzugsweise nur die natürliche Beschränktheit der
menschlichen Erkenntniß zu beklagen. Hätte Pius II in die
kommenden Jahrhunderte blicken, oder auch nur die Lage der
Dinge voraussehen können, wie sie sich z. B. um das Jahr
1470 gestaltete, er hätte ohne Zweifel in seiner Furcht sich
gemäßigt und der Regel gedacht, daß es besser sei, ein klei-
neres Uibel zu ertragen, um ein größeres zu vermeiden. Es
wurde auch hier offenbar, daß doctrinäre Ausschließlichkeit
und starrsinniges Beharren auf noch so wahren Grundsätzen
nicht immer zu heilsamer Leitung der Weltgeschicke befähigen.
Der Weltgeist hat seine eigene Logik. Der providentielle

158) Siehe die Worte des Papstes, die wir oben in der Anmerkung 1)
mitgetheilt haben.

Lauf irdischer Geschicke folgt Grundsätzen und Gesetzen von 1462
höherer Schärfe und Feinheit, als der Mensch zu ersinnen
vermag, und die Ereignisse finden oft auch da noch einen
medius terminus, wo das Auge eines Sterblichen keinen
Aus- und Durchgangspunkt mehr erblickte. König Georg
gehorchte nicht und der römische Stuhl ging nicht zu Grunde;
die entgegengesetzten Principien begegnen sich im Strome der
Zeiten bis zum heutigen Tage bald zerstörend, bald auch
fördernd, und Gott allein weiß, mit welchem endlichen Ausgang. Für Pius II aber kann es als Entschuldigung dienen, daß die von uns erwähnten Vorgänge, und insbesondere
K. Ludwigs XI unerwartete Nachgiebigkeit, wohl auch auf
minder unternehmende Geister, als er war, einen unwider-
stehlichen Reiz ausgeübt haben dürften.

König Georg wollte dem Papste nicht die Berechtigung
zugestehen, die Decrete des Basler Concils zu ändern; da er
aber mit ihm in keinen Streit darüber eingehen konnte, so
beschloß er, das Factum vom 31 März einfach als nicht
vorhanden anzusehen und die Compactaten nach wie vor
gelten zu lassen. Aber ein so passives Verhalten genügte
seinem Geiste nicht; mit der wachsenden Gefahr wuchs auch
dessen Spann- und Thatkraft, und eingreifenden Thatsachen
begegnete er mit eben so kühnen und entscheidenden Entschlüssen. Wir sind zwar außer Stande zu berichten, welcherlei
Gedanken und Pläne in seinem Rathe auftauchten, als die
verhängnißvolle Nachricht kam; leider ist es seinem Geschichtschreiber nicht vergönnt, aus reiner Urquelle Licht nach
Bedarf zu schöpfen: aber die Idee, welche das Gemüth des
Königs in diesen Tagen ergriff und durchstrahlte, spiegelte
sich ab in einer Menge zerstreuter und bisher unbeachteter
Denkmäler, welche gesammelt und unter einen Gesichtspunkt
gebracht, dieselbe wieder zu voller klarer Erscheinung bringen.
Diese Idee hatte die Emancipation der politischen Regierungen in Europa von hierarchischen Einflüssen überhaupt, die

1462 Befreiung chriftlicher Fürften und Herrfcher von der römi=
fchen Bevormundung, die Zerftörung der mittelalterlichen
Fiction vom zwiefachen Schwerte und die Anerkennung des
Rechtes der Völker im politifchen Staatenfyftem als eines
göttlichen Rechtes zum Zwecke; die Fürften follten fortan
regelmäßige Verfammlungen halten, internationale Angelegen=
heiten zu gemeinfamer Entfcheidung in die Hand nehmen,
und felbft die Gränze ziehen, bis wohin des Papftes wie
des Kaifers Befugniffe reichen follten. Es war alfo das
gerade Gegentheil deffen, was von Rom aus angeftrebt zu
werden pflegte, war die volle Negation des Mittelalters und
ein Beginn des modernen Völkerrechtes. Wir wollen nicht
behaupten, daß der König gleich deutlich alle endlichen Folgen
feines Beginnens vorausgefehen und beabfichtigt hätte; ohne
Zweifel ließ er dabei weniger von einer klaren Anfchauung als
von einem genialen Inftinct fich leiten. Gerade diefer geniale
Tact aber ließ ihn erkennen, daß er mit der bloßen Negation nichts erlangen würde, daß pofitive Thatfachen und
neue Anftalten, die den ewigen Bedürfniffen des Menfchen-
herzens überhaupt und des Völkerlebens insbefondere ent-
fprächen, unerläßlich waren. Wäre auf dem Kaiferthrone ein
für Ideen minder unempfänglicher Mann gefeffen, fo hätte
er aller Wahrfcheinlichkeit nach getrachtet, diefen zuerft dafür
zu gewinnen: mit Friedrich III war jedoch in diefer Beziehung nichts anzufangen; und der König war genöthigt, feine
papftfeindlichen Entwürfe außerhalb des Kreifes der Kaifer-
macht auf neuem bisher unbebauten Boden in's Werk zu
fetzen. Dem römifchen Hofe die Vormundfchaft über die chrift=
lichen Regierungen zu entreißen fchien ein leichtes Beginnen,
war aber in der Wirklichkeit fehr fchwierig: leicht, wenn die
weltlichen Fürften wirklich den Willen hatten, unabhängig
zu werden und fürderhin für fich felbft zu forgen; fchwierig,
wenn das Verhältniß in ihren Augen nicht bloß als eine
liebe Angewöhnung, fondern auch als Vortheil, als ein Hort

des Schutzes im Falle der Noth sich geltend machte. König 1462
Georg sah ein, daß Fürsten wie Völker nicht aufhören
würden, sehnsüchtige Blicke nach Rom zu richten, so lange
nur dort allein auf den Schutz der ganzen Christenheit
gegen die Einfälle der Türken Bedacht genommen werden
würde. Die römischen Bemühungen blieben erfolglos, und
deshalb war das Vertrauen bereits in der Abnahme: aber
außerhalb Roms zeigte sich auch nirgends weder ein Be=
streben, noch eine Hoffnung. Er gedachte nun dieses Werk
des Heils selbst in die Hand zu nehmen, mit den christlichen
Herrschern in einen besonderen Bund zu treten, auf neuen
Grundlagen einen allgemeinen Feldzug gegen die Türken zu
Stande zu bringen, das, was bisher eine Aufgabe des Kai=
sers und des Papstes gewesen, auf diesen weltlichen Fürsten=
bund zu übertragen, und auf diese Weise gleichsam ein neues
Princip der Autorität in Europa zu schaffen, unabhängig
von der kirchlichen Sanction und ihrer nicht bedürftig. Es
war gewiß ein großer und kühner Gedanke, zu dessen Durch=
führung aber nicht minder Glück als weise Umsicht unerläß=
lich war. Vor allem durfte man nicht den ganzen Plan in
vorhinein bloßlegen, man mußte nur Schritt für Schritt vor=
gehen, um nicht vor der Zeit in Rom Verdacht zu erregen
und so die natürlichen Schwierigkeiten des Werkes noch zu
mehren.

Schon im Mai 1462, auf der Zusammenkunft zu Glo=
gau, hatte K. Georg den König Kazimir von Polen für
seine neuen Entwürfe, und nicht ohne Glück, zu gewinnen
gesucht: das feierliche Versprechen, ihre Waffen vereint vor=
zugsweise gegen die Türken zu wenden, gibt davon Zeugniß.
Bald darauf sandte er seinen aus Rom zurückgekehrten Rath,
Anton Marini von Grenoble, an die Republik Venedig, um
zu erforschen, ob die Venetianer geneigt wären, sich dem
Fürstenbunde anzuschließen. Diese Republik war von der
Türkenmacht näher und vielseitiger bedroht, als andere Staa=

1460 ten, und ihr Beistand zur See war noch unerläßlicher, als der ungarische zu Lande. Ritter Anton erging sich lobend über die Absicht beider Könige, von Böhmen und von Polen, den Krieg mit den Türken aufzunehmen, und berichtete, es liege im Plane, zu diesem Zwecke zwischen diesen und den Königen von Frankreich und von Ungarn, dann dem burgundischen und sächsischen Hofe und der Republik Venedig einen Waffenbund abzuschließen. Nach dem Zeugnisse der vom
9 Aug. Senate am 9 August 1462 gegebenen Antwort nahmen die Venetianer diese Mittheilung mit vieler Freude und großem Lobe auf, versprachen, ihrerseits es an nichts fehlen zu lassen, was zur Verwirklichung des Planes beitragen könnte, und ermunterten Herrn Marini, darin entschlossen fortzufahren; denn ihr Wunsch sei, das Werk lieber schon in der Ausführung als im Entwurfe zu erblicken. Sie meinten übrigens, die Sache könnte immerhin auch dem Papste vorgelegt werden; Marini's Behauptung von seiner Abneigung gegenüber dem Könige von Böhmen galt ihnen als wenig wichtig in der Sache und sie wollten nicht glauben, daß er in dieselbe störend eingreifen möchte. Daraus ist zu sehen, daß der Gesandte die letzten Gedanken seines Königs dabei vorsichtig verschwiegen hatte. Man versprach schließlich, die Sache als strenges Geheimniß der Betheiligten anzusehen und zu behandeln. [159]

Wir werden nächstens umständlicher berichten, wie K. Georgs Idee am französischen Hofe eine günstige, am burgundischen eine bedenkliche Aufnahme fand, und welches

---

159) Die betreffenden Acten fand Dr. Erdmannsdorfer im venetianischen Archive und theilte sie uns mit. Es heißt darin u. a.: Hortamur spect. ipsum oratorem, ut inceptum opus bono animo prosequatur, ut fiat unio et intelligentia cum potentiis antedictis, sicut multum desideramus, quum sicut diximus magis cupimus videre conclusionem quam praticam etc. — Ista praeter illos, ad quos pertinet, cum aliis non communicentur, sed secreta tenenntur etc. —

Schicksal sie weiter traf. In Deutschland währte indessen 1462
seit dem Budweiser Tage der Krieg zwischen dem Könige
als Bundesgenossen Ludwigs von Baiern und des Pfalzgrafen und dem Markgrafen Albrecht von Brandenburg und
den Reichsstädten fort, und der glänzende Sieg, den Ludwig
am 19 Juli bei Giengen errang, war großentheils zugleich 19 Juli
ein böhmisches Sieg. Durch vermittelndes Einschreiten der
geistlichen Macht, insbesondere des Cardinals Peter, Bischofs
von Augsburg, und des Erzbischofs von Kreta, Hieronymus
Landus, kam es in Nürnberg wieder zu Friedensverhandlungen. Der König, so friedliebend er war, schien diesmal
doch einiges Bedenken getragen zu haben, ob er den Frieden
aus den Händen der Hierarchie empfangen sollte; wenigstens weigerten seine Gesandten sich lange, jenen Verhandlungen beizuwohnen, indem sie zu dem großen Hoftage berufen wären, den der König allen seinen Kronlanden nach
Prag auf den Tag vor S. Laurentii (9 August) angesagt 9 Aug.
habe; deßhalb dürften sie auch nicht auf die ungewisse Ankunft anderer Bevollmächtigten, zumal von Seite des Kaisers, warten. Auf die dringenden Bitten des Erzbischofs von
Kreta blieben sie endlich doch und willigten am 22 August 22 Aug.
in einen allgemeinen Waffenstillstand im Reiche, der bis
Michaelis 1463 währen, und inzwischen am St. Gallitag
1462 in Regensburg definitive Friedensverhandlungen zur
Folge haben sollte. Auch darauf werden wir später noch
zurückkommen. [160]

Es hatte nämlich der König von Böhmen, nach vielen

160) Eine Rede des Erzbischofs von Kreta an die böhmischen Bevollmächtigten, sie möchten vor Abschluß des Waffenstillstands Nürnberg nicht verlassen, ist im MS. Sternb. p. 498 zu lesen. Die
Waffenstillstands-Urkunden vom 22 Aug. (zwischen K. Georg, dem
Markgrafen Albrecht und den Reichsstädten) befinden sich im Original im k. k. geh. Archiv in Wien; andere im Reichstags-Theatrum, in Chmel's Regesten u. s. w.

1462 Rathschlagungen, nicht einen gewöhnlichen Landtag, sondern einen außerordentlichen Hoftag in seinen Palast auf der Altstadt Prag zur angegebenen Zeit berufen, zur Anhörung sowohl der von Rom zurückgekehrten böhmischen Gesandten als auch des neuen päpstlichen Legaten. Die Stände kamen nun in großer Zahl, wie aus Böhmen, so auch aus den übrigen Kronländern zusammen; auch waren die Bischöfe von Breslau und von Olmütz nebst anderen Prälaten anwesend: von den vornehmsten katholischen Baronen trafen jedoch wenigere ein, als erwartet wurde, wahrscheinlich in Voraussicht der kommenden Dinge, an welchen sie alle Betheiligung in vorhinein ablehnten. [161] Bei den öffentlichen Sitzungen übernahm der König persönlich den Vorsitz; [162] in die erste,

12 Aug. welche Donnerstag den 12 August um 11 Uhr begann, führte er auch die Königin und alle seine Söhne ein. Er eröffnete

161) Es fehlten namentlich die Herren von Hasenburg, von Schwamberg, von Kolowrat und von Rabi. (Eschenloer.)

162) Ueber die Sitzungen vom 12 und 13 August kennen wir dreierlei umständliche gleichzeitige Briefe: einen deutsch-geschriebenen veröffentlichte J. J. Müller im Reichstags-Theatrum (II, 244 fgg.) aus dem Archive von Weimar; zwei lateinische fanden wir handschriftlich im MS. der Leipziger Universitätsbibliothek N. 1092; den einen mit der Ueberschrift „Novitates de regno Bohemiae 1462“, dessen Incipit lautet: Proxima feria V post festum S. Laurentii etc., den anderen mit dem Titel „Responsio regis Bohemiae contra revocationem compactatorum,“ und dem Anfang: Vos Bohemi scitis, quod ad papam etc. Letzteren Bericht hat nicht nur Cochlaeus mit einigen Aenderungen wörtlich in sein Werk aufgenommen, sondern auch die Breslauer in das Schreiben, welches sie am 28 August in dieser Sache an Pius II richteten, wie bei Eschenloer S. 197—200 zu lesen ist; somit hat auch Gobelinus (lib. X, pag. 237) denselben im Auszuge wiederholt. Andere kürzere und minder bedeutende Nachrichten bringen Raynalbi aus MS. (ad h. a. §. 18—20), Jacobus cardin. Papiens. p. 434, Eschenloer p. 190—96 und Staři letopisowé p. 177, 178. Eschenloer insbesondere mengt die Begebenheiten verschiedener Tage durcheinander.

sie mit einer kurzen Rede, in welcher er von seinen bisheri= 1462
gen Bemühungen sprach, die Ehre, den Frieden und das
Wohl des Königreichs zu wahren, und wie er, um das
Werk des Heils zu vollenden, nach dem Rathe seiner Ge=
treuen, mit völliger Hoffnung eines glücklichen Ausgangs,
an den heiligen Vater eine Gesandtschaft abgeordnet hätte;
die Stände sollten nun hören, mit welcher Antwort dieselbe
zurückgekehrt sei. Hierauf sprach Herr Kostka einige Worte,
und nach ihm lasen der Kanzler Rabstein und Mag. Ko=
randa ihre ausführlichen Berichte, deren Vortrag einige
Stunden dauerte. Darauf ergriff der König abermals das
Wort: „Das Beginnen des Papstes nimmt uns höchlich
Wunder; es scheint fast, er wolle dieses Königreich, das
durch die Compactaten mit Mühe zur Ruhe und Einigkeit
gebracht worden, wieder in Aufregung bringen. Wie kann
er denn etwas aufheben und uns entziehen, was uns die
heilige Kirchenversammlung zu Basel, die doch über dem
Papste stand, und selbst sein Vorgänger Eugen IV verliehen
haben? Wenn ein jeder Papst zurücknehmen könnte, was
seine Vorgänger gewährten, wer könnte dann noch seines
Rechtes sicher sein? Man klagt über uns, daß wir einem bei
unserer Krönung geleisteten Eide nicht nachgekommen wären.
Wir werden Euch diesen Eid vorlesen.“ Nachdem das ge=
schehen, fuhr er fort: „Ihr habt nun vernommen, daß wir
geschworen haben, alle Irrlehren, Secten und Ketzereien im
Königreiche auszurotten. Seid versichert, wir lieben die Ketzer
nicht und wollen sie nicht in Schutz nehmen: aber nie kam
uns in den Sinn, daß die Communion unter beiderlei Ge=
stalten und unsere Compactaten als eine Ketzerei anzusehen
sein sollten; sind sie doch im Evangelium Christi sowie in
den Gebräuchen der ältesten christlichen Kirche begründet, und
uns vom Basler Concil als Auszeichnung unseres Wohl=
verhaltens und Glaubenseifers wieder verliehen worden. Wir
sind bei der Communion unter beiderlei Gestalten geboren

16*

1462 und von der Glaubenslehre, die von unsern Eltern im zarten
Kindesalter uns eingeflößt worden, niemals abgewichen; dieser
Communion blieben wir treu nicht nur als Standesherr,
sondern auch als Gubernator des Landes, mit ihr bestiegen
wir auch den Thron: wie hätten wir sie als Irrlehre, als
Ketzerei ansehen, zu ihrer Unterdrückung beitragen und somit
wider uns selbst wüthen sollen? War irgend jemand der
Meinung, daß wir um der Erlangung der königlichen Krone
willen unser Gewissen beschweren, den Glauben verläugnen
und uns gegen Gott auflehnen würden, so war er im Irr=
thum, wir sind unschuldig an seiner Täuschung: denn, damit·
nirgends mehr darüber ein Zweifel herrsche, möge es jedermann wissen, daß wir sowohl, als unsere hier an der Seite
sitzende Gemahlin und unsere lieben Kinder, der Communion
unter beiderlei Gestalten den Compactaten gemäß nicht nur
bis in den Tod treu bleiben wollen, sondern auch bereit sind,
die Krone, ja unser Leben dafür hinzugeben!" Während der
König mit bewegter Stimme diese Worte sprach, fühlten alle
Anwesenden sich von tiefer Rührung ergriffen; kaum ein
Auge, heißt es, blieb in der Versammlung ohne Thränen,
im ganzen Saale war nur Weinen und Schluchzen zu hören. [163]
Hierauf schritt man zur Erwägung der Frage, ob die Com=

163) Ad cujus professionem fere tota synodus, aut pro majori parte,
prae fletu effudit lacrymas — sagt der oben als Novitates bezeichnete Bericht. Der andere lateinische Bericht behauptet an
dieser Stelle, der König habe auch die Worte beigefügt: nec credimus aliam viam esse salutis animarum nostrarum, quam sub
ista mori et utraque communione uti, juxta salvatoris institu-
tionem. Bekanntlich hat aber der König später, als ihm dies zur
Schuld angerechnet wurde, beharrlich und feierlich geläugnet, diese
Worte gesprochen zu haben, und behauptet, der Papst sei darüber
irrig berichtet worden, was auch Bischof Jost, wenigstens indirect,
zugab. Darum haben wir jene Worte, um derentwillen der König
allerdings einer Irrlehre hätte beschuldigt werden können, im obigen
Texte weggelassen.

pactaten, trotz des päpstlichen Verbots, auch ferner noch als 1462
ein Grundgesetz der böhmischen Krone Geltung haben sollten?
Zu dem Ende ließ der König erst einen Bericht über die
Verhandlungen der Böhmen mit dem Concil, dann den ganzen
Text der Compactaten, endlich die Handfesten Kaiser Sigmunds und der Könige Albrecht und Ladislaw über deren
Beobachtung vorlesen. Er wies nun nach, wie unconsequent
und unrecht es sei, daß man ihm, dem Utraquisten, wehre
und verbiete, was seinen nichtutraquistischen Vorgängern nicht
nur gestattet, sondern auch aufgetragen war, und erklärte,
seine Absicht sei, nach wie vor die sub utraque eben so wie
die sub una bei freier Religionsübung zu schützen, keiner
Partei Unrecht zu thun noch zu dulden, daß ihr von der
andern solches zugefügt werde, die Compactaten aber, durch
welche beiden Parteien ihr Recht bewahrt und bemessen sei,
auch fortan zu handhaben. Hierauf forderte er von jedem
Anwesenden eine bestimmte Erklärung auf die Frage: „wenn
wer immer uns und dieses Land wegen der Compactaten
sei es mit Worten schmähen oder mit Gewalt und That bedrängen wollte, versprecht ihr, für deren Schutz einzustehen?“
Die Versammlung schied auf eine Weile zur Berathung in
zwei Gruppen; dann nahm zuerst Herr Zdeněk Kostka im
Namen der Utraquisten das Wort, dankte dem Könige, der
Königin und ihrer Familie für die Verkündigung ihres edlen
Entschlusses, welche im ganzen Volke unendlicher Freude und
Dankbarkeit begegnen werde, und erklärte unter lauter Zustimmung der ganzen Partei, daß alle bereit seien Gut und
Blut an deren Vertheidigung zu setzen. Nach Herrn Kostka sprach
Herr Zdeněk von Sternberg für die Seinigen: „Gnädigster
König! Ihr wißt wohl, daß wir, die wir stets und in Allem dem
apostolischen Stuhle gehorsam sind, mit den Compactaten nie-
mals etwas zu thun gehabt haben. Gleichwie nun Ihr erklärt
habt, dem Euch angebornen Glauben treu zu bleiben, so wollen
auch meine Freunde und ich in der Religion unserer Väter

1462 fest beharren und in keiner Weise aus dem Verbande und
dem Gehorsam der heiligen römischen Kirche treten. Wie da=
her Ew. Majestät ohne unsern Rath die Compactaten zu
schützen sich entschloß, so mögen auch nur diejenigen um sie
Sorge tragen, die dazu gerathen haben und ihrer auch be=
dürfen; wir wollen ihnen das gerne gönnen und gestatten.
Doch gegen die Gebote des heiligen Vaters können wir nicht
handeln, und hoffen, daß Ihr uns bei unsern Rechten und
und Freiheiten schützen werdet. In Allem, was die Ehren
und Rechte dieser Krone überhaupt betrifft, wollen wir übri=
gens uns stets verhalten, wie es getreuen Unterthanen ge=
ziemt." Auch ihm stimmte sein ganzer Anhang bei. Der
Olmützer Bischof Protas erklärte noch insbesondere, er sei
zum Schutze des Königs und des Königreichs gegen jede
Gewalt auf Erden in Allem bereit, was nicht gegen den
Glauben und den Gehorsam der heiligen römischen Kirche
verstoße. Nach ihm ließ auch Jobst, der Bischof von Breslau,
sich vernehmen: „Gnädigster König! Wollet Euch zu Ge=
müthe führen, welche Ehren, welche Wohlthaten und Gna=
den Böhmen seit vielen Jahrhunderten vom apostolischen
Stuhle genoß; es wird übel werden, wenn Ihr Euch diesem
Stuhle widersetzet; ich möchte von Herzen gerne nach Kräf=
ten alles aufbieten, damit solches Uibel von Euch und die=
sem Lande abgewendet werde." Der König war mit diesen
Reden nicht zufrieden; er bemühte sich, die römische Partei
zu einer bestimmteren und günstigeren Antwort zu stimmen.
Da es jedoch bereits Abend geworden war, so forderte er
sie auf, sich die Sache über Nacht besser zu überlegen und
des anderen Tages mit einer neuen Erklärung daselbst wie=
der zu erscheinen.

13 Aug.   Als Tags darauf, Freitag den 13 August, die Stände
wieder beisammen waren, frug der König vor allem die
Herren sub una, ob sie sich über Nacht eines Bessern be=
sonnen hätten? Bischof Jobst erwiederte im Namen Aller,

daß sie auf dem, was gestern Herr von Sternberg vorge=
tragen, beharren müßten, und sich um so weniger zu etwas
anderem verpflichten könnten, als viele ihres Anhangs nicht
anwesend seien. Sie versprächen in allem Hilfe zu leisten,
wozu sie nach Gott, Ehre und Recht verpflichtet seien; dar=
über hinaus aber möge der König sie nicht drängen. Der
König schloß die Rede mit der Aeußerung, er vertraue ihnen,
daß sie ihm als ihrem Könige und Herrn Treue und Ge=
horsam bewahren werden; es sei nun sein Wille und stren=
ger Befehl, daß fortan Niemand um des Glaubens willen
sich vermesse, die Eintracht und den Frieden des Vaterlandes
zu stören. Dann befahl er den Doctor Fantin zu berufen
und sagte zur Versammlung: „Heute wollen wir ihn als
päpstlichen Gesandten hören: seien nun seine Reden willkom=
men oder nicht, so befehlen wir allen, sich ruhig zu verhalten
und ihn in keiner Weise zu stören. Morgen erst wird er als
unser Beamter und Procurator verhört werden.“ Fantin
wurde eingeführt und überreichte vor allem dem Könige sein
Beglaubigungsschreiben, in welchem der Papst seinen Segen
allen denen spendete, die nach den Kirchengeboten lebten. Ein
Ehrensitz wurde ihm nicht eingeräumt, sondern wie die Böh=
men in Rom mußte auch er seine Botschaft stehend anbringen.
Zu seiner Seite stand des Kanzlers Bruder, Johann von
Rabstein, Propst von Wyšehrad, als Dolmetsch seines latei=
nischen Vortrags. Er verlangte zuerst volle Freiheit und Si=
cherheit der Rede. Als diese ihm zugesichert wurde, begann
er zu schildern, wie heilsam und unentbehrlich in der strei=
tenden Kirche Gottes einerseits die Einheit der obersten Re=
gierungsgewalt, anderseits der allgemeine Gehorsam sei; jene
sei von Gott dem Papste verliehen, dieser aber gebühre den
Fürsten und Völkern, die im anderen Leben selig zu werden
wünschten. Könige und Fürsten aber seien um so mehr ver=
pflichtet, den Völkern mit dem Beispiele des freudigen und
vollen Gehorsams voranzugehen, je näher ihre Würde sie

1462 dem Papſte bringe. So ſei es ehemals auch im Königreiche
Böhmen zu deſſen nicht geringem zeitlichen und ewigen Wohle
gehalten worden: als aber ſpäter, von falſchen Propheten
verführt, das Volk davon abgegangen, ſeien Stürme hereingebrochen, Blutvergießen und zuletzt Untergang des Landes.
Die Böhmen, von Reue ergriffen, hätten ſich mit der Mutter
Kirche durch das Basler Concil wieder auszuſöhnen geſucht,
und dieſes habe in ſeiner Barmherzigkeit ſich zu gewiſſen
Verträgen, den ſogenannten Compactaten, herbeigelaſſen, und
denjenigen Böhmen und Mährern, welche gewohnt wären
das heil. Abendmal unter beiderlei Geſtalten zu empfangen,
erlaubt, bei dieſem Gebrauche bis zu ihrem Tode zu beharren, unter der Bedingung jedoch, daß ſie nicht glaubten,
ſolcher Gebrauch ſei von Gott befohlen und deßhalb zur
Seligkeit unumgänglich nothwendig; auch ſollten ſie das Sa-
crament Säuglingen und Kindern nicht reichen, und Niemanden zu dieſem Gebrauche nöthigen.   Dieſe Bedingungen
hätten die Böhmen außer Acht gelaſſen, ſomit die Verträge
gebrochen und jeden Anſpruch auf ihre weitere Geltung verwirkt. Der Papſt habe auch auf ihre Bitte, die Communion
unter beiden Geſtalten zu bewilligen, nicht eingehen können,
um nicht Anlaß zu geben, daß irrthümliche und ketzeriſche
Anſichten in Böhmen daran ſich knüpften, namentlich die Meinung, daß unter beiden Geſtalten mehr Gnaden empfangen
würden, daß unter einer Geſtalt nur die Hälfte des Sacraments geſpendet werde u. dgl. Der Papſt liebe die Böhmen
mehr als andere Völker; ſei er es ja doch, der ihre Geſchichte der ganzen Welt bekannt gemacht; darum aber liege
ihm auch ihr geiſtiges Wohl und Heil ſo am Herzen, daß
er alles, was dem zuwider, zu entfernen ſuche. Auf dieſe
Art wiederholte er des Breiteren alle uns aus den Verhandlungen in Rom bereits bekannten Erwägungen und
Gründe, und verkündigte dann offen und feierlich, kraft apo-
ſtoliſcher Macht und der heiligen Kirchengewalt, daß die

Compactaten fortan ungiltig und es Niemanden mehr gestattet sei, unter zwei Gestalten zu communiciren. Er gebot
dem Könige, im Namen und Auftrag des Papstes, dem bei
der Krönung geleisteten Eide nachzukommen, den mündlich
geleisteten Gehorsam thatsächlich zu erfüllen, allen Irrlehren
zu entsagen und dieselben in seinem Reiche auszurotten. „Ich
verkündige Euch," sagte er, „den Willen und Befehl des
heiligsten Vaters: Ihr, König und Königin mit Eurem ganzen Hause, sollt von nun an das heil. Abendmal nur bei
St. Wenzel auf dem Prager Schlosse nehmen, wo Ihr die
Königskrone empfangen habt; jagt vom Hofe alle ruchlosen
Capläne, Lehrer des Irrthums, Urheber des Unheils, und
überliefert sie dem Administrator des Prager Erzbisthums
zur verdienten Bestrafung; stellet ein bei allen Ketzern die
Ausspendung der Sacramente, die in ihren Händen in Gotteslästerung sich verkehren: thut Ihr nicht also, so könnt Ihr
vor Gott und den Menschen der Schmach des Meineids
nicht entrinnen." Der König konnte sich hier der Einrede
nicht enthalten, er habe seinen Schwur nie und Niemanden gebrochen; die Ruhe seines Gewissens sei ihm dafür ein ge-
nügendes Zeugniß. „Nicht Euch steht es zu," sagte Fantin,
Euren Eid nach Eurem Sinne zu deuten; denn nicht wer
den Eid leistet, sondern wer ihn auflegt, hat Sinn und Inhalt desselben zu bestimmen." Der König entgegnete: „In
Sachen meines Gewissens erkenne ich Niemanden auf Erden
als meinen Richter an!" „Wollt Ihr Euch also gegen apostolische Befehle auflehnen?" versetzte Fantin; „bedenket, was
Ihr thut, das ist Aufruhr und nicht Gehorsam, der Papst
läßt es nicht ungestraft, seine Macht reicht gar weit. Wo
ist die Quelle aller Würden auf Erden? woher empfangen
die Könige ihre Kronen, die Prälaten ihre Gewalt und
Zierden, die Universitäten ihre Freiheiten? Wer solche verleiht,
hat wohl die Macht, sie auch zurückzunehmen!" Mit dieser
Drohung schloß er seine Botschaft und verließ sofort die Ver-

1462 fammlung. Von seinem Gefühle übermannt sprach nun der
König: „Liebe Herren! Ihr habt uns gewählt zu Eurem
Könige und Beschützer; nun habt Ihr aber gehört, daß es
nicht Euch, sondern einem Anderen zustehe zu bestimmen, wer
dieses Landes König sein soll! Dieser Mensch hat uns an
unserer Ehre frevelhaft angegriffen; hieße er nicht ein Bote
des Papstes, bei Gott! er überlebte diese Stunde nicht. Uns
ging die Ehre stets über das Leben; auch hat man auf dem
Throne dieses Landes nie derlei Ehrlosigkeiten bemerkt, wie
deren auf dem römischen Stuhle genug vorgekommen. Nun,
Fantin wird der Strafe für solche Beleidigung nicht entgehen: von Euch versehen wir uns aber, daß Euch als
treuen Unterthanen die Kränkung der Ehre Eures Königs
nahe gehen wird." Nachdem er auf diese Weise sein Herz
erleichtert, begann er ruhiger die Frage zu erörtern, was nun
weiter zu thun sei, damit nicht neue Stürme über Böhmen
hereinbrechen; er theilte den Ständen mit, daß Pfalzgraf
Friedrich und Herzog Ludwig von Baiern auf die Nachricht
von neuen Mißhelligkeiten zwischen dem päpstlichen Hofe und
Böhmen sich zu Vermittlern angeboten, damit die Sache
nicht in's Aergste ausschlage. Mit dem Versprechen, die Sache
noch weiter mit ihnen in Berathung zu ziehen, entließ er
dann für diesen Tag die Versammlung.

Als die Reden, welche im Königshofe gefallen waren,
in der Stadt bekannt wurden, brachten sie im Volke die
größte Aufregung hervor. Daß Fantin es gewagt, in einer
feierlichen Versammlung des Königreichs alle Utraquisten
Böhmens Ketzer zu schelten, schien unerträglich, und nur dem
Versprechen des Königs, ihn nicht straflos zu entlassen, war
es zu danken, daß in der Stadt kein Aufstand losbrach.
Fantin's Freunde beschworen ihn, durch schleunige Flucht sich
der Gefahr zu entziehen: er dagegen war stolz auf den Eindruck, den seine Worte hervorgebracht, und dadurch nur noch
kühner gemacht, schien er nicht übel Lust zu haben, sich eine

Märtyrerkrone zu erringen. In die Sitzung am Samstag 1462
den 14 August wurden nicht sämmtliche Stände, sondern nur 14 Aug.
der königliche Rath allein berufen; darum fehlt es auch an
Detailnachrichten über dieselbe. Es wurde Fantin angezeigt,
der König berufe ihn an diesem Tage nicht als päpstlichen
Gesandten, sondern als seinen Procurator und Beamten, der
noch Rechenschaft zu legen habe. Fantin gestand, dem Kö=
nige als Procurator gedient zu haben, so lange er die Hoff=
nung gehabt, der König werde seine Verheißungen und
Schwüre erfüllen: als es sich aber herausgestellt habe, daß
dieselben nur in Worten, nicht in Thaten sich bewährten
und daß der König anders redete und anders handelte, habe
er ihm nicht länger dienen mögen. Den König empörte diese
Rede so sehr, daß er sein Schwert zog und rief: „Kaum
daß ich mich enthalte, Dich auf der Stelle zu durchbohren."
Fantin erwiederte, er könne sich nichts Ehrenvolleres wün=
schen, als von des Königs Hand zu sterben. Die Sitzung
währte nicht lange: schriftliche Beweise wurden vorgelegt,
welche die böhmischen Gesandten aus Rom mitgebracht hatten,
daß Fantin den König nicht nur nicht pflichtgemäß vertreten,
sondern gegen ihn geradezu aufgereizt und gehetzt habe; und
das Urtheil lautete dahin, daß obgleich er als ungetreuer
und verrätherischer Beamter das Leben verwirkt, der König
dennoch aus Rücksicht für den Papst Gnade für Recht er=
gehen und ihn bloß in festen Gewahrsam setzen lasse. Und
so wurde er unter starker Bedeckung auf's Altstädter Rath=
haus abgeführt. Zu gleicher Zeit wurden auch gegen den
Kanzler Prokop von Rabstein so viel Beweise vorgebracht,
daß er sich in Rom nicht ganz pflichtgemäß verhalten habe,
daß ihn der König noch am selben Tage seines Amtes ent=
hob, und ihm das Ehrenwort abnahm, seine Wohnung bis
auf weitere Weisung nicht zu verlassen; die Königin hatte
durch ihre Fürbitte jede schwerere Strafe abgewendet. Die
Häupter der katholischen Partei, Jobst Bischof von Breslau

1462 und Zdenek von Sternberg eilten, als fie folches fahen, aus
Prag, ohne vom Könige Abfchied zu nehmen; nur der Olmützer Bifchof, Protas von Boskowic, blieb etwas länger,
um nach Möglichkeit noch zum Frieden beizutragen. Die
gleichzeitig im Volke verbreiteten falfchen Gerüchte, als fei
Fantin auf die Folter gefpannt, die Canonici auf dem Prager
Schloffe aber insgefammt verhaftet worden, zwifchen dem
Könige und den katholifchen Baronen fei bereits der Krieg
ausgebrochen und dergleichen mehr, laffen erkennen, welche
ungemeine Aufregung fich aller Gemüther bemächtigt hatte.

König Georg machte noch den Verfuch, das Uebel, das
ihm von Seite der geiftlichen Gewalt entgegen trat, mittelft
weltlicher Autorität zu befeitigen. Es gebot den Adminiftra-
toren fowohl des utraquiftifchen Confiftoriums als des Prager Erzbisthums, die gefammte böhmifche Geiftlichkeit auf den
16 Spt. 16 September nach Prag zur Vernehmung des königlichen
Wortes zu berufen. Der Befehl war fo ftrenge, daß z. B.
der Prager Capitulardechant Hilarius von Leitmeritz, als Admi-
niftrator des Erzbisthums, fich über deffen richtigen Empfang
mit der eigenhändigen Befcheinigung aller feiner Kreisdecane
ausweifen mußte, und die Decane felbft fich das Gleiche von
allen in ihren Decanaten mit oder ohne Seelforge domicilirenden
Prieftern unterfchreiben ließen, damit ja Niemand fich mit der
Unkenntniß deffelben zu entfchuldigen vermöge.[164] Das verbreitete folche Furcht im ganzen Lande, daß manche Geiftliche fich
benahmen, als ginge es zum jüngften Gerichte. Am beftimm-
ten Tage kamen ihrer auf dem Prager Schloffe 714 zufam-
men; wie viel deren Rokycana unter feiner Botmäßigkeit
zählte, wird nicht angegeben. Am Tage, wo Alle dem Könige vorgeführt werden follen (wahrfcheinlich Samftag, den
18 Spt. 18 September), berief der Dechant Hilarius früh Morgens

---

164) Außer den Nachrichten, welche Gobelinus (p. 239—241) darüber
bringt, fanden wir auch einige hieher bezügliche Briefe im Archive
des Prager Domcapitels.

die Seinigen in die St. Veitskirche, ermahnte zur Vorsicht 1462
und Festigkeit, und belehrte sie, wer unter ihnen und wie
das Wort nehmen, wer schweigen sollte; den Zorn des Kö=
nigs sollten sie geduldig tragen und sich darauf verlassen,
daß, wen er immer persönlich angreife, alle für den Einen
solidarisch einstehen würden. An den Gräbern der heiligen
böhmischen Märtyrer empfahlen sie sich nun im Gebete in
Gottes Obhut, und zogen, die Einen traurig, die Andern
heiter, — sollten sie doch für den Glauben leiden, — in
langem Zuge je drei und drei, hinunter über die Brücke in
den Königshof, wo Rokycana, an der Spitze seiner Clerisei,
zu Seiten des Königs stehend, sie schon erwartete. Nachdem
alle beisammen waren, redete zu ihnen der König vom Throne
aus: „Seitdem uns die Gnade Gottes auf diesen erhabenen
Ort berufen hat, lassen wir uns bei Tag und Nacht durch
keine Sorge ermüden, diesem Königreiche Ehre nach Außen
und Frieden im Innern zu bereiten und zu sichern: ihr aber
Priester, habt unaufhörlich Streit untereinander, verketzert
einander, versagt den Todten das Begräbniß, den Lebenden
den Eingang in die Kirchen; ja ihr schändet euch selbst durch
Umgang mit verdächtigen Weibspersonen, spielt Würfel und
treibt noch andern Unfug, den wir uns zu nennen schämen.
Führet ihr nicht bessere Zucht bei Euch ein, so werden wir
noch einschreiten müssen, damit die gute Sitte, aus Mangel
an gebührender Richter= und Strafgewalt, nicht Schaden
leide. Wir befehlen euch überdies auf beiden Seiten, die
Compactaten, welche die Basler Kirchenversammlung diesem
Königreiche um seines Friedens willen verliehen hat, in allem
fest und unverbrüchlich zu beobachten. Wer immer dagegen
handelt, wird unserem Zorne nicht entgehen: denn wir wer=
den es nicht dulden, daß durch eure Zwiste das Wohl und
das gute Gedeihen des Königreichs gehindert oder zerstört
werde." Nach kurzer Berathung antworteten Rokycana und
Hilarius jeder im Namen der Seinigen. Beide dankten dem

1462 Könige für seine Sorge um den Frieden im Lande; Rokycana läugnete, daß seine Partei die Compactaten überschreite, oder daß Unsitte bei ihr ungestraft bleibe. Hilarius sagte, in jeder größeren Menge gebe es sowohl Gute als Böse; werde jemand einer Schuld überwiesen, so entgehe er der verdienten Strafe nicht; der Compactaten hätten die Seinigen niemals bedurft, und bedürften ihrer auch in Zukunft nicht, den Frieden aber, den man ihnen in Folge derselben biete, nähmen sie bereitwillig an. Der König ließ dann den aufgefangenen Brief eines Geistlichen vorweisen, in welchem behauptet wurde, er habe gegen den Gesandten des Papstes gewüthet, und sich selbst als Ketzer erklärt. Der Schreiber des Briefes befand sich zu seinem Glücke nicht unter den Anwesenden. Der König belehrte nun die Versammlung über seinen Streit mit dem Papste, so wie über die Gründe der Verhaftung Fantin's, und verbot Jedermann sich für dessen Freilassung zu verwenden. Um jedoch, wie es scheint, seine Unparteilichkeit zu bethätigen, antwortete er Rokycana, als dieser sich über die Unfolgsamkeit eines Geistlichen beschwerte, in ziemlich barschem Tone: „Magister! Du willst stets, daß alle Dir gehorchen, Du aber gehorchst Niemanden." Und so entließ er in Ungnaden die Geistlichkeit beider Parteien.

Fünftes Capitel.

Höhepunkt der Macht. Beginn der Irrungen.

(J. 1462—1464.)

Große Aufregung der Gemüther und Bruch mit Rom. Befreiung des in Wien belagerten Kaisers; Dank dafür und ein Schreiben des Papstes. Verdeckter Kampf zwischen dem Papste und dem Könige. Des Königs Rede auf dem Landtage zu Brünn. Der Reichsfriede in Prag vermittelt. Plan einer deutschen Reichsreform und Vereitelung desselben. Pest in Böhmen; Tod des Herzogs Albrecht und der Königin von Ungarn. Eine böhmische Gesandtschaft beim Kaiser in Neustadt. Marini beim Könige von Ungarn. Böhmische Gesandtschaft in Frankreich und Vereitelung des Plans eines Parlaments der Könige und Fürsten Europa's. Letzte Thaten und Tod Pius II.

Die Vorgänge bei dem Laurentii-Tage in Prag erregten nicht nur in Rom, sondern fast in ganz Europa die außerordentlichste Sensation. Die unerhörte Thatsache, daß ein christlicher Monarch es gewagt, einen Gesandten des Papstes in's Gefängniß zu werfen, gab Anlaß zu den verschiedensten, jedoch überall gleich leidenschaftlichen Aeußerungen und Kritiken; es jubelten darüber nicht bloß des Königs Todfeinde, die schon seinen nahen Sturz erblickten, sondern auch viele seiner Anhänger und Unterthanen, die seit lange vor Begierde brannten, an der ganzen römischen Hierarchie Rache zu nehmen. Die Breslauer schrieben an den Papst

am 28 August, und priesen sich glücklich, daß Gott ihrem
einfältigen und demüthigen Volke die Wahrheit geoffenbart,
die verborgen geblieben den Klugen dieser Welt, nämlich,
daß König Georg von jeher ein verstockter, unverbesserlicher
Ketzer gewesen; auch begannen sie von da ab ihm den königlichen Titel zu versagen. Wer günstiger gesinnt war, wie
der Kurfürst Friedrich von Brandenburg, suchte ihn zu entschuldigen, daß er Fantin habe müssen in Gewahrsam bringen lassen, um nur dessen Leben zu retten, da der ergrimmte
Prager Pöbel ihn sonst nicht lebendig hätte aus der Stadt
kommen lassen. Natürlich hörte von da an nicht nur aller
freundliche Verkehr, sondern auch aller äußere Schein des
Friedens zwischen dem Papst und dem Könige auf; es erfolgte ein gänzlicher Bruch für immer und ein unabwend-
barer Kampf auf Tod und Leben, mochte man ihn auch noch
so lange hintanzuhalten und zu verdecken suchen. Vergebens
betheuerte der König, er habe nicht den päpstlichen Legaten,
sondern nur seinen eigenen ungetreuen Diener gestraft; dieses
Wagniß konnte ihm in Rom nimmermehr vergeben werden,
und es war nur der gleichzeitig eintretenden Verwickelung
unerwarteter Ereignisse zu danken, daß mit der Strafe gezögert wurde. Gleichwohl entnehmen wir aus einem vom
Kaiser am 1 October an den Papst gerichteten Schreiben,
daß schon um diese Zeit ein auswärtiger Fürst um den böhmischen Königstitel in Rom sollicitirte. [165] Der Kaiser protestirte in vorhinein gegen ein solches Vorgehen, und warnte

---

165) Cum sentiamus a nonnullis principibus instantiam fieri, ut
  Sanctitas Vestra eisdem de titulo regni (Bohemiae) provideat,
  quod non sine maximo nostri et imperii sacri ac ceterorum
  principum electorum et domus nostrae Austriacae praejudicio
  fieret etc. (MS. Sternb. p. 404. (Dieß läßt sich, unserm Dafürhalten nach, nur auf den Herzog von Burgund, Vater oder Sohn,
  deuten. Vgl. epistolae Aeneae Sylvii (dd. 19 Januar 1463) ad
  ducem Burgundiae, num. 395.

zugleich den Papst, nicht zu rasch mit Proceffen gegen die
Utraquisten vorzugehen, damit es nicht etwa diejenigen ent=
gelten müßten, welche in Böhmen dem Papste vollen Gehor=
sam bewahrten. Er rieth dagegen, es möchte, um weiterem
Uebel Einhalt zu thun, ein Cardinal als Legat a latere in
jenes Land abgesandt werden. Man ersieht aus diesem Schrei=
ben, daß dem Kaifer, obgleich er kein Huftenfreund war,
doch die Aufhebung der Compactaten durch den Papst fehr
unerwünscht kam; gleichwohl drängte er den König um
Fantin's unverzügliche Freilaffung. In gleicher Weise bestand
auch Herzog Ludwig, der fich gleichfalls als Vermittler an=
bot, auf derfelben, als der unabweislichen Bedingung jeder
weiteren Verhandlung. Der König hatte den Legaten bald
nach beffen Verhaftung auf dem Altftädter Rathhaufe befucht,
aber ihn dort noch widerfpenftiger gefunden als zuvor; daher
mußte derfelbe unter ftarker Bedeckung auf das Schloß Po=
děbrad wandern, wo feit vielen Jahren böhmifche Sectirer
in Gewahrfam gehalten zu werden pflegten. Von dort ent=
ließ ihn der König auf Herzog Ludwigs wiederholtes Drän=
gen am 27 October und gab ihm ein ficheres Geleite bis
Regensburg. Gleichzeitig wurde auch Prokop von Rabftein
feines Gelöbniffes entbunden und ins Kanzleramt wieder
eingefetzt.

Der fo freundlichen Verwendung des Kaifers zu Gun=
ften des Königs in diefen Tagen lag wohl weniger perfön=
liche Theilnahme und Wohlwollen, als politifche Berechnung
zu Grunde; Friedrich III fchien vorauszufehen, daß er des
Königs Rath und Hilfe bei den täglich ernfter fich geftal=
tenden inneren Verhältniffen von Oefterreich nicht lange mehr
werde entbehren können. Der alte Streit zwifchen dem Kaifer
und den Ständen diefes Landes war trotz allen feit zwei
Jahren abgefchloffenen Verträgen und Friedenfchlüffen noch
nicht befeitigt, und wurde im J. 1462 um fo bedenklicher,
als die dem Kaifer bisher treu gebliebene Stadt Wien durch

1462
19Aug.
22Aug.

8 Sept
19 Spt.

23 Spt.
24 Spt.

29 Spt.

5 Oct.

20 Oct.

einen plötzlichen ſtürmiſchen Umſchwung am 19 Auguſt auf
die Seite der mißvergnügten Stände übertrat und nun deſſen
gefährlichſter Feind wurde. Als der Kaiſer am 22 Auguſt
mit etwa 4000 Bewaffneten vor den Thoren der Stadt erſchien, wurde ihm der Eingang in dieſelbe verwehrt und
erſt nach dreitägigen Unterhandlungen, die ſeinem Anſehen
ſo wie ſeiner Macht ſehr zum Abbruch gereichten, geſtattete
man ihm, zu ſeiner Gemahlin und ſeinem Sohne Marimilian
in die Burg einzuziehen. Den neuen Bürgermeiſter, den er
am 8 September ernannt hatte, nahm die Gemeinde nicht
an, ſondern erwählte ſich einen ſolchen ſelbſt am 19 September in der Perſon Wolfgang Holzers, eines der verwe-
genſten Männer ſeiner Zeit. Daß der Kaiſer nach neuen
Unterhandlungen ſich herbeiließ, ihn zu beſtätigen, ihm am
23 September den Eid der Treue abzunehmen und Tags
darauf, 24 September, ſeine Truppen zu entlaſſen, liefert
den Beweis, daß er ſich nicht mehr getraute, den Aufruhr
zu bewältigen. Seine unſelige Knauſerei war Schuld, daß
ſeine Söldner ohne Sold entlaſſen wurden und darum am
29 September der Stadt ſowohl als dem Kaiſer abſagten,
um Entſchädigung zu ſuchen. Dies erregte neuen Unwillen
und Lärm unter den Bürgern; und als der Kaiſer zur Berichtigung des Soldes von der Stadt einen Vorſchuß zuerſt
von 4000, dann von wenigſtens 3000 Gulden verlangte,
verweigerte die Gemeinde beides, und kündigte ihm endlich
am 5 October allen Gehorſam auf, ſetzte zwei der vornehm-
ſten kaiſerlichen Räthe feſt, zog alle einfließenden Steuern
und ſtädtiſche Gefälle an ſich und bereitete ſich zum offenen
Aufſtande. Am 20 October begann das Schießen zwiſchen
der Burg und Stadt und einige Häuſer und Thürme wurden demolirt. Der Kaiſer hatte in der Burg nur an 350
Bewaffnete: die Wiener ſollen ihrer aber an 11.000 entge-
gengeſtellt haben, und hielten die Burg ſo eingeſchloſſen, daß
an ein Entkommen nicht zu denken war. Obgleich nun einige

dem Kaiser treu gebliebene Barone (insbesondere Graf Ulrich 1462
von Schaumberg, Andreas Baumkircher und andere) von
allen Seiten Volk warben, auch die Anführer der böhmischen
Brüderrotten wieder in kaiserliche Dienste traten, und der
berühmte Heerführer, Johann Witowec, nun Graf von Za-
gorien, aus dem Süden gleichfalls herbeigerufen wurde, so
erkannte man doch bald, daß alle diese Macht nicht hinreichen werde, die wüthenden Angriffe der Rebellen in die
Länge zurückzuweisen, wenn nicht vom Könige von Böhmen
eine außerordentliche Hilfe herbeikomme. Andreas Baumkircher wurde also aufs schleunigste nach Prag gesendet, um
von dort unter jeglicher Bedingung Entsatz zu bringen. Die
Wiener dagegen beriefen zu ihrem Schutze den Erzherzog
Albrecht und den Bund der österreichischen Landherren.

Obgleich der König viele Gründe hatte; mit dem
Kaiser wie überhaupt, so auch wegen dessen Benehmens
zu den österreichischen Ständen, unzufrieden zu sein, so
konnte er doch den bedenklichen Vorgängen, die in Wien
sich entwickelten, nicht gleichgiltig zusehen. Das war kein
Ringen politischer Parteien mehr; bei dem Wiener Pöbel
nahm ter Kampf einen andern Charakter an, er wurde ein
tolles, grausiges Wüthen, bei dem es sich nicht mehr um
das Maß gegenseitiger Berechtigungen, sondern um die
Existenz der kaiserlichen Familie handelte. Die Volksredner
betheuerten zwar, man trachte dem Kaiser nicht nach dem
Leben: aber man durfte sich darüber nicht täuschen, daß der
wuthentbrannte Pöbel im Siege weder die Stimme seiner
Führer, noch Maß und Erbarmen gekannt hätte. Als daher
Baumkircher (der auf dieser Reise an dreißig Pferde zu Tode
geritten haben soll) spät in der Nacht, — wie es scheint,
am 28 October — vor dem Königshofe in Prag eintraf 28 Oct.
und ohne Verzug zum Könige gelassen wurde, obgleich derselbe sich bereits in sein Schlafgemach zurückgezogen hatte:
da hörte dieser seine bewegliche Bitte an, trat dann, wie es

1462 heißt, ein wenig bei Seite, betrachtete eine Weile nachden-
kend den Himmel, kehrte dann sich zu Baumkircher wieder,
lobte dessen aufopfernde Treue und sprach: „Ruhe diese Nacht
aus, morgen aber kehre eilig zu Deinem Herrn zurück und
sage ihm, daß ich mit meinem Volke nicht säumen, sondern
Dir nacheilen werde, um den Kaiser zu retten oder mit ihm
zu Grunde zu gehen!“ Baumkircher bat wieder, der König
möchte ihn nicht allein ziehen lassen, sondern ihm seinen
Sohn mit einigen Hofleuten mitgeben und diese voraus-
schicken, es werde das eine Bürgschaft sein vor den Augen der
Welt, daß seine mächtige Hilfe nicht lange ausbleiben werde.
Auch das schlug der König nicht ab, und ließ gleich des an-
29 Oct. dern Tags, am 29 October, Schreiben nachstehenden Inhalts
in alle Gegenden des Landes ergehen:

„Liebe Getreue! Wir fügen euch zu wissen, wie die Wiener
Bürger sich gegen den Kaiser, ihren Erbherrn, unsern lieben
Freund und Schwager, auflehnen, Unrecht und Missethaten
gegen ihn begehen, ihn belagern und ihren Willen mit ihm
treiben wollen. Wir haben sie deshalb gemahnt und auch
an den Kaiser geschrieben, sie aber haben uns weder geantwortet, noch auch unser Schreiben dem Kaiser zukommen
lassen. Einem solchen Frevel können wir, zumal als vor-
nehmster Kurfürst und des Kaisers Freund, nicht zusehen,
und sind deshalb entschlossen, mit Gottes Hilfe alle unsere
Macht dagegen aufzubieten. Darum begehren wir von euch
alles Fleißes, daß ihr euch ungesäumt mit allen euren Mannen und Leuten ins Feld rüstet und bereit haltet, auch ge-
genwärtiges in allen euren Städten kundmachen lasset; und
sobald wir euch zum zweitenmal entbieten, sollt ihr mit den
Eurigen euch an dem von uns zu bestimmenden Tage und
Orte einfinden. Denn schon haben wir und der durchlauch-
tige Victorin, unser liebe Fürst und Sohn, den Wienern die
Absagebriefe zugesendet, fertigen auch unsern Sohn mit einigen der Unsern dem Kaiser zu Hilfe, und werden nicht säu-

men, ihnen persönlich nachzuziehen." In einem zweiten Schrei= **1462**
ben vom 5 November wurde befohlen, daß alle Bannerherren
von Böhmen und Mähren mit ihrem Volke auf Martini
(11 Nov.) bei Znaim zusammenrücken sollten, wo auch der
König am selben Tage sich einzufinden versprach. [166]

Erzherzog Albrecht kam am 2 November nach Wien, **2 Nov.**
wohin eine große Zahl österreichischer Adeligen ihm folgte, so
daß die Macht der Aufständischen bis auf 20.000 Bewaffnete
stieg. Am 5 November wurde von den Wienern, dem Erz= **5 Nov.**
herzoge und den Ständen ein Bund gegen den Kaiser ge=
schlossen, und als dem Erzherzoge zwei Stücke des gröbsten
Geschützes von Linz gebracht wurden, richtete man dieselben
gleich gegen die kaiserliche Burg und stürmte letztere mit
aller Gewalt einige Tage und Nächte ohne Unterlaß: doch
der Kaiser und die Kaiserin gingen ihrem Häuflein mit dem
Beispiel unerschrockenen Muthes voran und wehrten glücklich
alle Angriffe ab. Man versuchte dann einigemal, doch ver=
gebens, zu unterhandeln, da man vom Kaiser forderte, daß
er der Regierung in seinen Erblanden zu Gunsten seines
dreijährigen Sohnes Maximilian entsage und sich ins Reich
begebe, um dort des Kaiserthums zu pflegen. Mittlerweile
nahte die böhmische Hilfe: die vom Könige vorausgeschick=
ten 2000 Mann unter Prinz Victorin und Zdenĕk von Stern=
berg erreichten Krems an der Donau am 5 November, wen= **13Nov.**
deten sich aber von dort gegen das Schloß Ort unterhalb
Wien, wo sie über die Donau setzten, bei Fischament lager=
ten und am 13 November mit den aus Steiermark und
Kärnthen herbeigekommenen Truppen sich vereinigten. Tags
darauf, am 14 November, langte schon auch K. Georg in **14Nov.**
Korneuburg an der Donau an, zwar nur mit 7000 Bewaff=

---

166) Die königl. Schreiben vom 29 Oct. und 5 Nov. sind im Orig.
im Wittingauer Archive vorhanden. Nach gleichzeitigen von Scul=
tetus aufbewahrten Briefen rückte Herzog Victorin am 30 October
in's Feld, der König selbst folgte den 8 November.

1462 neten, welche jedoch in Kurzem bis auf 22.000 Mann sich vermehrten. Auf diese Art bereitete sich beiderseits ein gro= ßer und entscheidender Kampf vor. Der König zeigte seine Ankunft sowohl dem Kaiser als dem Erzherzoge an, berief

16Nov. letzteren zu einer Besprechung, und als derselbe am 16 No= vember unter sicherm Geleite sich einstellte, empfing er ihn mit bitteren Vorwürfen darüber, daß er den Streit bis zu solcher Wuth und Grausamkeit habe heranwachsen lassen. Nach vielen beiderseits gewechselten Klagen und Beschwerden, als der Erzherzog nicht abließ, übertriebene Forderungen zu stellen, trennten beide Herrscher sich in Unwillen. Der König lagerte nun mit seinem Heere näher bei der Stadt, schnitt ihr alle Zufuhr von Lebensmitteln ab, und verabredete mit der bei Gumpendorf lagernden Heeresabtheilung, bei welcher Prinz Victorin sich befand, einen von mehreren Seiten gleich= zeitig zu unternehmenden Angriff. Durch ein unseliges Miß=

19Nov. verständniß nahmen letztere Truppen ein am 19 November früh Morgens in Wien in der Nähe des rothen Thurms zufällig ausgebrochenes Feuer für ein vom Könige gegebenes Zeichen, stürmten nun einseitig vom Süden her die Stadt dreimal nach einander mit mehr Kühnheit als Vorsicht, indem sie die Bürgersleute als Gegner im Kampfe gar zu gering schätzten, und erlitten eine um so schmerzlichere Niederlage, als auch die gleichzeitig von der Burg herab leider zu hoch gerichteten Büchsenschüsse ihnen bei weitem mehr Schaden zu= fügten, als den Feinden. Ob dieser unerwarteten Wendung der Dinge, welche den Kampfesmuth des Wiener Pöbels bis zum Wahnsinn steigerte, soll König Georg vor Gram und Zorn mehr als einen Tag lang alle Nahrung von sich

21Nov. gewiesen haben. Am 21 Nov. wurden jedoch sowohl der Friedensstand als die Unterhandlungen erneuert, da die Wie= ner inne wurden, daß ihre Vorräthe sowohl an Lebensmitteln als an Schießbedarf schon zur Neige gingen, während das Hauptheer des Königs nach gar nicht in den Kampf gekom=

men war. Es kamen also der Erzherzog und der Bürger= 1462
meister Holzer zum Könige nach Korneuburg wieder: es war
jedoch kein Wunder, daß die Verhandlungen nur überaus
langsam von Statten gingen, da die Parteien nicht nur gei=
stig, sondern auch räumlich einander ferne standen, und gleich=
wie der König ohne Wissen und Willen des Kaisers sich zu
nichts verbinden wollte, so auch der Erzherzog bei jedem
wichtigeren Schritte die Einwilligung der Bürger einholte.
Die Personen, die als Boten gebraucht wurden, um den
Verkehr zwischen dem Kaiser und dem Könige zu vermit=
teln, waren der königliche Hauptmann von Glatz, Hanns
Wölfel von Warnsdorf und der Ritter Raček Kočowský; als
vornehmste Vermittler und Unterhändler galten die Herren
Johann von Rosenberg, Heinrich von Michalowic und die
Brüder Zdeněk und Albrecht Kostka, neben einigen österrei=
chischen Baronen. Die Wiener pflegten jeden, der ab und
zuging, streng zu untersuchen, damit nicht etwa der Kaiser
verkleidet davonkomme. Der Erzherzog mußte selbst einige=
mal in der St. Stefanskirche zum Volke reden, um dessen
Ungeduld zu beschwichtigen, und nur die bestimmte Zusage,
niemals einzuwilligen, daß sein Bruder die Regierung in
Oesterreich länger fortführe, beruhigte einigermaßen die wild=
gährenden Gemüther. Am 2 December war endlich die Ver= 2 Dec.
gleichsurkunde fertig, und wurde gegen Abend dem Kaiser in
die Burg geschickt, damit er sein Siegel daran hänge. Des
andern Tags, 3 December, verkündigte der Erzherzog von 3 Dec.
der Kanzel in der St. Stefanskirche herab den Inhalt der=
selben: er sollte nämlich dem Kaiser alle Schlösser zurückstel=
len, die er ihm in Niederösterreich abgewonnen, dagegen sollte
er auf die nächsten acht Jahre die Regierung des ganzen
Landes übernehmen, und dem Kaiser von dessen Einkünften
jährlich 4000 Ducaten abführen; alle Kriegsgefangenen, und
was immer eine Partei der andern abgenommen, müsse wie=
der freigegeben werden. Als einige zu murren anfingen, daß

1462 man dem Kaiser auf diese Art doch noch steuerpflichtig bleibe
und als insbesondere, der Bürgermeister Holzer darüber zürnte,
daß man „den Heuchlern" (so nannte man des Kaisers Ge=
treue in der Stadt) alles wieder zurückerstatten sollte, rief
der Erzherzog mit erhobener Stimme: „Wiener! höret mich
und nicht ihn, bin ich doch auch euer Bürgermeister und
mehr als Bürgermeister: den Frieden, den ihr gewünscht,
habt ihr vor euch; einen besseren zu erlangen war nicht
möglich und wird es nicht sein, mit dem Könige von Böh=
men können wir keinen Muthwillen treiben; wer von euch
Krieg will, der führe ihn fortan allein, ich mit den Meini=
gen trete zurück: die aber den Frieden wollen, mögen gleich
mir die Hand erheben!" Da erhoben sich die Hände in
solcher Ueberzahl, daß endlich auch Holzer, wollte er nicht
allein bleiben, dem Beispiele der übrigen folgte.

Es war auch verabredet, daß der Kaiser sammt seiner
Familie und den Hofleuten, welche durch Kälte und Hunger
in der Burg bereits sehr gelitten hatten, Sonnabend am
4 Dec. St. Barbaratag (4 December) frei von dort abziehen sollten.
Es kamen daher zeitlich des Morgens Prinz Victorin mit
den böhmischen Herren Rosenberg, Sternberg, Michalec, Roz=
mital, Kostka's und anderen in die Burg, um die kaiserliche
Familie hinauszugeleiten. Da aber der Kaiser schlechterdings
sich weigerte durch die Stadt zu ziehen, indem er für unwür=
dig hielt, sich dem Anblick des Volkes auszusetzen, dauerte
es noch fünf Stunden, bis ein anderes stark verrammtes
Thor aufgebrochen und fahrbar gemacht werden konnte. Dar=
um fuhr erst nach Mittag die Kaiserin mit ihrem Sohn und
Hofstaat in fünf Staatswägen unter dem Schutze des Herrn
von Sternberg aus der Burg, und ihr folgte der Kaiser in
Begleitung des Prinzen Victorin zu Pferde; die Burg wurde
mit allem, was sich darin befand, einstweilen der Obhut des
Ritters Hanns Wölfel von Warnsdorf übergeben. So kurz
der Weg durch die Vorstadt währte, suchte doch das Volk

seine Geringschätzung der Majestät auf alle Weise an den 1462
Tag zu legen. Bei der Kirche zu St. Diepold trennte man
sich: die Kaiserin zog unter dem Schutze der steyrischen und
kärntnischen Truppen nach Neustadt, der Kaiser mit den
Böhmen nach Nußdorf und dort über die Donau. Am an=
dern Ufer hatte König Georg auf seine Ankunft seit Mor=
gens gewartet, ohne bei der strengen Kälte vom Pferde zu
steigen. Die Monarchen grüßten einander mit großer Herz=
lichkeit und ritten sogleich gen Korneuburg.

K. Georg gab sich alle Mühe, die österreichischen Brüder
mit einander auszusöhnen, jedoch vergebens. Er berief den
Erzherzog nach Korneuburg, und als er am Sonntag, den
5 December, im großen Saale sich mit dem Kaiser besprach, 5 Dec.
ließ er Albrechten eintreten: der, ein entschlossener und rüstiger
Mann, raschen Schrittes auf den Kaiser los ging, und sich
vor ihm, der Bruder vor dem Bruder und Herrn, fast auf
die Kniee neigte. Als jedoch der Kaiser ihn gewahr wurde,
wandte er sein Antlitz ab und gab ihm keine Antwort. Albrecht
wurde nun noch bringender mit seiner Bitte um Gehör: der
Kaiser aber, ohne ihn anzusehen, sagte dem daneben stehenden
Georg von Volkensdorf, was er ihm statt seiner zu antworten
habe. Als der Herzog tief beschämt und ergriffen von solcher
Entgegnung seine Augen und Stimme zum Himmel erhob,
trat der König, der bisher von ferne zugesehen hatte, zwischen
die beiden Brüder und sagte, da sie sich nicht vergleichen
könnten, daß er in Kraft der Macht, die sie ihm beide ver=
liehen, sie gerecht ausgleichen wolle. Er erließ nun selbst die
zur Bestätigung und Durchführung des Vergleichs vom 2 Dec.
erforderlichen Urkunden, obgleich er voraussehen mochte, daß
der Friede kaum von langer Dauer sein werde. Inzwischen
bewies der Kaiser, je mehr Härte gegen den Bruder, um so
mehr Herzlichkeit gegen seinen Retter. Es hat sich eine an=
sehnliche Reihe von Urkunden erhalten, die von ihm zur Be=
lohnung und Entschädigung für den König, das Königreich,

1462 viele Barone, Städte und einzelne Krieger erlassen wurden. Die dem Könige zugesicherte Kriegsschuld war freilich auch nach fünf Jahren noch nicht getilgt: das aber stand der gegenwärtigen Gemüthlichkeit um so weniger im Wege, als beide Monarchen während eines viertägigen Beisammenseins, wo sie auch in Enzersdorf gemeinschaftlich jagten, alle Hinder= nisse einer innigen Freundschaft zu beseitigen beflissen waren. Auch der großen Streitfragen im deutschen Reiche wurde nicht vergessen, über welche eben zu dieser Zeit in Regens= burg erfolglos getagt wurde; der König machte sich anheischig, Ludwig von Baiern mit dem Kaiser, der Kaiser dagegen Albrecht von Brandenburg mit dem Könige auszusöhnen, und es wurde festgesetzt, wenn der Regensburger Tag, wie es auch geschah, unfruchtbar bleiben sollte, daß dann der König von Böhmen die Macht haben werde, alle streitenden Parteien nach Prag zu bescheiden und im Einverständniß mit den Räthen des Kaisers ihre Streitigkeiten durch einen Rechtspruch beizulegen. Der Kaiser stellte nunmehr den Böh= men alle Verschreibungen zurück, welche er über den am 10 Februar 1364 zwischen Karl IV und dem Hause Oester= reich geschlossenen Erbvertrag besaß, erweiterte Böhmens Pri= vilegien im deutschen Reiche, setzte dessen von Friedrich II bestimmte Leistungen auf die Hälfte herab und bekannte aus= drücklich, daß die Kaiser kein Recht haben, sich in die innern Angelegenheiten von Böhmen zu mischen. Größeren Werth, als die Erledigung dieser theoretischen und meist müssigen Fragen hatte für den König die Erhebung seiner jüngeren Söhne, Heinrich und Hynek, in den Reichsfürstenstand, das Geschenk einer goldenen Krone für seine Gemahlin, die Kö= nigin Johanna, ferner daß ihn der Kaiser für den Fall früh= zeitigen Absterbens zum Vormunde seines Sohnes Maximi= lian, ja selbst zu seinem Erben einsetzte, wenn letzterer vor Erreichung der Volljährigkeit mit Tod abginge. Dagegen entsagte der König seinerseits jedem Anspruche, den er auf

den Heimfall nach der Herzogin Margareth von Teschen, 1462
einer gebornen Gräfin von Cilly machen konnte. Beide Monarchen versprachen einander gegen alle ihre Gegner mit Rath
und That und mit Aufbietung all ihrer Macht beizustehen;
der Kaiser nahm einzig den Papst, der König den Herzog
Ludwig von Baiern aus; insbesondere verpflichtete sich der
König, den Kaiser gegen die aufrührerischen Oesterreicher auch
ferner nicht zu verlassen. Das vortheilhafteste und wichtigste
Ergebniß für den König war jedoch, daß der Kaiser, trat er
auch dem Fürstenbunde gegen den Papst nicht bei, sich dennoch verbindlich machte, und diesmal mit voller Aufrichtigkeit,
nach aller Möglichkeit dahin zu wirken, daß der Streit, der
zwischen Papst und König sich entsponnen, ohne alle mißliche
Folgen wieder beigelegt werde. Als die Monarchen am 8 De= 8 Dec.
cember von einander schieden, geschah das Unerhörte, daß der
Kaiser sich mit aller Herzlichkeit in des Königs Arme warf.
Der König blieb über Weihnachten in Brünn und kam erst
am 2 Januar 1463 nach Prag wieder; der Kaiser zog, in
Begleitung des Prinzen Victorin und Anderer, zu seiner Familie nach Neustadt. [167]

Pius II hatte schon am 8 October an die Breslauer 8 Oct.
den Befehl ergehen lassen, K. Georg nicht eher zu huldigen,

---

167) Obgleich an gleichzeitigen Ueberlieferungen über den Wiener Auf=
stand und die Befreiung des Kaisers kein Mangel ist, (es hinter=
ließen solche Johann Hinderbach in Kollar's Annal. Vindob. II,
p. 581—666, der deutsche Dichter Mich. Beheim in seinem „Buche
von den Wienern" herausg. von Th. G. v. Karajan in Wien
1843 in 8, Thomas Ebendorfer im Chronicon Austriae bei Pez
und im Liber Augustalis MS., ferner Anon. chron. Austriae,
Itinerar. Wolfgangi de Styra u. a. m.), so hat doch noch kein
österreichischer Geschichtschreiber diese eben so belehrenden als an=
ziehenden Schilderungen mit Fleiß und Gründlichkeit zusammen=
zustellen unternommen. Unsere Darstellung ist der erste Versuch,
die Ereignisse in ihrer natürlichen Folge, mit Nachweisung der
Zeitdaten, zur Anschauung zu bringen.

1462 als bis sie vom römischen Stuhle die nöthige Weisung dazu
erhielten; auch gebot er dem Erzbischof Hieronymus Landus,
sich in Breslau niederzulassen und dafür Sorge zu tragen,
daß die Schlesier in Roms Gehorsam erhalten würden. Der

14Nov. Erzbischof hielt darauf am 14 November in dieser Stadt,
als deren eigentlicher Herr und Gebieter, seinen feierlichen

19Nov. Einzug, und forderte schon am 19 Nov. die Sechsstädte auf,
mit den Breslauern in einen Bund zu treten. Da K. Georg
im J. 1461 Herzog Balthasar von Sagan wegen Auflehn=
nung vertrieben und dessen Bruder Johann dort eingesetzt
hatte, so verordnete der Papst, durch eine in der Stadt Todi

23Nov. am 23 November auf die Klagen Herzog Balthasars er=
lassene Bulle, daß Herzog Johann deshalb vor Gericht zu
laden sei, und die Unterthanen wurden unter Androhung des
Bannes angewiesen, zu Balthasars Gehorsam zurückzukehren.

3Dec. Noch am 3 December ermahnte der Papst die Olmützer, so
wie auch andere katholische Städte in Böhmen und Mähren,
im Glauben und Gehorsam des heil. römischen Stuhles fest
und standhaft zu beharren, und vor Niemanden Furcht zu
haben, da sie wohl wüßten, daß der nöthige Schutz ihnen
nicht ermangeln werde. [168] Als er aber später erfuhr, was
in Wien vorging und welches Verdienst der König um den

31 Dec. Kaiser sich erworben, richtete er an Letzteren am 31 Dec.
ein denkwürdiges und interessantes Schreiben. „Als Dein
Caplan Gallus uns die unselige Nachricht von Deiner Be=
lagerung brachte, können wir kaum aussprechen, von welchem

---

168) Die Bulle vom 8 Oct. ist bei Eschenloer I, 202 gedruckt. Des
Hieronymus Schreiben vom 19 Nov. und des Papstes Bulle vom
23 Nov. lesen wir im MS. Sternb. p. 475 und 483 in böhmischer
Uebersetzung. Das Breve an die Olmützer vom 3 Dec. befindet
sich im Archive dieser Stadt. Das Schreiben an den Kaiser vom
31. Dec. fanden wir in einer Handschrift der Bibliothek de l'Ar-
sénal in Paris und ließen es in den Sitzungsberichten d. kais.
Akademie d. Wiss. in Wien, Bd. XI, Juli 1853 abdrucken.

Gram und Schmerz wir darüber ergriffen wurden; eine grö= 1462
ßere Angst hätten wir kaum empfunden, wenn wir selbst in
solche Lage gekommen wären. Denn des höheren Alters und
der Stellung wegen, die wir, wenn auch unwürdig einneh=
men, achten wir Dich als Sohn, und aus Dank für die
Wohlthaten, womit Du uns überhäuft hast, verehren und
schätzen wir Dich als den theuersten Vater. Und wer ist
Vater, und beklagt des Sohnes Unglück nicht? wer Sohn,
und härmt sich nicht über des Vaters Mißgeschick? Gallus
erzählte, wie Dich die gottlosen Bürger in der Wiener Burg
umschloßen und belagerten, wie Geschütze und allerlei Ma=
schinen die Mauern brachen, wie Gräben ausgefüllt und
Leitern angelegt wurden, wie der Kampf von nah und fern
mit grausamen Wunden und vielem Blutvergießen wüthete,
und Du zwar mit hohem Muthe das Geschick ertrugst und
die Burg vertheidigtest, aber doch nur im Könige von Böh=
men die einzige Hoffnung auf Rettung erblicktest; nur er
allein sei im Stande, die bösen Wiener zu bändigen und
Dich wieder in Freiheit zu setzen. Daher bittest Du, daß
wir, obgleich er sich als Ketzer erklärte, doch mit der ge=
rechten Strafe gegen ihn inne halten möchten. O unglück=
seliges Zeitalter, in welchem wir leben! O armes Deutsch=
land, beklagenswerthe Christenheit, deren Kaiser nicht anders
als durch einen ketzerischen König gerettet werden kann! Das
vermehrte noch unsern Schmerz; denn war es Unrecht, den
ketzerischen Starrsinn nicht zu brechen, so schien es doppelt
Unrecht, Dich in so schrecklicher Lage hilflos zu lassen. Hätten
wir zu Deiner Befreiung unsere Heerführer senden oder selbst
kommen können, so wäre uns nichts erwünschter gewesen:
wer aber hätte über so viel Berge, so viel Flüsse, so ver=
schiedene Gebiete hinüberbringen können? Jede Hilfe kam
von uns zu spät und jede Hoffnung war eitel. Wir schrieben
den benachbarten Fürsten, Dich nicht zu verlassen: Bedauern
hatten sie alle für Dich, Hilfe keiner. Nun senkten wir das

1462 Haupt, schoben Dir zu Gefallen die gegen die Böhmen beschlossenen Censuren auf, gewährten alles, was Gallus von
uns verlangte, gaben Briefe und Siegel darüber und weigerten nichts, was zu Deiner Rettung beitragen konnte.
Mittlerweile erfuhren wir, daß auch Dein Bruder die Waffen
gegen Dich erhob und wie ein Toller mit den Wienern gemeinschaftlich gegen sein eigen Blut wüthete, was unseren
Schmerz noch auf's Höchste steigerte. Wir tadelten ihn scharf
in unseren Briefen, richteten aber nichts aus. Wer vermöchte
zu sagen, in welche Qual unser Herz gerieth, da wir unaufhörlich zwischen der Hoffnung der Befreiung und der
Furcht der Gefangenschaft schweben mußten? Jeder Tag
brachte neue Bitterkeit, bis wir endlich heute aus Forchtenauer's Schreiben erfuhren, daß Du in Freiheit bist. Wir
athmeten wieder auf und fühlen uns mit Dir selbst befreit,
obgleich die Befreiung nicht der Art ist, wie wir erwarteten.
Der Böhme hat sich seiner Kunstgriffe bedient: er ließ Dich
nicht ganz untergehen, aber auch nicht siegen. Er will, daß
die Oesterreicher in ewigem Hasse gegen einander wüthen,
damit er, ihr Schiedsrichter, endlich ihr Herr werde. Doch
sei Gott dafür gedankt, daß er Dich nicht in die Hände der
Gottlosen fallen ließ!" u. s. w. Wie ungegründet die Ansicht war, daß der König auch diesmal nicht habe dem Kaiser
zu vollständigerem Siege verhelfen wollen, erhellt wohl aus
unserer Erzählung zur Genüge.

1463   Der Kampf indessen, der zwischen dem Papste und dem
Könige von Böhmen, als Vertretern zweier entgegengesetzten
Principe entbrannt war, wurde nicht gänzlich eingestellt, sondern nur einige Zeit lang gleichsam unsichtbar und verdeckt
fortgeführt. Ritter Anton Marini, als Träger der Idee der
Emancipation der Fürsten von der römischen Vormundschaft,
fand am burgundischen Hofe nicht die gewünschte und ge-
hoffte Aufnahme. Der Herzog von Burgund hatte zwar
von jeher eine größere Bereitwilligkeit zum Türkenzuge, als

irgend ein anderer chriſtlicher Monarch, an den Tag gelegt: 1463
aber alle ſeine Hoffnungen hatten in dieſer Zeit ſich dem
römiſchen Hofe zugewendet, und er mochte um ſo weniger
an einem antipäpſtlichen Bunde Theil nehmen, in je größere
Spannung mit Frankreich er damals bereits gerathen war.
Um ſo lebhafter ergriff König Ludwig XI dieſe Idee, da er
ſchon viele Gründe hatte dem Papſte gram zu ſein, und da
ihm überdies im künftigen Areopag der Fürſten der Chriſtenheit der Vorſitz zugedacht war. Aus einem Schreiben, das
er an die Venetianer richtete, iſt zu erſehen, daß er bereit
war, alſogleich in ein beſtimmtes Bündniß darüber zu treten,
wenn Marini nur zu deſſen Abſchluß genügende Vollmachten
beſeſſen hätte. Nun gab er dieſem, als geborenem Franzoſen
und ſeinem Rathe, den Auftrag und die Macht, in ſeinem
Namen weiter in der Sache namentlich mit den Venetianern
und den Königen von Polen und Ungarn zu verhandeln; [169]
und ſchrieb auch an den Papſt und ermahnte ihn in eindring-
lichen Worten, er ſollte den König von Böhmen, den
Herzog Sigmund und den Pfalzgrafen Friedrich nicht mit
Strenge und mit Bannflüchen von ſich ſtoßen, ſondern viel-

169) Die Venetianer ſchrieben an K. Georg am 17 März 1463: Re-
gressus e Gallia spectabilis eques D. Antonius de Gratianopoli,
Majestatis Vestrae legatus, literas serenissimi D. Franchorum
regis nobis detulit, e quibus intelleximus ardentissimum et chri-
stianissimum ejus desiderium una cum regia Serenitate Vestra
ac ser$\overline{\text{mis}}$ regibus Hungariae et Poloniae duceque Bavariae pro-
cedendi terrestri manu ad exterminium saevissimi crucis hostis
etc. An K. Ludwig XI aber am ſelben Tage: Majestas Vestra —
ad nos perscribit, quod si idem orator (Antonius) ad hoc mandatum habuisset, libenter cum ser$\overline{\text{mo}}$ rege Bohemiae et aliis
regibus et potentatibus colligatis ad confoederationem deve-
nisset etc. (Aus den Archiven von Venedig, durch Dr. Erdmannsdorfer.) Vgl. die ungriſchen Quellen bei Katona, XIV, 704—712,
von welchen beim Jahr 1464 die Rede ſein wird. Man bemerke,
daß vom Herzog von Burgund dabei ſeit 1463 nicht mehr die
Rede iſt.

1463 mehr durch liebevolles Entgegenkommen zu gewinnen und an sich zu ziehen suchen. Diese Vorstellungen bewogen den Papst zur Sendung des Bischofs von Feltri, Theodor Lelius, nach Frankreich, um sein Vorgehen gegen diese Fürsten bei dem Könige zu rechtfertigen. [170] Ob in dieser Angelegenheit auch zwischen dem Pfalzgrafen und dem Könige von Böhmen etwas verhandelt wurde, wissen wir nicht; jedenfalls ist gewiß, daß der Pfalzgraf, der wegen Beschützung Diethers von Isenburg mit dem Bann belegt worden war, sich nicht beugte, sondern im Begriffe stand, auch seinerseits Rom allen Gehorsam aufzukündigen. [171]

König Georg hatte gleich nach seiner Rückkehr aus Oesterreich Ludwig von Baiern und Albrecht von Brandenburg zu sich geladen, um der Korneuburger Verabredung gemäß ihre Aussöhnung neuerdings zu versuchen. Ludwig erwiederte, er dürfe ohne seine übrigen Verbündeten sich in keine Verhandlungen einlassen, wollte aber an dem Bunde gegen die Türken Theil nehmen. Albrecht kam nach Prag und trat am 14 Feb. 14 Februar in ein vollkommenes Freundschafts = Bündniß

170) Die von diesem Bischof bei dieser Gelegenheit geführten Reden fand Prof. Dr. Sickel in alten Handschriften, und theilte sie uns mit. Vgl. Gobelinus p. 323—24 und Jacobi cardin. Papiens. epist. 179 ibid. p. 599.

171) Droysen schreibt (a. o. O. S. 301—2): „Des Kaisers Gegner, der stolze Pfalzgraf voran, hatten den Bann der Kirche mit ungebeugtem Nacken, mit ungelähmter Hand getragen. Es ist der Entwurf einer Einigung vorhanden, die nichts geringeres bezweckte, als eine kirchliche Organisation trotz des Bannes, ja außerhalb der Obedienz des heil. Stuhls zu schaffen und die weitere Entscheidung in Kirchensachen einem nächstkünftigen General= oder National=Concil vorbehält." Auch diese Vorgänge und Verhältnisse werden wohl mehr Licht erhalten, bis das auf Befehl und Kosten S. M. König Maximilians II begonnene Werk „Quellen und Erörterungen zur baierischen und deutschen Geschichte" (München, 1856 fg.) weiter vorgeschritten und die deutschen Archive überhaupt in Bezug auf diese Zeiten besser durchforscht sein werden.

mit dem Könige, dem er auch fortan treu blieb. Er war 1463
dem Könige für den dem Kaiser geleisteten Dienst dankbar,
als wäre er ihm selbst erwiesen worden, da er auf dem Regensburger Tage (im November 1462) vergeblich bemüht
war, die Reichsfürsten zu einer Hilfleistung an den Kaiser
zu bewegen, und an dessen Rettung schon verzweifelte. Von
nun an konnte der König auf des Markgrafen Ergebenheit
und Freundschaft sich verlassen: aber wenn er ihm auch von
seiner Absicht, sich mit den übrigen Fürsten zu Beschränkung
der geistlichen Macht zu verbinden, gesprochen haben dürfte,
so zweifeln wir doch, daß er ihm, dem treuen Anhänger des
Papstes, alles enthüllt habe, was in seinem großen Plane
Papstfeindliches lag. [172] Eine ähnliche Zurückhaltung war
auch dem Könige von Ungarn gegenüber nothwendig. Mathias hatte viel weniger Furcht vor den Türken, als er zu
haben vorgab; denn die Uebertreibung der von ihnen drohenden Gefahren gereichte ihm zum Vortheil wie bei den
Völkern der Christenheit, so auch bei dem römischen Stuhle.
Pius II pflegte ihm schon seit Beginn seines Pontificats an
Subsidien bald größere bald kleinere Summen zuzusenden,
je nachdem die Bedürfnisse sie heischten oder die Mittel der
apostolischen Kammer sie gestatteten; es stand zu befürchten,
daß solche Vortheile schwerer bei ihm wiegen würden, als
die Rücksichten auf einen Schwiegervater, dem er ohnehin
nicht viel Raum in seinem Herzen verstattete. Da aber der
erwähnte große Plan ohne seine Mitwirkung kaum durchzu-

172) Dies ist unschwer aus dem Inhalt einer Denkschrift zu entnehmen,
welche Markgraf Albrecht am 2 Aug. 1463 aus der Stadt Hof
an K. Georg schickte und Prof. Höfler (Kaiserl. Buch S. 96—100)
herausgab. Daß diese Denkschrift (Zettel) von Gregor von Heimburg geschrieben sei, ist uns ganz unwahrscheinlich. Das Original
des Vertrags, der am 14 Febr. 1463 zwischen dem Könige und
dem Markgrafen geschlossen und von ihnen beiden eigenhändig
unterschrieben wurde, befindet sich im königl. Cabinetsarchiv in Berlin.

1463 führen war, so zog es K. Georg vor, ihn durch die Venetianer mehr, als durch eigene Vorstellungen dazu drängen zu
lassen. [173]

So sehr aber auch K. Georg das letzte Ziel seiner Entwürfe zu verhüllen beflissen war, so konnte er doch nicht
hindern, daß Pius II bei Zeiten von denselben Kenntniß erhielt; er war ohne Zweifel schon im Laufe des Jahres 1462
von dem Project eines besonderen Fürstenbundes gegen die
Türken unterrichtet, gleichviel ob durch die geistlichen Räthe
des Königs von Polen, oder durch die Venetianer, oder
durch den burgundischen Hof; und seinem Scharfsinn war
es wohl ein Leichtes, die verschwiegenen Hintergedanken dabei zu errathen. Obgleich er nun auch ferner das Ganze
zu ignoriren schien, ergriff er doch sogleich die kräftigsten und
entscheidendsten Maßregeln, um alle diese Pläne zu vereiteln.
Vor allem verkündigte er, zuerst seinen Cardinälen, dann der
gesammten Christenheit, seinen Entschluß, sich selbst persönlich
an die Spitze des Türkenzuges zu stellen, womit er eben
allen Entwürfen des Königs von Böhmen die Spitze abbrach.
Dann bot er alle seine Macht und allen Einfluß auf, den
Kaiser mit dem Könige Mathias vollends auszusöhnen und
zu vergleichen, um das Band zu lockern, welches beide an
den König von Böhmen fesselte. Seinem Legaten Hieronymus Landus war es schon im Mai 1462 gelungen, eine
Verständigung der beiden Monarchen anzubahnen. Um das
von ihm Begonnene zu Ende zu führen, fertigte Pius II zu
Anfang des Jahres 1463 den Freisinger Dompropst Rudolf
von Rüdesheim, dessen diplomatisches Talent sich vor zwei
Jahren bei den Verhandlungen von Mainz so glänzend bewährt hatte, und dann im Monate März auch den Bischof
von Torcello (bei Venedig) Dominicus von Lucca, nach
Oesterreich und Ungarn ab; welche beide nach vielen Schwie-

---

173) Nach dem Zeugnisse von Urkunden im Venetianischen Archive, deren
Abschriften uns Dr. Erdmannsdorfer mittheilte.

rigkeiten und langen Verhandlungen endlich am 19 Juli 1463
1463 einen definitiven Friedensvertrag zwischen dem Kaiser 19 Juli
und K. Mathias zu Stande brachten, und zwar auf der
Grundlage von Bestimmungen, welche schon im September
1458 getroffen, jedoch nicht durchgeführt worden waren; nur
daß überdies der Kaiser den König an Sohnes Statt annahm, und ermächtigt wurde, sich auch fernerhin noch König
von Ungarn zu schreiben. [174] Bischof Dominicus von Torcello hatte schon im April 1463, als er zum Kaiser und zu
K. Mathias reiste, die Venetianer ermahnt, sich mit K. Georg in keine Verbindung, selbst gegen die Türken nicht, einzulassen; und als später die Nachricht von der Gefangennehmung und grausamen Ermordung des Königs Stephan von
Bosnien sich verbreitete, kam auch Cardinal Bessarion nach
Venedig, um die Republik zu bestimmen, ihre Streitkräfte
mit denen des Papstes und des Herzogs von Burgund zu
vereinigen. Auf Veranlassung des Papstes kam es auch
am 12 September zu Peterwardein zum Abschluß eines Waf- 12 Spt.
fenbündnisses zwischen dem Könige von Ungarn und den Venetianern, in Folge dessen Letztere dem Könige von Böhmen
am 4 November schriftlich anzeigten, wie sie sich bereits ver- 4 Nov.
bunden hätten, mit dem Papste und dem Herzog von Burgund gemeinschaftlich gegen die Türken zu ziehen. Dies nöthigte K. Georg, seinerseits alle Gedanken an einen Türkenzug fortan aufzugeben. [175]

An den Papst hatte der König bald nach dem St. Laurenztage den Probst von Wyssehrad, Johann von Rabstein,

174) Ueber den Vertrag vom 19 Juli s. vorzüglich Pray, III, 282—298
und das Reichstags-Theatrum, II, 174—7; über die Ereignisse
dieser Zeit überhaupt Gobelin lib. XII.

175) Der Peterwardeiner Vertrag vom 12 Sept. ist zu lesen bei Raynaldi (§. 50,) Leibnitz, Lünig, Dumont u. a. Vgl. Teleki, III, 347.
Das Schreiben der Venetianer vom 4 Nov. fand Dr. Erdmannsdorfer im dortigen Archive.

1463 abgesendet, um sein Vorgehen gegen Fantin zu rechtfertigen.

3 März Nach der Rückkehr desselben schrieb er am 3 März 1463 abermals nach Rom und bat, der Papst möchte die Bres=lauer an ihre Pflicht erinnern und nicht zugeben, daß die Rechte der Krone Böhmen verletzt und gefährdet werden.

29 März Pius II antwortete darauf mit zwei am 29 März ausgefer=tigten Bullen, in welchen er, nach umständlicher Schilderung alles Unrechts, das der König bis dahin begangen, erklärte, er habe die Breslauer bereits früher aller Pflichten gegen ihn entbunden und dann auf des Kaisers und des Herzogs Ludwig von Baiern Verlangen zwar mit weiteren Processen innegehalten, um abzuwarten, ob nicht etwa der König in sich gehen und sich bessern würde: da er aber sehe, daß der=selbe nicht daran denke, so nehme er jene Stadt nunmehr öffentlich und feierlich in seinen und des apostolischen Stuh=les Schutz und trage den Erzbischöfen Hieronymus von Kreta und Johann von Gnesen auf, solches allgemein kund=zumachen und für dessen Durchführung Sorge zu tragen. [176] Als aber der Kaiser durch Wolfgang Forchtenauer abermals dagegen zu Gunsten des Königs Einsprache erheben ließ,

16 Mai gab Pius ihm am 16 Mai zur Antwort: Georg, „der sich einen König von Böhmen nenne," sei durch die am St. Lau=renztage abgegebene Erklärung freiwillig aus der Kirche und somit auch aus jedem Rechtskreise herausgetreten und müsse nunmehr als ein Todter angesehen werden; darum sei es unerläßlich gewesen, den Breslauern zu schreiben, das er nicht länger mehr König sein könne und es unziemlich sei, demje=nigen zu gehorchen, der aus eigenem Entschlusse sich vom Leibe Christi abgelöst habe; auch könnten ihm jetzt keine Ver=träge, so wie keine Zusagen und Angelöbnisse mehr zu Gute kommen. Hätte der Kaiser nicht so gute Hoffnungen von

176) K. Georgs Schreiben vom 3 März bringen Cochläus und Goldast;
eine der Bullen vom 29 März gleichfalls Cochläus, Goldast und
Eschenloer, die andere Epistolae Sylvii Num. 401 (416).

ihm gegeben, so hätte der Papst schon längst nach seiner 1463
Pflicht gehandelt. Dem Kaiser zu Gefallen wolle er noch
zuwarten, jedoch unter der Bedingung, daß die Breslauer
nicht zum Gehorsam gezwungen werden. Er willigte also
thatsächlich in die Einstellung aller weiteren Processe gegen
den König auf unbestimmte Zeit ein: diese Entschließung
aber wurde in Böhmen und Schlesien erst um einen Monat später kundgemacht. [177]

Hieronymus von Kreta, dem die Durchführung der
diesfälligen Verordnungen des Papstes oblag, war von Breslau am 21 November 1462 nach Polen gegangen, zunächst
um einen Frieden zwischen K. Kazimir von Polen und dem
deutschen Orden zu vermitteln: er benahm sich jedoch, bei
seinem feurigen und heftigen Gemüthe, auf eine Weise, daß
es beinahe zu einem Bruche zwischen der polnischen Kirche
und dem römischen Stuhle gekommen wäre. Als er von
des Kaisers Befreiung durch den böhmischen König hörte,
glaubte er, der Papst sei dadurch mit dem Könige schon
gänzlich ausgesöhnt, und schrieb Letzterem einen Brief voll
Dank und Lobeserhebungen: „gewiß," sagte er, „wird auch
der Papst Eure Großthat vor den Cardinälen und Bischöfen
preisen, gleichwie Ihr Euch damit hohen Ruhm bei meinen
Landsleuten den Italienern und anderen Nationen erworben
habt; darum verstummet alle, die ihr dem Könige übel nach-
redet, die Zunge hafte am Gaumen fest; Ihr werdet auch
im Alter sein, was Ihr bisher gewesen, ein Bändiger des
Glücks, Besieger der Weltfürsten und Schiedsrichter Eures
Jahrhunderts." [178] Als aber die päpstlichen Bullen vom

177) Auch des Papstes Bulle vom 16 Mai ist nicht nur bei Cochläus
und Goldast, sondern auch in den Sitzungsberichten der kaiserl.
Akademie der Wissensch. in Wien, Bd. 1850, S. 698 zu lesen.
178) Dieses denkwürdige Schreiben kennen wir leider nur aus einer
böhmischen Uebersetzung, daher auch ohne Datum, im MS. Sternb.
p. 478. Ueber die Verrichtungen des Legaten in Polen lese man
bei Dlugoš und Eschenloer nach.

1463
29
März 19 März ihm zukamen und er, im Monate Mai, nach Breslau
zurückkehrte, änderte er plötzlich den Ton, und bestärkte nicht
nur die Breslauer in ihrer Widerspenstigkeit, sondern bemühte
sich auch noch andere Fürsten und Städte gegen den König
aufzubringen.   Das gemeine Volk in Breslau war durch
die Prediger schon wieder so „verhetzt" und verwegen gemacht,
daß, wenn der Legat und Stadtrath nicht gewehrt hätten,
es mit Heereskraft nach Böhmen gezogen wäre, in der tollen
Einbildung, Prag zu gewinnen und die Ketzer alle zu Paa-
ren zu treiben.   Des Legaten Hoffnungen gingen zwar nicht
so weit, doch überschätzte auch er die Kräfte der Katholiken
der Krone Böhmen. Darum gerieth er auch bald in heftigen
Streit mit den Bischöfen Jost von Breslau und Protas
von Olmütz, welche beide zwar eifrig katholisch, aber von
dem wahren Verhältniß der Kräfte beider Parteien besser
unterrichtet, den Frieden wenigstens so lange zu erhalten
wünschten, als kein Schutz und keine Hilfe von außen zu
15 Mai erwarten stand.   Beide Bischöfe kamen am 15 Mai nach
Glatz zum Könige und suchten dessen Zorn, insbesondere
gegen die Breslauer, zu besänftigen.   Der König verlangte
von ihnen, daß sie im Einverständniß mit den Baronen und
den Städten ihrer Partei selbst bei dem Papste um die Bestätigung der Compactaten bittlich einkommen sollten, da dies das
einzige Mittel sei, den Frieden und die Wohlfahrt in Böhmen zu erhalten.   Es wurde nun verabredet, daß ein großer
Land- oder Reichstag für alle böhmischen Kronlande, jedoch
nicht nach Prag, sondern nach Brünn, einer katholischen
13 Juli Stadt, auf St. Margarethen (13 Juli) ausgeschrieben werde,
wo darüber weiter verhandelt werden sollte.   Bischof Jost
hatte schon seit lange seinen ständigen Wohnsitz nicht in
Breslau, sondern in Neisse. Da nun Hieronymus von Kreta
Anstand nehmen mußte, in seiner Diöcese ohne sein Wissen
und Wollen Anordnungen zu treffen und ihn deshalb nach
Breslau berief, damit er bei der Verkündigung und Durch-

führung der päpstlichen Befehle Hilfe leiste: [179] so kam zwar 1463
Jost nach einigem Zögern, widersetzte sich aber den Entwür=
fen des Legaten und gerieth dadurch mit ihm in einen Streit
ganz außerordentlicher Art. Er war am 6 Juni in Beglei=
tung der beiden Brüder Herzoge von Oels in dessen Herberge
gekommen, brachte aber durch seine Unnachgiebigkeit den Kre=
tenser in solche Leidenschaft, daß dieser ihn zu schelten begann
und ihn ein Gift des Vaterlandes und einen Stein der
Schande nannte. Der in aller Literatur wohl belesene Jost
antwortete mit dem bekannten Vers des Epimenides in des
heil. Paulus Epistel an Titus (I, 12): „Die Kretenser sind

179) Das Schreiben vom 27 Mai steht im MS. Sternb. p. 478. Von
der Zusammenkunft zu Glatz und den Breslauer Vorgängen dieser
Zeit spricht Eschenloer umständlich S. 209—212. „Der Legat,“
sagt er, „war ein Feind der Ketzer, aber er wußte nicht ihre große
Macht, die da die andern Bischofe fürchteten, und Ufzüge in Fride
sucheten, bis Gott inen einen Ruckenhelfer oder anderen Herrn
möchte bescheren, — wan sie als eingeborne Einwoner wol erkann=
ten und wusten, daß alle Christen dises Königreiches zu Behem
nit möchten widerstehen Girsige und seinen Ketzern.“ — Auch schrieb
Bischof Jost dem Papste selbst von den Verhandlungen zu Glatz
und von den Gründen seines Benehmens (MS. Sternb. p. 334):
Scire dignetur Sanct. V$\underline{\text{ra}}$, quod judicio meo et aliorum pluri-
morum, nisi deus avertisset gratia sua et diligenti opera bo-
norum hominum, Wratislavia fuissset, aut obtenta aut destructa,
vel utrumque contigisse potuisset; et nisi Sanct. V$\underline{\text{ra}}$ rigorem
mitiget et plus consilio quam viribus eis succurrat, timendum
est de futuro malo. — Summe credo esse necessarium, ut ul-
terius non procedatur, nisi prius Sanct. V$\underline{\text{ra}}$ audiat ceteros catholicos regni; et si non plus in hac re efficere possum, suf-
ficiat mihi satisfecisse conscientiae meae in avisando S. V$\underline{\text{ram}}$.
Utinam sciret S. V$\underline{\text{ra}}$ in veritate vires eorum et alterius, et
perciperet an processus et brevia, quae inopinanter venerunt,
plus favoris vel odii eis contulerunt. (MS. Sternb. p. 393, cf.
333—338.) Von Bedeutung ist daneben auch das Schreiben Josts
an die böhmischen Barone, dd. zu Neisse am 27 Mai, welches
wir aus dem Original in Archiv český, IV, 99 abdrucken ließen.

1463 allezeit Lügner, böse Thiere und träge Bäuche! Da stand
Kretensis auf im Zorne, und schlug mit der Faust nach Josten,"
die Fürsten fielen dazwischen und redeten nicht, sondern die
Rathmänner verhinderten, daß nichts weiter geschah und be-
stellten das Haus, daß kein Geschrei herauskam; denn sie besorgten ein noch größeres Aergerniß, wenn das Volk von
dem Vorfall Kenntniß erhalten hätte.   Doch waren Tags
7 Juni darauf (7 Juni) die hohen Prälaten schon wieder ausgesöhnt und einigten sich in der Ausschreibung eines Tages
auf Petri und Pauli (29 Juni) nach Breslau, wo alle
Fürsten und Städte von Schlesien zur Berathung „über die
Ehre Gottes, Förderung des Glaubens, Gehorsam des apostolischen Stuhls, die Einigkeit des Vaterlandes und die
Wahrung und Erhaltung der löblichen Krone von Böhmen"
zusammenkommen sollten.   Da aber inzwischen die an den
Kaiser erlassene päpstliche Bulle vom 16 Mai bekannt wurde,
29 Juni so beschloßen die Schlesier am 29 Juni einstimmig, den Erfolg des Brünner Tages abzuwarten und bis dahin sich ruhig
zu verhalten. [180]

6—10
Juni   Auch in Prag wurde vom 6 bis 10 Juni getagt und
beschlossen, daß der Brünner S. Margarethen-Reichstag zahlreich beschickt werden sollte. Die Herren der katholischen Partei
wendeten sich auch schon von Prag aus an den Papst, er
möchte nicht weiter gegen den König vorgehen, da zu hoffen
stehe, daß man auf dem nach Brünn bereits ausgeschriebenen
Tage Mittel und Wege finden werde, wie die Ehre des
päpstlichen Stuhls, so auch den Frieden des Königreichs zu
wahren; auch sollten von Brünn aus neue Gesandte nach
Rom abgefertigt werden, welche S. Heiligkeit über alle Vorgänge volle Aufklärung bringen würden. Der Papst gab am

---

180) Die Scene vom 6 Juni schildert Eschenloer S. 212, 213. Das
Schreiben vom 7 Juni gibt MS. Sternb. p. 405. Ueber die am
29 Juni gefaßten Beschlüsse berichtete Hieronymus an die Olmützer
am 3 Juli. (Orig. im Archiv von Olmütz.)

8 August auch ihnen dieselbe Antwort, wie vorhin dem Kaiser, unter Beifügung derselben Bedingung, daß inzwischen gegen die Breslauer nichts Feindliches vorgenommen werde. [181]

Auf diese Weise wurde schon in vorhinein in allen Ländern die Aufmerksamkeit auf die Verhandlungen gelenkt, die da in Brünn Statt finden sollten. Bischof Dominicus von Torcello gab noch am 12 Juli von Neustadt aus, wo er beim Kaiser in den ungarischen Angelegenheiten beschäftigt war, den katholischen Ständen in Böhmen Belehrung, wie sie sich auf dem bevorstehenden Tage zu benehmen hätten. Als er gehört habe, sagte er, man werde darüber verhandeln, was zur Einigkeit und zum Frieden des Königreichs führe, habe er sich gar sehr gefreut und Seine Heiligkeit schriftlich gebeten, gegen den König nicht weiter zu procediren. Später aber sei er unterrichtet worden, wie Einige dem Könige riethen, die Katholiken durch die Aussicht auf Erhaltung des Friedens dahin zu bewegen, daß sie den Papst um die Bestätigung der Compactaten bitten und sich zum Schutze derselben verpflichten sollten. Darum mahnte und verwarnte er sie, daß sie in Brünn zu nichts dergleichen sich verleiten lassen, sondern in Allem einfach nur sich den Befehlen des heiligen Vaters gehorsam erweisen sollten. „Es widersetzt sich Gott," so sprach er, „wer sich seinem Stellvertreter widersetzt; die päpstliche Macht kann die Unterthanen jedes geleisteten Eides entbinden. Es gehorcht Gott, wer seinem Stellvertreter in solchen Dingen folgt, die den Glauben und die Religion betreffen, selbst wenn dieser, was Gott verhüte, ein böser Mensch wäre. Denn von den Bösen spricht der Herr: auf Moses Stuhle saßen Schriftgelehrte und Pharisäer, darum haltet und thut alles, was sie euch lehren, aber nach ihren Werken richtet euch nicht; und der Apostel sagt: folget

---

181) Des Papstes Antwort auf die Bitte der böhm. Barone ist im Archiv von Wittingau vorhanden.

1463 euren Obrigkeiten, nicht bloß den Guten, sondern auch den Bösen" u. s. w. [182]

Bei dem wichtigen Tage zu Brünn ging es, wie es scheint, sehr lebhaft zu: es waren aus allen Kronländern Stände in großer Zahl, auch Bischöfe und Prälaten, zugegen, und man sprach und stritt viel, jedoch, da keine Partei nachgeben wollte, ohne den erwünschten Erfolg; die Einen priesen und forderten Gehorsam dem Könige und dem Vaterlande, die Andern Gehorsam der Kirche und dem Papste. Alles Interesse so wie alle Bedeutung der vorgekommenen Debatten concentrirten sich in der Rede, welche der König dabei an die katholischen Stände richtete: „Ihr rathet mir," so sprach er, ich solle mich mit dem Papst einigen, der mich doch lästert und mir unerhörte Gewalt anthut; will er doch gar in Zweifel ziehen, ob ich noch Böhmens König sein soll. [183] Ihr wisset, wie dies Königreich gefreit ist, daß niemand darüber zu gebieten hat: wollt Ihr solche Freiheit dem Papste unterwerfen? Wir haben ihm Gehorsam zugesagt, so weit wir dazu nach unserer Freiheit und nach altem Herkommen, woran wir festhalten wollen, verpflichtet sind. Wir wollen auch gerne mit ihm und mit aller Welt Frieden, Einigkeit und Eintracht haben, wie wir ja den Frieden über-

---

182) Das sehr ausführliche Schreiben des Dominicus episcopus Torcellanus vom 12 Juli 1463 ist uns aus dem MS. der Leipziger Universitätsbibliothek Num. 1328, und in böhmischer Uebersetzung auch aus dem MS. Sternb. p. 420—426 bekannt. In letzterer Handschrift p. 470 steht auch ein zweites undatirtes Schreiben von ihm an die Bischöfe Jost und Protas auf dem Reichstage zu Brünn, wo es auch heißt, daß der Vertrag zwischen dem Kaiser und dem K. Mathias von Ungarn endlich „gestern" abgeschlossen worden sei

183) Eschenloer (I, 216 fg.) hat zwar die Worte „will er — sein soll" nicht angeführt, doch fordert sie der Sinn der Rede, zur Ausfüllung des logischen Sprunges zwischen dem vorhergehenden und dem nachfolgenden Satze.

all von Herzen herbeiwünschen. Ihr verlangt, daß wir uns 1463
im Glauben mit der christlichen römischen Kirche einigen, da
es doch offenbar ist, daß die römische und die christliche
Kirche nicht eins und dasselbe ist; jene ist vergänglich und
kann zu Grunde gehen, nicht aber diese, die Gemeinschaft
aller Christgläubigen, deren wir in Prag und in Böhmen
eben so viele haben, als in Rom. Das heilige Concil von
Basel, das die christliche und nicht bloß die römische Kirche
vorstellte, hat diesem Reiche um seiner großen Verdienste und
Bemühungen willen einige Compactaten verliehen, in denen
wir geboren und erzogen sind und auch sterben wollen. Mit
welchem Rechte kann sie uns der Papst oder die römische
Kirche, die doch unter dem Concil stehen, weigern und ver=
werfen? Ihr wisset, wie dieses Königreich durch sie zu Frieden
gekommen ist und ohne sie nicht in Frieden bleiben kann. Darum
verlangen wir, daß ihr solches gehörig erwäget und zugleich
in Berücksichtigung dessen, wie unsere Vorfahren, die Könige
Sigmund, Albrecht und Ladislaw, diese Länder bei den Com=
pactaten erhalten und regiert haben, neben uns und unseren
Freunden dazu behilflich seid, daß es auch bei unserer Re=
gierung so gehalten werde; denn wie will der Papst von
uns mehr fordern, als von jenen unseren Vorfahren, die doch
weniger als wir an die Compactaten gebunden waren? Haben
diese Könige sie bei ihrer Geltung erhalten, um wie viel mehr
müssen wir ein Gleiches thun, die wir geschworen haben,
alte Rechte und Gewohnheiten auf beiden Seiten unverbrüch=
lich zu schützen? Dies ist der beste Weg, auf dem ihr bil=
ligerweise mit uns schreiten sollet; in allem übrigen wollen
wir uns gegen den Papst eurem Rathe gemäß halten. Und
wenn das etwa nicht möglich wäre, wie wir denn besorgen,
daß der Papst nur seinen Willen mit uns treiben will, so
sollt ihr helfen, daß die ganze Angelegenheit wenigstens bis
zum künftigen Concil auf sich beruhe. Sobald ein solches
von Seiner Heiligkeit berufen wird oder sonst zu Stande

1463 kömmt, wollen wir ihm die Compactaten vorlegen und dann
seiner Entscheidung Folge leisten. Denn wer sonst soll unsere
Compactaten richten und auslegen, als das Concil, von
welchem wir sie erhalten haben? Sagen doch die Rechte,
daß derjenige ein Gesetz auslegen und richten soll, der es
gegeben und gestiftet hat. Wir stellen dies, eurer eigenen
vernünftigen Ueberlegung anheim und zweifeln nicht, daß ihr
die Gerechtigkeit unserer Forderung anerkennen werdet. Die
Berufung an ein Concil kann uns mit Recht nicht versagt
werden. Doch sind wir auch willig, uns mit dem Papste
durch das Mittel des Kaisers zu vergleichen, der uns versprochen hat und auch bereits bemüht ist, alle unsere Sache
mit dem Papst in Ruhe und Frieden beizulegen, sollte er
darum auch persönlich zu Seiner Heiligkeit sich begeben
müssen. Darum ermahnen wir euch, habt indessen Geduld,
gestattet keine päpstlichen gegen uns gerichteten Processe zu
verkündigen und zu vollziehen, sondern bedenket, was ihr
uns als eurem natürlichen Erbherrn schuldig seid. Ihr habet
unter uns eure Leiber und Güter, Weiber und Kinder, die
Ihr ja billigerweise um der Priester willen nicht in Gefahr
setzen sollt. Denn wo die Priester hinkommen, da wollen sie
überall herrschen: aber bei euch ist es anders. Doch will
ich euch nicht wehren noch hindern, dem Papste zu thun,
was ihr ihm schuldig seid." Der Schriftsteller, der uns diese
Rede aufbewahrt hat, bemerkt dabei, man habe aus dem
Vortrage nicht entnehmen können, ob der König leidenschaftlich bewegt war oder nicht: doch wäre seine Gewohnheit gewesen, wenn er im Zorne redete, sitzend beide Hände auf die
Knie zu legen, oder stehend in die Seiten zu setzen, und hier
habe er das eben gegen „den christlichen Theil" gethan.

Das Ergebniß des Brünner Tages war, daß die katholische Partei sich zwar nicht zum Schutze der Compactaten
verpflichtete, aber doch beschloß, für den König beim Papste,
bei dem Kaiser, den Cardinälen und bei den am kaiserlichen

Hofe anwesenden päpstlichen Legaten sich zu verwenden, und   1463
überhaupt den Erfolg der kaiserlichen Vermittlung abzuwarten.
In der Instruction für die an den Kaiser abzusendenden
Machtboten sprach der Landtag das Verlangen aus, der
Kaiser möchte beim Papste auswirken, daß ein Legat mit
Vollmachten nach Böhmen abgeordnet werde, die entstandenen
Mißhelligkeiten endlich und gütlich beizulegen. „Sobald der
Legat kömmt, will Seine Majestät der König vor allem sich
reinigen in Betreff dessen, was die Feinde ihm zur Last ge=
legt haben, und wenn solches geschehen, hofft er, es werde
der heilige Vater ihm dann gütig und geneigt sein. Auch
will er seine Absichten vor dem Legaten in solcher Weise
darstellen, daß sie hoffentlich weder Seine Heiligkeit noch
sonst jemand werde verwerfen können; und er gibt sich dem
Vertrauen hin, der heilige Vater werde die Sachen so leiten,
daß sie nicht zum äußersten Ruin des Königreichs ausschla=
gen." Den Gesandten wurde überdies aufgetragen, den Kaiser
aufmerksam zu machen, wie geduldig der König bisher alle
vom Papst gegen ihn erlassenen Schmähschriften hingenom=
men und wie gemäßigt und schonend er in allen seinen an
den Kaiser wie an die Reichsfürsten gerichteten Schreiben
sich über ihn geäußert habe, um ja den Weg zur Aussöhnung
noch offen zu erhalten, obgleich seine beleidigte Würde und
Ehre von ihm ein anderes Benehmen gefordert hätten. [184]
Diese Gesandtschaft an den Kaiser wurde gleichwohl
wieder einige Zeit zurückgehalten, da inzwischen der König
seinem Begehren durch neue Verdienste neues Gewicht zu=

184) MS. Sternb. p. 417. Thomas Ebendorfer gibt in seinem noch un=
ebirten Liber Augustalis (MS. fol. 348) die Nachricht, König
Georg habe auf dem Brünner Tage zur Antwort gegeben „re-
sponsum multa cautela suo more velatum, — prout regnicolae
scribunt et summo pontifici et similiter imperiali Majestati. Quo
dato responso idem G. cum filio noctu aliis ignorantibus se-
cessit a loco, et versus Boemiam et Pragam se convertit" etc.

1463 wenden wollte. Denn schon vor seiner Rückkehr aus Brünn hatten in Prag die bevollmächtigten Räthe fast aller deutschen Fürsten sich versammelt, um von ihm die endliche Entscheidung ihrer sechsjährigen großen Kämpfe zu vernehmen. Ihre Aussöhnung hatte nämlich, troz der gegenseitigen Erschöpfung beider Parteien, keinen Fortgang nehmen wollen: die darüber gehaltenen Tage, zuerst zu Regensburg (16 Oct. bis 11 Dec. 1462), dann zu Wasserburg (17 Febr. 1463), zu Salzburg (23 März) und in Wiener-Neustadt (10 April) blieben alle erfolglos, bis endlich wieder beide Parteien auf K. Georg compromittirten und von ihm eine gerechte Entscheidung ihrer wechselseitigen Ansprüche verlangten. Die Verhandlungen darüber sollten in Prag schon am 29 Juni beginnen, wurden jedoch wegen des Brünner Reichstags ver-
6 Aug. schoben und erst am 6 August eröffnet. Die vornehmsten Bevollmächtigten dabei waren von Seite des Kaisers Johann Rohrbacher, vor Kurzem zum Freiherrn von Reuburg am Inn erhoben, und Doctor Sigmund Drechsler: von Seite Herzog Ludwigs Doctor Martin Mayr und des Herzogs Hofmeister Wilhelm Fruchtlinger. Die kaiserlichen Bevollmächtigten vertraten auch den Markgrafen Albrecht von Brandenburg, von dessen Seite kein Mann von Bedeutung anwesend gewesen zu sein scheint; die Räthe des Herzogs Sigmund, der Bischöfe von Bamberg, Würzburg und Eichstädt und anderer Fürsten können wir unerwähnt lassen. Pfalzgraf Friedrich und Herzog Albrecht hatten, wie es scheint, Niemanden geschickt und wurden von den baierischen Abgeordneten vertreten.

In Deutschland waren, zumal am Rheine, in der lezten Zeit einige wichtige Veränderungen vor sich gegangen. Eine der wichtigsten war die am 14 Februar erfolgte Wahl Ruprechts, eines Bruders des Pfalzgrafen Friedrich, zum Erzbischofe von Köln; denn um seiner Bestätigung durch Kaiser und Papst nicht hinderlich zu sein, mußte der Pfalzgraf

fortan sich mäßigen, mit Adolf von Nassau, der mittlerweile 1463
Diethern von Isenburg aus Mainz verdrängt hatte, sich be=
freunden, und die in der Schlacht bei Seckenheim gefangenen
Fürsten, Bischof Georg von Metz, Markgrafen Karl von
Baden und Grafen Ulrich von Wirtenberg, auf freien Fuß,
wenngleich gegen ein enormes Lösegeld, setzen. Herzog
Albrecht war mit dem Kaiser, seinem Bruder, bereits wieder
zerfallen; dagegen gelang es Letzterem sich, wie schon erwähnt,
mit dem Könige von Ungarn vollends gut zu setzen. Der
Zustand des Reichs war überhaupt ein trostloser; es gab
fast kein politisches Band mehr, das es zusammengehalten
hätte. Des Kaisers Macht und Ansehen, seit längst unter=
graben, waren durch die letzten Begebenheiten vollends ver=
nichtet; man sah in ihm nicht mehr den Kaiser, sondern
nur einen Fürsten des Hauses Oesterreich. Unter den Kur=
fürsten gab es weder Einigkeit noch Vertrauen, da in Mainz
der eine abgesetzt, der andere noch nicht eingesetzt, der von
Köln und der Pfalzgraf nicht anerkannt, die von Trier und
von Brandenburg unthätig, der von Sachsen wie todt, und
gleichwohl alle mit einander in Streit waren. Nicht die
Reichstage, nicht die Gerichte, noch die Landfrieden und
Eidgenossenschaften gemahnten mehr an die Einheit des Reichs;
auf den Reichstagen namentlich erschien gar selten irgend
ein Machtbote aus dem Nordwesten Deutschlands; Burgund,
die Schweiz und das Herzogthum Mailand hatten sich längst
dem Reichsverband entzogen. Nur die kirchliche Organisation
und mit ihr die Gewalt Roms erhielten sich nicht bloß in
ihrer Blüthe, sondern mehrten und hoben sich noch zusehends.
Stand K. Georg nicht im Wege, es wäre Pius II wohl ge=
lungen die günstige Zeit zu benützen und der geistlichen Herr=
schaft auch politische Elemente beizufügen.

König Georg fällte in Prag am 23 August seinen 23 Aug.
Spruch 1) zwischen dem Kaiser und Herzog Ludwig von
Baiern, 2) zwischen Ludwig und dem Markgrafen Albrecht;

1463 3) zwischen dem Markgrafen und dem Bischofe von Bam=
berg; 4) zwischen demselben und dem Bischofe von Würz=
24 Aug. burg; am nächsten Tage, 24 August, folgte noch ein Ver=
gleich des Kaisers mit Sigmund von Tyrol. Alle diese
Sprüche und Entscheidungen wurden am selben 24 August
in der Prager Domkirche feierlich publicirt. [185] Das Haupt=
verdienst dieses „Prager Friedens" war, daß er von allen
Parteien ohne Widerrede angenommen und daß so durch ihn
dem sechsjährigen blutigen Kriege im Reiche ein wirkliches
Ende gemacht wurde. Im Allgemeinen wurden die Rechts=
verhältnisse durch den Entscheid größtentheils wieder so her=
gestellt, wie sie vor Ausbruch des Krieges bestanden hatten.
Zwischen dem Kaiser und dem Herzoge Albrecht vermit=
telte zur selben Zeit, und nicht ohne Erfolg, deren Schwe=
ster, die Markgräfin Katharina von Baden. Nur die rhei=
nischen Wirren blieben vom Prager Frieden vorläufig un=
berührt: doch auch für sie wurde durch einen neuen, weit=
greifenden und merkwürdigen Entwurf dem Frieden Bahn
gebrochen.

Dieser Entwurf hatte nichts Geringeres zum Zweck,
als eine vollständige politische Reform des Reichs:
es sollten nicht nur die Anlässe zu Streit und Zwietracht
beseitigt, sondern auch, auf neuen Grundlagen, des Kaisers
Macht erhöht, die Einheit des Reichs befestigt und der Hauch
organischen Lebens ihr wieder gegeben werden. Die Grund=
ideen lieferte wohl, in seinem patriotischen Eifer, Doctor
Martin Mayr; König Georg lieh ihnen die Auctorität sei=
nes Namens, und des Kaisers vorzüglichster Vertrauter, Jo=
hann Rohrbacher wurde, um die Durchführung zu fördern,

185) Gedruckt sind einige der Friedensurkunden in Müller's Reichstags=
Theatrum II, 178—184, bei Dumont, Schöttgen und Kreysig,
eine vom 24 August auch in Kurz Gesch. K. Friedrichs, II, 238;
die vollständige Reihe derselben fanden wir im Neuburger Copial=
buche (XI. 359—378) des königl. bair. Reichsarchivs in München.

als dritter in den Bund aufgenommen. [186] Es ist jedoch 1463
nicht zu zweifeln, daß auch Mayr, bei Formulirung des Ganzen, sich die Ansichten und Wünsche des Königs zur Richtschnur nahm.

Dem Entwurfe zu Folge sollten am nächsten S. Martinstage (11 Nov. 1464) bevollmächtigte Räthe der vornehm-

186) Ueber Entstehung und Schicksale dieses Entwurfs findet sich in
demselben Copialbuche (XI, 392) in der Instruction eines von
Herzog Ludwig an den Bischof von Passau im J. 1464 abgefertigten Gesandten folgende Notiz, welche wir ihrer Wichtigkeit wegen
ganz hersetzen: „Mit Namen, so sey durch vnsern herrn Kunigen
von Beheym, den Robacher und Maister Marttein Mair ain verzeichnuß zu Prage bescheen, wo die furganck gehabt hette, So
wäre vnserm herrn Kaiser Ere und nuz In dem heiligen Reich
frid vnd Einigkait dauon entstanden, auch die gericht außgericht
furderlich gehalten vnd voltzogen vnd dorczw solich swär straff die
dann als die Rede lautten von anstoffenden gesten vorhannden
sind und mit gutem fug verkumen werden, als sich das alles In
verhorung derselben verzaichnus wol erfindet. Vnd als nun M.
Sigmund seliger die sach an vnsern herrn Kaiser vnd M. Mert-
tein an vnsern herrn pfaltzgrauen vnd herzog Ludwigen bracht
haben, die herren all daran ein geuallen gehabet, als sich dann
solichs auß den briefen die der Kaiser pfaltzgraue vnd herzog Ludwig dem Kunig zu Peheym geschriben haben erfindet. Dorczw so
sey auch solches darnach Insunderhait dem pfaltzgrauen auch her-
tzogs Ludwigs Räte von vnsers hern Kaisers Rate zugeschriben
vnd begeret worden das der pfaltzgraue vnd hertzog Ludwig Ire
Räte mit vollem gwalt hinabschicken sollten, das Sy dann auch
also getan vnd sich Irs tails vor vnserm herrn Kaiser vnd seinen
Räten albegen erpoten haben, alles das zu tun, das die gemelt
verzaichnuß Innhalt, aber vnser herre Kaiser hab das noch zurr
Zeit nicht getan.“ Diese „Verzeichnuß“ war dieselbe Schrift, welche
wir im selben Neuburger Copialbuche (XI, 384—388) mit andern
dazu gehörigen Acten aufgefunden, und Prof. Const. Höfler in seiner
akademischen Rede „Ueber die politische Reformbewegung in Deutschland im XV Jahrhunderte,“ (München, 1850, S. 37—43 in 4,)
aus einer andern Quelle, nach einem minder vollständigen und
nicht ganz correcten Exemplar, edirt hat.

1463 sten deutschen Fürsten, des Kaisers, des Pfalzgrafen, des
Herzogs Ludwig und des Markgrafen Albrecht ganz insgeheim in Prag zusammentreten. Da sollte dann der König
vor allem zwischen dem Pfalzgrafen und dem Kaiser eine
volle Aussöhnung auf der Grundlage stiften, daß der Pfalzgraf und sein Bruder Ruprecht von Köln dem Kaiser Treue,
Gehorsam und Beistand in Allem angeloben, was zur Mehrung seiner Macht im Reiche beitragen könne, und dagegen
von ihm sie als Kurfürsten anerkannt und auch die im
pfalzgräflichen Hause vorgekommene Arrogation bestätigt werden;
und eben so sollte der König auch einen endlichen Vergleich
zwischen dem Kaiser und dem Herzoge von Baiern über
alle zwischen ihm noch strittigen Puncte zu Stande bringen.
Nach Abschluß solcher Verträge sollten ferner der Kaiser, der
König, der Pfalzgraf, Herzog Ludwig und Markgraf Albrecht
von Brandenburg in einen engen Freundschafts-Bund zum
Wohl des heil. römischen Reichs treten; der Kaiser sollte es
auf sich nehmen, die zwischen der geistlichen und weltlichen
Macht im Reiche obschwebenden Streitigkeiten, namentlich
jene zwischen dem Papste und dem Könige von Böhmen,
zwischen dem Cardinal von Brixen und dem Herzog Sigmund und zwischen den beiden Erzbischöfen von Mainz zu
beseitigen, unter der Bedingung, daß von ihnen allen im
Verein mit den übrigen Fürsten in folgende Puncte gewilligt
werde: in die Einführung eines allgemeinen Reichslandfriedens, in die ordentliche Einsetzung und Handhabung kaiserlicher Richter und Gerichte im Reiche, in die Ausschreibung
besonderer Steuern und Gefälle für den Kaiser durch das
ganze Reich wenigstens für drei Jahre, und in die Errichtung hinlänglicher kaiserlicher Münzstätten, damit eine gleiche
und stete Münze allenthalben eingeführt werden könne. Alle
obgenannten Fürsten, und mit ihnen der Kurfürst von Sachsen, sollten zur wirklichen Durchführung dieser Puncte gegenseitig sich verbinden und dieselbe, jeder in einem bestimmten

Reichsbezirke, überwachen, wofür ihnen dann ein bestimmter 1463
Antheil an den kaiserlichen Steuern und Gefällen angewie=
sen werden sollte; nur die böhmischen Kronländer wurden in
diesen Organismus nicht einbezogen. Ueberdies sollten die
gedachten Fürsten sich vorläufig in Prag über Alles einver=
stehen und einigen, was noch außerdem zum Besten des
Reichs Noth thue, und sich zu dessen einträchtiger Förderung
und Durchführung verbindlich machen. Dann sollte der Kaiser
einen allgemeinen Reichstag nach Eger auf den nächsten
Sonntag Reminiscere (26 Febr. 1464) ausschreiben, dabei
auch selbst erscheinen und die insgeheim verabredeten Puncte
zur Annahme vorlegen, damit sie Gesetzeskraft erhielten. Be
der in voraus gesicherten Zustimmung der vornehmsten Reichs=
fürsten zweifelte man nicht an der Annahme; den etwa zu
besorgenden Widerspruch der Reichsstädte glaubte man durch
die Androhung beseitigen zu können, daß ihnen der freie
Durchzug durch die fürstlichen Landesgebiete verweigert wer=
den würde.

Diesen hier in allgemeinen Umrissen nur kurz gezeich=
neten Entwurf trug M. Sigmund Drechsler zum Kaiser und
M. Martin Mayr zum Pfalzgrafen und zu Herzog Ludwig
dem Markgrafen Albrecht von Brandenburg wurde er gleich=
zeitig vom Secretär des Königs Jobst von Einsiedel, wie
es scheint, nur mündlich mitgetheilt. Der Pfalzgraf nahm
ihn mit großer Bereitwilligkeit auf, nur trug er auf einige
Aenderungen in demselben an, namentlich daß auch sein Bru=
der Ruprecht von Köln, wie auch der Kurfürst Friedrich von
Brandenburg unter die vornehmsten Reichsfürsten, welche in
den engeren Verein treten sollten, aufgenommen würden; daß
es nicht heiße, der Kaiser, der König und die Fürsten schlie=
ßen untereinander einen festen Bund, da in diesem Falle jeder
seine Freunde, mit welchen er in Einung stehe, ausnehmen
müßte, sondern nur daß sie mit dem Kaiser zur Durchführung
des Entwurfes sich einigen; daß die Vorrechte und Befugnisse

1463 der Fürsten durch die neue Einrichtung nicht geschmälert
werden sollten; daß von den zu erhebenden Abgaben und
Gefällen auch die Grafen, Freiherren und der Reichsadel
überhaupt nach dem Verhältnisse der Zahl ihrer Unterthanen
einen bestimmten Antheil erhalten; daß nicht von jedem Kopf
ein Groschen, sondern von zehn je ein Gulden erhoben werde
daß der große Reichstag nicht nach Eger, sondern nach Nürnberg oder Regensburg ausgeschrieben werde u. dgl. m. Doctor Mayr wurde daher von Seite des Pfalzgrafen und Herzog Ludwigs unverweilt an den Kaiserhof abgeordnet, um
dort in dieser Richtung thätig zu sein. Es leuchtet ein, wie
sehr schon durch diese Aenderungen der Grundgedanke des
Ganzen, die Concentrirung und Einigung der höchsten Reichs-
gewalt, alterirt wurde. Der Kaiser jedoch hatte an der Sache
anfangs große Freude, und schon sprach man, er werde Dr.
Martin Mayr zu seinem Reichskanzler ernennen: gleichwohl
gab er diesem schriftlich vorerst keine andere Antwort, als das
förmliche Verlangen, daß vor allem der Pfalzgraf und Herzog Ludwig sich zur Treue gegen ihn bekennen und ihm den
Steuerantheil sicher stellen, der auf ihre Lande entfallen
werde, dann werde er bereit sein, dem Herzoge das Amt
eines obersten Reichshofrichters zu verleihen; von der pfalzgräflichen Arrogation geschah in der Antwort nicht einmal
eine Erwähnung. Markgraf Albrecht von Brandenburg fand
vorzüglich den Umstand bedenklich, daß in dem projectirten
engern Bunde zwei Fürsten des bairischen Hauses stehen
sollten; darum schlug er zwar vor, daß je zwei Fürsten jedes
der ersten Häuser im Reiche in den Bund treten sollten, namentlich für Oesterreich der Kaiser und Herzog Sigmund, für
Böhmen der König und sein Sohn Victorin, für Baiern der
Pfalzgraf und Herzog Ludwig, für Sachsen der Kurfürst
Friedrich und Herzog Wilhelm, für Brandenburg endlich der
Kurfürst Friedrich und er: da er jedoch erkannte, daß die
bairische Partei auch dann bei der Durchführung des Ent-

wurfes gewinnen würde, so säumte er nicht lange entschiede-
nen Widerspruch gegen das Ganze zu erheben. [187] Es stellte
sich bald heraus, daß die Verhandlungen über die Verwirk-
lichung des Planes auch im günstigsten Falle viel längere
Zeit in Anspruch nehmen sollten, als dem Könige von Böhmen lieb war. Zu den gewöhnlichen Schwierigkeiten und
Hemmnissen, der den Deutschen angebornen Bedächtigkeit und
Unschlüssigkeit, gesellte sich auch eine außerordentliche, die
Pest, welche im Monate September in Böhmen, zumeist in
Prag, ausbrach, [188] über ein Jahr lang währte, und an
Heftigkeit je länger je mehr zunahm, so daß an ein Tagen
zu Prag, sei es zu Martini, sei es auch später, um so weniger gedacht werden konnte, als der König mit seiner Familie den folgenden Winter meist in Glatz zubrachte. Was
weiter folgte, ist weniger bekannt und kann hier auch nicht
umständlicher besprochen werden. Beinahe zwei Jahre lang
verhandelten der Kaiser und die Fürsten über die Sache, bis
man sie endlich fallen ließ. Ohne Zweifel hatte K. Georg
den Fürsten mehr patriotische Hingebung und Opferwilligkeit
zugetraut, als er bei ihnen antraf; denn ohne Opfer und
ohne Beschränkung der Willkür der Unterthanen ließ die
Macht des Herrschers sich weder heben noch befestigen. Doch
ist nicht zu läugnen, daß auch er selbst dem Gedeihen des
Plans dadurch schadete, daß er seinen Streit mit dem Papste
in ihn hineinmischte und letzteren zu einer Reichsangelegen-

187) Des Pfalzgrafen Anträge auf Aenderung des Entwurfs und des
    Kaisers erste Antwort an Martin Mayr stehen im selben Neu-
    burger Copialbuch XI, 386—88. Von M. Mayr's Anwesenheit
    am kaiserl. Hofe in Wiener-Neustadt am 28 Oct. 1463 s. Mich.
    Beheim S. 340. Andere hieher gehörige Nachrichten gab Const.
    Höfler auch in s. Kais. Buch S. 101—109 und im Archiv für
    österr. Geschichte (von der kaiserl. Akademie d. Wissensch.) Bd. VII,
    1851 S. 26—40.
188) Monumenta histor. universit. Prag. II, 85. Eschenloer, I, 235, 253.
    Scriptorum rerum Lusatic.— , 82. Staří letopisowé S. 180.

1463 heit zu erheben suchte; denn sind wir recht unterrichtet, so
wurde die angestrebte Reichsreform mehr noch durch das
Mißtrauen und den Widerstand des römischen Stuhls, als
durch den Mangel an gutem Willen von Seite der Reichs=
fürsten vereitelt.

Die gedachte Reichsreform und selbst die Pest gaben
dem Könige, trotz dem häufigen und freundschaftlichen Verkehr,
welchen er mit dem Kaiser unterhielt, die willkommene Ver=
anlassung, jene Verhandlungen aufzuschieben, die dem Brün=
ner Landtagsschlusse gemäß mit dem Papste durch Vermitt=
lung des Kaisers gepflogen werden sollten. Die oben er=
wähnte Botschaft an den kaiserlichen Hof wurde nicht eher,
als nach Neujahr und zwar ziemlich spät abgeordnet. Mitt=
lerweile gab der König zwar die gegen die Breslauer beab=
sichtigte Unternehmung auf, schritt aber um so strenger zur
Bestrafung derjenigen böhmischen, mährischen und schlesischen
Landherren und Ritter, welche ihre Auflehnung gegen ihn
mit dem Schleier katholischen Glaubenseifers zu bedecken
suchten. Wir sind zwar nicht im Stande anzugeben, was
er gegen seinen alten persönlichen Todfeind in Mähren, Hy=
nek von Lichtenburg und Wöttau unternahm, als dieser kurz
nach dem Brünner Landtage, in den Monaten August und
September, mit Hilfe des Mailberger Ordensmeisters Achaz
Bohunko und einiger Brüderrotten aus Oesterreich einen
offenen Krieg gegen den König unternahm. [189] In Böhmen

189) Man sehe darüber die in Const. Höfler's Schrift (Die politische
   Reformbewegung u. s. w.) auf S. 43 (zu Ende) mitgetheilte Nach=
   richt und vergleiche damit das Schreiben des Königs vom 15 Aug.
   1464 (s. unten). Der Mailberger Meister Achaz Bohunko war
   zwar, nach Thomas Ebendorfer's Zeugniß (in libro Augustali MS.)
   ein Austrigena, hatte aber, als Rottenführer und Kriegsherr nach
   Mladwanĕk, ganz die Sitten und die Sprache der Böhmen an=
   genommen. Seine im J. 1460 durch Pius II (nach des Kaisers
   Wunsche) erfolgte Erhebung zu seiner Würde lernt man aus
   Chmel's Materialien II, 297 kennen.

aber ließ er die Burg Tollenstein belagern, deren Lehenbe= 1463
sitzer, Herr Albrecht Berka von Duba, ein echter Raubritter,
weder der Vorladung vor das königliche Hofgericht Folge,
noch überhaupt dem Könige, als einem erklärten Ketzer, Ge=
horsam leisten wollte; die Burg wurde erobert und der treu=
brüchige Vasall des Landes verwiesen. [190] Aus ähnlichem
Grunde entzog der König auch Johann Hagen von Tschir=
nau die Pflege der Stadt Polkenhain, Johann von Redern
das Schloß Lehnhaus, und bemächtigte sich der Burg Für=
stenstein so wie anderer Städte und Herrensitze mehr, welche
Miene machten, Hieronymus von Kreta mehr als ihm zu
gehorchen. Darüber aufgebracht, beschwerte sich Pius II am
3 October brieflich beim Kaiser: „Wir meinen, sagte er, es 3 Oct.
könne Deiner Majestät nicht unbekannt sein, wie der böhmische
König Georg mit den Katholiken seines Landes umgehe, da
uns, die wir so ferne wohnen, tägliche Klagen und Wehe=
rufe über Grausamkeiten in die Ohren dringen, die er gegen
sie übt. Das sind doch keine Zeichen eines Sinnes, der sich
bessern will; ja all sein Benehmen weist hin, daß er auf
jede Weise, offen und heimlich, mit List und mit Gewalt,

190) In einem am 3 Oct. 1463 an den Kaiser erlassenen Schreiben
(s. Anmerk. 191) drückte sich Pius II über Herrn Albrecht mit
folgenden Worten aus: Georgius — obsidet Tolmsteyn, quod
dilectus filius nobilis vir Albertus Birke catholicus baro pos-
sidet, quoniam praestare homagium recusavit, ad quod prae-
standum illi velut haeretico non tenebatur. Doch gibt über ihn
und sein Verschulden bessere Auskunft der Brief, den der Landvogt
der Oberlausitz, Johann von Wartenberg auf Tetschen am 14 Juli
1463 an den Erzbischof Hieronymus von Kreta richtete, worin es
heißt: — Landrüchtig ist, wie Er Albricht rechtflüchtig wurden ist
der Kronen zu Behmen vnd vß gehorsam getrettin, vmb siner
großen gewalt vnd vnrechts willen, das her an manchem Manne
begangen hat. — Als her desim ganzen Lande bekannt ist, so habe
wir en vor ein vngetrawen Bösewicht gehalden, der sich aller red=
likeit irwagen hat, der mordliche vnd grosse gewalt vnd vnrecht
an sienen armen lüthin begangen hat u. s. w. (Scultetus III, 133.)

1463   die Katholiken niederzudrücken und die Ketzer emporzubringen
beabsichtigt. Wohl ist uns bekannt, was und wie er unaufhörlich von uns zu reden und zu schreiben pflegt; wir wissen
von seinen geheimen Entwürfen zum Verderben des Glaubens und zur Ausbreitung der Ketzerei; auch ist Deiner
Durchlaucht unverborgen, welche Früchte der Brünner Tag
getragen hat. Als läge es nicht auf der Hand für Jedermann, daß er nur Zeit zu gewinnen suchte, um seine Irrthümer und seine Bosheit mehr und mehr zu verbreiten; sein
verstocktes Herz ist nimmer zu erweichen. Du bist bei uns
für ihn eingestanden, Dir zu Liebe haben wir bis jetzt an
uns gehalten: sieh also rasch zu uns, theile uns seine End-
absichten mit; denn von allen Seiten mit Bitten bestürmt,
die getreuen Schafe von dem wilden Wolfe nicht verschlin,
gen zu lassen, können wir nicht länger zögern zu thun, was
unsere Pflicht erheischt." Der Kaiser sandte dieses, hier nur
im Auszuge mitgetheilte Schreiben, [191] dem Könige zu, welcher zwar zusagte, seine Botschaft an den kaiserlichen Hof
zu senden, sich aber damit, wie gesagt, nicht sehr beeilte.

Inzwischen trat ein unerwartetes und für den König
nicht minder als für den Kaiser folgenschweres Ereigniß ein:
2 Dec.   am 2 December 1463 starb in Wien plötzlich Erzherzog Al-
recht, ohne Kinder zu hinterlassen. Allgemein ging die Rede,
er sei vergiftet worden, und die Aerzte von Wien weigerten
sich deshalb sogar, den Leichnam zu obduciren: doch fand
sich Niemand, der nach dem Thäter geforscht und ihn zu
strafen gesucht hätte; und seine noch in Oesterreich weilende
Schwester Katharina Markgräfin von Baden war, wie es
scheint, die Einzige, die diesen Tod aufrichtig beweinte. Der
Kaiser wurde dadurch seine schwerste Sorge, seinen gefährlichsten Gegner los; er fühlte sich von da an um so viel

191) Wir fanden es im Cod. MS. der Leipziger Universitätsbibliothek
N. 1327 fol. 46. Eine Erwähnung desselben findet man auch in
Höfler's Kaiserl. Buch S. 103 und bei Eschenloer S. 224.

freier, daß er der Freundschaft und Hilfe des Königs von 1464
Böhmen weniger bedurfte; seine Macht gewann durch den
Heimfall nicht nur an Festigkeit, sondern auch an Ausbreitung; schon am 2 Januar 1464 erkannten die oberösterrei- 2 Jan.
chischen Stände zu Linz ihn als ihren Herrn an.

Gleichwie der Papst sich der Kenntniß der geheimen
Pläne K. Georgs rühmte, so war es auch Letzterem gegeben,
bei Zeiten hinter den Schleier zu schauen, der noch die Absichten der römischen Curie verhüllte; das Ungestüm des
Legaten Hieronymus von Kreta erleichterte dessen Lüftung.
Unglaublich zwar erscheint die Angabe, daß Letzterer sogar
auf die Vergiftung des Königs bedacht gewesen sei, obgleich
ein verarmter böhmischer Edelmann, Johann von Wiesenburg, der insgeheim beiden Theilen als Zuträger gedient
hatte, angeblich wegen dieses verbrecherischen Versuchs zu
Glatz im März 1464 wirklich geviertheilt wurde: [192] um so
offenkundiger war dagegen die Aufreizung und der Vorschub,
welchen er dem Aufruhr in Schlesien wie in Mähren angedeihen zu lassen fortfuhr. Am 24 Februar entdeckte über- 24 Feb.
dies Markgraf Albrecht von Brandenburg dem Könige in
großem Geheim, welche Verhandlungen der Legat bei seinem
Bruder dem Kurfürsten Friedrich und bei ihm selbst angeknüpft, um sie gegen den König zu gewinnen, und wie er
ihnen nicht nur viel Geld und einige deutsche Länder der
böhmischen Krone angeboten, sondern auch zugesagt habe,
daß der römische Hof sie auf den böhmischen Thron selbst
erheben werde; was aber alles von beiden Brüdern abgelehnt
worden sei. [193] Es ist jedoch nicht zu zweifeln, daß die Mark-

192) Eschenloer schildert den Vorfall umständlich (S. 288 fg.) und
   weist insbesondere nach, wie Johann von Wiesenburg auf dem
   Gang zum Richtplatze alle seine frühern Aussagen widerrufen habe,
   worauf Hanns Wölfel von Warnsdorf, der Hauptmann von Glatz,
   spöttisch erwiedert haben soll, der Widerruf sei nur auf das Anstiften von Beichtvätern und Priestern erfolgt u. s. w.
193) Albrechts Brief ist in Höfler's Kaiserl. Buch S. 94 unvollständig

1464 grafen keineswegs die erften gewefen, an welche man mit derlei Anträgen ſich wendete, ſondern daß ſolche bereits bei dem Könige von Polen mit gleicher Erfolgloſigkeit vorangegangen waren; und da Hieronymus Landus Breslau ſchon 25 Jan. am 25 Januar 1464, mit Hinterlaſſung des Balthaſar von Pescia an ſeiner Stelle zum Schutze der Stadt, verlaſſen hatte, ſo müſſen ſolche Verhandlungen ſchon lange vor Ausgang des Jahres 1463 eingeleitet worden ſein. Es wird daraus erſichtlich, daß ſchon damals der römiſche Hof die Länder der Krone Böhmen als ein von Rechtswegen herrenlos gewordenes Gut anſah und behandelte.

Der Kaiſer hatte den Reichsfürſten einen Tag nach 4 März Neuſtadt zum Sonntage Oculi (4 März 1464) angeſagt, und K. Georg erklärte auch ſeine bereits vom Brünner Landtage her erwartete Botſchaft dazu ſenden zu wollen: doch die Geſandten, deren Häupter der Kanzler Prokop von Rabſtein und Beneš von Weitmil waren, kamen erſt in der zweiten Hälfte des Monats März an und entſchuldigten ihr langes Ausbleiben mit großen Ueberſchwemmungen, welche nach einem äußerſt ſtrengen Winter plötzlich alle Wege ungangbar gemacht hätten, ſo wie auch mit den Gefahren, welchen ihre Reiſe von Seite der öſterreichiſchen Rotten, die Hyneks von Vöttau Aufſtand unterſtützten, ausgeſetzt geweſen ſei. Nachdem ſie nun ihre Botſchaft, der vom Brünner Tage erhaltenen Inſtruction gemäß, ausgerichtet, fügten ſie ihr ſchwere Klagen über den Erzbiſchof von Kreta bei, der mit Ueberſchreitung der päpſtlichen Befehle gar zu feindſelig ſich gegen den König benommen habe, und verlangten auch, daß der gegen Johann Herzog von Sagan wegen ſeines Bruders Balthaſar eingeleitete Proceß ſiſtirt werde. Die am kaiſerlichen Hofe anweſenden päpſtlichen Legaten, Dominik Biſchof von Torcello und Rudolf von Rüdesheim (welcher letztere

abgedruckt und ergänzt in J. G. Droyſen's Geſch. d. preuß. Politik, II. 320

inzwifchen für feine neuen Verdienfte zum Bifchof von Lavant befördert worden war), rechtfertigten in ihrer Erwiederung zuerft alles, was der Papft wie überhaupt gegen König
Georg, fo auch insbefondere bezüglich der Stadt Breslau
unternommen, mit der Bemerkung, daß er folches nicht etwa
auf fremden Antrieb, fondern ganz aus eigener Einficht und
Gerechtigkeit gethan. Was einen nach Böhmen abzufendenden
Legaten betreffe, fo werde ein folcher kommen, fobald der
König in der That alles dasjenige werde erfüllt haben, was
er bisher in Worten und Schwüren zugefagt, indem ein
folcher fonft dort ganz unnütz wäre: denn wolle der König,
wie er fage, feinen Sinn dem Kaifer eröffnen, fo ftehe ihm
das immer frei zu thun, und fie als Legaten hätten hin-
längliche Macht, das Nöthigwerdende zu verfügen. Die Ver-
ficherung, daß der König die Katholiken nicht drücke, hörten
fie gerne, obgleich dem heiligen Vater Berichte über das
Gegentheil zugetragen würden. Was den Erzbifchof von
Kreta betreffe, fcheine es ihnen unglaublich, daß er anders
handeln follte, als ihm vom heiligen Stuhle aufgetragen fei;
und der Proceß wegen des Herzogthums Sagan werde als
Nebenfache von felbft aufhören, fobald nur dem Willen und
Befehl des Papftes in der Hauptfache werde Folge geleiftet
werden. Daß nun folches ohne Zögern gefchehe, könnten fie
nicht inftändig genug rathen, bitten und ermahnen. [194] Herr
Prokop Rabftein, welcher diefe Erwiederung noch vor feinem
Abgange von Neuftadt dem Könige durch einen Boten mit-

194) Responsio domini episcopi Torcellani legati apostolici facta
oratoribus D. Regis Bohemiae in praesentia D. Imperatoris cum
consilio D. Rudolphi episcopi Laventini fteht im MS. Sternberg.
pag. 415, 416. Ebendafelbft findet man p. 468 Rabftein's und
p. 494 Gabriel Rongoni's Brief, letztere beide blos in böhmifcher
Sprache. Vgl. Efchenloer, II, 235. (Einen Wilhelm Koftka, welchen
Efchenloer unter den königlichen Gefandten anführt, gab es zu
diefer Zeit gar nicht.)

1464 theilte, begleitete dieselbe mit einem eigenen Schreiben auffallenden und merkwürdigen Inhalts. Er pries erst seine
hohen Verdienste um die Beruhigung des Vaterlandes wie
der Nachbarländer, und fuhr dann fort: „Es ist meine Meinung, die Meinung Deines getreuesten Freundes, daß, nachdem Du durch das unklugerweise abgelegte Bekenntniß, und
noch mehr durch meine, wie Du weißt, lange Bestrafung,
so wie durch Fantin's Gefangennehmung allen Anspruch auf
einen päpstlichen Legaten für Dein Land verwirkt hast, daß
Du nicht säumen solltest, Dein Heil in demüthiger Bitte
und werkthätigen Leistungen zu suchen. Behalte stets vor
Augen, was ich Dir sage: es sind solche Mittel Deinetwegen berathen und beschlossen, daß kein menschlicher Verstand Dir wird helfen können, indem Gott selbst gegen Dich
streiten wird. Darum denke, o gnädigster König, an die Rettung Deines Hauses, an den Frieden des Königreichs und
die Einigung mit der Christenheit: denn was nützt es Deinem
Geschlechte, die königliche Würde erlangt zu haben, wenn
Du sie eigenwillig selbst wieder verwirfst" u. s. w. Auch
Capistran's ehemaliger Gefährte, Bruder Gabriel Rongoni
von Verona, welchem zu Gefallen der König im J. 1460
die Brüder seiner Regel in das Kloster bei St. Ambros in
Prag eingeführt hatte, schrieb ihm bei dieser Gelegenheit auf
ähnliche Weise: „Mit welcher Schonung, ja vielmehr Gnade,
der Statthalter Christi gegen Dich verfährt, bezeugt und bewundert die ganze Welt. Bis in's vierte Jahr harrte er
geduldig und hörte nicht auf väterlich für Dich besorgt zu
sein, bis Du seinen Botschafter, den er zu Deinem und der
Deinigen Heil gesendet, einkerkertest und vielfach quältest,
Gott und dem päpstlichen Stuhle zu großer Schmach. Wenn
nun der Vater Dich mit der Ruthe straft, so wundere Dich
nicht, o König, und zürne nicht als wenn Dir Unrecht geschähe, sondern kehre lieber zur Reue über Deine Undankbarkeit (entschuldige das Wort) zurück, und weise fortan nicht

Worte, sondern Thaten auf, wie sie von Dir Deinem Eide 1464 gemäß verlangt werden. Denn obgleich die Art an den Stamm gelegt ist, so wird er doch von diesem Streiche, wenn Du einem größeren und kräftigeren zuvorkömmst, nicht fallen, sondern die Wunde wird wieder heilen. Solltest Du aber, was Gott verhüte, bei Deinen gewohnten Wegen und Ausflüchten verbleiben, so glaube mir, ich spreche zu Dir, wie Du meine Weise kennst, als Freund, dann ist Deinem Hause nicht ferne das Verderben und ein Fall, wie Du ihn vielleicht nicht ahnst. Gedenke doch, wie schwer es ist, gegen den Stachel zu lecken, und erwäge, wie von jeher alle noch so mächtigen Herren dieser Welt, welche gegen diesen heiligen päpstlichen Stuhl sich auflehnten, zu Grunde gingen, indem gegen Gott Niemand mit Erfolg zu streiten vermag. Jesus Christus unser Herr erleuchte Deinen Geist und verleihe Dir in Wahrheit das Heilmittel des Gehorsams, von welchem Alles bei Dir abhängt" u. s. w. Gewiß war der kein „Tyrann," so wie auch kein „Bedrücker der Katholiken," welchen seine „Freunde" in solchem Tone anzusprechen sich getrauten.

Ueber den Erfolg der in Neustadt eingeleiteten Verhandlungen belehrt uns ein am 27 April von Prag aus 27 Apr. datirtes Schreiben dahin, daß „Herr Johann Rohrbacher mit dem Gesandten, welche der König beim Kaiser gehabt, nach Prag kam, und nach der Antwort, welche Letztere gebracht, in zierlichen Worten dem Könige und den Baronen für des Kaisers Errettung aus Feindes Hand dankte, mit dem Beifügen, der Kaiser erbiete sich, gemäß der zu Korneuburg und Enzersdorf getroffenen Verabredung, nach seinem besten Wissen und Können, alles für die Ehre und das Wohl des Königs wie des Königreichs zu unternehmen, auch Gut und Blut dabei nicht zu schonen. Was die zwischen dem Papste und dem Könige so wie der Krone entstandene Irrung betreffe, habe er bereits Botschaften abgesendet und wolle ein Gleiches auch ferner thun, ja, wenn es nöthig werde, auch

1464 persönlich zu Seiner Heiligkeit reisen, und alles daran setzen, daß die Sache einem guten Ende zugeführt werde. Und obgleich noch vieles Andere vorgebracht wurde, so ging doch alles darauf hinaus, daß einer der Legaten, der Bischof von Lavant, bereits nach Rom abgefertigt worden ist, um jedenfalls zu bewirken, daß nach Böhmen ein besonderer Legat mit voller Macht ernannt werde, um den zwischen dem Papste und dem Könige vorgekommenen Zwiespalt zur Einigung zu bringen. [195]

Durch den plötzlichen Tod der ungarischen Königin Kunigunde Katharina, welche auf der Burg zu Ofen, bald nach der siegreichen Heimkehr ihres Gemahls aus Bosnien, gegen Ende Februars 1464 in Folge einer unglücklichen Entbindung verschied, [196] erlitt ihr Vater, K. Georg, nicht nur in seinem Familienleben, sondern auch in politischer Hinsicht einen herben Verlust. Es schloß sich damit für ihn der einzige Weg zum Herzen Königs Mathias, der außer seiner schönen jungen Gemahlin für Niemanden Liebe empfand und in Kurzem aus einem Schwiegersohne zu einem Feind

195) In dem betreffenden Schreiben, (f. Archiv český, IV, 101,) steht auch die Nachricht, daß Rohrbacher an Schulden dem Könige damals 20 tausend Gulden abgetragen habe; was mit dem Berichte, welchen die Bevollmächtigten des Markgrafen Albrecht von Brandenburg am 7 April 1464 von Neustadt aus erstatteten, wohl übereinstimmt: „Herr Hanns wirdet itz und hinein gein Behein reitten, seiner schuld halben, darumb man im hart anliegt, und ist XXVI tausend ungar. Gulden." (Archiv für österr. Gesch. Bd. VII, 1851, S. 29.) Darnach schiene es, daß dies seine eigene und nicht des Kaisers Schuld gewesen.

196) Die Ursache ihres Todes gibt Dlugoš (p. 323) ausdrücklich an, daher um so weniger anzunehmen ist, was der unverläßliche Pešina (Mars. Morav. p. 742) meinte, daß sie „phtisi consumta" gestorben, als auch die von ihm angeführten Quellen, — Lupač und Weleslawin in ihren histor. Kalendern zum 8 März, — nichts davon erwähnen. Der Vertrag vom 14 April ist bei Sommersberg, I. 1045, und daraus bei Pray, Katona u. a. gedruckt.

sich umgestaltete. Denn obgleich bald darauf, am 14 April, 1464
in Ofen ein neuer Freundschaftsbund zwischen Böhmen und 14 Apr.
Ungarn geschlossen und bestätigt wurde, erwies er sich doch
nicht mächtig genug, die beiden Könige dauernd mit einander
zu befreunden.

Die geringe Theilnahme Königs Mathias an den Angelegenheiten seines Schwiegervaters zeigte sich auffallend
schon bei den Verhandlungen mit dem Ritter Anton Marini von Grenoble, der als Abgesandter der Könige von
Frankreich, Böhmen und Polen zugleich im Laufe des Monats März 1464 an seinem Hofe erschien. Er hatte die
Aufgabe, den ungrischen König für den von uns schon besprochenen Plan zu gewinnen, in dessen Folge alle weltlichen
Mächte der Christenheit in einen engen Bund zusammentreten sollten, um sowohl den Frieden unter einander überhaupt
zu wahren, als auch den Angriffen der Türken und den
Uebergriffen der römischen Curie insbesondere entgegenzutreten.
Wie er sich dieses Auftrags entledigte, können wir nur aus
der Antwort erkennen, welche ihm von Seite der Räthe des
ungarischen Königs zu Theil wurde. König Mathias, so
hieß es, wisse ihm vielen Dank für seine vieljährigen, im
Interesse der Einigung und Befriedung sämmtlicher christlichen Völker unternommenen Mühen und Reisen. „Ihr habt,"
sagten die Räthe ferner, „es als eine Hauptsache hervorgehoben, wie der durchlauchtigste König von Böhmen Euch an
seiner, und gewissermaßen auch an unseres Königs, seines
Bruders und Sohnes Statt, zur Verhandlung dieser Dinge
an den allerchristlichsten König von Frankreich abgeordnet
habe, und wie derselbe König von Frankreich alsogleich willig
gewesen sei, in einen Bund mit allen Herrschern der Christenheit darüber zu treten, wenn Ihr nur die nöthigen Vollmachten mitgebracht hättet. Ihr habt auch einige Grund-
züge eines solchen Vertrags vorgelegt, wo unter andern von
Gesandten der Könige und Fürsten die Rede ist, welche zu

persönlich zu Seiner Heiligkeit reisen, und alles daran setzen daß die Sache einem guten Ende zugeführt werde. Und ob gleich noch vieles Andere vorgebracht wurde, so ging doch alles darauf hinaus, daß einer der Legaten, der Bischof von Lavant, bereits nach Rom abgefertigt worden ist, um jeden= falls zu bewirken, daß nach Böhmen ein besonderer Legat mit voller Macht ernannt werde, um den zwischen dem Papste und dem Könige vorgekommenen Zwiespalt zur Eini= gung zu bringen. 195

Durch den plötzlichen Tod der ungarischen Kö= nigin Kunigunde Katharina, welche auf der Burg zu Ofen, bald nach der siegreichen Heimkehr ihres Gemahls aus Bos= nien, gegen Ende Februars 1464 in Folge einer unglück= lichen Entbindung verschied, 196 erlitt ihr Vater, K. Georg, nicht nur in seinem Familienleben, sondern auch in politischer Hinsicht einen herben Verlust. Es schloß sich damit für ihn der einzige Weg zum Herzen Königs Mathias, der außer seiner schönen jungen Gemahlin für Niemanden Liebe empfand und in Kurzem aus einem Schwiegersohne zu einem Feind

195) In dem betreffenden Schreiben, (f. Archiv český, IV, 101,) steht auch die Nachricht, daß Rohrbacher an Schulden dem Könige da= mals 20 tausend Gulden abgetragen habe; was mit dem Berichte, welchen die Bevollmächtigten des Markgrafen Albrecht von Bran= denburg am 7 April 1464 von Neustadt aus erstatteten, wohl übereinstimmt: "Herr Hanns wirdet it und hinein gein Behein reitten, seiner schuld halben, darumb man jm hart anliegt, vnd ist XXVI tausend ungar. Gulden." (Archiv für österr. Gesch.=Bd. VII, 1851, S. 29.) Darnach schiene es, daß dies seine eigene und nicht des Kaisers Schuld gewesen.

Die Ursache ihres Todes gibt Dlugoš (p. 323) ausdrücklich an, daher um so weniger anzunehmen ist, was der unverläßliche Pešina Mars. Morav. p. 742) meinte, daß sie "phtisi consumta" gestor= n, als auch die von ihm angeführten historischen Quellen, — Lupač und cleßlawin in ihren histor. Kalendern zum 8 März, — nichts on · erwähnen. Der Vertrag vom 14 April ist bei Sommers= I. 1045, und daraus bei Pray, Katona u. a. gedruckt.

sich unzufrieden. Denn sobald sich bekannt ... am 14 Sept. 1464 in Wien ein ... und der Böhmen und der Ungarn gestiftet und befahl ... so war es sich nicht mächtig genug, die beiden Kirche ... mit einander zu behandeln.

Die ganze ... Papst Pius in der ... gelegenheiten ... Sorgen war die eröffnet schon bei den Verhandlungen mit ... Moreni von Grenoble ... Frankreich. Böhmen und Bayern ... im Laufe des Monats März 1464 ... Er war der Aufgabe, den ungarischen König für den ... und ... besprochenen Plan zu gewinnen, ... dass ... alle ... Mächte der Christenheit zu einer ... zusammen treten sollten, ... der König ... zu machen, als auch der ... der ... und der Uebergriffe der türkischen ... Wie er sich dieses Vertrauen ... der ... welche ihm der ... der ... ungarischen König zu Theil wurde. König Matthias, ... hieß es, ... im Interesse der ... und ... chen Völker ... Dienste ... sagten die ... es sei eine ... wie der ... an seiner, ... Bruders und ... an den ... habe, und ... willig gewesen ... es ... ... der Christenheit ... die nöthigen Voll-machten ... einige Grund-züge ... unter andern von ... — ... Rede ist, welche zu

1464 bestimmten Zeiten und an bestimmten Orten sich versammeln
und die Vollmacht haben sollten, alles was für das allgemeine Wohl Förderliches sich ergeben würde, zu beschließen
und ins Werk zu setzen. Darauf erwiedert unser durchlauchtigster König: es könnte nichts Erwünschteres, nichts Besseres und Heilsameres sich ergeben, als wenn die Völker der
Christenheit, die durch so viele Räume von einander getrennt,
auch in Sprachen und Trachten, Sitten und Verfassungen,
Wünschen und Bestrebungen so verschieden, ja durch alte
Abneigung und Haß sogar in fast tägliche Fehden gegenseitig
verwickelt sind, gleichsam in einen Körper vereinigt und zu
dauernder Eintracht gebracht werden könnten. Es wäre dies
das vortrefflichste und in seiner Art einzige Mittel zur Sicherung des allgemeinen Wohls, zur Hebung der römischen
Kirche, wie des römischen Reichs, zur Ausrottung des Hei-
denthums und Verbreitung des wahren Glaubens. Uebrigens
ist jedoch von einem solchen allgemeinen Bundesvertrag bei
unserm Könige bisher keine Rede gewesen; und mit Recht
hätten Seine Gnaden vom Könige von Böhmen erst die
gehörige Meldung erwartet, bevor in ihrem Namen darüber
etwas unternommen wurde. Dann ist jener auch ein Vater,
dieser ein Sohn gewesen, so hat doch auch der Sohn sein eigenes
Reich, seine besonderen Zwecke, seine eigenen Räthe und Rücksichten, und bedarf dessen nicht, daß ein anderer für ihn handle. Mit
dem allerchristlichsten Könige aber wünschte unser durchlauchtigster Herr schon seit lange sich einen Freundschaftsvertrag,
und geht daher in den nun angebotenen um so lieber und
dankbarer ein, je besser es ihm bekannt ist, daß jener König
an Adel der Geburt und Erhabenheit der Würde über andere christliche Herrscher emporragt, und es ihm daher wohl
zukömmt, dergleichen große und wichtige Angelegenheiten zu
leiten. Da diese aber für ihn neu sind und im königlichen
Rathe noch nicht gehörig erwogen werden konnten, so scheint
es Seiner Majestät zweckmäßig, sich darüber erst mit denje-

nigen zu berathen, mit welchen er in nähern Beziehungen 1464
steht, als da sind die Venetianer, und insbesondere die beiden Häupter der Christenheit, der päpstliche Stuhl und die
kaiserliche Majestät, bevor zur Artikulirung der Vertrags-
punkte geschritten werden kann. Unser König lobt es auch,
daß der König von Frankreich die Berufung eines allgemeinen Conciliums, um welche insbesondere die Reichskurfürsten
sich bemühen, keineswegs gutheiße. Diese Angelegenheit überlasse man mit vollem Rechte Seiner Heiligkeit dem Papste,
zu dessen Beruf und Amt die Kirchenreform gehört; auch ist
nicht abzusehen, welchen Nutzen in dieser Zeit Concilien
bringen könnten, die so oft zu Kirchenspaltungen Anlaß gaben,
vor welchen man sich jetzt mehr als je in Acht nehmen muß
u. s. w. [197] Schon aus dem Inhalt dieser Antwort leuchtet
zur Genüge hervor, daß am ungarischen Hofe die Curial-
partei das große und entscheidende Wort führte; und noch
mehr ist dies aus Marini's späterem Geständniß zu entnehmen, daß ihn einige ungarische Bischöfe sogar in den Bann
zu thun beabsichtigten. Nichtsdestoweniger gab Mathias seine
Einwilligung, da er sich Ludwig XI gefällig erweisen wollte,
daß am französischen Hofe in der Sache des Fürstenparlaments auch in seinem Namen weiter verhandelt werde. Ein
Gleiches that auch König Kazimir von Polen, von dessen
Ansichten und Benehmen in dieser Angelegenheit uns jedoch
nichts Näheres bekannt ist.

Am 16 Mai 1464 trat die feierliche böhmische Ge- 16 Mai
sandtschaft an den französischen Hof, um dort das
Bündniß der christlichen Herrscher gegen die römische Curie
zu Stande zu bringen, ihre Reise von Prag an. An ihrer
Spitze standen Herr Albrecht Kostka von Postupic, damals

197) Diese ganze Staatsschrift ist in der Sammlung Epistolae Matthiae Corvini regis Hungariae, parte I epist. 62 pag. 129 enthalten und daraus auch bei Katona, XIV, 704—712 abgedruckt.
Wir haben davon nur die wichtigsten Stellen auszugsweise mitgetheilt.

1464 Voigt der Niederlausitz, und der oft erwähnte Ritter Anton Marini von Grenoble; ihr Gefolge bildeten bei 40 Perfonen, meist Hofleute Herrn Koftka's. Wie überhaupt in der zweiten Hälfte des XV Jahrhunderts das Geschlecht der Koftka's auf Leitomyschl durch so zu sagen erbliche Bildung und diplomatische Gewandtheit vor andern böhmischen Geschlechtern sich auszeichnete, so wurde auch Herr Albrecht insbesondere wegen seiner Kriegserfahrung, seiner gelehrten Bildung und Pflege der Literatur, so wie seiner adeligen Sitten und Manieren wegen hoch gehalten; den Ausländern machte er sich dadurch angenehmer, daß er nicht, wie sein älterer Bruder Zbeněk, für den Kelch eiferte, sondern bisweilen sogar merklich auf die Seite derer sub una sich neigte, ohne jedoch es an Ergebenheit gegen den König jemals fehlen zu laffen. Das Tagebuch dieser Gesandtschaft führte einer seiner Edelleute, Namens Jaroslaw, zwar sehr kurz aber ziemlich verständig und anziehend. [198] Aus demselben ist insbesondere der tief eingewurzelte Haß zu erkennen, dem die Böhmen als Ketzer beim gemeinen Mann fast in ganz Deutschland begegneten; in Frankreich dagegen verfolgte sie bodenlose Neugier und „närrische" Verwunderung darüber, daß sie sich als Menschen und nicht als Menschenfresser oder Wilde benahmen. Ihnen dagegen fiel nichts so sehr auf als der allzufreie Verkehr der beiden Geschlechter untereinander, so wie die große Zahl und Zudringlichkeit der öffentlichen sogenannten „schönen Frauen," und die ganz verweltlichten Sitten der Geistlichkeit; Jaroslaws Worte spiegeln den ganzen religiösen und sittlichen Rigorismus der Utraquisten sehr deutlich ab. Unterwegs hielten die Gesand=

198) Aus einer gleichzeitigen Handschrift, die wir im Budweiser Stadt- archiv gefunden, veröffentlichten wir das ganze Tagebuch — ob- gleich mit einigen Censurlücken — im ersten Hefte des Časopis česk. Museum, Jahrgang 1827, S. 40—67. Ein deutscher Auszug daraus befindet sich in der Monatschrift der Gesellschaft des böhm. Museums, 1827, März. S. 44—59.

ten auf des Königs Befehl an den Höfen von Ansbach, 1464
Stuttgart und Baden an, wo man sie überall mit voller
Höflichkeit aufnahm und behandelte; in Straßburg mußten
sie von „den stolzen Bürgern" hundert Bewaffnete sich leihen, um im französischen Gränzgebirge nicht dem Raubgra-
fen Hanns von Ebersburg in den Hinterhalt zu fallen. In
Bar le Duc verweilten sie zwei Tage (13 — 14 Juni) bei 13—14
dem Könige von Sicilien René aus dem Hause Anjou, und Juni
wurden ehrenvoll bewirthet. In Amiens angekommen erfru-
gen sie mit Mühe den Aufenthalt des Königs, der sich auf
Jagden umhertrieb; als sie am 22 Juni ihm in St. Pol 22Juni
ihre Ankunft anzeigten, wurden sie von ihm nach Abbeville
zur Audienz beschieden; doch auch dahin kam Ludwig nicht,
und sie mußten sich nach dem Dorfe Dompierre begeben, wo
sie in einem kleinen zwischen Sümpfen gelegenen Schlosse
am 30 Juni ihre erste Audienz im Beisein der Königin und 30Juni
ihres Bruders des Königs von Cypern erlangten. „Und als
man uns beim Könige vorließ," erzählt Jaroslaw, „da richtete
Herr Albrecht Kostka erst die Grüße vom Könige von Böhmen aus und übergab sein Creditiv alsogleich; auch Herr
Anton brachte Grüße von den Königen von Ungarn und
Polen, und reichte die betreffenden Glaubbriefe ein. Der König las nun selbst die Briefe seinen Räthen vor, und zwar
zuerst den des böhmischen Königs; und nachdem er sie durch-
gelesen, befahl er Herrn Kostka und Herrn Anton sich auf
die gegenüber bereitstehenden Stühle niederzulassen. Und sie
weigerten sich dessen und wollten nicht sitzen, bis ein Rath
des Königs ihnen bemerkte, es sei bei königlichen Gesandten
Sitte, ihre Botschaft sitzend vorzutragen. Und ehe sie sich
setzten, traten zu ihnen zwei vom Rathe mit dem Verlangen
von Seite des Königs, sich so kurz als möglich zu fassen.
Herr Albrecht sagte solches zu, nahm seinen Sitz und entschuldigte sich zuerst, wie er viel lieber ritterliche Künste üben,
als vor einem so mächtigen und angesehenen Könige Reden

20*

1464 halten wollte; und so sprach er hübsch lang und viel, was
ich nicht alles aufzeichnen konnte. Der kurze Sinn und Zweck
der Rede war aber folgender: der König von Böhmen bitte
und fordere den französischen König auf, als den allerchrist=
lichsten und solchen König, dem das allgemeine Wohl der
Christen am Herzen liege, er möge eine Versammlung, ein
Parlament der Könige und Fürsten der Christenheit einberu=
fen, damit sie persönlich oder durch ihre bevollmächtigten
Räthe an einem von dem Könige von Frankreich zu bestim=
menden Tag und Ort zusammenkämen; der böhmische König
wünsche ein solches zur größeren Ehre Gottes und zur För=
derung wie der allgemeinen Kirche, so auch der Staaten der
Christenheit; und solches setzte er ziemlich weitläufig ausein=
ander, daß es beinahe eine Stunde und mehr währte. Auch
Herr Anton sprach über dasselbe, von Seite des Königs
von Polen lateinisch, von der des Königs von Ungarn
französisch, obgleich er von beiden Königen mehr vortrug
als Herr Kostka; denn er erzählte, wie es ihm am un=
garischen Hofe ergangen, wie ihn dort einige Bischöfe in
Bann legen wollten, und was er dort vernommen, wie der
Papst schimpfliche Briefe über Seine Majestät den König
von Frankreich geschrieben habe, dann sprach er von seinen
Erlebnissen am Hofe des Königs von Polen, und was ihm
begegnete, als er vom Könige von Frankreich nach Venedig
gesandt wurde; legte auch auseinander, wie freundschaftlich
die Könige von Böhmen, Polen und Ungarn gegen den fran=
zösischen König gesinnt seien und wie sehr deren Unterthanen
Frankreich und dessen König lieben, wie insbesondere die
Böhmen und die Venetianer ihnen vor allen geneigt seien.
Dies alles trug er umständlich vor, lateinisch und französisch.
Darauf gab der König durch seinen Secretär Roland zur Ant=
wort, die Sache, die sie vorgetragen, sei von großer Bedeutung
und wolle gut überlegt sein: wir möchten uns also wieder nach
Abbeville begeben, der König werde uns dahin bald folgen."

In den zu Abbeville, vor des Königs Ankunft, mit 1464 dessen Räthen, namentlich mit dem Patriarchen von Jerusalem, dem Bischofe von Evreur (Jean de la Balue) und dem Kanzler angeknüpften Unterhandlungen erfuhren die Gesandten gleich zu allem Anfang, wie überaus schwierig die Durchführung ihres Vorhabens gewesen. Nicht allein von Rom aus war eine Warnung vor ihnen eingelangt, auch aus Böhmen selbst waren Schmähschriften gekommen, wie ihr König in des Papstes Banne stehe, wie die ganze Gesandtschaft aus lauter Ketzern bestehe, daher es den Franzosen nicht zieme, sich mit ihnen in irgend eine Verbindung einzulassen. Am Hofe Ludwigs XI gab es damals keinen Gallicanismus; wie heftig sich auch der König persönlich mit dem Papste überworfen hatte, so blieben doch seine Räthe alle der Curie ergeben, und deren Bemühen, ihren Monarchen von jeder Berührung mit ketzerischen Elementen fern zu halten, war wirklich auffallend; denn nicht nur verwarfen sie jeden Gedanken an das erwähnte Fürstenparlament, sie widersetzten sich auch der Erneuerung der alten Freundschafts = Bündnisse zwischen Frankreich und Böhmen. Zu diesem Zwecke bedienten sie sich aller Mittel und Vorwände. Bald war ihnen die Vollmacht der Gesandten nicht weit und bestimmt genug, bald besorgten sie, daß der Vertrag dem Herzoge von Burgund bezüglich des Herzogthums Luxenburg abträglich werde, bald paßte ihnen der böhmische Königstitel nicht genau genug zur Titulatur des Königs von Frankreich u. s. w. Eine der Hauptscenen darüber schildert Jaroslaw mit folgenden Worten: „Nach einigen Tagen, noch immer vor des Königs Ankunft, luden der Kanzler, der Patriarch von Jerusalem, der Bischof von Evreur und noch ein Rath des Königs Herrn Albrecht und Herrn Anton zusammen in die Wohnung des Kanzlers ein. Sie gingen also hin und geriethen mit ihnen in einen merkwürdigen Streit; und nur sie zwei allein wurden ins Zimmer eingelassen. Wir aber, Ruprecht, Wen-

1464 zel Strachota und Jaroslaw horchten an einem Fenster, wie
sie einander anschrieen und mit einander stritten, insbesondere
über den Congreß oder das Parlament der Könige und Fürsten.   Sie sagten, es stehe dem Könige von Böhmen nicht
zu, solches zu verlangen, namentlich ohne Zustimmung des
heiligen Vaters und des Kaisers der Christenheit, diese hätten
den Beruf dazu, der böhmische König aber habe sich nicht
darein zu mengen; auch von der freundschaftlichen Verbindung des Königs von Böhmen mit dem von Frankreich sprachen sie, daß sie ohne des Papstes Wissen nicht Statt finden
sollte.   Noch andere viel bissige und untaugliche Reden führten insbesondere der Patriarch, der Kanzler und ein gewisser
Magister, die ich nicht alle gedenken und aufschreiben konnte.
Auf ihre Reden erwiederte zuerst Herr Anton mit heftiger
gellender Stimme: O ihr Pfaffen, ihr wollt doch nie zugeben, daß auch ohne den Papst etwas Gutes zu Stande gebracht werde! und sprach noch vieles andere, heftig zürnend.
Auch Herr Albrecht sagte, wir beobachteten gegenüber dem
heiligen Vater, und so auch gegenüber dem Kaiser alles, was
diesen gebühre: aber es sei doch eine auffallende Sache, daß
ihr Prälaten alles beargwohnt und zu hintertreiben suchet,
was weltliche Leute unter einander Gutes zu Stande bringen möchten, damit ja alles nur durch der Prälaten Macht
und Hände gehe und ihr von allen weltlichen Angelegenheiten Kenntniß erhaltet.   Auch anderes sprach er viel, mit der
Bemerkung, daß auch ohne des Papstes Erlaubniß wer immer
eines andern Freund sein könne" u. s. w. Diese Worte sind
wohl an sich klar, und bedürfen keines weiteren Commentars.

Am Hofe des Kaisers ging zu dieser Zeit die Rede,
dem Ehrgeize Ludwigs XI schwebe selbst die höchste Krone
der Christenheit vor, und er suche nicht allein die Reichsstadt
Metz sich zu unterwerfen, sondern benehme sich den Herzogen
von Burgund und von Mailand gegenüber bereits als wäre
er ein römischer König und wolle auch in Rom sich die

Kaiserkrone holen. Am böhmischen Hofe erklärte man das 1464
für eine müssige Erfindung. Es ist aber nicht unmöglich,
daß solche Reden nur gleichsam eine Uebersetzung der Idee
König Georgs in die vulgäre Sprache der Zeit gewesen,
welcher als Vorsitzender eines Parlaments der Könige niemand anderer als der römische Kaiser allein gelten konnte.
Sei dem jedoch, wie ihm wolle, immerhin kann es uns zugleich zur Erklärung dienen, warum sich Ludwig XI gegen
die böhmischen Gesandten doch anders benahm, als es seine
Räthe wünschten. Als er nämlich am 10 Juli nach Abbe= 10 Juli
ville kam, lud er die Böhmen ein, mit ihm nach der See-
stadt Dieppe zu ziehen, doch verhandelte er auch dort nicht
viel mit ihnen, sondern berief sie abermals am 15 Juli zu 15 Juli
sich „auf eines Bürgers von Dieppe ziemlich geringes Schlöß-
chen Namens Neuville," drei Lieues von der Stadt. Hier wurde
endlich ausgemacht, daß behufs weiterer Verhandlungen in
dieser Angelegenheit nach Allerheiligen (Nov. 1464) eine
französische Gesandtschaft nach Prag kommen sollte; auch
nahm der König Herrn Albrecht Kostka alsogleich unter seine
geheimen Räthe auf und verordnete, daß ein Freundschaftsvertrag zwischen ihm und dem Könige von Böhmen ganz in
der Weise ausgefertigt werde, wie ihn die Böhmen wünschten. Den Bischöfen, welche im königlichen Rathe sich dem
widersetzten, soll Ludwig XI kurz gesagt haben: Es sei wem
immer lieb oder unlieb, ich will mit dem böhmischen Könige
Freund sein! Gleichwohl dauerte es „wegen ihrer saubern
Gaukelkünste" noch eine volle Woche, ehe der von Dieppe
am 18 Juli datirte Freundschaftsbrief geschrieben, gesiegelt 18 Juli
und übergeben wurde. In demselben versprachen die Könige,
daß sie um des Wohls und der Ehre wie ihrer beider Reiche
und Personen, so auch der heiligen Kirche und der ganzen
Christenheit willen, einander Brüder, Freunde und Verbündete für alle künftige Zeiten sein wollen. [199] Von dem Par-

199) Die Urkunde ist gedruckt bei Goldast in Appendice document.

1464 lamente der Könige und Fürsten geschah in dem Documente
gar keine Erwähnung; die betreffenden Verhandlungen waren
23 Juli vertagt worden. In Rouen, am 23 Juli, trennten sich die
Gesandten: Anton Marini blieb in seinem Vaterlande Frankreich zurück, und es fehlt uns jede weitere Nachricht über
ihn. Herr Kostka kehrte mit den Seinigen über Paris, Or-
leans und Lyon, Genf, Constanz und Innsbruck erst im September nach Böhmen zurück.

Die Vertagung der Frage des Fürstenparlaments war
wohl nur ein diplomatischer Euphemismus, denn in der That
glich sie deren völliger Aufgebung; wenigstens ist uns von
einer weiteren Verhandlung in der Sache nichts bekannt,
obgleich König Georg mit K. Ludwig XI auch ferner in
freundschaftlicher Verbindung blieb und seiner Idee auch später nie ganz entsagte. Sie war gewiß für seine Zeit keineswegs so ideologisch und unpraktisch, als wofür man sie heute
etwa zu halten geneigt wäre. Die letzten großen Kirchenversammlungen, zumal die von Constanz und Basel, hatten
den Fürsten und den Völkern der Christenheit nicht allein
als kirchliche, sondern auch als politische Vereinigungspunkte
gedient; eine Unzahl internationaler Streitfragen pflegte man
dort zur Entscheidung vorzubringen. Bei dem gänzlichen Aufgeben der Concilien wurde das Bedürfniß solcher Mittel-
punkte für die weltlichen Angelegenheiten der Völker keineswegs beseitigt; durch den Versuch des Mantuaner Congresses
bewies Pius II selbst, daß er das Angemessene und Zweck-
mäßige derselben wohl erkannte; das lebendige Gefühl der
Zusammenhörigkeit und Solidarität der christlichen Völker
wurde erst durch die Ereignisse der folgenden Jahrhunderte
gedämpft und erstickt. Wäre jene Idee durchgeführt worden,

p. 191, das Original befindet sich jetzt im k. k. geheimen Archiv
in Wien. Marini's Name steht dort abbrevirt geschrieben „de
Gracioli." folglich Gratianopoli (Grenoble), wie derselbe auch im
Venetianer Archiv ganz ausgeschrieben vorkömmt.

sie hätte der Geschichte Europa's eine andere, wohlthuendere 1464
Richtung gegeben. Zu ihrer Durchführung aber bedurfte es
auf dem französischen Throne etwa eines Heinrich IV und
nicht Ludwigs XI; alle Ideen müssen verkümmern, wo nur
tiefe, rohe Selbstsucht den Ausschlag gibt.

Wenn indessen K. Georg alle seine großartigen Entwürfe und Unternehmungen scheitern sah, konnte er wenigstens damit sich trösten, daß es auch seinem Gegner, Pius II,
um nichts besser erging. Das Hauptbestreben seines Pontificats,
alle Streitkräfte der Christenheit gegen die Türken zu vereinigen, wollte selbst durch seine feierliche und pomphafte
Erklärung, daß er persönlich, trotz Alter und Kränklichkeit,
an die Spitze des allgemeinen Kreuzzugs sich stellen werde,
kein rechtes Leben und keinen Fortgang gewinnen. Nur zu
bald erwies es sich in der That, wie hohl und eitel die
Rede war, daß, wenn der Statthalter Christi auf Erden mit
seinen Brüdern den Cardinälen unter dem Zeichen des Kreuzes in den Kampf vorangehe, kein König und kein Fürst,
kein Herr und kein Edelknecht in der Christenheit feige genug
sein werde, zurückzubleiben. Als endlich am 19 Juni der
Papst Rom verließ, um ins Feld zu ziehen, gab es wohl
um Pisa und Ancona herum einige Schaaren von Kreuz-
züglern, zusammengelaufenes räuberisches Gesindel aus verschiedenen Ländern, aber nirgends ein geordnetes Heer, weder
zu Lande, noch zu Wasser, welches sich mit Mohammeds
übermüthiger Kriegsmacht hätte messen können. Vor seinem
Abgange jedoch, am 15 Juni, erließ Pius II noch eine förmliche Vorladung an K. Georg, daß er der Ketzerei beschuldigt, binnen 180 Tagen sich persönlich vor dem apostolischen
Stuhle zu Gerichte stelle. [200] Es war dies die letzte bedeutendere Handlung seines Pontificates. Als aber Kaiser Fried-

200) In der betreffenden Bulle wird fast die ganze Geschichte des Hu-
    sitismus von neuem, aber auch ziemlich unrichtig erzählt. So
    heißt es z. B.: Cum essomus Senis ex Mantua reversi, Georgius

1464 rich von den darüber erlassenen Bullen erfuhr, ermannte er
sich zu unerhörter Kühnheit und Entschlossenheit: er unter-
drückte ganz und gar alle in sein Bereich gekommenen Erem-
plare derselben, so daß sie nicht einmal förmlich publicirt
werden, daher auch keinen Schaden in Böhmen anstiften
konnten. In Ancona lag Pius II einige Wochen schwer
krank darnieder, und erlebte, zwei Tage vor seinem Tode,
noch den Trost, daß er von seinem Lager aus die endlich
nahende venetianische Flotte erblicken konnte. Als er aber
15 Aug. am 15 August, kurz nach Mitternacht, den Geist aufgab,
kehrte sowohl die Flotte als das Cardinals=Collegium von
Ancona wieder nach Hause, die zur Expedition zusammen-
gebrachten Gelder erhielt K. Mathias von Ungarn als Subsidien und von einer Rüstung gegen die Türken war weiter
nicht mehr die Rede. [201]

misit ad nos Johannem de Rabstein etc., während es bekannt
ist, daß diese Sendung vor Beginn des Mantuaner Congresses
Statt gefunden hatte u. dgl. m. MS. Sternb. 313. Eschenloer, I, 249.

201) Die Unterdrückung der Vorladungsbulle vom 15 Juni 1464 durch
den Kaiser bezeugt Peter Eschenloer I, 252. Deshalb ignorirte sie
auch K. Georg in allen seinen späteren Handlungen und Schriften
ganz einfach. Ueber die anderen Begebenheiten gibt Cardinal Jacob
Piccolomini l. c. die besten Aufschlüsse.

Sechstes Capitel.

Vereitelte Umtriebe.

(J. 1464—1466.)

Bildung des Herrenbundes und Rückblick auf das in Böhmen geltende Staatsrecht. Empörung Hyneks von Lichtenburg und Wöttau in Mähren. Papst Paul II und die bei ihm von Bischof Jost, dem Rohrbacher und Herrn Hynek eingeleiteten Verhandlungen. Der Bischof Rudolf von Lavant als Legat am kaiserlichen Hofe und die Belagerung der Burg Zornstein. Der Lichtmesse-Landtag in Prag. Zdenek von Sternberg und der Bischof Jost in Böhmen. Die Botschaft des Herrenbundes auf dem Prager Landtag und die Versammlung zu Grünberg. Der König nach Rom vor Gericht geladen. Sein neuer Vorschlag zur Einigung und die Abrede von Tyrnau. König Mathias bietet sich dem Papste gegen König Georg an. Der Papst verbietet allen Gehorsam gegen König Georg; des Letzteren Vertheidigung durch Dr. Martin Mayr. Briefwechsel zwischen Cardinal Carvajal und Gregor von Heimburg. Des Papstes Antwort auf die bairischen Vorschläge. Vergebliche Bemühungen des Legaten Rudolf in Breslau. Die Pilsner Empörung. Verhandlungen mit dem Herrenbunde in Budweis und Raudnitz. Friedensstand mit demselben und den Pilsnern. Gute Aussichten des Königs und Gregors von Heimburg Schutzschrift.

In den bisher geschilderten Begebenheiten lernten wir 1464 eine ganze Reihe wohlangelegter großartiger Entwürfe kennen, in Folge deren König Georg aus seiner isolirten Stellung in der Christenheit, als Utraquist, herauszutreten, und seine

1464 Angelegenheiten, durch Anknüpfung derselben an ein Ganzes
entweder schon bestehender oder erst zur Anerkennung zu
bringender internationalen Rechtsverhältnisse zu sichern und
zu consolidiren beflissen war. Denn diesen und keinen andern
Sinn hatten wohl sein kurzes Streben nach der deutschen
Krone, die Vorschläge zur deutschen Reichsreform und das
edle Phantasiebild von einem Parlamente der Könige und
Fürsten Europa's. Zugleich aber wurden wir belehrt, wie
und warum alle diese Bestrebungen ihren Zweck verfehlten,
indem die trefflich organisirte hierarchische Gewalt in Europa
allen solchen Angriffen widerstand und sie vereitelte. In Folge
dessen blieb dem Könige beim Tode Pius II außerhalb der
Gränzen seines Reiches keine weitere Stütze übrig, als die
unverläßlichen persönlichen Sympathien, die er sich bei den
Nachbarfürsten durch sein kluges, energisches und uneigen=
nütziges Benehmen erworben hatte.

Doch auch im Innern seines Reiches fanden sich Keime
des Uebels, die nur einer günstigen Zeit zu ihrer Entwicke=
lung harrten, und sobald diese sich ergab, bald zu einer ge=
fährlichen in die Wagschale des Feindes fallenden Macht
heranwuchsen. Wie von jeher alle größeren Volkserhebungen
nur die Erstarkung der bewaffneten Macht und mit ihr neue
Wege der Centralisation nach sich zu ziehen pflegen, so ergab
es sich auch nach König Wenzels und Kaiser Sigmunds
Tode, daß in den blutigen Stürmen der herrenlosen Zeit,
insbesondere in Folge der Schlacht bei Lipan, die Macht
und mit ihr der Eigenwille der böhmischen Bannerherren,
als der Hauptträger der Waffenmacht des Landes, in stei=
gendem Maße sich geltend machten; denn zu lange hatte die
Zeit gewährt, wo sie nicht allein Niemanden zu gehorchen
hatten, sondern sich auch brüsten konnten, daß sie sich den
Herrn und König nur nach eigenem Gutdünken wählen
durften. Georg von Poděbrad war ursprünglich als das
Haupt nicht des hohen Adels, sondern derjenigen Partei

emporgekommen, deren Macht zunächst im Ritter= und im 1464
Bürgerftande zu fuchen war, und hatte den Herrenftand nicht
ohne Anwendung von Gewalt zur Anerkennung feiner Gu=
bernatorwürde genöthigt. Sein verföhnliches parteilofes Be=
nehmen entwaffnete den Zorn der Gegner während König
Ladiflaws Regierung, und die Wiedererhebung der königlichen
Macht und Auctorität im Lande fand ihrerfeits nicht nur
keinen Widerftand, fondern um fo mehr Beifall und Mit=
wirkung, als fie ihnen zugleich als eine Stärkung des ka=
tholifchen Elements in Böhmen willkommen war. Damit
beruhigt und befchwichtigt traten fie auch nach König Ladi=
flaws Tode dem nachdrücklichen Verlangen faft des ganzen
Volkes, feinen Liebling auf dem Throne zu erblicken, keines=
wegs entgegen. Als diefer aber nun die fo gehobene mon=
archifche Gewalt gleichfam erblich überkam und mit von Jahr
zu Jahr fteigendem Glück und Glanz ausübte, da erwachte
Reid und Eiferfucht bei vielen, die in Bezug auf Geburt
ihm gleich, für die Vorzüge feines Geiftes in dem ihrigen
weder ein Verftändniß noch ein Maß zu finden wußten.
Wir haben fchon zum Jahre 1462 bemerkt, daß einige böh=
mifche Barone fich den Feinden ihres Königs zu Dienfte
anboten, und daß die von Rom genährte Empörung fpora=
difch fchon 1463 nicht allein in Schlefien und Mähren, fon=
dern auch in Böhmen felbft auftauchte. Auch die im Rücken
des Herrn Koftka an den franzöfifchen Hof gelangte War=
nung zeugte von der insgeheim gegen den König in Böhmen
überhandnehmenden Stimmung der Gemüther. Den mäch=
tigften Gährungsftoff brachte aber die Peft, welche wie fchon
erwähnt, im Herbfte des Jahres 1463 ausbrach, das Jahr
darauf zwar etwas nachzulaffen fchien, aber im Auguft und
September 1464 mit neuer und größerer Heftigkeit wieder
auftrat. Das plötzliche Ableben vieler Barone und Ritter
machte die Verforgung ihrer Waifen unerläßlich: und ftarb
Jemand ab inteftato, fo war es nach dem in Böhmen gel=

1464 tenden Rechte der König, als oberster Schirmherr der Wit-
wen und Waisen, der ihnen den Vormund zu bestimmen
hatte, der Vormund aber beerbte auch seinen Mündel, wenn
Letzterer vor erlangter Großjährigkeit mit dem Tode abging.
Man ersieht daraus, welche große Macht dem Könige wie
in dieser Hinsicht, so auch durch das königliche Heimfalls-
recht eingeräumt war, und wie sehr die königlichen Verlei-
hungen in dieser Zeit sich mehren mußten; es wird auch
begreiflich, daß er sich mit seiner Gnade nicht eben freigebig
gegen diejenigen erwies, deren Treue und Ergebenheit ihm
bereits verdächtig geworden war. Die Mehrzahl des Herrenstandes bestand aus Katholiken, und viele von diesen schenkten
den von Rom kommenden Worten, daß einem ketzerischen
Könige kein Gehorsam zu leisten sei, allzu williges Gehör.
Da nun der König ihren Wünschen nicht entgegenkam, so
klagten sie zwar, daß sie um der Religion willen Unrecht
leiden müßten: weil sie aber wußten, daß sie unter dem Vorwande der Religion wenig gegen ihn ausrichten würden,
indem ihre Unterthanen größtentheils utraquistisch waren, so
entschloßen sie sich ihrer Mißstimmung einen patriotischen
Anstrich zu geben und lieber Beschwerden gegen Uebergriffe
der königlichen Macht, gegen Schmälerung und Verletzungen
der althergebrachten Rechte und Privilegien des Königreichs
zu erheben. Dies war der Ursprung jenes Herrenbundes,
welcher das unlängst vom österreichischen Adel gegebene Beispiel nachahmend, sich als politischer Körper zu gestalten und
mehrere Jahre hindurch die königliche Macht im Lande zu
untergraben beflissen war, mit einem jedoch nur der Begründung ihrer Klage entsprechenden, daher sehr geringen Erfolge.

Um der besseren Orientirung und gerechteren Würdigung
der nachfolgenden Streitfragen und Händel willen wird es
nöthig, den damaligen Staatsorganismus und die Rechts-
und Regierungsverhältnisse etwas näher in's Auge zu fassen.
Jener Organismus war keineswegs so einfach, als man sich

einbilden möchte, und bildete ein eigenthümliches Gemenge
von beschränkter und unbeschränkter Herrschermacht gegenüber
dem Volke. Wohl ist es kaum nöthig, ausdrücklich zu bemerken,
daß es noch keine administrative Einheit des Staates, also
auch kein Staatsministerium im modernen Sinne gab, son=
dern daß jedes Kronland seine eigenthümliche Verfassung und
Rechte, seine besondere Regierung so wie seine eigenen Land=
tage besaß; die Person des Königs war das einzige reale,
die Krone das einzige ideale Band derselben. Die geset=
gebende Gewalt stand überall den Landtagen zu: aber von
einem vereinigten Reichstage sämmtlicher Kronländer finden
wir unter König Georg nur noch ein Beispiel, den Brünner
St. Margarethentag von 1463. Die Stellung der richterlichen
und ausübenden Gewalt im Staate läßt sich nur dann richtig
erkennen, wenn man den Unterschied zweier Verwaltungs=
sphären in's Auge faßt, deren eine die königliche Kron= und
Hofregierung, die andere die eigentliche Landesregierung bil=
dete. [202] In die Landesregierung theilte sich der König mit
den Ständen des Landes; die Kron= und Hofregierung war
seinem Willen ganz überlassen. Die höchsten Landesbeamten
im Königreiche Böhmen konnten vom Könige nur aus der
Mitte des Landtags und mit dessen (sei es auch stillschwei=
gender) Zustimmung ernannt werden; der Prager oberste
Burggraf, der Oberstlandkämmerer und Oberstlandrichter
mußten dem Herrenstande angehören, Oberstlandschreiber
konnte ein Herr, ein Ritter oder auch ein Bürgerlicher wer=
den, je nachdem einer dazu vorzugsweise sich eignete. In
gleicher Weise konnten auch bei dem obersten Landesgerichte
nur durch ein gewisses Compromiß zwischen dem Könige und
den zum Landtage vereinigten Ständen Barone und Ritter
in bestimmter Anzahl als Landeskneten und oberste Richter

---

202) Umständlicher haben wir von diesem Unterschiede bereits gehandelt
in der Geschichte von Böhmen, Band II, Abtheilung 2, auf Seite
7--12.

1464 bestellt werden. Die politische Administration und die Justiz-
pflege waren in jener Zeit noch nicht von einander getrennt:
darum griff das Collegium der obersten Landesbeamten und
Richter (nejwyšší aufedníci a saudcové zemští) in beide
gleichmäßig ein und bildete zugleich den natürlichen Rath
des Königs, ohne welchen in den Angelegenheiten des Landes
nichts entschieden werden sollte. Doch die Competenz dieses
Rathes war ihrerseits wieder ziemlich beschränkt, da sie sich
nur auf die Landesangelegenheiten im engern Sinne bezog;
eine Controle über das Ganze des Staates oder der Krone
stand ihr nicht weiter zu, als daß kein Bestandtheil des
Ganzen, somit auch kein Kronland ohne Wissen und die Zustimmung des böhmischen Landtags in irgend einer Weise
der Krone entzogen und entfremdet werden durfte. Alles
Uebrige war dem Willen des Königs allein anheimgegeben;
derselbe ernannte, nach seinem Gutdünken, die obersten Hauptleute oder Verweser der Kronländer, so wie alle seine Hofbeamten, und in die Angelegenheiten des Bürgerstandes hatte
der Landesrath so wenig sich einzumischen wie in die Verwaltung der geistlichen und Klostergüter, so viele deren noch
übrig waren. Nur in einer Beziehung hatte seit K. Wenzels
Tode eine der königlichen Macht nachtheilige Aenderung sich
geltend gemacht, daß nämlich das oberste Hoflehengericht jetzt
auch als eine Landessache angesehen wurde, so daß in Folge
dessen alle den Grundbesitz und dessen Erblichkeit betreffenden
Streitfragen das Land selbst richtete und entschied. In allen
übrigen Fällen dagegen konnte Jedermann an das königliche
Kammergericht sich berufen: welches Gericht, da es zu allen
Kronländern in gleicher Beziehung stand und ihm der König
selbst vorsaß, durch sein Gewicht oft auch das Ansehen des
obersten Landesgerichtes selbst überwog. In gleicher Weise
konnte auch der dem Könige vom Landtage beigegebene und
auf die Landesangelegenheiten allein beschränkte (Landes) Rath
sich hinsichtlich der Ausbreitung und Wichtigkeit seines Wir-

1464

kungskreises kaum mit dem vom Könige nach eigenem Gut=
dünken und Bedarf gewählten (Hof) Rath messen, obgleich
er in der Staats=Hierarchie einen Vorrang vor diesem be=
hauptete. Denn in den auswärtigen und internationalen
Fragen, so wie in den Angelegenheiten der Kronlande, so
weit sie vor den König zur Entscheidung kamen, waren ge=
wöhnlich die (Hof)räthe, und nicht die Landeskmeten, die zum
Rathe Berufenen; obgleich es sich von selbst versteht, daß
einzelne Räthe, zugleich Mitglieder des böhmischen Landtags,
nach des Königs Willen an den Berathungen von beiderlei
Arten sich betheiligten. Auch darin fand ein wesentlicher
Unterschied Statt, daß der König alles, was das oberste
Landgericht in seinem Namen aussprach, weder zurückweisen
noch ändern konnte: dagegen war er durch das Gutachten
seiner Hof= oder Kronräthe keineswegs gebunden, sondern
konnte auch das Gegentheil dessen, worauf die Mehrzahl an=
getragen hatte, zum Beschluß erheben.

Dieses neue politische Element, obgleich es an Bedeu=
tung dem religiösen bei weitem nicht gleich kam, steigerte
dennoch die Schwierigkeiten der Regierung des Königs un=
gemein. Nach der Beschaffenheit des damaligen Zeitgeistes
war es natürlich, daß beide Elemente frühzeitig sich mit ein=
ander zu einigen strebten und somit die politischen Mißver=
gnügten aus den böhmischen Kronländern in Rom Schutz
und Unterstützung suchten und fanden. Dort gewöhnte man
sich seit 1463 je länger je entschiedener das Gegentheil von
dem anzuerkennen, was in Böhmen zu Recht bestand: die
Aufrührer standen nach dem römischen Urtheil auf gesetzlichem
Boden, der König galt als Gewalt übender Usurpator. Es
scheint, daß die Verbindung der böhmischen Mißvergnügten
mit dem päpstlichen Hofe schon bei Lebzeiten Pius II zu
Stande gekommen, und daß jene geheimnißvolle Warnung,
welche der Kanzler Prokop Rabstein schon im März 1464
vom kaiserlichen Hofe aus an den König schrieb, eben darauf

1464 Bezug genommen habe. [203]   Wenn auch beide Elemente aus
solcher Verbindung neue Kraft schöpften, so läßt sich gleich=
wohl nicht behaupten, daß sie einander ihr Dasein zu ver=
danken gehabt hätten.   So wie in Breslau, entwickelte sich
auch in Böhmen der aufrührerische Herrenbund aus·beson=
deren Anlässen, die mit den kirchlichen Verhältnissen nichts
zu schaffen hatten; und es ist sehr zweifelhaft, ob die römi=
sche Curie sich jemals zu den Maßregeln der äußersten
Strenge entschlossen hätte, wenn sie nicht von den Aufstän=
dischen leidenschaftlich angetrieben worden wäre.

   Hynek von Lichtenburg und Wöttau, von dessen
altem Hasse gegen den König wir schon öfter gesprochen,
hatte an Papst Pius II, wie es scheint schon im J. 1462,
um eine Belehrung sich gewendet, ob er nicht, um wenig=
stens nicht verfolgt zu werden, demjenigen Gehorsam zu leisten
habe, der sich dem apostolischen Stuhle und den römischen
Kirchengeboten ungehorsam erweise? und erhielt zur Antwort,
er habe solches keineswegs zu thun, sondern auf Errettung
und Belohnung von Gott zu hoffen. [204]   In Folge dessen
lehnte er sich, wie wir bereits erwähnten, schon im J. 1463
offen gegen seinen König auf. Ueber den Krieg, den er mehr
noch durch den Mailberger Kreuzherrnmeister Achaz Bohunko

---

203) Siehe oben, Seite 300, die Worte: „Behalte stets vor Augen
was ich Dir sage: es sind solche Mittel Deinetwegen berathen
und beschlossen, daß kein menschlicher Verstand Dir wird helfen
können, indem Gott selbst gegen Dich streiten wird" u. s. w.

204) Der päpstliche Legat Rudolf von Lavant schrieb darüber an das
Olmützer bischöfliche Capitel am 16 April 1463: Dicant et scri-
bant quid velint, quod D. Hynko persecutionem non patiatur
propter obedientiam Sedis Apostolicae. Istud est utique verum
et constat nobis, quod antequam hujusmodi persecutiones contra
eum inciperentur, misit ad felicissimae memoriae papam Pium
pro informatione, si ei, qui Sedi Apostolicae et ordinationibus
Romanae et universalis ecclesiae non obedit, pro vitanda per-
secutione obedientiam facere posset et teneretur? Et pro re-

und einige Brüderrotten als durch sich selbst führte, haben 1464
sich keine näheren Nachrichten erhalten. Der König unter=
nahm, aus vorsichtiger Langmuth, lange Zeit nichts im eige=
nen Namen gegen ihn, sondern verwies die ganze Sache an
die mährischen Stände und das dortige Landesgericht. [205]
Der Proceß zog sich übermäßig in die Länge; dennoch mußte
endlich die Landesacht über den offenkundigen Uebertreter der
Landesordnung verhängt werden. Die mährischen Landherren
und insbesondere der Olmützer Bischof Protas von Boskowic
hatten sich alle Mühe gegeben, die Sache zu einem fried=
lichen Vergleich zu bringen: da Hyneks Bruder, Herr Ste=
phan, sich dem Könige unterworfen und Treue geschworen
hatte, so wollten sie, daß Herr Hynek, der solches zu thun
geradezu verweigerte, wenigstens seine Güter dem Bruder zu
getreuen Handen abtrete, und gingen den König um die
Bewilligung an, daß ihm die Renten davon in's Ausland
nachgeliefert würden. Da Herr Hynek aber auch darauf ein=
zugehen sich weigerte, so mußte endlich dem Landesgesetze
über die Durchführung der Rechtsprüche Folge geleistet werden,
und zu Anfange Juli 1464 eröffneten somit die mährischen
Stände auf ihre eigenen Kosten den Krieg gegen ihn als

sponso habuit, quod nullo modo id facere, quousque ille cum
toto regno rediret ad ritum et veram obedientiam Romanae
ecclesiae et Sedis Apostolicae, sed potius exterminium pati
deberet; potens esset dominus omnipotens, ipsum de hujusmodi
persecutionibus eripere, aut aliunde hic (et) in futuro seculo
ei centuplum retribuere. MS. Sternb. p. 352. 353.

205) In der mährischen Landtafel (im Quatern der Brünner Vor=
ladungen N. 8 vom J. 1459—1466 fol. 55) ist die Notiz ver=
zeichnet, König Georg habe auf dem Brünner Landtage (fer. V
ante Mathiae, d. i. 23 Febr. 1464) verordnet, daß die Barone
als Landrichter in Eid genommen werden und den Gerichtssitzun=
gen jedesmal bis zum Schluße beiwohnen sollten; wovon dann
auch die Kniha Towačowská (Cap. 58, S. 47) Meldung gibt. Die
Thatsache stand ohne Zweifel mit Hyneks Proceß in Verbindung.

1464 einen Störer des Landfriedens. Zur Belagerung der Schlösser
Hyneks schickten Katholiken eben so wie Utraquisten, Prälaten und Städte, ihre bewaffneten Leute, und dadurch wurde
vorgebeugt, daß der Krieg nicht das Ansehen eines Religionskrieges erhielt. Was weiter geschah, erfahren wir aus einem
Schreiben des Königs an Herrn Johann von Rosenberg vom
15 Aug. 15 August 1464: „Von dem Kriege (gegen Hynek) kömmt
es diesmal ab,“ — nämlich von Seite der Böhmen — „doch
haltet euch bereit, wenn es dennoch nöthig werden sollte.
Raispurk (Raussenbruck) ist bereits genommen und Zornstein
belagert. Auf dem Tage zu Korneuburg wurde Hynek von
Böttau aus Oesterreich ausgewiesen, daß er dort keine Unter-
kunft finde; und seinen Helfern, dem Kreuzherrn von Mail-
berg und dem Stahrenberger, wurde auf demselben Tage
das eidliche Gelübde abgenommen, sich auf Bartholomäi in
Znaim vor des Kaisers Rath zu stellen, wo auch wir unsern
Rath hinsenden wollen, damit sie sich über die Punkte ver-
antworten, die wir ihnen Schuld geben. Auf demselben Tage
ist auch zwischen unsern Landen und Oesterreich der Friede
geschlossen worden.“ Dieser Korneuburger Landtag hatte am
24 Aug 23 Juli begonnen, worauf wirklich am 24 August in Znaim
getagt und der Friede beiderseits befestigt wurde. [206] Die
Belagerung der sehr festen Burg Zornstein dauerte jedoch
fast ein ganzes Jahr lang und veranlaßte, wie wir gleich
sehen werden, viele und weitgreifende Verhandlungen. Diese
ganze Streitsache Herrn Hyneks aber, so eigenthümlich und
in sich abgeschlossen sie auch erscheint, kann dennoch als eine
Einleitung und ein Vorläufer des Herrenbundes in Böhmen
angesehen werden.

Als der Breslauer Bischof Jost vernahm, Papst Pius II
habe gegen König Georg einen Proceß eingeleitet, fertigte

206) Vergl. die in den Fontes rerum Austriac. Bd. VII, S. 396—404
gedruckten Acten. Des Königs Schreiben vom 15 August befindet
sich im Original, noch unedirt, im Wittingauer Archive.

er seinen Vertrauten, Bruder Thomas, einen Maltheserordens= 1464
ritter, an den römischen Hof ab, welcher jedoch erst nach Pius II
Tode dort eintraf, nachdem bereits ein neuer Papst, Paul II,
gewählt und gekrönt worden war. Er ließ durch ihn vor=
stellen, wie gefahrbringend des Papstes Beginnen für die
Katholiken in allen böhmischen Kronlanden sei; er versicherte,
Georg sei weder so böse, noch so unzugänglich für guten
Rath, als er geschildert werde; es sei aber zu befürchten,
daß ein strenges Verfahren gegen ihn den guten Willen in
ihm ersticke und daß am Ende die Getreuen des Papstes
darunter werden zu leiden haben; daher bat er, man möchte
wo nicht gänzlich von den Maßregeln gegen ihn abstehen,
doch wenigstens damit inne halten. Paul II nahm diese Bitte
um so günstiger auf, als ihm wohl bekannt war, welche Auf=
nahme jene Maßregeln beim kaiserlichen Hofe gefunden hatten,
zumal auch sein vertrautester Rathgeber, Theodor Lelius, jetzt
Bischof von Treviso, ein langjähriger Freund des Bischofs
Jost, in demselben Sinne sich bei ihm verwendete. Doch
übergab er die ganze Sache drei Cardinälen zur Entschei=
dung: Bessarion, Carvajal und Wilhelm von Ostia. Diese
gaben am 30 October Jost zur Antwort: der Papst willige 30 Oct.
unter der Bedingung in sein Begehren, daß mittlerweile von
Seiten „Desjenigen, der in Böhmen regiert“ nichts gegen
Breslau vorgenommen werde, und daß sich der Bischof dessen
Bekehrung zum wahren Gehorsam angelegen sein lasse. Sie
wunderten sich, daß „Derjenige, der sich für den König hält,“
als er von der Erhebung des neuen Papstes hörte, Nieman=
den von seinem Hofe, wie es bei andern Herrschern Sitte
war, den Papst zu beglückwünschen geschickt habe; sie ließen
die Drohung fallen, daß es unerläßlich werden dürfte, die
Wunden, die kein Heilmittel annehmen, mit dem Eisen zu
behandeln und die faulen Glieder, zur Verhütung einer gif=
tigen Ansteckung, von dem Leibe der heiligen Kirche lieber
gänzlich wegzuschneiden. Es solle ja „Der, von dem die Rede

1464 ist," nicht glauben, daß mit Papst Pius heiligen Andenkens
alle Macht des apostolischen Stuhls begraben worden, als
ob dessen Nachfolger nicht Eifer noch Kraft genug hätte oder
haben könnte, diejenigen zu bändigen, die ihre Hörner gegen
die heilige Kirche erheben. „Ja in Bischof Paul ist diese
Kraft nicht gemindert sondern gemehrt, und er wird die
Breslauer noch mit andern Mitteln zu schützen wissen, als
Papst Pius gedachte; denn es wird nicht schwer fallen,
dasjenige, was gegen die Türken gesammelt ist, zu theilen
und einen Theil davon zu ihrem Schutze zu verwenden. [207]

Aus dem Inhalte dieses Schreibens ist zu entnehmen,
daß König Georg vergebens bei der Nachricht vom Tode
Pius II wieder aufathmete, da er nichts dadurch gewann
und es nicht mehr mit der oder jener Person auf dem Stuhle
Petri, sondern mit dem Papste überhaupt, der nicht starb, zu
thun hatte; und bald sollte er auch die Erfahrung noch
machen, daß es besser war, es mit einem verständigen und
einsichtsvollen Gegner, als mit dessen kenntnißlosem und lei=
denschaftlichem Nachfolger zu thun zu haben. Der neue Papst
Paul II, vordem Peter Barbo Cardinal von St. Marcus
genannt, gebürtig von Venedig und Neffe des vormaligen
Papstes Eugen IV, glich seinen letzten Vorgängern in keiner
Beziehung: obgleich am 30 August von den Cardinälen mit
fast unerhörter Einstimmigkeit gewählt, zeichnete er sich weder
durch Geist, noch durch sittliches Betragen aus; ja man klagte
über ihn, daß er gar zu stolz, eitel, weibisch und grausam,
dabei über alle Gebühr putzsüchtig und auf Leckereien ver=
sessen gewesen. Die Cardinäle waren vor der Wahl über
einige Artikel übereingekommen, die sie sich gegenseitig ver=
pflichteten zu halten, wen immer von ihnen die Wahl treffen
würde; der wichtigste darunter betraf die sofortige Einberu=
fung eines allgemeinen Concils. Auch Peter Barbo hatte

207) Die darüber ergangenen Schreiben sind uns aus einer gleichzeiti=
gen böhmischen Uebersetzung in MS. Sternb. S. 109—112 bekannt.

sie, und noch mit größerer Bereitwilligkeit als die Anderen, 1464
unterschrieben: als Paul II aber zwang er seine Wähler,
dieselben zu widerrufen, indem die oberste Gewalt des Papstes
durch keine Capitulationen gebunden und beschränkt werden
dürfe. Nur der einzige Carvajal beharrte in seinem Wider=
stande: doch ließ man ihn in Ruhe, als er das Versprechen
leistete, den Papst nimmermehr daran zu mahnen. [208] Pauls II
fleißigste Sorge soll es gewesen sein, sich theils wegen seiner
Schönheit (um derentwillen er Anfangs auch die Absicht ge=
habt, sich den Namen Formosus beizulegen), theils wegen
der ungewöhnlichen Pracht und des Aufwandes, mit dem er
sich öffentlich stets zu zeigen pflegte, vom Volke bewundern
zu lassen. Dagegen war es schwer, eine Audienz bei ihm zu
erlangen, und in seiner Kanzlei ließ sich ohne Geld nichts
ausrichten. [209] Das strenge Verfahren gegen die Böhmen
während seines Pontificats ging zwar unter seinem Namen,
rührte aber mehr von den Cardinälen her, namentlich von
Carvajal, von Franz Piccolomini von Siena und Jacob
Piccolomini von Pavia; denn das hussitenfeindliche Eifern
hatte am römischen Hofe bereits überhand genommen.

208) Commentarii Jacobi cardinalis Papiens. lib. II, pag. 371, 372;
it. epistolae num. 182, pag 603. (ap. Gobelin.) Raynaldi an=
nales ecclesiastici ad h. a. §. 57—61. Der Urheber dieses Um=
schwungs war des Papstes vorzüglichster Rathgeber Theodor Lelius
Bischof von Feltre zuerst, dann von Treviso.

209) Als sich der Breslauer Gesandte darüber beschwerte, entgegnete
ihm Carvajal selbst mit bitterem Scherz: „Und Du willst hier
etwas umsonst haben? Unlängst schickte ich meinen Secretär mit
einem Biller drei bis viermal um ein Breve, und was ich auf
drei Billete nicht erhalten konnte, erhielt ich für zwei Ducaten
und zwei Groschen alsogleich. Gedulde Dich, mein Lieber! (setzte
er lächelnd hinzu) es ist das noch immer billig, und ohne Geld
geht es nun einmal bei Hofe nicht." Klose document. Gesch. v.
Breslau, III, 1, S. 304. Bekannt ist, daß Paul II später das
Amt der Abbreviatoren an seinem Hofe, wegen ihrer unmäßigen
Habsucht, gänzlich aufhob. Raynaldi ad ann. 1466, §. 21, 22.

1464   Paul II fühlte sich sehr beleidigt, daß der böhmische König sich mit dem Glückwunsche zu seiner Erhebung gar nicht beeilt hatte; es war dies in seinen Augen, und somit auch in der Wirklichkeit, ein großer Fehler. Der König entschuldigte sich später, daß, wie damals die Sachen standen, er in Rom eine neue Beleidigung seines Gesandten, und in ihm seiner eigenen Ehre, besorgt habe; darum habe er es vorgezogen, zur kaiserlichen Vermittlung seine Zuflucht zu nehmen. Als nun der Kaiser seine Gesandten mit dem Glückwunsche nach Rom am 12 October wirklich abfertigte, den Freiherrn Johann Rohrbacher und den Propst Johann Hinderbach, bekamen sie den Auftrag, auch in den böhmischen Angelegenheiten thätig zu sein. Nach seiner Rückkehr erstattete Rohrbacher folgenden Bericht darüber nach Böhmen. Als er zum Papst gekommen und für den König zu sprechen begonnen habe, sei die erste Frage gewesen, ob denn der König von Pauls II Erhebung nichts gewußt habe? Rohrbacher habe Hoffnung gegeben, daß wohl noch Gesandte aus Böhmen kommen dürften, worüber der Papst sichtlich erfreut gewesen sei: als aber später vom Kaiser die Nachricht einlief, daß Niemand komme, und er nun meldete, es seien ernste Hindernisse dazwischen gekommen, welche einen Aufschub der Gesandtschaft veranlaßt hätten, da habe Paul II das Gespräch darüber kurz abgebrochen. Der Vertraute des Kaisers trug dann im Namen seines Herrn dreierlei Bitten vor: erstens, Seine Heiligkeit möchte gegenüber dem Könige von Böhmen nicht dem Beispiele seines Vorgängers Pius folgen, sondern sich ihm in Gnaden zuwenden; dann möchten alle von Pius gegen den König erhobenen Processe fallen gelassen und gänzlich aufgehoben werden; endlich möchte der Papst einen ansehnlichen Legaten in das Königreich abordnen zur Beseitigung der entstandenen Irrungen, an deren glücklichem Erfolge nicht zu zweifeln sei. Auf die ersten zwei Bitten gab der Papst alsogleich eine günstige Antwort: er

lobte in einer weitläufigen Rede die Tugenden und Ver= 1464
dienste des Königs, wie weise er sei, wie gerecht und gütig,
und wie tapferen Sinnes, so daß man auf ihn große Hoff=
nungen für den Schutz der Christenheit gegen die Türken
bauen könne, doch gebe es einen Punkt, der alle übrigen in
Schatten stelle: wenn er nicht zögere, diesen gutzumachen, so
werde er in ihm nicht einen Papst, sondern einen Freund,
einen liebevollen Bruder finden; „erfüllt der König, was er
versprach und ich von ihm begehre," — so sprach der Papst,
ein Schreiben in der Hand haltend — „so soll er mit mir,
gleichwie ich mit diesem Stück Papier, unbedingt verfügen!"
Er sei ganz bereit, den Weg der Versöhnung anzutreten und
allem Zwiespalt zu entsagen; darum habe er auch schon alle
gegen den König eingeleiteten Processe eingestellt. Bezüglich
der Absendung eines Legaten nach Böhmen nahm er sich
Bedenkzeit, um erst mit den Cardinälen darüber zu berathen.
Diese wollten aber nicht dazu willigen und erwiesen sich sehr
hartnäckig, so daß die Verhandlungen über vier Wochen
dauerten. Erst um Weihnachten sollicitirte Rohrbacher den
Papst aufs Neue und erhielt endlich am 28 December den 28 Dec.
Bescheid, daß ein Legat zwar nicht nach Böhmen, aber an
den kaiserlichen Hof werde gesandt werden, dorthin habe der
König sich an ihn zu wenden; es sei dazu Rudolf, Bischof
von Lavant ernannt, ein liebevoller, verständiger und dem
Könige wohlgeneigter Mann. [210]

Noch hatte Rohrbacher Rom nicht verlassen, als auch 1465
Herr Hynek von Lichtenburg und Böttau dahin kam und
beim Papste Audienz erlangte; als Vermittler und Dolmetsch
diente ihm der Bischof von Lavant, sein alter Bekannter
und guter Freund. Es ist leicht zu errathen, welche Reden
und Klagen er gegen den König vorgebracht haben mag;

[210] Den Bericht über seine Verrichtung in Rom in den böhmischen
Angelegenheiten erstattete Rohrbacher an den böhmischen Kanzler
Prokop von Rabstein erst am 18 Februar 1465 von Neustadt aus.

1465 überdies fügte er hinzu, er sei von jeher willig gewesen, seinen ganzen Streit der Entscheidung des Papstes anheim= zustellen, und sich derselben unbedingt zu unterwerfen. Eine solche Appellation erwies sich in Rom niemals erfolglos; der Papst erkannte in Herrn Hynek einen echten, eifrigen Katholiken, erklärte sich als Richter in seiner Sache, und beschloß mit seiner ganzen Auctorität für ihn einzustehen. Er stellte als Bedingung jeder weiteren Verhandlung mit dem Könige, daß nicht allein die Belagerung von Zornstein so= gleich aufgehoben, sondern auch Herrn Hynek voller Schaden= ersatz geleistet werde, und somit war der Richterspruch zwischen dem Könige und Herrn Hynek schon in vorhinein ergangen.

21 Jan. Am 21 Januar 1465 erließ Bischof Rudolf von Lavant von Rom aus eine Menge Briefe in dieser Angelegenheit an alle Katholiken in Mähren und Böhmen, an einen jeden beson= ders, [211] und befahl ihnen im Namen des heiligen Vaters, alle ihre Leute ohne Verzug von der genannten Burg ab= zurufen. Vor allem erging an Bischof Protas von Olmütz die strengste Rüge, daß er, der eines Katholiken Schild und Hort sein sollte, sich zu dessen Verfolgung auch selbst her= gegeben habe; der Papst habe deshalb alsogleich förmlich gegen ihn einschreiten wollen, sei aber auf die Bitte des Le= gaten davon in der Hoffnung abgestanden, daß es nur eines Wortes bedürfe, um ihn wieder auf den Weg der Pflicht zurückzuführen; darum möge er durch schnellen Gehorsam dem Uebel zuvorkommen, welches sonst unabwendbar über ihn hereinbrechen müßte.

Als König Georg sowohl von Rohrbachers und Hyneks Verhandlungen in Rom, als auch von den Befehlen des neuen Legaten Kenntniß bekam, bedauerte er lebhaft, den

---

211) Das Schreiben des Bischofs Protas steht im MS. Sternb. p. 354, das an die Budweiser ebendas. p. 445, an die Herren Johann und Diepold (von Lobkowitz) in Chmel's Materialien, II, 259 (irrig zum J. 1462).

neuen Papst nicht zur rechten Zeit beglückwünscht und be- 1465
grüßt zu haben, und suchte den Fehler durch ein sehr ehrer-
bietiges Schreiben vom 7 März 1465 zu entschuldigen und 7 März
gutzumachen. Er fügte bei, er könne sich den ergangenen
Befehl wegen des Schlosses Zornstein nicht anders erklären,
als daß Hynek ihn durch lügenhafte und falsche Berichte bei
Seiner Heiligkeit erschlichen habe, als würde er des Glaubens wegen verfolgt: er sei jedoch von jeher des Königs
persönlicher Todfeind, der schon bei König Ladislaws Lebzeiten ihm und seinen Unterthanen Unrecht und Schaden zuzufügen niemals unterlassen habe. Nach des Königs Erhebung
auf den Thron habe die ganze Welt ihn als solchen anerkannt, nur Hynek habe stets alle Unterwerfung so wie die
Angelobung der Treue versagt und sei schließlich zur offenen
Rebellion übergegangen, um derentwillen er von den Gerichten des Landes für einen gemeinen Feind und Verderber
des Landes erklärt und zu seiner Vertreibung aus der Markgrafschaft Mähren ein Kriegszug angesagt worden sei, an
welchem die Prälaten und Städte des römischen Theils
gleichen Antheil wie die Landesbarone genommen, und der
nicht eher aufgegeben werden könne, als bis den Schuldigen
die verdiente Strafe erreicht. Der König bat also den Papst,
sich eines solchen Menschen nicht in einer Sache anzunehmen, welche mit dem Glauben nichts zu schaffen habe. Ein
Schreiben ähnlichen Inhalts erging an den Papst zur selben
Zeit auch von Seite der katholischen Prälaten und Herren
in Böhmen. [212]

Inzwischen langte Bischof Rudolf von Lavant den
14 März am kaiserlichen Hofe an, erneuerte von da aus 18
am 18 März seine Befehle an die mährischen und böh- März
mischen Prälaten und Barone, und drohte mit geistlichen

212) Des Königs Schreiben vom 7 März hat aus dem MS. Sternb.
p. 569, Pešina (Mar. Morav. p. 739) in seiner Weise, d. h. interpolirt, herausgegeben.

                                            ... est messi-

... ea quæ sibi

... non medio-

Urgent illum sub-

... præ et accessorie

... duo et auctoritate

... vivente rege non

... — Ridiculum namque

... — nunc tractando, a

... propriæ propugnationem

…aten nach 1465
…en be= 1 April
…ch aus=
…ndesgesetz
…eter Dinge
…u thun könne.
…aktion, sich mit
…n, so lange die
…nen Processe nicht
…eits auch der Legat
früher zu verhandeln,
…n aufgehoben wäre, so
…zwischen den beiden Ge=
…es bleiben. Nur darüber
…n selbst, daß er hoffe, fände
…lich Zornsteins nachgiebig, so
…en auch die Breslauer in Ruhe
…b die Processe zwar nicht auf=
…eine Folge zu geben, bis er vom
…ngsbefehle erhalten haben würde; da
… am kaiserlichen Hofe dem Kaiser, nach
…nd sehr auffallenden Zwischenfall, nach=
…ochte, so zeigte er dem Papste das Vor=
…es Anfangs Mai Neustadt und kehrte auf Anfang
Mai
… zurück. [214] Paul II gab auf das Schreiben
…rst am 13 Mai Antwort, aber nicht dem Kö= 13 Mai
…dern den Prälaten und Baronen seines Landes.
…e, vernehmen zu müssen, daß ein so aufrichtiger
…ie Hynek, sich in der Heimat nicht so verhalten

…Königs Schreiben vom 1 April im MS. Sternb. p. 394,
…dolfs an den Papst vom 17 April in MS. capit. Prag. G, XIX,
…l. 175—177. Vergl. Eschenloer, I, 264. Ein Schreiben Rudolfs
…n Bischof Jost vom 24 Mai (in böhm. Uebersetzung) MS. Sternb.
p. 451.

1465 Strafen Allen, die sich ungehorsam erweisen würden; er verlangte auch, daß der Kaiser sich den päpstlichen Befehlen
anschließe, dieser aber erklärte, daß er mit Hyneks Sache
schlechterdings nichts zu schaffen haben wolle. Der Olmützer
27
März
Bischof antwortete dem Legaten von Wischau aus am 27 März
und erging sich in Klagen über Herrn Hynek, der durch seinen
Trotz und seine Widerspänstigkeit, weder Rath noch Hilfe
annehmend, nicht allein sich, sondern auch das Land in Schaden und Trübsal gebracht habe. Bei ihm sei die Religion
nur Nebensache; hauptsächlich treibe ihn sein alter Haß gegen
den König; hätte er um des Glaubens willen nur das Geringste zu leiden, so würden sich in Mähren gewiß echte
Katholiken genug finden, die mit Daransetzung von Gut und
Blut ihn gehörig zu schützen wüßten. Darum bat er den
Legaten, Hyneks Sache als unbedeutend und des Ansehens
des apostolischen Stuhls unwürdig fahren zu lassen. Der
König werde seine Lebtage nimmermehr die Belagerung aufheben, so lange die Burg nicht erobert sei, und es wäre rein
lächerlich, wenn man die große seit fünfzig Jahren so vielfach angestrebte und jetzt wieder vorgenommene Kirchenreform
in Böhmen vom Schlosse Zornstein abhängig machen, oder
gar daran scheitern lassen sollte. [213] Auch der König schickte

213) **MS. Sternb.** gibt Rudolfs Schreiben vom 18 März p. 355, des
Protas Antwort vom 27 März p. 617; Pešina interpolirte beide.
Protasius Worte sind: Factum D. Hynkonis nobis est notissi-
mum — ipse nixus cervici suae ad nulla praeter ea quae sibi
placent flexibili, et se ipsum et patriam damnis non medio-
cribus et quasi irrecuperabilibus involvit. — Urgent illum anti-
qua et privata in regem nostrum contracta odia et accessorie
religio. — Dimittatur haec res levis pro deo et auctoritate
Sedis apostolicae, et Pat. V$\underline{rae}$ sciat certissime, vivente rege non
solvi obsidionem, nisi castello expugnato. — Ridiculum namque
erit homini, si tanta tamque res magna — nunc tractanda, a
Czorstein castello incipi debeat aut propter oppugnationem
ejus dimitti etc.

am 1 April Herrn Beneš von Weitmil an den Legaten nach 1465
Neustadt mit einem Schreiben, in welchem er die schon be= 1 April
kannten Vorstellungen und Gründe wiederholte und sich aus=
drücklich dahin aussprach, daß ihm sowohl das Landesgesetz
als die Ehre verbiete, von Zornstein unverrichteter Dinge
abzuziehen, und daß er daher solches keinesfalls thun könne.
Ueberdies erhielt aber Herr Beneš die Instruktion, sich mit
dem Legaten in keine Verhandlung einzulassen, so lange die
gegen die Belagerer von Zornstein erlassenen Processe nicht
zurückgenommen werden. Und da anderseits auch der Legat
vom Papste den Befehl hatte, nichts früher zu verhandeln,
als bis die Belagerung von Zornstein aufgehoben wäre, so
konnte des Kaisers Mittlergeschäft zwischen den beiden Ge=
sandten nicht anders als erfolglos bleiben. Nur darüber
äußerte sich Herr Beneš wie von selbst, daß er hoffe, fände
der König den Legaten bezüglich Zornsteins nachgiebig, so
werde derselbe ihm zu Gefallen auch die Breslauer in Ruhe
lassen. Der Legat versprach die Processe zwar nicht auf=
zuheben, aber ihnen auch keine Folge zu geben, bis er vom
Papste weitere Verhaltungsbefehle erhalten haben würde; da
aber seine Anwesenheit am kaiserlichen Hofe dem Kaiser, nach
einem unerwarteten und sehr auffallenden Zwischenfall, nach=
theilig zu werden drohte, so zeigte er dem Papste das Vor= Anfang
gefallene an, verließ Anfangs Mai Neustadt und kehrte auf Mai
seinen Bischofssitz zurück. [214] Paul II gab auf das Schreiben
vom 7 März erst am 13 Mai Antwort, aber nicht dem Kö= 13 Mai
nige selbst, sondern den Prälaten und Baronen seines Landes.
Er bedauerte, vernehmen zu müssen, daß ein so aufrichtiger
Katholik, wie Hynek, sich in der Heimat nicht so verhalten

214) Des Königs Schreiben vom 1 April im MS. Sternb. p. 394,
Rudolfs an den Papst vom 17 April in MS. capit. Prag. G, XIX,
fol. 175—177. Vergl. Eschenloer, I. 264. Ein Schreiben Rudolfs
an Bischof Jost vom 24 Mai (in böhm. Uebersetzung) MS. Sternb.
p. 451.

1465 habe, wie er sollte: derjenige aber, der ihn verfolge, besitze, nachdem er aus der Kirche geschieden, von Rechtswegen keine Richtergewalt über ihn. Sie sollten also von der Burg ab= ziehen, an Hynek alles zurückstellen, was ihm mit Gewalt ab= genommen worden, und die Angelegenheit vor den apostolischen Stuhl bringen; von da werde Hynek angewiesen werden, allen Privatschaden, den er angerichtet, wieder gut zu machen: daß er aber seinem Dränger den Gehorsam verweigert, darin trage er keine Schuld. [215] Die Burg Zornstein aber, deren mächtige Ruinen im Znaimer Kreise Mährens an der Thaya, etwa eine halbe Stunde von der Stadt Vöttau, auf hohen, steilen Felsen noch heute zu sehen sind, wurde bei ihrer Fe= stigkeit und Uneinnehmbarkeit erst nach zehnmonatlicher Be= 9 Juni lagerung durch Hunger gezwungen, sich am 9 Juni 1465 zu ergeben. Den Oberbefehl über die Belagerer hatte Ritter Ulrich Mladenec von Miličin, den über die Vertheidiger an= geblich Johann Šarowec geführt. [216]

Wegen häufiger Klagen über Störungen des Religions= friedens, welche bald von Seite M. Rokycana's und seiner Priester, bald vom Prager Domkapitel und dessen Partei ihm zukamen, schrieb der König einen allgemeinen Land=

215) Des Papstes Worte sind (MS. Sternb. p. 570): Quia ille, qui ipsum Hynkonem expugnari mandat, potestatem et auctoritatem non habet per ea, quae ipse dudum professus est, cum se a catholica ecclesia alienum declaraverat, ad judicandum dictum Hynkonem judex competens esse non potuit, neque debuit ipse Hynko illi tamquam domino obedire, prout nec potuit ab illo rebellis judicari, quem non debuit dominum recognoscere etc.

216) Den Tag der Uebergabe der Burg gibt Eschenloer p. 264 an; Pešina setzt den 24 Mai, jedoch ohne Beleg und wie es scheint auf's Gerathewohl. Ueber die Burg Zornstein lese man Wolny's Topographie nach, III. 551—2, 562. Prinz Victorin, als mäh= rischer Landeshauptmann, verlangte 14 März 1465 von den Ig= lauern die Zusendung einiger Schock Pfeile an den Befehlshaber der Bastei vor Zornstein, Ritter Mladenec (MS.)

tag nach Prag an seinen Hof auf den Lichtmeßtag 1465
(2 Febr. 1465) aus, um zu versuchen, ob nicht die Parteien 2 Febr.
selbst sich untereinander irgendwie verständigen und verglei=
chen könnten. Als nun in Folge dessen sowohl Laien als
Priester in großer Anzahl zusammenkamen, wurde zuerst ein
Ausschuß aus Mitgliedern beider Parteien erwählt, welcher
die Stelle eines Schiedsrichters versehen sollte; er bestand
aus je 45 Personen des Herren= und Ritterstandes und aus
je zwei Abgeordneten einer jeden Stadt. Der König eröff=
nete die Verhandlungen erst am 7 Februar mit einer Rede, 7 Febr.
worin er ausführlich von seiner Sorge für die Erhaltung
des Friedens sprach und wie vielfache Klagen über dessen
Störung zugleich mit Bitten um Abhilfe an ihn bald von
der einen, bald von der andern Seite gelangten; er zeigte
daher den Ständen an, weshalb er sie zusammenberufen, und
wessen er sich von ihnen versehe. Sobald aber die Verhand=
lungen in Gegenwart der Geistlichen beider Parteien began=
nen, gerieth die ganze Versammlung in unerfreuliche und
endlose theologische Streitigkeiten; man fing an, wie die
strittigen Glaubensartikel, so auch die vaterländische Kirchen=
geschichte zu analysiren, und wenn Rokycana mit den Ereig=
nissen von 1408 begann, ging Dechant Hilarius sogar auf
die heil. Cyrill und Method zurück, als angebliche Gründer
der ersten Collegiatkirche in Prag. Als Rokycana seinen
ehemaligen Schüler Hilarius beschuldigte, von der Wahrheit
des Kelches abgefallen zu sein, warf ihm dieser nicht ohne
Grund vor, daß ja auch er in seiner Jugend im Kloster zu
Rokycan unter einer Gestalt communicirt, also seine Ueber=
zeugung mit der Zeit geändert habe: sei er nun bei besserer
Erkenntniß vom Irrthum oder von der Wahrheit abgefallen?
Unter den Laien betheiligten sich an den Streitigkeiten am
stärksten, von römischer Seite Johann von Rosenberg, Zdenek
von Sternberg, Ulrich von Hasenburg, Wilhelm von Rabie,
Lew von Rozmital und der Kanzler Prokop von Rabstein;

1465 von utraquistischer Seite Zdeněk Kostka von Postupic, Johann Malowec von Pacow, Burian Trčka von Lipa und Lipnic und Samuel von Hrabek und Walečow. Als über aufrei= zende Predigten z. B. des Pfarrers Valentin in Budin, Georgs in Sobieslau, Beschwerde geführt wurde, antworte= ten die Herren Ulrich von Hasenburg und Johann von Ro= senberg für sie als ihre Unterthanen. Solcher Haber wieder=
11 Feb. holte sich von Donnerstag den 7 bis Montag den 11 Fe= bruar täglich, bis der König, einsehend, daß derselbe nicht zum Frieden, sondern zu noch größerer Erbitterung führe, ihm plötzlich ein Ende machte.[217] Es versteht sich von selbst, daß die Theologen beider Parteien sich den Sieg zuschrieben; ein noch schlimmerer Erfolg zeigte sich darin, daß der im königlichen Saale entzündete Streit bald auch in die Gasse überging und sich bei dem gemeinen Volke in Schimpf und Schmähungen auflöste. Darum war auch diese Disputation der letzte in der Husitengeschichte bekannte Versuch dieser Art.

Während dieser Zeit entwickelten sich die Anfänge des Herrenbundes zwar in Verbindung mit dem Religionsstreit, aber, wie schon gesagt wurde, aus besonderen Anlässen. Unter diesen dürfte wohl als der hauptsächlichste der beleidigte Stolz des Herrn Zdeněk von Sternberg anzusehen sein, aus welchem plötzlich der unversöhnlichste Haß gegen seinen ehe= maligen Freund und Herrn, König Georg, sich entwickelte. Es muß zu Anfange des Jahres 1465 zwischen den beiden Männern eine äußerst heftige Scene vorgefallen sein, über deren Veranlassung und Verlauf wir nur Vermuthungen

217) Disputatio capituli ecclesiae Pragensis cum Rokyczana de Hus- siticis controversiis, habita per quinque dies ann. 1465, kömmt in älteren Handschriften ziemlich häufig vor und wurde auch in Henr. Canisii Lectiones antiquae ed. Basnage tom. IV, 753—775 etwas uncorrect herausgegeben. Raynaldi ad h. a. §§. 26—44 gibt einen umständlichen Auszug daraus. Vergl. Staří letopisowé S. 180. Eschenloer S. 261.

geben können, da positive Daten gänzlich fehlen. Georg und 1465
Zdeněk, obgleich sie lange Zeit nur wie eine Seele zu sein
schienen, waren einander doch sehr unähnlich. Georg ragte
durch Geist und sittliche Kraft hervor, Zdeněk zeichnete sich
durch äußere Bildung aus; jener war kleiner untersetzter Sta-
tur, dieser von hoher und edler Gestalt, willensstark, tapfer
und unternehmend waren beide, Georg schätzte aber die Waffen nur, so weit er sie brauchte, Zdeněk schien an ihnen vorzugsweise Lust zu finden. Georgs Ruf gegenüber dem andern Geschlechte war unbescholten, er selbst ein musterhafter
Gatte und Vater, Zdeněk voll Galanterie und glücklicher in
seinen Liebesabenteuern als in der Ehe, obgleich auch er
mehrere Söhne zählte, die sich ihres Vaters nicht unwürdig
erwiesen. Herrn Zdeněk nahmen sich alle diejenigen zum Vor-
bild, welche an ritterlichen Abenteuern und an Moden vorzugsweise Gefallen fanden, er war immer heiter und redselig,
dabei über die Maßen eitel, so daß er noch in seinem Alter
die Haube bei Männern in die Mode gebracht haben soll,
„damit man ja seine grauen Haare nicht erblicke." Bezüglich
der moralischen Seite seines Charakters sprach man minder
vortheilhaft von ihm, namentlich behauptete man, daß er als
Vormund der Herren von Neuhaus, der Holicky's von Sternberg und der Smiřicky's sich auf nicht ganz rechte Weise
bereichert habe. [218] Daher mag es gekommen sein, daß der
König ihm die Führung neuer Vormundschaften nach der
großen Pest vom J. 1464 abschlug, und daß dieses den un-
heilbaren Bruch zunächst herbeiführte. Erst von da an wurde
er ein überaus zelotischer Katholik, und ein unauslöschlicher
Racheburst verließ ihn bis zum Tode nicht. Schon seit dem
Frühling 1465 sann er auf Abfall und Empörung und

---

218) Man sehe die Belegstelle in Johann von Rabstein's Dialog vom
       J. 1469 (in der Beilage dieses Buches,) und vergleiche damit,
       was Eschenloer über die Ursache des Zerwürfnisses zwischen dem
       Könige und den Baronen (I, 262) anführt.

1465 suchte Verbündete dazu. Der erste, der sich ihm anschloß, war
Burian von Guttenstein, Herr auf Necting (Breitenstein),
der gegen des Königs Willen sich der Burg Rabenstein be=
mächtigt und die Vormundschaft über die nach Johann Calta
von Kamennahora (Steinburg) hinterbliebenen Waisen an
sich gerissen hatte, und deshalb vor das Landesgericht gela=
den, sich nicht stellen wollte; in gleicher Weise hatte auch
Leonard von Guttenstein auf Klenau die vormundschaftliche
Verwaltung der Herrschaften des kurz vorher gestorbenen
Přibík von Klenau, wir wissen nicht aus welchem Rechtstitel
übernommen.

Zwischen Herrn Zdeněk von Sternberg und dem Kaiser
waren schon vor längerer Zeit ziemlich schwere Streitigkeiten
und Fehden ausgebrochen, da jener an diesen, theils als
Erben des Erzherzogs Albrecht, theils wegen der bei Wien
erlittenen Schäden, namhafte Ersatzansprüche und Schuldfor=
derungen stellte. Es waren darüber, zwischen den Räthen
des Kaisers und des Königs, mehre Tagsatzungen erfolgt,
und die letzte sollte noch am 10 März 1465 zu Znaim Statt
finden: es erschien aber von böhmischer Seite niemand. Da=
gegen gelangte nach Neustadt, den Tag nach Beneš von
Weitmil's Abreise, an den Legaten ein verschlossener Brief,
aussehend wie ein freundschaftliches Schreiben, welches aber
nach der Eröffnung sich als ein Fehdebrief erwies, von
Herrn Zdeněk und von 36 böhmischen Herren und Rittern,
seinen Helfern, und darunter auch von königlichen Räthen,
gegen den Kaiser gerichtet. Nicht nur der Legat, auch der
Kaiser und sein ganzer Hof erblickten darin einen Beweis
der Unaufrichtigkeit und Tücke des Königs von Böhmen, da
der inzwischen erfolgte Bruch zwischen dem Könige und Herrn
Zdeněk ihnen noch unbekannt war, und Zdeněk sich um so
weniger beeilte, sie zu enttäuschen, je mehr er darauf aus=
ging, den Kaiser mit dem Könige unheilbar zu verfeinden.
Der Legat war der Meinung, der König zürne dem Kaiser

10 März

wegen ſeiner Anweſenheit, und verließ deshalb, wie ſchon 1465
gemeldet wurde, des Letzteren Hof; der Kaiſer aber ſchlug in
ſeinen Schreiben nach Böhmen ſeit dem 5 Mai ſchon den
gleichen Ton an, wie im Herbſte des Jahres 1461. Freilich
hatte er auch beſondere ärgerliche Händel mit Wenzel Wlček,
dem Oberführer der Brüderrotte, welchen der König in Schutz
nahm, obgleich er auch ſelbſt von den Brüderrotten in Mähren zu leiden hatte: und Zbeněk und Wlček ſäumten nicht
lange, ihre Streitkräfte vereint gegen den Kaiſer zu kehren.
Dieſe Vorgänge und Verhältniſſe erſcheinen uns ſehr verworren und dunkel, ſie nahmen aber dadurch ein Ende, daß
ſich der Kaiſer noch vor dem Herbſte 1465 mit Wlček und
Sternberg verglich, ſeine und des Königs Freundſchaft aber
darüber für immer zu Ende ging.

Der Breslauer Biſchof Joſt von Roſenberg, der
zugleich Prager Domprobſt und Großprior von Strakonic
geweſen, kam Anfangs Mai wieder nach Böhmen, wo die
Gährung im böhmiſchen Adel eben den höchſten Grad erreichte.
Er war ein in vielfacher Beziehung bedeutender Mann, von
hohem und mächtigem Körperbau, knochig und derb, doch an
Geiſte ausgezeichnet, ein Freund der Bildung und der Literatur, ſcharfſinnig und energiſch zugleich. Die Breslauer
pflegten ihn einen Ketzerfreund zu ſchelten, weil er die Macht
der Böhmen beſſer kennend und noch größeres Unglück für
die Kirche befürchtend, der Erneuerung eines Religionskrieges
mit aller Gewalt entgegenarbeitete. [219] In Böhmen hielt
man ihn für den größten katholiſchen Eiferer und für den
Haupturheber aller nachfolgenden Zerwürfniſſe und Stürme,

219) Wahr iſt, was Eſchenloer von Joſt ſchrieb (I, 264): Diſer Biſchof
wußte die Macht des Girſiges und ſeiner Ketzer, davor ihm grauete,
die doch etliche Bresler in ihrem toben Sinne alleine meineten zu
vertreiben. — Hette dieſer Biſchof einen großen mechtigen Herrn
erkannt, der dem chriſtlichen Teile in Behem hette wollen helfen:
er were der erſte gegen die Ketzer bereit geweſt, als ich das ofte

1465 da man die hohe Verehrung kannte, welche die katholischen
Barone ihm zollten, die sich auch größtentheils von seinem
Rathe leiten ließen.   Er hatte auch mehrere Zusammenkünfte
mit ihnen, bald in seinem Sitze Strakonic, bald bei seinem
Bruder in Krumau, bald auf Grünberg bei Herrn Zdeněk
von Sternberg; nach Krumau lud er auch den päpstlichen
Legaten Bischof von Lavant, der aber in einem Schreiben
21 Juni von Salzburg vom 21 Juni sich entschuldigte, da es ihm
verboten sei, auch nur einen Fuß nach Böhmen zu setzen. [220]
In Prag beim Könige anwesend, suchte er ihn noch zum
Letztenmal zu bereden, daß er durch Unterwerfung unter des
Papstes Willen den Drangsalen und Stürmen zuvorzukom=
men suche, die gegen ihn im Anzuge waren.   Er ließ ihm
durch die Königin Johanna auch eine besondere Denkschrift
zu diesem Zwecke zustellen, um, wie er sagte, seinem Gewis=
sen gegen Gott und seiner Pflicht gegen den König in glei=
cher Weise nachzukommen.   Wir wollen einige bezeichnendere
Stellen daraus hier kurz anführen.

"Sollte (schrieb Jost) dieses Königreich mit der heiligen
und römischen Kirche sich nicht einigen, so steht zu befürch=
ten, daß sich an ihm die Worte der heiligen Schrift erfüllen,
die da sagt, daß jedes in sich getheilte Reich zu Grunde ge=
hen wird.   Und solches möchte leider geschehen, wenn wir
es zuließen, daß wir nicht nur in zwei, sondern in mehr
Parteien uns spalteten, und uns gegenseitig zerfleischten. Das
wäre für die Fremden eine große Freude und sie würden
das Zerstörungswerk gerne vollenden und das Land zerreißen,
was Gott verhüte; auch würde der endliche Ausgang wohl

aus seinem Munde gehöret habe, und an der Tat erkannt ist.
Oder so er niemand wuste, und Girsik mit allen deutschen Fürsten
Freund war, hette er den Girsik gerne in Stillung und Fride ge=
halten also lange, bis Gott Hilfe gegeben hette etc.
220) Staří letopisowé S. 181. Des Legaten Rudolf Schreiben an Bi=
schof Jost lesen wir in MS. Sternb. p. 356.

weber so schnell, noch in der Weise eintreten, wie mancher 1465
meint."

„Wegen solchen Zwiespalts wurde. den Böhmen auch
jeder Verkehr abgeschnitten mit allen übrigen Ländern der
Christenheit, im Empfang der heil. Sacramente, im Gottesdienst, im Handel, in ritterlichen Fahrten auf Abenteuer und
zu Waffendiensten, in Bündnissen, vor Gerichten, in Botschaften und vielen andern Dingen. Gott leitet zwar alles,
dennoch ist es weise, sich durch das Mißgeschick Anderer war-
nen zu lassen, denn solche Zustände führen nie zu einem
guten Ende, und was machtlos ist, kann keine Dauer haben."

„Mögen diejenigen reden, was sie wollen, die da sagen:
es sollen die Barone nur allein, ohne die Ritterschaft und
die Ritterschaft wieder ohne die Barone sich hinstellen, dann
werde man sehen, ob diese oder jene dem Lande bessere
Dienste zu erweisen im Stande sind. Ich sage, es sei wohl
bekannt, daß es mehr Edelleute gibt als Bannerherren, so
wie mehr Bürger als Edelknechte, und Bauern am meisten.
Wer daher neue Einrichtungen erfinden will, der lasse sich
erst eine neue Welt erschaffen: kann er das nicht, so halten
wir uns an die alte Ordnung, und dürfen nicht sprechen,
wenn wir nur die Städte für uns haben und die Edelleute
ihnen abwendig machen, so lähmen wir ihre Macht, und
was in ihren Reihen zu uns hält, vermehrt die unsere."

„Sie sagen freilich: Wo waren die Fürsten und die
Schriftgelehrten, die an Christus glaubten und seiner heiligen
Gnaden gehorchten? Das gemeine Volk war es, das Christus
folgte und an ihn glaubte. Wer aber sind denn die, welche
aus dem gemeinen Volke Doctoren machen wollten? Sie
thäten wahrlich besser, wenn sie das Volk nur so viel lehrten,
als nöthig; denn die Uebergelehrten werden mit den Ungläubigen Eines werden."

„So lange Apostel hier in Prag herrschten, Peter in
der Altstadt, Paul in der Neustadt, und seitdem die Pro-

1465 pheten, Daniel und Samuel, sie ablösten, wie es da und
dort aussah, ist Jedermann bekannt. Man muß Bedacht
nehmen auf den Charakter derjenigen, auf deren Rath man
sich verlassen will, die einem in den Ohren liegen und unter
die Arme greifen sollen. Ach, es ist ja bekannt, wer den
Meister spielt beim Könige, auf dem Rathhause, in den
Zünften, den Schenken, in den Gast= und andern Häusern,
in Klöstern, Collegien und Schulen!"

"Es geht nicht an, daß ich M. Wenzel (Križanowský)
von Prag mitnehme, oder Anlaß gebe, daß er zu predigen
aufhöre; aber dazu will ich helfen, daß er sich in seinen
Predigten mäßige, so weit es mit Gott und nach der Ord=
nung der heiligen Kirche möglich ist. Das ist mir leichter zu
ertragen, es komme was da wolle, als daß ich mein Ge=
wissen beflecke und meinen Ruf unwiederbringlich verliere.
Denn ich meine, daß es Gottlob noch Leute gibt, welche
weder Geschenke noch Drohungen, nicht Zorn und Strenge,
noch auch Schmeicheleien dahin bringen werden, daß sie
einem Ritus sich zuneigen, der dem Christenglauben und den
heiligen Kirchenordnungen nicht entspricht. Gott behüte, daß
ich denen ein böses Beispiel und Anlaß gebe, an dem Guten
irre zu werden."

"Auch vermag ich allein sehr wenig, so lange mir die
Barone und das Domcapitel nicht beistehen; und ich kann
nur so lange auf sie zählen, als ich an den Dingen fest=
halte, die dem Guten nicht zum Abbruch gereichen. Denn
besser begreifen die Menschen alles, was sie selbst sehen, als
was sie bloß hören. Und es werden sehr fleißige und ernste
Bitten zu euch gelangen, solltet ihr uns an irgend etwas
einen Abgang erleiden lassen wollen; ja es werden viele
treffliche Menschen einträchtig und anhaltend darum bitten,
daß solches nicht geschehe." [221]

221) Diese Denkschrift und andere interessante Aufsätze aus dieser Zeit
mehr sind uns in dem meist eigenhändigen Gedenkbuche (Manuale)

Die hier angeführten Worte gestatten einen Einblick in 1465
viele Verhältnisse und Vorgänge, die uns anderswoher nur
wenig bekannt sind, und dürften auch die nächste Veranlassung
gegeben haben zu einem neuen Entwurfe der Aussöhnung
des Königs mit dem Papste, von welchem wir bald des
Weitern handeln werden (der Tyrnauer Verabredung). Es
war dies aber die letzte freundliche Berührung des Königs
und des Bischofs, welche beide von mütterlicher Seite Ge-
schwisterkinder, durch ihre Stellung nach und nach zu Gegnern und zu Feinden wurden. Wir wissen nicht, was alles
zu dieser Zeit in den Kreisen des höheren böhmischen Adels,
und namentlich in den Versammlungen zu Strakonic, Krumau und Grünberg, sich ereignete: bald aber erblicken wir
den Bischof Jost neben Zdeněk von Sternberg als Häupter
und Leiter jenes Herrenbundes, der durch wechselseitige
Eide und Verpflichtungen in sich befestigt, schriftliche Klagen
über den König in Umlauf zu setzen begann, und Letzteren
durch solches Betragen nöthigte, schon am 19 August jenen 19 Aug.
großen Landtag auf den 23 September nach Prag
anzusetzen, desgleichen in der böhmischen Geschichte noch
kaum einer vorgekommen war: denn es sollte Gericht gehalten werden zwischen dem Könige und dessen Unterthanen,

des M. Wenzel Koranda (MS. der Prager Univ. Bibliothek XVII,
F. 2) erhalten worden. Unter den Namen der Apostel Peter und
Paul sind da Pešík (Peter) von Kunwald und Paul Dětřichowec,
Prager Bürgermeister bis 1448, gemeint; unter den Propheten
wieder Daniel von Tuchoraz und Samuel von Hrabek und Wa-
lečkow, die Bürgermeister seit 1448 und eifrige Calixtiner. Samuel
insbesondere übte große Macht aus und wurde auch Landesunterkämmerer († 1488). Auf ihn und nicht auf Rokycana bezieht sich
die Klage, daß er am königl. Hofe so wie in der Stadt den
Meister spiele. M. Wenzel Křižanowský, Canonicus von Prag,
einst ein Calixtiner, später aber deren heftigster Gegner auf dem
Predigtstuhle, war neben Hilarius die Hauptstütze des Katholicismus in Böhmen.

1465 die da klagten, daß er seine Gewalt mißbrauche und sie gegen
alles Recht wie ein Despot bedrücke. Es waren dies, außer
Jost und Zdeněk, namentlich die Herren Johann von Rosenberg,
Johann und Ulrich Zajic von Hasenburg, Bohuslaw von
Schwamberg, Wilhelm von Ilburg, der ältere und jüngere
Heinrich von Plauen, Diepold von Riesenberg, Zdeněks
Söhne Jaroslaw und Johann von Sternberg, Heinrich von
Neuhaus, Burian und Leonard von Guttenstein und Dobrohost von Ronsperg, also die vornehmsten Glieder des böhmischen Adels. Bischof Jost hatte gefürchtet, es möchten in
den nachfolgenden Unruhen die Katholiken als Partei zu
Schaden kommen, und hatte Herrn Zdeněk wie die andern
gewarnt, ihrem Mißvergnügen keinen religiösen Anstrich zu
geben, sondern lieber unter dem Schilde des Patriotismus
zu suchen, die Mehrzahl der Stände und des Volkes für sich
zu gewinnen; denn wenn sie die Religion und den Glauben
als Losung nähmen, würde der bei weitem größere Theil
der Unterthanen ihre Herren verlassen und sich dem Könige
anschließen. Auf diese Art bereiteten sich neue Parteibewe-
gungen im Lande vor, und es gewann alles den Anschein,
als sollten nach dreizehnjährigem segensreichem Frieden die
Scenen der großen Anarchie unerfreulichen Andenkens (1439
bis 1452) sich wieder erneuern.

25 Spt.   Mittwochs vor St. Wenceslai (25 Sept.) überbrachten
die Herren Johann Zajic von Kost und Jaroslaw, Sohn
Zdeněks von Konopišt, dem Könige Georg vor dem versammelten Landtage eine Botschaft von Seite des Breslauer
Bischofs Jost, der Herren Johann von Rosenberg und Zdeněk
von Sternberg, dann in ihrem eigenen, des Herrn Ulrichs
von Hasenburg und anderer ihrer Freunde Namen. [222] Da

222) Die nachfolgende Darstellung ist officiell, wie sie in die Landtafel
eingetragen und nicht allein von den Annalisten (Staří letopisowé
S. 182) und in andern alten Handschriften, sondern selbst in den
Original-Protokollen des Herrenbundes von 1465 und 1466, von

fragte der König, wer diese ihre anderen Freunde wären? 1465
Denn man sollte sie nennen; es wurden aber keine mehr
genannt. Der Inhalt der Botschaft lautete wie folgt:

1) Wir kamen oft zusammen und nahmen vielfach in
fleißige Erwägung, was Eurer Majestät und der ganzen
Krone Noth thue, da uns die Ehre und das Wohl Ew.
Majestät, als unsers gnädigen Herrn, und in solcher Weise
auch das allgemeine Wohl, wie billig, am Herzen liegt:
leider aber sehen wir, daß unsere Bemühungen erfolglos
bleiben. Denn wenn Euer Majestät etwas unternimmt, so
pflegt Ihr nicht, wie Eure Vorfahren, den Rath der Barone
zuvor einzuholen, sondern faßt mit einigen Personen Be=
schlüsse, die in den Landesangelegenheiten so wie in den Pri=
vilegien des Herren= und Ritterstandes nichts zu entscheiden
haben, und dann erst bringt Ihr die Sache vor die Herren
und bringt auf deren Annahme; und spricht etwa Jemand
dagegen, so empfindet er Ew. Majestät Unwillen und wird
von einigen noch angeschrien. Wenn aber die Barone, nach
altem Brauch, Bedenkzeit verlangen, um sich darüber zu be=
rathen, so wird ihnen solches nicht gestattet. 2) Wir sind
berichtet, daß Ihr die Brüderrotte gegen die Breslauer in
Dienste zu nehmen beabsichtiget: das wird nur zu des Landes
und der Fürsten in Schlesien Verderben ausschlagen. 3) Ihr be=
müht Euch, Euerer Söhne einen zum Könige erwählen zu lassen:
nun wollen wir uns zwar gegen Ew. Majestät betragen,
wie wir dazu, unseren Freiheiten gemäß, verpflichtet sind, aber
für diesmal wollen wir nicht zwei Herren zugleich haben.
4) Meister Rokycana und seine Priester hörten nicht auf,

der Hand des Schreibers der Herren von Rosenberg, wörtlich
wiederholt wurde. Letztere sind ein Codex des Wittingauer Archivs
von 48 Blättern in 4to, mit häufigen Correcturen. Aus dieser
kostbaren und authentischen Quelle sind zum größten Theil die
Acten geschöpft, welche wir über diesen Gegenstand im Archiv
český, IV, S. 99—164 haben abdrucken lassen.

1465 gegen die andere Partei zu hetzen und Unruhen zu erregen.
5) Sie bäten Seine Majestät, sie seinem Eide gemäß bei
ihren Rechten, Gebräuchen und Freiheiten zu belassen. 6) Der
König habe schon zweimal, zu nicht geringer Beschwerde des
Landes und des armen Volkes, die Berna in Anspruch genommen: darum bäten sie, daß solche nicht mehr verlangt,
und die unter König Ladislaw angelegten Steuerrollen ver-
brannt werden; denn sie seien solche zu verwilligen weder
geneigt, noch verpflichtet. 7) Der König habe, ohne sich mit
den Herren vorher zu berathen, sie und die Ritter öfter in
den Krieg zu ziehen berufen: damit möge er sie in Zukunft
verschonen. 8) Heimfälle (od aumrti) ziehe er an sich und
vergebe sie wieder nicht dem Rechte gemäß. 8) Freie Güter
würden nach irgend werthlosen Registern als Lehngüter behandelt und zu Lehen gemacht. 10) Die Krone, die Reichskleinode und das Landesarchiv würden nicht wie vor Alters
gehalten; denn Derjenige, der sie in Obhut erhält, solle dem
Herren- und Ritterstande so wie dem ganzen Lande schwören,
mit ihnen treu und rechtlich zu verfahren. 11) Die Münze
werde so leicht ausgeprägt, daß Niemand im Auslande sie
nehmen wolle, und darum wachse die Theuerung zum großen
Schaden der Vornehmen wie der Armen. 12) Des Königs
Vorfahren auf dem Throne wären A u s l ä n d e r gewesen und
hätten doch der Stände Freiheiten n i c h t gemindert, sondern
gemehrt: darum bäten sie, er, ein B ö h m e, möge auch so
thun und die Landesfreiheiten lieber erweitern als schmälern.

Bevor der König nach Vorlesung dieser Artikel eine
Antwort gab, fragte er die Stände, ob sie, oder Jemand
aus ihrer Mitte, in dieser Streitsache es mit den Herren
hielten; sie möchten sich darüber erklären. Und die Stände
baten, sich in der Sache erst untereinander berathen zu dürfen; und nachdem solches geschehen, gaben sie zur Antwort:
„sie hätten von alle dem bis zu dieser Stunde nichts gewußt,
und was hier Herr Zajic als Botschaft der Herren und im

eigenen Namen vorgetragen, das habe ohne ihr aller Wissen   1465
und Zustimmung nicht geschehen sollen." Nun ließ erst der
König seine Antwort auf die Beschwerden der Herren vorlesen und beleuchtete und widerlegte alle ihre Artikel im Einzelnen. 1) Ihr wißt alle wohl, auf welche Art Barone,
Ritter, Edelleute und Städte in unsern Rath gewählt und
aufgenommen werden, und daß wir, was die Angelegenheiten des Landes betrifft, uns stets ihres Rathes bedient haben
und mit Gottes Hilfe auch ferner so zu thun gedenken. Es
wissen auch Diejenigen, welche in unserm Rathe sitzen, daß
wenn eine Angelegenheit des Landes vor uns kömmt, wir
jeden einzeln um seine Meinung fragen lassen, und daß Jeder ohne allen Zwang und ohne angeschrieen zu werden, gehört, und worin man da übereinkömmt, sofort beschlossen
wird. Es hat uns jedoch nicht zweckmäßig geschienen, daß
der Rath parteienweise in Berathungen trete und nach Parteien abstimme, sondern wir wollten, daß, was das Wohl
Aller berührt, von Allen insgemein treu und redlich berathen
und ins Werk gesetzt werde." Vorsichtig beschränkte der König hier seine Antwort auf die Berathungen in Landesangelegenheiten, nicht aber im Departement des Auswärtigen
und der Krone überhaupt; denn was den Kron- oder Hofrath des Königs betrifft, dürfte wohl nicht ganz ohne Grund
gewesen sein, was M. Paul Židek selbst gesehen zu haben
behauptet, wie der Herr von Rosenberg tief unter den Herrn
Zdeněk Kostka zu sitzen kam, wie dieser alles leitete und entschied und die vornehmeren Herren alle „im Schweiße ihres
Angesichtes nur Amen! dazu zu sagen" gehabt hätten. Aber
über diesen Rath, der in rechtlicher Beziehung nur als ein
bloßer Privat-Rath des Königs anzusehen war, konnte Letzterer ganz nach Gutdünken verfügen und war dem Landtage
dafür nicht verantwortlich. Es läßt sich jedoch denken, daß
es bezüglich vieler Gegenstände, z. B. der Verhandlungen
mit dem römischen Hofe, nicht gleich offen vorlag, ob er bloß

1465 vor den Hofrath, oder auch vor den Landesrath gehöre, und
daß abweichende Ansichten darüber zu manchem Streit Veranlassung geben mochten. 2) In Bezug auf den zweiten
Punkt klagte der König über den Treubruch und Ungehorsam der Breslauer, und sprach die Hoffnung aus, das Land
werde wohl beitragen sie zu bändigen und zu strafen, sei es
mit Hilfe der Brüderrotten, sei es auf andere Weise. 3) Bezüglich der Erwählung seines Sohnes zum Könige sagte er:
„Ihr wisset doch, daß wir keineswegs im Stande waren,
uns selbst, geschweige denn unsern Sohn, zum Könige zu
erheben, soferne der Barone, Ritter, Edelleute und Städte
aller Bewilligung nicht dazu kam. Und daraus kann Jedermann ersehen, daß, was wir auch gethan haben oder noch
thun möchten, wir nichts unternehmen wollen gegen Fug
und Recht und ohne aller euer Willen.“ Er läugnete also
nicht seinen Wunsch, den Sohn Victorin gewählt zu sehen,
behauptete aber, es auf legalem und geradem Wege angestrebt zu haben, wie schon auch Karl IV ein Beispiel dazu
gegeben. 4) Ihr wisset ferner, daß wir M. Rokycana und
seinen Priestern so wie auch der andern Partei von jeher
verboten haben und noch verbieten, aufreizende und schmä-
hende Predigten zu halten oder zuzulassen, da sie uns auf
beiden Seiten zuwider sind. So haben wir auch erst unlängst M. Rokycana aufgetragen, die Geistlichen nach Prag
zu berufen und haben ihnen befohlen, sich aller Uebergriffe
zu enthalten; und sie haben solches zu halten versprochen.
Sollte aber Jemand anders thun, sei es von dieser oder
jener Partei, so werden wir solches nicht nachsehen.“ 5) „Was
die Herren bei uns in Anspruch nehmen, das sollten sie,
ihren Gelöbnissen und Eiden gemäß, auch uns gegenüber
leisten. Dünkt es ihnen oder wem immer, daß wir uns
Uebergriffe erlaubt hätten, so mögen sie es vor dem ganzen
Lande beweisen, wir sind bereit es wieder gut zu machen.
Wird es sich aber herausstellen, daß sie unrecht gehandelt,

so mögen auch sie uns Genugthuung leisten." 6) „Habt 1465
ihr einen Steuerbeitrag geleistet, so thatet ihr solches nach
unserm Wunsch und Verlangen und aus freiem Entschluß;
haben doch Einige aus eurer Mitte selbst dazu gerathen.
Und überdies haben wir dies alles auf das allgemeine Beste
verwendet, wie wir das nachweisen möchten, wenn es Noth
thäte." 7) „Wohin ihre Rede vom Kriege zielt, wissen wir
nicht, vielleicht auf jenen Zug, als wir dem Kaiser zu Hilfe
eilten. Allein damals war nicht Zeit erst zu tagen, die
Sache kam allzu plötzlich; doch brachte sie der Krone und
dem Lande viel Gutes. 8) „Von den Heimfällen behaupten
sie, wir hätten einige widerrechtlich an uns gezogen und
weiter verliehen: nun, wir verleihen niemals Fremdes, son=
dern nur unser Recht, wo wir eines haben, und stets ohne
Kränkung der Rechte Anderer; und über dieses unser Recht
sitzen die Herren selbst von Amtswegen zu Gerichte bei der
Hof= und Landtafel, wie dies landkundig ist." 9) „Die
Register, welche die Lehengüter nachweisen, sind auf dem
Karlstein und bei der Landtafel aufgefunden worden und
ziemlich alt. Ihrer Weisung gemäß haben wir unserm Procura=
tor aufgetragen, jene Lehensleute, die sich ihrer Pflicht wei=
gern, dazu anzuhalten. Nun waren wir aber nicht selbst
Richter in der Sache, sondern leiteten dieselbe an das Hof=
oder Landesgericht, wo darüber entschieden wurde. Und du,
Herr Zajic, warst ja selbst unser Hofrichter und hast es uns
nie gesagt, daß jene Register werthlos seien, und so wärest
du selbst der Haupturheber dieser Irrung." 10) „Die Krone
und die Reichskleinode haben wir unserm Sohne Victorin
anvertraut, damit er sie dem Lande getreulich bewahre, wenn
Gott uns aus diesem Leben berufe, wie wir solches den
Ständen bereits einigemal angezeigt haben. Obgleich er seit=
dem Fürst geworden ist, so hört er doch nicht auf ein böh=
mischer Landstand zu sein und wird seinem Eide gemäß han=
deln." 11) „Von der Münze läßt sich der Beweis führen,

1465 daß die unsrige an Gehalt den Münzen aller Nachbarländer
gleichkomme und sie noch übertreffe. Auch werdet ihr euch
erinnern, was auf dem Lichtmeßlandtage wegen einer Münz=
vereinbarung mit dem Kaiser und den Meißnern verhandelt
wurde, und wie wir es an nichts haben fehlen lassen."
12) „Die Privilegien dieses Landes und der Krone Böhmen
haben wir nicht geschmälert, sondern ansehnlich erweitert, da
wir es erwirkten, daß die Fürsten des Hauses Oesterreich,
und auch der Kaiser, allen alten Erbansprüchen auf die böh=
mische Krone entsagt haben, so daß ihr nun euere Könige
frei wählen könnt, auch hat sich der Kaiser für sich selbst
und für seine Nachfolger, die römischen Kaiser und Könige
anheischig gemacht, von jedem Versuche der Einsetzung eines
kaiserlichen Hauptmanns oder irgend einer Verordnung für
die Länder der böhmischen Krone abzustehen; die uralte Ver=
pflichtung, zur Romfahrt Bewaffnete zu stellen und an den
kaiserlichen Hof zu kommen, wurde auf die Hälfte herab=
gesetzt; und endlich soll auch das Herzogthum Oesterreich der
böhmischen Krone anheimfallen, falls der Kaiser ohne Hinter=
lassung männlicher Erben sterben würde." Darum, hieß es
am Schlusse, hätten die Barone gar keinen Anlaß zu Be=
schwerden gehabt; des Königs Verfahren sei stets und in
allem auf des Landes und der Krone Wohl und Ehre ge=
richtet gewesen, und werde es auch ferner bleiben, es möge
das, wem immer genehm sein oder nicht.

26Spt.   Am folgenden Tage, Donnerstag den 26 September,
las vor dem Landtage, in Gegenwart des Herrn Zajic, der
Oberstlandschreiber Burian Trčka eine Rede an den König,
als Antwort des gesammten Ritterstandes auf die Beschwerde=
punkte des Herrenbundes. Diese ausführliche Rede, welche
sich nicht in die einzelnen Punkte der Beschwerdschrift ein=
ließ, lobte die am verflossenen Tage vom Könige gegebene
Antwort, erging sich in warmen Betheuerungen der treuesten
Ergebenheit und beurtheilte den vom Herrenbunde gethanen

Schritt sehr strenge; der König habe weder dem Adel noch 1465
sonst irgend Jemanden ein Unrecht zugefügt, die von einigen
Herren gestern vorgebrachten Beschwerden seien erdichtet, ein=
seitig und factiös, und der ganze Ritterstand stehe mit Leib
und Gut bei seiner königlichen Majestät als seinem gnädigen
Herrn. Auch die Prager nebst den übrigen Städten allen
antworteten durch den Bürgermeister Samuel von Hrabek,
daß auch sie neben den Rittern und denjenigen Baronen,
die zum Könige halten, Seiner Majestät als ihrem gnädigsten
Herrn, mit Rath und That, mit Gut und Blut beistehen
und dienen wollen.

Es gab wohl unter den Mitgliedern des Landtages
nicht Einen, der nicht eingesehen hätte, daß politische Uebel=
stände den verbündeten Baronen nur einen Vorwand, nicht
wirklichen Grund zu Mißvergnügen gegeben. Freilich war
es wahr, daß der König selbst herrschte und den Baronen
keine Mitregierung gestattete; die Gehaltlosigkeit der oben
angeführten Punkte lag aber so offen vor Aller Augen, daß
die Antwort des Königs selbst für überflüssig erachtet wurde.
Auch uns ist es nur über den einen, die Münze betreffenden
Punkt, nicht möglich, ein entschiedenes Urtheil abzugeben: [223]
bezüglich der übrigen Punkte haben wir die Ueberzeugung,
daß nie und nirgends Stände weniger zu Klagen berechtigt
gewesen, als hier. Man durfte freilich denjenigen, die Be=
schwerde führen wollten, das Gehör nicht versagen: mit
Recht mußte man aber fordern, daß über die Anliegen des
ganzen Landes nicht in Versteck, factiös und aufrührerisch,

223) Spätere gesetzliche Verfügungen, namentlich die vom 27 Febr.
1467 und 5 Juni 1469, auch die Verordnungen K. Wladislaw's
vom J. 1489 (diese in der alten Landesordnung unter lit. S. 31
u. 32) liefern allerdings den Beweis, daß K. Georgs Münze vor
1469 nicht immer den gehörigen Gehalt gehabt hat; auch stellte
der König in seiner Antwort einen Vergleich seiner Münze nur
mit der gleichzeitigen ausländischen, keineswegs mit den alten
Groschen K. Wenzels an, und entschuldigte die Mängel mit erfolg=

1465 sondern am gehörigen Orte, auf dem Landtage nämlich, offen
verhandelt werde.   Die Beschwerdeführer wurden daher vor
den nächsten ordentlichen Landtag, der um die Weihnachts=
quatember (19 Dec. fgg.) in Prag stattfinden sollte, beschie=
den, wo man ihr Anbringen ordnungsgemäß zur Verhandlung
zu bringen versprach.   Sie kamen jedoch nicht selbst, sondern
sandten nur einige ihrer Mannen als Boten dahin, und
wiederholten nicht nur des Breiteren alle ihre vorigen Artikel,
ohne Rücksicht auf die vom Könige gegebene Antwort, son=
dern fügten auch noch zwei neue hinzu: 1) Der König
wehre ihnen von ihren Bauern, ohne besondere königliche
Erlaubniß, Gründe zu kaufen und sie sich in die Landtafel
einzulegen; 2) er ziehe mehrere Heimfälle zu seinen eigenen
Gütern hinzu, während er sie unter die Stände weiter zu
vergeben hätte.   Es war ihnen offenbar mehr an der Ver=
breitung als an der Abhilfe ihrer Beschwerden gelegen; auch
ihr Nichterscheinen auf dem Landtage rechtfertigten sie mit
einer neuen Anklage ihres Königs, daß er ihnen nämlich
verbrecherische Absichten, ohne alle ihre Schuld, unterschiebe.

Denn es hatte der Herrenbund inzwischen einen öffent=
lichen Tag zu Grünberg bei Herrn Zdeněk von Stern=
berg zu Ende Novembers abgehalten und sich daselbst fester
28Nov. organisirt; am 28 November hatten dort die Eidgenossen
einen Bundesbrief aufgesetzt, in welchem sie, nach vielen
Klagen über Verkürzungen ihrer Freiheiten, sich einander
auf fünf Jahre zu gegenseitigem Schutz und Beistand mit
all ihrer Macht verpflichteten, wenn irgend einem aus ihrer

losen Verhandlungen, die er darüber bei dem Kaiser und bei den
Herzogen von Sachsen eingeleitet: darum dürfte die Beschwerde
diesfalls nicht aller Begründung entbehrt haben.   Da es uns aber
unmöglich ist zu bestimmen, ob es nicht etwa und inwiefern es
räthlich erschien, leichtere Münze auszugeben, damit die schwerere
nicht in's Ausland getragen und das Land wieder mit leichter
ausländischer Münze überschwemmt werde, so enthalten wir uns
jedes entscheidenden Urtheils in der Sache.

Mitte deßhalb etwas Widriges widerfahren sollte. Es waren 1465
dort auch beide Bischöfe gegenwärtig: Jost von Breslau als
Bundesgenosse, Protas von Olmütz als Befreundeter, wahrscheinlich vom Könige selbst in der Absicht hingeschickt, damit
er die Gemüther auszusöhnen und einen Vergleich herbeizuführen suche. Protas eröffnete den Herren im Vertrauen,
der König zürne ihnen nicht so sehr wegen ihrer Klageschrif-
ten, als vielmehr der Ränke wegen, welche Herr Zdeněk von
Sternberg, bei seinem Verweilen am kaiserlichen Hofe vom
21 August bis 2 September, gegen ihn angesponnen habe.
Es ist jetzt nicht mehr möglich zu ermitteln, weder welcherlei
Gerüchte eigentlich der König dem Bischofe und dieser den
Herren mittheilte, noch was daran Wahrheit und was Lüge
war: wir wissen nur so viel, daß am 30 November die 30 Nov.
Herren an die böhmischen Stände, jeden insbesondere, so wie
an den Kaiser und an die Reichsfürsten neue Klagebriefe
gegen den König erließen, wie böswillig er ausstreue, daß
sie ihm nach dem Leben trachteten; denn er habe erzählt,
Zdeněk habe sich mit Rohrbacher darüber verständigt, daß er
vergiftet oder ermordet werden, des Kaisers Sohn Maximilian auf den Thron von Böhmen erhoben, Zdeněk dessen
Gubernator in Böhmen werden, die übrigen Barone aber in
den Kronländern zur Regierung gelangen sollten. Solchen
Frevels hätten sie sich nicht einmal in Gedanken schuldig gemacht: der König aber sei ihnen gram wegen ihrer gerechten
Klagen über seine Eingriffe in die Rechte und Freiheiten des
Landes, und entblöde sich darum nicht, sie an ihrer Ehre zu
kränken; doch hofften sie, die ganze Christenheit werde wohl
ihre Unschuld einsehen. Unter solchen Umständen fänden sie
es auch nicht rathsam, die Landtage in Prag zu besuchen.
Aber nicht nur der König, auch der Bischof läugneten geradezu, solche Reden jemals geführt zu haben; Protas erklärte sich darüber auch schriftlich in einem an Herrn Johann
Ilčinský von Cimburg gerichteten Briefe, welcher auf dem

23

1465 Weihnachts-Quatember-Landtage vorgelesen wurde. Auch hier sah man, daß den Herren mehr daran gelegen war, den König vor der Welt in Verdacht zu bringen, als ihre Un= schuld zu beweisen. Denn die klarsten und unwidersprechlich= sten Belege für ihre damalige Gesinnung und Absichten ent= nehmen wir aus der Instruction, die sie ihrem Bundesgenossen Dobrohost von Ronsperg mitgaben, als sie ihn gleichzeitig an den Papst nach Rom abordneten; da gaben sie Beweises genug, daß sie den König wirklich, wenn auch nicht um's Leben, doch um die Krone zu bringen trachteten. Sie baten nämlich den Papst, dem sie alle ihre Beschwerden vortrugen, nicht allein um Hilfe gegen ihn, sondern auch um einen andern König; sie erklärten sich willig, Jeden anzunehmen, den ihnen der apostolische Stuhl bestimmen würde, doch meinten sie, daß der König von Polen dazu der geeignetste wäre; vor allem aber flehten sie um baldige Entbindung von dem dem Ketzer geleisteten Unterthanseide. Herr Dobrohost hatte sich unterwegs beim Kaiser in Neustadt aufgehalten und hatte von diesem Briefe empfangen, worin die Barone dem Schutze des Papstes empfohlen wurden. Damit offen= barte sich auch des Kaisers eigentliche Gesinnung, obgleich 21 Dec. er sich noch in Briefen vom 21 December beschwerte, daß der König ihn ohne allen Grund in Verdacht bringe. [224]

Der Herrenbund hätte auf dem Tage zu Grünberg wohl kaum so weit zu gehen sich erlaubt, wenn er nicht bereits

224) Die wichtige Nachricht von Dobrohost's Instructionen und Ver= handlungen in Rom liefert uns die Relatio historica anonymi ab ann. 1458—1469, welche in Kaprinai's Hungaria diplomatica, II, S. 577 fgg. gedruckt ist, insbesondere auf Seite 591, wo sie jedoch ungehörig in die Ereignisse von 1467 verwebt ist; ferner auch Jacobi cardin. Pap. commentarii p. 436. Weniger verläßlich ist, was Eschenloer anführt (I, 293 und 310), dessen Erzählung vom Streite des Königs mit den Baronen in den Jahren 1465 und 1466 überhaupt von Fehlangaben wimmelt. Er schrieb be= kanntlich sein Werk zuerst lateinisch und nur kurz, und begann erst

Kunde gehabt hätte von wichtigen und entscheidenden Maß= 1465
regeln, welche inzwischen in Rom gegen den König vorbereitet
worden waren. Sobald Paul II von der Eroberung Zorn=
steins hörte, wurde er unversöhnlich und willigte in alles,
was insbesondere Carvajal's unerschütterlicher Eifer und un=
beugsame Strenge für gut erkannte. Auf des Procurators
in Glaubenssachen Anton von Eugubio's Ansuchen, daß der
vom Papste Pius II begonnene Proceß wieder aufgenommen
werde, trug der Papst am 22 Juli die Führung desselben 22 Juli
drei Cardinälen auf, Bessarion, Carvajal und Berard von
Spoleto, welche mittelst des gewöhnlichen Edicts schon am
2 August den „Georg von Poděbrad, welcher sich einen
König von Böhmen nennt," vorluden, daß er sich binnen
180 Tagen persönlich am päpstlichen Hofe zu stellen habe,
um sich da über die ihm zur Schuld gegebene Ketzerei, Rück=
fall, Meineid, Kirchenraub, Gotteslästerung und andere damit
verbundene Verbrechen zu rechtfertigen. Dann wurde durch
ein päpstliches Decret vom 6 August der Bischof Rudolf von 6 Aug.
Lavant ermächtigt, im Namen des apostolischen Stuhles nicht
nur alle Bande zu lösen, womit man Georg von Poděbrad
etwa als Verwandter oder Verbündeter oder auch als Unter=
than verbunden sei, sondern auch alle diejenigen mit dem
Banne zu belegen, welche ihm wie überhaupt, so auch gegen
seine katholischen Unterthanen insbesondere Hilfe leisten würden.

1472 es deutsch und ausführlicher zu bearbeiten; dadurch wird es
erklärlich, wie er darin sehr genaue und richtige Daten mit ganz
irrigen zusammenmengen konnte. Er setzte auch die päpstlichen
Bullen vom 12 Januar und 6 Februar 1466 um ein Jahr früher,
zum J. 1465 an, ohne zu wissen oder zu merken, daß auch Paul II
den Neujahrsanfang erst vom 25 März an zu datiren pflegte
und durch dieses Versehen ließ er sich insbesondere in der Ge=
schichte des Jahres 1465 zu sehr verworrenem und ganz unrich=
tigem Pragmatisiren verleiten. Die übrigen Daten schöpften wir
meist aus dem oben erwähnten Rosenbergischen Manuscript; vergl.
Archiv český, IV, 117.

1465 Der Papst stellte selbst nicht in Abrede, daß eine solche Anordnung vor erfolgtem Gerichtspruch ein Uebergriff sei, doch
entschuldigte er ihn mit der Gefahr des Verzugs und mit
der Offenkundigkeit der Schuld. Zugleich wurde dem Legaten
aufgetragen, sich sofort an die Höfe der vorzüglichsten deutschen Fürsten zu begeben, über den böhmischen König Klage
zu führen, die Freundschaftsverhältnisse mit ihm überall auf-
zuheben, und zur Hilfeleistung bei dem zum Schutze des
Glaubens gegen ihn erhobenen Processe aufzufordern; auch
dazu erhielt er die nöthigen Bullen. Ein ähnliches an König
Mathias von Ungarn gerichtetes, vom 23 Juli datirtes
Schreiben überbrachte, wie es scheint, als besonderer Bote,
der Erzbischof von Creta Hieronymus Landus.[225] Auffallend
und bemerkenswerth ist es, daß König Georg von diesem
neuen gegen ihn sich erhebenden Gewitter erst gegen Ende
des Monats September Kunde erhielt; da uns aber bekannt
ist, daß Herr Zdeněk's nächster Vertrauter, Doctor Elias,
ein Prämonstratenser und Pfarrer von Neuhaus, in Rom
gegenwärtig war, als diese Dinge sich ereigneten,[226] so läßt
es sich wohl annehmen, daß er ihnen nicht ganz fremd blieb
und seinen Herrn auch frühzeitig davon benachrichtigte.

Während dieser Zeit wurde im Rathe des Königs von
Böhmen über neue Mittel und Wege berathschlagt, wie man
sich mit dem Papste vergleichen und den Frieden des Vaterlandes sichern könnte. Man erkannte, daß die Forderung

---

225) Die Bullen vom 2 und 6 Aug. findet man in MS. Sternb. p. 580
und 625. Vergl. Relatio histor. bei Kaprinai, II, 589 und Jacobi
card. Pap comment. p. 436. Des Papstes Schreiben an K. Mathias (dd. Romae, X kal. Augusti, pontif. anno I,) fanden wir
im Wittingauer Archiv und auch in andern Quellen; über die
diesjährige Sendung des Hieronymus Landus nach Ungarn siehe
Katona, XV, 32—34 und vgl. Eschenloer, I, 266. An Herzog Ludwig von Baiern schrieb der Papst am 29 Juli. (Orig. in München.)
226) Von der Anwesenheit Elias in Rom spricht der Brief eines nicht
böhmischen Slawen an König Georg (dd. Rom, 1465 am Vor-

einer Bestätigung der Compactate, wenn auch an sich billig, 1465.
doch in den damaligen Verhältnissen schlechterdings nicht
durchzuführen war; man ließ sie daher fallen, und bestand
nur noch auf Belassung der religiösen Unterschiede in statu
quo, wofür man der katholischen Hierarchie, gleichsam als
Ersatz, bedeutende Vortheile anbot. Vor Allem sollte vom
Papste einfach ein Erzbischof für's Land erbeten werden, von
Geburt ein Böhme oder Mährer (wobei man zumeist an den
Bischof Protas von Olmütz gedacht haben mag), welcher
ermächtigt wäre, nach der ihm von Gott verliehenen Einsicht
so zu verfahren und zu handeln, daß der Glaube derer sub
una wie sub utraque im Lande nicht geändert und Jeder
bei seinem Gebrauch erhalten werde; der auch die Priester
sub una wie sub utraque ohne Unterschied weihe, je nachdem er solche vorfinde, die ungeweihten und unordentlichen
aber absetze und befestige; polemische Predigten sollten beiderseits streng verboten, die geistlichen, erzbischöflichen, Klöster-
und Kirchengüter aber zurückerstattet werden; Letzteres in
der Art, daß der neue Erzbischof mit den bisherigen Pfand-
besitzern Contracte über deren Abtretung abschließe, und daß
es erlaubt sei, anstatt der Einlösungssumme, ihnen einen größeren oder geringeren Theil des Ganzen zu Eigen zu verschreiben; auch sollten die Zehnten, wie vor Alters, wieder
entrichtet werden. Die Verwirklichung dieses Vorschlags hätte
in Böhmen die gleichen kirchlichen Zustände herbeigeführt,
wie sie früher unter Bischof Philibert, später unter Erzbischof

abend des heil. Bartholomäus, MS. Sternb. p. 446,) in welchem
Letzterem ein guter Rath ertheilt und er zugleich gebeten wird,
dem Schreiber die Verwaltung des böhmischen Spitals in Rom
zu verleihen, welches von einem Verläumder des Königs sehr
schlecht verwaltet werde. Pubitschka (IX, 139—140) rühmt an
Elias, nach einem Hohenfurter MS., daß er in Rom sich für den
König eifrig, obgleich erfolglos, verwendet habe. So mag man
allerdings gesprochen haben, in der That zeigte sich aber das
Gegentheil.

1465 Anton Brus von Müglitz bestanden, nur mit dem Unter=
schiede, daß die äußere Stellung der katholischen Hierarchie
durch die Rückerstattung des größeren Theils ihrer Güter
viel glänzender geworden wäre. Man wird das Opfer, welches
einige der vornehmsten Räthe des Königs zu bringen willig
waren, nicht für gering erachten, wenn man erwägt, daß es
z. B. Herrn Zdenĕk Kostka den Besitz der Herrschaft Leito=
myschl gekostet hätte. Es ist nicht zu ermitteln, ob der Vor=
schlag ursprünglich vom Könige selbst ausging, gewiß aber
ist, daß er mit seinem Willen und seiner Genehmigung ge=
macht wurde; und dies liefert einen neuen Beweis seiner
Fähigkeit als Staatsmann, welcher seinen Blick weniger dem,
was nach der Idee das Beste wäre, als vielmehr dem prak=
tisch Möglichen und Durchführbaren zuzuwenden pflegt.
Konnte doch ein solcher Antrag in Rom ohne Verläugnung
der dort geltenden Grundsätze angenommen werden; es be=
durfte dazu nur eines guten Willens. Leider aber wandte
sich der König damit an solche Vermittler, denen in der
Sache absolut aller gute Wille mangelte, an den König von
Ungarn nämlich und an dessen geistliche Räthe. König Ma=
thias war in den letzten Jahren ein wahrer Liebling des
römischen Stuhls geworden; auf ihn waren, bezüglich des
Schutzes gegen die Türken, alle Hoffnungen der Christenheit
gerichtet, da die aus Deutschland, Frankreich und Italien
sollicitirten Kriegsvölker immer ausblieben, und die Siege des
heldenmüthigen Castriota, zugenannt Skanderbeg († 17 Jan.
1466) sich örtlich nur auf sein Fürstenthum Albanien be=
schränkten. Als daher Pius II starb, wurden, wie schon er=
wähnt, sämmtliche von ihm hinterlassene Kriegsgelder, 42.500
Gulden, dem Könige von Ungarn übermacht; und als des
Letzteren Gesandter, Janus Pannonius, Bischof von Fünf=
kirchen, im Mai 1465 nach Rom kam, wurden durch den=
selben 57.500 Gulden neuer Subsidien an den König mit
der Mahnung gesendet, den Krieg gegen die Ungläubigen

ohne Verzug wieder aufzunehmen. [227] Die bedeutendsten 1465
Männer in Mathias Rathe waren derselbe Janus Pannonius, ein berühmter Dichter seiner Zeit, und dessen mütterlicher Oheim Johann Vitéz, ehemals des Königs Erzieher
und Bischof von Großwardein, jetzt Erzbischof von Gran
und Primas von Ungarn, beide Slawen von Geburt, beide
in Italien gebildete und des Wortes in hohem Grade mächtige Humanisten; der Oheim ragte durch Erfahrung, Würde
und Ansehen, der Neffe durch Schärfe und Lebhaftigkeit des
Geistes, so wie durch classische Eleganz des Styls hervor;
jener war Reichskanzler, dieser Secretär des Königs, dessen
Schreiben alle als wahre Muster des Geschäftsstyls glänzten;
beide aber blickten, gleichwie die italienischen Humanisten alle,
auf die Bestrebungen der Husiten, als eine neue Art Bar-
barei, nur mit Haß und Verachtung hin. König Georg hegte
gleichwohl stets großes Vertrauen insbesondere zu Johann
Vitéz, mit dem er einst auch die Erhebung des Mathias auf
den ungrischen Thron verabredet hatte: und da sein Verhältniß zum Kaiser durch das ränkevolle Benehmen Zdeněks
von Sternberg verrückt worden war, so wandte er seinen
Blick Demjenigen zu, von dessen Seite er einiger Dankbarkeit und mächtigen Einflusses in Rom gewärtig sein durfte.
Schon im August, wenn nicht früher, wurde zwischen dem
böhmischen und dem ungarischen Hofe über eine persönliche
Zusammenkunft beider Könige in Ungrisch-Skalic unterhandelt; als Zweck derselben wurde die Beseitigung einiger Beschwerden der Grenzbewohner und die Berathung über den
böhmischen Zwiespalt mit Rom angegeben. Mathias aber
ließ sich durch Johann Vitéz entschuldigen, daß er, im Begriff nach Bosnien in den Krieg zu ziehen, persönlich zu
erscheinen verhindert sei; Vitéz dagegen schrieb am 12 Sept. 12 Spt.

227) Briefe darüber sind aus einer Pariser Handschrift (Epistolae
Pauli II) gedruckt im XI Bande von Graf Teleki's Hunyadiak
kora, S. 125 (dd. Rom den 26 Mai 1465.)

1465 aus Stuhlweißenburg, daß sein König, der am 9. Sept. wirklich Ofen verlassen hatte, um in's Feld zu ziehen, ihn zwar zu einer Verhandlung darüber bevollmächtigt habe, daß es ihm aber, um gewisser Ursachen willen, nicht möglich sei nach Skalic, sondern nur bis Tyrnau zu kommen, wohin er deshalb sowohl den König als den Bischof von Olmütz lud, und hinzufügte: „Wenn beim päpstlichen Stuhle in Religionssachen insbesondere verhandelt werden soll, so sei es räthlich die Zusammenkunft zu beschleunigen, damit die Briefe durch unsern Herrn und König expedirt werden könnten, der aus Bosnien eine merkliche Gesandtschaft an den Papst auf Wegen, die nicht durch Oesterreich führen, zu senden beabsichtigt." König Georg trug zwar großes Verlangen nach einer persönlichen Besprechung mit Vitéz: da er aber wegen der Verhandlungen mit dem Herrenbunde auf dem St. Wenceslai-Landtage sich nicht von Prag entfernen konnte, so fertigte er bloß den Bischof Protas nach Tyrnau ab. Was dann diese zwei Kirchenfürsten mit einander alles besprachen, ist uns zwar einzeln nicht bekannt, nur das wissen wir, daß sie beide die neuen Erbietungen des Königs (die Tyrnauer Verabredung) mit Beifall aufnahmen, und daß Vitéz versprach, sich für deren Annahme in Rom zu verwenden. [228] Aber neue inzwischen von dort an K. Mathias angelangte Mahnrufe änderten plötzlich die Gestalt der Dinge. Pauls II Aufforderung, er solle den päpstlichen Stuhl nicht bloß gegen die ungläubigen Türken, sondern auch gegen die irrgläubigen Böhmen schützen, und sich weder durch die ehemaligen Bande des Bluts noch durch deren Waffenmacht beirren lassen, vielmehr des Lohnes dafür, wie im Himmel, so auch auf Erden sicher sein, — diese Worte berührten eine bei ihm zu wirk-

---

228) Vitéz Schreiben vom 12 Sept. kennen wir aus einer böhmischen Uebersetzung im MS. Sternb. p. 442. Ueber die Verhandlungen zu Tyrnau steht in derselben Handschrift S. 496—8 ein wichtiger Aufsatz, gleichfalls bloß in böhmischer Sprache.

same Triebfeder, als daß sie ihre Wirkung hätten verfehlen 1465
können. Er geizte ja noch mehr nach Macht und Herrschaft,
als nach Ehre, und ersah sogleich mit scharfem Blicke die
Möglichkeit, nun eine Krone mehr auf sein Haupt zu setzen.
Darum gab er sogleich, ohne mit den Ständen seines Reichs
darüber Rücksprache genommen zu haben, aus seinem Lager
an einer Furt des Drauflusses am 2 October 1465 folgende 2 Oct.
Antwort. [229]

„Euer Heiligkeit gebietet mir schriftlich, den apostolischen
Processen gegen Georg den „sogenannten" König von Böhmen,
mit Gunst und Macht beizustehen und deren Durchführung
und Aufrechthaltung in meinen Landen zu fördern. Ich habe,
heiligster Vater! mich und mein Reich ein für allemal der
heiligen römischen Kirche und Eurer Heiligkeit ganz geweiht.
Es kann mir nichts so schwieriges, nichts so gefährliches von
Gottes Statthalter auf Erden, ja von Gott selbst aufgetragen werden, was ich nicht als fromm und heilsam ansehen,
dem ich mich nicht mit aller Kühnheit unterziehen möchte,
insbesondere wo es der Befestigung des katholischen Glaubens und Vernichtung des Unglaubens böser Menschen gilt.
Keineswegs halten alte Verträge mich zurück, die die Noth
des Augenblicks zusammenfügte und die, wie ich weiß, die
apostolische Auctorität alle zu lösen vermag, und noch weniger schreckt mich irgend eines Menschen Macht. Stellte
ich mich doch, auf Eurer Heiligkeit und Ihrer Vorgänger
Geheiß, schon viel gewichtigeren Feinden entgegen, als es
die Böhmen sind. Gelte es nun gegen die Böhmen, gelte
es gegen die Türken, immer sind Mathias und Ungarn be-

---

229) Dieses aus der Feder des Janus Pannonius geflossene Schreiben
ist aus der Sammlung Epistolae Matthiae Corvini regis, parte
II, num. 21 pag. 70 bekannt und auch bei Pray, Katona u. A.
gedruckt. Im Wittingauer Archiv fanden wir die Bulle vom 23 Juli
und Mathias Antwort vom 2 October auf einem gleichzeitigen
Zettel beisammen; ebenso beides in MS. univ. Lips. 1092, fol. 264.

1465   reit: so weit meine und meines Reiches Kräfte reichen, sind
und bleiben sie Eurer Heiligkeit und dem apostolischen Stuhle
vor allem ergeben."

Man bemerke, daß Mathias gleich mehr anbot, als
verlangt wurde, und daß er schon Krieg zu führen bereit
war, wo erst nur von moralischer Begünstigung und Mit=
wirkung die Rede war. Ueber seine angeblich unbedingte
Ergebenheit gegen den römischen Stuhl ließe sich günstiger
urtheilen, wenn er mit den Päpsten nicht, wie früher, so
auch später, über einige Herrscherrechte überaus heftig gestrit=
ten hätte. Es wird aber begreiflich, daß es ihm bei solcher
Stimmung weniger um eine Aussöhnung des Papstes mit
den Böhmen als vielmehr um deren noch größere Verfein=
dung zu thun war. Als Johann Vitéz wie von den in
Rom begonnenen Processen, so auch von seines Königs Sin=
nesänderung Kenntniß erhielt, suchte er jede Schuld von
sich damit abzulehnen, daß er über des böhmischen Königs
starrsinnigen Ungehorsam Klagen erhob (in einem Briefe an
17 Oct. Bischof Protas vom 17 October); und als er später von K.
Georg gefragt wurde, ob Mathias die Tyrnauer Abrede
schon an den Papst gesendet habe, gab er zur Antwort, die=
selbe sei an Cardinal Carvajal geleitet worden, und er würde
ihm gerne eine Abschrift des Begleitschreibens zusenden, wenn
der Bischof von Fünfkirchen sie nicht zu Hause vergessen
hätte. [230] Auf solche Weise gerieth eine Unterhandlung ins

---

230) Vitéz Schreiben vom 17 Oct. an Bischof Protas, vom 28 Febr.
1466 an K. Georg fanden wir, jenes im Wittingauer Archiv,
dieses im MS. Sternb. p 660 und saudten sie einst an Grafen
Teleki, der sie in seinem Werke XI, 145 und 153 abdrucken ließ.
Im letzteren heißt es: Postremo ubi scribit Serenitas Vestra, an
quidquam scriptum sit ex parte domini nostri regis summo
pontifici et ad curiam Romanam super negotiis, quae D. Olomucensis nobiscum pridem Tyrnaviae tractaverat: sciat Ser.
Vra, quod scriptum est D. Cardinali S. Angeli per nos de
mente domini nostri regis. juxta sententiam et formulam, prout

Stocken, die bei größerer Aufrichtigkeit des Verfahrens ihren 1465
Zweck vielleicht nicht verfehlt hätte. Es versteht sich, daß
sowohl K. Mathias als seine Prälaten die Erklärung vom
2 October vor den Böhmen geheim hielten und noch ferner
den Schein guter Freundschaft wahrten. Weniger zurückhaltend erwies sich der päpstliche Hof, der sich beeilte, wie den
Breslauern, so auch seinen übrigen Getreuen die freudige
Nachricht mitzutheilen. Von den Breslauern ist aber bekannt,
daß sie ihr keinen Glauben schenkten: so unwahrscheinlich
kam ihnen ein solches Beginnen bei einem christlichen Könige
vor! Und da uns bekannt ist, daß die gleiche Nachricht
auch in Böhmen schon wenigstens zu Anfange Mai 1466
ruchbar wurde, so können wir nicht anders denken, als daß
auch K. Georg sie nur für eine müßige Erfindung und eine
schändliche Lüge hielt. [231]

Da der böhmische Herrenbund den Wunsch aussprach,
nicht den ungarischen, sondern den polnischen König zum
Herrn zu erhalten, konnte die Freude in Rom über Mathias
Anerbieten um so weniger rückhaltlos sich äußern, als eben
zwischen Kaiser Friedrich und dem ungarischen Könige nicht
die Verhältnisse obwalteten, wie sie zwischen einem „Vater"
und „Sohn" vorausgesetzt werden sollten, und es auch schien,
daß Mathias mit den Türken ohnehin genug zu thun hatte.
Darum stellte sich der römische Hof zwei Jahre lang gegen
den Letzteren, als hätte er seine Rede nicht verstanden, und
strengte sich mittlerweile auf alle Weise an, von König Kazimir eine ähnliche Erklärung zu erlangen. Mathias Aner-

D. Olomucensis nobiscum locutus fuit. Quarum literarum co-
piam nos Serenitati Vestrae misissemus, sed D. episcopus Quin-
queecclesiensis frater noster reliquit illam Quinqueecclesiis.
Vergl. Archiv český, IV, 122.
231) Eschenloer, I, 266. Bericht aus Prag über die böhmischen Zustände im Mai 1466, aus dem Orig. des königl. geh. Cabinets-
archivs in Berlin, bei Riedel, C. I, 405.

1465 bieten wurde inzwischen für den äußersten Nothfall in Reserve behalten, zugleich als Bürgschaft dafür, daß die Blitze des Vaticans auch diesmal nicht wirkungslos verfliegen würden. Bei dieser Zuversicht, und bei dem Verlangen, den katholischen Baronen, deren Beginnen ihm bereits vollkommen bekannt war, mehr Muth einzuflößen und zu verhindern, daß der verhaßte Podiebrad nicht auch durch den Gehorsam etwa getreuer Katholiken noch mehr erstarke, verschärfte und erweiterte Paul II, durch eine am 8 December 1465 feierlich kundgemachte Bulle, seine Verordnung vom 6 August, indem er „in der Macht des allmächtigen Gottes und seiner Apostel Peter und Paul, alle Landherren und den gesammten Adel, alle Gemeinden von Städten, Märkten, Burgen und Dörfern, so wie alle einzelnen Personen im Königreiche Böhmen, der Markgrafschaft Mähren und in Schlesien, in so lange bis dem Reiche ein christlicher König gesetzt werde, von allen Eiden, Huldigungen und Unterthänigkeiten, welche sie dem genannten Georg gelobt, entband und befreite, und unter Androhung des göttlichen Gerichtes ermahnte, den Gehorsam und die Treue, welche sie nur einem christlichen Könige schuldeten, nicht einem ketzerischen Menschen zu erweisen, der Gott zuwider sei und dessen Gebote übertrete;" sie sollten ihm auch keine königlichen Gefälle und Renten abreichen, im Kriege und in der Ritterschaft keine Folge leisten, zu seinen Geboten nicht gestehen, die von ihm ausgeschriebenen Tage und Zusammenkünfte unbesucht lassen, und überhaupt allen und jeden Verkehrs mit ihm sich entschlagen. [232]

Wir haben schon erwähnt, daß Georg erst gegen Ende des Monats September von dem in Rom gegen ihn erneuerten Processe Kenntniß erhielt; die Vorladungsbulle vom 2 August gelangte an ihn officiell erst durch ihre Publici-

---

232) Orig. im Archiv zu Wittingau; im MS. Sternb. p. 573, böhmisch p. 105; in deutscher Uebersetzung bei Eschenloer, I, 296—99.

rung in Regensburg und in andern deutschen Städten, auf 1465
vertrautem Wege wohl auch früher durch Herzog Ludwig
von Bayern und dessen Rath, Dr. Martin Mayr. Der Eindruck, den sie auf das Gemüth des Königs machte, war
um so peinlicher, je weniger Schutz und Hilfe er jetzt von
Seite des Kaisers zu gewärtigen hatte. Besorgt um seine
Vertheidigung, die nur mit der Feder und mit geistigen Waffen unternommen werden konnte, wurde er bald gewahr, wie
wenig dazu geeignete Leute er in seinem Rathe finden konnte:
denn im Sinne der Utraquisten durfte sie nicht geführt werden, wenn sie nicht mehr abstoßen und verletzen, als überzeugen und gewinnen sollte. Da sein eigener Kanzler Prokop von Rabstein mehr für als gegen den Papst zu schreiben geneigt war, und der Sekretär Paul, Propst von Zderaz,
einer so schweren Aufgabe nicht genug gewachsen schien, erbat er sich bei Herzog Ludwig von Baiern abermals die
Dienste Dr. Martin Mayrs dazu. Dieser kam nach Prag
und verfaßte nicht nur eine gründliche Erwiderung an den
Papst, datirt vom 21 October 1465, sondern auch zahlreiche 21 Oct.
Schreiben an den Kaiser und die Könige und Fürsten der
Christenheit, in denen der König sich rechtfertigte und deren
Beistand und Fürsprache in Anspruch nahm. Die Argumentation war in allen diesen Schreiben, dem Hauptinhalte nach,
eine und dieselbe. Der König sagte, er habe nicht allein
dem Papste geschworen, alle Ketzerei in seinem Staate zu
tilgen, sondern auch den Utraquisten, sie in demselben Zustande zu erhalten und zu schützen, wie seine Vorgänger
Sigmund, Albrecht und Ladislaw. Mit welchem Grunde
könnte er nun Diejenigen einer Ketzerei bezichtigen, die sich
mit dem Zeugnisse der höchsten Autorität in Glaubenssachen,
des Concils von Basel auswiesen, daß sie echte Christen und
wahre Söhne der Kirche seien? Er als Laie sei in solchen
Dingen kein competenter Richter: und wollte etwa der römische Hof sie verurtheilen, so hätte es die Gerechtigkeit gefor-

1465 bert, sie vorher ordentlich zu verhören, was bisher nicht
geschehen sei. Und wenn nun das utraquistische Bekenntniß
nicht rechtlich der Ketzerei beschuldigt werden könne, so dürfe
man auch seine auf dem S. Laurenztage in Prag gemachten
Aeußerungen nicht glaubenswidrig finden; gesetzt aber, er
habe darin irgendwie gefehlt, so sei er ja willig, sich eines
Besseren belehren zu lassen, und seinen Worten einen solchen
Sinn zu geben, daß sie dem Christenglauben nicht entgegen
seien. Eben darum habe er sich nicht geweigert, sich darüber an geeigneten Orten, von dem competenten Richter und
vor gehörigen Zeugen, richten zu lassen. In Rom aber sich
den Cardinälen stellen, die ihn beriefen, sei ihm nicht möglich. Er als König sei eine hochprivilegirte Person, mit der
man nicht, wie mit Privatpersonen, verfahren dürfe; ihm gebiete die Pflicht, sich von seinen Unterthanen nicht zu entfernen, sondern mit schützender Hand über ihnen zu wachen,
daß Recht und Friede nicht gestört würden; auch mache ihn
sein schwerfälliger Körper zu weiten Reisen ungeschickt. Sich
aber in einer Sache, wo es noch etwas Höheres und Kost-
bareres galt, als Gut und Blut, durch einen Bevollmächtigten oder Procurator vertreten zu lassen, sei er weder im
Stande, noch auch rechtlich verpflichtet gewesen. Darum verlange er, daß ihm ein Gericht bestellt werde, wo nicht in
seinem Lande, doch in dessen Nähe, in Gegenwart von Cardinälen und Legaten, des Kaisers, von Königen und Fürsten
der Christenheit: dort sei er bereit sich von aller ihm fälsch-
lich zur Last gelegten Schuld zu reinigen, sich über seine
wahren Absichten zu erklären und auch dem Urtheil zu unterwerfen, das da gesprochen werden wird. Er bat daher,
wie den Papst, so auch alle Fürsten der Christenheit, sich
dahin zu verwenden, daß ihm ein solches Gehör gewährt
und bis dahin von allen begonnenen Processen abgelassen
werde. Insbesondere wurden an den Kaiser, den König von
Frankreich, den Markgrafen Albrecht von Brandenburg, Her-

zog Wilhelm von Sachsen und andere Fürsten und Reichs= 1465
städte Schreiben in diesem Sinne gerichtet. [233]

Es ist schwer anzugeben, welche Ansichten und Stim=
mungen, bezüglich des böhmischen Streits mit dem Papste,
an den benachbarten Höfen zu dieser Zeit die vorherrschenden
gewesen: denn gute Worte pflegte man von da eigentlich
beiden Theilen zu geben. Von dem Kaiser und dem Könige
von Ungarn haben wir bereits nachgewiesen, daß sie schon
wirkliche Feinde waren, obgleich sie sich noch den Schein der
Freundschaft gaben. Kazimirs von Polen Haltung dabei

233) Alle hier erwähnten und noch andere dazu gehörige Schriften mehr
liefert die Handschrift der fürstl. Lobkowitz'schen Bibliothek in Prag,
die wir als MS. Sternb. citiren, und die ehemals in Balbin's,
dann auch in Pešina's Besitze sich befand und oft auch Cancellaria
regis Georgii genannt wurde. Ein großer Theil der Briefe und
Acten steht dort nicht allein lateinisch, sondern auch in böhmischer
für König Georg angefertigter Uebersetzung; einige sogar nur in
böhmischer Uebersetzung allein. Den Brief an den Papst vom
21 Oct. 1465 findet man in zweierlei Fassung, einer umständliche=
ren zweimal S. 66 und 74, böhmisch 129 und 154, einer kürzeren
571, böhmisch 102; ein weitläufiges Schreiben an den Kaiser nur
böhmisch und ohne Datum S. 139; ad reges et principes Chri-
stianitatis S. 60, böhmisch 148. Es wurden auch Entwürfe der=
jenigen Schreiben aufgesetzt und den Fürsten zugesendet, welche sie
an den Papst richten sollten: litera principum ad papam, p. 65
und 573, böhmisch 104 und 128; besondere Entwürfe stehen: für
den König von Frankreich p. 351, für Herzog Wilhelm von Sach=
sen p. 344, für Markgrafen Albrecht p. 346; für die katholischen
Stände Böhmens der Entwurf eines Schreibens p. 341, einer
Rede, welche die Gesandtschaft halten sollte, p. 210. Adressen an
den König von Seite der utraquistischen Stände p. 56, von Seite
der Katholiken p. 59. Eine „Forma appellationis, quam rex inter-
ponere debet, si papa — denegabit," liegt bei p. 73. Alles dies
stammte aus der Feder Dr. Martin Mayr's, wie S. 56 ausdrücklich
angezeigt wird. Es läßt sich nun freilich nicht sagen, ob die Fürsten
von den ihnen zugesendeten Entwürfen den gewünschten Gebrauch
gemacht haben, oder nicht.

1465   war von großem, ja entscheidendem Gewichte; es fehlen nähere Nachrichten darüber, doch lehrte die Folge, daß er trotz
wiederholten Versuchungen am Ende doch dem Glogauer
Vertrage treu blieb. Ueber die deutschen Fürsten berichtete
Bischof Rudolf von Lavant dem Papste, daß sie auf Podiebrad nicht gut zu sprechen waren, und nur auf die öffentliche
Erklärung desselben als Ketzer warteten, um alle Verträge
aufkündigen, allen Verkehr mit ihm abbrechen zu können.

9 Nov. Derselbe Bischof zog am 9 November 1465 in Breslau ein,
und suchte von da Fürsten und Völker auf alle Weise gegen
Georg aufzuregen. Markgraf Albrecht von Brandenburg
aber erklärte bestimmt und entschieden, die Ehre verbiete ihm,
das dem Könige gegebene Wort zu brechen. [234] Noch unbedingter konnte der König auf die Herzoge Ernst und Albrecht
von Sachsen sich verlassen, welche nach ihres Vaters Friedrich Tode († 1464) ihre Lande ungetheilt und in brüderlicher
Eintracht regierten. Sie waren die aufrichtigsten Freunde
des Königs von Böhmen, insbesondere Albrecht, der bei häufigem Verweilen am Hofe des königlichen Schwiegervaters
in Prag, glänzende Beweise seines Muthes wie seiner Geübt-
heit im ritterlichen Waffenspiel zu geben pflegte. Als große
Klagen über die Herren von Plauen, Vater und Sohn, von
ihren Lehensleuten an den König als ihren Oberlehensherrn
kamen, und dieser am 2 Januar 1466 zu Prag seinen Spruch
gegen sie fällte, verlieh er Plauen den Herzogen von Sachsen, indem er ihnen die Execution seines Richterspruches übertrug, [235] und strafte damit zugleich deren Auflehnung gegen
ihn, als Mitglieder des böhmischen Herrenbundes. Auch

---

234) Des Papstes Breve darüber an Markgrafen Albrecht, welches wir
im MS. Sternb. p. 121 mit dem Datum 21 Dec. 1465, im Münchner MS. Clm, 215, fol. 247 unedirt fanden, hat Riedel Cod. dipl.
B. V, 85 unter dem 6 August 1465 herausgegeben.

235) S. darüber F. A. von Langenn Herzog Albrecht der Beherzte,
Leipzig, 1838, S. 47—58.

Herzog Wilhelm von Sachsen, der in Weimar residirte, 1465 blieb seinen Verträgen mit dem Könige treu. Die Verhält= nisse zum bairischen Fürstenhause gestalteten sich verschieden. Ob der Pfalzgraf Friedrich freundlich gewesen oder nicht, wissen wir nicht zu sagen. Sein Vetter Otto II, der nach seinem Vater Otto I († 1461) das Fürstenthum Neumarkt in der Oberpfalz erbte, hatte mit dem Könige viel Streit wegen einiger Schlösser, bis es durch Vermittlung der Kö= nigin Johanna und des Herzogs Ludwig am 11 Juli in Prag zu einem Vertrage kam, in Folge dessen Otto jene Schlösser als Lehen der böhmischen Krone übernahm und fortan ein freundlicher Nachbar blieb. [236] Ueber die Herzoge der Münchner Linie, Sigmund, Albrecht den Weisen, Chri= stoph und Wolfgang, Söhne des einst zum Könige von Böhmen gewählten Albrecht († 1460) wissen wir diesfalls nichts bestimmtes zu berichten. Um so offenkundiger und thätiger war die Freundschaft zwischen dem Könige und Her= zog Ludwig dem Reichen auf Landshut. Dr. Martin Mayr, dessen staatskluger Rath bereits nicht nur in Landshut, son= dern auch in München den Ausschlag zu geben pflegte, er= hielt, wie schon gesagt, einen Urlaub nach Prag, [237] wo er für des Königs Bedarf eine Menge diplomatischer Aufsätze lieferte. Damit begnügte sich jedoch Ludwig nicht: er be= mühte sich alles Ernstes, um eine Aussöhnung des Königs

236) Die strittigen Schlösser und Städte waren, nach einer Urkunde des böhm. Kronarchivs: Tennesberg, Hohenfels, Hartenstein, Stier= berg, Besenstein, Thurndorf, Holenberg, Stralnfels, Auerbach, Eschenbach, Rottenberg, Bernau, Hainberg, Holenstein und Frei= stadt, die meisten in der Oberpfalz, einige in Franken gelegen.

237) Das bezeugen auch die vom Papste in dem Schreiben vom 6 Febr. 1466 an Herzog Ludwig gebrauchten Worte: Cognovimus zelum, quem ad exstirpandum errorem et dilatandam catholicam fidem habere probaris: proqua re nec laboribus domesticorum tuo= rum, quos in Bohemiam transmisisti, nec propriis impendiis pepercisti etc.

1465 mit dem Papste. Darum sandte er an den Letzteren im Monate November 1465 seinen Rath Doctor Valentin Bernbeck, und gab ihm nebst der nöthigen Instruction auch einen in 15 Artikel gefaßten Entwurf mit, auf dessen Grundlage das große Werk durchgeführt, die Schwierigkeiten alle beseitigt, der Friede gründlich befestigt und eine ausgiebige Kriegshilfe gegen die Türken beigeschafft werden sollten, wie wir denn bald davon umständlicher berichten werden.

Wir dürfen auch nicht unterlassen, einer Fürsprache von großer Eigenthümlichkeit zu gedenken, die dem Könige vielleicht ohne sein Wissen, in Rom von Seite eines Privatmannes zu Statten kam. Der rühmlich bekannte Doctor Gregor von Heimburg, der vom Papste gebannt in den letzten Jahren in seiner Heimat zurückgezogen lebte, schrieb an den Cardinal Carvajal in den Angelegenheiten eines Würzburger Klosters am 8 Sept. 1465, und fügte, wie es scheint, auf Andringen seines Freundes Doctor Mayr, einige Bemerkungen bei, welche den Zweck hatten, den Cardinal, seinen ehemals vertrauten Genossen, auf die Zweckwidrigkeit und Gefährlichkeit des in Rom gegen den Böhmenkönig eingeleiteten Verfahrens aufmerksam zu machen. Er legte umständlich auseinander, wie klug Georg Podiebrad jede Gelegenheit beim Kaiser und bei den Reichsfürsten zu seinem Vortheil zu benützen wisse, und wie seine Macht schon so hoch gestiegen sei, daß ihn nicht nur Alle fürchteten, sondern auch Jeder, je höher er in des Königs Gunst stand, um so größere Furcht seinen Nachbarn einflößte. Georg sei aus jedem Kriege, zu dem ihn seine Feinde unklugerweise gereizt, nur mächtiger hervorgegangen, am meisten sei wegen der Schlesier zu fürchten, die der König längst hätte ganz verderben können, wenn er ihrer nicht geschont hätte. Der römische Stuhl sollte dieselben lieber zurückhalten, damit sie nicht selbst in ihr Verderben rennten. Der Bischof von Lavant sei zwar ein gutmüthiger Zelot, aber etwas beschränk-

ten Geistes und daher ohnmächtig einem so ausgezeichneten 1465
Schlaukopf gegenüber. Auch fange man in Deutschland schon
häufig an, laut über das Beginnen Roms zu murren: denn
was bleibe noch dem Volke Heiliges, wenn feierlich geschlossene Verträge und geleistete Eide insgemein gebrochen und
vernichtet würden? Das Volk begreife nicht, warum die
Curie so plötzlich ihr Benehmen gegen den König ändere,
der unverändert derselbe geblieben, wie damals, wo ihn der
heilige Vater noch seinen lieben Sohn nannte. Darum wäre
er der Meinung, daß der Legat, der an die böhmische Gränze
gesendet werden soll, sein Augenmerk zunäch auf die noch
immer häufigen aber mehr oder minder geheimgehaltenen
Irrlehren unter den Böhmen zu richten habe, um sie au's
Licht zu ziehen und ein ordentliches Verfahren gegen sie einzuleiten. Auf diese Weise werde das Beginnen der Curie
in den Augen der Völker eher gerechtfertigt erscheinen. Carvajal gab darauf am 31 December 1465 eine nicht minder 31 Dec.
entschiedene als umständliche Antwort. Anfangs machte er
zwar dem Doctor Vorwürfe, daß er noch immer unterlasse,
sich aus des Papstes Bann zu ziehen; dann aber erging er
sich in der Erinnerung an die frohen Stunden, die er einst
in seiner Gesellschaft in Nürnberg und anderswo genossen,
und fügte bei, er wolle mit ihm nun wieder so offen und
aufrichtig reden, wie damals. Des böhmischen Königs Geschichte schilderte seinerseits auch er ausführlich, und folgerte
aus den vom Doctor angeführten Gründen das gerade Gegentheil. Denn war des Königs Macht und Verschlagenheit
so groß, daß die Fürsten sich um seine Gunst und Verwandtschaft bewerben mußten, was blieb dann noch übrig, als daß
sie ihm auch auf seinen ketzerischen Irrwegen folgten? Darum sei Gefahr im Verzuge und der heilige Stuhl müsse sich
beeilen, ihn als Ketzer zu erklären, damit die Fürsten daraus
die nöthige Warnung ziehen; das Weitere müsse man Gott
befohlen sein lassen, der seine Kirche nicht verlasse. Die Lö-

24*

1465 sung der den Ketzern geleisteten Eide sei nichts Neues, sie
sei auch nothwendig und heilbringend; denn was man den
Ketzern abnehme, komme ja Gott zu Gute. Die husitische
Ketzerei sei schon längst von Concilien und Päpsten verdammt,
eine neue Untersuchung und Verhörung derselben sei über=
flüssig: und sei die Macht Georgs wirklich so groß, wie be=
hauptet wird, so sei es auch für einen Legaten nicht rath=
sam, sich an die Gränzen von Böhmen zu wagen. Für Doc=
tor Gregor sei es ziemlicher gewesen, auf die Ehre seines
Volkes Bedacht zu nehmen und dessen Fürsten zu ermahnen,
daß sie alle Glaubensgefahr meiden und sich mit Ketzer=
freundschaft nicht beflecken. [238]

Johann Carvajal überragte in diesen Jahren, wenn
auch nicht in Rang und Titel, doch in Ansehen und Ein=
fluß, alle Cardinäle der römischen Kirche. Nicht allein in
Glaubenseifer , Sittenstrenge und Charakterfestigkeit that es
ihm Niemand zuvor, es glich ihm auch Niemand in ausge=
breiteter Weltkenntniß, Erfahrung in Kirchenangelegenheiten
und Verdiensten um die päpstliche Herrschaft. Sein Werk
war es ja, schon seit zwanzig Jahren, hauptsächlich gewesen,
daß Rom endlich Constanz und Basel überwand, daß die
Völker zu seinem Gehorsam zurückkehrten, und daß seine
Macht und Herrlichkeit wieder mit einem seit Bonifaz VIII
nicht mehr gesehenen Glanze die Welt überstrahlten. Das
wußten und erkannten Carvajals Collegen an, und darum
galten ihnen seine Worte und Rathschläge in allen wichtige=
ren Angelegenheiten als Richtschnur; Paul II selbst scheute
ihn und fügte sich allen seinen Wünschen. Darum wurde
auch seine persönliche Ansicht und sein Urtheil über König
Georg und den Husitismus in Rom maßgebend, und seine
lebendige Ueberzeugung von der Nothwendigkeit strenger Maß=

---

238) Beide diese Schreiben lesen wir im MS. capituli Prag. G, XIX,
    fol. 168—171, in einer gleichzeitigen aber an vielen Stellen un=
    correcten Abschrift.

regeln gegen dieselben vereitelte alle Bemühungen, einen Ver=   1465
gleich und eine Aussöhnung herbeizuführen. Wenn die Tyr=
nauer Abrede, wie der Erzbischof von Gran angab, wirklich
an ihn gerichtet wurde, so konnte sie in keine ungünstigeren
Hände gerathen. Von ihm ging nun, wie schon oft bemerkt,
alle Strenge der Curie gegen K. Georg vorzugsweise aus.
Doch war darum Papst Paul II nicht etwa persönlich mil=
der gestimmt, nein, er übertraf ihn noch an Heftigkeit seines
Hasses. Es offenbarte sich das vor den Augen der ganzen
Curie in einem sehr bezeichnenden Auftritte mit Jaroslaw,
dem Boten des Königs von Böhmen, der das Schreiben
vom 21 October überbrachte; wahrscheinlich demjenigen, der
im J. 1464 die Gesandtschaft nach Frankreich mitgemacht
und beschrieben hatte. Dieser trat am dritten Adventsonntag
(15 December) an den von der Messe zurückkehrenden Papst
mit den Worten heran: „Heiligster Vater! dieses Schreiben
sendet Eurer Heiligkeit getreuer Sohn, der König von Böh=
men, mein gnädiger Herr." Der Papst nahm das Schreiben,
warf es aber gleich zu Boden und schrie Jaroslaw an: Wie
kannst du Bestie es wagen, in unserer Gegenwart einen von
der Kirche verdammten Ketzer König zu nennen? An den
Galgen mit dir und deinem Kerl von Einem Ketzer!" Das
Schreiben wurde aufgehoben und zu Carvajal getragen. Ja=
roslaw wartete bei drei Wochen auf eine Antwort: als ihn
aber der Kaiser an einem der Weihnachts=Feiertage in der
Kirche S. Maggiore erblickte, schickte er einen seiner Käm=
merlinge mit dem silbernen Stabe zu ihm, der ihm zweimal
auf den Nacken klopfte und ihn aus der Kirche trieb. Einem
Abgeordneten der Breslauer, der diesem Vorfall zusah, lachte
darüber das Herz im Leibe. Jaroslaw aber schimpfte und
fluchte laut auf, und verließ Rom auf der Stelle. Nun wird
es aber begreiflich, daß K. Georg von der Zeit an keine
Briefe mehr an Paul II richtete. [239]

239) Klose docum. Geschichte von Breslau, III, 1, p. 352, 359. Nach

1466   Einige Zeit lang schien es zwar, als sollte insbesondere
Doctor Bernbecks Sendung einen günstigen Erfolg haben,
denn der Bischof von Lavant wurde zu nochmaliger Bera=
thung über die böhmischen Angelegenheiten nach Rom beru=
fen: bald aber gewannen wieder andere Ansichten die Ober=
hand, dem Legaten wurde aufgetragen in Breslau zu bleiben,
und unter dem Einflusse der Gegner, unter welchen diesmal
auch der Abgeordnete des böhmischen Herrenbundes, Dobro=
host von Ronsberg, sich befand, wurde die Stimmung je
12 Jan. länger je feindseliger.   Am 12 Januar 1466 erging an den
König die Antwort, daß gegen ihn nicht aus Anstiftung sei=
ner Gegner und Verläumder, sondern aus der Nothwendig=
keit, den Glauben zu schützen, eingeschritten werde; und ob=
gleich die gewöhnlichen Rechtsformen einem rückfälligen Ketzer
(relapso in haeresim) gegenüber nicht bindend seien, so habe
doch der apostolische Stuhl, bei seiner Milde und Gerechtig=
keit, ihm ein Gehör nicht versagen wollen.   Darum sei die
Vorladung gegen ihn und nicht gegen die Bewohner der
Krone Böhmen erlassen worden, da es unerläßlich, wenn
alle Hoffnung auf Genesung verloren sei, das brandige Glied
vom Leibe der Kirche zu trennen.   Eine neue Untersuchung
und Disputation über die ketzerischen Artikel der Husiten
könne nicht gestattet werden, da sie ja schon hinlänglich be=
kannt und von Päpsten wie von Concilien verdammt wären.

Hanko's des Breslauer Abgeordneten Berichte lauteten des Papstes
eigene Worte: Quomodo tu bestia es audax in präsentia no-
stra nominare eum regem, quem scis damnatum haereticum
ab ecclesia Romana! vadas ad furcas cum haeretico ribaldo
tuo! Cardinal Franz von Siena (der nachmalige Papst Pius III)
äußerte sich darüber zu Hanko, den er am selben Tage bei sich zu
Tische hatte: Hodie est dominica Gaudete. Volumus igitur simul
gaudere in Domino, quod spiritus Domini tam magnifice ope-
ratus sit per dominum nostrum papam, qui non requisito consilio Cardinalium fecit rem omnibus cardinalibus peroptime
placitam.

Ihm bleibe nichts mehr übrig, als sich vor seine Richter zu
stellen, und ihre Entscheidung abzuwarten, welche ohne allen
Zweifel gerecht ausfallen werde. Viel schärfer noch lautete
die Antwort, welche Ludwig von Baiern erhielt. Derselbe
hatte sich, wie schon gesagt, zum Vermittler zwischen dem
Könige und dem Papste angeboten: es haben sich jedoch
weder Bernbecks Instruction, noch die von ihm vorgelegten
15 Artikel erhalten, so daß sich über deren Inhalt und seine
ganze Werbung in Rom nur aus der Bulle schließen läßt,
welche vom 6 Februar 1466 datirt, alsogleich in vielen Län=
dern verbreitet wurde. Es sei, so heißt es, unter andern
verlangt worden, daß in Böhmen ein Erzbischof bestellt, und
diese Würde einem Sohne des Königs verliehen werde;
einem zweiten sollte die Nachfolge auf dem böhmischen Throne
zugesichert, dem Vater aber der Oberbefehl gegen die Türken
übergeben und schon in vorhinein der Titel eines Kaisers
von Constantinopel verliehen werden: geschehe das, so werde
der König dem römischen Ritus mit seinem ganzen Hause
gleich den andern Herrschern, in Gänze beitreten. Also ein
rückfälliger Ketzer, ein Meineidiger wage es, anstatt der
Strafe und Buße, noch eine Belohnung in Anspruch zu
nehmen, wie sie kaum dem allerchristlichsten und um die
Religion verdientesten Fürsten gewahrt werden könnte! Er
will mit seiner Glaubensbekehrung wuchern und sein Gewis=
sen um Lohn verkaufen! Sein gleißnerischer Gehorsam wäre
freilich ein großer Gewinn für die Kirche, zumal im König=
reiche noch der alte Sauerteig zurückbleibe. Und der aposto=
lische Stuhl soll ihn darum noch bitten, er behält sich vor,
das Angebotene anzunehmen oder zurückzuweisen! Wir wer=
den aber keinen Neuling zum Bischof machen, der in seines
Geistes Stolz dem Teufel verfallen könnte; wir werden den
Schafen nicht den Wolf zum Hirten, noch einen Räuber
zum Wächter bestellen. Auch verlange man, daß dem Erz=
bischof ein solcher Inquisitor zur Hilfe mitgegeben werde,

1466 welcher alle „Irrlehren außerhalb der Compactaten" verfolge,
damit so den Compactaten eine Bestätigung von Seite des
heiligen Stuhls, auf eine nur indirecte, aber um so feinere
Weise verschafft werde. Endlich soll allen Geistlichen das
Wort Gottes frei zu predigen gestattet werden, nur damit
die Jünger ihrem Meister Rokycana um so sicherer nacharten.
Und solche Forderungen wagt man vor Petri Stuhl zu
bringen! Was sollen wir aber zum Anspruch auf das Kaiserthum Constantinopel sagen? Offenbar will damit Georg
nur einen leichteren Uebergang von einem Bekenntniß zum
andern (dem griechischen) gewinnen. Es ist aber die Herrschaft der Ungläubigen, die die Wahrheit noch nicht erkannt,
ein leichteres Uebel, als die Regierung eines Ketzers und
Schismatikers, der von der erkannten abgefallen. Auch wird
die römische Kirche, die zwei Neffen des bei der Einnahme
Constantinopels gefallenen Kaisers in ihrem Schooße beher-
bergt, nicht das Unrecht begehen, das ihnen zustehende Recht
an andere hinzugeben: eben so wenig wird sie die Christen
zusammenberufen, um sie unter den Befehl ihres Feindes zu
stellen. Es ist wirklich lächerlich, daß ein wegen der Unbe-
hilflichkeit seines Körpers zum Kriege untauglicher Mensch,
seine Person anbietend, als ob etwas Großes daran wäre,
noch dazu verlangt, wir sollten ihm unsere Reiterei wie unser Fußvolk unterordnen, ihm so viel Geld geben, als zur
Erhaltung des Heeres nöthig sein wird, für Proviant und
Kriegsgeräthe sorgen, und sogar Quartiere in Ungarn für
ihn bestellen. Er prahlt sich, daß er aus seinen Landen jeden vierzigsten Mann in's Feld stellen wolle, während ihm
solches notorisch unmöglich ist, da die katholischen Barone
ihm keine Folge leisten, auch unter ihm nicht kämpfen werden;
auch ist ja die heilige Kirche noch nicht so tief herabgekom-
men, daß sie bei Ketzern und Kirchenräubern Schutz suchen
müßte. Wir haben solches, lieber Sohn, mit bewegterem
Gemüthe gegen die von Dir uns vorgelegten Artikel erwidert,

nicht als ob wir Deiner Botschaft zürnten, da wir wissen, 1466
daß Du aus aufrichtiger Liebe zur Einheit und zum Frieden
uns vortrugst, was Dir übergeben wurde, sondern weil es
unsere Pflicht ist, für das Haus des Herrn, das da ist die
Kirche Gottes, zu eifern, und den Panzer der Gerechtigkeit
gegen die Gegner des Evangeliums anzulegen. Wir müssen
auch, nach dem Spruche des Propheten, die Feinde Gottes
in rechtem Hasse hassen und nicht ablassen zu verfolgen, bis
sie vernichtet sind. Darum ermahnen wir Dich, jeden Verkehr mit Ketzern zu meiden, und Dich ebenso von ihnen fern
zu halten, wie sie der Kirche ferne stehen: denn nicht mit
Christus steht, wer außerhalb der Kirche ist und ihre Einheit
wie ihren Frieden stört. [240] Dieses sehr weitläufige Schreiben
dürfte aus Carvajal's Feder geflossen sein; wenigstens in
seinem Geiste und Styl ist es geschrieben.

In den Artikeln, welche auf diese Art angeboten und
zurückgewiesen wurden, sind die Grundzüge des Entwurfs,
welcher mit dem Namen der Tyrnauer Abrede bezeichnet
wird, nicht zu verkennen: die Compactaten sollten unerwähnt
und unbestätigt auf sich beruhen, der vom Papste eingesetzte
Erzbischof sollte beide Parteien als gleich berechtigt ansehen

240) Die Schreiben des Papstes an den König vom 12 Januar 1466
und an Herzog Ludwig von 6 Februar lesen wir im MS. Sternb.
jenes p. 577, dieses zweimal p. 317 und 587, böhmisch p. 112.
Eschenloer gab jenes I, 268 ohne Datum, dieses p 274, beide
zum Jahr 1465, wie schon bemerkt, weil er sich durch den Gebrauch des in der Kanzlei Pauls II üblichen sogenannten calculus
Florentinus irren ließ, dem gemäß das Neujahr erst mit dem
25 März begann. (Vergl. oben Anmerkung 224.) Ueber die Werbung des Dr. Valentin Verubeck in Rom lese man auch die Relatio historica anonymi ap. Kaprinai II, 590 nach, dann Hertnid's
von Stein Brief an Peter Knorr vom 22 März 1466, von welchem
Prof. Höfler im Archiv für österr. Geschichte Bd. VII, S. 40 ein
Bruchstück herausgab, und die Auszüge aus Breslauer Briefen bei
Klose docum. Geschichte von Breslau l. c. p. 351.

1466 und behandeln, und sich somit das Zeitalter Philiberts iu
Böhmen erneuern; die Rückstellung der Kirchengüter er=
wähnte der Papst nicht, weil eine Anerkennung der guten
Absichten des Königs in diesem Schreiben nicht passend er=
schien. Was aber über die Tyrnauer Artikel hinausging,
z. B. daß ein Sohn Georgs Prager Erzbischof werden und
er selbst den Thron von Constantinopel einnehmen sollte,
scheint keineswegs von Böhmen ausgegangen, sondern in
Baiern hinzugefügt worden zu sein, und zwar auf Anrathen
Dr. Martin Mayr's, dessen Ansichten und Rathschläge in
Ludwigs Landen maßgebend waren. [241] Wir können zwar
nicht positiv behaupten, daß man am bairischen Hofe durch
solche Mittel einer innigeren Verbindung Böhmens mit dem
Hause Brandenburg vorbeugen wollte: gewiß ist aber, daß
Mathias von Ungarn in die gleichzeitige Herrschaft seines
ehemaligen Schwiegervaters in Prag und Constantinopel
niemals eingewilligt hätte, und daß der König, der damals
noch sein Heil von Mathias erwartete und bei dem Mark=
grafen um eine Tochter für seinen Sohn warb, seinen ganzen
Entwurf durch Beifügung von Artikeln, welche seine Alliirten
verletzen mußten, kaum hätte gefährden wollen. [242] Sei dem
wie es wolle, die Thatsache ist jedenfalls unläugbar, daß
nach dem Scheitern der bairischen Anträge in Rom die
Freundschaft zwischen dem böhmischen und bairischen Hofe

---

241) Die bedeutende Stellung und der Einfluß dieses Mannes in der
Geschichte von Baiern von 1461 bis 1481 sind bisher weder ge=
hörig bekannt, noch auch gerecht gewürdigt worden.

242) Noch bedeutsamer ist in dieser Hinsicht Eschenloer's Zeugniß (I,
285), wo er sagt: „Damit Girsik diese bäbstliche Antwort (vom
6 Febr. 1466) meinte zu strafen, daß es sein Wille nit gewest
were, seinen Son einen Erzbischof werden zu lassen, der algereit
einem Weibe gelobet were." Daraus wäre zu schließen, daß er
hintennach auch öffentlich und laut diesen Punkt in dem bairischen
Vertrage in Abrede gestellt habe. Auch der Umstand fällt hier

merklich erkaltete und Mayr's Rath von da an in Böhmen 1466
nimmermehr nachgesucht wurde; ja noch vor Ablauf eines
ganzen Jahres bemerken wir, wie Doctor Mayr sowohl als
Herzog Ludwig sogar in die Reihen der Gegner des Königs
sich stellen. Der König aber sah sich schon im Frühling 1466
nach einem andern, hoffentlich zu mehr Erfolg berechtigendem
Rathe um.

Der römische Hof setzte große Hoffnungen auf die Wirkung der von ihm ergriffenen Maßregeln. Man erwartete,
daß die Fürsten sowohl als die Völker, die dem Könige
irgendwie verbunden waren, nach den erlassenen Decreten den
Ketzer sofort verlassen, alle Verbindung mit ihm abbrechen
und ihn so in Verzweiflung und in die Unmöglichkeit zu regieren versetzen würden: der Erfolg entsprach aber diesen
Hoffnungen nicht, ja einige Zeit schien es, als wolle die
entgegengesetzte Wirkung Platz greifen. Daran waren weder
Fehltritte noch eine Fahrlässigkeit von Seite des Legaten
Rudolf von Rüdesheim, Bischofs von Lavant, Schuld, der
seit dem 9 November 1465 in Breslau residirte; sondern es
erfolgte wenigstens zum Theil durch einen eingetretenen Umschwung der öffentlichen Meinung, daß man sich schon erlaubte, die Zweckmäßigkeit und Gerechtigkeit der Befehle zu
prüfen, die man zu vollziehen hatte. Der Legat hatte nicht
unterlassen, die Bulle vom 9 Aug. allen katholischen Burgen

in's Gewicht, daß in keinem schriftlichen Denkmal von rein böh-
mischem Ursprung aus dieser Zeit auch nicht die leiseste Hindeutung
daran zu finden ist, daß der König jemals an den Besitz von Constantinopel gedacht habe, während seine ausländischen Räthe, Marini, Mayr und Heimburg davon öfter zu sprechen kamen und des
Königs Heerfahrt zur Eroberung von Constantinopel Mayr's Lieb-
lingsidee schon seit 1459 gewesen. Möglich ist allerdings, daß
wenn der bairische Vorschlag in Rom im Ganzen durchgegangen
wäre, der König auch gegen diese ihm fremden Einzelpunkte keinen
Anstand erhoben hätte.

und Städten in Böhmen, Mähren, Schlesien, den Sechslanden und der Lausitz zur Kenntniß zu bringen und Denjenigen mit dem Banne zu drohen, die ihr keine Folge leisten
würden: aber nur eine einzige Stadt, Pilsen, leistete diese
Folge. Als die zweite Bulle vom 8 December anlangte, berief er alle Prälaten, Fürsten, Herren und Abgeordneten der
Städte zu einer Berathung: und der König, der wahrscheinlich voraussah, was da kommen würde, legte der Versammlung keine Hindernisse in den Weg. Es folgten nun nicht
minder interessante als wichtige Verhandlungen in Breslau
in den Tagen vom 15—19 Februar 1466. Der Legat erschien dabei wie von einem regelmäßigen, aus den vorzüglichsten Eiferern der Stadt zusammengesetzten Rathe umgeben:
der Dompropst Johann Düster und Doctor Nicolaus Tempelfeld, Domcantor und Stadtprediger, beide Hauptschürer
des Hasses gegen den König und darum Lieblinge und Führer
des wüthenden Stadtpöbels, gaben darin den Ausschlag, und
der Legat selbst schien nur ein williges Werkzeug in ihren
Händen zu sein. Die Gegenpartei bildeten die beiden Bischöfe, Jost von Breslau, der aber gewöhnlich in Neiße
residirte, und Protas von Olmütz, der mit des Königs
ausdrücklicher Zustimmung anwesend war; beide suchten die
Leidenschaften zu mäßigen und die Kampflust der Ihrigen zu
zügeln, nicht etwa weil sie weniger glaubenseifrig und entschlossen, sondern weil sie vorsichtiger waren und die Lage
der Dinge richtiger erkannten. Bischof Jost beharrte bei seiner
Ansicht, daß so lange die Katholiken keinen mächtigen auswärtigen Schutzherrn haben, jedes offene Auflehnen von ihrer
Seite zum Kriege und der Krieg zum Verderben, nicht der
Ketzer, sondern der Kirche und ihrer Bekenner führen müsse.
Er zählte einzeln die Streitkräfte jedes Kreises in Böhmen
und Mähren auf beiden Seiten auf und wies nach, daß der
König, ohne seine Schlösser und Städte ihrer Besatzungen
zu entblößen, jeden Augenblick an 30.000 Mann bewaffnetes

Volk in's Feld stellen könne, und wenn es zum Kriege komme, 1466
die Kräfte der katholischen Herren und Städte kaum im
Stande sein würden sich zu halten, nie aber die Ketzer anzugreifen oder sie aus dem Lande zu treiben. Darum schlug
er vor und rieth, daß alle Katholiken der böhmischen Kronländer zusammen, nach dem Muster des böhmischen Herrenbundes, sich solidarisch, nicht zum Aufstande gegen den König,
sondern zum wechselseitigen Schutze verbinden möchten: ein
solcher Bund werde dem Könige Furcht einflößen und ihn
zwingen, sich jedes Vorgehens gegen sie zu enthalten; sie
aber könnten indessen ruhig eine ihnen günstigere Wendung
der Umstände abwarten. Der Olmützer Bischof rechtfertigte
sein bisheriges Verhalten und berichtete, wie ihm der König
für seine treuen Dienste die ausgedehnte an der ungarischen
und schlesischen Gränze gelegene Herrschaft Hochwald wieder-
verliehen habe, welche schon zur Zeit der Markgrafen Jost
und Prokop von seinem Bisthum abgekommen war; das
könne doch als Beweis gelten, daß auch er für das Wohl
der Kirche thätig sei. Er stimmte dem Vorschlage Jostens
bei und fügte hinzu, wie ihm täglich die Armen des Landes
anlägen, es ja nicht zum Kriege kommen zu lassen, da es
ihnen leichter sei selbst Ketzern Steuer zu zahlen, als sich
von ihnen die Hütten niederbrennen und die Saaten zertreten zu lassen. Die Abgeordneten der Städte stellten vor,
wie ihnen die königlichen Besatzungen überall so zu sagen
auf den Nacken säßen und sie im Zaume hielten: Brünn
werde von der Burg Spielberg beherrscht, Olmütz vom Kloster
Hradisch, das längst eine königliche Besatzung aufgenommen,
Znaim vom Schlosse in der Stadt; Schweidnitz und Jauer
hätten von den Schlössern Fürstenstein, Bolkenhain und Lehenhaus, andere Städte von andern Schlössern alles zu befürchten, so daß jede Erhebung für sie mit Gefahr verbunden
wäre; man wies auf die Macht und Entschlossenheit der
königlichen Beamten hin, Albrecht Kostka's des Vogtes der

1466 Lausitz, Benesch von Kolowrat Vogtes der Sechsstädte, des
Hauptmanns von Troppau Bernard Birka von Nastle, des
Hanus Wölfel Hauptmanns von Glatz, des Diprant von
Reibnitz, Nicolaus von Gersdorf, Melchiors von Löben und
anderer, die nicht nur den Willen, sondern auch die Macht
hätten, jeden Aufstand augenblicklich zu dämpfen. Der Papst
und die Cardinäle hätten früher sollen dafür Sorge tragen,
daß Georg gar nicht gekrönt worden wäre: sobald er aber
vom Papste die Krone, vom Kaiser die Belehnung erhalten,
hätten die Städte ihm den Eid der Treue rechtmäßiger Weise
nicht versagen können; nun aber ohne alle Veranlassung von
Seite des Königs wort= und eidbrüchig zu werden, könnten
und wollten sie nicht. Auch die Räthe der Fürsten sprachen
in dem Sinne, daß ihre Herren sich zum Verrathe an dem
Könige, dem sie durch den Eid der Treue verbunden wären,
nicht entschließen könnten. Düster und Tempelfeld bemerkten
dagegen, daß aus allen diesen Reden nichts als Furcht und
Feigheit hindurchtöne; daß die Freunde der Ketzer von jeher
die Gewohnheit haben, deren Macht und Größe zu preisen
und zu übertreiben; wer mit der Furcht zu Rathe gehe, der
könne keines gesunden Rathes sich erholen; mit derlei Be=
denken werde man das Ketzerwesen nie ausrotten; wo es sich
um den Glauben handle, da sei ein Christ mächtiger als
zehn Ketzer, und sollte Mangel an Christen eintreten, so
werde Gott seine Engel zu Hilfe schicken. Sie riethen dem
Legaten, sich mit seinen Briefen und Decreten künftig un=
mittelbar an die Gemeinen der Städte und nicht an die
Stadtbeamten und Abgeordneten zu wenden, welche auf des
Königs Seite ständen und nicht selten noch ärgere Ketzer
wären, als dieser selbst. Der Legat schloß die Berathungen
mit der Ankündigung seines Entschlusses, daß er mit dem
Bann über die Ungehorsamen einstweilen bis zu den nächsten
Pfingstfeiertagen inne halten und inzwischen dem heiligen
Vater über das, was gethan und gesprochen worden, Bericht

erstatten wolle, um Belehrung zu erhalten, was weiter zu 1466 geschehen habe. [243]

Nur die einzige Stadt Pilsen machte, wie gesagt, eine Ausnahme zu dieser Zeit. Nach Neujahr 1466 waren noch Pilsner Abgeordnete zum Könige mit der Klage gekommen, man drohe ihnen mit Einstellung des Gottesdienstes, wenn sie noch länger zu ihm hielten, und es stehe zu befürchten, daß sich der Herrenbund ihrer Stadt bemächtige. Der König tröstete sie mit dem Beispiele seiner eigenen Leiden, mahnte sie zur Treue und fügte hinzu, er wolle zu ihrem besseren Schutze eine Besatzung in ihre Stadt legen. Nun scheint es, es wären dies Abgeordnete nur einer Partei, und zwar der gemäßigten und friedliebenden, gewesen, welche jedoch bald gezwungen wurden, die Leitung der Stadt Eiferern von der Art Dr. Tempelfeld's zu überlassen; [244] leider sind über die inneren Vorfälle und das geistige Leben in Pilsen aus dieser Zeit keine Nachrichten vorhanden. Schon am 28 Februar erschien einer der Stadträthe in Breslau, 28 Febr. um beim Legaten und der dortigen Gemeinde Unterstützung zur Organisirung des Aufstandes zu erbitten, doch erhielt er nicht mehr als 500 Ducaten; freigebiger erwies sich der Papst, an welchen zu gleicher Zeit eine ähnliche Gesandtschaft abgeschickt wurde. Als nun das königliche Kriegsvolk nahte, von dessen Heranzug die Pilsner durch Spione unterrichtet waren, schloßen sie die Thore, besetzten die Stadtmauern mit

---

243) Die ziemlich ausführlichen Nachrichten, welche Eschenloer über diese Berathungen liefert, finden ihre Bestätigung und Ergänzung in dem Schreiben des Olmützer Bischofs an den König, aus Breslau vom 20 Febr. 1466, welches wir aus dem MS. Sternb. p. 452 im Archiv Český, IV, 121 haben abdrucken lassen.

244) Pubička berichtet wirklich (S. 155—6) aus einem MS. von dem Richter Andreas Oremus, der dem Könige treu bleibend, von seinen Mitbürgern dann aus der Stadt gewiesen sei und deshalb ihr abgesagter Feind geworden wäre.

1466 Bewaffneten, und ließen nicht nur die Königlichen nicht ein, sondern trieben sie mit Spott und Schande zurück; dann aber sagten sie dem Könige ab, als wäre ihnen großes Un= recht geschehen, und als hätte er sich mit List und Verrath ihrer Stadt bemächtigen wollen. Der Krieg dauerte einige Wochen; doch wissen wir davon nicht mehr, als daß die Pilsner selbst ihre Vorstädte abbrannten und zerstörten und daß sie in ihrem Solde nicht nur einige böhmische Edelleute hielten, sondern auch einige Schweizer und Schwaben. Der Anführer des königlichen Heeres gegen sie war der Ritter Nicolaus Střela von Rokyc. [245] Durch Vermittelung des Legaten wurden sie bald darauf in den Herrenbund aufge= nommen, und ihre Angelegenheiten verschmolzen fortan mit denen des Letzteren.

Der Herrenbund vermied, so lange sein Abgesandter Dobrohost nicht von Rom zurückgekehrt war, nicht nur jeden entscheidenden Schritt, sondern auch jede deutliche Erklärung über seine Absichten. Als daher die Bundesgenossen von dem in Pr g vor Weihnachten abgehaltenen Landtage aufgefor= dert wurden, sich mit dem ständischen Ausschusse, welcher zur Beseitigung aller Irrungen eingesetzt war, zu Pilsen, Klattau 1 Febr. oder Budweis längstens bis 1 Febr. 1466 einzufinden, und ihre Zustimmung dazu an den königlichen Obersthofmeister Herrn Heinrich von Stráž auf Kamenic zu erklären, ant= worteten sie, sie seien einer solchen Zusammenkunft nicht ent= gegen, doch wünschten sie dieselbe auf eine spätere ihnen ge= nehmere Zeit verlegt zu sehen. Der nächste Landtag also, 23 Feb. der in Prag am 23 Februar begann, wurde von ihnen nicht einmal beschickt: aber einige Worte des gleichzeitigen Anna=

245) Nachrichten über den Pilsner Aufstand findet man in dem gleich= zeitigen Bericht aus Prag bei Riedel (Cod. diplom. Brand. C, I, 405, vergl. oben Anmerk. 231), dann einige Acten im Archiv český, IV. 124—127, bei Eschenloer, I, 293, 299, 312, bei Klose l. c. p. 362.

listen (Staří letopisowé) belehren uns, daß ihre Beschwerden 1466
dennoch in ernste und umständliche Verhandlung genommen
wurden. Er berichtet nämlich, es seien da die Abschriften
der auf dem Karlsteine aufbewahrten Landesprivilegien öffent=
lich vorgelesen worden, und der König habe selbst zu den
Ständen gesprochen: „wo mir die Barone Schuld geben,
habe ich da etwas gutzumachen, ich will es gerne thun, nach
Befinden der Herren und Edelleute; nur sollen aber auch
sie gut machen, was sie gegen mich verschuldet." Einige von
den Ständen baten den König, er möchte ihnen erlauben,
mit den Bundesgenossen privatim zu verhandeln; bei seinem
erklärten guten Willen hofften sie gewiß, sie zu beschwichti=
gen und dem Lande Frieden und Eintracht wiederzugeben.
Solche Verhandlungen fanden nun zu Budweis am 9 9—11
bis 11 März statt. Die Abgeordneten der Stände berichteten, März
was sie aus des Königs Munde selbst vernommen, „daß es
Sr. Majestät nie in den Sinn gekommen, etwas gegen die
hergebrachte Ordnung, die Rechte und Freiheiten des Landes
vorzunehmen; und wenn wirklich etwas der Art vorgekom=
men wäre, so wäre es in Folge eines Irrthums oder Ver=
gessens geschehen und sollte durchwegs wieder gut gemacht
werden." Die Bundesgenossen erwiederten, sie wollten sich in
keinen Rechtsstreit mit dem Könige einlassen; ihre Sache sei
keine Privat= sondern allgemeine Landessache; sie wünschten
vom Könige nichts Neues zu erpressen, aber möchten auch
nichts Altes verprocessiren. Eine gleiche Absicht hege auch
der Landtag, versetzten die Abgeordneten; darum möchten die
Barone nur auf dem nächsten Landtage in Prag erscheinen,
die Stände würden dann einhellig für die Rechte und Frei=
heiten des Landes einstehen. Die einzige Schwierigkeit boten
noch der Karlstein und die auf ihm bewahrten Landesschätze;
die Bundesgenossen schenkten den Abschriften aus dem Landes=
archive keinen Glauben, so lange dasselbe sich nicht in ihrer
Hand befand, und verlangten, Karlstein sollte nebst der Krone

1466 einem Mitgliede des Herrenstandes anvertraut werden, welches
in gleicher Weise dem Könige wie dem Lande mit Eid ver=
pflichtet würde. Als die Abgeordneten darein willigten, ver=
sprachen die Mitglieder des Herrenbundes endlich auf dem
Landtage zu erscheinen, der auf die nächsten Tage nach Ge=
orgi nach Prag anberaumt wurde. [246]

Der Bescheid, welchen Herr Dobrohoft am päpstlichen
Hofe erhielt, lautete für den Herrenbund eben nicht sehr er=
freulich. Die Cardinäle hatten sich gewundert, daß die Herren
vom Papste Geld zu fordern wagten, ohne sich irgendwie
anheischig zu machen, für den katholischen Glauben gegen
den König einzustehen: denn das Bündniß, das sie unter=
einander aufgerichtet, habe nur ihren Privatvortheil, nicht
aber das Beste der Kirche zum Zweck. [247] Darum brachte
Herr Dobrohoft, wie man sagte, Pergament mit Bullen und
beschriebenes Papier die Menge, aber keine Subsidien zur
Führung eines Krieges. Der Papst habe, so hieß es, die
Herren nur vertröstet, daß Gott sie nicht verlassen werde,
und sie ermahnt, im Widerstande gegen den Ketzer auszu=
harren, gegen welchen auch er versprach, die geistlichen Pro=
cesse bis zu Ende durchzuführen, Kaiser, Könige, Fürsten

246) Staří letopisové p. 182, 183. Archiv český, IV, 117—120, 123,
127. Ein Schreiben des Herrenbundes an Herzog Wilhelm von
Sachsen vom 13 Juli und des Königs Antwort darauf vom
12 Octob. 1466 im Weimarer Archive (mitgetheilt von Professor
Droysen.)

247) Cardinal Carvajal ließ sich gegen den Abgeordneten der Breslauer
also vernehmen: Isti domini barones petunt pecunias a Sede
apostolica, et tamen numquam adhuc scripserunt domino nostro, quod se opponerent huic haeretico propter fidem catholicam. Mittunt dumtaxat aliquas copias confoederationis eorum,
in quibus nihil nisi de propriis eorum commoditatibus conti-
netur. Si tamen apparebit ex re, quod pro tuitione fidei et
auxilio ac defensione Wratislaviensium ac aliorum fidelium ali-
quid fecerint, ex tunc ecclesia Romana non tardabit illis pro
sua possibilitate subvenire. Hoc credas de certo. Klose l. c. p. 382.

und Städte zu ihrer Hilfe aufzurufen, das Kreuz predigen 1466
zu lassen, und ihnen alles anheimzugeben, was für den Ab=
laß eingehe. Auf Georgi kamen die Bundesgenossen in
R a u b n i t z bei Herrn Zdeněk von Sternberg zusammen,
wo auch Bischof Jost zugegen war und Herr Dobrohost
über seinen Erfolg in Rom berichtete. Es trat der kritische
Augenblick für den Bund ein, wo es fraglich wurde, ob er
noch weiter fortbestehen, oder sich auflösen und der Budweiser
Abrede gemäß Gehorsam leisten sollte. Der mächtigste und
an Gütern reichste unter den Bundesgenossen, Johann von
Rosenberg, kam auch gar nicht mehr nach Raubnitz, sondern
ging geradezu nach Prag: denn er behauptete, so sei es in
Budweis verabredet worden, und die Barone hätten weiter
keinen Grund, sich dem Könige, der sich zur Genugthuung
erbiete, zu widersetzen. Viele Katholiken eiferten deshalb sehr
gegen ihn, als einen Verräther; als die Nachricht davon an
Carvajal gelangte, erinnerte er sich, wie schon längst Herrn
Johann's Vater, Ulrich von Rosenberg, auf diesen seinen
Sohn die geringsten Hoffnungen gesetzt habe. Zdeněk von
Sternberg sprach dagegen, daß er lieber Bettler werden, als
sich einem Ketzer ergeben wolle. Obgleich geschwächt, blieb
der Bund also auf's neue aufrecht; auch kamen die Herren
trotz des gegebenen Wortes nicht zum Landtage nach Prag,
sondern beschickten denselben nur durch einige Bevollmächtigte.
Den Hauptgegenstand des Streites bildete fortan das Schloß
Karlstein und die auf ihm bewahrten Reichskleinode. Die
Häupter der Utraquisten unter den Ständen, Zdeněk Kostka
und Burian Trčka, erklärten ihre entschiedene Absicht, in
keine Aenderung des Status quo zu willigen, und auch dem
Könige mußte es bedenklich erscheinen, jene Schätze vielleicht
nicht ganz verläßlichen Händen anvertraut zu sehen: denn
die Krone herausgeben hieß unter jenen Umständen so viel,
wie ihr entsagen. Es wurde daher zwischen Prag und
Raubnitz lange hin und her verhandelt; die Hauptvermittler

25*

1466 waren der Bischof Protas, Herzog Konrad der Schwarze
von Oels und Johann Bezdruzicky von Kolowrat. Endlich
wurde eine gemischte Commission von beiden Parteien nieder=
gesetzt, welche das Landesarchiv und die in ihm verwahrten
Privilegien untersuchen sollte, und ehe diese noch an's Werk
ging, leistete Prinz Victorin den Baronen, Rittern und dem
ganzen Lande einen Eid, diese Schätze bis zur Ermittelung
der Rechte und Freiheiten des Landes treu und rechtlich zu
verwalten. Während dieser Verhandlungen erschienen in Prag
Abgeordnete der Brüderrotten, welche endlich aus Oesterreich
vom Kaiser abgefertigt und verwiesen, neue Kriegsdienste
suchten. Erst wandten sie sich an den König mit der Bitte,
sie, an Zahl etwa 10.000 Bewaffnete, nicht allein in Schutz,
sondern auch in seinen Sold zu nehmen. Da sie da kein
8 Mai Gehör fanden, trugen sie sich am 8 Mai in Raudnitz Herrn
Zdeněk zum Dienst gegen den König an, wurden aber von
ihm gleichfalls abgewiesen, da schon seine eigenen Mannen,
die er seiner Sicherheit wegen unter den Waffen halten
mußte, ihn große Summen kosteten. Da zeigte es sich, wie
die Verweigerung von Subsidien in Rom nur dazu gedient
hatte, den Ausbruch des Kampfes zu verzögern, den man
zu beschleunigen gewünscht. [248]

Das wichtigste Ergebniß der langen Verhandlungen
zwischen Prag und Raudnitz war der förmliche Abschluß
eines Waffenstillstandes, der bis Galli dauern sollte.
Da Herr Dobrohost seinen Bundesgenossen Nachricht ge=
bracht hatte, nicht nur wie der Papst bei König Kazimir
von Polen zu ihren Gunsten Schritte thun wolle, sondern

---

248) Ueber die Vorgänge auf dem Herrentage zu Raudnitz gibt Eschen=
loer (p. 310) die besten Nachrichten, welche mit dem übereinstim=
men, was wir aus öffentlichen Acten in's Archiv český (IV, 128
fgg.) haben einrücken lassen. Ueber die Anbietungen der Brüder=
rotten belehrt uns der gleichzeitige Bericht im Berliner geh. Ar=
chive und bei Riedel, C. I, 400—406 (vgl. Anmerkung 231.)

auch wie K. Mathias sich zur Hilfe gegen König Georg anbot, und sie in Folge dessen auf auswärtigen Schutz rechnen durften, so suchten sie keinen definitiven Frieden, sondern nur Aufschub des Krieges auf so lange als möglich. Darum warben sie durch Bischof Protas um eine wenigstens ganzjährige Frist, binnen welcher sie eine definitive Ausgleichung und Unterwerfung in Aussicht stellten. Es ist nicht zu sagen, ob Bischof Protas sich in der Sache ganz aufrichtig benahm und ob er keine Kenntniß hatte von den eigentlichen Absichten seiner katholischen Freunde: das aber ist gewiß, daß der König äußerst ungern, und nur seinen inständigen Bitten und Versprechungen nachgebend, damit es nicht das Ansehen gewinne, als wolle er gegen seine katholischen Unterthanen Gewalt brauchen, endlich in eine, wenn auch nicht ganzjährige Frist, wie oben angegeben, willigte. Als die betreffende Urkunde schon fertig war, erhob Herr Johann von Rosenberg neue Bitten, daß auch die Stadt Pilsen in den Stillstand einbezogen werde. Nach langer Weigerung versprach der König, die Pilsner bis Johanni in Ruhe zu lassen; später verwilligte er bis Galli, doch nur mündlich und ohne Verschreibung, zugleich aber mit der Bedingung, daß die Pilsner bis Matthäi dem Machtspruche einiger aus beiden Parteien gewählten Herren, deren Obmann der Herzog Konrad der Schwarze von Oels war, Folge leisten sollten. [249] Mit solchen Verhandlungen wurde der drohende Sturm wenigstens auf einige Zeit beschworen. Offenbar hatte der König von seiner übergroßen Friedensliebe sich irre leiten lassen; noch hatte keine bittere Erfahrung ihn belehrt, daß für ihn die einzige Bürgschaft des Friedens ein siegreiches Schwert, nicht aber Güte und Langmuth war. Wie er die damalige Lage der Dinge ansah, läßt sich aus einem Briefe entneh-

---

249) Archiv český, IV, 129—131. Eschenloer, I, 311, 312. Der gleichzeitige Bericht im Berliner geh. Archive, wie in der vorigen Anmerkung.

men, ben er am 3 Juni an ben Prinzen Victorin nach Mäh=
ren schrieb: er sagt barin, baß „alles, Gott sei gedankt,
glücklich von Statten gehe; und ber Friedensstand, von bem
wir Dir durch Bernard Birka haben sagen lassen, tritt ein
und bauert bis nächsten Galli; inzwischen sollen ber hoch=
würbige Bischof Jost von Breslau und Herr Zdeněk von
Sternberg am Prokopstage zu uns kommen. Was weiter
erfolgen wird, soll Dir nicht unbekannt bleiben." [250]

Aus biesen zufällig erhaltenen wenigen Worten ist er=
sichtlich, baß ber König sich bamals ben besten Hoffnungen
hingab; und er hatte allerbings einige Gründe bazu. Die
päpstlichen Decrete hatten noch nirgends als wirksam sich
bewährt; die Fürsten verkehrten wie früher so später mit
bem erklärten Ketzer, Albrecht von Sachsen trug sich sogar
zum Beistande gegen die Ungehorsamen an; die katholischen
Unterthanen in Böhmen und ben Kronländern weigerten sich
ausdrücklich bie geschworene Treue zu brechen, und bie Ver=
suche ber Rebellen, bie im Herrenbunde zum Vorschein kamen,
erwiesen sich mit jebem Tage ohnmächtiger. Man barf nicht
außer Acht lassen, baß bie bebeutende Mehrzahl ber Katho=
liken selbst bas Beginnen Zdeněks von Sternberg und seiner
Genossen unbedingt verdammte, und baß bie Ergebenheits=
bezeugungen in bem Maße sich mehrten und herzlicher wur=
ben, in welchem sie durch bie Umstände an Bebeutung ge=
wannen. Durch Eifer in biesem Sinne zeichneten sich na=
mentlich im böhmischen katholischen Abel aus: Herr Wilhelm
ber jüngere von Riesenberg und Rabi, Johann Popel von
Lobkowic und bie meisten Herren von Kolowrat, unter ben
Städten Brüx und Eger. Der Oberstlandrichter Leo von
Rozmital, Bruder ber Königin, aber sehr entschiebener Ka=
tholik, war schon im verflossenen November auf Reisen ge=

250) Das Original bieses Briefes hat sich bis heutzutage im mähri=
schen Landesarchiv erhalten. Bernard Birka von Násilé war königl.
Hauptmann zu Troppau.

gangen, um weder gegen den Papst, noch gegen den König 1466
Partei nehmen zu müssen. [251] In Mähren erschienen zwar
einige königliche Städte schon damals nicht ganz verläßlich,
dagegen erwies sich der dortige Adel um so ergebener, und
die vornehmsten Geschlechter des Landes, die Herren von
Cimburg und die von Pernstein, bildeten die treueste Stütze
der Macht des Königs. Einen hohen Begriff von dem Nach-
drucke, mit welchem die Regierung in Böhmen überhaupt
gehandhabt wurde, schöpfen wir auch aus der Klage des
Prager Domdechants Hilarius, daß der König alle Thore,
alle Wege und Furten mit Spähern besetzt habe, um keinen
Brief des heiligen Vaters oder seines Legaten ins Land her-
einzulassen; daß er alle, die da kamen, durchsuchen ließ, und
wo nur irgend etwas gefunden wurde, an Leben, Leib und
Gut strafte. [252]

Die Hoffnungen des Königs mehrten sich, als Anfangs
Juni sein Schwiegersohn, Herzog Albrecht von Sachsen, den
berühmten Redner Deutschlands, Doctor Gregor von
Heimburg nach Prag brachte, damit derselbe mit mehr
Nachdruck und hoffentlich besserem Erfolge als Martin Mayr,
des Königs Sache gegen den römischen Hof verfechte. Dieser
Mann stand schon seit mehr als zwanzig Jahren an der
Spitze aller außerhalb Böhmen unternommenen Opposition-
versuche gegen die Restauration der päpstlichen Macht. Er
wurde freilich immer und überall geschlagen und endlich auch
von der Kirchengemeinschaft ausgeschlossen: aber der Same

251) Man kennt zwei Beschreibungen dieser am 26 Nov. 1465 ange-
    tretenen und im Februar 1467 beendeten Reise: die ursprünglich
    böhmisch von einem Edelknecht, Sašek von Mezihoř verfaßte ist
    nur in einer lateinischen, 1577 zu Olmütz gedruckten Uebersetzung
    vorhanden; eine zweite deutsche hat J. A. Schmeller in Stuttgart
    1844 in 8. drucken lassen.
252) In einer ausführlichen im J. 1467 gegen den König an Herrn
    Johann von Rosenberg geschriebenen Abhandlung. MS. universit.
    Prag. XVII, F. 32, fol. 26.

1466 der Gedanken, die er ausgestreut, blieb nicht unfruchtbar und
die Blicke wie die Achtung aller gebildeten Zeitgenossen wandten sich ihm zu; ja sein Hauptgegner selbst, Cardinal Carvajal, benahm sich persönlich gegen ihn, wie wir gezeigt
haben, sehr rücksichtsvoll. Als das Haupt einer geistigen
Gemeinde, die zwar weder sichtbar, noch auch organisirt,
aber schon ziemlich zahlreich und thätig gewesen, konnte er
allein für eine Macht gelten, und er schloß sich dem Könige
mehr als Genosse und Helfer, dann als Diener an. Der
König empfand seit lange das Bedürfniß, sich mit der Feder
noch mehr als mit dem Schwerte zu vertheidigen: aus besonderer Vorsicht aber wollte er als Husit sich nicht der
ganzen Welt entgegenstellen, noch auch letztere etwa mit theologischen Controversen abschrecken, sondern bemühte sich lieber
alles, was die damalige Christenheit an oppositionellen Elementen gegen Rom in ihrem Schooße barg, zu gewinnen
und an sich zu ziehen. Freilich mag auch der Abstand zwischen seiner und seines neuen Diplomaten religiöser Ueberzeugung nicht groß gewesen sein. Um uns eines modernen
Ausdruckes zu bedienen, wurde also Doctor Gregor als Mi-
nister der auswärtigen Angelegenheiten am böhmischen Hofe
aufgenommen; denn der Kanzler Prokop von Rabstein, den
der König nur aus Schonung für die Katholiken im Amte
beließ, eignete sich in keiner Weise zu Geschäften dieser Art;
andererseits hätte Doctor Gregor, als Ausländer, ohne Wissen und Willen des Landtags in ein Landesamt nicht eingesetzt werden können. Es ist uns unbekannt, ob er während
seines mehrjährigen Aufenthaltes in Prag auch die böhmische
Sprache, gleich Marini und Mayr, so weit erlernt habe,
um mit dem Könige, der gar nicht Latein und nur wenig
deutsch sprach, unmittelbar und in vertraulicher Weise verkehren zu können; daß er aber treue und schätzbare Dienste
leistete, beweist die ihm, über seinen Jahresgehalt, zu Theil
gewordene königliche Verleihung der Herrschaft Chwatěrub

und des Gutes Mülhausen in Böhmen. [253] Die erste aus 1466
seiner Feder erflossene Schutzschrift für den König war ein
in Form eines Manifestes verfaßtes an König Mathias von
Ungarn gerichtetes weitläufiges Schreiben, welches zwar zu
Anfange Juli fertig, aber erst am 28 Juli zu Glatz datirt 28 Juli
wurde, als der König aus Mähren dahinkam: ein Meister-
werk nach dem Urtheile von Freund und Feind, welches
allenthalben eine Sensation erregte, [254] die durch keine Ent-
gegnungen weder von Carvajal, noch vom Legaten Rudolf
verwischt werden konnte. Es wurde darin des Königs ganze
Wirksamkeit freilich mit andern Farben geschildert, als man
von Rom zu hören gewohnt war; es wurde hingewiesen auf
die Rechtswidrigkeit und Verfänglichkeit der Formen des gegen ihn eingeleiteten Processes, welche schon an sich den Ge-

253) Eine über diese Schenkung erlassene königl. Urkunde vom 1 Juni
1469 steht im MS. Sternb. p. 638.

254) Selbst Eschenloer bekennt (I, 316) es sei „getichtet durch M. Heimburg in Latein sehr schöne," und J. J. Müller, der es in deutscher Uebersetzung in sein Reichstags-Theatrum (II, 250—258)
aufnahm, nennt es ein „scriptum grave et quantum genius se-
culi patiebatur, imo supra secali genium elegans." Lateinisch
gab es Gel. Dobner (Monum. hist. Boh. II, 418—429) heraus.
Im MS. Sternb. liest man es zweimal, p. 1 und 49, böhmisch
p. 9. Ueber die Veranlassung und die Umstände seiner Abfassung
findet man anziehende Angaben in einem von Dr. Heimburg am
18 Juli 1466 an den König nach Mähren gerichteten Schreiben
im MS. capituli Prag. G, XIX, 172. (Die Königin hatte gleich eine
Appellation vom Papste an ein Concilium zu erhalten gewünscht,
Gregor rieth erst eine Nullitätsklage vorauszuschicken.) Eine Widerlegung dieses Aufsatzes, welche mit den Worten beginnt: Gloriatur
Georgius, qui se vocat Bohemiae regem, in literis etc. (MS.
Sternb. 179, böhmisch 188, bei Eschenloer deutsch, I, 327) ist aus
Carvajal's Feder geflossen; eine noch ausführlichere, von Bischof
Rudolf von Lavant zu Breslau feria II ante Mar. Magdal. 1467
erlassen, liest man im MS. Vienn. bibl. caesar. 4975, Blatt 377
bis 403.

1466 horsam des Königs unmöglich machten. Er werde nämlich
nicht als König, sondern als eine Privatperson, als Georg
von Podiebrad schlechthin vor Gericht geladen: leiste er nun
Folge, so erkenne er damit factisch an, daß er nicht mehr
König sei. Weiter werde er auch eines Rückfalls in die
Ketzerei beschuldigt: aus seiner Unterwerfung würde man
folgern, daß er selbst zugebe, schon einmal Ketzer gewesen
zu sein. Der Papst habe übrigens durch seinen Ausspruch
(vom 8 Dec. 1465) vor Ablauf des Vorladungs=Termins
Amt und Macht der Richter aufgehoben, indem er in vor=
hinein das Urtheil statuirt habe, das den Richtern erst zu
suchen und zu finden oblag; denn wie hätten denn noch die
Cardinäle unparteiisch und unbefangen urtheilen und sich
mit ihrem Herrn und Machtgeber etwa in Widerspruch setzen
können? Darum wäre ihnen nicht die Durchführung eines
Actes der Gerechtigkeit, sondern nur eine Nachäffung dessel=
ben übrig geblieben. Auch wurde abermals das Verlangen
nach dem oftgewünschten feierlichen Congresse ausgesprochen:
nicht daß daselbst der Glaubensstreit erneuert, sondern daß
des Königs Benehmen durch glaubwürdige Zeugen richtig
ermittelt, und die Böhmen, unter Mitwirkung des Kaisers,
der Könige, Fürsten und anderer hohen Personen, lieber zu
einem freiwilligen Gehorsam herangelockt, als zu einem er=
zwungenen genöthigt würden. Dieses Schreiben wurde in
zahlreichen Exemplaren in alle Länder der Christenheit ver=
sendet, und wie alle Herrscher im Auslande, so wurden auch
die schlesischen Fürsten und die katholischen Herren und Städte
aller Kronländer ersucht, ihre Fürsprache in dieser Richtung
bei dem Papste geltend zu machen. Gregor von Heimburg
erneuerte damit das vor einem Jahre von Martin Mayr un=
ternommene Werk in allen seinen Theilen: es wurden wie=
der den Königen, Fürsten und Städten allen eigene Brief=
formeln zugesendet, wie sie an den Papst schreiben sollten.
In der That erfolgten von mehren Seiten die gewünschten

Fürsprachen mit noch mehr Geist und Nachdruck als früher, 1466 aber nicht mit mehr Glück. [255]

255) Das oft erwähnte MS. Sternb. gibt pag. 630 die Formel (Jam satis, ut remur etc.), womit der König den Fürsten sein Manifest vom 28 Juli 1466 zur Kenntniß brachte, und eine zweite dergleichen vom 15 Sept. ebendas. p. 33 (lateinisch und böhmisch). Dem Könige von Frankreich wurde darüber am 15 Sept. besonders geschrieben das. p. 25. Besondere Formeln der Fürsprache entwarf Gregor: für den Olmützer Bischof Protas das. p. 622, für die Städte von Schlesien p. 20, 343 und 348, für die dortigen Fürsten (Heinrich von Glogau, die Brüder Konrade von Oels, Nicolaus von Oppeln, Přemek von Teschen und Friedrich von Liegnitz zusammen, am 1 Sept. von Brieg datirt p. 39, für die mährischen Städte vom 14 Sept. p. 27, 338, für die Fürsten des Hauses Baiern vom 8 Oct. p. 36, daneben ein böhmischer Brief des Königs an Dr. Martin Mayr p. 38. Es wäre überflüssig, den Inhalt dieser Schreiben hier einzeln anzuführen; von Bedeutung sind darin die Zeugnisse der Katholiken von Mähren und Schlesien, daß K. Georg nie einen von ihnen um des Glaubens willen bedrückt habe. Es ist aber wohl unnöthig, dafür Beweise beizubringen.

Siebentes Capitel.

Beginn des Sturms: Kampf mit der Rebellion.
(J. 1466—1468.)

Weitere Entwicklung der böhmischen Frage und entgegengesetztes Verhalten der Könige von Polen und von Ungarn zu derselben. Ende der Brüderrotten. Zdenĕk von Sternberg wird des Herrenbundes Hauptmann. Die Vermittlungsversuche des Olmützer Bischofs Protas. Der St. Martini-Reichstag zu Nürnberg. Der endliche Bannfluch des Papstes am 23 December 1466. Des Königs neue Beziehungen zum Kaiser und zum Markgrafen Albrecht von Brandenburg. Der Tag zu Neuhaus und Landtag in Prag. Des Königs Appellation. Des Herrenbundes Verwandlung in eine katholische Liga. Beginn und Gestaltung des Krieges in Böhmen, Schlesien, Mähren und der Lausitz. Der König, das Haupt aller Gebannten. Die Lehren des Dombechant Hilarius; widersprechende Ansichten von Seite der Herren Wilhelm von Rabi und Ctibors von Cimburg. Verhandlungen in Krakau: Kazimir weigert sich des Kriegs. Neuer Reichstag zu Nürnberg; Herzog Ludwig wird des Königs Feind. Fortsetzung des Kriegs. Polnische Gesandte vermitteln einen Waffenstillstand. Der Tag zu Breslau und Verlängerung der Waffenruhe. Verhandlungen am Hofe des Kurfürsten Friedrich von Brandenburg. Die Unität der böhmischen Brüder organisirt sich.

1466   Die Ereignisse in der ersten Hälfte des Jahres 1466 belehrten und überzeugten wie Papst Paul II, so auch Cardinal Carvajal, daß die in Rom auch noch so feierlich und nachdrücklich gesprochenen Worte für sich allein nicht die

Macht hatten, die Grundlagen der Staaten zu erschüttern, 1466
sondern daß es unumgänglich nothwendig war, zur Durch=
führung der apostolischen Entscheidungen auch „die Hilfe des
weltlichen Arms" in Anspruch zu nehmen; es wurde auch
offenbar, daß die Auflehnung des böhmischen Herrenbundes
und der Städte Breslau und Pilsen nicht allein unvermögend
war, den ketzerischen Thron zu stürzen, sondern auch selbst
der auswärtigen Hilfe dringend bedurfte, um in dem Kampfe
nicht gänzlich zu erliegen. Darum sah man sich in Rom
fortan fleißiger nach einem Herrscher um, der da Willens
und mächtig genug wäre, Rath und Hilfe in der Noth zu
schaffen. Den althergebrachten Ansichten zu Folge hätte dies
vor Allen Kaiser Friedrich III thun sollen: doch obgleich es
bekannt war, daß er trotz der Fürsprache, die er für Georg
dem Korneuburger Vertrage gemäß noch einzulegen fortfuhr,
bereits unauslöschlichen Haß gegen ihn gefaßt hatte, so war
doch von ihm nichts zu hoffen, da er nie zu einem Entschlusse
kam und nur passive Energie zu entwickeln im Stande war.
Noch weniger war auf die deutschen Fürsten zu rechnen, die
unter sich uneins, sämmtlich mehr oder weniger von dem
guten Willen des Königs abhängig zu sein schienen, und
seiner Macht übrigens gar nicht gewachsen waren. König
Mathias von Ungarn hatte sich zwar bereits selbst angeboten:
da man jedoch seiner Streitkräfte zunächst gegen die Türken
bedurfte, so rechnete man darauf erst für den äußersten Noth=
fall. Kazimir, König von Polen, wurde schon deshalb als
zur böhmischen Krone zunächst berechtigt angesehen, weil so=
wohl der Herrenbund als die Breslauer auf ihn hinwiesen
und ihn zum Herrn verlangten; und obgleich der Erzbischof
von Kreta wie der Bischof von Lavant sich bisher vergeblich
bemüht hatten, ihn dafür zu gewinnen, so wurde dennoch
beschlossen, von den Versuchen nicht abzulassen, sondern viel=
mehr alle Kräfte dahin zu richten. Kazimirs Charakter war
von dem des Ungarkönigs sehr verschieden: er war, außer

1466 für Jagd, sonst für nichts leidenschaftlich eingenommen, geizte
weder nach Herrschaft noch nach Ehre und Ruhm, obgleich
er viel auf Pracht hielt; war ein zärtlicher Gatte und Vater,
versöhnlich und verträglichen Geistes; zum Kriege hatte er
schon darum keine Lust, weil seine Schatzkammer sich stets in
erbärmlichem Zustande befand, und ein dreizehnjähriger ob=
gleich meist siegreicher Kampf mit dem deutschen Orden in
Preußen ihm eine unerträgliche Schuldenlast aufgebürdet
hatte. Wohl hatte er längst diesen mörderischen Kampf durch
einen ehrenvollen und vortheilhaften Frieden zu beschließen
gewünscht: doch hatte gerade der römische Stuhl, der das
Ordensland als sein Eigenthum ansah, den meisten Wider=
stand bewiesen, so oft es sich um eine Abtretung einzelner
Theile dieses Gebietes handelte. Da nun Kazimir sich damit
entschuldigte, daß er vor Beendigung des alten Krieges an
einen neuen mit den husitischen Böhmen gar nicht denken
könne, und der Papst einsehen mußte, daß solche Reden wohl=
begründet waren, so trug er Rudolf von Lavant auf, sich
persönlich nach Preußen zu begeben und dort mit päpstlicher
Vollmacht einen endgiltigen Frieden selbst unter für den
Orden minder günstigen Bedingungen zu Stande zu bringen.
Um auch seinen Fehler gegen Herrn Dobrohost gut zu machen,
forderte er den Herrenbund auf, einen neuen Vertrauens=
mann nach Rom zu senden. Es wurde daher der Admini=
strator des Leitomyschler Bisthums, Doctor Elias, Pfarrer
zu Neuhaus, dahin geschickt: der dann Herrn Zdenĕk von
Sternberg nicht allein Belehrungen und Vertröstungen in
Menge, sondern auch wirkliche Anweisungen auf bedeutende
Summen Geldes zurückbrachte. [256]

Die auswärtigen Verhältnisse hätten in dieser Zeit für

256) Ueber diese Sendung des Pfarrers Elias nach Rom berichtet
Eschenloer I, 313, und auch Johann von Rabstein gedenkt ihrer
in seinem Dialog vom J. 1469, den wir unten als Beilage dieses
Buches folgen lassen.

K. Georg sich ganz frieblich und freundschaftlich gestaltet, da 1466 man weder in Böhmen, noch in Oesterreich und Polen nach Machtvergrößerung strebte und in Ungarn ein solches Streben zurückhalten mußte: doch ließen die unbändigen Sitten und insbesondere die Zuchtlosigkeit der waffenführenden Bevölkerung nirgends einen vollen wahren Frieden aufkommen und setzten den Wohlstand und das Aufblühen der Staaten jeden Augenblick in Gefahr. Seitdem die Kriegführung eine Kunst geworden war und die Nothwendigkeit des Bestandes von stehenden Heeren so wie einer besonderen Kriegerkaste nach sich zog, wurden die Böhmen, von welchen beides zunächst ausgegangen war, in alle bedeutenden Kämpfe der Völker hineingezogen, und wenig Schlachten fielen an der Donau wie an der Weichsel, in nördlichen und westlichen Ländern vor, wo sie und die Mährer nicht — oft auf beiden Seiten zugleich — befehligt oder wenigstens mitgekämpft hätten. Die künstliche Kriegführung erwies sich aber zugleich sehr kostspielig und zehrte Summen auf, welche die Staatskassen von damals herbeizuschaffen unvermögend waren. Nicht nur der Kaiser, auch die Könige von Ungarn und Polen blieben nur zu häufig Schuldner ihrer böhmischen und mährischen Söldnerschaaren; Kriegsleute pflegten aber niemals geduldige und höfliche Mahner zu sein, ja sie nahmen keinen Anstand, mitunter auch ihre Waffen gegen die hohen, aber wie sie sagten geizigen und säumigen Schuldner zu kehren. Alle Zeitbücher dieser Epoche sind mit kleinlichen, aber um so leidenschaftlicheren Streithändeln dieser Art überfüllt, und es wird oft schwer zu ermitteln, auf welcher Seite die Schuld oder das Recht vorwiegt; gewöhnlich erhob man aber Klagen über König Georg, so oft man es mit seinen Unterthanen zu thun hatte, als hätte er in Allem für alle einstehen sollen. Wir werden in das, was diesfalls in Oesterreich vorgegangen, nicht näher eingehen, sondern nur Streitfälle der Art berühren, welche mit den Königen von Ungarn und Polen

1466 in der zweiten Hälfte des Jahres 1466 Mißhelligkeiten und
Unfrieden veranlaßten. Herr Stephan Eizinger, ein Oesterreicher zwar, aber seit lange auch ein Landsaße in Mähren,
hatte im vorigen Herbste eine bedeutende Sendung von Waffen, welche aus Deutschland nach Ungarn für König Mathias
auf der Donau geführt worden war, wegen verweigerten
Zolls mit Beschlag belegt, wurde dafür von den Brüderrotten
auch auf seinen mährischen Besitzungen geschädigt und rief
nun zu seinem Schutze König Georgs Hilfe an. [257] Die
Herzoge Konrad von Oels und Přemek von Teschen klagten
am 20 Juni über den mährischen Ritter Burian Puklice
von Pozořtč, Herrn auf Stramberg, und über Žich von
Keltsch, daß sie Streifzüge nach Schlesien unternommen, dort
einen ansehnlichen Edelmann Namens Kořistek gefangen genommen und zu Bělik nach Lednic in Ungarn geführt hätten,
wo man tausend Gulden Lösegeld für ihn forderte. [258] Derselbe
Bělik von Lednic hatte seit längerer Zeit blutige Fehden mit
Herrn Matthäus von Sternberg auf Lukow, in deren Folge
nicht nur halb Mähren, sondern auch die ganze Waggegend
in Ungarn schwer heimgesucht zu werden pflegten. Dieser
und ähnlicher Ursachen wegen kam König Georg zu Anfange
Juli persönlich nach Brünn, [259] und rief auch von Seite

257) Chronicon Mellic. ap. Pertz, XI, 521 ad ann. 1467. Mehrere
   bei Gr. Teleki gedruckte Briefe, XI, p. 197, 215, 235. Die Herren
   von Eizing waren im Besitze der Herrschaft Joslawitz an der
   Taya in Mähren schon 1460, wo nicht auch früher.

258) Das böhm. Originalschreiben darüber befindet sich im mährischen
   Landesarchive. Vgl. Wolny's Topographie, I, 338, Anmerk. auch
   die Worte des Prinzen Victorin in einem Briefe bei Teleki, XI.
   187: ut damna non inferantur — ad ducatus Silesiae, ut Biel-
   conem facere referunt etc. Vollständig lautete der Name des
   Mannes: Wladislaw Bělik von Kornic und Lednic.

259) Die Breslauer berichteten kurz vor Jacobi an den Papst, Georg
   sei vor Kurzem in Brünn gewesen, und habe die Hauptleute der
   Zebraken (Brüder), die Kinder Belials, zu sich geladen, um sie zu

des Königs von Ungarn den Bevollmächtigten, Erzbischof 1466
Johann Vitéz dahin, um sowohl mit ihm als mit den Brüderrotten in Verhandlung zu treten. Burian Puklice wurde
gebändigt und durch die Verwandlung der Herrschaft Stramberg in ein königliches Lehen gestraft; einige der Brüder
nahm der König in Sold und schickte sie nebst dem besagten
Burian Puklice unter dem Oberbefehl des Herrn Ctibor
Towačowský von Cimburg gegen die Breslauer in den Kampf;
gegen die übrigen kündigte er offenen Krieg an unter der
Führung seines Sohnes Prinzen Victorin, als mährischen
Landeshauptmanns; nachdem er aber auf den Erzbischof von
Gran lange vergebens gewartet, begab er sich nach Glatz,
wo er mit den Fürsten und Ständen von Schlesien zusam-
menkam, und am 28 Juli auch das schon erwähnte von Gre- 28 Juli
gor von Heimburg verfaßte Manifest gegen den Papst erließ.
Der Krieg gegen die Brüderrotten, dessen Einzelnheiten wenig
bekannt sind, dauerte durch die Monate August und September, bis sie aus Mähren verdrängt sich nach Ungarn zogen
und dort Kostolan besetzten. [260] Mittlerweile machte Bělik

ihrem (der Breslauer) Untergang zu brauchen. Klose l. c. III, 1,
393. Nach dem Zeugnisse einer Urkunde befand sich K. Georg
insbesondere am 6 Juli in Brünn.

260) Von Prinz Victorins Kriege gegen die Brüderrotten sprechen zwei
noch nicht edirte Briefe: der eine ist vom Prinzen an die Iglauer
gerichtet (dd. Znaim, 28 Aug. Orig. im Iglauer Stadtarchiv),
der zweite ist ein Schreiben der Stadt Znaim an die Bürger von
Brünn, vom 13 Sept. (im mährischen Landesarchive). K. Georg
erwähnt dieses Krieges auch in zwei Schreiben an K. Mathias
vom Ende des Jahres 1466: Vestra Serenitas jam pridem com-
perit, quod illi ipsi (Fratres) audaciam suam in subditos nostros ausi fuerunt extendere — quos neque minis neque pre-
cibus disterrere vel avertere potuimus, donec filius noster —
nostro mandato bello publice proclamato, eos tandem exegit,
eduxit et abegit. (Teleki, XI, 215, 221). Dahin bezieht sich auch eine
etwas unklare Nachricht in Anon. chron. Austr. ap. Senkenberg,
V, 340 fg. und ein Schreiben des Kaisers in Chmel's Materia-

1466 von Lednic abermals einen Einfall nach Mähren und fügte
nicht nur dem Herrn von Sternberg, sondern auch dem
Kloster Wizowic und den Waisen des letzten Herrn von
Krawař auf Strażnic großen Schaden zu: er wurde aber
wieder zurückgeworfen, und Matthäus, der ihn bis nach Un=
garn verfolgte, ließ dort zu seinem und der Seinigen Schutze
zwei Besatzungen (posádky, bewaffnete Lager) errichten. [261]

Herr Ctibor Towačowský von Cimburg hatte bei sei=
nem Marsche nach Schlesien die polnische Gränze nicht ver=
schont, sondern ohne vorherige Kriegserklärung das Städt=
chen und die Umgebungen des Klosters Czenstochau verhee=
ren lassen: denn nicht allein Burian Puklice, sondern auch
einige Hauptleute der Brüder sahen darin das angemessenste
Mittel, den König von Polen an das, was er ihnen schul=
dig war, zu mahnen. Dann zog er mit etwa 3500 Bewaff=
6 Aug. neten weiter, berannte am 6 August die den Breslauern ge=
hörige Stadt Namslau und lag beinahe zwei Wochen lang

lien, II, 291—93. Es ist kein Zweifel, daß die Brüder während
der Anwesenheit des Königs in Brünn in zwei Parteien sich spal=
teten, deren eine unter Wenzel Wlček in des Königs Dienste trat
und gegen Breslau geschickt wurde, die zweite unter Franz von
Hag, Georg von Lichtenburg und Wöttau, Johann Swehla und
andern Widerspenstigen endlich in Ungarn Zuflucht suchen mußte.

261) K. Georg schrieb an K. Mathias: Nos — nondum a Brunna
Pragam reversi percepimus, quod quidam Bielko de Ledenicz,
regni Ungariae incola, Moraviam nostram incursando, Matthaeum
de Sternberg et pupillos de Straznicz ac monachos claustri
Wizewiensis gravibus damnis multipliciter affecit, — cui Mat=
thaeus par pari referens impiger occurrit etc. Teleki, XI, 213—14.
Ueber die Schäden des Wizowicer Klosters f. die Urkunde dd.
12 Oct. bei Teleki, XI, 176. Pešina (Mars Morav. p. 779) ver=
legte, da er die obigen Umstände nicht kannte, nach bloßer und wie
gewöhnlich irriger Combination, die Ankunft des Königs in Brünn
erst auf den 6 December, und vermehrte durch dieses unverant=
wortliche Verfahren die ohnehin großen Schwierigkeiten, die dem
Geschichtforscher dieser Zeiten auf jedem Schritte begegnen.

davor; er besetzte auch Kreuzburg und wollte sich zu Kon-
stadt befestigen. Zur Belagerung der Stadt Breslau sollte, einer
von K. Georg getroffenen Verabredung gemäß, der Kurfürst
Friedrich von Brandenburg sein Volk von der andern Seite
heranrücken und sich mit den Böhmen vereinigen lassen: da
aber niemand kam, dagegen zu hören war, daß nicht nur
die Breslauer, vom Bischof von Lavant zum Kriege begei-
stert, sondern auch die Polen unter Jacobs von Dubno Anführung als Feinde sich näherten, und Ctibors Schaaren
überdies durch eine im Lager ausgebrochene Pest sich zu
lichten begannen, kehrte die ganze Expedition unverrichteter
Dinge nach Böhmen zurück. Als die Nachricht davon nach
Rom kam, wurde sie wie eine Siegesbotschaft aufgenommen;
man pries die Breslauer als Helden und es hieß, es seien
ihrer auf des Legaten erstes Wort zehntausend aufgestanden,
deren bloßes Erscheinen hingereicht hätte, die Ketzer aus dem
Felde zu verscheuchen. In der That aber waren diese Helden,
etwa drei tausend Mann stark, nur bis zum Dorfe Schmol-
ten unweit Bernstadt gekommen, und von da, als sie hörten,
wie stark die Feinde im Felde lägen, des andern Tages gegen den Willen ihrer Führer wieder nach Hause zurückgekehrt: so daß beide Heere das Feld räumten, ohne einander
auch nur gesehen zu haben. [262]

Obgleich der Hauptmann von Krakau, Jakob von Dubno, schon im Begriffe gewesen, die Verheerung von Czenstochau durch einen Einfall in Schlesien zu rächen, so stellte
es sich doch bald heraus, daß es K. Kazimir nicht Ernst
gewesen, einen Krieg mit Böhmen anzufangen. K. Georg

262) Dlugoš ad ann. 1466 pag. 375 376. Eschenloer, I, 337—339.
Klose l. c. p. 397, 398. Scultetus, III, 132. Jacobi cardin. Pap.
commentarii ap. Gobelinum p. 436. Die Anführer der Breslauer
waren bei dieser Gelegenheit Herzog Balthasar von Sagan und
Albrecht Berka von Duba einst auf Tollenstein, welchen Beiden
K. Georg ihre Besitzungen genommen hatte.

1466 verwies es Herrn Towačowský strenge, daß er Puklice und seinen Genossen gestattete, einen Friedensbruch gegen Polen zu begehen, und letztere wurden mit Einverständniß Kazimirs auf den Rechtsweg verwiesen. Bald darauf gab der König von Polen noch deutlichere Beweise seines Wunsches, mit dem Böhmenkönige auf freundschaftlichem Fuße zu bleiben. 29 Aug. Bischof Rudolf von Lavant hatte Breslau am 29 August 8 Sept. verlassen und am 8 Sept. zu Thorn die Unterhandlungen zu einem definitiven Frieden zwischen Kazimir und dem deutschen 19 Oct. Orden begonnen; am 19 October erfolgte der Friedensschluß unter der Bedingung, daß die westlichen Ordensgebiete der polnischen Krone direct und unmittelbar abgetreten, die östlichen dagegen dem Orden und dem Hochmeister fortan als polnisches Kronlehen belassen werden sollten. Eine Sanction dieses wichtigen Vertrages von Seite des päpstlichen Stuhles wurde beiderseits als unerläßlich anerkannt: Paul II aber verschob sie, bis Kazimir jene Bedingung erfüllt haben würde, unter welcher der Vertrag überhaupt zu Stande kam: nämlich daß er sich zugleich in den Besitz der ihm angebotenen böhmischen Krone setze und zu dem Zwecke den Krieg gegen die Ketzer und ihren König eröffne. Man verlangte insbesondere von ihm, wenn er nicht selbst König von Böhmen werden wolle, daß er seinen erstgebornen Sohn Wladislaw oder den zweitgeborenen Kazimir als böhmischen Thronerben einstweilen in Breslau, als der zweiten Hauptstadt der böhmischen Krone, seinen Sitz nehmen lasse, bis ihm die Waffen den Weg nach Prag eröffnen würden, und bot dazu außer dem unmittelbaren Gehorsam des böhmischen Herrenbundes so wie der Fürsten und Städte von Schlesien und der Lausitz auch ansehnliche Subsidien aus der apostolischen Kammer an. Kazimir entschuldigte sich in Thorn, er könne ohne den Rath seiner Stände in eine so große und schwierige Unternehmung sich nicht einlassen; eine sofortige Berufung des Reichstages sei wegen der an vielen Orten seines Reichs

sich zeigenden Pest unthunlich und es müsse der nach Petri- 1466
kau auf den Monat Mai des künftigen Jahres bereits an-
beraumte Reichstag abgewartet werden: dort werde er sich
erst entscheiden können, und dahin lud er schon jetzt auch
den Legaten ein. Da er aber besorgte, der Legat könnte sich
berühmen, ihn gegen den Ketzerkönig schon gewonnen zu
haben, so trug er seinen zur Einholung der Sanction des
Thorner Friedens nach Rom abgeordneten Räthen, Johann
von Ostrorog und Vincenz Kielbassa auf, sich unterwegs in
Prag aufzuhalten und dem Könige zu eröffnen, daß obgleich
er oft und dringend aufgefordert worden sei, den böhmischen
Herrenbund in seinen Schutz zu nehmen, er solches stets zurückgewiesen habe und auch ferner zurückweisen werde. [263]

Ganz anders benahm sich König Mathias von Ungarn.
Heimburg's ausgezeichnetes Werk, das königliche Manifest vom

263) Dlugoš schildert als wohlunterrichteter Zeitgenosse alle diese Begebenheiten zwar nicht wahrheitswidrig, aber in seinem leidenschaftlichen Hasse gegen alles Ketzerwesen äußerst einseitig und parteiisch. Um so wichtiger und willkommener sind für uns die Nachrichten, welche Gregor von Heimburg in seinem Briefe vom 19 Febr.
1467 an den Erzbischof von Gran bringt (bei Teleki, XI, 246):
Poloniae rex nunc in Lithuania manet. Quiquidem rex adhuc
in Polonia manens et suspicans, ne forte Laventinus episcopus
de se falso glorians aliquam hujusce rei suspicionem excitaret,
qua rebelles regis mei possent magis animari, sollicitudinem
regis sua vigilantia praecucurrit et per quemdam Johannem de
Ostrorog oratorem suum et electum Zamiensem (cf. Dlugoš p.
393) se de hac suspicione sponte expurgavit, dicens se crebro
pulsatum, quatenus rebellibus nostris auxilio afforet, sed omnes
hujusce stimulos a se penitus repulisse. Et nunc recenter per
alium quemdam nuntium regi meo se obtulit, si qua innova-
tione aut speciali pactione super hac re opus foret, id se fir-
miter expleturum. Wahrscheinlich aus Schonung für den böhmischen Hof wurde verschwiegen, daß es sich um etwas mehr handelte, als den bloßen Schutz des Herrenbundes; auch erwies sich
Kazimirs Benehmen später nicht ganz so unzweideutig, als es hier
erscheinen will.

1466 28 Juli, das selbst den Feinden Bewunderung abnöthigte,
hatte bei ihm die entgegengesetzte Wirkung zur Folge, so daß
er sich von da an im Interesse des römischen Stuhls sicht=
bar noch thätiger und ergebener erwies. Im Herbste 1466
rückte er mit einem wohlgerüsteten Heere an die mährische
Gränze, und schien auf's eifrigste Grund und Anlaß zu einem
offenen Bruch mit seinem ehemaligen Schwiegervater zu
suchen. Es hat sich aus jener Zeit ein reichhaltiger und an=
ziehender Briefwechsel des böhmischen und ungarischen Hofs
erhalten, welcher hievon die unzweideutigsten Beweise liefert. [264]
Die kleinen Gränzfehden des Matthäus von Sternberg mit
Bělík von Lednic waren etwas seit wenigstens dreißig Jah=
ren so Alltägliches geworden, daß die gleichzeitigen Chro=
nisten davon nicht einmal mehr Kenntniß nahmen: Mathias
aber stellte sich wider Erwarten, als sähe er darin einen ab=
sichtlichen Bruch der Verträge und des bestehenden Friedens
zwischen Ungarn und Böhmen. Als K. Georg von seiner
Mißstimmung darüber hörte, sendete er den Prinzen Victorin
nach Mähren, diese Angelegenheit zu ordnen. Es wurde den
mährischen Baronen zu dem Ende ein Tag nach Brünn an=
beraumt, und insbesondere durch das Bemühen des Bischofs
24 Oct. von Olmütz kam zu Wischau am 24 October ein Vertrag zu
Stande, in dessen Folge Matthäus von Sternberg seine und
seiner Fehdegenossen Streitsache dem Richterspruche von zwei
ungarischen und zwei böhmischen Großen, des Erzbischofs von
Gran und des Palatins Michael Ország von Guth, des
Bischofs von Olmütz und der Herren Heinrich von Lipa
oder Johann Jičinský von Cimburg unbedingt anheimstellte.
Das schien aber K. Mathias keineswegs genehm, der aus
9 Nov. seinem Lager bei Sommerein am 9 November dem Prinzen
Victorin ziemlich heftig erwiderte, es sei ihm nicht um Mat=

264) Wir schöpften ihn aus dem oft citirten MS. Sternb. und sandten
ihn vor vielen Jahren, auf Verlangen dem Grafen Teleki zu, der
ihn in seinem Werke, XI, 164—251 ganz abdrucken ließ.

thäus, sondern um Aufrechthaltung des Friedens und der 1466
Verträge zu thun, es wäre Schade um alle Mühe, einen so
unbändigen Menschen zur Ruhe zu bringen, ihn müsse man
erst zu Boden schmettern und dann ihm sein Recht angedeihen laffen, dem Könige zieme es nicht, mit ihm als Partei
mit Partei zu proceffiren und um Gerechtigkeit zu betteln;
darum verlange er vor allem Bestrafung, und dann erst einen
Vergleich, sonst sähe er sich bemüßigt, das begangene Unrecht
selbst zu rächen. Tags darauf, am 10 November, schickte er 10Nov.
aus demselben Lager, mit nicht minder auffallender Absicht,
an Papst Paul II eine authentische Abschrift des Eides, den
Georg bei seiner Krönung in die Hände der ungarischen Bischöfe abgelegt hatte. Prinz Victorin nahm Anstand, Mathias'
Schreiben, wegen der „harten und schroffen Worte darin,"
seinem Vater zuzusenden: Mathias aber versetzte am 18 No- 18Nov.
vember, er habe jenen Brief nicht ohne Ueberlegung geschrieben, harte Worte seien noch immer leichter zu ertragen als
harte Thaten, friedliche Unterhandlungen machten die Friedensstörer nur noch kecker, und mit seiner Ehre sei es nicht
verträglich, mit Matthäus zu unterhandeln. Bald aber mehrten sich die beiderseitigen Beschwerdepunkte: Herr Heinrich
von Lipa führte Klagen über einige Dienstleute des ungarischen Palatins, die ihm auf seinen Gütern großen Schaden
zugefügt hätten, und auch Eizinger's Vergehen wurde zur
Sprache gebracht. Früher schon hatte K. Georg an Mathias
den Herrn Johann Zičinský von Cimburg gesendet, der an
deffen Hofe zu Tyrnau namentlich am 19 December ver- 19 Dec.
weilte und von dort die Ansicht und Versicherung mitbrachte,
daß es ihm gelungen, alle Mißhelligkeiten aus dem Wege
zu räumen. Bald aber, kurz vor Weihnachten, nachdem Mathias' hartes Schreiben in Prag übergeben worden war,
erließ auch K. Georg eine zwar nicht leidenschaftliche, aber
würdevolle Antwort darauf: „Das Schwert, sagte er, soll
man nur dort gebrauchen, wo dem Rechte der Gehorsam

1466 versagt wird; mit welchem Fuge würde man dem mit Gewalt antworten, der das Recht anruft? Wir haben Euch nie
mit Matthäus auf gleiche Linie gestellt: wenn wir beide
Könige aber mit Gewalt über ihn herfallen wollten, wo er
um Gerechtigkeit bittet, könnte man dann nicht mit Recht
behaupten, daß wir uns zur Bedrückung unserer Unterthanen
verschworen hätten? Auch uns und den Unsrigen ist in Ungarn und von Ungarn aus vielfacher Schaden zugefügt
worden und wird noch heute zugefügt: dennoch waren wir
nie so unbeständigen Gemüthes, Euere Aufrichtigkeit deshalb
in Zweifel zu ziehen. Werden wir aber lange herumstreiten,
ob süße oder herbe Worte zwischen uns fallen, so steht zu
besorgen, daß das Feuer Eures jugendlichen Blutes am Ende
auch unsere ruhige Ueberlegung bewege, dem uns gegebenen
Beispiele zu folgen. Wir bedauern sehr, daß der Erzbischof
von Gran, den wir so sehnlich erwarteten, nicht zu uns kam,
als wir in Brünn waren: hätten wir uns da mit ihm besprechen können, so gäbe es längst keine Mißhelligkeiten zwischen uns." Darum bat der König nochmals, es möchte der
Erzbischof zu ihm nach Böhmen gesandt werden, Prinz Victorin habe den Auftrag, ihn auf der Gränze persönlich zu
empfangen und sowohl zum Vater als auch zurück wieder
zu geleiten, so daß für die Sicherheit seiner Person und Reise
nichts zu besorgen stehe. Als gleichwohl die Correspondenz
nicht an Heftigkeit abnahm, fertigte er abermals, kurz vor
Neujahr, Herrn Albrecht Kostka in's Lager vor Kostolan ab:
und auch dieser kehrte gleich Herrn von Cimburg mit der
Versicherung zurück, Mathias verehre Georg wie seinen Vater,
es falle ihm nicht bei, sich um irgend einer Sache willen
mit ihm verfeinden zu wollen, zum Beweise dafür sei er bereit, so bald als möglich mit ihm an einem geeigneten Orte
persönlich zusammenzukommen. Es schrieb auch der Graner
Erzbischof (am 19 December), er kenne seines Herrn Gesinnung und könne versichern, sein Herz sei „so voll Liebe zu

Eurer Majestät, daß Ihr in Glück und Unglück an ihm einen Bruder und Hilfsgenossen findet, wie Ihr ihn Euch nur wünschen könnt. Auch sage ich Euch ferner im Vertrauen, es wäre Ew. Majestät zu großem Schaden, wenn Ihr solchen Bruder Euch nicht erhieltet; Ihr könnt ihn aber erhalten, wenn Ihr erfüllt, was Ihr ihm schuldig seid, und jenen Verbrechern weiter keine Gunst erweist, die weder Furcht vor Gott noch Scheu vor den Menschen haben."

Unter der Bezeichnung von Verbrechern waren hier weder Etzinger noch Matthäus von Sternberg gemeint, sondern jener Kriegerbund, den man noch immer „böhmische Brüder," nachmal auch „Žebraken" (Bettler) und „Buben" zu nennen pflegte, obgleich er schon seit Jahren aus dem Auswurfe von vielerlei Völkern bestand, und nicht mehr Husiten, sondern meist Katholiken zu Anführern hatte; der Geist der alten Taboriten war im Verlaufe des letzten Jahrzehends vollends von ihnen gewichen, und nur der äußere Organismus, so wie die Art der Kriegführung nach dem Beispiele der Kriegsrotten Žižka's beibehalten werden. [265] Wir haben schon erwähnt,

265) Die Geschichte des XV Jahrhunderts in Ungarn, Oesterreich, Deutschland und Polen wird in so lange nicht ganz verständlich bleiben, als man das böhmische Söldnerwesen von den Zeiten Žižka's an bis zum Tode Mathias Corvinus nicht fleißiger beachten und aus Archiven jener Länder reichlicher beleuchten wird; was wir darüber im letzten Capitel des vorigen Buches beigebracht haben, sind nur dürftige Anfänge und Grundzüge des künftigen Gemäldes. Die bisherige Gewohnheit, über diese Söldner als Räuber, Lotterbuben u. dgl. zu declamiren, bringt in die politische und Kriegsgeschichte jener Zeit eben so wenig Licht und Verständniß, als das bloße Eifern gegen die Ketzer in die Kirchengeschichte. Von den Oberhauptleuten der Brüder aus der letzten Zeit wissen wir bestimmt, daß Wenzel Wlček von Čenow, Franz von Hag, Georg von Lichtenburg und Wöttau und Heinrich Smikauský von Saar (Ždiár) Katholiken und nicht Husiten waren; von andern ist unbekannt, ob sie sub una oder sub utraque communicirten. Zählt man noch die Oesterreicher, Ungarn, Schlesier,

1466 daß die Mehrzahl dieser „Brüderrotten," vom Prinzen Vic-
torin aus Mähren vertrieben, sich in Ungarn bei Kostolan
unweit Tyrnau niederließ und dort einen neuen festen Tabor
(Lager) anlegte. In der Schlacht mit dem vereinigten Heere
von Ungarn und Oesterreichern, die im Herbst an einem uns
unbekannten Tage vorfiel, geriethen zwei ihrer vorzüglichsten
Hauptleute, Franz von Hag und Georg von Lichtenburg und
Vöttau in Gefangenschaft: Johann Swehla aber, der die
Schlachtordnung wieder herstellte, brachte insbesondere den
Oesterreichern eine solche Niederlage bei, daß ihrer bei zwei-
hundert am Platze blieben und viele in den Tabor gefangen
eingebracht wurden. Da beschloß K. Mathias, der ein bedeutendes Heer bei der Hand hatte, die Reste dieser unab-
hängigen und gefährlichen Streitmacht in seinem Laude gänzlich zu vertilgen. Er verlangte und erhielt auch vom Kaiser
ein Hilfsheer dazu, und brachte K. Georg durch das so eben
geschilderte Verfahren dahin, daß er die in seinen Ländern
sich aufhaltenden Bundesgenossen der Brüder hinderte, den
Ihrigen bei Kostolan zu Hilfe zu kommen. Der Tabor von
Kostolan wurde von Mathias am 6 December eingeschlossen.
Mehrmals ließ Swehla durch Herrn Ulrich von Grafeneck
und Reinold von Rozgon die Uebergabe des Lagers gegen
freien Abzug anbieten, doch stets vergebens. So zog sich
ein Kampf der Verzweiflung bis zum 29 Januar 1467 hin,
wo die Brüder, die besonders wegen Mangel an Wasser sich
nicht länger halten konnten, sich durch die feindlichen Schaaren durchzuschlagen versuchten: aber nur fünfhunderten gelang es, diese Absicht durchzuführen, von welchen überdies
noch viele unterwegs theils gefangen, theils niedergehauen
wurden, andere siebenhundert an der Zahl, wendeten sich

Polen u. s. w. unter den Brüdern, so kann man gewiß sein, daß
die Brüderrotten längst ihren hussitischen Charakter abgestreift hatten.
Um so leichter ist dann zu erklären, warum K. Georg sich ihrer
nicht besser annahm, ja sie sogar als Feinde behandelte.

wieder in den Tabor zurück, kamen des andern Morgens, am 30 Januar, unbewaffnet heraus und ergaben sich dem Könige auf Gnade und Ungnade. Während aller dieser Vorgänge herrschte eine ungewöhnlich strenge Kälte. Swehla, der sich durchgeschlagen hatte, irrte einsam zu Pferde und ganz entkräftet umher, bis er von Bauern erkannt, gefangen genommen und mit einem Strick um den Hals dem Könige vorgestellt wurde. Ungesäumt ließ Mathias gleich des andern Tages, am 31 Januar, nach Einigen 70, nach Anderen 150 der Gefangenen aufhängen, Swehla selbst, der noch unlängst sein Hofmann gewesen, am höchsten; viele der Uebrigen wurden in den Kerkern auf verschiedene Weise um's Leben gebracht, an 300 ihrer Weiber meist an die im königlichen Heere dienenden Raizen vertheilt, und in Folge dieser Katastrophe der ganze Bund so zersprengt und geschwächt, daß fortan nur noch von kümmerlichen Resten desselben die Rede ist. Der Kern der Gefangenen bildete aber bald den Kern eines neuen königlichen Heeres in Ungarn; aus ihm zumeist entwickelte sich später die so berühmt gewordene „schwarze Legion," und die Hauptleute der Brüder, Franz von Hag, Blasius Podmanicky und Andere wurden bald unter die stattlichsten Heerführer des ungarischen Königs gezählt. [266]

Dieser Sieg erregte nicht bloß im ungarischen Lager, sondern auch unter allen Feinden der Böhmen große Freude: „nun ziehen wir nach Böhmen, und machen es dort mit den Ketzern, wie hier mit den Räubern!" so sprach man laut und Mathias selbst schrieb an den Prinzen Victorin von

---

266) Vergl. unsere Darstellung dieser Ereignisse zu Ende des vorigen Buches, S. 517—527. Zu den dort angeführten Quellen ist noch ein Schreiben Ulrichs von Grafeneck an die Nürnberger, datirt aus dem Felde bei Kostolan vom 31 Januar 1467, abgedruckt in Müller's Reichstags-Theatrum, II, 231—32 beizufügen. Von der Genauigkeit in dem noch heutzutage sich geltend machenden Pragmatismus der ungarischen und österreichischen Geschichte kann man

1466   Tyrnau aus am 2 Februar 1467: „Die Störefriede unseres Reichs sind durch Gottes Schickung schon in unsern Händen. Viele unserer Unterthanen werden aber ohne Schuld in Eurer Markgrafschaft gefangen gehalten, und einige unserer ärgsten Feinde hausen dort. Darum verlangen wir den Verträgen und unserer Freundschaft entsprechend, daß die Gefangenen ohne Lösegeld auf freien Fuß gesetzt, die Feinde dagegen nicht in Eurem Lande geduldet werden: sonst wisse Ew. brüderliche Liebben, daß wir selbst kommen werden, sie abzuholen und unsere Feinde in der Markgrafschaft, wie auch anderswo, aufzusuchen und heimzusuchen, es versteht sich ohne Störung des Friedens und der Verträge, die wir mit dem Könige Eurem und unserm Vater und mit Ew. brüderlichen Liebben geschlossen haben." Solche Worte konnte man am böhmischen Hofe nicht mißverstehen, und man begann den wahren Werth der Freundschaftsbetheuerungen zu erkennen, die die Herren von Cimburg und Kostka von Mathias überbracht hatten: das schwere Unglück aber, das inzwischen von einer andern Seite über Ungarn hereingebrochen war, (indem die Türken während der Belagerung von Kostolan mit großer Uebermacht in Siebenbürgen und ins südliche Ungarn einfielen und bei vierzigtausend Christen in die Sclaverei schleppten), führte abermals einen Umschwung herbei; denn der kriegslustige König mußte nach Osen eilen, die Ausführung seiner stillen Entwürfe auf gelegenere Zeit verschieben und K. Georg sich als Freund zu erhalten suchen. Der darauf erfolgte Aufstand in Siebenbürgen und der Krieg mit dem Wojwoden Stephan von der Walachei, gaben Ver-

schon aus dem einen Factum schließen, daß alle ihre Verfasser, selbst Gr. Teleki nicht ausgenommen, die Niederlage der Brüder bei Kostolan in den Herbst 1465 verlegten. — In der mährischen Landtafel werden Edelleute Namens Swehla von Soběhrd im XIV und XV Jahrhunderte öfter genannt; Johann Swehla scheint dieser Familie angehört zu haben.

anlaffung, daß diefe Schein-Freundfchaft noch ein Jahr 1466
dauerte. [267]

In Folge diefer Verhältniffe mußte der böhmifche Herrenbund noch lange den erwünfchten auswärtigen Schutz
entbehren. Bifchof Joft von Breslau berief die Bundesge-
noffen zu einer Berathung auf Mariä Geburt nach Zittau,
wo fie jedoch in unerwartet geringer Zahl fich einfanden
und vom 12 bis 18 September tagten. Gleichwohl organi-
firten fie fich beffer, indem fie Herrn Zbenĕk von Sternberg
zum Bundeshauptmann erwählten und die Modalitäten vor-
fchrieben, unter welchen andere Katholiken dem Bunde beitreten follten; zugleich erkannten fie insgefammt an, daß ein
Krieg mit dem Könige, fo lange fie keine Hilfe von außen
zu gewärtigen hatten, nur zu ihrem Verderben ausfchlagen
mußte, und daß es darum unerläßlich war, nach Ablauf des
Waffenftillftandes auf Galli, auf eine möglichft ausgedehnte
Verlängerung deffelben zu dringen; würde der König darauf nicht eingehen wollen, fo wollte man auf die Abhaltung
eines Reichstages in Olmütz oder Brünn antragen und allenfalls Hoffnungen auf endliche Ausföhnung darbieten. Einer
früheren Abrede gemäß hätten Bifchof Joft und Herr Zbenĕk
auf Prokopi (4 Juli 1466) zum Könige kommen follen:
fie kamen aber nicht, vielleicht weil Letzterer fich zu diefer
Zeit nach Brünn begeben hatte. Um fo begreiflicher wird
deffen Widerwille, als er auf dem nächften Landtage nach

267) Belege zu diefen Angaben liefert die fchon erwähnte Correfpondenz
bei Gr. Teleki (XI, 205—251). Bemerkenswerth find insbefondere
die Worte Gregors von Heimburg, mit welchen er am 17 Febr.
1467 den Erzbifchof von Gran ermahnte, zuzufehen, ne victoriola
illa insolentiam pariat, neve Hunni vel Pannonii vestri Slavis
nostris superbius se praebeant, quasi Palladium Minervae ab-
tulerint, sed hic existiment, regis Boemiae favore, qui feroces
leones intra septa cohibuit, talem victoriam se nactos esse.
Ueber die große Zahl der in Siebenbürgen Gefangenen berichtet
Grafeneck in feinem Schreiben vom 31 Januar 1467 a. a. O.

1466 Wenceslai um Verlängerung des Waffenstillstandes angegangen wurde; er wollte von einem weiteren Aufschub nichts hören und sagte, da er im Streite mit den Baronen einem alten Rechtsbrauch folgend sich dem Urtheilspruche des obersten Landgerichts zu fügen bereit sei, so seien diese verpflichtet, desgleichen zu thun, die Ungehorsamen aber müsse die ververdiente Strafe treffen. Der Bischof von Olmütz erwies sich wieder als der eifrigste Fürsprecher und Vermittler des Bundes und seinen inständigen Bitten gelang es endlich, daß die Sache an die Entscheidung von vier Schiedsrichtern gesetzt wurde, Herzog Konrad des Schwarzen von Oels, Heinrich von Michalowic, Johann Zajic und Zdeněk Kostka. Diese fällten am 30 Oktober ihren Spruch dahin, daß der Waffenstillstand bis Georgi des künftigen Jahres zu dauern habe, und indessen auf Lichtmesse beide Parteien in Neuhaus zusammen tagen sollten; dahin solle alles gebracht werden, was beiderseits über die Rechte und Freiheiten des Landes ist ermittelt worden; der dort zu treffenden Entscheidung gemäß sollen nachweisbare Verletzungen derselben von Seite des Königs wie der Barone wieder gut gemacht werden; über die besonderen und Privatklagen der Parteien gegeneinander sollen Bischof Protas, Herzog Konrad, Johann von Michalowic und Johann Zajic entschieden. An diesen Vertrag hängten wie der König, so auch alle vorzüglicheren Bundesgenossen ihre Siegel. Der König soll sich ganz der Hoffnung hingegeben haben, daß er auf diesem Wege doch zu einer endlichen Ausgleichung und zum Frieden gelangen werde: er bedachte nicht, daß er es mit einer Macht zu thun hatte, welche alle ihm geleisteten Zusagen und Gelöbnisse nichtig zu machen befugt war. [268]

Des Olmützer Bischofs Protas von Boskowic

268) Eschenloer, I. 339—341. Klose l. c. p. 402—4. Archiv český, IV, 131—2. Johannes von Guben in Scriptor. rer. Lusat. 1839, p. 85, 86. Namentlich Eschenloer sagt, daß der König sich auf

Stellung und Thätigkeit war in diesen Jahren je einfluß- 1466
reicher, um so heiklicher und bedenklicher. K. Georgs schäd-
liche Langmuth gegenüber den Aufständischen, welche seiner
so gerühmten voraussichtigen Klugheit, ja Verschlagenheit,
ein so schlechtes Zeugniß gab, läßt sich nur durch jene Macht
erklären, welche Protas über des Königs Gemüth ausübte.
Er war zwar, obgleich ein mütterlicher Verwandter, doch nie
ein Freund des Königs gewesen: aber Georg kannte ihn seit
lange als Freund des Vaterlandes, als aufgeklärten und in
den Angelegenheiten der Kirche ziemlich freisinnig denkenden
Prälaten. Die Treue, die er im Streite um die Burg Zornstein bewies, wo er sich dem Zorn des Papstes wie des
Legaten aussetzte, gab seinen Worten mehr Glauben und
Gewicht. Seine hohe und edle Gestalt, sein freundliches Ge-
sicht, die feine Sitte, der Scharfsinn und die Beredsamkeit
fanden allgemeines Lob; in seiner Jugend hatte er in Italien
studirt, und war von dort mit humanistischen Ideen, mit
Liebe für Kunst und Wissenschaft heimgekehrt; seine in Wischau von ihm erbaute Residenz wurde lange Zeit wegen
ihrer Pracht und Schönheit bewundert; auch für die Hebung
der Schulen in seiner Diöcese war er besorgt. Als er aber
trotz aller päpstlichen Verbote nicht aufhörte, die Freundschaft
des königlichen Hofs in Böhmen zu suchen, um das dem
Herrenbunde drohende Verderben abzuwenden, da entzog ihm
Paul II durch eine eigene Bulle den Genuß der Güter des
Olmützer Bisthums, und drohte mit noch schärferen Strafen,
wenn er länger im Ungehorsam verharre. [269] Da er nun
seine Mittlerrolle zwischen zwei unvereinbaren Principien
durchzuführen unvermögend war, mußte er früher oder später

einen endlichen Vergleich und Frieden Hoffnung gemacht und nur
deshalb in die Waffenstillstands-Verlängerung gewilligt habe.
269) Augustini Olom. episcoporum Olomucensium series, ed F. Richter,
Olom. 1831, p. 136 sq. Protasius' Schreiben vom 27 Oct. 1466
im Archiv český, IV, 133, und viele Urkunden im MS. Sternb.

selbst für eine der Parteien sich erklären und auf diese Weise als um so ärgerer Verräther erscheinen, je mehr ihm getraut worden war. Doch ist nicht außer Acht zu lassen, daß der König in seiner Mäßigung nicht auf ihn allein, sondern auch auf viele andere Katholiken Rücksicht nahm, die auch später niemals treubrüchig geworden sind.

Alle Ereignisse, die nun Schlag auf Schlag folgten, zeigten dem Könige, daß durch Nachgiebigkeit und Mäßigung der Friede nicht zu erlangen war, und daß er einem entscheidenden Kampfe auf Leben und Tod nicht ausweichen konnte. Der Martini-Reichstag zu Nürnberg führte den offenen Bruch wie mit dem Papst, so auch mit dem Kaiser herbei. Schon im Frühjahre hatte K. Mathias von Ungarn ganz Europa angezeigt, daß Mohammed II Ungarn für den Sommer mit einem größeren Heere als je bedrohte, und hatte Hilfe verlangt. Darum hatte der Kaiser den besagten Reichstag ausgeschrieben und am 7 August auch den König von Böhmen dazu berufen. K. Georg erblickte in solchem Tagen ein günstiges Mittel, die Theilnahme der Fürsten für sich zu gewinnen und sandte die Herren Albrecht Kostka und Beneš von Weitmil mit 260 Berittenen nach Nürnberg. Persönlich waren dort Markgraf Albrecht von Brandenburg, Herzog Otto von Baiern, Graf Eberhard von Wirtemberg und andere anwesend; für den Kaiser präsidirte Ulrich von Grafeneck, der schon in vorhinein zum obersten Heerführer der Christen designirt, zugleich auch des Königs von Ungarn Vollmacht besaß. Der Papst hatte als Legaten den Dr. Fantin gesandt, und durch diese Wahl zu verstehen gegeben, daß es ihm dabei mehr um eine Demonstration gegen den Böhmenkönig als um eine Heerfahrt gegen die Türken zu thun war. Fantin protestirte laut gegen die Zulassung der böhmischen Gesandten, da sie Ketzer seien, und stellte allen Gottesdienst in Nürnberg ihrethalben ein; der Reichstagspräsident Ulrich von Grafeneck und die übrigen

.kaiserlichen Bevollmächtigten äußerten nicht ein Wort der 1466
Rüge so verletzenden Prätensionen gegenüber: als aber die
Reichsfürsten und deren Räthe es dennoch durchsetzten, daß
die Böhmen in die Sitzung am 19 November eingeführt 19Nov.
und gehört wurden, entfernte sich Fantin selbst und blieb
dann jedesmal aus, wo jene gegenwärtig sein sollten. Bei
solcher Spannung und Gährung der Gemüther, wo die Einen
für den Legaten, die Andern für die Fürsten Partei ergriffen,
konnte man in der Hauptsache zu keinem Beschlusse kommen,
und letzterer wurde wie gewöhnlich auf den nächsten Reichs=
tag verschoben. Markgraf Albrecht aber benützte die Gelegen=
heit zu K. Georgs Gunsten. Da es offen vorlag, welches
Unheil daraus folgen müßte, wenn die Christen, anstatt mit
vereinten Kräften gegen die Türken zu ziehen, mit einander
in Streit und Krieg verwickelt würden, so beredete er die
anwesenden Fürsten und die Räthe der abwesenden zu einer
gemeinschaftlichen Sendung an den Papst, welche für den
König von Böhmen das oft angesuchte Gehör im Namen
Aller verlangen sollte; die aus seiner Kanzlei hervorgegan=
gene Instruction, was und wie die Gesandten am päpstlichen
Hofe werben sollten, ist noch vorhanden. Einige dieser Ge=
sandten waren nach Weihnachten in Prag: alle sollten spä=
testens bis zum letzten Faschingssonntag in Venedig zu=
sammentreffen, um vereint weiter zu ziehen; doch kam ihnen
die römische Curie durch einen unerwarteten Entschluß zuvor. [270]

270) Verhandlungen dieses Nürnberger Reichstages in Müller's Reichs=
     tags=Theatrum, II, 211—259. Höfler, das kais. Buch, S. 109—115.
     Was Dlugoß S. 396 anführt, ist nicht ganz richtig. Klose l. c.
     p. 411—12, 418. MS. Sternb. bringt S. 399 Heimburg's Ent=
     wurf, wie die fürstl. Gesandten vor dem Papste reden sollten, und
     S. 409 und 411 Martin Mayr's Kritik desselben dd. 26 Jan.
     und 12 Febr. 1467; dann des Königs wie Gregor Heimburg's
     Schreiben nach Venedig dd. 25 Jan. 1467, pag. 206 und 558—9.'
     Einige dieser Schriftstücke gab Const. Höfler im Archiv für österr.
     Geschichte, Bd. XII, S. 329—335 heraus.

1466   Der Cardinal von Pavia Jacob Piccolomini, der nächst
Carvajal und Franz von Siena am meisten auf strenge Maßregeln gegen K. Georg drang, pries in seinen Schriften nicht nur
das ganze Verfahren des römischen Stuhls in dieser Angelegenheit, sondern auch dessen übermäßige Nachsicht und Langmuth.
„Wir haben," sagte er, „das Richteramt geübt und dabei
Barmherzigkeit walten lassen. Keine Form, keine Regel, keine
Frist wurde bei Seite gesetzt, in allem wurde nach Gebühr
vorgegangen. Vier Jahre wartete man seit der ersten Vorladung, nicht aus Fahrlässigkeit, sondern mit Absicht. Dreimal auf Verlangen des Kaisers, einmal auf Verlangen der
Fürsten, welche des Schuldigen Besserung versprachen, wurde
mit der Procedur inne gehalten, jedesmal mit mehr Nachgiebigkeit als Hoffnung. Doch wurde jedesmal nur unter
der Bedingung zugewartet, daß Georg mittlerweile die Gläubigen nicht bedrücke. Er aber mißbrauchte unsere Güte und
wüthete mit jedem Tage ärger, so daß wir unsere Nachgiebigkeit bereuen mußten. Endlich nahte der Tag des Gerichts,
durch die Bemühungen der delegirten Cardinäle wurde die
Sache spruchreif, Georg aber stellte sich nicht. Die Väter
wurden also zur Berathung versammelt, die Acten und der
ganze Verlauf des Processes wurden verlesen, auch gegen-
theiligen Meinungen erlaubte man sich auszusprechen, aber
einstimmig wurde er von allen als Meineidiger, als Kirchenräuber, als Ketzer anerkannt. Damit aber die Entscheidung
um so gewichtiger ausfalle, wurden Doctoren der Rechte aus
jeder Nation, aus jedem Orden der Prälaten, so viel ihrer
in Rom waren, zusammenberufen und jeder einzeln befragt:
doch stimmten sie alle in ihrem Urtheile mit den Cardinälen
überein. Nur eine Sorge lag dem Papste und mehreren
Prälaten noch am Herzen, wer das Strafamt übernehmen
und Vollstrecker des apostolischen Urtheils sein sollte. Auf
den Kaiser, der in allem unschlüssig, war nicht zu hoffen;
die Könige von Ungarn und Polen schienen, weil zu Hause

vollauf beschäftigt, nicht genug geeignet dazu; von den Lan= 1466
desbaronen zweifelte man, ob ihre Kräfte der Aufgabe ge=
wachsen wären; und man wußte, daß keiner der entfernteren
Fürsten sich in ein so schwieriges und langdauerndes Unter=
nehmen einlassen werde. Daß aber das Urtheil liegen bleiben,
er fortregieren, wir mit Worten, er mit Waffen streiten sollte,
mußte augenfällig uns nicht nur zum Schaden, sondern auch
zum Spott gereichen. Da machte ein einziger Mann die darob
wankenden Gemüther erstarken, der Cardinal Johann Car=
vajal, ein Mann von hoher Weisheit und ein unerbittlicher
Gegner der Ketzer. Die Unschlüssigkeit in einer so dringenden
Sache gewahrend, rief er aus: Warum messen wir alles
nach menschlicher Einsicht? sollen wir in wichtigen Dingen
Gott keinen Antheil überlassen? Hilft uns weder der Kaiser,
noch der Ungar, noch der Pole, dann, dafür stehe ich, hilft
uns Gott aus seiner heiligen Höhe und stürzt das gottlose
Haupt; thun wir nur unsere Pflicht, das übrige wird er
schon vollziehen!" Der Eindruck seiner Worte war ein mäch=
tiger und sofort wurde (21 Dec.) beschlossen, daß das End= 21 Dec.
urtheil in den nächst bevorstehenden Feiertagen publicirt
werden sollte.

.In dem öffentlichen Consistorium, welches zu dem Ende
Dienstags den 23 December in Gegenwart von etwa vier= 23 Dec.
tausend Personen gehalten wurde, sprach zuerst der Consisto=
rialadvocat de Barencellis ausführlich von dem Unwesen der
husitischen Ketzerei und der Schuld Georgs von Poděbrad,
und verlangte, daß das räubige Schaf, um weiterer An=
steckung vorzubeugen, aus dem Schafstalle des Herrn aus=
gestoßen werde. Dann berichtete der Glaubensprocurator
Anton von Eugubio über den ganzen Verlauf der Unter=
suchung, und daß alles bereit sei zur Schöpfung des Urtheils.
Um die Form zu wahren, befahl der Papst einem Erzbischof
und drei Bischöfen, es solle noch eine öffentliche Vorladung
ergehen, und Georg oder einer seiner Vertreter in den Saal

27*

1466 berufen werden. Als sie aber zurückkehrten und berichteten,
daß sich derselbe nicht zu Gericht gestellt habe, ergriff Paul II
selbst das Wort, sprach viel von den in Böhmen bis zu
diesem Tage verübten Gräueln und der Nothwendigkeit der
Strafe und Besserung, und schloß mit dem Auftrage, der
Cardinal-Vicekanzler solle das Urtheil verlesen. Dieses stellte
fest und machte kund, daß der Sohn der Verdammniß, Georg
oder Jiřík von Kunstat und Podiebrad, der sich das Königreich Böhmen anmaße, ein verstockter Ketzer und Ketzer-
beschützer, ein Meineidiger und Kirchenräuber, und darum in
alle Strafen verfallen sei, welche so schwere Schuld von jeher
von Rechtswegen treffen; daß er folglich durch richterliches
Urtheil aller königlichen, markgräflichen, fürstlichen und anderer Würden, jeder Herrschaft so wie aller Güter und
Rechte verlustig gehe, die ihm auch insgesammt entzogen
werden sollen; auch seine Nachkommen wurden für untauglich zu jeglicher Würde und jeder Erbschaft unfähig erklärt,
die Unterthanen aber aller ihm geleisteten Gelöbnisse und
eingegangenen Verpflichtungen los und ledig gesprochen. Mit
einer freudigen Danksagung des Glaubensprocurators für
diese gerechte und heilsame Entscheidung und Verordnung
schloß die denkwürdige Consistorial-Sitzung dieses Tages. [271]

1467 Groß war die Wirkung dieses Schrittes, obgleich zum
Theil in anderer Richtung, als man in Rom erwartet hatte.
Die Breslauer, die darauf geharrt haben sollen, wie die
Patriarchen in der Vorhölle auf die Ankunft Christi, waren
20 Jan. die ersten, welche die Nachricht schon am 20 Januar 1567
erhielten; auch Zdeněk von Sternberg hatte davon schon um

271) Jacobi cardinalis Papiens. commentarii, post Gobelinum, p. 437,
et epist. 282 ibid. p. 667. Eschenloer, I, 349—352. Klose l. c.
p. 414—417. Dlugoß p. 398—401. Lunig Codex Germ. diplom.
I, n. 414. Ueber die Sitzung vom 23 December erstattete Balthasar
von Piscia gleich des andern Tags, den 24 Dec., einen ausführlichen Bericht an die Breslauer Gemeinde. (Klose a. a. O.)

die Lichtmeffe Kenntniß: allgemein wurde jedoch die Bulle 1467
in Böhmen und in den Nachbarländern erst in der zweiten
Hälfte des Februar kund. Ueberall brachte sie gewaltigen,
erschütternden Eindruck hervor: wurde doch von der höchsten
Autorität auf Erden das Zeichen gegeben zu Mord und
Krieg ohne Ende; wie ein Gespenst tauchte die Erinnerung
an die taboritischen Kämpfe und Gräuel auf, und weckte da
bange Furcht und Trauer, dort wilde Freude und unmensch-
liche Gelüste. In nicht kleinere Verlegenheit als König Georg
geriethen dadurch die deutschen Fürsten, zumal die des sächsischen und brandenburgischen Hauses; der Magdeburger Erzbischof Johann aus herzoglich bairischem Hause tadelte offen
und laut die Verkündigung des neuen Kreuzzugs; an den
Hochschulen zu Leipzig und Erfurt wurden öffentliche Disputationen gehalten, ob man berechtigt sei, zum Kriege gegen
die Ketzer aufzufordern, und allgemein hörte man darüber
murren, daß der Papst die Böhmen, die des Friedens gerne
zu pflegen wünschten, wider ihren Willen neuerdings in
Wehr und Waffen treibe. [272] Allerdings war der Papst in
Haß gegen sie entbrannt: aber die Bulle vom 23 December
war kein Ergebniß der Leidenschaft; sie war die nothwendige
und unabwendbare Folge der Entscheidung vom 31 März
1462. Freilich hätte Paul II auch den von Pius II betre-
tenen Weg verlaffen und dem Beispiele seiner Vorgänger
Eugen IV, Nicolaus V und Calixt III folgen können: dazu
aber hätte er mehr Selbstständigkeit des Geistes, mehr Kennt-
niffe und Einsicht mitbringen müffen, als er von der Natur
besaß; denn es herrschte, wenigstens in dieser Beziehung,
noch immer Pius' II Geist am römischen Hofe. Man darf
auch nicht glauben, weil der päpstliche Bann in den letzten
Jahrhunderten etwas allzu Gewöhnliches geworden, daß das

272) Ueber den Unwillen, welchen die Bulle vom 23 Dec. 1466 faft
    überall in Deutschland erregte, berichtet Eschenloer (II, 16—20)
    ausführlich

1467 Endurtheil vom 23 December darum ohne Macht und Wir=
kung bleiben mußte: das Vergehen der Böhmen, daß sie
von der Einheit der Kirche abgefallen, war nach der Ansicht
der gleichzeitigen Christen selbst ein überaus schweres, und
die gegen sie gebrauchte Waffe, sonst vielleicht ohne große
Wirkung, gewann eben dadurch neue Macht und neues An=
sehen, man könnte sagen eine neue Weihe. Darum täuschten
die Hoffnungen, die man vor einem Jahre noch auf die
Impassibilität der Deutschen gebaut hatte: in Folge mächti=
ger und fleißiger Agitation erwachten alte Vorurtheile und
Leidenschaften wieder; der Geist der Zeit spiegelt sich schon
in der Thatsache ab, daß die Leipziger und Erfurter Stu=
denten selbst ihre Bücher und Kleider verkauften, das Zeichen
des Kreuzes annahmen, und in Freischaaren zusammen=
strömten, um an dem Kriege und am Verdienste des Vergie=
ßens von Ketzerblut Theil zu nehmen. Eine andere Wirkung
aber, die man in Rom nicht voraussah, bestand darin, daß
der neue Krieg das böhmische Ketzerthum nicht nur nicht
ausrottete, sondern noch befestigte. Das Kelchnerwesen wäre,
bei seiner geistigen Armuth, nach dem Tode Rokycanas und
Georgs wahrscheinlich theils im Katholicismus, theils in der
neuen Brüdergemeinde aufgegangen: durch den mehrjährigen
Kampf aber gewann es, wenn nicht an Kraft, doch an Be=
wußtsein seiner Besonderheit und Selbstständigkeit. Von den
schlimmen Folgen des heraufbeschworenen Sturms für die
Entwicklung der Türkenfrage wird an einem andern Orte
die Rede sein.

Um Weihnachten, noch bevor K. Georg vom päpstlichen
Banne wußte, hatte er ein überaus heftiges Schreiben an
den Kaiser wegen des letzten Nürnberger Reichstags gerich=
tet, der Verfasser desselben, Gregor von Heimburg, hatte
darin seinem ganzen Hasse und der Verachtung, die er seit
langen Jahren gegen den Kaiser hegte, freien Lauf gelassen:
überhaupt erwies sich seine Anwesenheit am böhmischen Hofe

den freundschaftlichen Verhältnissen zwischen beiden Herrschern 1467
eben nicht förderlich. Doch obgleich dieses Schreiben ein
wahrer Absagebrief war, [273] so wurde doch der Krieg damit
weder angekündigt noch begonnen, sondern der König nahm
sich nur einiger Herren in Oberösterreich an, die mit dem
Kaiser in Unfrieden gerathen waren, namentlich Georg von
Stein, ehemaliger Kanzler Erzherzog Albrechts und Gregors
von Heimburg alter Freund, Wilhelm von Puchheim und
andere. Als aber der Kaiser, um diesen Sturm zu beschwören und zugleich mit dem bairischen Hofe zu verhandeln,
persönlich nach Linz kam und dort einen Landtag hielt, sandte
der König die Herren Johann von Rosenberg, Apel Vitzthum und Beneš von Weitmil zu ihm, um ihn wegen der
noch von der Befreiung in Wien herrührenden Schuld zu
mahnen, und forderte zugleich die Freilassung einiger mährischen Herren, welche Herr von Stahrenberg gefangen hielt,
und für Georg von Stein den ruhigen Pfandbesitz des
Schlosses und der Herrschaft Steier in Oesterreich. Die böhmischen Gesandten kamen am 15 Februar nach Linz, und 15 Feb.
verließen es schon den 17 in Unwillen wieder. Nach den
heftigen und scharfen Worten, die da gewechselt wurden,
hatte es den Anschein, als müsse der Krieg sogleich ausbre-
chen: als aber den König andere Sorgen überkamen und
des Kaisers Energie wie gewöhnlich keine Dauer hatte, blieb
alles wieder in einer Lage, die man weder Frieden noch
Krieg nennen konnte. Jene Gesandten begegneten bei ihrer
Abreise von Linz in der Vorstadt den Herrn Burian von
Guttenstein, der als Abgeordneter des Herrenbundes an den
kaiserlichen Hof eilte; und der Kaiser rächte sich am Könige
für die erlittene Kränkung damit, daß er öffentlich jenen
Bund als eine selbstberechtigte und unabhängige politische
Macht anerkannte, indem er ihm am 21 Februar das Recht 21 Feb.

273) Wir lesen ihn im MS. Sternb. p. 289, böhmisch 292, und gedruckt in Lünig's Codex German. diplom. I, 1519.

1467 verlieh, in Pilsen seine eigene Münze nach altböhmischem Schrott und Korn zu prägen und in Umlauf zu setzen. [274]

Bemerkenswerth war die Erscheinung, daß gerade zu jener Zeit, wo Kaiser und Papst des böhmischen Königs grimmigste Feinde wurden, ein deutscher Fürst, der ihnen beiden vorzugsweise ergeben und der eifrigste Beschützer ihrer Auctorität, so wie des ganzen mittelalterlichen Systems in Deutschland gewesen, Markgraf Albrecht von Brandenburg, ihm um so fester anhing und sogar einen neuen innigen Bund mit ihm schloß. Es war dies ein Zeichen, daß bei ihm auch in der Politik das Herz verwaltete, und daß K. Georg weniger durch Macht als durch Charakter und persönliches Benehmen seine Achtung und Ergebenheit sich gesichert hatte. Princessin Ursula soll sein liebstes Kind gewesen sein; wir haben erzählt, daß sie schon 1460 in ihrem zehnten Lebensjahre an Heinrich, des Königs Sohn, verlobt worden war. Man gab sich in Rom alle Mühe, diese Verbindung rückgängig zu machen; und da die Mahnrufe, der Markgraf möge sein eigen Blut nicht durch Vermischung mit dem Ketzerblute beflecken, wirkungslos blieben, so wurden seine Lande am 15 October 1466 mit dem Interdict belegt und in die Princessin selbst, durch Aengstigung ihres Gewissens und durch Unterschiebung anderer Gegenstände ihrer Neigungen gedrungen, jedoch alles vergebens. Um jedem Aergerniß vorzubeugen, das von Seite des päpstlichen Legaten in der Sache zu besorgen stand, veranstaltete es der

---

274) Anon. chronic. Austr. ap. Senkenberg, V, 323—335. Briefe Gregors von Heimburg an Georg von Stein vom 31 Januar, 20 und 22 Februar im MS. Sternb. p. 557, 214 und 556, abgedruckt im Archiv der kais. Akad. d. Wissensch. Wien 1854, Bd. XII, S. 336—38. Kaiser Friedrichs Regesten bei Chmel und F. Lichnowsky zum 21 Febr. und 13 Mai 1467. Bircken österr. Ehrenspiegel p. 745 und daraus in Müller's Reichstags=Theatrum, II, 271 (der Name Rosenberg ist daselbst in Sternberg verändert.)

Markgraf so, daß die Braut fast heimlich nach Eger gebracht, 1467
und dort zu Ende des Faschings, den 10 Februar, dem
Prinzen Heinrich wenn auch nicht feierlich, so doch in aller
Ordnung angetraut wurde. [275]

Von dem Tage zu Neuhaus, welcher dem Abkommen gemäß kurz nach Lichtmesse dieses Jahres abgehalten
wurde, sind uns nur sehr dürftige Nachrichten überliefert
worden; [276] was um so mehr zu bedauern ist, je wichtiger
seine Verhandlungen waren. Es sollte hier jener schon in
allen Ländern der Christenheit ruchbare Streit endgiltig entschieden werden, welchen die Barone mit dem Könige über
ihre Freiheiten schon fast durch zwei Jahre führten. Von
Seite des Königs kamen dahin Herzog Konrad der Schwarze
von Oels, der Olmützer Bischof Protas, der Oberstlandkämmerer Heinrich von Michalowic, Zdeněk Kostka von Postupic, Wilhelm der jüngere von Riesenberg und Rabi, der
Kanzler Prokop von Rabstein nebst anderen Herren und
Edelleuten; von der Gegenpartei erschienen alle Mitglieder
des Herrenbundes mit Ausnahme des Bischofs Jost; auch
der Kaiser und der Legat hatten daselbst ihre Agenten. Die
durch den Austrag vom 3 October 1466 ernannten Schiedsrichter legten die Abschriften aller im Landesarchive auf dem
Karlstein aufbewahrten Privilegienbriefe vor: Zdeněk von
Sternberg behauptete aber, nachdem er sie durchgesehen, es
wären nicht alle, und die vorgelegten wären hinsichtlich der
Freiheiten des Landes keinen Groschen werth. Die Herren

---

275) Das Kaiserl. Buch des Markgrafen Albrecht Achilles, von Jul. v.
   Minutoli, Berlin 1850, S. 345—6, 482, 484. J. G. Droysen
   Geschichte d. preuß. Politik, II, 336.

276) Unsere Hauptquelle ist ein an den Rath von Görlitz von einem
   ungenannten Augenzeugen über die Landtagsverhandlungen vom
   24 u. 25 Febr. in Prag erstatteter Bericht, welchen J. G. Kloß
   in die Documenten-Beilagen seines Werkes (MS.) aufnahm. Ferner
   Staří letopisowé S. 183 und Johanns von Rabstein Dialog vom
   J. 1469, den wir als Beilage dieses Buches folgen lassen.

1466 für Jagd, sonst für nichts leidenschaftlich ei
weder nach Herrschaft noch nach Ehre unl
er viel auf Pracht hielt; war ein zärtlicher
versöhnlich und verträglichen Geistes; zum
schon darum keine Lust, weil seine Schatzkar
erbärmlichem Zustande befand, und ein br
gleich meist siegreicher Kampf mit dem be
Preußen ihm eine unerträgliche Schulde
hatte. Wohl hatte er längst diesen mörderis
einen ehrenvollen und vortheilhaften Fried
gewünscht: doch hatte gerade der römisch
Ordensland als sein Eigenthum ansah, be
stand bewiesen, so oft es sich um eine A
Theile dieses Gebietes handelte. Da nun K
einschuldigte, daß er vor Beendigung des
einen neuen mit den hussitischen Böhmen
könne, und der Papst einsehen mußte, daß se
begründet waren, so trug er Rudolf von
persönlich nach Preußen zu begeben und do
Vollmacht einen endgiltigen Frieden selbst
Orden minder günstigen Bedingungen zu St.
Um auch seinen Fehler gegen Herrn Dobroho
forderte er den Herrenbund auf, einen neu
mann nach Rom zu senden. Es wurde da
stuter des Leitomyschler Bisthums, Doctor
zu Neuhaus, dahin geschickt: der dann H
Sternberg nicht allein Belehrungen und L
Menge, sondern auch wirkliche Anweisungen
Summen Geldes zurückbrachte. 256

Die auswärtigen Verhältnisse hätten in

256) Ueber diese Sendung des Pfarrers Elias n
Eichenleer I, 313, und auch Johann von Rab
in seinem Dialog vom J. 1469, den wir unter
Buches folgen lassen.

1467 erwiederten, man habe keine andern Urkunden und die von
Karlstein hergebrachten wären alle durchsucht worden; der
König habe versichert, es gebe keine mehr, und sie wären
überzeugt, daß das wahr sei. „Wir aber sind es nicht," versetzte Zdeněk kurz, und erregte dadurch einen langen heftigen
Streit. Dann las man, was Herr Johann von Rosenberg
aus seinem Archive über die Freiheiten des Landes hatte
zusammenstellen lassen; denn es war schon seit Karl IV in
Gebrauch gekommen, den Herren von Rosenberg, als den
vornehmsten Landesbaronen, alle Urkunden in Verwahrung
zu geben, welche die Könige an die Stände überhaupt erließen. In diesen Abschriften hieß es: 1) bezüglich der Münze,
der König solle dieselbe so ausprägen, daß zu je 100 Mark
feinen Silbers je 12 Mark Kupfer legirt würden; 2) keine
Berna (Grundsteuer) soll erhoben werden, außer bei Aus-
stattung der Töchter des Königs, und dann nur zu 16 Groschen für jeden Lahn; 3) von den Schlössern (Besitzungen)
der böhmischen Krone, daß sie schlechterdings weder veräußert
noch verpfändet werden dürfen; 4) das Landesgericht (die
obersten Landesämter) sollte vom Könige nach dem Rathe
der Stände besetzt werden; 5) zum Kriegsdienste auf eigene
Kosten sollten die böhmischen Stände außerhalb der Landes-
gränzen nicht verhalten werden. Nun bestand Herr Zdeněk
wie früher darauf, daß der König den Baronen wie die
Krone, so auch das Landesarchiv übergebe, und über alle
Freiheiten der Stände Bestätigungsbriefe erlasse; doch fügte
er hinzu, daß diese, von ihm allein ausgestellt, nicht rechts-
kräftig genug, sondern überdies noch der Bestätigung von
Seite des Kaisers bedürftig seien; denn der König von Böhmen habe, als des Kaisers Vasall, nicht die Macht, so hohe
Dinge, ohne Wissen und Zustimmung des Kaisers, seines
Herrn, anzuordnen. So sehr verblendete den Mann der leidenschaftliche Haß, daß er um einiger eingebildeten Freiheiten
seines Standes willen sich nicht scheute, sein Vaterland in

unerhörte Dienstbarkeit und Knechtschaft zu stürzen! Die 1467
Herren konnten ihm darin unmöglich Recht geben; und da
er hartnäckig auf seinem Sinne bestand, auch keinen Ver-
gleichsvorschlag annehmen wollte, so ging die ganze Versammlung ohne Ergebniß, aber mit um so größerer Erbitterung der Gemüther auseinander. Von dem Glaubenszwiespalt
soll in Neuhaus nicht einmal die Rede gewesen sein: ja als
man Herrn Zdeněk fragte, ob er etwa um des Glaubens
willen gegen den König Krieg führen wolle, soll er laut und
öffentlich erklärt haben, der Glaube sei des Papstes Sorge
und nicht die seinige. Nichts desto weniger wissen wir aus
späteren Bekenntnissen, daß sich der Herrenbund wegen der
Landesfreiheiten wohl hätte in Neuhaus einigen können, wäre
der Religionsstreit nicht im Wege gestanden. Denn obgleich
Zdeněk schon von des Papstes Bannspruch vom 23 December
wußte, so war ihm doch bis dahin weder vom Kaiser, noch
vom Legaten etwas mehr zugekommen, als Ermahnungen,
sich in keinen Vergleich einzulassen; erst später erhielt er die
Zusicherung, den Krieg auf des Papstes Befehl und Kosten
führen zu können. [277]

Durch den erfolglosen Ausgang der Verhandlungen in
Neuhaus gewann der Landtag, der zu Prag in den
Fasten-Quatembern folgte, erhöhte Wichtigkeit. Er begann
am 24 und dauerte bis zum 27 Februar, die Stände fanden 24 Feb.

277) Der Legat Rudolf sagt in einem am 20 März 1467 an Herzog
Konrad gegebenen Schreiben: Potuissent tandem domini barones
in et supra dictis negotii (die Landesfreiheiten) contentari et
concordari: sed cum in dicta apud Novam domum celebrata
eis per sanctissimum dominum nostrum et nos dicta sententia
(23 Dec. 1466) insinuata fuerit, — Christus nunc et ecclesia
atque ipsius Christi vicarius — in causa sunt, cur — concor-
diam cum Georgio facere nequeunt etc. MS. Sternb. p. 172.
Dasselbe bekannten auch die Boten des Herrenbundes in ihrer
Ansprache an den Nürnberger Reichstag im Juli 1467. MS. Sternb.
p. 231.

1467 sich im Hauptsaale des Hofes der Königin jedesmal um
8 Uhr Morgens sehr zahlreich ein; der König präsidirte
selbst, und von den schlesischen Fürsten waren namentlich
Herzog Konrad der Schwarze von Oels und Johann von
Sagan anwesend. Zuerst wurde über die Verhandlungen zu
Neuhaus Bericht erstattet, wobei Georg mehrmals das Wort
ergriff, um Zdeněks Reden zu widerlegen. Bezüglich seines
Verhältnisses zum Kaiser äußerte er, die Könige von Böhmen seien keine Lehensleute des Kaisers, als inwiefern sie
das Kurfürstenamt versehen, und daß sie bei Verleihung von
Rechten und Freiheiten in ihrem Lande nie seiner Einwilligung bedurft hätten; und der ganze Landtag stimmte ihm
darin bei. [278] In Bezug auf die Beschwerden des Bundes
wiederholte er die aus den früheren Verhandlungen schon
bekannten Reden; die Krone, sagte er, gehöre dem Könige,

278) Der Anonymus l. c. (Anmerk. 276) berichtet darüber, wie folgt:
Dominus Zdenko dixerat, — „quod sua confirmatio regia ipsis
non sufficit, sed ut disponat confirmationem a D. Imperatore,
cum sit suus vasallus. D. Rex et ceteri responderunt ad haec
modo Pragae: quod (rex Bohemiae) non sit vasallus imperii,
nisi dumtaxat ratione officii, quod habet inter electores; et
quod sit sufficiens et confirmare et denuo donaro regno suo
libertates sine imperatore." In Staři letopisowé heißt es S. 183:
Zdeněk von Konopišt schätzte die Landesrechte und Privilegien sehr
gering und sagte, daß alle auf dem Karlstein aufbewahrten Urkunden keinen Groschen werth seien. Auch wollte er, der römische
Kaiser sollte die Rechte unter Brief und Siegel bestätigen, indem
er behauptete, der König von Böhmen sei des römischen Kaisers
Lehensmann. Darauf entgegnete man ihm, der König von Böhmen sei nicht sein Lehensmann, und es sei nie gehört worden, daß
seine Vorfahren, die böhmischen Könige, des Kaisers Lehensleute
gewesen wären. Aber zur Romfahrt des Kaisers soll der König
von Böhmen 300 Bewaffnete oder 300 Mark Silbers beitragen;
doch hat auch das der König schon bei Kaiser Friedrich erlangt,
daß in Zukunft die Könige von Böhmen den römischen Kaisern
nur noch 150 Bewaffnete oder 150 Mark Silber zu leisten haben
werden.

so lange er lebe, und nicht den Baronen; die Reichskleinode 1466
seien unter der Obhut des Prinzen Victorin, eines eingebor=
nen Landstandes, und des zweiten Karlsteiner Burggrafen
Beneš von Weitmil, eines ganz wohlverhaltenen Mannes,
gut aufgehoben. Er habe keine Schlösser der Krone ent=
fremdet, denn auch diejenigen, die er den Herzogen von
Sachsen verliehen, ständen noch im Lehensverbande zu Böh=
men. Aber außer diesen Staatsverhältnissen kamen auch wech=
selseitige Schmähreden und Verläumdungen der Parteien zur
Sprache. Herr Zdeněk hatte einen Menschen, Namens Ju=
rista, foltern und verbrennen lassen, von welchem er in ver=
schiedenen Schreiben behauptete, er wäre von des Königs
Thorwächter und Schneider gedungen worden, im Schlosse
Grünberg und dem Städtchen Nepomuk Brand anzulegen;
andererseits hieß es wieder, man habe in Mies einen von
Herrn Zdeněk in diese Stadt gesandten Brandstifter verhaftet.
Auch begannen viele von den Ständen über denselben Herrn
Klage zu führen; und der König beschwerte sich noch ins=
besondere über ihn, daß er während der Verhandlungen zum
Frieden vier Boten nach einander an den Papst nach Rom
geschickt habe, um denselben noch mehr zu reizen, nämlich
den Pfarrer Elias von Neuhaus, den Pfarrer von Nepo=
muk, den Bruder Thomas, einen Dienstmann des Bischofs
Jost und den Prior von S. Benigna. Uebrigens benahm
sich der König mit großer Mäßigung, gebrauchte keine hef=
tigen Worte, sprach nicht zum Kriege, sondern vielmehr zum
Frieden, klagte nicht den Papst des Unrechts an, das ihm
geschah, sondern böse Menschen, seine Widersacher, die nicht
abließen, ihn beim heiligen Vater zu verläumden und erklärte
sich abermals zu allem bereit, was die Stände von Rechts=
wegen von ihm zu fordern hätten. [279] Der Landtag erklärte

279) Anonymus l. c. Dominus rex per totum ad omnia emendanda
bonis verbis se submittebat, nil aspere, nil ad bellum, plus ad
pacem loquebatur, papam Romanum pontificem de quibusdam

1467 einſtimmig Herrn Zdeněk und ſeine Bundesgenoſſen für widerſpenſtige und frevelhafte Friedensſtörer und Landesverderber; den von ihnen geſandten Boten wurde öffentliches Gehör verſagt und dem Könige zur Beſtrafung des Ungehorſams ſtändiſche Hilfleiſtung zugeſichert. Die Häupter der Kelchnerpartei am Landtage, Herr Burian Trčka, oberſter Landſchreiber und Samuel von Hrádek, Bürgermeiſter von Prag, baten den König, jener im Namen des Ritterſtandes, dieſer im Namen der Städte, er möchte zu ihrer Beruhigung ſein altes Verſprechen erneuern, die Compactaten auch ferner zu handhaben und zu ſchützen, und er erfüllte ihr Verlangen. Hierauf wandten ſich dieſelben an die katholiſchen Landtagsmitglieder und ſprachen den Wunſch aus, daß ſie, die des Papſtes Gunſt und Vertrauen genießen, noch einmal den Verſuch wagen ſollten, ob derſelbe ſich nicht bewegen ließe, in den Proceſſen inne zu halten und jenen Congreß zu veranſtalten, den der König ſo oft angerufen hatte: denn es ſei ganz unglaublich, daß der heilige Vater ein ſo grauſames Blutvergießen und ein ſolches Verderben des Königreichs Böhmen beabſichtige, als aus der Fortſetzung der Proceſſe nothwendig hervorgehen müßte. Herr Leo von Rožmital, der eben in dieſen Tagen von ſeiner berühmt gewordenen Reiſe in Weſteuropa zurückgekehrt war, ſprach ſich auch ſofort im gleichen Sinne aus. Er könne und wolle an den bevorſtehenden Sturm nicht glauben, noch daß es unmöglich ſei, die Leidenſchaften zu zähmen und die Parteien zur Mäßigung zu bringen; er verlangte einen nochmaligen Verſuch bei dem Papſte wie bei den Baronen, trug ſich ſelbſt zum Vermittler an, und bat nichts zu überſtürzen, was die Verſöhnung nur erſchweren könnte. Seine Rede fand ungemeinen Anklang bei dem Landtage.   Herr Johann von Roſenberg verlas ſowohl das Schreiben, in welchem er vom Herrenbunde ermahnt

---

processibus non culpando, sed aemulos suos, qui Suam Serenitatem, ut aiebat, deferunt ad curiam etc.

wurde, seinem Worte treu zu bleiben und damit Seele und 1467
Ehre zu wahren, als auch seine darauf gegebene Antwort;
er erklärte, er habe in Allem, was er gethan, nur das allgemeine Wohl und den Frieden des Vaterlandes vor Augen
gehabt, und wolle solches auch künftig thun; er bat die
Stände, ihm Vertrauen zu schenken und sich im Urtheil nicht
zu übereilen, wenn sie etwas Auffälliges in seinem Benehmen bemerken sollten: denn er werde, es komme was da
wolle, nie von dem ehrenvollen Beispiele seiner Ahnen, noch
von der Treue abweichen, die er dem Könige und dem Vaterlande schuldig sei. Der König ergriff nach ihm das Wort
und gab ihm das Zeugniß, daß er sich in den vergangenen
schlimmen Tagen in Ehren so benommen habe, wie es einem
Manne von wahrem Abel gebühre. Es wurde endlich beschlossen, daß im Namen der katholischen Stände noch eine
Botschaft abgeschickt werde, die sich unterwegs in Venedig
aufhalten sollte, weil die Venetianer noch immer bereit waren,
in allem mitzuwirken, was die Aussöhnung des Königs mit
dem Papste fördern konnte. Der Landtag schloß am 27 Fe- 27 Feb.
·bruar mit der Eintragung in die Landtafel einer Urkunde,
die als Ergebniß des zweijährigen Streits einige Rechte und
Freiheiten des Landes näher bestimmte. Darin wurden die
alten Verordnungen über Erhebung von Steuern und Zin-
sungen, über Kriegsbereitschaft, Heimfälle, Münze und die
Landesämter erneuert; neu war bloß die Bewilligung des
Königs, daß in Zukunft die Barone und Ritter allerlei freie
Gründe von Bürgern, Freisassen und Bauern aufkaufen und
ungehindert für sich in die Landtafel einlegen dürfen. [280]

280) Ueber die Verhandlungen dieses bisher in der Geschichte unbekannten Landtags sind uns zwei Quellen zu Handen gekommen,
eine ausführliche, bei dem schon erwähnten Anonymus, und eine
kurze in einem Schreiben des Königs an den Markgrafen Albrecht
von Brandenburg, dd. Gratz, Montag nach Oculi (2 März) ohne
Jahresangabe, welches wir von Hrn. Burkhard durch Prof. Droysen

1467   Der Krieg war also noch nicht unwiderruflich beschlos=
sen, da man noch die letzten Versuche zum Frieden erneuerte.
Die Königin Johanna, Herrn Leos Schwester, machte den
Anfang: als Herr Zdeněk seinen Junker Hieronymus Koblan
zu ihr in unbekannter Angelegenheit sandte, erbot sie sich zur
Vermittlerin zwischen ihrem Gemahl und dessen. ehemaligem
Freunde, und eine Zeit lang schien es, als wäre Herr Zde=
něk nicht ganz unzugänglich. Der König selbst ließ durch
Herrn Heinrich von Lipa unter der Hand mit ihm, mit den
Brüdern Zajic und dem Herrn von Schwamberg Verhand=
lungen anknüpfen, und soll ihnen selbst nicht geringen Ersatz
für die Kosten angetragen haben, die ihnen die bisherige
Kriegsbereitschaft verursacht hatte. Zuletzt wurde aber alles
wieder rückgängig: als Herr Zdeněk merkte, daß er sich jeden=
falls unterwerfen müßte, brach er plötzlich alle Verhandlun=
gen ab. Seine Gesinnung läßt sich aus dem Schreiben
2 März entnehmen, womit er am 2 März dem Könige den Gehor=
sam aufsagte: und die Folgezeit bewies es deutlich, daß er
gegen ihn in einen Haß entbrannt war, der bis zum Tode
unauslöschlich blieb. [281]

erhielten. Die Urkunde des Landtagsschlusses vom 27 Febr. haben
wir im Archiv český, IV, 135 abbrucken lassen; vgl. Zdeněks von
Sternberg Absagebrief an den König, vom 2 März, ebendas. p. 136.
Der Anonymus berichtet: Rex — hanc etiam gratiam omnibus
contulit, — ut quotiescunque quis nobilium comparavet aliquos
agros singulariter a quocunque agricola, vulgari nostro dědin=
níka (Freisasse) ut sine requisitione regii consensus sibi id in-
tabuletur, quod hactenus numquam erat. Die Urkunde zeigt, daß
die Bewilligung nicht auf die Freisassen allein beschränkt war.

281) Schreiben der Königin Johanna darüber im Archiv český, IV,
138. Zdeněks von Sternberg Absagebrief an den König vom 2 März
ebendas. 136 und bei Beckowský p. 898. Des Königs Briefe an
Johann von Rosenberg, MS. Vortrag der Boten des böhm. Herren=
bundes an den Reichstag zu Nürnberg im Juli 1467. MS. Sternb.
p. 231—232.

Das Bekanntwerden des päpstlichen Bannfluches vom 1467
23 December 1466 in den Ländern der böhmischen Krone
führte auf Seiten des Königs die Nothwendigkeit herbei,
auf Mittel bedacht zu sein, um ihrer moralischen Wirkung
Einhalt zu thun: ein solches war die Appellation. Am
14 April ließ er plötzlich alle in Prag anwesenden Häupter 14 Apr.
der Katholiken zu sich in den Königshof berufen: es waren
dies im geistlichen Stande der Administrator des Erzbisthums, Dombechant Hilarius, der Canonicus Wenzel Křižanowský, der Strahower Abt Johann, Paul, Franciscaner-
guardian bei St. Ambros, der Zderazer Propst Paul und
andere; von den Weltlichen, der Obersthofmeister Leo von
Rožmital, der Oberstlandkämmerer Heinrich von Michalowic,
der Kanzler Prokop Rabstein, Wilhelm von Riesenberg und
Rabi, drei Kolowrate, Johann auf Bezdružic (Weseritz),
Johann auf Žehrowic und Zbyněk auf Kornhaus, Bořita
von Martinic und viele andere; auch einige Utraquisten
schloßen sich an, als Zeugen. Der König las ihnen vom
Throne herab einen von Gregor von Heimburg verfaßten Aufsatz in böhmischer Sprache vor, worin Beweise
geführt wurden, daß Papst Paul II in seinem Verfahren
gegen ihn den Weg des Rechts und der Gerechtigkeit verlaffen und bloß seinem Zorn und Haß Raum gegeben habe;
er appellirte also von ihm zunächst an den römischen Stuhl
selbst, mit der ausdrücklichen Bemerkung, daß er nicht gegen
diesen, sondern nur gegen die gegenwärtig darauf sitzende
sterbliche und den Leidenschaften unterworfene Person Beschwerde führe; sollte aber dies nicht zureichen, so rufe er
zweitens das künftige allgemeine Concil an, das von Rechtswegen längst hätte sollen versammelt werden und nur durch
des Papstes Fahrlässigkeit noch unterblieb; drittens und schließlich appellirte er noch an die Nachfolger Pauls II, und an
alle und jede Körperschaft der Christenheit, welche Recht und

28

1467 Gerechtigkeit liebe. [282] Obgleich diese Appellation in der Lage der Dinge kaum etwas änderte, so darf man sie doch keinen leeren und zwecklosen Act nennen: denn sie diente dem zarten Gewissen jener vielen Katholiken als Rechtsschild zur Beruhigung, welche die Treue gegen den König mit der Treue gegen die Kirche zu vereinigen beflissen waren. Der Dechant Hilarius aber und die Prager Domherren, voll Schrecken über ihre erzwungene Anwesenheit bei solchem Acte, verließen nun schleunigst Prag und flüchteten sich wieder nach Pilsen, nachdem sie unterwegs in Zbirow bei Herrn Hanuš von Kolowrat, einem äußerst eifrigen und gelehrten Katholiken, eine Zufluchtsstätte gesucht und gefunden hatten.

Aber auch des Königs Gegner säumten nicht, sich in ihrem Widerstande zu organisiren und zu kräftigen. Paul II 20 März hatte durch mehrere am 20 März erlassene Bullen Herrn Zdenĕk von Sternberg als obersten Hauptmann der Katholiken in dem bevorstehenden Kriege bestätigt und alle Getreuen insgesammt ermahnt, zu ihm zu halten und ihm Hilfe zu leisten, bis ein neuer König werde eingesetzt sein, was in Kurzem erfolgen solle. Darauf kam der Herrenbund in Grünberg zusammen, erneuerte an demselben Tage, wo der König 14 Apr. in Prag seine Appellation vollzog, den 14 April, seine Bundesacte und versprach auch Kaiser Friedrich gegen K. Georg 21 Apr. beizustehen; und schon am 21 April traten Bischof Jost und die Breslauer durch eine Erklärung dem neuen Bunde bei. Die neue Verschreibung stellte zwar noch immer auch politische Gründe des Mißvergnügens auf, aber der Nachdruck wurde jetzt zumeist auf des Papstes Bannfluch gelegt: da Christi Statthalter auf Erden Georg Titel, Macht und Rechte eines Königs entzogen, so durften und wollten sie ihn auch

282) Diesen Act haben Eschenloer, II, 12—15 und Pešina Mars Morav. p. 779 nur unvollständig wiedergegeben. Letzterer führte im Phosphorus septic. p. 263 fgg. nach einer Handschrift des Prager Domcapitels, auch noch andere Detailnachrichten darüber an.

nicht mehr als ihren Herrn anerkennen, sondern ihren Ge=
horsam demjenigen zuwenden, der aus päpstlicher Machtvoll=
kommenheit, immer aber unbeschadet ihrer Rechte, als rechter
König von Böhmen eingesetzt werden würde. Sie verpflich=
teten sich also wechselseitig einander beizustehen und alle Mit=
tel zu ergreifen, die zu dem Zwecke nothwendig werden wür=
den; darunter wurde auch einer besonderen Steuererhebung
ausdrücklich gedacht. In der neuen Urkunde erschien der
Name Johanns von Rosenberg nicht mehr, dagegen wuchs
der des Herrn Hanuš von Kolowrat auf Zbirow zu, der
nach dem Tode seiner Gattin in diesem Jahre in den geist=
lichen Stand trat, bald Domherr von Prag wurde und auch
andere höhere Würden erlangte; auch heißt es, daß der
Olmützer Bischof Protas von Boskowic sich gleichfalls zum
Bunde bekannt habe, obgleich er sein Siegel der Urkunde
nicht beifügte. Bischof Jost hatte auch nach der Verkündi=
gung der verhängnißvollen Bulle sich Mühe gegeben, den
Ausbruch des Krieges hintanzuhalten, da er wie früher fürch=
tete, er möchte den Katholiken zum Verderben gereichen: da
er aber endlich zur Einsicht kam, daß er bereits unvermeid=
lich geworden, entschloß auch er sich dazu und übertraf nun
an Eifer die übrigen Bundesgenossen. Und als die neue
katholische Liga sich auf diese Art nach allen Seiten hin ge=
festigt hatte, da gränzte der Jubel der Breslauer über ihren
nun schon gewissen Sieg und Georgs Verderben an Tollheit.
Sie fragten nun nichts mehr, als wohin etwa der ver=
verdammte Ketzer fliehen werde, um sich zu bergen: die Einen
meinten nach Poděbrad, das er zu dem Zwecke neu befestigt
hatte, Andere nach Karlstein, noch Andere sagten, er werde
nach Tabor flüchten; keinem fiel es bei, daß er sich auch
ferner in Prag würde behaupten können. [283]

283) Hauptquelle ist hier Eschenloer's Werk, in welchem auch die Ur=
   kunden vom 14 und 21 April abgedruckt sind. Das Datum des
   14 April entnehmen wir den Regesten des Fürsten Lichnowsky,

1467   Die Eröffnung des verhängnißvollen Krieges wurde
nach Ablauf des Waffenstillstandes durch die wechselseitige
Zusendung von A b s a g e b r i e f e n bezeichnet.   Der des Kö=
20 Apr. nigs an Herrn Zdeněk am 20 April möge seiner Eigenthüm=
lichkeit wegen seinem ganzen Wortlaute nach hier stehen: „Wir
Georg von Gottes Gnaden König von Böhmen u. s. w. ge=
ben Dir Zdeněk von Sternberg zu wissen, daß Du in
unsere Ungnade gefallen, um der Ursachen und Deiner
Schuld willen, die wir Dir hiemit aufzählen: zuvörderst
hast Du, unser Rath und Beamter, Dich nicht pflichtgemäß
benommen, und ungebührlich und frevelhaft ist auch jetzt
Dein Betragen gegen uns, den König von Böhmen, Deinen
Herrn.   Ferner hättest Du, kraft Deines Amtes als Prager
Oberstburggraf, die Gerichtsprüche gegen die rechtswidrig
Ausschweifenden vollziehen sollen, wie gegen Burian von
Guttenstein: Du aber nimmst ihn in Schutz und stehst ihm
in seinem Muthwillen bei.   Endlich hast Du die verrätheri=
schen Pilsner, die uns heimtückisch um unsere Stadt Pilsen
gebracht, Dir beigesellt und leistest ihnen Rath und Hilfe.
Wegen dieses ungebührlichen Benehmens und Frevels wollen
wir Dich mit Gottes, unserer Freunde, Hilfsgenossen, Unter=
thanen und Dienstleute Hilfe nach Ablauf des Stillstandes,
offen und nachdrücklich züchtigen, wie es sich gebührt.“   Die
Fassung dieses Briefes kann zum Beweise dienen, daß man
auch schon bei K. Georgs Zeiten sich der Worte zu bedie=
nen wußte, um gewisse Gedanken nicht bloß kundzugeben,
sondern auch zu verhüllen; so verlangten es aber die dem
Könige treu gebliebenen katholischen Barone, namentlich Jo=
hann von Rosenberg und Wilhelm von Rabi, damit in der

welcher nach Kurz Beispiele (Geschichte Friedrichs, II, 92) S. Ti=
burzitag irrthümlich für den 11 August (1467) nahm.   Von den
päpstlichen Bullen, die am 20 März 1467 erlassen wurden, sind
einige noch unedirt; vgl. Beckowský S. 888.

Motivirung des Krieges nichts Religiöses mit unterlaufe.[284] 1467
Es versteht sich, daß den aufständischen Baronen die von
ihnen bekleideten Landesämter jetzt auch dem Titel nach genommen werden mußten. Als neuen Oberstburggrafen von
Prag bestellte der König seinen vertrautesten Freund und
Rath, Herrn Zbeněk Kostka von Postupic auf Leitomyschl;
und es war nichts als billig, daß wenigstens eines der höchsten Landesämter an einen Utraquisten kam, da die übrigen
alle den Katholiken nach wie vor überlassen blieben. [285]
Denn der König sorgte auch ferner dafür, daß der Krieg
wenigstens seinerseits in keinen Religionskrieg ausarte, darum war er so weit entfernt, den hussitischen Geist im Volke
aufzuregen, daß er sich vielmehr beflissen zeigte, ihn zu dessen
großer Unzufriedenheit sogar im Zaume zu halten. Dies
offenbarte sich insbesondere gleich nach der Flucht der katholischen Domherren aus Prag. Der alte Annalist erzählt,
wie die Prager Magister und Priester, nachdem sie sie bemerkt, „mit M. Rokycana zum Könige gingen und sprachen:
siehe, die Gelegenheit ist da, nachdem die Doctoren von der
Burg Euch untreu geworden und zum Feinde übergelaufen
sind, so setzet an ihre Stellen utraquistische Geistliche hin,
und es wird Eintracht herrschen zwischen oben und unten.
Dem Könige schien das nicht billig, obgleich er es wohl

284) Im Archiv český (IV, 139—141) haben wir auch andere Absagebriefe, welche in dieser Zeit zwischen den Parteien gewechselt
wurden, mitgetheilt: des Königs an Herrn Johann von Rosenberg
darüber am 22 April erlassener Brief konnte dagegen bisher nicht
gedruckt werden; dessen Concipient und Relator war Herr Wilhelm von Rabî.

285) Katholiken im Besitze von höheren Aemtern blieben auch später: der
Obersthofmeister Leo von Rozmital, der Oberstlandkämmerer Heinrich von Michalowic, der Kanzler Prokop von Rabstein, der Hof-
lehenrichter Jaroslaw Berka von Duba, der Karlsteiner Burggraf
Beneš von Weitmil und wohl auch der königl. Procurator Čeněk
von Klingstein.

1467 hätte thun können; gewöhnlich will der Mensch nicht, wenn
er kann, später kann er nicht, wenn er auch möchte. Er gab
M. Rokycana zur Antwort: Meister, Du hast lange genug
gemeistert, laß uns nun auch Meister sein! Und gleich von
da an kamen Mißgeschicke über ihn; M. Rokycana aber
pflegte ihn nicht mehr oft zu besuchen." Auch aus diesen
Worten ist zu sehen, welch widrigen Eindruck des Königs
kluge Mäßigung auf die Husiten machte.

Der Krieg, der da folgte, nahm eine ungewöhnliche
Gestalt an: es gab da weder strategische Pläne, noch Feldzüge, weder Schlachten noch Siege; alles beschränkte sich
auf Berennung und Vertheidigung einiger festen Schlösser
und Plätze, und auf einzelne Streifzüge in die feindlichen
Gebiete zu Plünderungen, Brand und Beutemachen. Und
so wie das königliche Heer zu dem Ende sich in fast unzählige Haufen zertheilen mußte, so waren auch des Bundes
Streitkräfte nirgends vereinigt, sondern jeder Baron war nur
auf eigene Vertheidigung bedacht. Als eine Großthat sah
man es an, daß der König an einem und demselben Tage,
den 28 April, auf Einmal sechs Schlösser des Herrn von
Sternberg berennen ließ: Raudnitz, Elfenburg, Sternberg,
Konopišt, Leštno, Kostelec an der Sazawa, und noch dazu
eine Ritterfeste, Miešchitz unweit Prag; fast zu gleicher Zeit
wurden auch die Schlösser der Herren von Hasenburg,
Wřestiow (Bürglitz) und Chwatěrub belagert, etwas später
Kost, Rabenstein, Frimburg und eine Menge anderer. Ueberdies scheint es, daß der König zwei bewegliche Heerhaufen
errichtete und unter die Befehle seiner Söhne, der Prinzen
Victorin und Heinrich stellte, um überall, wohin es nöthig
wurde, schnell Hilfe zu bringen. Das Geschützwesen war zu
dieser Zeit zur Eroberung von Burgen noch wenig nütze:
fast überall mußte zur Einschließung derselben mittelst Basteien
und zur Aushungerung geschritten werden; welche Belage-
rungsweise um so schwieriger und langwieriger wurde, je

mehr Zeit die Feinde gehabt hatten, sich mit Proviant zu 1467
versehen. Das erste Schloß, das sich ergab, war Raudnitz,
zwar eines der festesten in Böhmen, aber minder gut ver-
proviantirt; die Besatzung willigte schon am 21 Juni in 21 Juni
eine Abrede und übergab sich endlich am 12 Juli. [286] Es 12 Juli
scheint, daß in ihre Capitulation auch die Besatzung der
nahen Burg Hrádek (deutsch Elfenburg oder Helfenburg,
später Affenburg genannt) eingeschlossen worden war, deren
mächtige Ruinen noch heute auf der Herrschaft Liebeschitz zu
sehen sind. Im Laufe des Juli fielen auch Kostelec an der
Sazawa und Leštno, und die Prager hatten sich der Feste
Mieschitz wahrscheinlich noch früher bemächtigt. Bald ergaben sich auch die Burgen Chwatěrub und Wřestlow. Länger widerstand das Stammschloß Sternberg, und noch länger
Konoptět, wie wir später darthun werden; Grünberg aber
scheint gar nicht belagert worden zu sein. Prinz Heinrich,
der in das westliche Böhmen und gegen den Pilsner Kreis
beordert war, befestigte die Kaadener in ihrer Treue, wandte
sich dann nach Süden, bemächtigte sich im Prachiner Kreise
des Schlosses Frimburg und der Festen Žihobec und Mla-
dějowic, nöthigte Burian von Lažan˙ auf Bechin zur Unterwerfung, und belagerte dann, in Verbindung mit Herrn Johann von Rosenberg, einen der Hauptsitze der Rebellion,
Schloß und Stadt Neuhaus. Alles dies ereignete sich vor
Ende Juli. [287]

286) Von der mit der Raudnitzer Besatzung getroffenen Abrede gab
K. Georg Herrn Johann von Rosenberg schon am 23 Juni Nachricht. (Orig. in Wittingau.)

287) Außer den alten Annalisten (Staři letopisowé S. 184—6) berichten über den damaligen Gang des Krieges ziemlich überein-
stimmend zwei nach Krakau gesandte Schreiben, eines vom Könige
an seinen dortigen Gesandten Johann Zičinský von Cimburg (dd.
Prag, den 5 August, MS. Sternb. p. 679), das andere von Bischof
Jost an den Legaten Rudolf ebendahin, (dd. in Neiße, 7 Aug.
ebendas. p. 382). Vgl. Eschenloer u. a. m.

1467 Mittlerweile war die Gegenpartei auch nicht unthätig geblieben. Gleich bei Ausbruch des Krieges zog Zdeněk von Sternberg von seinem Schloſſe Weitra in Oeſterreich mit einem bewaffneten Haufen nach Böhmen und ſtrafte unterwegs alle Bauern mit Brand und Plünderung, welche auf königlichen Befehl in den Wäldern Verhaue angelegt hatten.

1 Mai Schon am 1 Mai finden wir ihn in Neuhaus bei ſeinen Bundesgenoſſen, welche nun auch ihrerſeits Abſagebriefe an „Georg von Kunſtat und Podiebrad, vormaligen König von Böhmen" erließen. Er tröſtete ſie, oder prahlte wenigſtens mit der bald eintreffenden Hilfe des Königs von Polen, der durch einen gefliſſenen Boten habe ſagen laſſen, daß er ihm nächſtens fünftauſend Reiter ſchicken, und ſobald die Felder hinreichend Futter bieten, auch perſönlich mit bedeutender Macht nach Böhmen kommen wolle. Der Bund fand es

2 Mai gleichwohl nöthig, in einem von Neuhaus am 2 Mai datirten Schreiben ſeine Lage dem Könige und dem in Petrikau verſammelten polniſchen Reichstag darzuſtellen und um ſchleunige Hilfe zu bitten, mit dem ausdrücklichen Bemerken, daß nachdem Georg ſeiner Ketzerei wegen vom Papſte abgeſetzt worden, Niemand ein größeres Anrecht auf den böhmiſchen Thron habe, als König Kazimir und ſeine Kinder.

Die Breslauer, welche die erſten die Offenſive ergriffen,
15 Mai rückten mit andern Schleſiern am 15 Mai vor Münſterberg,
17 Mai das ſich kleinmüthig ſchon am 17 Mai ergab, und zogen dann auf Frankenſtein los, deſſen Beſatzung ebenſowenig Hel-
28 Mai denmuth bewies und ſchon am 28 Mai die Waffen ſtreckte,

288) Im Archiv zu Wittingau fanden wir zwei Schreiben Zdeněks von Sternberg aus dieſer Zeit: das eine, vom 29 April aus Weitra datirt, an die Dorfrichter der Herrſchaft Wittingau; das andere, aus Neuhaus vom 3 Mai, an Herrn Johann von Roſenberg, worin von der aus Polen zu erwartenden Hilfe die Rede iſt. Der Herrenbund ſagte dem Könige ab dd. Neuhaus am 1 Mai; Tags darauf ſchrieb er an K. Kazimir und die polniſchen Stände, wie bei Sommersberg, II B. pag. 86 zu erſehen.

obgleich wenige Stunden nach der Uibergabe so viel königs- 1467
liches Volk aus Glatz anrückte, daß es Stadt und Schloß
einschließen und deren Wiedereroberung versuchen konnte. Die
moralischen Wirkungen dieser ersten Unfälle, welche von den
Feinden überaus vergrößert und verherrlicht wurden, nöthigten den Prinzen Victorin vom Schlosse Sternberg, das er
eben belagerte, nach Glatz zur Hilfe aufzubrechen. Von der
andern Seite eilte aus Mähren Herr Stibor Towačowský
von Cimburg herbei. Der Sieg, den Herr Stibor am 11 11 Juni
Juni bei Patschkau errang, indem er die Truppen des Bischofs Jost fast ganz aufrieb, wobei einer der bedeutendsten
Heerführer der Katholiken, Johann von Schlaberndorf, als
tödtlich verwundet fiel, wog die bisherigen Verluste beinahe
auf; mehr aber noch that dies die Niederlage, welche die
Schlesier bei Frankenstein am 16 Juni vom Prinzen Victo- 16 Juni
rin erlitten, wo nicht nur das Schloß mit allen feindlichen
Geschützen, sondern auch an 4000 Gefangene in die Gewalt
der Sieger fielen, so daß sich da die kecke Streitlust des
Breslauer gemeinen Mannes für immer bedeutend abkühlte.
König Georg befahl die erbeuteten Breslauer, Bauzner und
Neißer Geschütze, an Zahl nahe bei 400 Stücke von grö-
ßerem und kleinerem Kaliber, so wie die Gefangenen nach
Prag zu führen, um am Anblick dieser Trophäen des Volkes
Sinn zu laben und zu stärken; dann aber, heißt es, erwies
er sich sehr geneigt, die Gefangenen gegen die üblichen Ver-
pflichtungen in ihre Heimath zu entlassen, damit sie ihren
Landsleuten ein lebendiges Zeugniß wären, daß Ketzer nicht
so leicht zu überwinden sind. [289]

289) Eschenloer war, bei all seiner Ehrlichkeit und Wahrheitsliebe, doch
eifrig bemüht, in seinem ganzen Werke die Erfolge der Seinigen
zu übertreiben und die Schäden zu verringern, was auch von seiner
Schilderung dieser Ereignisse gilt. Man vergl. die Staři letopisowé,
die zwar auch parteiisch, jedoch gemäßigter gehalten sind, Dlugoš
(p. 406) u. a. m.

1467   Nichtsdestoweniger hatten die anfänglichen günstigen Erfolge der Breslauer fast unberechenbare Folgen, zumal in
Mähren und den Sechsstädten. Unter den Bürgern aller
vorzüglichen katholischen Städte der Krone gab es eine dem
Könige ergebene Partei, welche im Besitze größeren Vermögens und der städtischen Aemter dem zelotischen Drängen
der Geistlichkeit und der niedern Volksklassen Einhalt zu
thun und den Frieden zu bewahren suchte: die Nachricht
von den Siegen der Katholiken aber steigerte die Kühnheit
der Eiferer ungemein und machte sie unwiderstehlich, so daß
in kurzer Zeit fast überall die Freunde des Friedens entfernt
und an ihre Stelle die Schürer des Aufstandes eingesetzt
wurden. Tragische Auftritte, wie der Tod des edlen Andreas
Puklice, eines der verdienstvollsten Bürger seiner Vaterstadt
Budweis, bei dem Aufstande der dortigen meist deutschen
Eiferer am 25 Mai, wovon uns ein lebendiges und ergrei-
fendes Bild überliefert wurde, [290] scheinen sich an mehreren
Orten wiederholt zu haben. In Mähren fiel bei der Entscheidung auch die Nationalität vorzugsweise ins Gewicht.
Königliche Städte, wie Olmütz, Brünn, Znaim und Iglau,
wo die Deutschen die Oberhand hatten, lehnten sich bald
auf; andere, wo das slawische Element vorherrschte, wie Hradisch, Mährisch-Neustadt (Uničow) und Eibenschütz, blieben
dem Könige treu; in Neustadt wurden einige Deutsche, die
sich durchaus auflehnen wollten, von der Bürgerschaft selbst
ausgewiesen. Die mährischen Katholiken traten einigemal
schon in den Monaten März und April in Wischau bei ihrem
Bischof Protas von Boskowic zu Berathungen zusammen,
doch fehlen uns alle näheren Nachrichten darüber: nur das
Endergebniß ist bekannt, die Aufkündigung des Gehorsams

290) Ueber den Aufstand in Budweis am 25 Mai und den Tod des
     Andreas Puklice von Wstuh hinterließ des letzteren Sohn Johann
     eine umständliche Schilderung, welche K. J. Erben im Časopis
     česk. Museum, 1846, S. 163—211 herausgab.

gegen den König und ein Schutzbündniß zwischen dem Bischof 1467
und den Städten, bis sie von Seite des heiligen Vaters
mit einem rechten Könige versehen sein würden. [291] Die
Städte Olmütz, Brünn, Znaim und Iglau, die in einem
besonderen Bunde standen, baten den Kaiser schon am 22 22 Mai
Mai um Schutz und Hilfe gegen ihre Dränger; ihre Haupt-
verhandlungen aber pflogen sie mit Zdeněk von Sternberg
und dem Herrenbunde, mit welchem sie endlich am 4 Juni 4 Juni
zu Brünn, unter großen Feierlichkeiten und Freudenbezeugun-
gen von Seite des Volkes, einen Bundesvertrag abschloßen,
worauf die Städte alsogleich ihre Absagebriefe an „Georg
von Kunstat, ehemaligen König von Böhmen" schickten. Als
nun einige mährischen Barone, wie die Herren von Cimburg und die von Pernstein, diesen Treubruch zu strafen unternahmen, kam es zu blutigen Kämpfen, deren Gedächtniß
uns jedoch nicht weiter bewahrt wurde, als daß der junge
Herr Sigmund von Pernstein in die Brünner Gefangenschaft gerieth, und daß die städtischen Truppen Spielberg,
wo eine königliche Besatzung lag, zu belagern anfingen. Dies
war nämlich der Grund, warum Prinz Victorin nach seinem
Siege bei Frankenstein am 16 Juni nicht vor Breslau zog,
welches im panischen Schrecken sich ihm nach der Meinung
Vieler alsogleich ergeben hätte, sondern nach Mähren eilte,
um Spielberg zu entsetzen und die Brünner zu züchtigen.
Die Iglauer nahmen inzwischen am 13 Juni Herrn Zdeněk 13 Juni
von Sternberg als ihren Beschützer und dessen Truppen in
ihre Stadt auf; welche derselbe fortan zu seinem Hauptsitze
wählte, um von da verderbliche Streifzüge auf die Güter
aller Königlich = Gesinnten zu unternehmen. Insbesondere
hatte er es auf Herrn Johann von Rosenberg abgesehen, den er nun nicht minder zu hassen schien, als den
König selbst, und auf die Stadt Budweis, wo er eine ihm

291) Die über jenes Schutzbündniß aufgesetzte Vertragsurkunde liefert
MS. Sternb. p. 480, jedoch mit Hinweglassung des Datums.

1467 ergebene Partei besaß; doch hatten die Königlichen auch nach Puklice's Tode wieder in der Stadt die Oberhand und ver= eitelten alle seine Versuche. [292] Gleichwohl war das Kriegs=

4 Juli glück ihm nicht immer abhold: am 4 Juli schlug er bei So= běslau Rosenbergs Volk so, daß ihrer an 150 auf dem Platze geblieben und an 100 in Gefangenschaft gerathen sein sollen;

14 Aug. und am 14 August gelang es ihm Rosenbergs Schloß Gra= tzen in Brand zu stecken. Prinz Victorin dagegen entsetzte in Mähren nicht nur Spielberg, sondern schlug auch die Brünner so, daß er ihrer an 400 im Königin = Kloster ge= fangen nahm, das Kloster und ganz Altbrünn einäscherte und alle Gebäude außerhalb der Stadtmauer zerstörte; und als bald nachher an 1500 Bürger und Söldner mit 200 Wagen gegen Auspitz stark gerüstet auszogen, überfiel er sie auf dem Felde, schlug sie abermals und nahm alle gefangen. Gleichzeitig hatten die Olmützer von dem nahen Kloster Hradisch viel zu leiden, wohin der dem Könige treu geblie= bene Abt eine königliche Besatzung aufgenommen hatte, und die Znaimer beklagten sich über das Schloß Frain (Wranow), von wo sie öfters überfallen und geschädigt wurden. [293] Schon um diese Zeit begann Blasius Podmanický, ein Die=

292) Ein Schreiben Herrn Zdeněks an die Budweiser Gemeinde, von Weitra den 20 Juli datirt, lesen wir im MS. Sternb. p. 455—57. Er führt darin wie über die Schöffen, so auch über den Stadt= pfarrer Beschwerde: doch standen die Capläne und die Altaristen alle auf seiner Seite.

293) Diese Ereignisse in Mähren stellten wir zunächst nach Urkunden dar, die noch unedirt sich in den Archiven von Wittingau, Iglau und im mähr. Landesarchiv befinden, die jedoch einzeln aufzuführ= ren zu weitläufig wäre. Auch die Berichte der Staří letopisowé, Eschenloers, der Rosenbergischen Chronik u. s. w. wurden von uns benützt. Vergleicht man dieses mit dem, was Pešina in seinem Mars Moravicus an Begebenheiten dieser Periode in Mähren schil= dert, so überzeugt man sich, daß dieser Autor, bei der Dürftigkeit seiner gleichzeitigen historischen Quellen, das wenige, was ihm be= kannt war, nach seiner Phantasie weiter auszuspinnen suchte.

ner des ungarischen Königs, mit seinen bewaffneten Schaa- 1467
ren die Aufständischen in Mähren zu unterstützen. ²⁹⁴ Obgleich
es hieß, daß er solches aus eigenem Antriebe und nicht auf
Befehl seines Königs that, so wird es doch sehr wahrscheinlich, daß er die Aufgabe hatte, einen offenen Bruch zwischen
Böhmen und Ungarn herbeizuführen: aber die große um
diese Zeit in Ungarn und Siebenbürgen ausgebrochene Ver-
schwörung zog die Aufmerksamkeit K. Mathias von Böhmen
und Mähren wieder ab und machte einen neuen Aufschub
des beabsichtigten Krieges unerläßlich. ²⁹⁵

Auch in der Oberlausitz, oder wie man damals sprach,
in den Sechslanden und Städten, blieb die Ergebenheit
gegen den König lange Zeit die vorherrschende Gesinnung.
Der Adel dieses Landes war seit lange mit den Städten in
vielfache Streitigkeiten gerathen, welche K. Georg, in seiner
Gerechtigkeit, mehr zu Gunsten der Städte entschieden hatte,
obgleich deren Treue minder verläßlich erschien, als die der
Adeligen; am meisten glaubte man noch auf die Bürger von
Budissin rechnen zu können. In der Niederlausitz bildete
insbesondere Stadt und Schloß Hoierswerda, im Besitze der
treuen Herren von Schönburg, ein wahres Bollwerk der königlichen Macht und Herrschaft. Seit der Verkündigung
des päpstlichen Bannspruches vom 23 December 1466 be-

294) Einige Schreiben, die davon handeln, haben sich im MS. Sternb.
erhalten und wurden vom Grafen Teleki a. a. O. edirt.

295) K. Mathias schrieb am 17 August von Ofen aus an Herrn Albrecht Kostka „amico nostro," und betheuerte, was Podmanicky
gethan, sei nicht auf seinen Befehl geschehen, denn ihm liege die
Beobachtung der bestehenden Verträge sehr am Herzen; er werde
in zwei Tagen nach Niederungarn aufbrechen und den Erzbischof
von Gran mit sich nehmen: da aber der Woiwode von Siebenbürgen, Johann Graf von Pösing, sich des Verraths schuldig gemacht, so ersuche er dahin zu wirken, daß der König von Böhmen
dessen Bruder Sigmund nicht in seinen Schutz nehme. (Copie im
Witting. Archiv.)

1467 trachtete sich aber der Legat Rudolf von Rüdesheim als den
eigentlichen Herrn dieser Lande. Er ertheilte den Städten
Dispensen und Befehle nicht in kirchlichen Dingen allein und
verbot insbesondere unter Androhung des schärfsten Bannes,
königliche Besatzungen aufzunehmen. Da die Drohungen und
Bitten des Legaten lange Zeit erfolglos blieben und der königliche Landesvogt, Beneš Liebsteinský von Kolowrat, der
Treue der Mehrzahl des Volkes versichert zu sein glaubte,
so dachte man, auf dessen eigenen Wunsch, nicht eher an
eine Besetzung der Städte, als bis es zu spät war. In Görlitz, das sich der königlichen Gunst vorzugsweise zu erfreuen
gehabt hatte, nahm der Geist des Aufruhrs, insbesondere
durch die Ränke des dortigen Stadtschreibers, M. Johannes
Frauenburg, zuerst überhand:[296] doch blieb auch dort der

296) Nächst Peter Eschenloer, dem Stadtschreiber von Breslau, wüßten
wir kaum jemanden zu nennen, dem wir so viel Aufklärung über
die Geschichte dieser Jahre zu verdanken hätten, als diesem Görlitzer Stadtschreiber Frauenburg, dessen an gleichzeitigen Correspondenzen, Tagebüchern und Actenstücken reichen Nachlaß Barthol.
Scultetus einst benützt und seinen Annales Gorlicenses einverleibt
hat. Zugleich aber drängt sich bei dem kritischen Studium dieser
Papiere die Ueberzeugung unabweisbar auf, daß man es da nicht
mit einem Ehrenmanne, wie Eschenloer, sondern mit einem der
abgefeimtesten Schurken seiner Zeit zu thun habe, und daß insbesondere die vielbesprochene sogenannte Pulververschwörung von
Görlitz, in deren Folge der dem Könige treu ergebene Görlitzer
ehemalige Stadtrichter Niclin Mehefleisch (nicht Mehlfleisch) 1467
verhaftet und 1468 geviertheilt, andere Bürger aber hingerichtet
oder mit ihren Familien aus der Stadt gewiesen wurden, ein von
diesem Bösewicht ziemlich plump, aber für die Zeitgenossen und
Umstände fein genug angelegter Anschlag gewesen, um zu Vermögen und Einfluß zu gelangen. Wir können in diese sehr verwickelte aber örtlich beschränkte tragische Geschichte, die neben der
großen, die wir zu schildern haben, parallel läuft, nicht näher eingehen, und überlassen sie einem Geschichtschreiber des Ortes, der
mit Fleiß und Liebe zur Sache auch kritischen Sinn genug besitzen
wird, um sich nicht vom Schein irre leiten zu lassen. Ein deutscher

Schein der Ergebenheit vorwiegend, bis die Siege der Bres-   1467
lauer Veranlassung gaben, daß am 8 Juni sämmtliche Oberlausitzer zugleich dem Könige den Gehorsam auffündigten und
des Herrn Zdeněk von Sternberg ältesten Sohn Jaroslaw
als Vogteiverweser bei sich aufnahmen, ohne jedoch vorerst
einen Krieg zu beginnen; Beneš von Kolowrat hatte das
Land schon früher freiwillig verlassen. Und zu gleicher Zeit
traten auch die von Schweidnitz und Jauer, so wie die Mehrzahl der schlesischen Fürsten, zwar vom Könige ab, um dem
Bann des Papstes zu entgehen, ohne jedoch dem Drängen
zum Kriege gegen ihn Folge zu geben; und der König zeigte
deshalb viele Nachsicht ihnen gegenüber. [297]

So gestaltete sich der Lauf und Stand der Dinge gleich
im Beginne, wie ihn der kluge Bischof Jost von Breslau
vorausgesehen und zu verhindern gesucht hatte. [298] Obgleich
beide Parteien bedeutende und empfindliche Verluste erlitten

Dichter aber, der diese eigenthümlich bewegte Zeit in einem um-
fassenden Gemälde zu schildern unternähme, könnte zunächst hier
ansetzen.

297) Fortsetzer des Johannes von Guben in Scriptor. rer. Lusatic.
1839, p. 87. Scultetus annal. Gorlic. III, 203. Verzeichniß Ober-
laus. Urkunden zum 3 Juni 1467, Eschenloer, Kloß, Käufer u. a. m.

298) Bischof Jost klagte in einem Schreiben an den päpstlichen Legaten
(dd. 7 August) über die Niederlagen, die seine Partei erlitten, und
fuhr dann fort: Suscipiat R. P. V. in bonam partem haec scripta
inter pressuras. Nam tunc stipendiarii exigebant, subditi con-
querebantur, officiales defectus varios allegabant, amici dolenda
scribebant, inimici damnificabant. Inter haec solatia scripsi
talia. Saepe illi involvunt destructionibus et devastationibus
terras et regna, inficiendo plus quam proficiendo, qui numquam
sciunt, possunt et valent illa recuperare, reformare et restau-
rare; quorum memoria et praemia sint talia, qualia merentur.
Selbst der Legat Rudolf bekannte schon im Juli 1467 mit Seuf-
zern, er hätte nie in den Krieg mit den Ketzern gewilligt, wenn
er die Schwäche der katholischen Macht ihnen gegenüber besser
gekannt hätte. Eschenloer, II, 56.

1467 hatten und gewohnt waren, den Schaden ihrer Feinde gegen=
seitig zu übertreiben, so wurde doch das Uebergewicht der
königlichen Streitkräfte mit jedem Tage offenkundiger, und
man erkannte immer mehr, daß eine auch noch so eifrig un=
terstützte Insurrection nicht nur nicht vermochte, des Ketzers
Thron zu stürzen, sondern auch endlich in sich selbst zerfallen
mußte, wenn keine auswärtige Macht ihr zu Hilfe kam. Die
darüber geschöpfte Ueberzeugung wurde insbesondere für den
Erfolg zweier Unterhandlungen maßgebend, die zu gleicher
Zeit, eine zu Krakau, die andere zu Nürnberg, im Zuge
waren: doch müssen wir noch zuvor berühren, was ein an=
derer noch bedeutsamerer Kampf dieser Zeit zu Tage förderte,
ein Kampf im Reiche der Gedanken.

Seit Menschengedenken herrschte der Gebrauch, daß die
römischen Päpste alljährlich am Grünbonnerstage in der Pe=
terskirche unter großer Feierlichkeit Fluch und Bann aus=
sprachen über alle Gegner und Feinde der Kirche, über Ketzer,
Irrlehrer und Ungehorsame jeder Art, so wie über Verbre=
cher und Missethäter überhaupt. In diesem Jahre wurde
26 Mai am 26 März zum erstenmal König Georg an der Spitze
dieses langen grausen Katalogs genannt, zugleich mit allen,
die noch länger zu ihm halten und ihm gehorchen würden;
in späteren Jahren wurden neben ihm auch seine Gemalin
und Kinder, insbesondere Victorin, dann M. Rokycana und
Dr. Gregor von Heimburg namentlich verflucht. [299] Auch
das Kreuz wurde gegen den Ketzerkönig auf Antrieb des Le=

---

299) Die darüber erlassene Bulle beginnt mit den Worten Consueve-
runt Romani pontifices, und zählt unter den Ketzern namentlich
auf: Gazaros, Patarenos, pauperes de Lugduno, Arnolfistas,
Speronistas, Passagerios, Viclevistas seu Husitas, Fraticellos de
opinione nuncupatos; unter den Missethätern, die in den Bann
verfallen, werden auch Seeräuber, Wucherer u. a. ausdrücklich an=
geführt. In Folge dieser Bulle that dann am 12 Mai auch der
Legat Rudolf in Breslau in den Bann, außer K. Georg und den

gaten Rudolf, in mehreren Gegenden Deutschlands schon im 1467
Frühjahre gepredigt. Um den 15 Mai herum erschienen 15 Mai
dann in Rom mehrere päpstliche Bullen, die den Zweck hat=
ten, den Erfolg des Kampfes zu sichern. Vor allem wurde
die Thätigkeit des Legaten belobt und seine Vollmacht erwei=
tert, so daß er gleich dem Papste alle nothwendigen Mittel
zu ergreifen, mit allen geistlichen Strafen und Gnaden zu
züchtigen und zu lohnen ermächtigt und verpflichtet wurde.
Ferner wurde demselben aufgetragen, auf die Besetzung des
erledigten böhmischen Thrones Bedacht zu nehmen, diejenigen
zusammenzuberufen, welche den neuen König zu wählen hätten
und den Erwählten zu bestätigen, oder falls dieselben zögern
und Bedenken tragen sollten, ihn nach ihrem Wunsche zu
ernennen. Auf die Bitte des Königs von Polen wurde der
Thorner Friede bestätigt und von seinen Unterthanen der
Bann genommen, in welchen sie wegen des Krieges mit dem
deutschen Orden verfallen waren: jedoch unter der ausdrück=
lichen Bedingung, daß Kazimir entweder sich selbst oder einen
seiner Söhne auf den böhmischen Thron wählen lasse, oder
wenn ein Anderer gewählt würde, denselben mit seiner ganzen
Macht unterstütze. Und da es noch immer Leute gab, die
des Papstes Macht und Befugniß, von Eiden und Pflichten
gegenüber von Ketzern zu entbinden und freizusprechen, ent=
weder nicht kannten oder bezweifelten, oder aber der Meinung
waren, eine solche Lösung und Freisprechung beziehe sich nicht
auf ihre Personen, so wurde darüber eine neue Belehrung

übrigen Obgenannten, noch den Prager Bürgermeister Samuel
von Hradek, den Troppauer Hauptmann Bernard Birka von Ná=
silk, Hanns Wölfel von Warnsdorf, Hauptmann von Glatz, Jo=
hann von Quintendorf, Burggrafen auf Frankenstein, Johann von
Bratkowic, Burggrafen auf Mitterberg, Johann von Rakowic auf
Lehenhaus u. a. m. Beide Bannformeln theilt uns die Wiener
Handschrift 3484 mit, die erstere auch das MS. 4975, so wie Ray=
naldi zum Jahre 1467 §. 1—2.

1467 und Verordnung erlassen, und es wurden der Kaiser, die benachbarten Könige, Erzbischöfe und Bischöfe so wie alle vornehmsten Reichsfürsten namentlich und nachdrücklich, unter Androhung des göttlichen Gerichtes aufgefordert, in Zukunft besser als bis dahin alle und jede Berührung mit Georg und dessen Nachkommen und Genossen zu vermeiden, ihm den Titel eines Königs oder Herzogs oder Markgrafen oder sonst einer Würde nicht mehr beizulegen, ihn nicht zu hören und sich von ihm nicht bethören zu lassen, auch keine ihm geleisteten Versprechen oder zu leistenden Obliegenheiten zu erfüllen u. s. w. [300] Zu gleicher Zeit wurden Bruder Gabriel Rongoni von Verona, Capistrans ehemaliger Genosse und Peter Erclens, des Papstes Secretär und Dechant von Aachen, als außerordentliche Gesandte an den König von Polen abgeordnet, um ihn endlich gegen die Ketzer in Bewegung zu bringen; auch erhielt der Pfarrer Elias, welchen Herr Zdenek abermals nach Rom geschickt hatte, an Subsidien für seinen Herrn einige tausend Gulden. Schließlich erging auch an den Administrator des Prager Erzbisthums, Dombechant Hilarius von Leitmeritz, der gemessene Befehl, seine Diöcesanen gegen deren Unterdrücker aufzuregen und in Waffen zu rufen. [301]

Dechant H i l a r i u s hatte es jedoch auch vorher schon nicht an Eifer und Thätigkeit fehlen lassen. Gleich nach der Publication des Urtheilsspruches vom 23 December 1466 hatte er an alle ihm unterstehenden Kirchengemeinden Ermahnungen gerichtet, dem Könige allen Gehorsam zu entziehen, und allen, die es nicht thäten, mit Einstellung des Gottes-

---

300) Einige dieser Bullen gibt Raynaldi im Auszuge, zum J. 1467 §. 4—7, und Eschenloer in deutscher Uebersetzung, II, 61—69. Mehrere lasen wir in Eschenloer's lateinischer Originalhandschrift in der Bibliothek der Elisabethenkirche in Breslau, fol. 367—372.

301) Eschenloer, II, 52, 60. Dlugoš p. 408. Mehrere Schreiben von Hilarius im Archiv des Prager Domcapitels.

dienstes gedroht. Dann schrieb er schon im Mai und versandte an alle katholischen Obrigkeiten einen gelehrten Tractat darüber, [302] daß die Böhmen aufgehört hätten, durch Eid oder ein Unterthansverhältniß an Georg von Podiebrad, ihren ehemaligen König, gebunden zu sein. Er ging in seiner Argumentation von zwei Hauptsätzen aus: erstens, daß ein Ketzer in der Christengemeinschaft irgend eines Rechtes weder fähig, noch theilhaftig sei; und zweitens, daß der Papst als oberster Richter das Recht und die Pflicht habe, einem Ketzer alle Gewalt, Rechte und Würden zu nehmen. Georg sei gehörig vorgeladen, habe sich vor Gericht nicht gestellt und sei somit verurtheilt worden. Eitel sei die Klage, daß er kein Gehör erhalten habe: die Cardinäle hätten ihn ja genug citirt und gerufen, und er, sich taub stellend, verlange noch immer gehört zu werden. Der heilige Vater habe ihn nicht bloß wegen seiner Ketzerei absetzen können, sondern auch wegen Meineids und Sacrilegiums; bei Ausführung des letztern Satzes erfahren wir, daß Georg sich auch dadurch eines Sacrilegiums schuldig gemacht, „daß er sich mit Zauberei abgegeben, Jungfrauen, alte Weiber, Bauern und andere Wahrsager gleich Saul um sich versammelt habe und ihnen viel Glauben schenke.“ Und obgleich er behaupte, er zwinge Niemanden den Glauben zu verlassen, so gebe er doch seinen Amtsleuten, Schöffen und Pfaffen zu verstehen: plagt sie, so viel ihr wollt, ich werde thun, als wüßte ich nichts darum. Auch das helfe ihm nicht, sondern diene vielmehr zur Verdammniß, daß er sage, er habe den Eid anders aufgefaßt und nie daran gedacht, vom Utraquismus abzustehen: denn den Eid, den man dem heiligen Vater leiste, könne nur dieser selbst auslegen. Die Wahl eines böhmischen Königs stehe

---

302) Die Handschrift der Prager Universitätsbibliothek (sign. XVII, F. 32) scheint eben das von Hilarius an Herrn Johann von Rosenberg gesandte Originalexemplar zu sein. Wenigstens ist sie vollkommen gleichzeitig und authentisch.

1467 ben Ständen, deſſen Krönung und Salbung aber dem Erz=
bischofe zu; und größer ſei derjenige, der da ſalbt und ſegnet
als der geſalbt und geſegnet wird. Möge daher immerhin
Georg hundertmal gewählt ſein: wenn der Papſt oder der
Erzbischof an ſeiner Statt aus triftigen und gehörigen Grün=
ben in deſſen Salbung nicht willigen, ſo komme ihm kein
Recht auf den Beſitz des Königreichs zu. Auch ſuchte Hi=
larius zu beweiſen, daß des Königs Appellation vom 14
April nichtig geweſen, indem es auf dieſer Welt keine höhere
Inſtanz über dem Papſte gebe. Als er dann ſpäter, beſon=
ders wegen Herrn Johanns von Roſenberg neue Weiſun=
gen aus Rom erhielt, gegen die Ungehorſamen nachdrückli=
cher und ſtrenger zu verfahren, verſandte er an dieſelben am
4 Juli eine neue Abhandlung in Form eines Sendschreibens,
aus der wir nur einige bezeichnendere Stellen anführen wol=
len. „Es iſt bekannt, daß Gott der Herr, deſſen die ganze
Welt iſt, an ſeiner Statt hienieden eine höchſte Macht ein=
geſetzt und ihr alle Königreiche untergeordnet hat; dann eine
zweite, die weltliche Macht, die von Rechtswegen die ganze
Welt regieren ſollte. Da nun dieſe zwei Mächte an ſich
allein nicht allen Ländern Genüge leiſten können, ſo haben
ſie ſich in Bisthümer, Königreiche und Fürſtenthümer ver=
theilt, indem ſowohl die geiſtliche als die weltliche Macht
einen Theil ihrer ſelbſt an Untergeordnete übertrug, ſo daß
eine der andern behilflich werde. Was die geiſtliche Würde
in Wort und Satzung aufſtellt, das ſoll die weltliche Ma=
jeſtät mit dem Schwerte unterſtützen. Weiter ſorgte Gott
für einen Rath und ſchuf Euch, die Herren: wo des Lan=
desherrn Macht an ſich nicht zureicht, da ſollt Ihr ihm be=
hilflich ſein; wollte er aber ausschweifen und irre gehen, ſo
ſollt Ihr ihn zurechtweiſen und Eurem Herrn den Weg ſei=
ner Vorfahren vorhalten. Wollte er auch dann noch ſeinem
Eigendünkel und dem Rathe Geringerer, als Ihr ſeid, folgen,
ſo ſollt Ihr, Herr, Eurer Ehre und Eurer Vorfahren ge=

denken, daß sie es ihrem Herrn nicht nachsahen, wenn er 1467
ihren Rath nicht hören wollte. Denn dem Landesbischof
steht es zu, den Glauben zu lehren und nachzuweisen, Euch
gebührt die Vertheidigung des Glaubens der allgemeinen
christlichen, nicht einer Partei-Kirche." Weiter beschwerte sich
Hilarius darüber, daß sich der König zumeist durch den Beistand der katholischen Herren erhalte. „Hätte er Euren Beistand nicht, so wäre die Sache gar bald abgethan: denn
wo Niemand ist, der hilft und schützt, da ist auch Niemand,
der sich auf seinen Willen stützt. Ihr seid seine Gesandten,
Ihr geht nach Rom, geht dort ins Reich, da zu den Fürsten.
Ihr hängt für ihn Eure Siegel an, Ihr schreibt, versprecht
für ihn, seine Partei schweigt, tritt nirgends auf, beräth sich
zu Hause und schiebt Euch überall vor." Seine Theorie
vollendete er in der am 20 November an Herrn Sezima
von Wrtby, Herrn auf Hořowic, erlassenen Belehrung. Herr
Sezima hatte nicht glauben wollen, daß er verpflichtet sein
könne, seinem dem Könige geleisteten Eide untreu zu werden.
„Es ist doch bekannt," sagte Hilarius, „daß der heilige Vater
in geistlicher Pflege Gewalt hat über Königreiche und Herrschaften. Wer ihm nicht gehorcht, den kann er strafen, wie
es ihm gefällt: denn ihm hat Gott alle Schäflein übergeben.
Und solches ist schon oft geschehen und wird noch oft geschehen, daran ist nicht zu zweifeln. Nun, so lange der heilige
Vater ihn für einen König hielt, waren auch wir zu Gleichem verbunden: da uns aber jetzt unter Androhung der
ewigen Verdammniß streng befohlen wird, ihn nicht mehr
als unsern Herrn anzuerkennen, so dürfen wir uns nicht anders verhalten, als es sich für gehorsame Söhne schickt; was
immer noch weiter angeordnet wird, müssen wir freudig alles
leisten. Es ist allerdings wahr, daß man seinem Herrn treu
sein und bleiben soll: wenn aber dieser Herr seinem und unserm Herrn ungetreu wird, so sind wir dem Höheren zur

1467 Treue und zum Gehorsam verpflichtet." [303] Nichtsdestoweniger gab es viele katholische Herren, Ritter und Städte, ja selbst Geistliche, welche diesen Mahnungen kein Gehör gaben: aus dem Herrenstande führen wir, außer den schon Genannten, noch an: die Herren von Kolowrat, Heinrich auf Buštěhrad, Beneš auf Libstein, Johann und Burkhard auf Bezdružic (Weseritz); die von Lobkowitz, Johann Popel auf Hluboka (Frauenberg) und Johann auf Haffenstein; von den Städten: Eger, Ellbogen, Kaaden, Komotau, Brür und Aussig an der Elbe; das Verzeichniß der Geistlichen, die auf den Wunsch ihrer Patrone das Interdict nicht beobachteten, war wider Erwarten lang. [304] Das Auffallendste aber ist, daß mit Ausnahme einiger, die dem Bettelorden angehörten, alle Klöster in Böhmen wie in Mähren fortfuhren, ihrem weltlichen Herrn treue Ergebenheit zu bewahren, ohne sich an den Unwillen zu kehren, den sie darüber zumal vom Legaten Rudolf zu ertragen hatten; unter den Feinden K. Georgs findet sich im J. 1467 kein Name eines Abtes oder Ordenspropstes aus diesen Ländern, mit Ausnahme des Bischofs Jost, der zugleich Prager Dompropst und Großmeister von Strakonic gewesen.

Der bedeutendste unter den katholischen Baronen, die

303) In den Prager Consistorialacten haben sich sehr viele Schreiben des Hilarius aus dieser Zeit erhalten; die angeführten stehen namentlich unter sign. U, III, p. 45 und 71. Vgl. auch Pešina Phosphorus septicorn. p. 269 fg. Archiv český, III, 574 fg.

304) In denselben Consistorialacten, U, III, p. 31 lesen wir auch eine consignatio presbyterorum, qui contra mandatum tempore interdicti celebraverunt. Wir erfahren daraus, daß auf Verlangen der Kirchenpatrone das Interdict gebrochen wurde auf den Schlössern Libstein, Switau, Buben, Blatna, Rožmital, Wilstein, Frumstein, Wrtba und Žebrak, und in den Städten, Rittersitzen und Dörfern Mies, Horažďowic, Plan, Podmokl, Raupow, Wřeskowic, Kšiž, Kacerow, Přestic, Eškow, Pořič, Bukow, Slabec, Zwikowec, Prusiny, Kbel, Plčina, Sinutz, Altbuch, Tepla u. a. m.

1467

sich von ihrer Treue gegen den König nicht abwendig machen
ließen, Herr Wilhelm der jüngere von Riesenberg
und von Rabi, gewöhnlich kurzweg nur „Herr Wilhelm
Rabský" genannt, [305] rechtfertigte seine Beharrlichkeit in
einem gewichtigen und denkwürdigen Schreiben, das er gegen
Ende Juli nach Breslau an den Legaten Rudolf Bischof
von Lavant richtete, und das wenigstens im Auszuge hier
angeführt zu werden verdient. „Ich habe das Schreiben
erhalten, in welchem Ew. Hochwürden mich ermahnt und
mir aufträgt, vom Gehorsam des durchlauchtigsten Fürsten,
meines gnädigen Herrn, Herrn Georg, Königs von Böh=
men, zurückzutreten, auch ihn fortan nicht mehr als König
anzusehen, und dies unter schweren Strafen, die ihr mir
androht und die ich auf sich beruhen lasse. Lasset Euch vor
Allem, hochwürdiger Vater, sagen, daß ich ein wahrer Ka=
tholik bin, dem apostolischen Stuhle und der heiligen Kirche
treu ergeben, der alle ihre Gebräuche, wie es dem Laien
ziemt, beobachtet und das Altarssacrament unter einer Ge=
stalt genießt. Bei diesem Glauben will ich auch beharren,
so lange ich lebe, und in Allem, was den Gottesdienst und
das Kirchenregiment betrifft, der römischen Kirche und dem
heiligen Vater stets gehorsam sein. Ich will aber auch, daß
geistliche und weltliche Dinge nicht in einander gemengt wer=
den, sondern daß diese beiden Gewalten getrennt bleiben,

305) Man nannte diesen merkwürdigen Mann stets „den Jüngeren"
(mladší), weil er, der jüngste Sohn einst Herrn Johanns von
Riesenberg und Rabí, nicht nur einen Vatersbruder dieses Na=
mens (Wilhelm, zugenannt den Starken, der in unserm Werke
zum J. 1434 zuletzt genannt wurde), sondern auch einen leiblichen
Bruder „Wilhelm den Aelteren" hatte, der später in den geist=
lichen Stand getreten war. Wilhelm der Jüngere, von dem die
Rede ist, wurde im J. 1468 Oberstlandkämmerer des Königreichs,
starb 1479, und ist eine der Hauptpersonen in dem Dialog Jo=
hanns von Rabstein vom J. 1469, der als Beilage dieses Buches
unten folgen wird.

1467 keine derselben ihre Schranken durchbreche und der andern
hindernd in den Weg trete. Wenn Ihr behauptet, ich sei
des Gehorsams gegen meinen König entbunden und losge-
sprochen, so nehme ich das nicht an und kann es in Ehren
nicht annehmen. Als ich meinem Könige den Eid des Gehorsams leistete, da traute er mir Treue und Wahrheit zu,
wie sie meinem Stamme angeboren ist, und glaubte nicht,
daß ich sie jemals brechen würde; auch darf ich sie nicht
dem Gutdünken irgend eines Menschen unterordnen. Denn
wenn es heißt, daß in jedem Eide höhere Gewalt und Auctorität ausgenommen sei, so darf das nicht so weit gedeutet
werden, als ob der Papst die Macht hätte uns nach Laune
zu befehlen: jetzt halte deinen Eid und jetzt brich ihn. Ich
verweigere ja dem heiligen Vater den Gehorsam in allen
jenen Dingen nicht, welche auf den Gottesdienst und das
Kirchenregiment Bezug haben: aber in den die weltliche Regierung und Herrschaft betreffenden Dingen darf und will
ich meinen König nicht verlassen, da der Erlöser uns befohlen, dem Kaiser zu geben was des Kaisers ist und Gott
was Gottes ist; und war auch der Kaiser ein Heide und
das israelitische Volk rechtgläubig, so wollte Gott doch nicht,
daß die Gewalten unter einander gemengt würden. Auch
kann ich nicht glauben, daß mein König von Rechtswegen
aufgehört hätte König zu sein: indem er, vor Gericht geladen, ein solches Gericht und einen solchen Ort dazu verlangte, wo er hinreichend sprechende und unverdächtige Zeugen
beibringen könnte. Wird doch solches Leuten geringeren Ansehens nicht verwehrt, und selbst die Bischöfe, die im Range
unter einem Könige stehen, sollen dem Gesetze nach von
Ihresgleichen gerichtet werden: hier aber wurde dem Könige
der procurator fiscalis entgegengestellt, als wäre er Seines-
gleichen. Das ist nicht das Mittel, Ehre und Ruhm und
Gehorsam des römischen Stuhls in Böhmen zu verbreiten.
Es gibt da einige hunderttausend arme, dürftige Leute, die

sich und die Ihrigen nur durch ihrer Hände Arbeit ernäh-
ren: die müßten alle das Land verlassen und Hungers sterben,
wenn sie Eurem Befehl gehorsam sein wollten. Gleichwohl
höre ich, daß Ihr ein Vater milden, zugänglichen und leut-
seligen Geistes seid, der sein Inneres dem Erbarmen ob der
Dürftigen nicht verschließt. Urtheilt nun selbst, ob solche
Bannflüche zum Guten führen, ob nicht vielmehr zum Haß
und zur Verachtung aller geistlichen Herrschaft. Ich muß
jedenfalls Ew. Hochwürden bitten, daß sowohl Ihr als der
heilige Vater Euch mit meinem geistlichen Gehorsam, zu
dem ich mich treu und gern bekenne, zufriedenstellet. Sollte
man überdies schärfer gegen mich vorgehen, so bliebe mir
nichts anderes übrig, als mich der Appellation meines durchlauchtigsten Königs anzuschließen. Um aber die Gemüther
der Böhmen zu beruhigen und sie für die Kirche zu gewinnen, müßten andere Mittel ergriffen werden, von denen ich
einstweilen schweigen will, bis die Hoffnungen, die Ihr in
die Waffen setzt, thatsächlich vereitelt oder wenigstens herab-
gestimmt werden." Den Boten, der dieses Schreiben nach
Breslau zum Legaten trug, fing Bischof Jost in Neiße auf,
und ließ ihn aus Besorgniß, er möchte unterwegs spioniren,
nicht weiter ziehen, sondern beförderte das Schreiben mit
seinem eigenen Briefe am 7 August selbst an den Legaten. [306]

Dieses Bild der von einander abweichenden Ansichten
und Meinungen jener Zeit wäre unvollständig und einseitig,
wollten wir nicht auch entsprechende Erklärungen von Seite
jener Partei beifügen, welche durch ihre Lehren, ihre Denk-
und Handlungsweise zu all den Streitigkeiten und Stürmen

---

[306] Bischof Jost berichtet darüber in seinem Schreiben selbst MS.
Sternb. p. 383, und Wilhelms obiger Brief folgt daselbst p. 384—6.
In letzterem ist der Einfluß des Geistes von Gregor von Heimburg
kaum zu verkennen; doch werden wir Herrn Wilhelm noch besser
aus Johanns von Rabstein Dialog in der Beilage dieses Buches
kennen lernen.

1467 den nächsten Anlaß gab.   Herr Stibor Towačowský
von Cimburg, älterer Sohn jenes mährischen Landes=
hauptmanns Johann von Cimburg († 1464), den wir vor=
mals (1451) die Polemik gegen Capistran in Mähren haben
eröffnen sehen, war neben den Brüdern Kostka von Postupic
an Vermögen, reichem Wissen und Ansehen der bedeutendste
Mann unter den Utraquisten seiner Zeit: wir haben ihn
schon als nicht ganz unglücklichen Dichter, Schriftsteller und
Feldherrn kennen gelernt, später zeichnete er sich als unver=
gleichlicher Rechtskenner und Staatsmann aus; zu allen
Zeiten aber bewunderte man seine witz= und geistreichen Reden,
seine Weisheit im Rathe und seine ungewöhnliche Energie
im Handeln, so daß er in Kurzem die erste Auctorität in
den Staatsangelegenheiten des Gesammtreichs wurde. [307]
Derselbe flocht in seinen Absagebrief, den er zu Ende Juni
an seinen ehemals lieben Freund und Verwandten, Bischof
Protas von Olmütz, ergehen ließ, so viele bissige Reden und
Stichelworte ein, daß sich daraus ein empfindlicher, aber be=
achtenswerther Briefwechsel entspann, aus welchem wir einige
bezeichnendere Stellen hier anführen wollen. Er warf ihm
vor, er sei nur dem Namen nach ein Nachfolger Christi, in
der That aber befolge er Mahomed's Gebote: denn Maho=
med habe befohlen, den Glauben mit dem Schwert zu ver=
theidigen, Christus aber wollte, daß wir das Unrecht von
unsern Feinden geduldig ertragen und keine größere Rache
an ihnen nehmen sollen, als zum Zeugniß den Staub von
unsern Schuhen an ihrer Schwelle auszuklopfen. „Geh in
Dich," sagte er, „ob Du da St. Augustins Infel auf dem
Haupte trägst; ich fürchte, es ist eher die des jüdischen Ho=
henpriesters Kaiphas, der den Seinigen befahl, in Rüstung

307) Man vergleiche, was wir von ihm als Schriftsteller im letzten
Capitel des vorigen Buches beigebracht haben. Seitdem ist auch
sein Hauptwerk, die Kniha Towačowská von K. J. Demuth in
Brünn 1858, (164 Seiten in gr. 8) herausgegeben worden.

kühn einherzuschreiten, in der Meinung Gott also zu dienen. 1467
Wo ist nun Dein Verstand, wo Deine Beredsamkeit, wo die
Arbeit und Bemühung hingerathen? jener Verstand, woran
Du alle zu übertreffen, jene Beredsamkeit, womit Du alle
zu besiegen, jene Thätigkeit, in deren Folge Du große Reisen
zu unternehmen gedachtest, um Unwissende über die Entstehung
der gegenwärtigen Lage mit Honigworten schmeichlerisch zu
belehren? Nun kömmt von Allem das Gegentheil an Dir
zum Vorschein: statt der Honigworte giftige Reden gegen
den König, Deinen Herrn, und seine Getreuen; statt weiser
Vorträge Umgang mit gottlosen Leuten, statt ferner Reisen
nahes Zusehen auf Brand, Mord und andere Frevel. Um
Gottes willen, ermanne Dich und blicke hin in den Spiegel
der Vorwelt, was da als Lob, was als Tadel gilt: vergiß
Deinen König und Herrn nicht und erwäge in Deinem
Herzen, was Du ihm schuldig bist. Sei nicht jenem Priester
von Troja gleich, der zum Verderben seiner Vaterstadt das
Palladium aus dem Tempel raubte: raube nicht unser Palladium, das da heißt der süße Frieden, sondern sei wie Ju-
dith, die für das Vaterland Ehre und Leben wagte. Mich
dünkt, es sei das Deine Schuldigkeit, da Du um des Königs geheime und verborgene Pläne weißt, die da zu ergründen es meinem Verstande schwer wird. Wirf die Gemeinschaft ab mit Jenen, die tückische Judaspläne gegen den
König ihren Herrn schmieden und ihres Eides so sehr vergaßen; lobe nicht den Bösen das Böse und halte nicht zurück
mit dem Guten; zeige Dich Deiner Herkunft gemäß kühn
für die Wahrheit, Deinem Wissen gemäß bereit zur Einigkeit. Ich fürchte jedoch, daß diese meine Ermahnungen Dir
neu und unangenehm vorkommen werden, denn Du willst
lieber Dich nach den Leuten als nach der Wahrheit richten.
Auch wundere ich mich darüber gar nicht: denn es hat noch
wenig Unruhen und Kriege gegeben, die nicht ursprünglich
von einem Priester oder einem Weibe hergerührt hätten; und

1467 biſt Du auch nicht dieſer Zwietracht Haupt, ihr Finger biſt
9 Juli Du gewiß." In ſeiner Entgegnung vom 9 Juli ſagte Protas:
„Hätte man uns ſo viel gefolgt, wie dem mit Blut nicht zu
ſättigenden Rokycana und etwa noch Jemanden dazu, ſo hätte
unſer Vaterland nie ſo viel Blutvergleßen zu leiden gehabt. Wir
haben von jeher erklärt, daß es uns nicht anders möglich ſei, als
Seiner Heiligkeit Folge zu leiſten; und hätte auch der König
pflichtgemäß daſſelbe gethan, wir hätten nie ſo viel Leid
weder an uns noch an unſerer Heimath erfahren. In allem,
was uns im Vertrauen mitgetheilt wurde, haben wir ſtets,
wie es dem Ehrenmanne ziemt, gehandelt: ſollte es Jemand
anders befinden und uns irgend eine Schuld geben, wüßten
wir darauf zu antworten. Darum lieber Bruder, der Du
eine ungerechte Sache wohl auszuſchmücken verſtehſt, laß Dich
eines Beſſern belehren, höre auf uns ſo unverdient zu ſchmä-
hen und führe den Krieg nur gegen unſer Gut, nicht aber
gegen unſere Ehre. Das mache übrigens mit Deinem Ge-
noſſen Herrn Dobes ab, wir wollen inzwiſchen Gott unſerm
Herrn dienen. Wer dem Könige zu dieſem Kriege gerathen,
dem möge es unſer Herr Gott verzeihen, wir ſind an dieſem
Blut unſchuldig. Und deſſen ſei gewiß, lieber Bruder, obgleich uns und unſerer Kirche groß Unrecht und Schaden
geſchehen iſt, kommt es zu einer Verhandlung zwiſchen ihm
und dem heiligen Vater (wie denn daran gearbeitet wird),
an uns wird es kein Gebrechen zur Einigkeit geben. Wiſſe
aber, daß es dabei auf uns wenig ankömmt, denn wir ſtehen
wegen Sr. königl. Gnaden in ſehr ſchlechtem Rufe. Gott
gebe, daß es beſſer werde." Hierauf erwiederte Herr Stibor
11 Juli in einem Schreiben aus Prerau vom 11 Juli noch eindringlicher: „Der Punkt in Deinem Schreiben, daß Du zu dem,
was Du thuſt, durch großes Unrecht gezwungen worden, ſo
wie der zweite, man habe Dir und nicht Rokycana noch ſonſt
Jemanden folgen ſollen, dann wäre dem Vaterlande das Blutvergießen erſpart worden, — dieſe beiden Punkte kommen

einander gleich, darum wird auf beide die kurze Antwort ge=
geben: wären der Bischof von Breslau und der Bischof von
Olmütz, Herr Zdeněk von Sternberg sammt andern Euern
Genossen und der Aufstand der gottlosen Städte nicht ge=
wesen, nie wäre in unserm Lande dieser herrliche Frieden
gestört worden, nie wären solche Stürme hereingebrochen,
noch so viel Menschenblut vergossen worden. Denn Du weißt,
Bischof, daß Du stets unserm gnädigsten Herrn und König
nahe standst, nicht aber Rokycana; Du warst stets der erste,
an den des Königs Fragen und Wünsche gerichtet wurden.
Du und ich und andere haben es gehört, wie Seine Majestät
stets gemahnt und gebeten hat, man möchte ihm mit Rath
und That beistehen zur Erhaltung des Friedens, der Ord=
nung und Eintracht des Königreichs und der Krone, und
daß Seine Majestät sich zu jeder Zeit bereit finden ließ,
Veränderungen zum Guten seinerseits zu treffen; und wie
ich noch heute bemerke, würde des Königs Majestät, unser
und Euer Herr, auch dem Geringsten bereitwillig Gehör
leihen, der ihm zum Besten und zur Mehrung dieses Reichs
rathen würde. Da magst Du nun selbst erkennen, ob da
Eigenwille vorherrsche, wo man nach Rath und Beistand
begehrt. Ich fürchte aber, wenn er sich noch so sehr binden
ließe, Ihr würdet ihm dennoch das Gute in Böses kehren.
Auch schreibst Du, Du seist zum Theil durch Gewaltthaten
an Deinen Besitzungen dazu gezwungen. Ich wüßte nicht,
was man von dem Deinigen um Černahora herum verheert
hätte; und ebenso wenig weiß ich, was Du außer dem noch
besitzest, es wäre denn Deine Tonsur. Denn das Olmützer
Bisthum ist ein Eigenthum des Königs von Böhmen, meines
Herrn. Und Du, der Du sein Caplan bist, warum erhebst
Du ungerechte Beschuldigungen gegen ihn? Du ißt und trinkst
von dem Seinigen, als sein beeideter Caplan und Lehens=
mann, wie wagst Du Dich gegen ihn aufzulehnen? Du schü=
tzest Deine große Pflicht vor, die Du zunächst gegen Gott

1467 haft. Ich kann nur loben, was nach Gottes Willen geschieht,
denn Gott will das Gute: ich weiß aber nicht, was ich am
Papste loben soll, denn ich sehe keine guten Werke von ihm,
noch höre ich von dergleichen; wohl aber erfahre ich aus
seinen Schreiben mehr unbegründete Schmähungen, Bannflüche und Hetzereien zu Krieg und Blutvergießen, als etwas
Gutes. Befiehlt er doch das Kreuz, durch das wir zum ewigen Frieden erlöst sind, zum Morden zu gebrauchen; und wer
einen Böhmen oder Mähren todtschlägt, dem gibt er Absolution und macht ihn aller Sünden ledig wie ein durch Taufe
gereinigtes Kind. Nach Gottes Weisung, glaube ich, solltest
Du einem solchen Gehorsam Dich entziehen. Du weißt ja,
daß kein Heiliger jemals als solcher gemartert wurde, man
nannte jeden einen Bösewicht. Nun merke ich, daß Ihr auch
M. Rokycana einen Bösewicht nennt, weil er in seinen Predigten hoch auffordert zu Gott um Ruhe und Frieden zu
beten, und ihm mehr gehorchen als dessen unlöblichem Ge-
schöpfe, das sich göttliche Gewalt anmaßt, und daß er die
Menschen abhält, Abgötterei zu treiben. Was Du bei ihm
Unfug nennst, gleicht bei weitem mehr der Nachfolge der Heiligen, als die bei Euch herrschende Ordnung, der zu Folge
Ihr Simonie treibt, zu Mord auffordert und das arme Volk
bedrückt. Ja, thäte er desgleichen und folgte er Eurem Beispiel, Ihr würdet ihn wohl noch loben. Auch sei es ferne
von meinem und Deinem Herrn, diesem reinen Fürstenblut,
daß er gleich Dir sich unter des blutdürstigen Papstes Befehle stellen und ein ihm ähnlicher Blutvergießer, Mordbren-
ner und Räuber werden sollte. Es sind das nichts als von
Dir ersonnene Lügen, wenn Du behauptest, Seine königliche
Majestät habe irgend seinen Gelöbnissen und Schwüren nicht
Genüge geleistet; es gibt Niemanden, der solches in der That
zu behaupten und zu beweisen vermöchte. Kennst Du Jemanden, so nenne ihn, er wird von mir und Andern die gehörige
Antwort erhalten; selbst aber sieh Dich besser vor und spreche

Wahres von Deinem Herrn. Ich schreibe das nicht, um 1467
Streit zu haben und mich mit Dir zu überwerfen, sondern
damit Du zur Erkenntniß kommest, daß Du, ein Priester, dem
Hause Boskowic angehörst und von Seiner Majestät mit
Ehren und Reichthümern überhäuft wurdest; und weil Du
mein Verwandter bist, schmerzt es mich mehr von Dir, als
von einem Andern. Zürne darum nicht, daß ich Deine thörichten Schritte nicht gutheißen kann, die Du zur Schande
Deines Geschlechts begehst. Denn alle Deine fein ersonnenen
Ausreden nützen nichts; Ihr könnt den Brand, den Ihr angefacht, nicht länger in Eurem Busen bergen, ohne daß er
Euch selbst erfasse und herausschlage; auch ist Euer Anstrich
nicht kunstvoll genug, um zu decken, was Ihr beschmutzt habt;
was Ihr unter Bettvorhängen Euch zugeflüstert, ruft man
laut auf allen Straßen aus. Du sagst, Du wollest inzwischen
Gott dienen, während ich es mit Herrn Dobes nach der
Lage der Dinge zu thun habe. Ich hoffe zu Gott, daß wenn
ich ihn treffe, ich mit ihm so umgehen werde, wie bei Patschkau mit den Leuten des Bischofs von Neiße, und daß der
Herr um Eures Unrechts willen dasselbe Wunder zeigen
wird, wie damals; und glaube mir, Bischof, ich gedenke nicht
mit baarem Gelde erst bei Dir Einkäufe zu machen. Am
Schlusse schreibst Du: Gott vergebe Demjenigen, der Seiner
Majestät zu diesem Kriege gerathen, Du seist an diesem
Blute unschuldig: mir scheint es, daß Du gleich Pilatus
Deine Hände schlecht gewaschen, daß sie dadurch erst räudig
geworden, oder daß Du sie nicht gehörig abgewischt, so daß
ein Flecken übrig blieb. Ich aber bitte Gott den Herrn, daß
der Teufel alle Diejenigen hole, die ihrem Herrn eid- und
treubrüchig werden, damit die Guten und Treugebliebenen in
Frieden leben könnten." [308]

Die Kriegsereignisse dieses Sommers übten, wie schon

[308] Ihrem ganzen Inhalte nach sind diese Briefe, jedoch mit einigen
Censurlücken, im Archiv český, IV, 141—146 gedruckt worden.

1467 erwähnt, entscheidenden Einfluß auf den Gang und Erfolg
von zweierlei Verhandlungen, die zu gleicher Zeit, einer=
seits in Polen, anderseits im Reiche gepflogen wurden.
Schon im Beginne dieses Jahres hatte K. Georg seinen Se=
cretär, den Zberazer Propst Paul an König Kazimir abge=
sandt, um zu erfahren, ob er am Glogauer Vertrag festhalten
oder die aufständischen Katholiken in den böhmischen Ländern
in seinen Schutz nehmen wolle. Als hierauf der polnische
Reichstag in Petrikau begann, sandte er Herrn Johann Zi=
činsky von Cimburg mit ähnlicher Anfrage und Instruction
dahin. Kazimir erwiederte, er habe jenen Vertrag bisher ge=
treulich gehalten, obgleich derselbe von Seite Böhmens mehr=
fach verletzt worden sei; er wolle auch ferner dabei bleiben,
wenn ihm für das erlittene Unrecht Genugthuung geleistet
werde. Herr Zičinsky erklärte sich dazu bereit, doch sollten die
einzelnen Fälle erst rechtlich untersucht werden. Erst nachdem
der Reichstag auseinander gegangen war, langte der Ge=
sandte des böhmischen Herrenbundes mit dem schon oben er=
wähnten Schreiben vom 2 Mai an: worauf die Antwort
erfolgte, daß der König in einem so wichtigen Falle ohne
den Rath seiner Stände keinen entscheidenden Entschluß fassen
könne. Freilich wußte Kazimir schon lange, daß ein Theil
seiner Unterthanen für, der andere gegen den böhmischen Krieg
agitirte und deshalb bereits ein lebhafter Streit unter den
Polen entbrannt war: er gab aber absichtlich aufschiebende
und zweideutige Antworten, bis sich zeigen würde, wohin der
Sieg sich neige. [309] Die oberwähnten päpstlichen Bullen vom
15 Mai blieben auch nicht ohne Einfluß auf diese Verhand=
lungen. Denn auf ihre Anordnung schritten die katholischen

MS. Sternb. hat uns auch diese überliefert p. 459—467. Ihre
Uebersetzung war an manchen Orten etwas schwierig.

309) Casimirus rex — aut dilationibus, aut ambiguis responsis ad
partem usus utramque, exitum rerum Bohemicarum, in quem
finem casurae forent, tacitus opperiebatur. Dlugoš p. 406.

Bundesgenossen am Hauptsitze ihres Anführers Zdenĕk, zu 1467 Iglau, wirklich zu einer neuen Königswahl, und der von ihnen Erwählte war Niemand anderer als König Kazimir; an welchem Tage und mit welchen Feierlichkeiten es geschah, ist nicht zu ermitteln. [310] Aber sowohl Kazimir als die Polen empfanden es übel, daß der Papst den Thorner Frieden nur unter der Bedingung bestätigte, daß sie ihre Waffen gegen die Ketzer wendeten: eine solche Zumuthung schien bedenklich wie für die damalige Lage der Dinge, so auch als Beispiel für die Zukunft; und nicht minder bedenklich kam es vor, daß der Papst sich das Recht anmaßte, Könige abzusetzen. Kazimir glaubte und sprach es öffentlich aus, daß das Recht ordnungsgemäß gekrönter Könige ein göttliches sei, das ihnen Niemand auf Erden entziehen könne. [311] Und als die mittlerweile aus Böhmen gemeldeten Niederlagen und Verluste der Katholiken an seinem Hofe selbst einen niederschlagenden Eindruck machten, erschienen des Papstes Ansprüche je länger je weniger geeignet, ihn zu einem so weitaussehenden und gefahrvollen Unternehmen zu bestimmen. Denn auch das mußte er in Anschlag bringen, daß weder der Kaiser noch die deutschen Fürsten ihn gerne auf den böhmischen Thron gelangen sehen würden; und obgleich man von der Ungeduld noch nicht wußte, mit welcher Mathias von Ungarn der glänzenden Beute einer neuen Krone entgegensah, so war doch nicht zu bezweifeln, daß auch er einer unmäßigen Vergrößerung der polnischen Macht als Feind entgegentreten würde. Endlich

---

310) Ueber dieses Factum finden wir nicht mehr, als Dlugoß's (p. 408) kurze Angabe: ut Casimirus Poloniae rex, juxta unanimem electionem de eo Iglaviae per barones Bohemiae de mandato summi Pontificis celebratam, regnum Bohemiae per se vel per filium suscipiat etc.

311) „Wie der König zu Polen dem Legaten und den von Bresslaw Antwort gegeben hette, daß er nicht glowben wolt, daß ein gesalbter und gekronter König möge abgesetzt werden." Siehe darüber die Nachricht in Müller's Reichstags-Theatrum, II, 266.

1467   trug sich Kazimir schon damals mit der Hoffnung, daß nach
K. Georgs Tode einer seiner Söhne freiwillig auf den böhmischen Thron berufen werden würde.   Da nun weder seine
Streitkräfte, noch seine Finanzen sich seit dem dreizehnjährigen
preußischen Kriege hinreichend erholt hatten, so nahm er Anstand sich in neue Gefahr zu stürzen, und beschloß endlich
jeden noch so lockenden Antrag zurückzuweisen. Es kamen an
seinen Hof nach Krakau zuerst am 2 Juli der Bote Zdeněks
von Sternberg, Pfarrer Elias, und zwei Boten des päpstlichen Legaten aus Breslau; später kamen die schon genannten Boten des Papstes, Bruder Gabriel Rongoni von Verona und Peter Erclens; schließlich beriefen diese, da ihr
Werk nicht von Statten gehen wollte, auch den Legaten Ru-
28 Juli dolf selbst zur Hilfe, der am 28 Juli in Krakau eintraf.
Wir sind nicht im Stande anzugeben, wer von K. Georgs
Seite sich zu dieser Zeit dort aufhielt.   Auch ist wohl nicht
nothwendig umständlich auseinanderzusetzen, welcher Mittel
und Wege man sich bediente, um K. Kazimir gegen die
Ketzer und ihren König aufzubringen, es wird genügen anzugeben, daß man selbst offenbare Lügen und Verläumdungen
nicht verschmähte, um den gehaßten Herrscher noch verhaßter
zu machen, und daß Legat Rudolf die Königin Elisabeth
offen und laut aufforderte, den Tod ihres Bruders K. Ladislaus zu rächen, den der verworfene Georg vergiftet und um
Krone und Leben zugleich gebracht habe. [312] Nach langem

312) Peter Eschenloer nahm in sein lateinisches Autograph, das in
Breslau in der S. Elisabethenkirche aufbewahrt wird, Blatt 345
bis 358 ein sehr ausführliches Schreiben des Legaten Rudolf an
K. Mathias auf, in welchem er zur Widerlegung des Manifestes
vom 28 Juli 1466 das ganze Leben Georgs voll List und Trug
schilderte; an dieses undatirte Schreiben ist Bl. 358—360 desselben
gleichfalls datumloses Schreiben an die Königin Elisabeth ange-
hängt, wo sie aufgefordert wird, ihres Bruders Tod zu rächen.
Da wir nun aus der Wiener Handschrift 4975 wissen, daß jenes
Schreiben 1467 feria II ante Mariae Magdalenae (20 Juli) zu

Zögern und Bedenken gab Kazimir endlich am 28 August 1467
eine Antwort, die obgleich wieder dilatorisch, doch als eine 28 Aug.
definitive gelten konnte. Er dankte sehr, wie dem Papste, so
auch dem Herrenbunde für den Antrag der böhmischen Krone,
die ihm übrigens ohnedies vor Gott und den Menschen
gebühre: es erschien ihm aber weder billig, noch zweckmäßig
ohne den Rath aller seiner Stände, namentlich auch der von
Litthauen und Rußland, einen Krieg zu beginnen, den er nur
mit ihrer Unterstützung zu führen im Stande wäre. Man
müsse daher den allgemeinen Reichstag des künftigen Jahres
abwarten, um eine der Entscheidung desselben entsprechende
Antwort zu erlangen. Mittlerweile trug er sich an, hoch-
stehende Gesandte nach Böhmen zu schicken, damit der Krieg
eingestellt und Georg gemahnt werde, sich dem Willen des
heiligen Vaters zu unterwerfen; zu diesem Zwecke verlangte
er Suspension des Bannes und Kreuzzuges, damit Georg
keinen Grund zum Widerspruche habe. In dieser Antwort
erkannten die Gesandten eine vollständige Ablehnung aller
ihrer Anträge und das Grab ihrer schönsten Hoffnungen.
Von Gram erfüllt erklärten sie dem Könige, er habe ihr
Vertrauen getäuscht und selbst alle Bande zerrissen, die sie
bis dahin an ihn gefesselt hätten; ihren Committenten stehe
es fortan frei, anderswo jene Hilfe zu suchen, die er so unerwarteter Weise ihnen verweigert. Bruder Gabriel und Peter
Erclens wandten sich von Krakau unmittelbar zu König Mathias nach Ungarn; [313] der Legat Rudolf kehrte nach Breslau

Breslau erlassen wurde, so ist um so weniger zu zweifeln, daß
auch das zweite aus derselben Zeit stammt, als Eschenloer selbst
es in diese Zeit verlegt. Vgl. auch Klose a. a. O. S. 438—39.

313) Es sagen zwar sowohl Dlugoß (p. 409) als Eschenloer (p. 65),
die päpstlichen Boten wären nach Rom zurückgekehrt: der Legat
Rudolf aber hebt in seiner zu Jakobi 1471 dem polnischen Gesandten Benedict gegebenen Antwort den Umstand ausdrücklich
hervor, daß jene von Krakau unmittelbar zum Könige von Ungarn gegangen seien, und daß der Bischof von Olmütz ihnen dahin

1467   in um so tieferer Trauer zurück, je trüber die Nachrichten
waren, die allenthalben vom Kriegsschauplatze einliefen.

Der große deutsche Reichstag dieses Jahres war
auf den 15 Juni nach Nürnberg ausgeschrieben, begann aber
erst zu Kiliani (8 Juli) und seine wichtigsten Verhandlungen
fielen in die Zeit vom 26 Juli bis 11 August. Von Seite
des Papstes erschien dabei Laurenz Rovarella, Bischof von
Ferrara; von der des Kaisers der Kanzler Ulrich Bischof
von Passau und der Feldhauptmann Ulrich von Grafeneck;
gegenwärtig waren sämmtliche Fürsten der Häuser Sachsen
und Brandenburg, von Baiern die Herzoge Ludwig und
Otto, ferner Erzherzog Sigmund, zwei Markgrafen von Baden, sieben Bischöfe und viele andere Herren persönlich, dann
Bevollmächtigte der übrigen und der Reichsstädte; von K.
Mathias von Ungarn kamen Johann Vitéz und Niklas Cupor, vom böhmischen Herrenbunde der Dechant Hilarius,
Leonhard von Guttenstein und Johann Kocowsky, welche Letztere von den Vorständen des Reichstags als Abgeordnete
des Königreichs Böhmen aufgenommen und behandelt wurden.
K. Georg hatte seinerseits Niemanden von Bedeutung abgeordnet, um nicht in seiner Person, wie auf dem Martini-
Reichstage des vorigen Jahres, sich selbst einer Beleidigung
auszusetzen. Aus demselben Grunde hatte er auch schon am
5 Juni, nicht an den gesammten Reichstag, sondern jedem
Fürsten und Reichstagsmitgliede insbesondere über seine Angelegenheiten geschrieben. Der angegebene Zweck und Gegenstand der Verhandlungen des Reichstags war wie gewöhnlich die Einführung eines Reichslandfriedens und ein Heereszug gegen die Türken: doch war es kein Geheimniß, daß
Papst wie Kaiser diesen Heereszug zuvor gegen die böhmischen
Ketzer zu kehren wünschten; auch befanden sich unter den
Reichstagspropositionen zwei Schreiben des Papstes an den

erst nachgeschickt worden. MS. universit. Lips. 1092 fol. 333—6.
Siehe auch bei Eschenloer, II, 237.

Kaiser, eines wegen einer Reichshilfe gegen Georg, das andere über die Nothwendigkeit, Böhmen mit einem neuen Könige zu versehen. Des Kaisers feindselige Absichten verriethen sich überdies darin, daß er unterlassen hatte, den Markgrafen Albrecht von Brandenburg, in dieser Zeit den besten Freund der Böhmen, zum Reichstage zu berufen: derselbe kam jedoch mit seinen Freunden und arbeitete um so eifriger jenen Absichten entgegen. K. Georg hatte in den erwähnten Schreiben den Verlauf seines Streits mit dem Papste und mit dem Herrenbunde ziemlich umständlich geschildert: die Bundesgenossen hätten ohne alle Ursache aus bloßem Muthwillen sich empört und hätten den Papst gegen ihn aufgereizt, der ihn nun gegen alles göttliche und menschliche Recht so hart bedränge, daß er endlich zur Appellation, jedoch in mildester Form, hätte seine Zuflucht nehmen müssen. Er bat die Fürsten auf dem Reichstage auf der Einberufung eines allgemeinen Conciliums zu bestehen, wie ja ein solches schon längst hätte Statt finden sollen und nur durch des Papstes Lässigkeit bisher unterblieben wäre; dort werde es sich erweisen, daß man ihn solcher Dinge bezichtigte, deren er sich nicht einmal in Gedanken schuldig gemacht habe; dort werde er auch bereit sein, dem Ausspruche der ganzen Versammlung sich zu fügen und zu beweisen, daß er keineswegs rechtsflüchtig werden wolle. Er stellte weiter vor, wie ungebührlich es war, daß der Papst den Aufreizungen der Empörer stets Gehör schenkte, während er die einbringlichen Fürsprachen der Fürsten für ihn unberücksichtigt ließ. Die Reichsfürsten wären doch alle, auch er mit ihnen, einander solidarisch verpflichtet. Mögen sie auch das bedenken, daß unter dem Vorwande geistlicher Gewalt die weltliche Herrschaft nicht untergraben werde: „denn Ew. Liebden weiß wohl, wenn es dem geistlichen Richter zustehen sollte unter dem Deckmantel eines kirchlichen Streits den weltlichen Fürsten ihre Herrschermacht zu entziehen, daß fürder kein weltlicher Regent weiter Herr

1467 wäre, als es ihm die Geistlichen gestatteten." [314] Dies sahen
die Fürsten wohl ein, und empfanden es auch übel, daß der
Papst sich offenkundiger Empörer annahm und sie gegen ihren
rechtmäßigen Herrn schützte: denn sie erblickten in dem Aufstande der katholischen Liga nichts als eine durch nichts ge-
rechtfertigte Auflehnung von Unterthanen. [315] Daher kam es
abermals, wie auf Martini, zu einer Spaltung am Reichstage. Die Fürsten nahmen offen Partei für den König, und
drangen nach seinem Wunsche lange auf die Einberufung
eines Conciliums: die Leiter des Reichstags und der größere
Theil der Bischöfe widersetzten sich der Forderung, obgleich
ziemlich kleinlaut. Als die sächsischen Herzoge durch ihren
Marschall in der allgemeinen Sitzung einige zu Gunsten
„König" Georgs lautende Schriften verlesen ließen, schrie
Rovarella den Lesenden an und befahl ihm zu schweigen: da
dies aber nicht geschah, verließ er ergrimmt die Sitzung und
mit ihm fast alle Bischöfe, so wie einige der Fürsten und
Herren. Niemand läugnete, daß an einen Heereszug gegen
die Türken nicht einmal zu denken sei, so lange der Krieg
in der Nähe in Böhmen fortwüthe: da aber die Fürsten ihre

314) K. Georg schrieb am 5 Juni an Herrn Johann von Rosenberg:
„Wir senden Dir hier eine Abschrift der Briefe, die wir jetzt an
die Fürsten nach Nürnberg schreiben" u. s. w. (Orig. im Archiv
zu Wittingau.) Die obigen Angaben sind daraus genommen. Den
an den Markgrafen Albrecht gerichteten Brief hat C. Höfler im
Archiv für österr. Gesch. Bd. VII, 44—46 mit dem irrigen Datum
des 5 Mai herausgegeben.

315) Es leuchtet solches aus der Sorgfalt hervor, womit Dechant Hilarius in seiner zu Nürnberg gehaltenen Rede (MS. Sternb. 226
bis 237) diese Ansicht zu bekämpfen und zu beweisen suchte, daß
der Krieg, den seine Partei führe, ein nur auf des Papstes Geheiß unternommener wahrer Religionskrieg sei. Es steht dort (p. 231)
das ausdrückliche Geständniß, daß „die böhmischen Stände vor
einiger Zeit sich mit Georg wegen der Landesfreiheiten wohl hätten
einigen können, wenn der Glaubensstreit nicht hindernd dazwischen
getreten wäre."

Waffenhilfe gegen die Ketzer versagten, erwies sich alles 1467
Eifern der Gegenpartei nutzlos, und selbst der am 26 Juli
in den Nürnberger Kirchen auf's Neue über Georg und seine
Familie feierlich verkündigte Bannfluch blieb ohne große Wirkung. Nichsdestoweniger schlugen die Verhandlungen dieses
Reichstags nicht zu des Königs Gunsten aus, obgleich Markgraf Albrecht ihm noch am 14 August glückwünschend und 14 Aug.
wie voll Freude berichtete, daß nichts gegen ihn beschlossen
und durchgesetzt worden sei. Denn es ergab sich die große
Veränderung, daß Herzog Ludwig von Baiern schon jetzt
ein Freund des Kaisers, und somit des Königs Feind wurde,
obgleich er damit noch nicht offen hervortrat, und daß der
allseitiges Vertrauen genießende Dr. Martin Mayr, der vorzüglichste Redner auf dem Reichstage, seinem Herrn in dessen
verändertem Sinne folgte und diente: denn durch des Letzteren Zuthun kam es zu einem Beschlusse, welcher für den
König günstiger und vortheilhafter schien, als er wirklich
war. Die Fürsten boten sich nämlich als Vermittler an, zwischen dem Könige einerseits und dem Papst und dem Herrenbunde anderseits; sie wollten bei Kaiser und Papst anhalten,
daß dem Könige jenes öffentliche Gehör gewährt würde,
welches er schon seit zwei Jahren sollicitirte: bei demselben
sollte der König in Glaubenssachen der Anweisung des Legaten unbedingt sich fügen, und dann alles wieder zurückgenommen werden, was gegen ihn im Werke war. Das war
der Kern des neuen Vorschlags, eingehüllt in unbestimmte
und nichts sagende Reden ohne Ende. Zwei Beamte der Herzoge von Sachsen wurden mit diesem Vorschlage nach Prag
geschickt, um des Königs Zustimmung dazu einzuholen; sobald seine Antwort erfolgt sei, sollten die Räthe der Fürsten
sich beim Herzoge Ludwig in Landshut einfinden, um zu berathen, was in der Sache bei Kaiser und Papst weiter vorzunehmen sein würde. Als der König die erste Nachricht von
diesem Antrage und von Dr. Mayr's „Verrath," (denn so

1467 nannte man es) durch besondere Boten aus Nürnberg er=
hielt, soll er davon sehr betroffen und auf's lebhafteste er=
griffen worden sein; [316] konnte er doch in die Hauptbedin=
gung nicht willigen, sich nämlich der Anweisung des Legaten
unbedingt zu fügen. Dennoch war seine Antwort mäßig und
klug gehalten: ohne den Streit wegen der Glaubensartikel
zu berühren, beschwerte er sich zunächst, daß die Fürsten,
welche den bestehenden Verträgen gemäß, als seine Verbün=
deten und Freunde, zu ihm hätten halten sollen, sich durch
die Annahme eines neuen Standpunktes ihm gleichsam ent=
fremdeten; weiter, daß sie, durch die Nennung des Herren=
bundes an Seiten des Papstes, denselben ungemein stärkten,
der doch bei seinen politischen Tendenzen weder mit dem
Glauben noch mit dem Papste irgend etwas gemein habe.
Er ging also in den Vorschlag unter einer Bedingung ein,
von deren Nichtannahme er in Vorhinein überzeugt sein
konnte: er sagte, daß wie bei jeder Friedensverhandlung die
Waffen wenigstens zeitweilig niedergelegt zu werden pflegten,
so müsse es auch jenem Gehör vorangehen, daher des Pap=
stes Bannspruch vorläufig suspendirt und jede Schmähung
und Verketzerung streng untersagt werden. Auf dem Lands=
22—29 huter Tage (22—29 September) traten dann die feind=
Sept. seligen Absichten des bairischen Hofes und Dr. Martin
Mayr's schon offener hervor: es wurde da ein Bund der
vier Höfe Oesterreich, Baiern, Sachsen und Brandenburg
in Form einer neuen und erblichen „Einung" angestrebt,
deren eigentliche Tendenz nur gegen K. Georg und Böhmen
gerichtet sein konnte. Doch die Herzoge Ernst und Albrecht
von Sachsen und Markgraf Albrecht Achilles erklärten be=
stimmt und entschieden, daß wie willkommen ihnen auch eine

316) Eine Erwähnung davon fanden wir in den sogenannten Erlbach=
schen Inquisitionsacten im königl. bairischen Reichsarchive, bei den
von M. Heinrich Erlbach gegen Dr. Mayr erhobenen Beschuldi=
gungen. Vergl. oben die Anmerk. 111 zum J. 1460.

solche Einung wäre, sie doch in keinen Bund gegen den Kö= 1467
nig von Böhmen treten wollten noch könnten. An diesem
Widerstande scheiterte endlich die ganze in Deutschland ein=
geleitete Verhandlung, obgleich der Kaiser auf einem neuen
nach Regensburg auf den 28 October ausgeschriebenen Tage
sich abermals bemühte, sich die Hilfe der Fürsten wenigstens
für den Fall zu sichern, wenn „wer immer aus Böhmen"
(so umschrieb man schon K. Georgs Namen) sich unterfangen
würde, Georg von Stein und die Eizinger und Puchheimer
in Oesterreich gegen ihren Herrn zu unterstützen, und Dr. Mayr
trat schon als Hauptanwalt dieser Entwürfe auf. Doch auch
diese Verabredungen wurden durch die späteren Ereignisse zu
nichte, und nur der große Wechsel blieb aufrecht, daß die
Freundschaft zwischen Böhmen und Baiern ein Ende nahm
und die Verträge von 1460 vergessen wurden. Dafür nahm
der Kaiser am 19 October den Herzog feierlich wieder zu 19 Oct.
Gnaden auf, und K. Georg suchte und fand in Polen jenen
Beistand, den er aus Deutschland vergeblich erwartet hatte. [317]

Es scheint übrigens, daß über die Nothwendigkeit der
Berufung eines allgemeinen Concils im Jahre 1467 nicht
bloß auf dem Nürnberger Reichstage, sondern auch in wei=
teren Kreisen verhandelt wurde. Es wird nämlich berichtet,
daß im Laufe dieses Sommers eine Gesandtschaft des Königs
von Frankreich nach Prag kam, ein ansehnlicher Herr welt=
lichen Standes und ein Abt, welche König Georg auffor=
derten, bei den Reichsfürsten dahin zu wirken, daß ein solches
Concilium nachdrücklich gefordert und einberufen werde. König
Georg hatte solches, wie wir gesehen, schon vorher gethan:
und es ist wohl anzunehmen, daß die französische Gesandt=
schaft nichts als eine zustimmende Erwiederung zu dem Ver=
langen brachte, welches K. Georg selbst vorher an K. Lud=

---

317) Müller's Reichstags=Theatrum, II, 260—310. Const. Höfler, Kai=
serl. Buch, S. 119—182, Archiv für österr. Gesch. Bd. VII, 47—9.
Droysen Gesch. d. preuß. Politik, II, 337—9.

1467 wig XI gestellt haben wird. Was weiter in dieser Angelegenheit verhandelt wurde, ist uns nicht bekannt. [318]

Während dieser Verhandlungen hatte sich der Gang der
Kriegsbegebenheiten in Böhmen gar nicht geändert;
es herrschten noch immer beiderseits dieselben Unternehmungen vor, dieselben Hin- und Herzüge zu Verheerung und
Brandschatzung feindlicher Orte, dieselben Scharmützel und
Belagerungen von Burgen und Ritterfesten, dieselbe Beute-
sucht und Zerstörungswuth. Auch das Kriegsglück blieb in
derselben Richtung, da die Burg Sternberg sich ergeben
mußte und die Besatzung von Konopišt in äußerste Bedrängniß gerieth. Der Kriegsschauplatz gewann jedoch an Ausdeh-
nung und die Zahl der Krieger mehrte sich insbesondere durch
das Herbeiströmen vieler zwar kriegslustigen, aber undiscipli-
nirten und schlecht bewaffneten Kreuzerschaaren aus Deutschland. Gegen Ende August brach auch ein regelmäßiges Heer,
an 4000 Mann zu Roß und zu Fuß, aus der Oberlausitz
nach Böhmen ein, zunächst gegen Wenzel Carda von Petro-
wic auf Auscha, und brannte ihm neun Dörfer nieder. Zur
Wiedervergeltung zogen auf königlichen Befehl derselbe Herr
Carda im Verein mit dem Herrn Felix (Štastný) von Waldstein auf Skal, dem ehemaligen Vogt Beneš von Kolowrat,
Heinrich von Michalowic und Heinrich Berka von Duba
am 6 September vor Zittau, wohin zu dieser Zeit an 130
Leipziger Studenten zu Hilfe kamen, und kehrten erst nach
Verwüstung der ganzen Umgegend heim. Hierauf bewaffneten
sich die Lausitzer noch stärker und berannten Stadt und Schloß
Hoierswerd, welches Herrn Friedrich von Schönburg, einem
Getreuen des Königs, gehörte. Die Belagerung dieses Schlos-
ses dauerte dann fast ein Jahr lang und wurde nicht minder

---

318) Die Nachricht von der französischen Gesandtschaft schrieb aus Prag
zu Ende September 1467 Kaspar Polkwiz an seine Freunde nach
Görlitz, und J. G. Kloß nahm dessen undatirten Brief darüber in
sein Werk auf. (MS.)

berühmt und wichtig, wie die von Konopišt in Böhmen; 1467
die Besatzung befehligte Melchior von Löben, die Belagerer
meist Kaspar von Nostitz. In Mähren fielen in der Nähe
der Städte fast täglich blutige Kämpfe vor. Am 7 Sept. 7 Sept.
wurden von Albrecht Kostka, der damals Mährisch-Sternberg
besaß, in der Nähe von Olmütz an die 200 Kreuzer, der
Propst von Kaunitz und einige Olmützer erschlagen, an 300
derselben zu Gefangenen gemacht. [319] Noch schlimmer erging
es den bairischen Kreuzerschaaren, die sich, viele tausend
Mann stark, ohne Herzog Ludwigs Wissen und Willen gesammelt hatten und zwischen Taus und Klattau in Böhmen
eingebrochen waren: theils die Rittergesellschaft des Ein-
horns, welche im vorigen Jahre sich unter Sebastian Pflugs
von Rabstein Leitung zum Zweck des Ketzerkrieges gebildet
hatte, theils Bürger und reiche Kaufleute und eine Unzahl
Landvolkes. Ihnen stellte sich der kriegserfahrene Ritter Ja-
nowský (allem Anscheine nach Břeněk, Herr auf Bairek), mit
einer königlichen Schaar und den Klattauern und Tauffern
entgegen: am 22 September schlug er sie bei Neuern auf's 22 Sept.
Haupt, erschlug einen Herrn Gewolf und machte an 2000
Gefangene, so daß ansehnliche Lösegelder den von ihnen an-
gerichteten Schaden reichlich ersetzten. [320] Angesichts dieser

319) Eschenloer S. 74—77. Fortsetzer Johanns von Guben in Scriptor.
    rer. Lusatic. 1839, S. 87—89. J. G. Kloß Geschichte des Hu-
    sitenkrieges in der Lausitz (MS.)
320) Staří letopisové S. 192. Eschenloer, II, 77. Prokop Lupač ad d.
    22 Sept. Balbin S. 535. Pešina Mars Morav. p. 811. Pubička
    p. 202. Man setzt dieses Ereigniß gewöhnlich in's Jahr 1466,
    doch ohne allen Grund. Wir haben es früher zum J. 1468 be-
    zogen, da nach Gemeiner's Regensburger Chronik, III, 422 fg.
    Herr Gewolf im Januar 1468 noch am Leben, und Hyncik (Herr
    Pflug) am 29 Sept. 1467 in Freiheit war: doch können wir jetzt
    nicht umhin, nach den von Eschenloer angeführten Umständen das
    Jahr 1467 anzunehmen. Ueber den Tag des 22 September besteht
    kein Zweifel, weil dieser Sieg an diesem Jahrestage lange Zeit

1467 vielen Unfälle schloßen der Bischof von Breslau Jost und die
Herren Zajic von Hasenburg einen förmlichen Frieden mit
K. Georg, und Bischof Protas von Olmütz soll ein Gleiches
beabsichtigt haben. Zdeněk von Sternberg unternahm nichts
Bedeutenderes, als daß er die Güter einerseits des Ritters
Burian Trčka um Deutschbrod, anderseits des Herrn Johann
von Rosenberg verheerte. Als er aus Oesterreich und Tyrol
namhaften Zuzug an Kreuzerschaaren erhielt, versuchte er das
von den königlichen Truppen belagerte Neuhaus zu entsetzen,
und die Feinde aus dem Felde zu schlagen: doch wurde er
mit großem Verluste zurückgeworfen, und seine Kreuzer verließen ihn bald fast ganz und gar. [321] Sein feindseliges
Wüthen brachte nur in Bezug auf Herrn Johann von Rosenberg eine nachhaltige Wirkung hervor. Es schien diesem
Herrn nicht gerathen, länger nach des Königs Befehl vor
Neuhaus zu liegen, und mittlerweile an seinen Gütern Schaden zu leiden; da er nun troß vielen Bitten keine ausgiebige Hilfe zu seinem Schutze vom Könige erlangen konnte,
so kündigte er ihm an, daß er gesonnen sei, mit dem Feinde

gefeiert zu werden pflegte. Im Mai 1468 brachen Pflug und neue
baierische Kreuzerschaaren abermals bis gegen Pilsen vor.

321) Zwei Briefe der Znaimer an die Brünner aus dieser Zeit, wenn
gleich ohne Datum, geben davon Zeugniß (im mähr. Landesarchive).
Auf die Anfrage „von wegen der Niederlegung des (königl.) Heeres
beim Newenhaus" gaben die ersteren zur Antwort: „Wisset das
solichs nicht beschcen ist, dann herr Zdenko hat sich wol darumb
versucht, aber Er hat nicht mügen schaffen, wann wir unser Folk
auch davey gehabt haben." Sie klagten daneben, „wie die krewczer
alle von Im cziehen, desgleichen als wir vernemen seiner dienst-
lewt etzlich zu ros und zu fues von Ihm cziehen wellen." Es
scheint nun, daß was Eschenloer S. 77 von Victorins Niederlage
an jenem Ort und zu jener Zeit anführt, ein und dasselbe Factum
mit dem von den Brünnern gemeinten Siege gewesen sei. Denn
die Znaimer verlangten am 13 October von Herrn Zdeněk schnelle
Hilfe gegen Victorin, der eben von Hosterlitz her gegen sie im Au-
zuge war. (MS. ibid.)

Frieden zu schließen. In einem Briefe vom 21 September 1467 suchte ihn der König davon abzumahnen: „wie kannst Du," schrieb er ihm, „als Grund anführen, daß man Dich (kirchlich) verfluche: wußtest Du doch längst, daß man uns, Dir und allen unsern Getreuen, die ihrer Ehre eingedenk bleiben, flucht und fluchen wird: sollten aber deshalb wir, Du oder unsere Getreuen von der gerechten Sache ablassen, uns der Gewalt hingeben und Unrecht leiden? Du kannst uns ja glauben, daß auch wir solches beklagen: da wir aber sehen, daß trotz allen unsern Erbietungen also mit uns verfahren wird, wollen wir mit Gottes Hilfe unser gutes Recht doch nicht aufgeben. Uebrigens sind schon bedeutende Verhandlungen in der Sache eingeleitet; wir erwarten zu Wenceslai die Ankunft polnischer Gesandten hier, deren Bestreben dahin geht, daß dieser Krieg und seine Leiden ein Ende nehmen." Vom Legaten Laurenz Rovarella zuerst (2 Sept.) nach Passau, dann nach Linz eingeladen, ging Herr von Rosenberg nichtsdestoweniger zu ihm in letztere Stadt am 30 September, und 30 Spt. traf mit ihm eine Abrede, der zu Folge er dann am 9 Oct. mit dem ganzen Herrenbunde einen Waffenstillstand schloß und den Abt Leonhard von Goldenkron nach Rom mit der Bitte um Aufhebung des Interdicts abfertigte; den König jedoch zu verlassen und dem Herrenbunde beizutreten weigerte er sich schlechterdings. [322] In Folge dieser Veränderung hörte die Belagerung von Neuhaus um Galli auf, und das königliche Heer ging von dort auseinander.

· Die Gesandten des Königs von Polen, Stanislaus von Ostrorog, Wojwode von Kalisch, Jakob von Dubno, königlicher Schatzmeister und Starost von Krakau, und Johann Dlugoß der Aeltere, Canonicus von Krakau, der berühmte Historiker seines Volkes und seiner Zeit, aber ein Hauptfeind der böhmischen Ketzer und K. Georgs insbeson=

322) Das Wittinganer Archiv bewahrt zahlreiche hieher gehörige Documente.

here, kamen erſt am 19 October nach Prag, und erhielten
gleich Tags darauf bei K. Georg Audienz; das Wort ſcheint
dabei Dlugoß ſelbſt geführt zu haben. Derſelbe ſchilderte
zuerſt den Streit des Königs mit dem Papſte ganz im Sinne
des Letzteren, und berichtete, wie dringend Kazimir aufgefordert worden, mit den Waffen in der Hand ſich gegen die
Böhmen zu erheben, wie er aber, der zwiſchen beiden Königen beſtehenden Freundſchaft und Liebe eingedenk, ſie, die
Geſandten, zum Könige von Böhmen abgeordnet habe, mit
dem ſehnlichen Verlangen und der Bitte, daß Letzterer ſich
dem heiligen Vater zu vollem Gehorſam unterwerfe, und bei
dem Statthalter Chriſti auf Erden Gnade ſuchend und fin-
dend, ſeine Stellung in der Zahl der chriſtlichen Könige fort-
behaupte; Kazimir biete ſich ihm mit Freuden als Fürſpre-
cher und Vermittler an, damit der Papſt ihm ein Vater, er
dem Papſte ein Sohn werde. Zu dieſem Ende ſei jedoch
vor Allem ein Waffenſtillſtand zwiſchen den kriegführenden
Parteien unerläßlich. Der polniſche König bedauere, wegen
der Liebe, die er zu dem ſtammverwandten Volke der Böhmen empfinde, den Ruin des Landes auf's herzlichſte: darum
wünſche und bitte er, K. Georg möchte mit den Herren, die
gegen ihn aufgeſtanden, einen Beifrieden eingehen. Dieſe
Sprache gefiel den Katholiken am königlichen Hofe beſſer
als dem Könige und der Mehrzahl ſeiner Räthe, ja man
konnte in Prag laut darüber murren hören. Der König erwiederte, er ſei in des Papſtes Gehorſam ſtets geſtanden und
wolle darin auch ferner im Sinne der Compactaten beharren:
er ſei ſich nicht bewußt, jemals dagegen gehandelt zu haben,
und ſollte dennoch etwas der Art geſchehen ſein, ſo ſei er
bereit, es zu beſſern; der Papſt ſei aber, aufgehetzt durch
Verläumbungen böſer Menſchen, insbeſondere des Legaten
Rudolf und der Breslauer, in ſolchem Haß entbrannt und
verfahre ſo hart gegen ihn, daß es „des Körpers Schwäche
kaum mehr zu ertragen vermag." Daß der König von Polen

sich geweigert habe, den Krieg gegen Böhmen zu erheben, 1467
dafür sei er sehr dankbar und verspreche, es in aller Freund=
schaft zu vergelten; eben so lieb und angenehm sei es ihm
zu vernehmen, daß er beim heiligen Vater dahin wirken
wolle, daß es ihm, Georg, möglich werde, seine Unschuld an
einem Orte darzuthun, wohin er sich persönlich ungefährdet
begeben könne. Die Angelegenheit der aufständischen Barone
bot er sich an, gänzlich in die Hände des Königs von Polen
zu legen, sei es zu gerichtlichem Ausspruch, sei es zu freund=
lichem Vertrag; er wolle das Vorrecht seiner Krone, das
im Auslande Gerechtigkeit zu suchen verbietet, für diesmal
unbeachtet lassen; sollte es aber zu einem Waffenstillstand
kommen, so müsse er zuvor auf der Abtretung des Schlosses
Konopišt bestehen, dessen Uebergabe ohnehin, wegen Mangel
an Mundvorrath, jede Stunde zu gewärtigen sei. Diese
Antwort wurde den polnischen Gesandten dann am 26 Oct. 26 Oct.
auch schriftlich übergeben, jedoch in etwas milderer Fassung,
indem darin weder der Compactaten, noch der genannten
„bösen Menschen," noch des Schlosses Konopišt Erwähnung
geschah. [323] Als aber am 1 November die Polen diesen An= 1 Nov.
trag Herrn Zdeněk in Iglau vorlegten, verweigerte er die
Uebergabe von Konopišt so entschieden, daß er sagte, wenn
letzteres auf welche Weise immer in der Feinde Gewalt falle,
daß dann weiterhin weder von einem Frieden, noch vom
Waffenstillstande die Rede sein könne. In der Tags darauf
schriftlich übergebenen Antwort erklärte er, er möchte zwar

323) Die polnischen Gesandten gaben am 30 November von Brieg aus
dem päpstlichen Legaten Rudolf einen umständlichen Bericht über
ihre Verhandlungen, welchen Eschenloer in sein lateinisches Exem=
plar (MS. fol. 432), nicht aber später in seinen deutschen Text
aufnahm. Daraus ist es uns möglich geworden, zu vervollständigen
und zu berichtigen, was darüber sowohl im Werke von Dlugoš
p. 411, als bei Eschenloer, II, 83—94 und in jenen Actenstücken
enthalten ist, welche wir aus dem MS. Sternb. im Archiv český,
IV, 147—160 haben abdrucken lassen. Bei des Königs Antwort

1467 seine Angelegenheiten lieber in K. Kazimirs als sonst irgend Jemandes Hände legen: da er aber diesmal niemand Andern als Herrn Johann Zajic bei sich habe, so könne er über eine so wichtige Sache nicht ohne Wissen des Kaisers und aller seiner Bundesgenossen entscheiden, und es wäre unerläßlich, daß sie alle unbehindert zusammenkämen, um ihre Einwilligung geben zu können. Darum verlangte er, daß ein Waffenstillstand bis zum S. Adalbertstage (23 Apr. 1468) geschlossen werde, die Truppen beiderseits das Feld alsogleich räumen, und daß seine Partei indessen zu Brieg in Schlesien zur Berathung frei und unbelästigt zusammentreten könne. Diese Forderungen stellten für die Gegner zu bedeutende Vortheile in Aussicht, als daß K. Georg in sie unbedingt hätte willigen können. Der König war zwar, als die 11 Nov. Gesandten am 11 November nach Prag zurückkehrten, nicht abgeneigt, die Versammlung in Brieg und die dazu nöthigen Geleitsbriefe zuzulassen: so lange aber die Gegenpartei sich nicht eben so dem Ausspruche des Königs von Polen wie er unterwerfe, wollte er den Waffenstillstand nicht länger als bis zum 6 Januar bewilligen, und verlangte, daß das Schloß Konopišt inzwischen wenigstens den Gesandten zu getreuen Handen übergeben werde. Auch dieses schien Herrn Zdeněk unannehmbar; und erst als er durch eigene Boten erfuhr, daß Konopišt sich nicht länger halten könne, wurde 19 Nov. endlich am 19 November ein Waffenstillstand vom 30 November bis 25 Januar in der Art vermittelt und abgeschlossen,

vom 26 Oct. bemerkte Eschenloer: Fuit bohemica originaliter data, et effectus extractus est in Latinum (durch Eschenloer selbst), multis captiosis verbis omissis (ibid. 430.) Daraus wie aus andern Umständen ist zu sehen, daß die Polen bei dieser Verhandlung die böhmische als die diplomatische Sprache annahmen, obgleich sie bei ihren schriftlichen Antworten gewöhnlich des Lateins sich bedienten; die Waffenstillstands-Urkunden setzten aber sie selbst nicht lateinisch, sondern böhmisch auf.

daß die Belagerung von Konopišt aufhören, die Basteien 1467
jedoch in statu quo belassen, und so viel Mundvorrath in
die Burg zu führen erlaubt werden sollte, als der tägliche
Bedarf der Besatzung erheischte; und Dasjenige, was zu
Gunsten von Konopišt bedungen wurde, sollte in gleichem
Maße und gleicher Art auch dem Schlosse Hoierswerd in
der Lausitz zu Statten kommen. Am Tage Luciä (13 Dec.)
sollte der Herrenbund nebst seinen übrigen Bundesgenossen in
Brieg zusammentreten, um sich zu äußern, ob sie sich dem
Ausspruche des Königs von Polen fügen wollten; die polnischen Gesandten versprachen ebenfalls dahin zu kommen,
und K. Georg sollte zu gleicher Zeit seinen Rath nach Glatz
senden. Diese Bedingungen wurden urkundlich festgestellt und
die Polen kamen die Ersten, schon am 29 November, in 29Nov
Brieg an.

Daß der König in der Hoffnung des ersehnten Friedens
das Zusammenkommen seiner Feinde nicht nur nicht hinderte,
sondern sogar förderte, dient zum Beweise, wie sehr seine
vielgerühmte Klugheit, ja Schlauheit, von seiner natürlichen
Gutmüthigkeit übertroffen wurde. Dem katholischen Bunde
schadete nichts so sehr, als seine örtliche Zersplitterung und
Unverbundenheit; unter seinen einzelnen Mitgliedern gab es
gar viele Mißverständnisse, viel Privathader und gegenseitiges
Mißtrauen, welches durch freundliche Besprechungen und die
Auctorität der Kirche erst beseitigt werden mußte; erst durch
die Vereinigung ihrer Kräfte und Entschlüsse und durch deren
gemeinsame Richtung bildeten sie eine wirklich gefährliche
Macht. Alles Uebel, das den König noch treffen sollte, nahm
von hier seinen Ursprung und die Liga feierte ihre Wiedergeburt. Auch wußten die Bundesgenossen diese Vortheile zu
schätzen, und rüsteten sich alle zur Versammlung. Die Breslauer aber fragten verwundert und gekränkt, warum der Tag
in Brieg, einem kleinen und unbequemen Orte, und nicht
lieber bei ihnen abgehalten werden sollte? Ihr Schmerz mehrte

31

1467 sich, als sie erfuhren, daß wegen des kecken Uebermuthes, der
Wildheit und Roheit des gemeinen Volkes ihrer Stadt weder
die böhmischen Herren, noch Bischof Jost, noch auch die pol=
nischen Gesandten bei ihnen tagen wollten. Die Gemeinde
versammelte sich deshalb und versprach künftighin jeden am
Leben zu strafen, der sich irgend Ausschweifungen erlauben
würde, und erlangte endlich· mit vielen Bitten und Fürspra=
chen, daß der Tag von Brieg nach Breslau übertragen wurde.
Bischof Jost erlebte ihn nicht mehr; er starb auf seinem
13 Dec. Schlosse zu Neiße am 13 December Morgens im Beisein
Zdenĕks von Sternberg und anderer Herren, die zum Tage
reisend unterwegs bei ihm sich aufgehalten hatten. Und da
er mit dem Legaten und den Breslauern schon wieder zer=
fallen war, weil er mit dem Könige Frieden gemacht und
den Propst Johann Düster, den Hauptunruhestifter von Bres=
lau, auf das Schloß Kaltenstein hatte setzen lassen, so wollten
sie nicht gestatten, daß sein Leichnam, wie gewöhnlich, nach
Breslau überführt und da feierlich bestattet werde. Erst als
Herr Sternberg das als eine Bedingung seines Erscheinens
in ihrer Mitte aufstellte, willigten sie ein; und so geschah
16 Dec. es, daß am 16 December zu gleicher Stunde bei einem
Thore der Trauereinzug des geistlichen Hauptes der Stadt,
bei einem andern der festliche Empfang des weltlichen Haup=
tes der Liga, eines neuen Judas Machabäus, unter dem
lauten Frohlocken des Volkes gefeiert wurde. Johann Düster
mußte in Freiheit gesetzt werden: doch fand fortan wie er,
so auch Dr. Tempelfeld, der mittlerweile selbst in anderer
Weise des Pöbels Ungestüm an sich erfahren hatte, weder
Anlaß noch Lust, die Breslauer noch weiter gegen die Ketzer
aufzuhetzen. [324]

324) Wir berichten dies alles meist nach Eschenloer's ofterwähntem
lateinischen autographen Text, der diesfalls reichhaltiger ist und
bestimmter lautet, als seine deutsche Bearbeitung; Einiges entnah=
men wir aus dem Tagebuche, welches der Görlitzer Stadtschreiber

In den Sitzungen des neuen politischen Körpers, der 1467 keinen andern Souverain mehr als den Papst über sich anerkannte, pflegte deffen Legat Rudolf von Rüdesheim den Vorsitz zu führen; ihm zur Rechten saß Bischof Protas von Olmütz, zur Linken Bruder Gabriel von Verona; dann folgten Herzog Nicolaus von Oppeln und sein Sohn Ludwig, Herzog Balthasar von Sagan, Herr Zdeněk von Sternberg und sein Sohn Jaroslaw als Verweser der Oberlausitz, Pota von Ilburg Verweser der Niederlausitz, Ulrich und Johann Zajice von Hasenburg, Heinrich von Plauen, Bohuslaw von Schwamberg, Burian von Guttenstein, Heinrich von Neuhaus, Hanuš von Kolowrat, Wilhelm von Ilburg, Hynek und Stephan Gebrüder von Lichtenburg und Wöttau, Friedrich von Bieberstein, die Räthe Heinrichs von Glogau, Abgeordnete der Städte aus Mähren und der Oberlausitz, so wie aus Pilsen, endlich die Breslauer Stadträthe. Diese nahmen nämlich an den geheimen Berathungen Theil, welche vom 17 bis 31 December bei verschloffenen Thüren Statt 17 Dec. zu finden pflegten; es versteht sich, daß auch anderer minder wichtiger Personen die Menge von allen Seiten der Stadt zuströmte. Der Legat eröffnete als Stellvertreter des Papstes die Berathungen mit einer hohen Lobrede auf die Treue und Festigkeit der anwesenden böhmischen Barone; dann klagte Zdeněk von Sternberg über all die Unbilden und Schäden, die er bis dahin von den Feinden erlitten; auch andere zählten ihre Verluste und Leiden auf und seufzten nach Rache und Wiederververgeltung. Der Barfüßer Mönch Gabriel, der so eben von K. Mathias zurückgekommen war, gab gute Hoffnung, daß die Hilfe, die man in Polen vergeblich angesucht, wohl nächstens aus Ungarn kommen dürfte. Deshalb wurde bald einstimmig beschlossen, sich mit dem Ketzerkönige nie und unter

M. Johannes Frauenburg über die Verhandlungen des Breslauer Tages führte und Barthol. Scultetus in seine Annales Gorlicenses aufnahm.

1467 keiner Bedingung zu vergleichen, und alle Mitglieder der
Versammlung gelobten aufs neue in die Hände des Legaten
und des Bruders Gabriel, im Kriege mit den Ketzern bis
zum Verluste von Gut und Blut auszuharren. Doch mußte
dieser Entschluß, wie überhaupt, so auch vor den polnischen
Gesandten insbesondere geheim gehalten werden. Man konnte
nun diesen freilich eine Antwort, wie sie sie forderten und
23 Dec. erwarteten, nicht geben: dagegen wurde ihnen am 23 Dec.
eine von Bruder Gabriel verfaßte Schrift übergeben, worin
der Beweis geführt wurde, daß die von K. Georg am 26 Oct.
ihnen gegebene Erklärung keineswegs gerecht und christlich,
sondern unvernünftig, ungerecht, frech und ketzerisch gewesen,
namentlich in vier Punkten: erstens, daß er im Gehorsam
des apostolischen Stuhls und der heiligen Kirche zu stehen
behaupte: darin schäme er sich entweder nicht, offen zu lügen,
oder er meine einen andern apostolischen Stuhl und andere
Kirche, als die katholische; nun freilich sei Rokycana sein
Papst und die Kirche sei ihm die Gemeinschaft jener Böse-
wichte, die ihm anhängen. Zweitens, daß er durch den König
von Polen abermals ein Gehör verlange, das man ihm so
oft angeboten und das er seit neun Jahren stets zurückgewiesen habe; darin suche er frevelhaft den heiligen Vater
zu beschuldigen, als ob ihm Unrecht geschehe. Drittens wolle
er seinen ganzen Streit dem Könige von Polen zur Entscheidung anheimgeben, während es doch ein Glaubensstreit sei, in welchen sich der König einzumischen weder Beruf noch Macht habe. Viertens, daß er auf seine Appellation
hinwies, die er sich erlaubt, und die an sich genüge, ihn als
einen Ketzer darzustellen, da er in Glaubenssachen vom apostolischen Stuhle hinweg appellire. Schon durch diese Erklärung war die Frage, ob der Bund sich der Entscheidung des
Königs von Polen unterwerfen wolle, zwar indirect, aber
mit hinlänglicher Bestimmtheit im verneinenden Sinne beantwortet, obgleich die Bundesmitglieder behaupteten, daß sie in

weltlichen Angelegenheiten auf den polnischen König zu com= 1467
promittiren geneigt seien. Dagegen drangen sie in die Ge=
sandten wiederholt, warum ihr König den ihm angebotenen
Thron nicht angenommen habe? und verlangten neuerdings,
daß er ihnen wenigstens seinen Sohn Wladislaw mit tau=
send Reitern nach Breslau sende, wo der Legat bereit sei,
ihn alsogleich als König von Böhmen zu krönen. Die Polen
erwiederten aber, sie hätten keine Vollmacht darüber zu ver=
handeln, die Herren möchten sich in dieser Sache unmittel=
bar an ihren König selbst wenden. [325]

Es ist kein Zweifel, die polnischen Gesandten bestrebten
sich so gewissenhaft als möglich ihre Mittlerrolle zwischen
dem Könige und seinen Gegnern durchzuführen: aber ob=
gleich sie bei Jenem viel mehr Entgegenkommen und Will=
fährigkeit erfuhren als bei Diesen, so neigten sich doch ihre
Sympathien stets mehr den Glaubensgenossen als den Ketzern
zu. Solches wurde einigermaßen schon in Strehlen offenbar,
wo sie am 26 Dec. mit K. Georgs Räthen zusammentrafen. 26 Dec.
Diese brachten Beschwerden von Seite ihres Königs, daß
gegen den Vertrag vom 19 November weder das offene Ver=
höhnen der Calirtiner als Ketzer, noch der über Schweidnitz
und Jauer verhängte Bann ein Ende nehme und daß die
Beamten des Herrn Sternberg sich in den Besitz der Stadt
Beneschau und aller zum Schlosse Konopißt gehörigen Dörfer
zu setzen suchen, während man nach Hoierswerd Mundvor=
rath zu führen nicht gestatten wolle; dann fragten sie, ob
die aufständischen Barone sich dem Richterspruche K. Kazi=
mirs zu unterwerfen bereits angelobt hätten? Die polnischen
Herren bekannten, eine entsprechende Erklärung von Seiten

---

325) Nach Dlugoš und Eschenloer l. c. Frauenburg's Tagebuch und
mehrere Schreiben in Scultetus annal. Gorlic. MS Verschreibung
des böhmischen Herrenbundes an König Mathias von Ungarn vom
22 August 1468 (f unten) Antwort des Legaten Rudolf vom
J. 1471 bei Eschenloer, II, 237.

1467 der Barone noch nicht erhalten zu haben; ihrem Dafürhalten nach sollte der Besitzer einer Burg auch die dazu gehörige Herrschaft genießen, und darum käme Beneschau wohl an Herrn Sternberg abzutreten, der sich erbiete, alle bei Hoiers= werd vorkommenden Anstände zu beseitigen; ihre Urkunde vom 19 November habe keine Macht gegenüber dem päpst= lichen Banne, und darum könnten jene Verhöhnungen und Verketzerungen nicht als Verletzungen des Waffenstillstandes angesehen werden. Sie baten nun und stellten nachdrücklich vor, wie der König, als friedliebender und gegen seine Unter= thanen barmherziger Fürst, lieber selbst einen minder gerechten Waffenstillstand ertragen, als blutige Siege über Diejenigen suchen sollte, die doch sein Eigen wären und deren Verderben nicht ohne des Vaterlandes Verderben vollendet werden könne. [326] Aber einen noch sprechenderen Beweis ihrer ge= heimen Vorliebe gaben sie damit, daß sie trotz dem über= müthigen und rücksichtslosen Benehmen des Bundes, der be= reits seines Sieges gewiß schien, sich bereden ließen, auf eine Verlängerung des Waffenstillstandes beim Könige, und zwar unter Bedingungen zu dringen, die für Letzteren nur verletzend sein konnten. Die Versammlung hatte nämlich ins= geheim beschlossen, den Bischof Protas an K. Mathias ab= zuordnen, um die schon zugesagte Kriegshilfe zu sollicitiren. Mathias war aber während des Breslauer Tages mit dem Kriege in der Walachei gegen den Woiwoden Stephan be= schäftigt, von welchem er am 15 December eine empfindliche Niederlage erlitt, wobei er auch persönlich verwundet wurde. Darum stand zu befürchten, daß seine Hilfe noch lange Zeit werde auf sich warten lassen. Mittlerweile wollten die Herren der Liga Frieden haben, und lagen den Polen an, ihnen eine möglichst lange Fristung des Krieges zu erwirken. Diese ver=

326) Eschenloer, II, 103. Zwei Briefe der polnischen Gesandten an K. Georg, dd. Strehlen, 27 und 28 Dec. in MS. Sternb. p. 140 unt 247.

sprachen deshalb, sich nochmals zum Könige zu begeben und 1467
ihr Möglichstes zu thun, daß der Waffenstillstand verlängert
werde: nur Dlugoš blieb diesmal zurück, seine Function als
Gesandter scheint ihm ebenso wenig mehr behagt zu haben,
wie den Böhmen.   Die Gesandten wurden, wie früher vom
Könige, so auch jetzt bei ihrer Abreise von Breslau von
dem Herrenbunde mit sehr werthvollen Geschenken beehrt, die
sie jedoch nicht annahmen. Nun ist das Bekenntniß des Ver=
trauensmannes der Liga, Eschenloer, sehr bezeichnend, wo er
sagt, die Bundesherren hätten sich nie entschlossen, den Ge=
sandten so kostbare Geschenke anzubieten, wenn sie nicht im
Voraus von deren Nichtannahme überzeugt gewesen wären, —
da die Polen früher auch die Gaben des Königs zurück=
gewiesen hätten. [327]

Gegen Ende des Jahres, am 29 December, fertigte die 29 Dec.
Liga eine Gesandtschaft an den Papst ab und gab ihr eine
schriftliche Instruction mit, welche auf die Art und die Er=
folge des vorangegangenen Kriegs viel neues Licht wirft:
denn es schilderten darin sowohl Barone als Städte ihre
damalige Lage und die erlittenen Schäden. Außer den großen
Verlusten, welche die Breslauer und ihren Bischof bei Fran=
kenstein getroffen hatten, klagte man, daß der Bischof von
Olmütz so wie die Städte Brünn und Olmütz alle ihre
Güter eingebüßt hätten; überdies wären etwa an 500 Brün=
ner in Gefangenschaft gerathen; Herr Zdenĕk von Stern=
berg sei um alle seine Burgen gekommen, außer Konopišt,
welches gegen neuntausend Gulden jährlicher Renten ab=
warf und dessen Verlust mit jedem Tage bevorstand; die
Herren von Hasenburg seien um einige Schlösser, die von
Schwamberg und Guttenstein und andere um alle ihre Dör=
fer ärmer geworden. Doch hätten auch sie sich wacker ge=
halten, und diese Schäden den Ketzern reichlich vergolten.

---

327) Eschenloer, II, 104. Daselbst S. 106 das Memorial der nach Rom
    abgehenden Gesandten.

1467 Weiter klagten sie über die katholischen Fürsten, Barone, Edelleute und Städte, die noch immer zu Georg hielten und ihm Hilfe leisteten, wie der Herr von Rosenberg, die Herzoge von Sachsen, die Städte Budweis, Brür, Kaaden und Eger, und noch mehr eiferten sie gegen „die boshaften vermaledeiten Aebte der Feldklöster in Böhmen, Mähren und Schlesien," welche für die Barone ein Hauptverderbniß wären, indem sie nicht ihnen, sondern den Ketzern bei sich Zuflucht gewährten. Eben so beschwerten sie sich über die benachbarten Fürsten „in Meißen, Thüringen, Franken, Voitland, Baiern und Schlesien," welche ihren Hofleuten und Unterthanen den Ketzern um Sold zu dienen erlaubten, diejenigen aber, welche bei christlichen Herren Dienste nähmen, unter Drohungen zurückberiefen. Der König von Polen habe Georg einige hundert Pferde geschickt und deren freien Ankauf in seinen Landen gestattet; der Erzbischof von Magdeburg habe „Zizik" nicht einmal verbannen lassen wollen. Georg sei dem ganzen Bunde zu stark, so lange diesem keine Hilfe von Seiner Heiligkeit oder anderswoher komme; sie hätten sich mit ihren Söldnern bereits „verzehret," könnten weiter nicht klecken und bäten um baldige Hilfe, damit der päpstliche Stuhl und die heilige Kirche nicht endlich zu Schanden werde; namentlich verlangten sie auch, der Papst möchte dahin wirken, daß der Kaiser Georgen die Regalien wieder abnehme, die er ihm verliehen. Mit dieser Gesandtschaft wurden der Barfüßermönch Gabriel Rongoni, der Prager Domdechant Hilarius von Leitmeritz und Herr Dobrohost von Ronsberg betraut.

1468 Als die polnischen Gesandten K. Georg um eine Verlängerung des Waffenstillstandes angingen, schlug er dieselbe rund ab und wollte in keine weitere Verhandlung mehr eingehen; am meisten ereiferte er sich darüber, daß die Rebellen ihre Schlechtigkeit jetzt mit dem Zeichen des heiligen Kreuzes decken wollten, während es doch aller Welt bekannt sei, um welcher Ursachen willen der Krieg begonnen habe. Ihm liege

es nun ob, dafür zu sorgen, daß ihre Bosheit nicht mehr 1468
um sich greife und ihre Arglist auch des letzten Schattens
von Wahrheit vor der Welt entkleidet werde; er habe in
den Waffenstillstand nur wegen ihrer prahlerischen Zusagen
gewilligt, daß sie sich dem Spruche des Königs von Polen
fügen und alles leisten wollten, wofern sie nur zusammen=
kommen könnten: letzt aber, nachdem sie beisammen und dem
Ziele am nächsten zugerückt waren, wendeten sie sich in die
weiteste Ferne, nach Rom, um Rath; und damit es ja zu
keinem endlichen Frieden komme, setzten sie Artikel und Be=
dingungen auf, die man kaum dem bedrängtesten Feinde vor=
zulegen wagen würde. Doch hoffe er mit Gottes Hilfe an
diesen Leuten ein warnendes Beispiel vor aller Welt Augen
vorzuführen, daß hinfort Niemand mehr sich ähnlicher Dinge
unterfange. Minder gemessen und zurückhaltend war seine
zweite Antwort auf die „monströsen" Artikel, die Gabriel
Rongoni verfaßt hatte. Der König bekannte sich zwar darin
offen und ausdrücklich zum Gehorsam des heiligen Vaters und
erklärte, er glaube allerdings, derselbe sei der wahre Vicar
Christi und lenke Petri Schifflein, für welches Jesus Christus
seinen Vater gebeten, daß es nie untersinke; er sei auch Der=
jenige, den ein Hauch des Geistes der Wahrheit regiere:
doch wie könne er glauben, daß von dieser Quelle voll Tu=
genden solche Blutmenschen und Lügenzungen herrührten?
Freilich sei er „schon an die Niederträchtigkeit so feiler Lüg=
ner gewöhnt, die nach dem Beispiele räudiger Hunde, welche
von einem Düngerhaufen her um ein Stück Brot bellen,
gleich hungrigen Wölfen, von Menschenblut nie gesättigt,
sich benähmen." Und doch konnte der König bei dem Vor=
wurfe, er habe sich vor das Glaubensgericht nicht stellen
wollen, sich der Apostrophe nicht enthalten: „Du unverschämte
Kehle, die du die Luft mit Lüge zu begeifern nicht unter=
lässest! Du grauser Bär, warum brummst Du? Du hungri=
ger Wolf, warum heulst Du umherschweifend und willst Dich

1468 nicht an den Menschenleichen sättigen, die um Deiner Lügen
willen schon gefallen sind? Wehe Dir, der Du fluchst und
selbst der verfluchteste bist! Komme zur Einsicht, du wüthen=
der Thor, daß Du der ewigen Verdammniß verfallen; denn
nur die mit reinen Händen und schuldlosen Herzen finden
Platz im Tempel des Herrn, Du aber, unschuldigen Blutes
Vergießer, wohin wirst Du gerathen?" Es ist dies freilich
ein Curiosum des diplomatischen Styls im XV Jahrhunderte:
aber auch der einzige uns bekannte Fall, wo K. Georg aus
den Schranken seiner gewöhnlichen Mäßigung heraustrat
und dem empörten Gefühle freien Lauf ließ. Es scheint, daß
er bei dieser Rede mehr den Herrn von Sternberg als irgend
einen geistlichen Herrn im Sinne hatte. Die polnischen Ge=
sandten ließen sich aber durch keine noch so heftigen Gefühls=
ergüsse von ihrem Vorhaben abschrecken; sie baten nur um
so inständiger, er solle sie nicht unverrichteter Dinge zurück=
gehen lassen, noch auch ihrem Könige, seinem Freunde, ver=
gebliche Mühen und Kosten zumuthen, sondern vielmehr sei=
nem aus so vielen Wunden blutenden Lande einige Erholung
gönnen. Aus diesen und andern Gründen willigte endlich der
11 Jan. König am 11 Januar 1468 in einen Waffenstillstand bis zu
Christi Himmelfahrt (26 Mai), und bemerkte den Gesandten
dabei: „Nun seht ihr und könnt es mit Händen greifen,
daß wir, trotz vielfachen Warnungen, unserm Bruder, dem
Könige von Polen stets zu Gefallen sein wollten; auch soll
an uns kein Anlaß zum Kriege sein, damit unserm Königs=
reiche und den Unterthanen der über alles theure Frieden
25 Jan. gewährt werde." Doch die in der am 25 Januar erlassenen
Verschreibung beigefügte Clausel, daß der Waffenstillstand
bloß auf die böhmischen Kronlande Bezug habe und daß es
den Parteien freistehe, außerhalb derselben Krieg zu führen,
mag als Beweis dienen, daß auch K. Georg nicht den Frie=
den allein bedachte, sondern daß ihm nicht weniger am Herzen
lag, Rache zu nehmen an Demjenigen, den er als den Haupt=

urheber all seines Mißgeschicks und aller Wiberwärtigkeiten 1468
ansah, dem Kaiser; denn eben in dieser Zeit hatte ihm sein
Sohn Victorin den Krieg angekünbigt. [328]

Dem Kaiser war die Berufung des Königs von Polen
auf den böhmischen Thron äußerst zuwider und er suchte sie
auf alle mögliche Weise zu hintertreiben. Schon auf dem
letzten Reichstage zu Nürnberg war davon die Rede gewesen,
daß nur ein Deutscher in Böhmen König werden dürfe, da
er ein Kurfürst des deutschen Reiches sei; und daß der Papst
wohl einen Ketzer vom Throne stoßen könne, keineswegs
aber einen andern an seine Statt einzusetzen habe, denn dieses
Recht gebühre nur dem Kaiser mit der Fürsten Zustimmung.
Freilich wohl handelte es sich vorerst noch darum, des Papstes Wort zu einer Wahrheit zu machen und die nominale
Absetzung in eine wirkliche umzuwandeln. Kaiser und Papst
wendeten sich deshalb zuerst an den mächtigen Herzog von
Burgund, Karl den Kühnen, der nach seinem Vater Philipp
(† 15 Juni 1467) nicht nur ausgedehnte und blühende Länder, sondern auch unermeßliche Reichthümer geerbt hatte, und

328) Die Acten über diese Verhandlung ließen wir, so weit sie uns zur
Hand waren, aus dem MS. Sternb. im Archiv český, IV, 150
bis 160 abdrucken. Von den Waffenstillstaudsurkunden sind die
erste und die letzte noch unedirt; jene vom 19 Nov. führt aber
J G. Kloß in deutscher Uebersetzung an (MS.), diese, datirt am
25 Januar 1468, steht im MS. Sternb. p. 253--7. Ueberdies findet
sich im gräfl. Černin'schen Archive zu Neuhaus auch eine am
14 Januar 1468 gegebene Urkunde über einen Waffenstillstaud, der
nur bis Valentini (14 Febr.) dauern sollte; vgl. Archiv český,
IV, 160—3. Diese Abweichungen und Widersprüche aufzuklären
find wir nicht im Stande, denn es schweigen darüber, wie Zdeněk
von Sternbergs Revers, dd. Neuhaus am 4 Febr. 1468 (Arch.
Č., IV, 164), so auch Staří letopisové p. 186, Dlugoš p. 414
und Eschenloer p. 107—8. Dem lateinischen Exemplar des Letzteren zufolge kehrten die polnischen Gesandten von Prag erst am
3 Febr. nach Breslau zurück, und brachten die neue Waffenstill=
standsurkunde mit (ibid. fol. 410)

1468 sich insbesondere durch den Geist mittelalterlicher Chevalerie
auszeichnete. Der sollte, auf seinem Zuge gegen die Türken,
sich gleichsam im Vorbeigehen auf die Böhmen werfen und
seine Macht zur Zähmung und Ausrottung der Ketzer nicht
minder, als der Ungläubigen darleihen. Es wurden Verhandlungen darüber zwischen dem kaiserlichen und burgundischen Hofe durch Vermittlung der Herzoge von Bayern eingeleitet, und schon zu dieser Zeit nahm man auf die Verlobung des Sohnes des Kaisers mit der Tochter des Herzogs Bedacht, welche in späteren Jahren eine wirkliche Thatsache wurde; auch scheint es, daß die Verfeindung Herzog
Ludwigs von Landshut mit dem Könige von Böhmen damit
im Zusammenhange stand. Karl verlangte vor Allem, als
römischer König und des Kaisers Nachfolger angenommen
und anerkannt zu werden. Doch sind die darüber geführten
Verhandlungen äußerst dunkel, und nur das steht fest, daß
sie nicht zum Ziele führten. Als nun auch auf dem Breslauer Tage wieder Versuche gemacht wurden, Kazimir auf
den böhmischen Thron zu bringen, mahnte der Kaiser davon
abzulassen und die Blicke lieber einem deutschen Fürsten zuzuwenden. Die Bundesgenossen hatten zwar K. Mathias bereits zu ihrem Schutze aufgerufen: doch hatte ihr Abgesandter, Bischof Protas, keineswegs den Auftrag oder die
Vollmacht, ihm auch die böhmische Krone anzubieten; dieser
Herrscher war als ein gebieterischer Emporkömmling allzu bekannt, als daß die stolzen böhmischen Barone sich hätten versucht fühlen können, sich ihn als Herrn zu wünschen. Da
nun der Legat Rudolf am Kurfürsten Friedrich von Brandenburg eine ziemlich ungünstige Stimmung gegen K. Georg
wahrnahm, und von Kaiser und Papst die Vollmacht und
den Auftrag hatte, für die Wiederbesetzung des böhmischen
Thrones Sorge zu tragen: so beschloß er, jenen Markgrafen
13 Feb. dazu zu berufen und fertigte zu dem Zwecke am 13 Februar
1468 zwei Bevollmächtigte nach Berlin ab, Pota von Ilburg,

den er zum Verweser der Lausitz ernannt hatte, und einen 1468
Breslauer Canonicus. Friedrich zeigte sich zwar nicht ganz
abgeneigt, stellte jedoch mehrere Bedingungen und verlangte
vor allem sich mit seinem Bruder, dem Markgrafen Albrecht,
darüber zu berathen. Nun wies zwar auch dieser den Antrag
nicht durchgehends zurück, bekannte jedoch, daß er wenig
Hoffnung habe, ihn gelingen zu sehen. Gewiß ist, sagte er,
daß Georg sich zur Wehre setzen werde; und so wie einst
Kaiser Friedrich I, obgleich vom Papste abgesetzt, sich doch
auf dem Throne behauptete, und auch der abgesetzte Eugen IV
dennoch als Papst starb, so könne der Fall auch jetzt sich
wiederholen; der Sieg über die Husiten sei jedenfalls nicht
gewiß. „Weder der Kaiser, noch der König von Polen, noch
die Bayern und Sachsen wollten sich dazu hergeben, was
man jetzt von Euch fordert. Unser Vater ließ sich gegen die
Böhmen aufbringen, und als es zum Kampfe kam, wurde
er von allen verlassen, die ihm Hilfe zugesagt hatten; so
möchten die Bayern uns auch vorschieben und in Ungemach
bringen, damit Georg nicht über sie, sondern über uns her-
falle. Und sollte es Euch auch gelingen, als König in Böhmen aufgenommen und anerkannt zu werden, so wissen wir
doch, daß die Krone nicht erblich ist, daß die Stände sich
das Recht der freien Wahl anmaßen, und daß Euere Nachkommen sich erst wieder in's Königreich einkaufen und den
Husiten die Aufrechthaltung der Compactaten zusichern müßten, wie einst Kaiser Sigmund und die Könige Albrecht und
Ladislaw, worein wieder der Papst nie willigen würde." Aus
diesen und andern Gründen, in die wir hier nicht näher eingehen wollen,[329] rieth Albrecht dem Bruder ab, sich um das

---

329) J. G. Droysen hat darüber einen ausführlichen Aufsatz, mit Belegen, in die Berichte der kön. sächs. Gesellschaft der Wissenschaften, Sitzung am 12 Dec 1857, und eine kürzere Nachricht in s.
Geschichte der preuß. Politik, II, 343—349 geliefert. Was Markgraf Albrecht mit Uebertreibung von der Nothwendigkeit anführt,

1468 Königreich zu bewerben: und die bald darauf von anderer
Seite eingetretenen Veränderungen gaben Veranlassung, daß
das Project nicht nur ganz aufgegeben, sondern auch bald
wieder vergessen wurde.

Wir haben schon erwähnt, daß die überaus strengen
Maßregeln Roms gegen die Ketzer dieser Zeit ganz andere
Folgen hatten, als man erwartete. Unter diesen war in Hin=
sicht auf Wichtigkeit keine der letzten die Bildung und Or=
ganisirung, inmitten der größten Stürme, einer neuen und
merkwürdigen Religionsgesellschaft, — ein Beweis zugleich,
daß nicht alle Stürme überhaupt unfruchtbar bleiben, son=
dern daß sie mitunter als Krisen im geistigen Leben der
Völker sich geltend machen, aus deren Schooße dann neue
Bildungen hervorgehen. Bei der Schilderung der verschiedenen
böhmischen Secten des XV Jahrhunderts haben wir im
letzten Capitel des vorigen Buches auch über den Ursprung
und das Aufkommen der **böhmischen Brüder=Unität**
berichtet. Wir haben dargelegt, wie verfehlt die Stellung
M. Johann Rokycana's als Haupt der utraquistischen Geist=
lichkeit war, indem er den Papst als das Oberhaupt der
allgemeinen christlichen Kirche anerkannte, von diesem aber
selbst nichts weniger als anerkannt wurde. Rokycana pries
zwar Papst und Kirche mehr nach der Idee, wie sie sein
sollten, und erlaubte sich deshalb um so häufiger Klagen über
sie, wie sie in der Wirklichkeit waren. Nun fanden sich in
Böhmen von jeher Menschen, welche einem so feinen Unter=
schiede nicht Statt gebend, dem Papste und seiner Kirche jede

---

sich in die Krone von Böhmen einzukaufen, können wir an diesem
Orte nicht umständlicher widerlegen. Wohl konnte damit nur auf
Herrn Ulrich von Rosenberg und auf etwa noch einen seiner
Freunde hingewiesen werden, nicht aber auf das ganze Volk, noch
auf die Mehrzahl der böhmischen Stände. Hatte denn z. B. der
im J. 1440 gewählte Albrecht von Bayern seine Wähler vorher
bestochen?

Rücksicht wie jeden Gehorsam versagten: doch die mächtigsten und beharrlichsten unter ihnen, die Secte der Taboriten, wurden eben von Georg von Podiebrad mit Gewalt unterdrückt. Als später auch die Kelchner selbst, welche laut der Compactaten mit der Kirche in Frieden leben sollten, von Rom aus immer nachdrücklicher verfolgt wurden, nicht bloß mit Worten, sondern auch mit dem Schwerte, da wuchs anderseits auch die Zahl Derjenigen, denen diese Kirche ein Abscheu war, und die somit sich bemühten, aus aller Verbindung mit ihr zu treten. Die Anfänge, die im J. 1457 dazu gemacht wurden, führten zehn Jahre später zum Ziele. König Georg und die vornehmsten utraquistischen Herren schritten zwar ziemlich streng gegen die sich bildende neue Gesellschaft ein: ihre Gemeinde in Kunwald wurde zersprengt, alle Versammlungen wurden ihr untersagt, so daß sie solche in Wäldern halten mußte, und schon im J. 1463 war von vier Brüdern die Rede, welche Herr Zdeněk Kostka auf seiner Herrschaft Richenburg hatte zu Tode martern lassen. Dennoch wuchs ihre Zahl, besonders im niederen Volke, unter Bauern und Gewerbsleuten, obgleich auch einige Edelleute und Geistliche sich ihnen anschloßen; die Gefahr selbst mehrte die Entschlossenheit wie die Vorsicht. Gleich vom Beginne hielten sie sich unter Anführung des Bruders Gregor zumeist an die Lehre Peter Chelčicky's, und bestrebten sich sehr, den Verdacht von sich abzulehnen, als wollten sie dem Beispiele der Taboriten folgen, einer nach ihrer Meinung ungestümen Secte, welche den Weg der Wahrheit verfehlt habe, da sie das Gesetz in der Theorie wohl auffassend, in der Praxis offen zu übertreten gewagt. Gleich eines ihrer ersten Decrete, die sogenannte „Verwilligung in den Reichenauer Bergen" (swolení na horách Rychnowských) vom J. 1464, wies als Ziel der Einigung nach: „Das Festhalten in der Gerechtigkeit, die von Gott ist, die Führung eines tugendhaften, demüthigen, stillen, enthaltsamen, geduldigen und reinen Lebenswandels, Festhalten

1468   am Glauben Christi, gemeinsamen Verkehr im Geiste der
Liebe und in wechselseitiger Dienstwilligkeit," so daß damit
offenbar werde, daß bei ihnen „untrüglich stand der Glaube
und die Liebe, und somit auch die sichere Hoffnung im Himmel." Bemerkenswerth war insbesondere nachfolgende Bestimmung: „Wir sollen an Allem festhalten, was gerecht,
gut und ehrbar ist, wo wir auch seien, unter welcher Obrigkeit immer, der wir in demüthigem Gehorsam Steuern und
Dienste leisten und für sie zu Gott beten sollen. So sollen
wir auch in den Gemeinden mit den Nachbarn eins sein, und
in Gehorsam und Eintracht zu allem Hilfe leisten, was dem
Gemeindewohl zuträglich ist. So mögen auch die Brüder
und Schwestern, die ein Gewerbe oder Ackerbau treiben oder
um Lohn dienen, Erwerb suchen, um ihre Bedürfnisse zu
decken. Die Freisaßen und Grundwirthe mögen selbst mit
ihrem Gute schaffen, und wenn sie hören, daß ein gleich-
gläubiger Christ Noth leidet, dem sollen sie liebevoll von
ihrem Gut nach Bedarf verabreichen, und so alle, Einer des
Andern Bürde tragend, Christi Gesetz zu erfüllen suchen."
Es gab nichts in dem Decrete, was nicht M. Rokycana
und der Papst eben so gut hätten unterschreiben können:
denn es hatte keinen andern Zweck, als die Praxis des Chri-
stenthums, etwas angewegt vom socialistischen Geiste der pri-
mitiven christlichen Kirche. Was aber den neuen „Brüdern"
am meisten Haß zuzog, war die bei ihnen geltende Ansicht,
daß die Kirchensacramente, von Priestern, die einen laster-
haften Lebenswandel führten, verabreicht, ihre heilsame Wirkung verloren, und daß sie deshalb nur an solche Geistliche
sich hielten, die nach ihrem Urtheil, fromm lebend, Gottes
Gnade genoßen. Aus ihrem am 29 Juli 1468 erlassenen offenen
Schreiben erfahren wir, „daß es schon seit Jahren in Böhmen streng verboten war, nicht allein in Städten, sondern
auch in Dörfern und da wo es keine Priester gab, sei es im
Großen oder im Kleinen, zusammenzukommen, und daß man

die Uebertreter gefangen nahm, strafte und einkerkerte: aber 1468
Zusammenkünfte zum Bösen waren im Großen wie im Kleinen frei. Wo aber zwei oder drei zusammen von tugendhaften Dingen sprachen, da schalt man sie gleich Picarden:
denn Picarden erkannte man zumeist daran, daß sie mit andern nicht sündigten, und nicht wie andere die Gewohnheit
hatten, zu schwören, zu fluchen, unzüchtig zu reden und zu
lügen, so wie auch daß sie nicht nach Rache lechzten und
nach fremdem Gute." Nach vielem Forschen und Grübeln,
nachdem die Brüder alle Länder durchsucht, ob nicht irgendwo eine christliche Kirchenordnung nach ihrem Herzen und
ihrem Sinne zu finden wäre, und nachdem sie lange in
Gebet und Fasten verweilt, um zu ergründen, ob es auch
Gottes Wille sei, — beschloßen sie endlich, sich gänzlich los-
zusagen von der Macht und Auctorität des Papstes und
seiner Priesterschaft und untereinander „eine Ordnung nach
der Einrichtung der ersten Kirche" einzuführen. Mitten in
den Kriegen des Jahres 1467, an einem uns unbekannten
Tage, kamen zusammen die vorzüglichsten Glieder aus Böhmen und Mähren, an 70 Personen, in das Dorf Lhotka
unweit Reichenau, zu einem Hauswirth Namens Duchek,
der gar nicht unterrichtet war, was bei ihm vor sich gehen
sollte. Nach vielen Gebeten wurden, unter der Leitung des
Senftenberger Pfarrers Michael, neun Männer in der Gesellschaft gewählt, die man für die würdigsten hielt, und
zwölf Lose vorbereitet, wovon neun leer, und drei mit dem
Worte „jest" (es ist) bezeichnet waren; ein Knabe, Namens
Prokop, der von dem ganzen Vorgang nichts verstand, vertheilte die Lose unter die neun Männer, von denen auf drei,
Mathias von Kunwald, Toma von Přelauč und Elias
Müller in Chřenkow, die mit „jest" bezeichneten fielen. Diese
wurden dann einem Priester römischer Weihe und einem der
Waldenser, der unter den Seinigen der Aelteste war, vor-
gestellt, um von ihnen „durch das Auflegen der Hände, nach

1468 der Ordnung der ersten Kirche und apostolischer Anweisung gemäß" confirmirt zu werden; und „es erfolgte die Confirmation bei allen dreien unter Gebeten, und auch bei Einem von ihnen, daß er in der Auctorität des Priesteramtes die erste Stelle einnehme." Man zweifelte nicht, daß der ganze Vorgang Gottes Willen gemäß war und fand um eine Bestätigung mehr in dem Umstande, daß der erste Gründer der Unität, Bruder Gregor, als er das erste Mal (1461) wegen seines Beginnens gefoltert worden, in seiner Ohnmacht und Verzückung gerade den Mann als Bischof erblickt hatte, welcher mit dieser Würde jetzt bekleidet wurde. Es ist daraus zu ersehen, daß der ganze Vorgang, obgleich frommer Begeisterung voll, doch nicht von aller Schwärmerei frei war. Wir wollen nicht weiter auseinandersetzen, welche innere Einrichtung und Organisation sich die neue Kirchengesellschaft gab, da wir es hier nur mit ihren Beziehungen zur Entwicklung der übrigen Begebenheiten im Lande zu thun haben. M. Rokycana, der bisher ihre Mitglieder möglichst geschont hatte, wurde jetzt ihr offener Gegner und tadelte laut die Anmaßung dieser „unwissenden Leute," die wie er sagte, aus Laien sich selbst Priester und Bischöfe schufen und auch in andere strafbare Irrthümer verfielen. Auch K. Georg erblickte in ihnen jene Ketzer, die er aus dem Lande zu tilgen durch seinen Krönungseid verpflichtet war; und war er schon vorher streng gegen sie gewesen, so verdoppelte er fortan die Strenge. Vergebens suchten durch Zureden seinen Unwillen die Ritter Burian Trčka und Soběslaw Mrzák von Miletinek zu mildern, welche zwar nicht selbst zu den „Brüdern" gehörten, aber von ihrer Sinnes- und Lebensweise gutes Zeugniß ablegten; vergebens mühten auch die Brüder selbst sich ab, seinen Zorn zu besänftigen und ihn zu erbitten, daß er ihnen gestatte, unter seiner Regierung ruhig im Lande zu leben. Nur die Brüder Towačowský von Cimburg gewährten ihnen schon um diese Zeit Schutz und vielfache Unterstützung auf

ihren mährischen Besitzungen. In einem der Schreiben, welche
die Neugläubigen in diesen Verhältnissen an K. Georg rich=
teten, fanden wir auch folgende denkwürdige Worte: „Euer
Majestät möge wissen, daß wir beabsichtigen offenbare, un=
zweifelhafte und feste, von Gott eingegebene Schriftstellen
vorzulegen, insbesondere wenn die Versammlung der ganzen
christlichen Kirche zu Stande käme, zum Beweise, daß man
recht thue, sich vom Gehorsam der römischen Kirche loszu=
sagen, daß die Auctorität der Päpste nicht in der Macht des
Geistes Gottes begründet sei, daß ihr Segen und ihr Fluch
keine Macht aus Christi Wort und aus der apostolischen
Gewalt schöpfe, daß vielmehr ihre Herrschaft ein Gräuel sei
vor Gott, daß sie nicht die Schlüssel der Unterscheidung des
Guten und Bösen besitzen, noch die Macht zu binden und
zu lösen, und ebenso wenig ihre Legaten, die in ihre Fuß=
tapfen treten und in ihrem Geiste einhergehen." Radicaler
und kühner konnte der Gegensatz der neuen Kirche gegen die
römische wohl kaum bezeichnet werden, und die Brüder mein=
ten vermuthlich, dem Könige einen Gefallen zu thun, wenn
sie ihm gegen seinen bittersten Feind und Dränger Hilfe an=
boten: er aber verwarf diese ganz und gar, und verschärfte
vielmehr seine Strenge, statt sie zu mildern. Er gab damit
einen neuen Beweis, daß er seine Hoffnung auf die Aus=
söhnung mit der römischen Kirche selbst bei den größten Wi=
derwärtigkeiten nicht aufgab, die ihm von dorther begegneten.
Wir sind nicht im Stande alles was vorging anzugeben;
wir wissen nur, daß die bedeutendsten Mitglieder der neuen
Unität eingekerkert wurden und erst nach des Königs Tode
ihre Freiheit wieder erlangten. In den Monaten April und
Mai 1468 scheint die Gährung der Gemüther wegen der
Brüder in Böhmen den höchsten Grad erreicht zu haben.
Der König ließ auf einem Landtage zu Beneschau über die
Mittel berathen, wie dem Aufschwung der neuen Secte Ein=
trag zu thun wäre. Als aber die Landtagsmitglieder diesem

1468 Gegenstande ihre Aufmerksamkeit zuwendeten, kam unvermuthet ein dringender Befehl vom Könige, alles liegen zu
lassen, zu den Waffen zu greifen, und zum Schutze des
Vaterlandes wie des Glaubens herbeizueilen, die plötzlich
eine Gefahr bedrohte, größer und erschütternder als je eine
seit Menschengedenken! [330]

[330] Hieher gehörige Acten finden sich ziemlich zahlreich im Archive der
Brüderunität zu Herrnhut; eine umständliche Schilderung bietet
auch Blahoslaw's Geschichte der böhmischen Brüder (MS.) Von
dem Landtage zu Beneschau macht Bruder Jafet's Hlas Strážného
(die Stimme des Wächters) Erwähnung auf Bl. 141 des MS.
im mährischen Landesarchive in Brünn.

Achtes Capitel.

Des Sturmes Höhe: Krieg mit Mathias von Ungarn.

Erste Periode: bis zum Waffenstillstand von Wilemow.

(J. 1468—1469 März.)

Einfall der Böhmen in Oesterreich. Vertrag des Kaisers mit Mathias und der Reichstag in Erlau. Die Könige Georg und Mathias. Des Letzteren Absagebrief und Manifest. Kriegsrüstungen. K. Georgs Antwort. Jubel in Rom und neue Strenge Pauls II. Der Legat Rovarella. Art und Mittel der Vertheidigung Böhmens. Die Könige bei Laa gegeneinander. Belagerung und Verlust von Třebič und Befreiung des Prinzen Victorin. Kampf bei Turnau. Unterhandlungen in Krakau. Mathias setzt sich in Mährens Besitz. Niederlage bei Teltsch und Wobnian. Abfall des Herrn von Rosenberg und der Budweiser. Versammlung der Liga zu Olmütz und vergebliche Mühe der polnischen Gesandten. Acht Unglückswochen. Einnahme von Konopišt und Verlegenheiten der Feinde. Des Kaisers Wallfahrt nach Rom und neue politische Pläne. Reichstag in Regensburg. Erster Einfall der Ungarn nach Böhmen und Waffenstillstand bei Wilemow.

Es geschah endlich, was Viele vorausgesehen hatten, **1468** und König Georg, trotz vielfachen Warnungen, nie hatte glauben wollen: König Mathias von Ungarn zog gegen ihn, im Namen des Kaisers, des Papstes und des Katholicismus, mit aller seiner Streitmacht heran. So meldete Prinz Victorin seinem Vater aus Oesterreich und bat um schleunige

1468 Hilfe, da er, ein sieghafter Eroberer, unvermuthet in die Gefahr
gerathen war, selbst gefangen zu werden. Dieser plötzliche
Umschwung füllte das Maß der Widerwärtigkeiten und Leiden
Böhmens, da Rom endlich alle seine Kräfte zu Einem Schlage
sammelte und zur unfehlbaren Vertilgung der ketzerischen Na=
tion in's Feld stellte. Wir wollen so kurz als möglich erklä=
ren, wie das alles gekommen.

Schon seit einigen Jahren, und insbesondere seit der
Entstehung des Herrenbundes unseligen Andenkens in Böh=
men, war an K. Georg eine ungewöhnliche Erbitterung gegen
den Kaiser zu bemerken. Wie groß auch die Zahl der Feinde
war, mit denen er zu thun hatte, so klagte er doch über
keinen und zürnte keinem so sehr, wie ihm; ihm maß er die
Hauptschuld von allem Unglück bei, das ihn traf. Die Gründe
dieser auffallenden Erscheinung darzulegen und ihre Gerech=
tigkeit zu prüfen ist unmöglich, da die Geschichte des kaiser=
lichen Hofs in diesen Jahren äußerst dürftig und dunkel ist;
wir wissen nicht einmal, ob die Behauptung Grund hat, daß
der Kaiser den König auch durch die Zurückforderung seines
durch Ketzerei verwirkten Königreichs gereizt habe. Es leidet
aber keinen Zweifel, daß die Leidenschaften, einmal wach ge=
rufen, dann aus persönlichem Hasse auf beiden Seiten noch
mehr angefacht wurden, bei dem Kaiser von Zdeněk von
Sternberg, beim Könige von Gregor von Heimburg; und
gewiß ist, daß der sonst ziemlich geduldige Georg an Nie=
manden so sehr, wie am Kaiser, Rache zu nehmen wünschte.
Sobald er daher durch den mit der katholischen Liga ge=
schlossenen Waffenstillstand zu Athem kam, befahl er seinem
Sohne Victorin ihm abzusagen und mit Kriegsmacht zu be=
drängen. Die Fehdebriefe des Prinzen vom 29 Dec. 1467
und 8 Januar 1468 [331] warfen dem Kaiser Undank vor,

331) Das Datum beider Briefe lautet (bei Eschenloer, II, 110—13,
Lunig cod. Germ. dipl. I, 458—9. Müller's Reichstags=Theatrum,
II, 313—16 u. a. O.) zu „Nawserlitz" oder „Newserlitz," bei Ge=

weil er für die vielen vom Könige empfangenen Wohlthaten 1468
nicht allein die Zahlung der zugesicherten Schuld verweigere,
sondern auch seinen Wohlthäter mit Schmach und Ungemach
jeder Art zu überhäufen suche; auch bedrücke er mit Gewalt
einen getreuen Rath des Königs, Georg von Stein, und
wolle ihn um seine Rechte und Besitzungen bringen. Der
Prinz erklärte dabei, seine Fehde gelte nicht dem Kaiser, sondern dem Herzoge von Oesterreich, und darum werde, wer
kein österreichischer Unterthan sei, von ihm in Frieden gelassen werden. Zur Führung des Heeres wurde dem Prinzen
der vielerfahrene Kriegsmann Wenzel Wlček beigegeben; auch
schloßen sich ihm an, in Mähren Herr Wolfgang von Kreig
auf Landstein und Hynek von Waldstein auf Selowitz, in
Oesterreich Georg von Stein, Wilhelm von Puchheim, Stephan Eizinger und Andere. Der Kaiser befahl Herrn Ulrich
von Grafenek, das Land zu schützen und ordnete ihm nicht
nur die Landherren und die Städte unter, sondern auch die
Kreuzerschaaren, welche sich in Oesterreich gegen Böhmen
versammelt hatten. Ueber den Krieg, der da folgte, sind uns
jedoch so dürftige und widersprechende Nachrichten überliefert, daß es fast unmöglich wird, etwas Bestimmtes und
Verläßliches anzugeben. [332]   Nur darin stimmen sie überein,

meiner (III, 435) „Neusterlitz,“ aber einen Ort dieses Namens hat
es weder in Böhmen, noch in Mähren, noch in Oesterreich jemals
gegeben, und es muß ohne Zweifel gelesen werden zu „Hausterlitz,“
jetzt Hosterlitz (Hostiradice), einem ziemlich bekannten Städtchen
in Mähren, damals im Besitze Herrn Heinrichs von Lipa, wo
Prinz Victorin sich, urkundlichen Zeugnissen gemäß, auch schon im
October 1467 aufgehalten hatte.

332) Oesterreichische Quellen über diesen Krieg gibt es keine: denn was
Jakob Unrest (in S. F. Hahn Collect. Monum. I, 553—4), und
Georg von Aichstadt (in Bern. Linck Annal. Claravall. II, 226),
hinterlassen haben, verdient diesen Namen nicht. Was auswärtige
Berichterstatter liefern, Dlugoš (p. 425—6), Eschenloer (II, 107—8
und 113—4) und Staři letopisowé (p. 186), stimmt nicht überein,

1468 daß Oesterreich viel zu leiden hatte und des Kaisers Macht
zur Abwehr nicht hinreichte.

Kaiser Friedrich und König Mathias nannten sich wohl
seit 1463 wechselseitig Vater und Sohn, standen jedoch keineswegs in freundschaftlichen Verhältnissen zu einander, auch
konnte, bei ihren persönlichen Eigenschaften, ihre Freundschaft
von keiner langen Dauer sein. Jetzt aber, da der Kaiser sich
in der Hoffnung getäuscht sah, aus Deutschland Schutz und
Beistand zu erlangen, und da gegen das siegreiche Vorrücken
der Ketzer keine Rettung außer in des Königs von Ungarn
Hilfe zu finden war, überwand er alle Bedenken, und bot
„seinem lieben Sohne" alles an, was ihn nur immer bewegen konnte, die Waffen gegen dessen andern „Vater" zu
ergreifen. Es haben sich zwar weder der Vertragsbrief, noch
Detailangaben über die zwischen den Herrschern, während
Mathias noch in Siebenbürgen weilte, eingeleiteten Unterhandlungen erhalten; alles, was wir davon wissen, schöpfen
wir nur aus den späteren Berufungen der Parteien auf dieselben: diese aber geben Zeugniß, daß Versprechungen und
Verpflichtungen von der höchsten Tragweite gewechselt wurden.
Mathias hatte nach dem Tode seiner ersten Gemahlin sich
anheischig gemacht, nicht ohne des Kaisers Wissen und Willen
wieder zu heirathen: dieses Gelübdes wurde er jetzt entbunden, doch machte sich der Kaiser selbst zum Brautwerber für

und läßt sich in keinen Zusammenhang bringen. Nach Dlugoß fand
der Krieg vorzugsweise in der Gegend von Steiereck bei dem
Frauenkloster Pulgarn Statt, nach Eschenloer und den böhmischen
Annalisten bei Stockerau. Vielleicht begann der Kampf dort und
endigte hier: doch auch das räumt nicht alle Zweifel und Widersprüche aus dem Wege. Uns kamen mehrere Schreiben aus dieser
Zeit zur Hand, wie z. B. das der Znaimer an den Grafenecker
vom 4 Januar 1468, und von Zdenek von Sternberg an Verschiedene von den Tagen 4, 29 und 31 März, aber die Entwicklung der Ereignisse gewinnt daraus wenig Licht, obgleich sie mehr
mit Eschenloer als mit Dlugoß übereinstimmen.

ihn. Es wurde beschlossen, den König von Polen gleichzei= 1468
tig um dessen ältere Tochter Hedwig für Mathias, und
um die jüngere Sophie für Maximilian den Sohn des Kai=
sers zu bitten; man schmeichelte sich mit diesen Meisterzug
zugleich die Polen zur Allianz gegen die Ketzer zu gewinnen
und sich damit den unfehlbaren Sieg zu sichern. Welche
Bestimmung rücksichtlich der böhmischen Krone getroffen wurde,
ist nicht anzugeben; es scheint nicht, daß der Kaiser sie Ma=
thias, sei es angeboten, sei es zugesichert habe: dagegen
wurde ihm, gleichsam zum Ersatz, eine noch glänzendere Aus=
sicht eröffnet, auf die römische Königskrone, welche der Kaiser
ihm zu verschaffen versprach. Es versteht sich, daß außerdem
zur Führung des Krieges auch noch Hilfe an Geld und
Truppen stipulirt wurde. Wir haben bereits erzählt, wie
dringend daneben und wie willkommen zugleich die Auffor=
derungen waren, welche Mathias zu gleichem Zwecke von
Rom aus erhielt; auch wie Letzterer bereits durch Bruder
Gabriel Rongoni von Verona dem Breslauer Tage seine
Geneigtheit dazu hatte erklären lassen. Um so weniger Be=
denken trug er nun, als ihm auch Bischof Protas von Ol=
mütz, im Namen und Auftrag der katholischen Liga, die
gleiche Bitte vorbrachte. Auch dieser berief ihn zwar noch
nicht direct auf den böhmischen Thron, da eine solche Be=
rufung als eine Kränkung des Königs von Polen gegolten
hätte: doch da Mathias wahrnahm, welche Vortheile ihm
von allen Seiten für eine Unternehmung angeboten wurden,
zu welcher er ohnehin längst große Lust hatte, zögerte er
nicht mit dem Entschlusse. Er schlichtete rasch die Händel in
der Walachei und in Siebenbürgen, söhnte sich auch mit dem
treulos gewordenen Grafen Emerich von Zapolie wieder aus,
zu großem Lobe seiner Mäßigung, um dadurch nicht in sei=
nem weitgreifenden Unternehmen beirrt zu werden, und schrieb,
noch vor seiner Rückkehr nach Ungarn, einen Reichstag nach Anfang
Erlau aus. Hier aber traf er, zu Anfange des Monats März, März

1468 auf einen bedeutenderen Widerstand, als er erwartet haben
mochte. Die ungrischen Stände billigten das Vorhaben eines
neuen, in der Ferne zu führenden Krieges nicht, so lange
das Vaterland von der Türkengefahr bedroht war, und bewilligten, trotz den nachdrücklichen, nicht allein vom Graner
Erzbischof Johann Vitéz, sondern auch vom Könige selbst zu
Gunsten des Krieges gegen die Ketzer geführten Reden, keine
ordentliche Landesbewaffnung zu diesem Zwecke, so daß Mathias genöthigt war, den beschlossenen Krieg nur mit den
eigenen Hofleuten und Söldnern zu führen. Zur Beschwich-
tigung der im Volke entstandenen Bedenken wurden von
Niklas Ujlaki, dermalen Ban der Macwa, wahre oder angebliche Gesandte des Sultans Mohammed II dem Reichstage vorgestellt, welche Geschenke brachten und sich nicht allein
zu einem Waffenstillstand, sondern auch zur Hilfe gegen die
Böhmen anboten. Die geistliche Macht, die bis dahin gegen
jede Ausgleichung mit den Ungläubigen zu eifern gewohnt
war, schwieg jetzt in der Hoffnung, daß sowohl die Fürsten
als die Kreuzerschaaren, des Kampfes gegen die Türken ledig,
mit um so stärkerer Macht sich würden gegen die Ketzer kehren können. Mathias fertigte daher den alten Heerführer
Ziskra zu den Türken ab, um einen dreijährigen Waffenstillstand mit ihnen abzuschließen. Er aber selbst begann alsogleich zu waffnen und zog zuerst nach Ofen, dann über
26
März Gran nach Tyrnau, wo er schon am 26 März anlangte. [333]

333) Ueber den Reichstag von Erlau gibt Bonfini dec. IV, lib. I, p.
429—433 die ausführlichsten Nachrichten. Graf Teleki wies urkundlich nach, daß Mathias am 7 März in Erlau, am 17 März
aber schon in Ofen war (Teleki, IV, 14 und XI, 315.) Von der
türkischen Gesandtschaft ist nicht bloß bei Bonfini l. c. und bei
Dlugoš p. 421, sondern auch in Gemeiner's regensburgischer Chronik, III, 437 die Rede. Doch die Worte des Janus Pannonius in
einem Briefe vom 10 April 1468 (ap. Katona, XV, 299): Mira
profecto res fuit, quod cum Turcis induciis nondum firmatis
Rex implicuit se rei tantae — dienen zum Beweise, daß Ziskra

König Georg hörte bis zu seinen letzten Tagen nicht 1468 auf, Mathias gleichsam als seinen Zögling auf dem ungri= schen Thron zu betrachten. Er sah in ihm stets nur den Jüngling voll Feuer und geistreicher Scherze, wie er ihn einst im Schooße seiner eigenen Familie kennen gelernt und liebgewonnen hatte. Wie oft er auch von ihm beleidigt und betrogen wurde, er schrieb das stets mehr einer Art jugend= lichem Leichtsinn und natürlicher Ausgelassenheit, als bösem Willen zu; durch seine Verstellung und Schmeichelei ließ er sich immer wieder besänftigen, und bewies ihm gegenüber dieselbe Schwäche, wie einst der edle Otakar II gegen seinen verrätherischen Vetter Philipp von Kärnthen. Auch jetzt hatte er ihm noch am 9 Februar geschrieben, welchen Schre= cken ihm die Nachricht von seiner Verwundung in der wala= chischen Schlacht verursacht, und wie sein Kummer sich in Freude verwandelte, als er erfuhr, die Wunde sei unschädlich und eher geeignet, den Helden als Siegeszeichen zu schmü= cken, denn zu belästigen. Er habe sogleich seinen Kanzler Pro= kop von Rabstein abgefertigt, ihm Glück zu wünschen, doch der sei unterwegs krank geworden und liegen geblieben; dar= um schrieb er jetzt und fügte dem Schreiben einige Nachrich= ten bei, um anzuzeigen, welche Anschläge von bösen Menschen gegen ihn gemacht würden; er hoffe, Mathias werde sie sich zu Herzen nehmen, und bete zu Gott, daß er ihm bald volle Genesung schenke. Etwa einen Monat früher hatten auch beide Söhne K. Georgs an Mathias geschrieben: Victorin bot ihm, noch vor seinem Einfall nach Oesterreich, tausend

---

erst zur Verhandlung über den Waffenstillstand gesendet wurde, und der zu Ende des J. 1468 von den Türken erneuerte Krieg beweist, daß die Verhandlung erfolglos blieb. Nicolaus Ujlaki war seit dem Jahre 1464, wo K. Georg ihm seine Tochter Hieronyma zurück nach Ungarn sandte, ein Hauptfeind desselben geworden, und darum ist es wohl möglich, daß er zu einer Täuschung gegen ihn die Hand bot.

1468 Reisige zu Sold an, um ihm seine rebellischen Unterthanen
bezwingen zu helfen; Heinrich erklärte seine Geneigtheit, das
ihm schon lange versprochene Geschenk zweier Streitrosse jetzt
anzunehmen, und bat darum. [334]

Als Erwiederung auf diese liebreichen Erklärungen kam
dem Prinzen Victorin, in sein Lager zu Stockerau, ein verschlossener Brief von K. Mathias zu, von Tyrnau am 31
März datirt, mit folgenden Worten: „Wir nehmen wahr,
daß die Wege des Friedens Euch zuwider sind und daß Ihr
unfähig seid, in Eintracht mit Euren Nachbarn zu leben:
denn Ihr bestrebt Euch mit dem sonderbarsten Fleiße mehr
Feinde zu gewinnen als Freunde zu erhalten. Wir hofften,
Ihr würdet Euch an die Verträge halten und vernünftiger
Weise mehr auf die Stillung einheimischer als auf Anfachung
auswärtiger Stürme Bedacht nehmen: aber wir sehen offenbar, daß solche Absichten Euch ferne liegen. Denn nach
dem Beispiele Eurer Aeltern und Genossen liegt Euch nichts
so sehr am Herzen, als Kriege auf Kriege zu häufen, in
die Länder friedlicher Nachbarn die Lohe zu tragen und die
emporlodernde noch mehr zu schüren. Wir haben das Schreiben
gesehen, worin Ihr unserm durchlauchtigsten Vater, dem römischen Kaiser und den Herren von Oesterreich und Steiermark, unsern Freunden und Verbündeten, Krieg ankündigt
und mit grausamem Verderben droht: wo es doch weder
Euch, noch Eurem Vater unbekannt sein konnte, daß wir
mit dem Kaiser ältere Verträge haben, die uns verpflichten
ihm Hilfe zu leisten, als diejenigen sind, welche wir zuletzt mit Euch abgeschlossen. Nun habt Ihr schon darin ver-
tragswidrig gehandelt, daß Ihr, ohne mit uns Rücksprache
zu nehmen und ohne einen hinreichenden Grund zum Kriege
aufzuweisen, unsere Freunde zu Euren Feinden macht und

---

334) Diese Briefe haben wir aus dem MS. Sternb. p. 647, 643 und
642 ehemals dem Grafen Teleki zugesendet, der sie in seinem
Werke XI, 306, 289 und 298 abdrucken ließ.

gewaltsam mit Waffen gegen sie einschreitet. Obgleich wir 1468
auch früher von Euch mit vielfachen Beschädigungen und
Unbilden gereizt, sie aus Friedensliebe geduldig ertrugen:
doch jetzt, wo uns mit Freunden, die Ihr rechtswidrig unter=
drückt, eingegangene Bande auffordern und beinahe zwingen,
und Eure alten und neuen Vertragsbrüche dazu nöthigen;
da wir eine Bürgschaft des Friedens weder in Euren Wor=
ten, noch in Euren Sitten, sondern nur in unsern Waffen
allein wahrzunehmen vermögen: so kündigen wir Euch an,
daß wir unserer Pflicht gemäß den getreuen Unterthanen
des römischen Kaisers, insbesondere im Lande Oesterreich,
mit Rath, Hilfe und Schutz gegen Euch beistehen, und auch
den Ersatz der Schäden, die Ihr und die Eurigen uns so
oft ungerechter Weise zugefügt, in gerechter Führung der
Waffen ansuchen wollen; und wir rufen hiezu den Beistand
des höchsten Herrn der Heerschaaren an, der ein Helfer und
Tröster ist aller ungerecht Leidenden und in jedem Streit
der besseren und gerechten Hälfte beisteht; obgleich eine solche
Absage sogar überflüssig erscheint, da Ihr selbst durch den
Angriff auf unsere Freunde die Feindseligkeit gegen uns zu=
erst eröffnet habt. Ueberdies erklären wir, daß wir die Ka=
tholiken jener Gegenden, wie es einem katholischen Könige
ziemt und wie wir auf besondern Befehl des apostolischen
Stuhls zu thun verpflichtet sind, in frommer Weise nach
Kräften gegen Eure ungerechten Angriffe zu schützen ge=
denken. [335]

Es folgte darauf am 8 April von Preßburg aus eine 8 April
noch denkwürdigere Erklärung: denn der hochgebildete Janus
Pannonius wußte, als Kanzler, seinem Herrn wohl schöne
und edle Worte genug in den Mund zu legen: „Da wir

335) Dieser Absagebrief, den wir stellenweise abgekürzt wiedergaben, war
bisher nur als Formel ohne Datum bekannt. Wir fanden im Archive
zu Wittingau eine gleichzeitige böhmische Uebersetzung desselben mit
dem Datum: zu Tyrnau am letzten Tage des Monats März.

1468 bemerken," so hieß es, „daß das rechtgläubige Volk im Kö=
nigreiche Böhmen und dessen Zugehörungen von den dortigen
Ketzern die schwersten Unbilden zu leiden hat, und der böse
Irrthum gegen Gott und dessen Kirche Tag für Tag mehr
um sich greift; da dieselben Katholiken aufs inständigste uns,
wie früher oft, so zuletzt auch durch den hochwürdigen in
Gott Vater Protas Bischof von Olmütz, der die gehörige
Vollmacht von den Uebrigen aufwies, zu ihrer Hilfe geru=
fen haben; da auch der heilige Vater, dem zu gehorchen
allen Fürsten der Christenheit zukömmt, und dessen würdigster
Legat uns zu wiederholten Malen darum baten: so haben
wir endlich, ohne Rücksicht auf viele und große Gebrechen
und Hindernisse, uns entschlossen, an das bisher von allen
abgelehnte Werk Hand anzulegen, das zwar eine äußerst
schwere Last bildet, aber den höchsten sowohl Lohn im Him=
mel als Ruhm auf Erden in Aussicht stellt. Wir erachten
diesen Krieg für ein nicht minder frommes Unternehmen,
als es derjenige ist, den wir seit lange mit dem ärgsten
Feinde aller Gläubigen, dem Türken, führen, und vertrauen
auch mit vollem Rechte darauf, daß der Allmächtige uns in
dieser Streitsache, welche mehr die seine als unser ist, hilf=
reich beistehen werde: denn es drängt uns dazu weder der
Ehrgeiz, noch die Hoffnung irdischen Gewinnes, sondern nur
das Erbarmen über Unrechtleidende, die Ehrfurcht gegen den
apostolischen Stuhl und der Eifer für den wahren Glauben;
auch versprechen wir uns hienieden keinen höheren Lohn da=
für, als den Frieden, der den Kriegen zu entsprießen pflegt,
und die willkommene Dankbarkeit von Seite derjenigen, wel=
chen unsere Wohlthat zu Gute kommen wird. Nach Anru=
fung desjenigen Namens also, welchem zu Liebe wir zunächst
das Werk unternehmen, erklären wir mit vollem Wissen
und nach gehöriger Erwägung in unserm Rathe, daß wir
den Schutz des genannten katholischen Volkes gegen die Ke=
tzer auf uns nehmen, und versprechen mit unserm königlichen

Worte, daß wir Alle diejenigen, weß Standes sie auch seien, 1468
welche der Römischen Kirche wie im heiligen Ritus, so auch
durch die Thatsache des Gehorsams angehören, nach allem
unserm Vermögen nicht verlassen, sondern mit allen uns
möglichen Mitteln und Wegen schützen und vertheidigen wollen; und das um so nachdrücklicher, je weniger unüberwind-
liche Uebelstände von Seite unsers Königreichs Ungarn uns
daran hindern, und je bereitwilliger Andere darin beistehen
werden." [336]

König Mathias nahm also den Titel nur eines Be-
schützers der Katholiken, nicht auch zugleich eines Herrn der
Krone Böhmen an; man sagte, es sei dies aus Schonung
für den König von Polen geschehen, der sich ein Recht auf
jene Krone anmaßte; es ist aber wohl anzunehmen, daß auch
die böhmischen Barone, so sehr sie auch seines Schutzes
begehrten, doch keineswegs sich beeilten, ihn als Herrn anzuerkennen. Sowohl Bischof Protas von Olmütz, der Abgesandte der Liga, als auch Herr Zdenĕk von Sternberg, deren 31
Hauptmann, der am 31 März nach Tyrnau gekommen war, März
bürgten ihm für deren Treue und Anhänglichkeit im Kampfe
gegen den gemeinsamen Feind. Uebrigens ist nicht zu läugnen,
daß Mathias, je rascher er im Entschlusse zum Kriege
gewesen, sich um so besonnener und umsichtiger in dessen
Einleitung und Führung erwies; wie er denn überhaupt sich
vielmehr durch Verstand, als durch Gemüth auszeichnete. Er
täuschte sich keineswegs selbst mit der Hoffnung allzu glän-

336) Alle ungrischen Actenstücke und Briefe dieser Zeit, welche aus der
Feder des Janus Pannonius floßen und an claſſiſcher Eleganz der
Sprache leicht zu erkennen sind, wurden in einer ziemlich seltenen
Sammlung erhalten, welche unter dem Titel „Epistolae Matthiae
Corvini regis Hungariae," (edid. Steph. Vida, Cassoviae 1744,
partes IV in 8 min.) erschien. Sie gleicht einigermaßen der böhmischen Quelle, die wir als MS. Sternb. oft citiren. Katona nahm
sie in sein Werk vollständig auf. Das Manifest vom 8 April steht
dort parte III, num. 45, pag. 88, bei Katona, XV, p. 294.

1468 zenden Erfolges: die großen Siege der Hussiten von ehemals
trübten seine Aussicht auf Ruhm, und er empfand mehr
Respect vor der böhmischen Tapferkeit, als er an sich merken
ließ: darum aber suchte er mit um so mehr Eifer alles zu
sammeln und vorzubereiten, was nur zum Siege führen
konnte. Das Heer, das er ins Feld führte, war an sich
nicht sehr zahlreich: Bischof Protas und Herr Zdeněk schätzten
es selbst nur auf etwa 16000 Bewaffnete, darunter an 11000
Reisige; an Wägen zählte man bis gegen zweitausend, große
und schwere Geschütze an 50 Stück, ohne die Haubitzen,
Hacken- und andere kleinere Büchsen, deren Zahl bedeutend
war. Aber dieses Heer war aufs trefflichste gerüstet und
geübt, war der Kern seiner ganzen Waffenmacht; es bestand
größtentheils aus böhmischen und polnischen Söldnern; auch
waren darin an 1000 Serben oder Raizen zu Pferde, mit
ihrem Fürsten Wuk Brankowič, welche den größten Schrecken
des folgenden Krieges bildeten: denn auf kleinen aber sehr
schnellen Rossen ohne Harnisch, aber mit einem hölzernen
Schilde bedeckt, mit Bogen oder Spießen bewaffnet, pflegten
sie keine Gefangenen zu machen, sondern den Feinden die
Köpfe abzuschneiden, da ihnen von Mathias anstatt des
Soldes für jeden eingebrachten Kopf ein Gulden gezahlt
wurde. Als der in Kriegssachen wohl kundige Zdeněk von
Sternberg diesen ganzen Kriegsapparat übersah, jubelte er im
Herzen auf und sprach laut, nun werde er damit gerades Wegs
auf Prag losziehen; auch schrieb er seinen Söhnen, hätte er
das Heer nicht selbst gesehen, daß er einem andern nie geglaubt
hätte, wie unvergleichlich es war. Denn gleichwie Mathias
selbst nicht vom alten hohen Adel herstammte, so pflegte er
auch bei Besetzung der ersten Stellen in Kirche, Staat und
Heer nicht auf den Stammbaum oder die Nationalität, sondern einzig auf persönliche Tüchtigkeit und Leistungen Rücksicht zu nehmen. Darum waren die bedeutendsten Männer
in seinem Rathe, wie in seinem Heere, größtentheils Empor-

kömmlinge, aber fast durchaus Männer von Einsicht und 1468
Energie. Auch im beginnenden Kriege, obgleich die vornehmsten
geistlichen und weltlichen Würdenträger seines Reiches per=
sönlich anwesend waren, wurde doch die Durchführung der
wichtigsten Aufgaben zwei ehemaligen Hauptleuten der Brüder=
rotten anvertraut, dem Blasius Podmaniczky, einem Slowaken,
gewöhnlich Balázs Magyar genannt, und Franz von Hag,
einem böhmischen Ritter, der jedoch am kaiserlichen Hofe
erzogen worden war; auch zeichnete sich hier zuerst der serbische
Knez Pawel aus, ein Mann von gigantischer Körperkraft,
der später unter dem Namen Kinizsi Paul berühmt wurde.
Obgleich nun auch Mathias, um seinen Leuten mehr Muth
einzuflößen, zu sagen pflegte, er hoffe in vier bis sechs Wochen
seine Banner auf der Prager Burg aufzupflanzen, so täuschte
er sich doch nicht über die Schwierigkeit seiner Unternehmung,
und verabsäumte nichts, was zu ihrem Gelingen beitragen
konnte. Er forderte vor allem den Kaiser, den Papst und
die katholische Liga zu größerer Thätigkeit auf als bisher.
Dem Papste insbesondere ließ er durch seinen Procurator an
dessen Hofe vorstellen, wie nunmehr alles vorzugsweise von
der Hilfe und Unterstützung aus Rom abhänge; denn der
Kaiser sei zu allem kalt, der König von Polen arm, die
deutschen Fürsten wollüstigem Müssiggang ergeben; entwickle
der Papst die gehörige Thätigkeit, so könne er jetzt zu einem
Ruhm gelangen, welchen seine Vorfahren seit fünfzig Jahren
umsonst angestrebt hätten; die böhmische Ketzerei werde ent=
weder jetzt ausgerottet werden, oder das Werk gelinge nimmer=
mehr. Sollten aber ihm, dem Könige, die gehörigen Kriegs=
subsidien nicht zukommen, so verlangte er, daß es ihm wenig=
stens gestattet werde, mit den Ketzern Frieden zu schließen.
Die katholische Liga forderte er auf, Georg ungesäumt den
Waffenstillstand aufzukündigen und ihre Waffenmacht mit der
seinigen zu vereinigen; dem Legaten Rudolf aber, der nun=
mehr Bischof von Breslau geworden war, gab er im voraus

33

1468 zu verstehen, er möge in keine Zweifel gerathen, wenn er etwa von einer Friedensverhandlung seinerseits mit den Ketzern zu hören bekomme; denn möge sein Benehmen welchen Schein immer annehmen, so werde es doch stets nur die Ehre und den Vortheil des apostolischen Stuhls zum Zwecke haben.

12 Apr. Dann fertigte er am 12 April den Olmützer Bischof nach Krakau ab, zur Abschließung wichtiger Verträge mit dem Könige von Polen, und trat Tags darauf, am 13 April, in Begleitung seiner vornehmsten Diener und Freunde, auch Zdenéks von Sternberg, des Hauptmanns der Liga, von Preßburg aus ins Feld, zum verhängnißvollen Kriegsspiel. [337]

Es hatte jedoch Mathias schon früher, und zwar aus Tyrnau zu Ende März, etwa 3000 Reisige und 2000 Trabanten nach Oesterreich beordert, welche dort noch vor dem Absagebriefe am 31 März anlangten, sich mit den bei Göllersdorf lagernden Oesterreichern und mit Johann von Sternberg, welchen sein Vater ihnen zu Hilfe hingeschickt hatte, ver-

337) Zur Geschichte Böhmens im J. 1468 haben wir außer den genannten ungrischen und andern, die schon gedruckt sind, mehr als hundert bisher unbekannte Actenstücke und Briefe in lateinischer, deutscher und böhmischer Sprache aus verschiedenen Quellen gesammelt, deren Aufzählung hier wohl nicht am Platze wäre. Aus ihnen, in Verbindung mit Eschenloer's und Dlugoš's Berichten, schöpfen wir unsere Darstellung hauptsächlich, und führen fortan nur dort Belege an, wo sie besonders nöthig erscheinen. Ueber die Zahl und Größe der Heeresmacht Mathias haben wir mehrere gleichzeitige und glaubwürdige Zeugnisse; die bedeutendsten sind zwei Briefe Sternbergs, der eine zu Mistelbach in Oesterreich am 15 April, der andere zu Iglau am 16 April gegeben; in beiden sagt er von sich, daß er von Preßburg am 13 April zugleich mit dem Könige in's Feld gerückt sei. Dlugoš behauptet von Bischof Protas (p. 421), er sei nach Krakau „die Martis, octava mensis Aprilis" gekommen: aber der 8 April fiel dieses Jahr auf einen Freitag, und Protas schrieb noch am 9 April aus Preßburg an den Legaten Rudolf nach Breslau, wo er erst im Begriffe war, nach Krakau zu reisen: his nunc sit V. P. consolata; ex Polonia, ut spero, non minora scribam.

einigten und das kaiserliche Heer plötzlich so anschwellen 1468
machten, daß die Böhmen ihm nicht mehr gewachsen waren.
Als Prinz Victorin diese Uebermacht der Feinde erblickte,
ohne begreifen zu können, woher sie ihnen gekommen, rief er
seinen Vater sogleich um Hilfe an; doch bald belehrte ihn
der Absagebrief vom 31 März von der ganzen Größe der
Gefahr, die ihm bevorstand, und er säumte nicht, den Vater
davon zu unterrichten. Es folgten nun blutige Gefechte, vorzüglich bei der Stadt Znaim, in Folge deren die Böhmen
Oesterreich räumen mußten, Victorin aber sich bis zu seiner
Befreiung in Stockerau einschloß. [338]

Welchen Eindruck die Nachricht von der großen Wandlung am Hofe K. Georgs gemacht, können wir nur ver-
muthen: denn Niemand hat uns davon eine Nachricht hinterlassen. Indessen bekannten die Feinde selbst, daß der König
unerschrocken sich alsogleich mit bedeutender Macht ins Feld
gestellt habe: und in der That finden wir ihn schon um
Ostern (17 April) persönlich in der Gegend von Znaim, 17 Apr.
wo seine erste Sorge war, vor allem den Sohn aus der
halben Gefangenschaft zu retten. Als Führer seines Heeres
werden in dieser Zeit genannt die Herren Kostka, Pardus,
Jeník, Šárowec, Michalek von Worla und Zmrzlík, meist
dem Ritterstande angehörige und nicht viel bekannte Männer.
Er hatte indessen lange Zeit Mühe, an die Wirklichkeit und

---

338) Eschenloer's Nachrichten über die Vorfälle scheinen der Wahrheit
am nächsten zu kommen, obgleich sie weder bestimmt, noch deutlich
genug sind. Wir haben einen Brief Zdeněk's von Sternberg, von
Tyrnau am 31 März „den Landleuten zu Gelastorff“ gegeben, wo
er sie von ihrer nahen Rettung benachrichtigt. Bischof Protas
schrieb am 9 April (l. c.) Fidelissimus rex (Matthias) umbra
quadam suorum, quos praemiserat, hostes fidei Austria expulit,
et die praeterito hostes jam in domo sua existentes et sacrum
gloriosissimae Virginis magna religione venerandum in Zneuma
expugnantes, milite illo praemisso obruit, CCC interfectis, totidem
captis, ceteris in fugam versis.

1468 den Ernst der Feindschaft bei Mathias zu glauben: denn in
den Antwortschreiben, die er an ihn in diesen Tagen richtete,
sprach er auch von künftiger Wiederaussöhnung. „Wir haben
Euch," sagte er, „schon lange alle unsere Beschwerden gegen
den Kaiser, so wie alles, was wir gegen ihn zu unternehmen beabsichtigten, bekannt gegeben: und Ihr habt, ohne
Euch zu irgend einer, sei's Vermittlung, sei's Unterhandlung
zwischen ihm und uns anzubieten, sogleich die Feindseligkeiten
gegen uns eröffnet. Wer ist da der Vertragsbrüchige? Und
nun überhäuft Ihr uns mit ungerechten und bösen Schmähungen, gleich als wolltet Ihr sogleich ewigen Haß und
ewige Fehde zwischen uns anfachen! Wolltet Ihr Krieg gegen
uns erheben, so hättet Ihr Euch wenigstens aller Injurien
gegen uns enthalten sollen, welche Euch nichts zum Siege
beitragen, unsere Aussöhnung aber um so schwieriger machen."
Er scheint nicht geahnt zu haben, daß eben dieses Schreiben
schon das letzte war, das zwischen ihm und seinem undankbaren Schwiegersohn bei ihrer beider Lebzeiten direct gewechselt wurde. Auch Herr Albrecht Kostka, welchen Mathias
seinen besondern Freund nannte, und durch dessen Hände
bisher die Correspondenz beider Könige größtentheils gegangen
war, gerieth zwar in die äußerste Bestürzung ob der unerwarteten Veränderung, erblickte jedoch darin auch nur eine
vorübergehende Abweichung von der Regel. Auch er schrieb
an Mathias, wie er selbst mitten im Geräusch der Waffen
dafür sorge, daß nichts zum Vorschein komme, was die
Gemüther der beiden Herrscher einander noch mehr entfrem-
den könnte. Darum sandte er ihm die Abschrift eines Schmäh-
artikels zu, welcher unter Mathias Namen in Umlauf gekommen war, damit Letzterer ihn verläugnen und in ihm
einen Grund zur Erbitterung beseitigen könne; denn er glaubte
nicht, daß eine solche Schrift wirklich von Mathias hergerührt habe. [339]

339) Zwei Schreiben K. Georgs an K. Mathias aus dieser Zeit, doch

In Rom entstand ungeheurer Jubel, als die Nachricht 1468 kam, daß Mathias sich zum Kriege gegen die Böhmen entschlossen habe; Cardinäle und andere Römer strömten in Masse glückwünschend zum Papste und zu Carvajal, daß sie vor Zeiten sich nicht hatten abhalten lassen, das Endurtheil über die Ketzer auszusprechen, da ihnen jetzt Gott selbst den Rächer zusende, den sie damals noch schmerzlich vermißt hatten. Welche Stimmungen und Hoffnungen in diesen Kreisen geherrscht haben mögen, läßt sich aus den Schreiben entnehmen, welche Cardinal Jacob Piccolomini darüber an den Papst und an Carvajal richtete. „Ich erhob," so schrieb er, „Augen und Hände gen Himmel, und dankte Gott dem Barmherzigen, daß er endlich uns den Blick der Gnade zuwendete, uns zur Hoffnung des Heils aufrichtete und den Geist Daniels erweckte, der den Satan unter unsern Füßen zertreten soll. Der Herr erwachte endlich wie aus dem Schlafe und wie ein Mächtiger aus des Weins Berauschung. Die Rache des vergossenen Blutes seiner Diener stellte sich seinen Blicken dar und unsere Feinde werden unsern Füßen als Schemel unterworfen werden. Denn siehe, unser Auge haftet über dem Reiche der Sünder, daß es vom Antlitz der Erde vertilgt werde. Wir werden zum Herrn der Heerschaa-

ohne Datum, findet man im MS. Sternb. p. 647 und 652; eben dort p. 648 ist auch Victorins Beantwortung des Fehdebriefes von Mathias, und p. 650 Gregors von Heimburg Schreiben darüber an den Erzbischof von Gran zu lesen. Vgl. deren Ausgabe bei Teleki, XI, 329—342. Herrn Kostka's eigene Worte (ibid. p. 653) lauten: Magnum mihi studium est etiam in ipsius belli ardore cavere, ne quid emergat vel intercidat, quod animos regios utrinque valeret exasperare, quodque etiam concordia secuta, quam bello durante sperare fas est, memoria repetere vel recensere amarius esset, quam ipsum armorum conflictum aut quidquid ultro citroque pugna vel proelio aut armorum concitatione mutua contigisset. Es hat sich auch ein Schreiben der böhmischen an die ungarischen Stände über diese Umkehr der Verhältnisse erhalten, welches Gr. Teleki XI, p. 332 liefert.

1468 ren beten und die Stimme der Kirche wird dem frommen
Könige beistehen, damit während er kämpft, über die böhmischen Sünder Strick, Feuer und Schwefel regne, und der
Geist des Sturmwindes das Loos ihres Kelches werde, um
dessenwillen sie so viel eigenes und fremdes Blut vergießen."[340]

Papst Paul II hatte, noch bevor er von Mathias Entschlüssen und Wünschen gehört, zumeist auf Anbringen der
vom Breslauer Tage an ihn abgeordneten Mitglieder der
Liga, Maßregeln der höchsten Strenge gegen die Böhmen
ergriffen.   Der am Gründonnerstage alljährlich über die
Bösen überhaupt gesprochene Bannfluch war dieses Jahr,
14 Apr. am 14 April, noch feierlicher und schreckenerregender als gewöhnlich, und bezog sich nicht allein auf K. Georg und dessen Geschlecht bis ins vierte Glied, auch nicht allein auf
alle Freunde, Rathgeber und Helfer desselben, sondern auch
auf alle Katholiken, welche den böhmischen Ketzern sei es
auch nur Salz, Waffen oder welche Waaren immer verkaufen, oder auch nur Umgang mit ihnen pflegen würden.
Noch bestimmter und nachdrücklicher wurde das Verbot und
die Strafe für solche Vergehen in der denkwürdigen Bulle
20 Apr. vom 20 April festgestellt.   Der Papst wunderte sich darin,
daß trotz allen vorangegangenen Processen und Anathemen
es noch immer Leute gab, welche Georg wohlwollten und
Hilfe leisteten, ihm für Sold dienten, mit ihm und seinen
Unterthanen Handel trieben u. dgl. Alle Diejenigen also,
welche mit den Gebannten auch nur in Verkehr treten und
sich in Kaufgeschäfte einlassen würden, schloß er nunmehr
von der Gemeinschaft der Gläubigen aus und belegte sie
mit dem Banne: dieselben sollten fortan ehrlos (infames)
sein und unfähig, irgend etwas zu vermachen oder zu erben
und Zeugenschaft abzulegen; Niemand soll ihnen Schulden
bezahlen, Niemand vor Gerichte zu Rede stehen; ihre Güter

---

340) Jacobi cardin. Papiens. Epistolae, in edit. Gobellini p. 655 et
   656; ap. Raynaldi ad h. a. Müller Reichstags-Theatrum, II, 311.

werden zum allgemeinen Besten confiscirt, ihre Personen 1468
gerathen in die Knechtschaft derjenigen, die sich ihrer bemäch=
tigen, und ihre Nachkommenschaft wird bis ins vierte Glied
aller Ehren und Würden unfähig. Alle Geistlichen sind
verpflichtet, diese Verordnung in ihren Kirchen jeden Sonn=
tag kundzumachen und jeden Uebertreter derselben öffentlich
und namentlich in den Bann zu thun; versäumt es irgend
einer, so verfällt er dem Banne selbst. In der zweiten Bulle
von demselben Tage, einer Ablaßbulle für diejenigen, welche
im Kriege gegen „den verruchtesten Erzketzer" Georg von
Podiebrad Hilfe leisten würden, wurden allen treuen Buß=
fertigen und Beichtenden, welche von je zwei rheinischen
Gulden ihres Vermögens je einen böhmischen Groschen, von
je tausend Gulden einen halben, und was darüber ist, einen
ganzen Gulden beitragen würden, siebenjährige Abläße mit
eben so viel Quadragenen von der ihnen auferlegten Buße
zugestanden; wer aber selbst in den Krieg ziehe und darin
sechs Monate ausharre, oder einen Andern in gleicher Weise
an seiner Statt ausrüste, der erhalte von dem Beichtvater,
den er sich selbst wählt, volle Absolution, auch von solchen
Sünden, um deren willen sonst bis nach Rom gegangen
werden müßte.   Diese Bullen waren an die ganze Christen=
heit überhaupt und an die deutsche Nation insbesondere ge=
richtet. Tags darauf, den 21 April, wurde der Bischof von 21 Apr.
Ferrara, Laurenz Rovarella, der vor Kurzem erst nach Rom
zurückgekehrt war, abermals als päpstlicher Legat, und zwar
mit noch erhöhter und erweiterter Vollmacht nach Deutsch=
land abgeordnet, da der Papst in seine Geschicklichkeit und
seinen Eifer ein ganz besonderes Vertrauen setzte. [341]

Rovarella trat also abermals die Reise nach den Do=
nauländern an, diesmal in Begleitung des Bruders Ron=

341) Bruchstücke dieser Bullen theilt auch Raynaldi mit; vollständig
    kommen sie in gleichzeitigen Handschriften häufig vor, was auf
    ihre einst große Verbreitung schließen läßt.

1468 goni von Verona und des Prager Domdechants Hilarius. Während seines fünfwöchentlichen Aufenthaltes am kaiserlichen Hofe zu Grätz begann er alsogleich die neuen päpstlichen Bullen allen Erzbischöfen und Bischöfen in Deutschland und den Nachbarländern zuzusenden und fügte ihnen, zu deren vollständiger Durchführung, auch noch eigene Verordnungen bei. Insbesondere befahl er, daß in allen Diöcesen und Ländern bei jeder Pfarre am ersten Freitag eines jeden Monats ein feierlicher Gottesdienst mit Processionen und Predigten abgehalten werde, um den Beistand des Himmels im Kampfe gegen die böhmischen Ketzer anzuflehen, und schrieb dazu besondere Ceremonien, Gebete und Ermahnungen vor, um recht viele Gläubige zu bewegen, das Zeichen des Kreuzes auf sich zu nehmen oder wenigstens Beiträge zur Führung des Krieges zu leisten. Den Anfang dazu machte er am kaiserlichen Hofe selbst: aber es heißt, daß weder der Kaiser, noch die Hofleute sich die Sache zu Herzen nehmen mochten, und sich nur einige arme Edelknechte und Handwerker zur Annahme des Kreuzes bereitwillig erklärten. Rovarella hatte darauf gedrungen, daß das Kreuz nur solchen Personen ertheilt werde, welche sich vor den weltlichen Behörden auswiesen und von diesen Zeugnisse beibrachten, daß sie im Stande waren, mit hinlänglichen Waffen wenigstens sechs Monate auf eigene oder ihrer Besteller Kosten im Felde auszuhalten: aber diese Forderung ließ sich nicht allenthalben erfüllen, und die Kreuzer glichen dann aus Noth oft den Räubern mehr, als frommen Streitern Gottes. [342]

342) Rovarella erließ schon 8 Juni in Grätz mehrere Urkunden, und nach dem Zeugnisse der Regesten Kaiser Friedrichs (bei F. Lichnowsky) weilte er dort noch am 13 Juli, was gut übereinstimmt mit Gabriel Rongoni's Schreiben vom 2 Aug., wo es heißt, daß er fünf Wochen am kaiserl. Hofe zugebracht habe; um den 20 Juli kam er schon nach Ungrisch-Brod zu K. Mathias (s. unten.) Die un-

In Folge dessen hatten von nun an K. Georg und 1468
seine Getreuen es mit dreierlei Feinden zu thun: mit König
Mathias, mit der katholischen Liga, und mit unzähligen
Schwärmen von Kreuzern. Mathias hatte zwar die Liga
aufgefordert, alle ihre Streitkräfte mit den seinigen zu vereinigen: davon geschah jedoch wenig, da jedes Bundesmit-
glied zunächst nur auf eigene Vertheidigung Bedacht nahm.
Die Utraquisten konnten, da sie von allen Seiten bedroht
und umschlossen waren, auch nicht an die Ergreifung der
Offensive denken, sondern mußten sich allenthalben auf bloße
Abwehr beschränken. In der Defensive freilich hatte sich
schon seit Žižka's Zeiten die Kraft der böhmischen Waffen
vorzugsweise bewährt: die großen Wunder der Kriegskunst
der Husiten waren nur dadurch möglich geworden, daß
enorme Massen ungeordneter und undisciplinirter Truppen an
dem Widerstande eines zwar kleinen, aber gut organisirten
und geschulten und von beweglichen Wällen geschützten
Heeres sich brachen. Diese Kunst war jedoch zu dieser
Zeit kein böhmisches Geheimniß und Monopol mehr;
auch Mathias besaß ein sehr gut organisirtes und geübtes
Heer und übereilte sich nicht mit dem Angriffe; der
Erfolg und Sieg heischte jetzt andere Bedingungen. Das
böhmische Volk übertraf freilich auch in diesen Jahren noch
alle seine Nachbarn an Streitbarkeit und kriegerischem Geist:
selbst der Bauer und der Handwerker wußte mit Waffen
umzugehen und hatte Lust an kriegerischen Vorgängen. Hätte

grischen Geschichtschreiber, die da Bonfini folgten, auch Gr. Teleki,
ließen Rovarella schon auf dem Reichstage zu Erlau bei Mathias
sein u. s. w. Seine Decrete kennen wir zumeist aus MS. universit.
Lips. 1092 fol. 308 sq. Die Hauptverordnung vom 9 Juli unter
dem Titel „Ordinata D. Legati" (ibid. 311 sq.) findet sich auch
im Wiener MS. 3484, 4975 u. a. m. Ueber seine Thätigkeit in
Grätz sehe man bei Jac. Unrest. chron. Austr. ap. Hahn, I,
556 nach.

1468 daher K. Georg dem hufitischen Fanatismus freien Lauf lassen wollen, wie ehemals, so war die Hoffnung nicht allein auf erfolgreichen Widerstand, sondern auch auf Siege, den früheren ähnlich, nicht unbegründet. Doch auch jetzt, wo anderseits der Fanatismus mit allen Mitteln gegen ihn aufgestachelt wurde, wollte er seinem Kampfe keinen religiösen Grund und Anstrich geben, und rief die Seinigen nicht unter die Banner des Kelches und der Gewissensfreiheit, sondern nur zum Schutze des Vaterlandes gegen fremde Angriffe. Er that solches nicht allein aus Schonung für die vielen Katholiken, die ihm noch treu blieben, obgleich sie ihm im Kriege fast gar nicht beistanden, sondern wohl auch um der Bewahrung der eigenen Macht und Herrschaft willen. Hätte man nämlich den Krieg im Namen des Kelches geführt, so hätte ohne Zweifel in kurzer Zeit der scharfsichtigste und geschickteste Eiferer den Oberbefehl an sich gerissen, und dem Könige wäre nichts übrig geblieben als ihm zu gehorchen. Da nun auf diese Art den Feinden nicht die lebendige warme Strömung des nationalen Geistes, sondern nur so zu sagen eine kalte und todte Staatsmaschine entgegengestellt wurde, so konnten die Chancen des Sieges nicht anders als sich mindern. Nach altem Landesgesetz war in Böhmen jeder Einwohner verbunden, auf des Königs Befehl, zur Vertheidigung des Vaterlandes mit eigenen Waffen und auf eigene Kosten auszuziehen: doch war er nicht länger als 4 bis 6 Wochen im Felde auszuharren verpflichtet; dauerte der Krieg länger, und wollte der König das Heer nicht auseinander gehen lassen, so mußte er fortan jedem Bewaffneten, gleich den Söldnern, aus seiner Kammer Sold verabreichen lassen. Wir können nicht angeben, wie groß die damaligen königlichen Kammereinkünfte gewesen; wir wissen nur, daß die Silberbergwerke, namentlich die von Kuttenberg, ihre Hauptquelle bildeten, und eben damals durch die Fürsorge des Königs, unter der Leitung seines vorzüglichsten Rathgebers

und Freundes, Zdeněk Kostka, in hohen Flor gebracht worden 1468
waren; ihr Ertrag wurde im Durchschnitte auf 2600 Mark
wöchentlich oder in gemünztem Gelbe auf 13.000 böhmische
Gulden geschätzt, [343] was für das Jahr etwa 135.000 Mark
oder 676.000 damaliger, also etwa 2,700.000 neuer Gulden
(österreichischer Währung) betrug. Um einen solchen Schatz
beneideten freilich viele Fürsten den König von Böhmen, und
auch K. Mathias beabsichtigte bei seinen zwei Einfällen in
Böhmen, wie wir sehen werden, sich zunächst in dessen Besitz
zu setzen: da jedoch der Wochensold eines Reisigen damals
einen böhmischen Gulden betrug, [344] so reichte er kaum hin
zur Besoldung von 13.000 Reisigen für das ganze Jahr:
und es scheint, daß der vorjährige Krieg die früheren Er-
sparnisse und Vorräthe der königlichen Kammer bereits aufgezehrt hatte. Darum ist es auch nicht zu wundern, daß
K. Georg nie mehr als 4 bis 5000 eigene Hofleute und
Reisige in's Feld zu stellen vermochte, während Mathias,
wie wir schon gesehen, ihrer mehr als die doppelte Zahl besaß. Diese sogenannten Hofleute (dworané) waren damals
das eigentliche stehende Heer und der Kern der Armee, auf
welchen die Könige vorzugsweise sich verließen; die übrige
Heeresmacht glich mehr oder weniger der modernen Landwehr, außer daß sie viel ungebundener und zuchtloser sich
benahm. Auch ist die Vermuthung nicht ganz ungegründet,
daß K. Georg in der Voraussicht, daß keiner seiner Söhne
den Thron erben würde, nie sein ganzes Vermögen auf's
Spiel setzen, sondern nur so viel an den Krieg wenden wollte,
als die königliche Kammer eben gestattete.

Schon in den Osterfeiertagen (17 April) waren in die

---

343) Siehe darüber Gregors von Heimburg Schreiben dd. 6 Febr.
1470, im kaiserl. Buch, herausg. von Const. Höfler, p. 219.

344) Man wird diesen Sold nicht für unmäßig halten, wenn man bedenkt, daß jeder Reisige auch seine berittenen Knechte, einen oder
mehrere, zu haben pflegte.

1467

Gegend von Znaim die Könige Georg und Mathias mit ihren Heeren und die Herren aus Oesterreich zusammengeströmt: als aber Mathias merkte, daß die Böhmen sich zur Schlacht vorbereiteten, hielt er inne und zog sich auf Laa zurück, wo er sein Lager alsogleich verschanzen ließ. [345] In der Gegend von Znaim ließ er nur den kühnen Heerführer, Franz von Hag, mit einigen hundert seiner besten Leute zurück, um die Feinde zu beschäftigen: K. Georg aber trieb diesen in die Feste Martinic, ließ letztere stürmen und zwang

20 Apr.

sie schon am 20 April sich zu ergeben. [346] Doch war dies auch die einzige bedeutendere Kriegsthat dieser Zeit: denn seitdem gedachten sowohl Mathias in seinem Lager bei Laa, als auch Georg, der etwa eine Meile davon, in Tasar (Dyjakowice) lagerte, den feindlichen Angriff abzuwarten. Täglich erneuerten sich zwar ziemlich blutige Scharmützel zwischen beiden Lagern: aber zu einer Schlacht wollte es niemals kommen. Inzwischen beunruhigte Blasius Podmanicky durch verwegene Einfälle von Skalic aus einen großen Theil von Mähren, und K. Georg versuchte gleiche Einfälle nach Ungarn hinein. Es ist wohl anzunehmen, daß die leichte ungarische Reiterei, wegen ihrer größeren Beweglichkeit, wie bei solchen Unternehmungen, so auch bei Abschneidung aller Zufuhr ins feind-

345) Zdeněk von Sternberg sagt in seinem zu Iglan am 16 April gegebenen Briefe ausdrücklich, daß K. Mathias und die österreichischen Herren schon bei Znaim waren. Durch diese Angabe gewinnen K. Georgs Worte in seinem Schreiben vom 30 Juli 1470 (s. unten) das nöthige Licht: „Als Mathias gegen uns zog, ohne Krieg angesagt zu haben, und wir das merkten, stellten wir uns ihm entgegen und boten ihm eine Schlacht an: er aber wagte es nicht die Schlacht anzunehmen, sondern wich nach Laa zurück, dicht an die Stadt, lagerte und verschanzte sich dort" u. s. w. (S. Archiv český, I, 490.)

346) Die Brünner gaben davon am 25 April briefliche Nachricht an die Breslauer. (Eschenloer MS. lat.) Vgl. Staří letopisowé S. 187. Von der einst ansehnlichen Feste Martinic, unweit Znaim, ist heutzutage nicht eine Spur mehr übrig.

liche Lager, vielfach im Vortheile gewesen. Da aber diese 1468
Lage der Dinge bis in die dritte Woche sich verzog, so ist
es kein Wunder, daß auch Unterhandlungen zum Frieden
angeknüpft wurden. Mathias stellte demselben folgende Bedingungen: 1) Der Papst soll einen Congreß, am ehesten
nach Venedig, wohin beide Könige mit den Ihrigen persönlich kommen könnten und sollten, ausschreiben, damit dort
die endliche Einigung der Böhmen mit dem römischen Stuhle
in der Art zu Stande komme, daß sie sich zu des Papstes
unbedingtem Gehorsam verpflichten, er aber ihren Wünschen
mit väterlichem Wohlwollen entgegenkomme; wenn aber auf
diese Weise die Einigung nicht zu Stande käme, sollen beiderseits gewählte Schiedsrichter in der Sache entscheiden und
ihrem Ausspruch soll allseits Folge gegeben werden. Die
Kirchengüter in Böhmen soll man dem dort einzuführenden
Erzbischof abtreten. Dafür sollen die Mährer gut stehen und
zu weiterer Bürgschaft soll die Burg Spielberg als Pfand
übergeben werden. 2) Die im vorigen Jahre den Katholiken
abgenommenen Güter sollen entweder gleich zurückgestellt, oder
einigen Mittelspersonen bis zur vollen Einigung zu getreuen
Handen übergeben werden, und inzwischen soll Waffenstillstand herrschen. 3) Der Kaiser werde durchaus in Frieden
gelassen und die gegen ihn geführten Beschwerden habe der
Erzbischof von Gran zu untersuchen und darüber zu entscheiden. 4) Die Schäden, Unbilden und Unkosten, welche
die Böhmen den Ungarn verursacht, sollen nach erfolgter
Einigung dem Gutachten der päpstlichen Legaten gemäß
wieder gut gemacht und der Friede auf neuen und sichern
Grundlagen befestigt werden. K. Georg willigte in alle diese
Bedingungen ihrem Wesen nach, und darum ist kein Wunder,
daß schon am 25 April in Prag das Gerücht sich verbrei- 25 Apr.
tete, als sei der Friede schon geschlossen: aber die Forderung,
daß er für seine Zusagen noch Bürgschaften stelle und Pfän-
der hergebe, nahm er als eine Kränkung und Beleidigung

1468   auf. Darum blieb die ganze lange Unterhandlung um so er-
folgloser, [347] je mehr es Mathias eigentlich nur darum zu
thun gewesen, Georg hinzuhalten, bis dessen Lagervorräthe
erschöpft sein würden; denn wer unter den damaligen Umständen es länger aushielt, behauptete das Feld. Die Böhmen sahen sich endlich durch den Mangel an Proviant und
Zufuhr genöthigt, sich entweder durch einen Sieg Luft zu
machen oder das Feld zu räumen. Darum suchten sie zwei
Tage lang den Feind durch heftigere und häufigere Angriffe
aus seinen Verschanzungen zu bringen: als solches aber nicht
4 Mai gelang, verließen sie ihr Lager, wie es scheint, am 4 Mai, [348]

347) Die bei diesen Unterhandlungen gestellten Bedingungen sind aus
      zwei Nummern der Epistolae Matthiae regis bekannt, und zwar
      parte III, num. 36 pag. 67. apud Katona p. 307, und num. 36,
      p. 70, ap. Katona 312. Wir fanden darüber noch eine dritte
      Quelle, einen von K. Georg an Johann von Rosenberg geschickten
      Zettel, woraus wir einige nähere Bestimmungen beifügten. Vgl.
      auch Dlugoš p. 427. Die Worte in der ersten Nummer: „media-
      tores ex nunc electi — quaecunque media obtulerint, illa Bo-
      hemi teneantur amplecti, Sedes autem apostolica eis pro sua
      paternali pietate condescendat," haben, wie man sieht, einen so
      weiten Sinn, daß sie die widersprechendsten Deutungen zulassen.
      Von dem in Prag verbreiteten Friedensgerüchte gab Johann von
      Wetla am 25 April Herrn Heinrich Berka von Duba Nachricht.
348) Nach Zeugniß der Urkunden war Mathias noch am 5 Mai bei
      Laa, als er die mährischen Katholiken zu einem Tage nach Teltsch
      auf den 25 Mai berief, indem Georg bereits das Feld geräumt
      habe. (Orig. im Iglauer Archiv und Epist. 35, bei Katona 318.)
      Die in des Janus Pannonius Briefe vom 10 Mai (Epist. 37, bei
      Katona 312—7) an den königl. ungrischen Procurator in Rom
      enthaltene Schilderung der Kriegsereignisse hatte die darin ange-
      führten Worte zum Zwecke: „Officii vestri erit extollere factum
      domini nostri regis, prout etiam merito extolli potest," und
      darf daher nicht ohne Kritik angenommen werden. Geradezu un-
      wahr ist, was dort behauptet wird: „neutra pars voluit facile
      ultimam tentare fortunam et ponere ad aleam totum statum,"
      um so richtiger dagegen: „hostis praevalet — munimentis cur-
      ruum, quae oppugnare temerarium fuisset" u. s. w.

und wendeten sich gegen Böhmen, um auf diese Art die Ungarn zu zwingen, ihre unangreifbare Stellung aufzugeben. Mathias folgte von weitem; als aber Georg wieder umkehrte, um ihn zur Schlacht zu nöthigen, zog er sich wieder zurück, lehnte sich an die Stadt Znaim und verschanzte sich abermals. Es folgten abermals blutige Kämpfe bei Znaim genug, aber eine entscheidende Schlacht wurde nicht erzielt. Daher wich endlich Georg nach Böhmen zurück, entließ sein Heer und befahl dem Prinzen Victorin mit seinen Söldnern sich in der Stadt Trebitsch festzusetzen und die Feinde von dorther zu beobachten. Alles dieses ereignete sich bis zum 10 Mai. [349]

Es gab viele Böhmen, die es nicht billigten, daß ihr König immer nur seine Söhne als Führer und Oberbefehlshaber an die Spitze seiner Truppen stellte: denn waren sie auch beide tapfer und kriegsgeübt, und stellte ihnen auch der König gewöhnlich erprobte Heerführer zur Seite, dem Prinzen Victorin meist Wenzel Wlček, und Heinrich den treuen Peter Kdulinec von Ostromiř, so schien das doch nicht genügend, um so große und schwierige Unternehmungen mit Erfolg zu leiten; wenigstens, glaubte man, hätte ein streng verantwortlicher Heerführer mehr Vorsicht gebraucht. Nament-

---

349) In dem bereits angeführten Schreiben vom 30 Juli 1470 sagt K. Georg: „Da wir sahen, daß Mathias sich mit uns nicht schlagen will, verließen wir jene Gegend (von Laa), und er rückte nun aus seinen Verschanzungen hervor und zog abermals verderbenbringend in unser Land Mähren. Darum kehrten wir alsogleich gegen ihn um: er aber wollte die angebotene Schlacht nicht annehmen, wich vor uns bis Znaim zurück und verschanzte sich abermals bei der Stadt." Dem widerspricht Eschenloer nicht wesentlich, wenn er S. 115 berichtet: „Matthias zoge uf Znaym mit seinem Heere. Der Ketzer folgete, nachdem er sich hatte gesterket, und legte sich aber nicht ferrer vom Matthiä Heere, da zwischen ein Wasser war. Da tate Girsik dem hungrischen Heere Weh mit Buchsen, daß es in die Stat weichen mußte" u. s. w.

1468 lich Prinz Victorin erwies sich nicht nur sehr tapfer und
kühn, sondern auch allzu verwegen, keine Gefahr achtend;
und obgleich alle Krieger ihn deshalb liebten und verehrten,
konnten sie es doch nicht loben, daß er auch um ihre Sicher=
heit nicht besser besorgt war, als um seine eigene. Die seinem
Schutze übergebene Stadt Trebitsch übertraf an Zahl, Ge=
werbfleiß und Wohlhabenheit ihrer Einwohner viele andere
Städte Mährens. Doch hatte der Prinz kaum sich darin ge=
lagert, als schon ungrische Heerschaaren ihm auf dem Fuße
nachfolgten und ihn herauszufordern begannen. K. Mathias
hatte seinen Trabanten befohlen die Wagenpferde zu bestei=
gen und mit den Reisigen zugleich eilig vor Trebitsch zu
rücken, so daß die Stadt unvermuthet von etwa 10.000 Mann
feindlicher Truppen umringt war. Victorin zog freilich vor
die Thore hinaus, um sich mit ihnen zu schlagen: doch konnte
er einer solchen Uebermacht nicht widerstehen und mußte
wieder in die Stadt sich zurückziehen. Die Stadtmauern
waren nicht hinlänglich besetzt, als der Angriff von vier
Seiten zugleich erfolgte; auch verbrannten die Feinde nicht
nur alles in den Vorstädten, sondern warfen auch Feuer in
die Stadt hinein, welches vom Winde angefacht, so gefährlich
um sich griff, daß der Prinz, an der Erhaltung derselben
verzweifelnd, sich mit seinem Heere in das auf einer Anhöhe
oberhalb der Stadt erbaute und bis zur Uneinnehmbarkeit be=
festigte Benedictinerkloster zurückzog. Die reicheren Bürger
und viele Bewohner der Umgegend, welche in der Stadt
vor dem Feinde Zuflucht gesucht hatten, retteten sich mit
ihren Familien gleichfalls auf's Kloster hinauf; die übrigen
kamen entweder durchs Feuer oder durch das Schwert um,
oder geriethen in Gefangenschaft; an tausend Menschen und
unzähliges Gut verbrannte in dieser furchtbaren Katastrophe
14 Mai am 14 Mai, und die bisher blühende Stadt wurde fast eine
Einöde. [350]

350) Die besten Nachrichten von der Einnahme von Trebitsch geben

Die Einnahme von Trebitsch war Mathias' erster und 1468
größter Sieg im böhmischen Kriege. Er hatte die natürlichen
Gebrechen der böhmischen Kriegsweise scharfsinnig zu seinem
Vortheile zu benützen verstanden und als Feldherr um so
verdienteres Lob und um so mehr Ruhm erworben, je be=
deutender der Gewinn war, der ihm dadurch zufiel. Denn
viele mährische Barone, welche ihrem Könige bisher treu
ergeben schienen, eilten nunmehr, sich mit ihm zu vergleichen;
unter den ersten war Heinrich von Lipa selbst, ein Schwager
des Prinzen Victorin, Herr auf Mährisch=Krumau und böh=
mischer Oberstlandmarschall; dann Jaroslaw von Lomnic und
Meseritsch, Hynek von Waldstein auf Selowitz und andere
mehr. Mathias war Anfangs der Meinung, beide böhmischen
Prinzen, Victorin und Heinrich, hätten sich auf das Kloster
zurückgezogen: daher zog er nicht nur alle seine Macht vor
dasselbe zusammen, sondern befahl auch allen Mähren seiner
Partei, in Waffen längstens bis zum 21 Mai vor Trebitsch 21 Mai
zu rücken. [351] Er machte sich freilich Hoffnung, das Schicksal
des Krieges zu entscheiden, wenn es ihm gelinge, seiner
beiden ehemals so lieben Schwäger habhaft zu werden. Das
Kloster wurde daher von allen Seiten aufs engste ein=

Eschenloer II, 128 und Dlugoš p. 427; von minderem Werthe
ist, was die Staři letopisowé S. 187—8 und andere bieten.
Zdeněk von Sternberg sagt in einem Briefe vom 1 Juni: K. Ma=
thias hat Sonnabends vor Cantate (14 Mai) Trebič in Grund
ausgebrannt. (Eschenloer MS. lat. fol. 423.) Auch die Olmützer
gaben schon am 17 Mai darüber Zeitungen. (Scultetus, III, 231.)
Wir führen dies an, weil auch Graf Teleki (IV. 47) noch dem
Bonfini und Pešina nachschrieb, daß Trebitsch erst am 26 Mai
eingenommen wurde.

351) K. Mathias schrieb am 19 Mai bei Trebitsch an die Iglauer:
Victorinus — cum uno fratre suo. quos — inclusos sub ob=
sidione tenemus — Ne Georgius de Podebrat ipsos filios suos —
eliberare valeat etc (Orig. in Iglau.) Seit 21 Mai wußte er
schon, daß Heinrich nicht mit auf dem Kloster war.

1468 geschlossen und Basteien und Zäune um dasselbe herum angelegt, daß auch nicht eine lebendige Seele daraus entkommen konnte; und man rechnete auf eine um so schnellere
Uebergabe der Eingeschlossenen, je größer ihre Zahl, und je
geringer die Mundvorräthe gewesen, die sie besaßen. Man
zählte nämlich an 2500 Söldner und an 4000 Personen
aus der Stadt und der Umgegend auf dem Kloster, darunter
an 300 Frauen und viele Kinder. Das Heer der Eroberer
mehrte sich mit jedem Tage und wuchs bis auf 15.000 Reisige, ohne die Fußknechte; gleichwohl befahl auch hier Mathias das Lager zu verschanzen, während die Reiterei in die
Umgegend ausgesandt wurde, um zu fouragiren. Schon hier
erregten die Raizen, durch ihre Art Krieg zu führen, weit
und breit im Lande Entsetzen. [252]

Als K. Georg von dem Feldzug bei Laa und Znaim
zurückkehrte, nahm er zumeist in Podiebrad seine Stellung,
da er nach allen Seiten hin den Feinden die Spitze zu bie-
19 Mai ten hatte: am 19 Mai war er in Kuttenberg. Als er von
dem Unglücke von Trebitsch hörte, sandte er schnell den Prinzen Heinrich dem Bruder zu Hilfe; Heinrich aber erlitt beim
22 Mai Angriff des ungarischen Lagers am 22 Mai einen noch größeren Schaden selbst, als er den Feinden zufügen konnte,
obgleich Mathias in dem Gefechte dieses Tages verwun-
31 Mai det wurde. [353] Darum zog K. Georg am 31 Mai per-

352) Zdeněk von Sternberg schrieb den Olmützern am 2 Juni: Die
Ketzer — „wollen Victorin auf dem Kloster retten, können aber
nicht und wir lassen es nicht zu; denn sie haben kaum 8000 Mann
in ihrem Heere und auf dem Kloster 2500; — für Victorin ist
so gut gesorgt, daß wir nicht ablassen, bevor er nicht in unsere Hände
fällt." (Orig. in Olmütz, böhmisch.) Andere Schreiben aus dieser
Zeit haben Eschenloer (MS. lat.) und Scultetus ziemlich viele
erhalten. Vgl. Dlugoš l. c. Staři letopisowé u. s. w. Von der
Ergebung vieler mährischen Barone spricht Zdeněk von Sternberg
im Briefe vom 1 Juni l. c.

353) Von des Mathias Verwundung sprechen Staři letopisowé S. 188.

fönlich wieder mit einem großen Heere herbei, dessen Stärke 1468
von Einigen auf 10.000, von Andern bis auf 24.000 Be=
waffnete geschätzt wurde; doch wie es hieß, meist nur Bauern
und geringes Volk, da schon viele Barone keine Lust mehr
am Kriege zu haben schienen. Der König selbst nahm in
Polna Stellung und schickte sein Heer unter Anführung der
Ritter Hraban₵ und Jenſk vor Trebitſch; welche bis so nahe
vor das Kloster drangen, daß sie mit den dort Befindlichen
auch mittelſt in Papier gewickelten Pfeilen, die sie über die
Belagerer hinüber schoßen, correspondirt haben sollen. Zu
einer Schlacht kam es hier abermals nicht, wohl aber zu
neuen Versuchen zu unterhandeln, welche sich jedoch ebenso
vergeblich erwiesen, wie die bei Laa, da Mathias für den
freien Abzug der Trebitscher Besatzung die Uebergabe des
Schloſſes Spielberg forderte. [354] Die Belagerten, die beim
gänzlichen Mangel an Speisen und Trank nur noch von
Pferdefleiſch ihr Leben friſteten, erkrankten und starben in
großer Zahl hin. Darum faßten sie den Entschluß, sich um
jeden Preis durch das feindliche Lager durchzuschlagen, und

Er selbst schrieb am 23 Mai aus seinem Lager an Prinzen Hein=
rich (nicht Victorin): Non expedit nobis ulterius illis personis
salvum conductum dare, quarum dolo heri vix quod salutem
praesentis vitae non amisimus (ap. Katona p. 333). Es scheint,
daß beide Angaben sich auf eine und dieselbe Thatsache beziehen.
354) K. Georg ertheilte von Polna aus am 2 Juni ein sicheres Ge=
leite an Johann Bischof von Fünfkirchen, ob. Kanzler des Königs
von Ungarn (dies war Janus Pannonius), an den Palatin Mi=
chael von Guth, an Niklas Cupor von Monoſlo, Woiwoden von
Siebenbürgen und Sekler Grafen, und Emerich von Zapolic, be=
ständigen Grafen des Zipser Landes, auf daß sie mit seinen Rä=
then im Städtchen Kamenic (zwischen Polna und Trebitsch) zu=
sammenkommen und mit ihnen über nothwendige Dinge sprechen
und verhandeln könnten u. s. w. (Eine Abschrift des irgendwo in
Ungarn befindlichen böhm. Originals sandte dem böhm. Museum
der hochw. Herr Moyses, jetzt Bischof von Neusohl, ein.) Im
Uebrigen vgl. Dlugoſ p. 429.

1468
5—6
Juni

theilten sich zu diesem Zwecke, in der Nacht vom Pfingstsonntag auf Montag (5—6 Juni) in drei Haufen: der
Führer des ersten und schwächsten wird nicht genannt; den
zweiten, welcher die Blüthe der böhmischen Ritterschaft in
sich faßte, befehligte Prinz Victorin; der dritte und zahlreichste
stand unter den Befehlen Wenzel Wlček's. Der erste und
der zweite Haufen schlugen sich glücklich durch und wurden
in die auf sie wartende böhmische Wagenburg aufgenommen;
der dritte erlitt bedeutende Verluste, da bereits das ganze ungarische Lager gegen ihn auf war, und mußte sich in das Kloster wieder zurückziehen. Mathias, der schon so gesprochen hatte,
als befände sich Victorin bereits in seinen Händen, verfuhr
mit großer Strenge gegen diejenigen Schaaren, deren Nachlässigkeit oder Feigheit er dessen Entweichen zuschrieb. Da
er aber auch schon, weil die Seinigen alles in der Umgegend
ausgeplündert und aufgezehrt hatten, Mangel zu leiden anfing, und sich durch lange Belagerung des Klosters nicht
von wichtigeren Unternehmungen abhalten lassen wollte, so

9 Juni entließ er, nachdem am 9 Juni das ganze böhmische Heer
seinen Rückzug angetreten hatte, am 15 Juni auch Wenzel
Wlček und die Seinigen gegen die bloße Verpflichtung, vor
Ablauf von vier Wochen nicht wieder gegen ihn zu dienen. [355]

Gleichzeitig mit dem Kampfe bei Trebitsch tobte der
Krieg an unzähligen Orten in Böhmen, Mähren und Schlesien:
sei es von Seite der Besatzungen der festen Plätze, die man
einander gegenseitig abzugewinnen suchte, sei es von den
vielen Kreuzerschaaren, die ins Land einfielen, sei es in Folge
von besonderen Heerzügen. Das wichtigste Ereigniß dieser
Art war der Kampf bei Turnau. Auf einem Tage zu

1 Mai Breslau am 1 Mai hatten Jaroslaw von Sternberg, Ver-

---

355) Briefe über die Ereignisse bei Trebitsch haben sich ziemlich zahl-
reich erhalten. Gute Nachrichten bieten auch Jacobi Unrest chron.
Austriae ap. Hahn, 1, 554, Staři letopisowé S. 188—190,
Eschenloer, Dlugoš u. a. m.

weser der Sechslande, Pota von Ilburg, Verweser der 1468
(Nieder=) Lausitz, Ulrich von Hasenburg, Verweser der Fürsten=
thümer Schweidnitz und Jauer, zugleich mit den Räthen
einiger Fürsten sich geeinigt und beschlossen, zum Behufe einer
Diversion für K. Mathias ins Feld zu rücken, und berannten
nun zuerst am 9 Mai Bolkenhain, welches ein Getreuer des 9 Mai
Königs, Waněk von Warnsdorf vertheidigte; dann aber fing
man am 15 Mai an, ein großes Heer zu sammeln, um 15 Mai
damit nach Böhmen einzufallen. Legat Rudolf leitete diese
Berathungen und Unternehmungen selbst, und konnte darum
der bringenden Berufung in das Lager des Königs vor
Trebitsch nicht Folge leisten. Ihm war am meisten an der
Einnahme von Bolkenhain gelegen, darum berief er alle
Schlesier zur Belagerung dieser Stadt aufs Nachdrücklichste.
Der mächtigste unter den schlesischen Fürsten, Heinrich von
Glogau auf Freistadt, schloß sich jedoch nicht den Schlesiern,
sondern den Lausitzern an, welche am 26 Mai ihre Heeres= 26 Mai
macht, an 1000 Reisige und 7000 Fußknechte, bei Zittau
vereinigten, und nachdem auch noch die Herren von Biber=
stein auf Friedland und Wentsch von Donin auf Grafenstein
zu ihnen gestoßen waren, unter Anführung Jaroslaws von
Sternberg am 29 Mai ihren verheerenden Zug gegen Böh= 29 Mai
misch=Aicha und Turnau antraten. Von den Gräuelthaten
dieses Zuges sprachen die Katholiken selbst mit Abscheu: die
Truppen brandschatzten erst alle Dörfer, zündeten sie hinter=
drein dennoch an, und mordeten jung und alt ohne Unter=
schied wie ohne Erbarmen, die Weiber nach vorläufiger Ent=
ehrung; freilich wurde die Schuld dieser Gräuel zumeist auf
die Kreuzer geschoben, deren an 600 den Zug begleitet haben
sollen. In die Gegend von Turnau rückte das Heer Donners=
tag den 2 Juni zu Mittag vor und umgab sich mit einer
Wagenburg unmittelbar am Ufer der Iser; am jenseitigen 2 Juni
Ufer, in geringer Entfernung, hatte Herr Heinrich von
Michalowic mit seinen und des Herrn Felix von Waldstein

1468 Leuten, an Zahl gegen 3000, meist Bauern, sich in eine gleiche Wagenburg eingeschlossen. Tags darauf setzten die Lausitzer, gegen den Willen ihrer Heerführer, über die Iser, und griffen das böhmische Lager an, wurden aber mit dem größten und empfindlichsten Verluste zurückgeschlagen. Gleich= 4 Juni wohl gelang es ihnen Sonnabend, den 4 Juni, nicht allein Turnau, sondern auch die Dörfer bis auf eine Meile in der Runde in Brand zu stecken. Da sie indessen erfuhren, wie das böhmische Volk, durch ihre Grausamkeit gereizt, von allen Seiten Herrn von Michalowic zur Hülfe herbeiströmte und auch das ordentliche bei Königingrätz lagernde Heer sich gegen sie in Bewegung setzte, beschlossen sie um so mehr am 5 Juni Pfingstsonntag, den 5 Juni, den Rückzug anzutreten, als sie eine bedeutende Zahl ihrer Verwundeten in Sicherheit zu bringen bedacht waren. Während sie jedoch Anstalten trafen, abermals über die Iser zu setzen, ließ Herr von Michalowic drei Teiche in der Nähe abgraben, und schwellte den Fluß so an, daß nicht nur viele ertranken, sondern auch ihr ganzes Lager überschwemmt wurde. Die Böhmen verfolgten hierauf die weichenden Feinde nachdrücklich, griffen sie von den Seiten oft an, erschlugen ihrer eine Menge und nahmen ihnen alle Beute ab, so daß ihrer kaum die Hälfte, in erbärmlichem Zustande, nach Hause zurückkehrte; die Stadt Budissin allein verlor an 100 ihrer Streiter in diesem Feldzuge. Von böh= mischer Seite jedoch erhielt bei dieser Verfolgung auch der Herr von Michalowic eine schwere Wunde, von welcher er nicht wieder genas, wie wir später darstellen werden. [356]

356) Von den Kämpfen bei Turnau hatte die böhmische Geschichte bis= her keine Kenntniß, wogegen nicht allein bei Eschenloer (II, 126—7), sondern insbesondere bei lausitzischen Schriftstellern, Joh. von Gu= ben (S. 90—1), Scultetus und Kloß (MS.) ziemlich reichhaltige Nachrichten darüber zu finden sind; insbesondere waren uns vier Briefe willkommen, worin Görlitzer Bürger an den Rath ihrer Stadt berichteten, am 28 Mai von Zittau, am 1, 3 und 5 Juni

Von den übrigen Kriegsereignissen und Bewegungen 1469
dieser Zeit erwähnen wir nur noch, daß die im vorigen Jahre
begonnene Belagerung der Burgen Konopišt in Böhmen und
Hoyerswerda in der Lausitz noch fortdauerte; daß der wackere
Hauptmann von Troppau, Bernard Birka von Násilé, ganz
Oberschlesien mit starker Hand im Zaume hielt; desgleichen
Hanns Wölfel von Warnsdorf, der Schrecken der Schlesier,
die ganze Grafschaft Glatz; daß aus Mähren die Herren
Georg Tunkel und Sowinecky (von Eulenburg) zu Ende
Mai ins Gebiet von Neiße einfielen, um in Verbindung
mit dem königlichen Heere, welches bei Nachod und Königin=
grätz sich sammelte, Bolkenhain zu retten, daß sie aber, auf
überlegene Macht stoßend, sich wieder zurückziehen mußten;
daß Bolkenhain deshalb am 23 Juni sich übergeben mußte, 23 Juni
während Münsterberg von den Königlichen selbst schon am
19 Mai ausgebrannt und verlassen worden war; daß auch
Herzog Otto von Baiern in Verbindung mit Kreuzerschaaren
aus Schwaben und der Schweiz, dann mit Bohuslaw von
Schwamberg, Heinrich von Neuhaus und Burian von Gutten=
stein, verheerend nach Böhmen einfiel, aber unter Mitwirkung

aus der Gegend bei Turnau; Scultetus hat sie (annal. Gorlic.
III. 221, 222 und 225) aufbewahrt. Kloß hat auch Budissiner
Stadtnachrichten benützt. Die Lausitzer schoben die Schuld ihres
Unglücks auf ihren Oberfeldherrn Jaroslaw von Sternberg, welcher
gegen ihren Willen mit den (katholischen) Herren auf Tetschen
und mit Heinrich Berka auf Leipa und Gabel einen Waffenstill=
stand einging, und deren Güter zu schädigen nicht erlaubte: ob=
gleich es unbegreiflich wird, wie seine Macht durch die Vermin=
derung der Zahl seiner Feinde hätte leiden können. Darum aber,
heißt es, hätten weder die Lausitzer, noch die Kreuzer mehr seinen
Befehlen Folge leisten wollen. Eschenloer dagegen sah die Nieder=
lage als eine Folge davon an, daß „vil unchristliche Werke taten
sie, die billich Gott zu Rechung reizen solden und zu Ungnaden"
— „als diese unsern Gott vor Augen hatten, also erging es inen,
wann ja aller Gesig von Gott kommen muß" u. s. w.

1468 des Herrn von Rosenberg wieder über die Gränze zurück=
gedrängt wurde u. dgl. m.[357]

Durch die Pfingstereignisse, in welchen die Kräfte beider
Parteien gleichzeitig vorzüglich bei Trebitsch und bei Turnau
sich maßen, wurde es offenbar, daß obgleich die böhmischen

357) Eschenloer, II, 124, 125, 131. Dlugoš p. 428. Ueber die Vor=
fälle in der Gegend von Neiße hat Scultetus (fol. 242) einen
aus Neiße am 10 Juni gegebenen Brief bewahrt, dessen Inhalt
schon Kloß irrig wiedergab, und von welchem ein Nachhall auch
zu Pubička (p. 233) drang, der aber aus Mißverständniß die Zahl
der im Gesechte Anwesenden für die der Erschlagenen nahm. Aus
Regensburger Nachrichten führt Gemeiner (III, 435) an, wie Herr
Pflug in Baiern das Kreuz nahm und unter Mitwirkung der
Herren Dobrohost und Schwamberg „den Sitz genannt Bosda"
am 30 April mit 1800 Bewaffneten umschloß und zur Uebergabe
zwang, am 2 Mai aber von dort wieder zurückkehrte. Vielleicht
ist dies dasselbe Factum, von welchem Dlugoš l. c. und Eschen=
loer (II, 126) berichten, wie die Kreuzer bis gegen Pilsen vor=
gedrungen wären, aber dann vor einer Handvoll Böhmen sich in
alle Welt zerstreut hätten. (MS. lat. fol. 422.) Der Name „Bosda"
ist jedenfalls irrig geschrieben; wir wüßten ihn nur auf Stoda
(Staab) zu deuten. — Einen Beitrag zur Kenntniß dieser Be=
gebenheiten liefert auch der am 20 Juni von dem Burggrafen auf
Helfenburg Adam von Drahonic an den Herrn Johann von Ro=
senberg erstattete Bericht, wo es heißt: „Nach Ew. Gnaden Befehl
schickte ich nach Rabi und nach Horazdowic, zu erfahren, ob die
Herren des Pilsner Kreises mit den Deutschen in's Feld sich rüsten,
oder ob sie in unsern Kreis hereinzurücken beabsichtigten. Nun
wisse Ew. Gnaden, daß der Burggraf von Rabi mir geschrieben,
wie die Deutschen mit Geschützen in den Pilsner Kreis rückten,
wie man dort in Waffen steht, und wie sie vor die Feste Podmokl
zogen und sie belagern. Weiter schreibt er mir, daß Herr Schwam=
berg und Herr Burian und Herr Dobrohost zu Rosse mit Macht
nach Grünberg gekommen sind, und man noch nicht wisse, wohin
sie sich wenden wollen. Hierauf habe ich alles fleißig besetzen lassen"
u. s. w. (Orig. in Wittingau, böhmisch.) Vielleicht ist dies das=
selbe, was Eschenloer zu einer spätern Zeit anführt, II, 138—9,
MS. lat. umständlicher fol. 377.

Siege weiland Žižka's und Prokops des Großen sich jetzt 1468
nicht mehr erneuerten, dennoch der Jubel der Feinde, als sei
es um die Ketzermacht in Böhmen schon geschehen, thöricht
gewesen. Mathias selbst hatte zwar von jeher bescheidener
über seine Erfolge gedacht: aber auch auf ihn machte die
Kraft des böhmischen Widerstandes einen mißlichen Eindruck,
und obgleich sein Heer sich durch Zuzüge aus Mähren und
Oesterreich noch immer ansehnlich mehrte, so empfand er um
so mehr Verdruß darüber, daß die Schlesier und Lausitzer
zurückblieben. Man ersieht das aus dem Schreiben, welches
er schon am 1 Juni aus dem Lager bei Trebitsch an sie
und an den Bischof Rudolf nach Breslau richtete. „Es sind
nun schon fast zwei Monate," schrieb er, „seit wir die Bürde
dieses Krieges, mit großer Mühe und Zehrung, allein tragen
und nicht sehen, daß uns auch nur geringe Hilfe bereitet
würde von Denjenigen, für welche wir sie tragen. Der
gemeinsame Feind hat seine ganze Macht dahin gerichtet,
von woher er des Hauptangriffs gewärtig war. Darum
hättet auch ihr eure Kräfte längst mit uns vereinigen und
eurem Helfer helfen sollen, damit vor allem das Haupt des
Gegners erdrückt werde, worauf dann alles übrige leichter sich
ergeben müßte. Aber bis jetzt sind uns nicht einmal nachge-
folgt, die uns hätten vorangehen sollen. Wir wollen gleichwohl nach Möglichkeit ausharren und auf unsere Genossen
warten, ob sie nur in hinlänglicher Anzahl und bald kommen, sonst möge man es uns nicht verdenken, wenn sich
etwas Unerwartetes ereignen sollte." [358]
  Mathias Lager bei Trebitsch war eines der glänzend-
sten und geräuschvollsten, da sich darin aufhielten: zwei Erzbischöfe und zwei Bischöfe aus Ungarn, Johann Vitéz von
Gran, Stephan Vardai von Koloča, Janus Pannonius von
Fünfkirchen und Johann Beckensloer von Erlau; die vor-

---

358) Epistolae Matthiae regis, num. 20 pag. 45, ap. Katona XV,
  335; auch bei Eschenloer, Scultetus u. a.

1468 nehmsten Reichswürdenträger, Palatin Michael Oroßág von
Guth, der Woiwode von Siebenbürgen Niklas Čuper von
Monoslo, die Zipser Grafen Emerich und Stephan von Za-
polle und andere Notabilitäten mehr; auch Zdenĕk von Sternberg und Ulrich von Grafenet blieben stets an der Seite
des Königs, und später kamen vor Trebitsch nicht nur der
Bischof von Olmütz und der Prager Dechant Hilarius, jener
von Krakan, dieser von Rom, sondern, wie es heißt, auch
Ziskra und Niklas Uskali aus Ungarn. Aber die Nachrichten,
die aus Krakau und Rom anlangten, waren nicht die er-
freulichsten. Aus Rom zwar und aus Grätz strömte Lob und
Segen in Fülle; aber von andern Subsidien, als welche in
Deutschland in die Ablaßtruhen fallen sollten, war wie es
scheint keine Rede. Mit dem Kaiser war Mathias bereits
sehr unzufrieden, indem er behauptete, derselbe leiste dem Vertrage nicht Genüge.[359] Das Widerwärtigste aber kam ihm
aus Polen. Bischof Protas hatte dort vergebens vorgestellt,
wie Mathias nicht zu eigenem Vortheil, sondern nur auf
des Papstes Befehl und des Kaisers Bitte den Krieg gegen
die Ketzer unternommen habe, und wie er bereit wäre, die
Krone von Böhmen einem der Söhne Kazimirs abzutreten,

359) Bischof Protas von Olmütz schrieb an den Legaten Rudolf ex
    castris prope Trebicz, 19 mensis Junii: Supervenit vener. pater
    D. Hilarius orator noster et a rev^mo D. Ferrariensi, qui nunc
    cum Caesare constitutus est, regiae Majestati literas attulit. —
    Deliberavit igitur rex ambasiatam ad Caesarem mittere solen-
    nem, quae Caesari aliqua „juxta conventa non satisfit" dicat.
    et ipsum D. Legatum ad praesentiam Maj suae conducat etc.
    (MS. univ. Lips. 1092: Kloß giebt diesem Briefe das irrige Da-
    tum vom 29 Juni.) — Kloß führt auch ein Schreiben des Prager
    Dechants Hilarius au denselben Legaten Rudolf, (dd. 18 Juni bei
    Trebitsch), wo sehr darüber geklagt wird, daß Niemand dem Kö-
    nige Mathias zu Hilfe komme u. s. w. (Im Vorbeigehen bemerken
    wir hier, daß Hilarius nach Pešina's Behauptung (im Phosphor-
    us septic. p 278) nach kurzer Krankheit schon am 31 Dec. 1467
    gestorben sein sollte; es muß wohl 31 Dec. 1468 heißen.)

dem sie bereits vom Papste wie von den böhmischen Baro- 1468
nen war angeboten worden, wenn die polnische Kriegsmacht
sich mit der seinigen gegen den abgesetzten König verbinden
wollte. Denn als er von der Verlobung der Prinzessin Hedwig mit Mathias zu sprechen kam, stellte die ahnenstolze
Königin Elisabeth allen seinen Plänen sich entschieden entgegen, und wollte von einer Vermählung ihrer erstgeborenen
Tochter mit einem Emporkömmling auch nicht reden hören.
Auch die glänzende Aussicht vermochte nichts dagegen, daß
die zweitgeborene Sophie einst etwa Kaiserin werden und
ihre Söhne alle die Throne erben sollten, welche sowohl
Mathias als Maximilian, bei etwa kinderlosem Absterben
hinterlassen würden. In seiner Antwort auf diese Botschaft
führte daher Kazimir zuerst Beschwerde über Kränkungen und
Beeinträchtigungen, die er in den letzten Jahren von Mathias habe erleiden müssen, und forderte vor Allem Genugthuung und Ersatz dafür, bevor man sich mit Heiraths-
gedanken beschäftigen könne, da es ihm sonst nicht zusagen
möchte, sich einen Feind zum Schwiegersohne zu wählen;
über die Verbindung zum Kriege gegen die Böhmen gab er
gar keine Antwort. Viel glücklicher war in seiner Werbung
Albrecht Kostka, welcher den Tag nach des Protas Abreise nach Krakau kam und bei dem polnischen Könige am
16 Mai Audienz hatte. Er schilderte den ganzen Streit 16 Mai
K. Georgs mit dem Papste und dem Herrenbunde und unterließ nicht zu bemerken, daß sein Herr nur durch das Zureden
der polnischen Gesandten sich bewegen ließ, mit den Rebellen
in einen nachtheiligen Waffenstillstand zu treten; darum bat
er, Kazimir möchte in dem unlängst begonnenen Versöhnungs-
werke fortfahren, und stellte dafür in Aussicht, daß K. Georg
sich bewogen finden dürfte, bei den böhmischen Ständen dahin
zu wirken, daß sie mit Uebergehung seiner eigenen Söhne
einen der Söhne Kazimirs nach seinem Tode sich zum Könige wählen. Der polnische König entließ Herrn Kostka mit

1458 der Antwort, er wolle auch ferner für die Aussöhnung des
Papstes mit dem Könige von Böhmen sich thätig erweisen
und in Kurzem Bevollmächtigte nach Böhmen absenden, um
zwischen den kriegführenden Parteien wo nicht den Frieden,
doch wenigstens einen Waffenstillstand zu vermitteln. ³⁶⁰ Bei
Erwägung aller dieser Umstände, welche auf Mathias den
widrigsten Eindruck machen mußten, wird man die Behauptung des gleichzeitigen Geschichtschreibers Dlugoš nicht unwahrscheinlich finden, er habe der geheimen Werbung Albrecht Kostka's, mit K. Georg persönlich zusammenzukommen
und sich mit ihm gänzlich wieder auszusöhnen, geneigtes Gehör geliehen, und nur der größten Anstrengung der ungrischen
Bischöfe sei es mit Mühe gelungen, ihn davon abzubringen. ³⁶¹ Doch ist es auch möglich, daß dieses Benehmen von
seiner Seite ein bloßer Kunstgriff war, um seine Verbündeten zu ergiebigerer Hilfeleistung zu nöthigen.

20 Juni   Erst am 20 Juni verließ Mathias das Lager bei Trebitsch und führte sein Heer gegen Brünn, um sich in den
Besitz sowohl dieser Stadt als der andern Theile des Landes
Mähren zu setzen. Von den Brünnern wurde er als Be-
freier sehr willig und festlich aufgenommen, und richtete seine
Truppen alsogleich gegen das Schloß Spielberg, welches er
durch Blasius Podmanický belagern ließ. Als er dann weiter
nach Olmütz zog, nahm er unterwegs drei ziemlich feste
Sitze, Bučowic, Morkowic und Brodek ein, welche die Zufuhr aus Oesterreich hätten hindern können, und erwies sich

---

360) Dlugoš p. 421—5. Vgl. Eschenloer, II, 126: Die Polen achteten
   diesen Matthiam samb ungleich und untogentlich (untauglich) der
   königlichen Tochter von Polen.

361) Dlugoš (p 429—30) gibt den Zeitpunkt dieser Verhandlung nicht
   bestimmt an, doch sagt er, daß sie Statt gefunden, bevor Mathias
   nach Olmütz kam und K. Georg nach Entlassung seines Heeres
   nach Prag zurückkehrte: was auf die zweite Junihälfte hinweist.
   Auch er erblickte in der Sache „ingens periculum, quod catholicis ex ea reconciliatione imminebat."

gegen einige Landherren, wie z. B. Niklas von Ojnic auf 1468
Kremsier sehr nachgiebig, um gegen andere, insbesondere aber
gegen die Towačowsky von Cimburg, desto feindseliger auf=
treten zu können. [362]   Seine vornehmsten Herren und Hof=
leute kamen schon am 3 Juli nach Olmütz; Tags darauf 3 Juli
folgte er mit seinem Haupttheer, das er alsogleich zur Be=
lagerung des nahen Klosters Hradisch beorderte, damals
einer Räuberhöhle, wie die Olmützer es zu nennen pflegten.
Die Stadt Mährisch=Neustadt (Uničow), welche K. Georg
treu geblieben, widerstand dem ersten Angriff der Ungarn
und wurde dann später, gleichwie auch Mährisch=Sternberg,
unangefochten gelassen. Auch die königliche Stadt Hradisch
beharrte, obgleich sie katholisch war, in ihrer Treue gegen
K. Georg: deshalb wandte sich K. Mathias mit um so grö=
ßerer Macht gegen sie, je mehr ihm daran gelegen sein
mußte, dieses bedeutendste Hinderniß seiner Verbindung mit
Ungarn aus dem Wege zu räumen. Von den vielen und
gewaltigen, aber stets erfolglosen Versuchen, diese Stadt zu
bezwingen, werden wir seiner Zeit umständlicher berichten.
Dagegen gelang die Einnahme von Ungarisch=Brod schon
am 17 Juli, wo die Utraquisten zwar vorherrschten, aber 17 Juli
seiner Macht nicht gewachsen waren. In diese Stadt kamen
zu Mathias der neue päpstliche Legat Laurenz Rovarella,
Gabriel Rongoni von Verona und Gesandte des Kaisers,
welche er nach zweitägigem Aufenthalt weiter nach Olmütz
sandte; in kurzer Zeit folgte er ihnen auch selbst nach. [363]

362) Außer den bekannten Quellen besitzen wir über diese Vorgänge
   Nachrichten in einem von Bischof Protas am 13 Juli zu Olmütz
   gegebenen Schreiben (Eschenloers MS. lat. fol. 426) und in einem
   vom dortigen Canonicus Alerius am 8 Juli geschriebenen Zei=
   tungsblatt (novitates) bei Scultetus und Kloß.
363) Bruder Gabriel Rongoni von Verona schrieb von Olmütz am
   2 Aug. — A Caesare tandem expediti. apud quem V hebdo-
   madas consumpsimus, — cum regis Hungariae oratoribus atque
   suis ad praesentiam praedicti regis in Brodam Ungaricalem

1468 Die Kriegsunternehmungen in Mähren beschränkten sich fort=
an auf die Belagerung Spielbergs und der beiden Hrabisch,
Kloster und Stadt; außerdem erlaubten sich aber die K. Georg
treugebliebenen Barone, namentlich die Cimburge, Pernsteine,
Kunstate und andere, von ihren Schlössern herab häufige
Ueberfälle und Beunruhigungen der Feinde.

Noch von Trebitsch her hatte Mathias dem Sohne
Herrn Zbeněks, Johann von Sternberg, der die Katholiken
um Iglau und im südlichen Böhmen zu schützen hatte, eine
ansehnliche Verstärkung an Bewaffneten zu Roß wie zu Fuß
zugesendet und ihn damit in den Stand gesetzt, die Offensive
4 Juli in jenen Gegenden zu ergreifen. Schon am 4 Juli gelang
es Herrn Sternberg durch einen versteckten Angriff bei Teltsch
die Feinde, wir wissen nicht welche, in's Feld zu locken und
dann mit seiner Uebermacht zu erdrücken. Darauf zog er mit
Herrn Heinrich von Neuhaus vor Moldau=Tein, welches er
ausbrannte, und vor Wodnian, wo er das Gleiche zu thun
beabsichtigte. Da zogen sich die Wodnianer, durch ihre un=
19 Juli geordnete Kampfbegier, am 19 Juli selbst eine schwere Niederlage
zu. Kaum hatten sie nämlich die feindlichen Reiter erblickt, so
strömten sie eiligst, an 1200 Bewaffnete mit 60 Wägen,
ihnen entgegen und trieben sie ohne Schlachtordnung bis
Čičenic zurück: die Feinde jedoch, welche sich im Walde Kra=
wihora bei Strp in Hinterhalt gelagert hatten, fielen ihnen
unvermuthet in die Flanke, ließen ihnen keine Zeit, die Wa=
genburg zu schließen, sondern schlugen sie eine halbe Meile
lang fort bis zur Stadt zurück, nahmen ihnen Wägen und
Geschütze und erschlugen oder fingen an vierthalbhundert
Menschen. Unter den Gefangenen, welche nach Neuhaus ge=
bracht und dort beschatzt wurden, werden als die vornehmsten

totam haereticam devenimus, ibique duobus diebus mansimus,
deinde ejusdem regis rogatu huc die hesterno venimus, per
medium haereticorum circa Crempsir in nomine dei pertrans-
euntes. (MS. Eschenloer lat. fol. 376.)

genannt die Ritter Ulrich Malower, Pßibram der alte und 1468
der junge und andere. Während der Kampf wüthete, so heißt
es, sahen ihm die Taborer und Piseker von einer Anhöhe
zu, ohne ihren Freunden zu Hilfe zu eilen. [364]

Durch diese und ähnliche Unfälle in Verlegenheit ge=
bracht, begann Herr Johann von Rosenberg in der K. Georg
angelobten Treue zu wanken und gedachte sich mit den Ka=
tholiken wieder zu einigen. Schon am 8 August fertigten für 8 Aug.
ihn K. Mathias und Zdenek von Sternberg in Olmüz die
nöthigen Geleitsbriefe aus, daß er kommen und sich mit
ihnen vergleichen möchte. Er ging nun zwar nicht persönlich
hin, aber seine Bevollmächtigten schloßen, zumeist unter Ver=
mittelung des Legaten Rovarella, am 22 August zu Olmüz 22 Aug.
einen Vertrag, den er dann zu Krumau am 31 August be= 31 Aug.
stätigte. Durch diesen verband er sich, K. Georg längstens
bis zum 14 September Krieg zu erklären, widerrief seine 14 Spt.
dem Kaiser zugeschickten Fehdebriefe, übergab den Streit, den
er mit Zdenek von Sternberg gehabt, dem Passauer Bischof
Ulrich zur Entscheidung, und erlangte vom Legaten nicht
allein die Aufhebung des über alle seine Herrschaften ver=
hängten Interdicts, sondern auch die vollständige Absolution.
Als Rovarella später erfuhr, daß der Herr von Rosenberg
dem Könige eine bedeutende Summe Geldes schuldete, verbot

---

364) Von den Treffen am 4 und 19 Juli gibt Eschenloer's oft er=
wähnte lateinische Handschrift, welche für diese Jahre reichhaltiger
ist, als die deutsche Ausgabe, besondere Nachrichten. Johann von
Sternberg hat in seinem an den Vater (dd. Neuhaus, 22 Juli)
erstatteten Bericht die Zahl der gefangenen Wodniauer zu 421, die
der erschlagenen zu 240 angegeben, was dann in deutschen Zei=
tungen überhaupt angenommen wurde; Paul Dětřichowec aber,
zu dieser Zeit Rosenbergischer Beamte zu Sobieslau, sprach in
einem am 21 Juli gegebenen Briefe nur von 196 Erschlagenen,
ohne die Gefangenen anzugeben; darnach erscheint auch hier die
Angabe der Staři letopisowé (S. 191) wie gewöhnlich die rich=
tigere zu sein.

1468
22 Nov.
er am 22 November von Linz aus, in Kraft apostolischer Gewalt, diese Schuld zu zahlen, und befahl sie vielmehr auf Kriegsrüstungen gegen die Ketzer zu verwenden. Die Bürger von Budweis folgten dem Beispiele ihres mächtigen Nachbarn und wurden vom Legaten Rudolf und Zbeněk von

20 Aug.
Sternberg schon am 20 August zu Olmütz „in den Frieden und Unfrieden" der katholischen Liga aufgenommen. [365]

Durch den Lauf des Krieges belehrt, daß die Streitkräfte, welche Mathias bisher zu Gebote standen, nicht hinreichten, das große Werk der Vernichtung der Ketzermacht in Böhmen, welches die Völker von ihm erwarteten, zu vollenden, forderte nunmehr dieser König von Kaiser und Papst kategorisch eine ergiebigere Hilfe aus dem deutschen Reiche und stellte sie als unerläßliche Bedingung seines Ausharrens im Kriege auf; er selbst entschloß sich indessen nach Ungarn zurückzukehren, um neue und reichlichere Kräfte von dort zu holen; möglich auch, daß die von den Türken bereits wieder drohende Gefahr ihn dahin rief. Damit er jedoch in seiner Abwesenheit nicht nur keinen Schaden erleide, sondern vielmehr wie die bisherigen Erwerbungen, so auch weitere und reichlichere Erfolge für die Zukunft sich sichere, berief er zu

365) Ueber diese Verhandlungen und Vorfälle haben sich im Archiv zu Wittingau viele Acten, einige auch in dem zu Budweis erhalten. Vgl. Staří letopisové S. 190. Der letzte Rosenbergische Archivar und Geschichtschreiber, Wenzel Březan, erzählt in seiner Kronika Rosenberská (im Časopis česk. Museum, 1828, IV, 64) wie folgt: „Der gute Herr (Johann von Rosenberg), der vorher von der österreichischen Partei viel zu leiden gehabt, wurde jetzt nach dem Abfall von K. Georg wieder von der andern Partei auf seinen Herrschaften vielfach bedrängt und überhaupt von allen Seiten beschädigt. Trčka mit Bedřich auf Chlumec und den Taborern verheerten die Herrschaft Miličín; Malowec von Pacow hörte auch nicht auf den Miltschinern und Črnowicern zu schaden; Raubíř bemächtigte sich der Stadt Netolic und die Herrschaften Přibenic und Sedlčan wurden ebenfalls von Seite der Böhmen aufs äußerste verwüstet."

sich zur Mitte des Augustmonats alle Mitglieder der katho=
lischen Liga, seine Verbündeten und Schützlinge, um eine
strengere Ordnung und mehr Nachdruck unter sie zu bringen.
Als dieselben, in sehr beschränkter Zahl, sich bei ihm ein=
fanden, erfuhren sie an seinem Benehmen alsogleich, daß sie
an ihm mehr einen Herrn als einen Beschützer besaßen. Er
sagte, er sei, mit Ausnahme Zbeněks von Sternberg und der
Pilsner, mit allen unzufrieden; doch auch von den Ersteren
forderte er die ausdrückliche und bestimmte Erklärung, wie
lange sie in seinem Gehorsam verbleiben wollten. Er befahl
nun, daß alle Katholiken, die es noch nicht gethan, Georg
ungesäumt absagen und Niemand mit ihm Waffenstillstand
habe; wer mit den Ketzern nicht Krieg führen wolle, müsse
nicht nur dem Banne verfallen, sondern auch selbst als Feind
angesehen und behandelt werden; das ungrische Heer müsse
man als Besatzung in allen Städten, auf allen Burgen und
in allen festen Plätzen zulassen, er bürge allen und jeder=
mann für volle Sicherheit von Seite desselben u. s. w. Auch
mußten alle erklären, wie viel bewaffnetes Volk sie fortan
im Felde zu halten sich verpflichteten. Der Legat Rudolf, als
Bischof von Breslau, bot aus Schlesien und der Lausitz an
8000 Bewaffnete an, obgleich er bekannte, daß er dazu nicht
bevollmächtigt gewesen; Zbeněk von Sternberg sagte, daß er
trotz seiner Verarmung doch bis zu Beendigung des Kriegs
für sich allein 800 Mann zu Roß und 1500 zu Fuß aus=
zuhalten gedenke; Heinrich von Plauen, Burian von Gutten=
stein und die Pilsner versprachen im Namen ihres Kreises
2000 Reisige und 6000 Trabanten; die Städte Olmütz und
Brünn, jene 50 und 100, diese 30 und 100 Mann zu Roß
und zu Fuß; weitere Angaben dieser Art sind nicht bekannt.
Uebrigens verpflichteten sich alle Anwesenden durch eine am
22 August ausgestellte Verschreibung, dem Könige treu be= 22Aug.
hilflich zu sein, ihn nicht zu verlassen, und ohne sein Wissen

1468 in keine Verhandlungen oder Vergleiche mit dem Feinde zu
treten. Schon hier kündigte man als Thatsache an, was
man doch erst zu erlangen hoffte, nämlich der Papst habe
K. Mathias die Einsammlung eines besondern Zehents im
ganzen deutschen Reiche und in allen Ländern der Krone von
Ungarn und Polen gestattet, der Kaiser aber habe allen
weltlichen und geistlichen Reichsfürsten strenge befohlen, zur
Vertilgung der Ketzer endlich in Waffen aufzusein. Darum
wurde allen die freudige Aussicht auf baldige und glückliche
Beendigung des ganzen Krieges eröffnet. [366]

Solche hochgespannte Hoffnungen machten sich auch bei
den Verhandlungen mit den polnischen Gesandten geltend,
welche den Frieden zu vermitteln gekommen waren. Schon
am 5 Juli waren bei K. Mathias zum ersten Mal in Olmütz die Herren Ostroroh, Dubansky und der alte Castellan
von Auschwitz, Niklas Skop gewesen; dann weilten sie längere Zeit bei K. Georg in Böhmen, und jetzt trugen sie
abermals in Olmütz auf einige Artikel an, in Folge deren
der mörderische Krieg aufhören sollte. Sie verlangten vor
Allem einen bis zum 2 Febr. 1470 dauern sollenden Waffenstillstand; in der Zwischenzeit sollte in Rom ernstlich auf des
Papstes Aussöhnung mit K. Georg gedrungen werden, da
Letzterer, wie es hieß, sich dem heiligen Vater zu vollem
Gehorsam erbiete; die gemachten Eroberungen sollten beiderseits zu getreuen Handen übergeben werden und der König
von Polen in allen weltlichen Angelegenheiten als Schiedsrichter gelten u. s. w. Doch wollten beide Legaten sich in
irgend eine Verhandlung jetzt gar nicht mehr einlassen; sie
erklärten laut, den Versprechungen Georgs sei nicht zu trauen,
da er sie alle zu brechen pflege und als Meineidiger erklärt

366) Eschenloer MS. lat. fol. 377-79, woher auch Klose schon seine
Angaben genommen (Doc. Geschichte v. Breslau, III, 2, p. 24 fg.)
Den Revers vom 22 August fanden wir auch in andern Quellen.

und bekannt sei. Wolle er aber jetzt in sich gehen, so übergebe er den Katholiken vorerst zu Pfand die Prager Burg,
Karlstein, Glatz, Spielberg und die Stadt Hradisch, dann
werde man erst mit ihm in eine Verhandlung treten können.
Auf Forderungen dieser Art hatten die Gesandten keine Antwort und kehrten unverrichteter Dinge heim. Gleich darauf,
den 3 September, trat Mathias seine Reise von Olmütz
nach Ungarn an, und übergab den Oberbefehl in seiner Abwesenheit Herrn Zdenek von Sternberg. [367]

Auf diese Art wurde, anstatt des Friedens, der Krieg
befestigt; und was zunächst folgte, schien eine Zeit lang
allerdings die Behauptung der Feinde zu rechtfertigen, daß
die Tage der Ketzerei in Böhmen bereits gezählt waren.
Wir meinen hier jene acht Unglückswochen, welche schon
von den Zeitgenossen als eine Periode bezeichnet wurden, wo
für K. Georg der Kelch des Leidens und des Grams über-
floß, da Schlag auf Schlag, Unglück auf Unglück heran-
stürmten, um seinen festen Muth vollends zu brechen. Von
der Mitte Augusts bis zur Mitte Octobers traf ihn der Verlust nicht nur mehrerer wichtiger Schlösser und Besatzungen,
sondern was schmerzlicher war, seiner vertrautesten Freunde
und Diener, seiner vorzüglichsten Stützen im Volke, und
einer ansehnlichen Zahl Bewaffneter. Der Treubruch Johanns
von Rosenberg und der Budweiser war das erste Glied der
fatalen Kette. Am 27 August ergab sich auch das Schloß
Hoyerswerda in der Lausitz nach fast einjähriger helden-
müthiger Vertheidigung, nachdem die Besatzung am 5 Aug.
die Abrede getroffen hatte, so zu thun, wenn sie bis dahin
nicht mit offener Gewalt befreit werden würde. K. Georg
hatte für den Schutz dieses Schlosses meist auf die Herzoge
von Sachsen gerechnet, deren Beistand jedoch sich unzurei-

367) Eschenloer l. c., Dlugoš p. 430, einige Briefe in Scultetus annal.
Gorlic., auch bei Klose l. c. p. 28 fg.

chend erwies, da sie es nicht wagten, zu Gunsten des
Ketzers die Waffen offen zu ergreifen. Dann am 17 Sep=
tember wurde Frankenstein den Schlesiern übergeben, bevor
die aus Böhmen bestimmte, jedoch verspätete Hilfe sich den
Weg bis dahin hatte bahnen können. Einer der Söhne
Sternbergs bemächtigte sich am 8 October, mehr mit List
und Verrath als mit offener Gewalt, der Burg und Stadt
Polna, eines Erbtheiles der königlichen Familie nach wei=
land Herrn Ptaček. Der wichtigste Verlust dieser Art war
jedoch der des Klosters Hradisch bei Olmütz, welches die kö=
nigliche Besatzung am 10 October gegen freien Abzug den
Feinden übergab. Die vielen Anstrengungen und Versuche,
es zu speisen und zu erhalten, gaben Zeugniß von dem hohen
Werthe, welchen die Böhmen auf dessen Besitz legten. Es
hatte nämlich König Georg seiner ganzen Heeresmacht den
Befehl gegeben, sich um die Mitte Septembers bei Kutten=
berg zu versammeln. Es soll da wieder ein bedeutendes und
streitfertiges Heer, jedoch meist aus Bauern und Handwer=
kern bestehend, zusammengekommen sein, wenig Barone und
Ritter. Es wurde in mehre Feldzüge getheilt: die Einen
sollten nach Schlesien ziehen, um Frankenstein zu retten; die
Andern vor Konopischt rücken, um die Belagerung mit mehr
Nachdruck zu betreiben; Einige sollten der Burg Spielberg
zu Hilfe kommen; wieder Andere, etwa 5000 Mann, sollten
dem Kloster Hradisch Nahrung und Verstärkung bringen.
Mit letzterer Aufgabe wurde der Oberste Burggraf Zdeněk
Kostka betraut. Als dieser jedoch vor die Burg Zwole in
Mähren, zwischen Hohenstadt und Müglitz kam, ließ er in
der Nacht vom 1 October sich von Franz von Hag über=
fallen und erlitt nicht nur eine bedeutende Niederlage, son=
dern erhielt auch selbst eine tödtliche Wunde, an welcher er
Tags darauf in Hohenstadt bei Herrn Georg Tunkel starb.
Um diesen Fehler gutzumachen, setzten sich alsogleich sowohl

Stibor von Cimburg als Prinz Victorin gegen Olmütz in 1468
Bewegung: jener aber wurde bei den Vorstädten von Olmütz,
dieser schon bei Kremster zurückgeworfen, so daß in diesen
Kämpfen überhaupt an 3000 Ketzer den Tod gefunden haben
sollen, und ein festliches Te Deum laudamus in allen Ländern zu singen angeordnet wurde. [368]

Der Tod Herrn Zdeněk Kostka's war für den König
ein äußerst schmerzlicher und unersetzlicher Verlust; denn an
ihm hatte er den innigsten Vertrauten, Freund und Diener,
gleichsam seinen Alter ego in Sachen der inneren Verwaltung gehabt, und die ganze utraquistische Partei hatte in
ihm ihr anerkanntes Oberhaupt im Herrenstande verehrt.
Aber auch das zweite weltliche Oberhaupt der Utraquisten,
namentlich das des Ritterstandes, Burian Trčka von Lipa,
der an Vermögen viele Barone übertraf, starb in dieser Zeit
eines natürlichen Todes, nach langer Krankheit. Die Verdienste eines überaus tapfern Herrn Friedrich, wahrscheinlich
von Schönburg, und des ersten Amtmanns der Königin,
Wilhelm Dubanek von Čtjewic, der vor Konopišt fiel, wissen
wir nicht näher anzugeben: doch soll auch ihr Tod in diesen
Tagen dem Könige besonders zu Herzen gegangen sein. Das
Absterben des Herrn Heinrich Michalec von Michalowic,
zugenannt Kruhlata, dessen in den Kämpfen bei Turnau
empfangene Wunden sich unheilbar erwiesen, verursachte zu-

---

368) Nach denselben Quellen und zugleich den Starí letopisowé (S. 196)
und der ihnen angehängten Reimchronik „von dem Kriege mit Ungarn 1468—1474" (ebendas. S. 487). Die Zeitangaben bei Eschenloer sind zum großen Theile unrichtig: Kostka wurde am Sonnabend nicht vor, sondern nach Michaeli geschlagen; Polna wurde
nicht erst 15 Oct. eingenommen, da die Olmützer schon am 11 Oct.
schrieben, daß solches „vergangenen Sonnabend" (8 Oct.) geschehen
sei. Auch von der Niederlage Stibors und des Prinzen Victorin
schrieb Rovarella schon am 5 October, daher erfolgte sie nicht um
eine oder zwei Wochen später u. s. w.

1468 gleich auch eine wichtige Veränderung in den öffentlichen
Angelegenheiten des Landes. Er war der letzte männliche
Sprosse seines altberühmten Geschlechtes, und hinterließ weder
aus seiner ersten Ehe mit Anna von Neuhaus, der Witwe
weiland Herrn Ptačeks, noch aus der zweiten mit einer
Schwester des in der Geschichte des deutschen Ordens in
Preußen berühmt gewordenen Herrn Bernards von Cimburg,
irgend eine Nachkommenschaft. Daher erbte des Verstorbenen
Schwester, Magdalena, eine Gemalin des jüngern Bruders
Herrn Stibors von Cimburg, Johann, auch Jaroš genannt,
die Herrschaften Jungbunzlau und Taušeň oder Brandeis
an der Elbe, und bahnte damit diesem erzhussitischen mährischen Geschlechte den Weg nach Böhmen. Die Utraquisten
fanden bald vollen Ersatz für Herrn Zdeněk Kostka, da ein
nicht minder gebildeter und eifriger Religionsgenosse, Herr
Johann Towačowský von Cimburg, an ihre Spitze trat und
sie mit gleicher Entschlossenheit und Standhaftigkeit zu vertheidigen übernahm. Herr Heinrich von Michalowic war
zwar, wie alle seine Vorfahren und Stammgenossen, Katholik geblieben: aber dem Könige blieb er auch schon darum
ergeben, weil des Prinzen Victorin erste Gemalin, Margareth
von Pirkstein, in ihm ihren zweiten Vater verehrte. Der
König erhob zu dem durch seinen Tod erledigten Oberstlan-
deskämmereramte Herrn Wilhelm den jüngeren von Riesenberg und Rabie, einen, wie wir schon dargethan, ihm nicht
minder ergebenen Katholiken. [369]

369) Die eben gedachte Reimchronik, S. 487—88. Eschenloer (II, 127)
gibt unrichtig an, die Wittwe des Herrn von Michelsberg (Michalowic) habe Herrn Towačowský geheiratet, während es dessen
Schwester gewesen. In seinem lateinischen MS. (fol. 397) berichtet
er zum J. 1470 selbst von dem zwischen den Brüdern Tunkel und
den Herren von Waldstein entstandenen Streit über das Erbe nach
Herrn Bernard von Cimburg, „qui unam sororem et duos fra-

Das achtwöchentliche Leiden scheint des Schicksals Härte   1468
endlich besänftigt zu haben, denn es folgten wieder günstigere
Tage; als Zdeněk von Sternberg nach so vielen Siegen
den Weg zur Rettung seines Erbschlosses Konopišt schon
geebnet glaubte, erfuhr auch er die Wandelbarkeit des Waf-
fenglücks. Dieses Schloß war ihm im vorigen Jahre nur
durch den von den polnischen Gesandten vermittelten Waffenstillstand erhalten worden, welchen es so gut zu benützen
verstand, daß es bei Erneuerung des Krieges wieder mit
Vorräthen und Bedürfnissen jeder Art auf lange Zeit versehen war. Mit Geschützen war gegen die Burg nichts
auszurichten; darum wurden um dieselbe herum bis an 14
Basteien erbaut, darunter manche eben so fest wie die Burg
selbst, und im Ganzen umgab eine Kette von Verschanzungen, die einer bevölkerten Stadt glich, den feindlichen Ort.
Auf der Burg befehligte Marquard von Kralowic, Basteien-
Hauptmann war Ritter Přibik Tluksa von Čechtic. K. Mathias hatte noch vor seiner Abreise nach Ungarn angeordnet,
daß zum Ersatz oder wenigstens zu längerer Verproviantir-
rung von Konopišt ein möglichst starker Feldzug unternommen werde, sobald sich dazu eine günstige Gelegenheit ergebe.
Nun versuchte es Herr Zdeněk, in Verbindung mit dem
Woiwoden von Siebenbürgen Niklas Čupor, zweimal, zuerst
um Allerheiligen (1 Nov.), dann zu einer uns nicht näher   1 Nov.
bekannten Zeit. Beidemal drang er mit einigen tausend Reisigen und wenig Trabanten bis in die Nähe der Burg, doch
ohne dieselbe speisen zu können: denn beidemal wurde er so

tres reliquit; soror pridem vidua post mortem mariti D. de
Michelsperg praefato Jirsik Tunkel matrimonio est copulata."
Die Brüder (eigentlich Stiefbrüder, nach der Mutter) waren die
Herren von Waldstein, deren einer, Beneš Propst von Olmütz,
später Bischof von Kamin wurde. — Herr Johann Towačowský
von Cimburg herrschte in Jungbunzlau schon im J. 1469 (MS.)

1468 blutig zurückgeschlagen, daß er nach dem Verluste einer gro=
ßen Zahl von Reisigen und aller seiner Fußknechte sein Heil
in der Flucht suchen und die mitgebrachten Vorräthe den
Feinden als Beute hinterlassen mußte. Darum mußte die
von Hunger bereits grausam heimgesuchte Besatzung die
Burg endlich im December 1468, an einem uns unbekann=
ten Tage, übergeben. Einen günstigeren Erfolg errang bei
einer ähnlichen Unternehmung Prinz Victorin in Mähren.
Er trieb Herrn Podmanitzh in gewisse Moorgründe hinein,
bemächtigte sich der Stadt Ostrau an der March wieder,
bahnte sich von da den Weg zur Stadt Hradisch und ver=
sah die Stadt mit den nöthigen Vorräthen. Als nun Herr
Sternberg seinen Söldnern den Sold schuldig blieb, wurde
er von vielen verlassen, vielfaches Mißvergnügen in Ungarn
und neue Gefahren von Seite der Türken, welche nach der
Besetzung der Walachei und dem Herandringen durch Ser=
bien mit einem Einfall in Ungarn drohten, zwangen K. Ma=
thias, einen Theil seiner Truppen nach Ungarn zurückzube=
rufen und auch Hilfe aus Oesterreich in Anspruch zu nehmen.
Und so gewaltig schlug das Kriegsglück um, daß Wenzel
Wlček zu Ende des Jahres schon wieder die Offensive ergrei=
fen und verheerende Einfälle nach Oesterreich unternehmen
konnte. [370]

16 Nov.   Kaiser Friedrich trat endlich am 16 November jene
fromme Wallfahrt nach Rom an, von welcher er schon seit
Jahren gesprochen hatte; denn er habe sich durch ein Gelübde

370) Von den Ereignissen bei Konopišt berichten Eschenloer latein. MS.
fol. 383, die Reimchronik der Staŕi letopisowé und einige Ur=
kunden des Archivs zu Wittingau. Die Einnahme von Konopišt
und von Ostran, so wie andere Veränderungen mehr bezeugt ein
Schreiben Gregors von Heimburg im Kaiserl. Buch von Const.
Höfler, p. 198 datirt vom 22 Dec. 1468 und ein zweites vom
27 Dec. 1468 (nicht 1469) ebendas. p. 218.

dazu verpflichtet, als er im J. 1462 in Wien seiner Rettung 1468
aus den Händen der Empörer entgegensah. Aber schon die
gleichzeitige Welt ließ sich in der Ueberzeugung nicht irre
machen, daß hinter dem frommen Vorwande auch politische
Absichten steckten, mit der merkwürdigen Wendung jedoch,
daß er hinreiste, um über den Sturz und endlichen Unter=
gang seines damaligen Retters zu Rathe zu gehen. Die Un=
terhandlungen, die er vor seiner Abreise noch mit K. Ma=
thias gepflogen, sind mit dem Dunkel der Vergessenheit be=
deckt, aus welchem kaum einige Funken hervorleuchten, die
jedoch nicht ohne Bedeutung und ohne Interesse sind. Aus
den bisher bekannt gewordenen Urkunden ist es sichergestellt,
daß er dem Schutze desselben sein Land Oesterreich übergab
und zugleich alle Renten von dort bis zu Ende September
des künftigen Jahres abtrat; wogegen Mathias sich ver=
bindlich machte, ohne sein Wissen und seine Zustimmung mit
den Ketzern keine Waffenruhe zu schließen. Nicht minder
gewiß ist, daß Mathias auf die Erfüllung des Versprechens
drang, ihn zur römischen Königswürde zu erheben; denn
Friedrich habe ihn vertröstet, er sei dazu der Stimmen der
Kurfürsten von Mainz, von Trier und von Sachsen voll=
kommen mächtig. Dagegen scheint es kaum glaubwürdig,
was wenigstens am böhmischen Hofe behauptet wurde, daß
er auch von seiner Absicht sprach, Priester zu werden, Ma=
thias das Kaiserthum abzutreten und ihm zugleich seine Kin=
der und Länder zu empfehlen. [371] Doch mögen die Worte

---

371) Die Verschreibungen Mathias vom 3 Nov., des Kaisers vom
　　13 Nov. sind bekannt. Die weiteren Versprechungen des Kaisers
　　bezeugen die gedachten Briefe Heimburgs und spätere Verhand=
　　lungen darüber. Heimburg sagt: „Der Keyser — gibt für dem
　　König von Ungarn, er wolle im schicken (d. i. zuwenden, ver=
　　schaffen) das Römisch Reich, er hab macht Meinz, Trier, Sachsen.
　　Er wolle in auch keyser machen und er wol priester werden und

1468 und Versprechungen, wie immer gelautet haben, das wechsel=
seitige Mißtrauen der beiden Herrscher lag bereits offen zu
Tage, und wuchs bei dem einen bis zur Furcht, bei dem
andern zur Entrüstung und geheimer Unterstützung der steiri=
schen Mißvergnügten.   Darum ist auch die Meinung nicht
unbegründet, der Hauptgrund der Wallfahrt des Kaisers sei
dessen gänzliche Rath= und Hilflosigkeit gegenüber seinem
jetzt mächtigsten und gefährlichsten Freunde gewesen. Er soll
vom römischen Stuhl die Zusicherung der Erblichkeit der
ungarischen und böhmischen Krone für sich und seinen Sohn
verlangt, aber nicht erlangt haben; [372] auch scheint er sich
um die Uebertragung der böhmischen Kurfürstenstimme auf
sein Haus Oesterreich beworben zu haben. Der römische Hof
erblickte in K. Mathias seinen vorzüglichsten Vertreter und
Vorkämpfer in der Christenheit, willigte daher in nichts, was
diesem zuwider gewesen wäre. Bezüglich der Krone Böhmen
wichen aber seine Ansichten schon darin von denen des Kai=
sers ab, daß er jetzt selbst von der Existenz einer böhmischen
Krone nicht mehr wissen wollte.   Die Erbitterung der Ge=
müther nahm in Rom bei dem unerwarteten Widerstande
der Böhmen zu und stieg so hoch, daß man Papst Martins V
Pläne vom J. 1422 wieder aufnahm, denen zufolge Böhmen
aus der Reihe der Königreiche gestrichen und in eine Menge
selbstständiger Herzogthümer und Grafschaften des heil. rö=
mischen Reichs aufgelöst werden sollte. [373] Es ist uns nicht

im seine Kind und alle Land bevelhen. Solich list kann er erden=
ken, und der Unger glaubt im sein alles." (Ibid. p. 218.)
372) Dlugos p. 439 und Müller's Reichstags=Theatrum, II, 324.
373) Von diesem Plan spricht Gregor von Heimburg in einem am
26 Aug. 1469 an den Markgrafen Albrecht von Brandenburg ge=
richteten Schreiben umständlich (ap. Höfler l. c. p. 215—16),
nicht ohne sich Scherze zu erlauben über die eingebildeten „Her=
zogen von Prag, herzog von Saez, herzog von Kuln (Kolin?)

bekannt, scheint aber sehr zweifelhaft, ob der Kaiser in derlei
Entwürfe einging.   Aus römischen Quellen erfahren wir
überdieß, er habe auch die Berufung eines, dem von Mantua
ähnlichen, Fürstencongresses nach Constanz zum Schutze des
christlichen Glaubens gegen Ketzer und Heiden, sollicitirt,
Paul II aber habe diesen Antrag mit den Worten abgelehnt,
daß durch solche Congresse die Zwietracht unter den Christen
nicht gemindert, sondern gemehrt werde.   Friedrichs III Aufenthalt in Rom war die letzte Erscheinung dieser Art im
Mittelalter, und wurde schon von den Zeitgenossen für so
bezeichnend für das Verhältniß des Papstes zum Kaiser gehalten, daß über die Cerimonien, welche bei der Zusammenkunft und dem wechselseitigen Verkehr dieser beiden Häupter
der Christenheit beobachtet wurden, zur Belehrung der Nachwelt ein Gedenkbuch verfaßt wurde. [374] Als der Kaiser das
erstemal dem Papste nahte, warf er sich zweimal auf die
Knie nieder, erst beim dritten Mal küßte er ihm den Fuß,
worauf er zum Kuß der Hand und des Mundes zugelassen
wurde; der Thron des Kaisers wurde neben dem des Papstes gewöhnlich so gestellt, daß dessen Höhe an die Füße
seiner Heiligkeit reichte; bei dem zu Weihnachten vom Papste
gehaltenen Hochamte sang der Kaiser im Diaconsgewande,
wie einst K. Sigmund in Constanz, das Evangelium von
dem vom Kaiser August ergangenen Befehl; wollte Jener
zu Pferde steigen, so eilte Dieser herbei, ihm gleich einem

graf von Brinn, graf von Igla, graf von Budweis, herzog Breßla,
herzog Schweidnitz" rc.

374) Descriptio adventus Friderici imp. ad Paulum papam II, auctore
Augustino Patricio Senensi, ap. Pez, II, 609 fg.   Commentarii
Jacobi cardin. Papiens. l. c. Reichstags-Theatrum II, 319—326.
Fr. Kurz, Oesterreich unter K. Friedrich IV, II, 100 u. f. w.   „Altitudo
sedis ita erat instituta in capella apostolica, ut non altior esset
locus ubi sederet Imperator, quam ubi Pontifex teneret pedes,
et item scabellum Caesaris aequale erat sedibus cardinalium" etc.

Diener den Steigbügel zu halten, was jedoch Paul II als
einen zu unwürdigen Dienst ablehnte u. dgl. m. Doch blieb
das Werk des päpstlichen Cerimonienmeisters Augustin Patricius von Siena ein todtes Denkmal: denn es ergab sich
die Gelegenheit nicht wieder, wo die von ihm geschilderten
Gebräuche sich hätten wiederholen können.

Noch vor des Kaisers Rückkehr aus Rom wurde in
Regensburg am 19 Februar der Reichstag eröffnet,
der schon im vorigen Jahre im Namen des Papstes und
Kaisers zugleich, und zwar zunächst wegen des Königs von
Ungarn ausgeschrieben worden war, da Letzterer, wie wir
schon bemerkten, eine Reichshilfe gegen die Ketzer kategorisch
forderte. Darum waren die Berathungen über diese Reichs=
hilfe die Hauptaufgabe dieses wenig besuchten und noch we=
niger berühmten, aber gleichwohl denkwürdigen Reichstags;
denn auch die übrigen Gegenstände der Verhandlung, ein
ewiger Landfriede, die Einigung der Fürsten mit dem Kaiser
und der Zehent von den geistlichen Gütern, waren zunächst
auf denselben Zweck berechnet, den Sturz der Ketzermacht in
Böhmen. Den Vorsitz führte der Legat Laurenz Rovarella
zugleich mit einem kaiserlichen Commissär; persönlich anwe=
send waren nur ein Herzog von Baiern und die Bischöfe
von Regensburg und Eichstädt, von Seite der übrigen geist=
lichen und weltlichen Fürsten nur einige Räthe, von vielen
gar Niemand. Dafür kamen von Seite K. Mathias der
Propst von Preßburg, von der böhmischen Liga der neue
Prager Dechant Dr. Johann von Krumau, die Herren von
Plauen und Dobrohost und der Ritter Johann Kocowský.
Die im Namen des Kaisers und des Papstes vorgelegte
Reichstags=Proposition verlangte für den nächsten Johannes=
tag (24 Juni) die Aufstellung eines Reichsheeres von 24.000
Mann, und darunter 6000 Reisige, gegen Zizik, unter der
Anführung eines Kurfürsten oder andern Reichsfürsten an

Papstes und Kaisers Statt; und dieses Heer sollte mit allem 1469
Nöthigen so versehen werden, daß es bis Martini im Felde
aushalten könne; würde der Krieg bis dahin nicht zu Ende
gebracht, so sollen den Ungarn und den böhmischen Katholiken zu Hilfe über den Winter 4000 Bewaffnete für den
täglichen Krieg unterhalten werden; die deutschen Heerführer
sollen mit den Letzteren über die gemeinschaftliche Führung
des Kriegs übereinkommen und stets im Einverständnisse mit
ihnen handeln; Kreuzer solle man keine zulassen, außer welche
schriftliche Zeugnisse aufweisen, daß sie auf eigene Kosten bis
Martini im Felde aushalten können und den Heerführern
gleich den übrigen Truppen gehorchen wollen; dem Oberfeldherrn werden Bevollmächtigte des Papstes und des Kaisers beigegeben, um kraft der Auctorität der Letzteren über
die Erhaltung der Eintracht und Ordnung zu wachen, die
entstehenden Irrungen auszugleichen u. s. w. Doch wie hoch
man sich auch gegen die ketzerische Bosheit ereifern mochte,
und wie nachdrücklich auch die böhmischen Gesandten vor-
stellten, ihre Herren müßten den Krieg aufgeben, wenn ihnen
das Reich nicht zu Hilfe komme, so nahmen doch die fürstlichen Räthe und die Städteboten solche Vorträge nur ad
referendum an und erklärten, es lasse sich in der Sache
nichts Erkleckliches zu Stande bringen, außer etwa auf einem
allgemeinen großen Reichstage, wo der Kaiser auch persönlich gegenwärtig wäre. Dem im Namen des Papstes geforderten Zehent widersetzten sich die Räthe der geistlichen Fürsten auf's entschiedenste: es wäre das, sagten sie, eine un-
billige Ueberbürdung, wenn ihre Herren gehalten sein sollten,
gleich den weltlichen Fürsten von ihren Gütern Truppen
auszurüsten, und überdies noch so enorme Abgaben zu zahlen. In Bezug auf die erwünschte Einigung der Fürsten
hatte K. Mathias schon vor dem Neujahr den Propst von
Preßburg nach Bayern geschickt, um einen Vertrag darüber

1469 mit den dortigen Herzogen abzuschließen, und letztere hatten
die betreffende Verhandlung auf den gegenwärtigen Reichstag verschoben: darum wurde der Landshuter Entwurf Dr.
Martin Mayr's über die Erbeinigung der Fürsten mit dem
Kaiser abermals in Erwägung gezogen und dahin gearbeitet,
daß auch K. Mathias in dieselbe aufgenommen werde: aber
wegen der Abwesenheit der Bevollmächtigten von Sachsen
und Brandenburg konnte auch darin nichts zu Ende gebracht
werden. Die Berathungen des Reichstags wurden plötzlich
durch eine Nachricht unterbrochen, die wie ein Blitz aus
heiterem Himmel alle Gemüther betäubte: in Böhmen habe
aller Krieg ein Ende genommen, die Könige hätten einen
Waffenstillstand geschlossen und ihre endliche Aussöhnung stehe
nahe bevor. Rovarella war über die Nachricht ganz empört
und wollte ihr keinen Glauben schenken, obgleich er darüber
einen Brief von K. Mathias selbst in Händen hatte. Daher

10 März
wurden alle Berathungen am 10 März plötzlich abgebrochen, ein
neuer Reichstag nach Nürnberg auf Christi Himmelfahrt be-

12 März
stimmt, und der Legat verließ Regensburg schon am 12 März,
um zu Mathias hin zu eilen. [375]

375) Ueber diesen Regensburger Reichstag sehe man Gemeiner's regensb. Chronik, III, 447 fg. nach. Die Handschrift der Leipziger
Universitätsbibliothek N. 1092 gibt fol. 313—315 einige „Acta
in dieta Ratisponensi, dominica Invocavit 1469"; vgl. auch von
Königs Nachlese St. II, N. 12; Droysen Gesch. d. preuß. Politik, II, 352. (Müller's Reichstags-Theatrum macht von diesem
ganzen Reichstage nicht einmal eine Meldung.) Ueber die Vorgänge in Regensburg berichtete an Herrn Johann von Rosenberg
Dr. Johann von Krumau, in einem Schreiben aus Kruman vom
16 März: „Als die Hilfe schon beschlossen werden sollte, brachte
ein Bote vom Könige von Ungarn einen Brief, Se. Maj. habe
mit dem abgesetzten Ketzer einen Waffenstillstand geschlossen. Als
dies der Legat vernahm, gerieth er in heftigen Zorn, und meinte,
wie ich hörte, der Brief sei unterschoben; darum wollte er ihn
eine Zeit lang verschweigen. Er sandte aber um Herrn Johann

Allerdings hatte der böhmische Krieg inzwischen eine 1469 ganz unerwartete Wendung genommen. Es ist uns von K. Mathias Verrichtung in Ungarn nur so viel bekannt, daß ihm die ungarischen Stände auf einem Landtage zu Preß= burg die Erhebung einer besonderen Steuer zum Behufe einer schnelleren Beendigung des Krieges bewilligten. Nach= dem er solche erhoben und einige Unruhen im Lande unter= drückt hatte, unternahm er, gleich nach Neujahr, einen Feld= zug mit erneuerten Kräften. Nach Holitsch, wo er um den 20 Januar sich befand, brachte Zdeněk von Sternberg ihm die freudige Nachricht, wie es ihm mit List und Verrath gelungen, sich am 9 Januar der Burg Rosenberg, welche 9 Jan. damals an Herrn Johann Popel von Lobkowitz verpfändet war, zu bemächtigen und darauf nicht allein Herrn Johann Popel und dessen Sohn Diepold gefangen zu nehmen, son= dern auch sehr bedeutende Schätze zu erbeuten; man kehrte sich nicht daran, daß Herr Popel, ein dem König treu ge= bliebener Katholik, am Kriege keinen Theil genommen hatte und daher keiner Feindschaft von seiner Seite gewärtig war. [376] Am 12 Februar übergab die Besatzung die Burg 12 Feb.

Kocowský und um Georg, Herrn Zdeněks Kanzler: und der Kanzler erkannte die Handschrift und versicherte, der Brief sei echt. Ein Gleiches war auch an den alten Herrn von Plauen und an Do= brohost geschrieben worden. Da verbreitete sich nun die Rede sehr, insbesondere durch die Boten, welche die Briefe gebracht, es werde nunmehr ein ganzer Friede geschlossen werden. Der Legat bereitete sich sogleich zur Reise vor, und am Sonntag Laetare (12 März) fuhr er nach Tische zum Tage nach Olmütz ab." (Orig. im Ar= chive zu Wittingau, böhmisch.)

376) Eschenloer MS. lat. fol. 384 und Schreiben der Olmützer vom 23 Jan. 1469; Wenzel Březan's Rosenbergsche Chronik im Časo= pis českého Museum 1828, IV, 64; vgl. Johann von Rabstein's Dialog in der Beilage. Herr Johann Popel, Ahnherr des ganzen jetzt fürstlichen Geschlechtes, starb in dieser Gefangenschaft in Krumau 1470.

1469 Spielberg, gegen freien Abzug nebst Waffen, da sie es vor
Hunger nicht länger auszuhalten vermochte. Beinahe un=
glaublich klingt, was von den Schäden und Beängstigungen
der Brünner während der fast einjährigen Belagerung be=
richtet wird: es sollen in der Stadt nur wenig Häuser ihre
Dächer und Gewölbe behalten haben, die Einwohner mußten,
so hieß es, meist in Kellern wohnen und konnten ohne Gefahr
kaum auf den Gassen gehen. Um so begreiflicher wird der
namenlose Jubel über die endliche Beseitigung solcher Schre=
cken, worüber Mathias selbst als über einen großen Sieg
nach Ungarn berichtete. ³⁷⁷ Da er sich nunmehr als Herrn
in Mähren ansah, entschloß er sich um so mehr sein vorjäh=
riges Wort zu lösen und zur Unterwerfung Böhmens aus=
zuziehen, je zahlreicher das Heer seiner Söldner war, die er
zu beschäftigen hatte. Als Ziel des Feldzuges wurde aller=
dings Prag angegeben: doch gedachte Mathias zuvor den
größten Schatz Böhmens, die Silbergruben von Kuttenberg,
entweder in seine Gewalt zu bringen oder doch so weit zu
zerstören, daß wenigstens die Feinde sich daran nicht länger
13 Feb. erholen könnten. Schon am 13 Februar wurde der Zug
von Brünn auf Leittomischel und Hohenmauth zu angetre=
ten. Man hielt sich mit der Belagerung dieser festen Städte
nicht auf, sondern verheerte nur das Land, und verbrannte
die Rittersitze Zamrst und Uhersko, sowie eine Menge Dörfer;
Tod und Schrecken herrschte überall, wohin die Feinde dran=
gen, es schien der Tag des jüngsten Gerichts herangebrochen.
Erst in Hrochow=Teinitz stießen Zdeněk von Sternberg und
19 Feb. die böhmischen Barone zu den Ungarn, und schon am 19
Februar rückte das vereinigte Heer vor Chrudim. Bei Re=
cognoscirung dieser Stadt mit einer kleinen Schaar von
Berittenen gerieth Mathias in die Hände der Böhmen: da
er jedoch als gemeiner Knecht verkleidet war, an Gestalt

377) Eschenloer, II, 145. Katona XV, 369. Teleki XI, 371.

unanſehnlich erſchien und gut böhmiſch ſprach, hielt man ihn 1469
für einen werthloſen Burſchen und ließ ihn wieder frei. [378]
Auch Chrudim blieb unbelagert, und das ungriſche Heer
nahm die Richtung über Heřmanmieſtec, welches ausgebrannt
wurde, gegen die Burg Lichtenburg, die ihm durch Verrath
übergeben werden ſollte; als aber ſolches vereitelt wurde,
zogen die Ungarn in zwei Heerſäulen weiter, die einen der
Stadt Ronow zu, die andern an Běſtwina vorbei, und vereinigten ſich vor Wilimow wieder.

Als K. Georg von der Feinde Einfall nach Böhmen
Nachricht erhielt, eilte er ſich vor allem in Kuttenberg feſtzuſetzen, als wäre es ſeine erſte Sorge geweſen, dieſen Schatz
gegen alle Gefahr zu ſchützen; dahin rief er alle ſeine Getreuen zu ſchleuniger Hilfe in Waffen. Freitag an S. Ma-
thiastag (24 Febr.) rückte endlich auch er ins Feld, hielt 24 Feb.
aber in Časlau wieder an. Die weiteren Bewegungen beider
Heere laſſen ſich nicht mehr nach Tag und Ort beſtimmen:
nur den Schluß derſelben kennen wir, daß K. Georg die
Ungarn bei Wilemow der Art einſchloß, daß Letztere „wegen der Eiſenberge (železné hory) keinen Ausweg mehr hatten.“ Es lag viel Schnee, die Kälte war grimmig, und
Georg hatte in den Bergen alle Durchgänge verhauen laſſen.
Ueber die Stärke und das Verhältniß beider Heere mangeln
beſtimmte und verläßliche Angaben; wir wiſſen nur, daß die
Böhmen an Zahl überlegen waren, und letztere ſich noch
mit jeder Stunde mehrte. [379] Das genügte, um K. Mathias

---

378) So ſchildern den Vorfall ungariſche Schriftſteller ſelbſt, einige
nicht ohne ſpöttelnde Seitenblicke auf die gutmüthige Dummheit
der Böhmen (vgl. Teleki, IV, 90). Eſchenloer ſagt wieder (II, 147):
Die Ketzer — hetten vil nahen Matthiam gefangen, Gott der All-
mechtige behütete da ſeinen Diner. Vor einen Jungen ward er
angeſehen und gelaſſen u. ſ. w.
379) Dlugoš ſagt (p. 439), Mathias habe gehabt exercitum ex decem
millibus equitum mercede conductum; Georg aber (p. 440) ha-

1469 die hohe Gefahr seiner Lage, inmitten des feindlichen Landes, ohne die geringste natürliche Stütze in demselben, erkennen zu lassen: darum ließ er K. Georg durch Herrn Albrecht Kostka, den er unterwegs, wir wissen nicht wo und wie, gefangen genommen hatte, um den Frieden bitten. Auch das ist unbekannt, welche Vorstellungen und Gründe dieser persönliche Freund und Vertraute beider Könige geltend gemacht hat: nur so viel ist gewiß, daß er K. Georg, wo nicht überzeugte, doch überredete, und daß, nach der Erzählung eines gleichzeitigen böhmischen Annalisten, „der barmherzige König, der da Mathias bereits verloren sah und ihm so wie allen seinen Feinden nach Gutdünken alles Böse vergelten konnte, sich zu einem Vergleich herbeiließ; da doch dieser Vergleich ihrerseits nur aus Furcht und Schrecken eingegangen wurde, als Mathias sah, daß eben eine große Menge Böhmen zu ihres Königs Heere stieß, die alle begierig waren, ihre Feinde zu zähmen und ihnen die Hörner abzuschlagen; und sie nahmen es K. Georg sehr übel, daß er in den Vergleich getreten. Prinz Victorin hatte sich um einen Tag verspätet: der hätte in den Vertrag niemals gewilligt. Die armen Leute suchten aber die Herren immer zum Losschlagen zu bewegen; und K. Georg wußte wohl, daß er nicht hätte widerstehen können, wenn Jemand nur den Anfang gemacht hätte, so sehr brannten sie alle vor Begierde, ihren Erzfeind zu schlagen. Als die Leute dann wieder umkehrten, schimpften sie

bebat haud longe in pratis monasterii Siedlecz suum exercitum ad quinque millia equitum ad decem et octo millia peditum aestimatum. Eschenloer (p. 147): „Mathias hatte bei fünf tausend Man zu Fuße und bei vir tausend zu Rosse." Letztere Angabe ist gewiß irrig und stimmt nicht mit der weiteren Behauptung überein, Georg habe über 12 tausend Mann zu Rosse und zu Fuße zusammen gehabt, an Reiterei aber sei er schwächer als Mathias gewesen; auch widerspricht sie der früheren Angabe (p. 146), wo es hieß, „Matthias hatte vil Volks bei einander uf Sold" u. s. w.

und überhäuften K. Georg mit Vorwürfen; denn in der 1469
folgenden Nacht waren einige tausend bewaffnete Böhmen
neu eingetroffen, voll Freude, daß sie sich mit dem Feinde
schlagen würden" u. s. w. Dieses Zeugniß, das uns sozu=
sagen unmittelbar vom Schlachtfelde zugeht, schildert die Lage
der Dinge lebhaft und vernehmlich genug. [380]

Den andern Tag nach begonnener Unterhandlung, aller
Wahrscheinlichkeit nach am 27 Februar, kamen in der Mor= 27 Feb.
genstunde beide Könige im Dorfe Auhrow zusammen; „sie
grüßten einander freundlich, traten in eine sehr geringe, über=
dies noch verbrannte Hütte ein, und verhandelten da allein
mit einander; was sie aber verhandelten, konnte Niemand
erfahren." Nur das wurde bekannt gemacht, K. Georg
habe von Mathias die Einladung angenommen, mit ihm zu
speisen und sein Gast zu sein. Es erfolgte solches im so=
genannten Kohlen=Přibram, wo bald nach K. Mathias auch
K. Georg mit seinen Söhnen hinkam. Als er aber nach
der Ankunft den vornehmsten Männern bei Mathias die
Hand reichte, zog Zbenĕk von Sternberg die seinige mit den
Worten zurück: ich reiche keinem Ketzer die Hand, außer zu
seinem Tode. Diese Rohheit suchte Mathias gleich in Scherz
und Gelächter zu wenden, K. Georg that, als habe er sie
nicht gehört. Es läßt sich daraus abnehmen, welche Stim=
mung etwa, welche Herzlichkeit und Aufrichtigkeit bei der
Tafel geherrscht haben mag, obgleich Mathias laut erklärt
haben soll, „es müsse dem Könige von Böhmen alle seine
Gerechtigkeit zu Gute kommen."

380) Staři letopisowé S. 197 fg. Auch die Reimchronik sagt (ebdas.
S. 490) die böhmischen Herren hätten sich gerne geschlagen, wenn
sie nur hätten dürfen, da der König die Schlacht nicht zulleß. Und
S. 491: „Der König von Ungarn sah wohl ein, daß er aus Böh=
men nicht ohne Schaden wegkäme; darum redete er sich aus, wie
er konnte und gab dem böhmischen König falsche Worte."--- „Der
König von Böhmen ließ sich das zu Schulden kommen und brachte
damit über sich und sein Land viele Uebel" u. s. w.

1469   Der Vertrag von Wilimow wurde nicht schriftlich auf=
gesetzt, darum existirt auch keine Urkunde darüber. So lange
K. Georg mit dem Papste und dessen Legaten nicht ausge=
söhnt war, konnte, so hieß es, Mathias seinen Schwiegervater
nicht mit dem königlichen Titel ehren, ohne Jene zu beleidigen:
darum verband er sich ihm nur mit Handschlag, Wort und
Ehre, daß er ihn mit dem Papste, und zwar auf der Grund=
lage der Compactaten, vollkommen aussöhnen werde, wofern
nur die Böhmen auf derselben Grundlage dem apostolischen
Stuhle und dessen Legaten vollkommenen Gehorsam leisten. ³⁸¹
Hatte sich K. Georg einmal dem Vertrauen hingegeben, daß
solches wirklich erfolgt, so gab es für ihn allerdings keinen
Grund, weiteren Krieg zu führen oder etwas mehr zu suchen,
denn der holde Friede und die ersehnte Einigung mit der
Christenheit waren ihm dann gesichert: daß er aber keine
wesentlichere Garantie dafür verlangte, als den Handschlag,
das Wort und die Ehre eines Menschen, der ihn schon wie=
derholt hintergangen hatte, ist nicht leicht zu entschuldigen,
und dient der gewöhnlichen Annahme von seiner außerordent=
lichen Vorsicht, ja Schlauheit keineswegs zur Bestätigung. Es
wurde mittlerweile ein allgemeiner Waffenstillstand in allen
böhmischen Kronländern bis zum Ostermontag (3 April) be=
schlossen, der auch verlängert werden sollte, falls der gänz=
liche Friede bis dahin nicht zu Stande käme; inzwischen

381) Dlugoš sagt (p. 444): Matthias Hung. rex clandestina pacta
cum Georgio fecerat, et hoc praecipue unum, — ut Georgio
et suis omnibus usum communionis utriusque speciei retinere
liceret, confirmarique illum Matthias a summo pontifice Georgio
et Bohemis obtineret. Dies führt jedoch Dlugoš nicht bei den
Ereignissen von Wilimow an, sondern aus einer späteren Ver=
anlassung; denn auch er stellte Georg bei Wilimow als den reuigen
Supplicanten dar, nach der später bei den Katholiken allgemein
angenommenen Version. Daß aber eine solche Verpflichtung von
Seite Mathias dem Wilemower Vertrage wirklich zur Grundlage
diente, wird auch aus späteren Verhandlungen offenbar werden.

sollten beide Könige sammt ihren Räthen am 24 März in 1469
Olmütz zusammenkommen, um den ewigen Frieden zu schließen. K. Georg entließ sein Heer schon am 1 März; am 1 März
selben Tage schrieben K. Mathias und Herr Zdeněk von
Polna aus an die Schlesier und Lausitzer, es sei Friede und
man habe allenthalben die Feindseligkeiten einzustellen. [382]

382) Die besten und bestimmtesten Nachrichten über diese Vorfälle bietet
die oft erwähnte Reimchronik „vom Kriege mit den Ungarn 1468
bis 1474" dar, welche wir aus einer gleichzeitigen Handschrift den
alten böhm. Annalisten (Staří letopisowé) S. 486—502 beigefügt haben; dann dieselben Letopisowé S. 197—8, Eschenloer,
Dlugoš u. a. m. Schon am 1 März schrieb der Hauptmann von
Neuhaus: „so eben meldet mir Jost die Zeitung, es sei Waffenstillstand geschlossen worden" u. s. w. Das von Polna am 1 März
datirte Schreiben K. Mathias und Zdeněks von Sternberg an die
Lausitzer wurde K. Georg in Kuttenberg in der Nacht vom 1—2
März zugestellt. Der König ließ alsogleich seinen „obersten beeide-
ten Boten" Michael wecken, und befahl ihm damit sogleich nach
Zittau zu eilen, damit das Heer, welches von dort nach Böhmen
einbrechen sollte, zurückgehalten werde. Der Bote gelangte Freitag
den 3 März zu Mittag nach Zittau: als er aber seine Briefe
übergab, wollte man ihn als einen Betrüger alsogleich hinrichten
lassen. „Wir sehen brieff und sigell des koniges von Ungern und
Ern Zdenken, und können doch die sachen swerlich glouben," so
sprachen und schrieben die Lausitzer. Michael bat, man möchte sich
an ihm nicht übereilen, sondern ruhig abwarten, er werde ihnen
nicht entweichen, sie hätten noch Zeit ihn zu strafen, wenn seine
Botschaft keine Bestätigung erhalte. „Des Ketzers Sache muß ver-
zweifelt stehen, wenn er schon zu solchen Kunstgriffen seine Zuflucht
nimmt," so schrieben die Zittauer an die Görlitzer noch am 4 März.
Doch Tags darauf, Sonntag den 5 März, kamen ihnen schon von
so vielen Seiten Bestätigungen zu, daß sie allen Zweifel aufgeben mußten. Es haben sich darüber nicht uninteressante Briefe
in Scultetus Annales Gorlic. MS. III, pag. 254 und 257 erhalten.

Neuntes Capitel.

Höhe des Sturmes: Krieg mit Mathias von Ungarn.

Zweiter Theil: bis zum zweiten Einfall nach Böhmen.

(J. 1469—1470.)

Die Lage der Dinge und neue Unterhandlungen. Der große Tag von Olmütz und K. Mathias Wahl zum Könige von Böhmen. Mathias in Breslau. Veränderte Stimmung K. Georgs. Landtag in Prag, die Münzreform und Wahl Wladislaws von Polen als Thronfolger. Verlegenheiten des Kaisers und Einfälle der Türken. Unterhandlungen mit Burgund und Frankreich. Umtriebe in Ungarn. Neuer Ausbruch des Kriegs. Prinz Victorin geräth in Gefangenschaft. Siege der Böhmen und Umschwung der öffentlichen Meinung. Die Kreuzerschaaren. Polnischer Reichstag in Petrikau. König Georg und das deutsche Reich. Ein Congreß in Wien. Errichtung der Landwehr in Böhmen. Kämpfe mit Bayern. Der letzte Feldzug in Mähren und Kämpfe bei Göding. Georg fordert Mathias zum Zweikampf auf. Befreiung der Stadt Hradisch. Mathias letzter Einfall und Flucht aus Böhmen.

1469 Die Nachricht von dem bei Wilemow geschlossenen Waffenstillstand machte auf alle Zeitgenossen einen um so tieferen Eindruck, je unerwarteter sie kam; die vorzüglichsten Eiferer wußten sich über dieses Zeichen eines alle ihre Pläne und Hoffnungen durchkreuzenden Widerstandes kaum zu fassen. Allerdings gab es auch nicht wenige „Christen," die den

schon so lange und so grausam geführten Religionskrieg ver-
abscheuend, sich freuten, daß die Urheber und Führer desselben endlich gezwungen wurden, Frieden zu suchen, da sie
das Wüthen gegen die „Ketzer" nicht in dem Grade für gerechtfertigt und nothwendig hielten, daß darüber aller Wohlstand der Völker und Staaten zu Grunde gehen müßte.
Aber die Leute mit solchen Gesinnungen hielten sich still,
traten trotz ihrer Zahl nicht öffentlich auf und hinterließen
auch kein Andenken. Wir erhalten von ihrer Existenz nur
aus den Aufzeichnungen der Gegenpartei, welche aus der
öffentlichen Friedensaussicht nur Gram und Kummer schöpfte,
einige Kunde. Der beredte Sprecher der Breslauer, Peter
Eschenloer, bemerkte in seinen Denkwürdigkeiten, was uns
sonst unbekannt geblieben wäre, indem er klagte: „Es geschah zu dieser Zeit in allen deutschen Landen viel Rede,
dem Girik zu Gute und Ehren, und dann zur Schmach, Lästerung und Afterkosen der heiligen römischen Kirche, womit
Gott sehr mochte und sollte erzürnet werden, wenn er nicht
so barmherzig wäre. Alle Welt lobte Girik und seine Ketzer,
und dem heil. Papste, dem Statthalter Christi, wurde seine
Gerechtigkeit ganz in Uebel gezogen; zuvoran in Meißen,
Thüringen, Sachsen, der Mark, und wahrlich auch in der
Lausitz, in Schlesien, in Sechsstädten. Leider alle Deutsche
und Kurfürsten waren verblendet. Wer mag aussagen, wer
die Kümmerniß beschreiben, die der Rath zu Breslau diese
Zeit hatte, da er solche Reden, auch von den Feinden hörte,
daß K. Mathias gezwungen ward, um den Frieden zu bitten,
und daß daher er und Girik nicht mehr würden zu Kriegen
mit einander kommen. Darum die Breslauer, Giriken nun
erkennend, sich großer Gefahren und Verluste befürchten
mußten." [383]

383) Eschenloer, II, 151, 148. Markgraf Albrecht spricht in einem am
21 Juli 1469 an K. Georg gerichteten Schreiben „von dem schrecken,
der in die leut gefallen was der richtigung halben zwischen euch

1469   Kurz nach dem Abschluß des Waffenstillstandes sandte
K. Georg den Ritter Johann Span von Barstein, einen
Beamten der Königin Johanna, zum Markgrafen Albrecht
von Brandenburg und zu K. Ludwig XI von Frankreich.
Was er bei Letzterem zu werben hatte, ist uns nicht bekannt: aber seine Botschaft an den Markgrafen war von
Bedeutung, und lüftet zum Theil den Schleier, der die Verhandlungen der Könige in der verbrannten Hütte von Auhrow bedeckt. Mathias hatte dem Schwiegervater dort eröffnet, es hätten sowohl Papst als Kaiser ihm seine Erhebung
zum römischen König in Aussicht gestellt, und bat ihn nicht
allein um seine Kurfürstenstimme, sondern auch um die Fürsprache bei den übrigen Kurfürsten, wofür er sich erbot, ihm
alle Schlösser und Gebiete wieder zurückzustellen, deren er
sich bisher in den Ländern der böhmischen Krone bemächtigt
hatte. Georg war dem Antrag nicht abgeneigt, nahm jedoch
Bedenkzeit, um sich mit seinen Freunden, den Fürsten der
Häuser Sachsen und Brandenburg darüber zu berathen. Deshalb sollte Span dem Markgrafen, der gleichsam die politische Seele der Fürsten beider Häuser bildete, diesen Gegenstand vortragen; die beigefügte Bemerkung, daß sowohl Papst
als Kaiser dieselbe römische Königswürde früher auch schon
dem Herzog von Burgund versprochen hätten und daß die
bairischen Fürsten sich für Burgund verwendeten, scheint den
Zweck gehabt zu haben, den Hauptgegner des bairischen
Hauses für die Ansprüche des Königs von Ungarn günstiger
zu stimmen, zumal damit auch ein Vortheil für Böhmen verbunden war. Allein Mathias war bei den Deutschen noch
weniger beliebt als Georg. Markgraf Albrecht fand es nicht
glaublich, daß der Kaiser, so lange er lebe, das Reich aufgebe, noch auch daß die Kurfürsten „einen Undeutschen" gern
zum römischen König oder Kaiser haben möchten; er ent-

und dem König von Ungern u. s. w. (Kais. Buch von C. Höfler,
S. 205.)

gegnete daher, er könne ohne des Kaisers Zustimmung darin weder dem sächsischen Hause, noch seinem Bruder Friedrich rathen, der ohnehin in Folge der Kurfürsten=Einung verpflichtet sei, in solchen Dingen ohne die Andern nichts zu unternehmen. Dieser Widerstand hob diesfalls jede weitere Verhandlung auf, keineswegs aber des Mathias Hoffnung und Bemühung, den römischen Königsthron zu besteigen. Bei Gelegenheit dieser Verhandlungen erfahren wir zugleich fast zufällig, wessen sich K. Georg im äußersten Nothfalle von seinen sächsischen und brandenburgischen Freunden zu versehen hatte. Die Verhandlungen des vergangenen regensburger Reichstags beschäftigten in jenen Tagen noch die Gemüther der deutschen Fürsten, die bei all' ihrer Freundschaft für Georg, dennoch keineswegs des Kaisers offene Feinde werden wollten.; und Dr. Martin Mayr's Plan der ewigen Allianz der vornehmsten Fürstenhäuser mit dem Kaiser war noch nicht ganz hoffnungslos geworden. Bei einer Zusammenkunft mit seinen sächsischen Schwägern bemühte sich nun Markgraf Albrecht ihre „endliche Meinung" in Betreff „Zirils" zu erfahren, und bekam zur Antwort, daß sie ihr Aeußerstes thun wollten, um des Kriegs mit ihm „vertragen zu sein;" wenn es jedoch „auf das Härteste käme und sie Ehren= und Gewissenshalber nicht ausweichen könnten, so wollten sie sich von Papst und Kaiser nicht trennen." Das sei auch, erwiederte Albrecht, die Meinung des Hauses Brandenburg; er konnte jedoch in dem Bericht, den er darüber an seinen Bruder den Kurfürsten schrieb, den Verdacht nicht unterdrücken, seine Schwäger möchten sich, um ihres eigenen Nutzens willen, mit Georg weiter vertieft haben, als sie ihm offenbaren wollten, um sich vielleicht seinen Dank ausschließlich zu sichern. [384]

384) „Das sie den Danck gegen Jm allein behielten," — sind Albrechts eigene Worte in dem denkwürdigen Schreiben an seinen Bruder den Kurfürsten Friedrich, (dd. Beyr. (d. i. Beyreut), am Donnerstag nach Judica, 23 März 1469), im geh. Cabinetsarchive in

1469   Die Enthüllung eines so wichtigen Bestandtheils der
geheimen Verabredungen von Wilemow lehrt uns K. Georgs
Benehmen mit mehr Zurückhaltung würdigen und nicht unbedingt verdammen; denn es ist möglich, daß ihm noch mehr
ähnliche Vortheile angeboten wurden, die er höher anschlug, als
den Kitzel des Siegerehrgeizes. Es scheint auch, daß er, der für
sich nichts als die Wiederkehr des alten Status quo wünschte,
und den geheimnißvollen Zug der Herrschermacht nicht kannte,
dem zu Folge ihr jede Schranke, jeder Zügel um so unerträg-
licher wird, je voller und unbeschränkter sie bereits an sich
geworden, — seine Aussöhnung mit den Feinden und die
Erneuerung des Friedens für weit leichter hielt, als sie in
der That gewesen. Doch säumten die Ereignisse nicht, ihn
darüber zu enttäuschen. Mathias hat seinen Bundesgenossen
über die Gründe, die ihn zum Abschluß des Waffenstillstands
bewogen, keine andern als bloß mündliche Mittheilungen
machen wollen. [385] Daher kam es, daß in Kurzem die Ansicht bei ihnen die Oberhand gewann, der Friede sei nur die
Folge der grimmigen Kälte, der großen Schneewehen und
seiner Entmüthigkeit gewesen, der seinen, Gehorsam und
Buße verheißenden, Schwiegervater nicht noch härter verfolgen wollte; der verhaßte Jiřik galt seinen Gegnern bald

Berlin, dessen vollständige richtige Abschrift wir Hrn. Dr. Märcker
verdanken. Es ist dasselbe, welches sowohl von Minutoli (Kaiserl.
Buch S. 330) als Droysen (Gesch. d. preuß. Politik, II, 437 und
349, Gutachten des Markgrafen Albrecht Achilles p. 171.—173)
irrig ins Jahr 1468 setzten, und welches erst in neuester Zeit Dr.
Riedel im Codex diplom. Brandeb. C. I, p. 499 vollständig herausgegeben hat.

385) Eschenloer hat in s. latein. MS. fol. 386 ein Schreiben K. Mathias an den Legaten Rudolf, Bischof von Breslau, dd. Brünn
in dominica Judica (19 März) erhalten, wo der König ausdrücklich sagt, er habe von den Gründen des Waffenstillstands-Abschlusses
den Domherrn Hieronymus Bekensloer mündlich unterrichtet, da
es nicht füglich sei, darüber zu schreiben.

wieder als der alte Betrüger, der mit falschen Versprechun= 1469
gen wie immer nur seine Feinde aus dem Lande zu locken
gesucht habe. Ja es fanden sich auch überkluge Männer,
denen selbst Mathias und die katholische Liga als allzulaue
Ketzerfeinde erschienen; darum behaupteten sie, die ganze
schwache Heerfahrt gegen Wilemow wäre nur ein von ihnen
absichtlich angelegtes Spiel gewesen, um unter dem Vor=
wande ihres Unvermögens und unausweichlicher Noth den
Kampf, dessen sie bereits überdrüssig geworden, aufgeben zu
können. ³⁸⁶

Der Tag von Olmütz begann nicht, wie bestimmt
war, am 24 März, sondern um zwei Wochen später. Als
Grund des Aufschubs wurde die bevorstehende heilige Woche
geltend gemacht, und zugleich eine Verlängerung der Waffen=
ruhe bis Christi Himmelfahrt (11 Mai) angeboten, damit
alle Geschäfte mit um so mehr Ruhe erledigt werden könn=
ten. Auffallend genug war die heilige Woche im vorigen
Jahre kein Hinderniß des Kriegs gewesen, jetzt aber galt sie
als ein Hinderniß friedlicher Verhandlungen. Doch es hatte
K. Mathias alle seine vornehmsten Freunde und Anhänger
zu einer vorläufigen Berathung nach Brünn berufen: und
das gab hinreichendere Veranlassung, die obige Versammlung
zu vertagen. Schon in Brünn scheint man den Grund zu
allem gelegt zu haben, was nachher in Olmütz vor sich gehen
sollte. Es kam dahin der päpstliche Legat Laurenz Rovarella,
der deshalb den Reichstag von Regensburg eiligst verlassen
hatte; es waren da auch Bruder Gabriel Rongoni von Ve=
rona, der Erzbischof von Gran, der Bischof von Erlau und
zwei Gesandte des Kaisers, Johann Roth oder Rode, einst
K. Ladislaws Secretär, jetzt neuernannter Bischof von La=
vant, und ein Graf von Sulz. Rovarella, so heißt es, be=
drohte Mathias mit dem Bannfluche, wenn er sich wirklich

---

386) Schreiben des Markgrafen Albrecht an K. Georg dd. 21 Juli
1469, im Kaiserl. B. von C. Höfler, S. 205—6.

1469 zum Frieden mit den Ketzern entschließe; dieser aber schien alle Lust zu einem Kriege verloren zu haben, der ihm weder Vortheile noch Ruhm einbrachte. Darum herrschte die äußerste Bestürzung unter den Häuptern der Liga, die im bevorstehenden Friedensschlusse ihren gänzlichen Untergang erblickten. Mathias benahm sich lange Zeit so, daß er nach beiden Seiten hin Hoffnungen gab, und Niemand seine wahre Meinung zu errathen vermochte, ob es zum Frieden oder zum Kriege kommen werde. Seine Vertrauten belehrten aber die böhmischen Barone, daß es nöthig sei, ihn mit einem stärkeren Bande an sich zu fesseln, wenn sie von ihm nicht verlassen werden wollten. [387] In solcher Stimmung langte Ma-

6 April thias in Olmütz am 6 April an, in Begleitung der schon genannten Prälaten und Herren, auch der böhmischen Barone von Sternberg, Rosenberg, Schwamberg, Plauen, Neuhaus, Dobeš von Boskowitz und anderer, und etwa 3000 Bewaffneter. König Georg hatte bereits einige Tage bei Herrn Albrecht Kostka auf Mährisch-Sternberg gewartet, wo er auch am 4 April die Treue und Standhaftigkeit der Bürger von Mährisch-Neustadt mit bedeutenden Privilegien belohnte; bei ihm waren seine zwei Söhne, Herzog Konrad der Schwarze von Oels, Přemek von Teschen, beide Brüder

---

387) In der vom Legaten Rudolf von Rüdesheim, Bischof von Breslau, im J. 1471 dem polnischen Gesandten Benedict ertheilten Antwort ist auch von den Verhandlungen des Tages von Olmütz im J. 1469 die Rede, und es heißt dort ausdrücklich, wie die böhmischen Barone von Einigen aus der Umgebung des Königs belehrt wurden (ex aliquibus cum Maj. Sua manentibus intellexerunt), der König möchte nach geschlossenem Waffenstillstande sich wohl wenig mehr um den böhmischen Krieg kümmern, wenn man ihn, einen bloßen Protector, nicht mit einem stärkeren Bande an sich fessele (si eum — fortiori vinculo non constringerent), worauf die Barone erst beschloßen, ihn zum Könige zu wählen (MS. univ. Lips. 1092, fol. 333—6.) Vgl. Eschenloer, II, 238, wo aber die deutsche Uebersetzung minder klar und bestimmt lautet.

Towačowſky von Cimburg, Peter Kduliner, Beneš von Weit- 1469
mil, der Troppauer Hauptmann Bernard Birka, Georg Stoſch
von Albrechtic und andere. Man hatte ihm angetragen, zu
größerer Bequemlichkeit der Unterhandlung ſich im Kloſter
Hradiſch, freilich unter des Ungarnkönigs Macht, feſtzuſetzen,
was er jedoch ablehnte, ſo daß die Könige dann nur unter
freiem Himmel in den Feldern zwiſchen Olmütz und Sternberg perſönlich zuſammenkommen konnten.

Die Verhandlungen begannen am 7 April und dauerten 7 April
bis zum 1 Mai. Vollſtändige und unparteiiſche Nachrichten
darüber gibt es nicht; doch iſt das, was von katholiſcher
Seite verlautet, nicht ohne Bedeutung und Intereſſe. [388] Die
erſte Zuſammenkunft der Könige, welche am 7 April nach
Mittag unter Gezelten im freien Felde Statt fand, war
beiderſeits ſehr anſtändig und freundſchaftlich. Die Könige
ſprachen lange Zeit mit einander allein, ohne Zeugen, und
Niemand konnte den Inhalt ihrer Geſpräche erfahren. Als
Mathias gegen Abend nach Olmütz zurückkehrte, brachte er
alle oben auf Seite K. Georgs genannten Perſonen mit in
die Stadt, da dieſelben am folgenden Tage mit den beiden
päpſtlichen Legaten, Rovarella und Rüdesheim, in Unterhandlungen treten ſollten. Mathias behandelte dieſe ſeine
Gäſte mit ſo viel Freundlichkeit und Auszeichnung, daß ſeine
eigene Partei darüber in Unwillen und Schrecken gerieth.
Rovarella jedoch weigerte ſich nicht nur, mit den Ketzern in

388) Außer der nicht in allen Theilen richtigen Erzählung Eſchenloer's
    II, 155—162) und eines in MS. univ. Lips. 1092 fol. 316 ent-
    haltenen Artikels, beſitzen wir ein eigenes Tagebuch, von einem
    Ungenannten, über die Vorgänge vom 7 April bis 3 Mai, in zwei
    Abtheilungen, wovon die erſte (vom 7 bis 13 Apr.) von Kloß,
    die zweite (12 April bis 3 Mai) von Scultetus aufbewahrt wor-
    den ſind. Beide dieſe intereſſanten und bisher unbekannten Bruch-
    ſtücke ſind uns durch die Güte Hrn. Guſtav Köhlers in Görlitz
    zugekommen und bilden die Hauptquelle unſerer nachfolgenden Er-
    zählung.

1469 Unterhandlung zu treten, sondern belegte auch die ganze Stadt
mit Interdict, so lange sie sich darin aufhielten, so daß sie
erfolglos und mit Schande, zu großer Freude der Gegner,
Olmütz wieder verlassen mußten. [389] Auf solche Weise konnte
in den Geschäften nicht fortgefahren werden, und Mathias
nöthigte die Legaten, wenigstens den Conferenzen beizuwoh-
12 Apr. nen, welche er Montag den 12 April mit den böhmischen
Abgesandten selbst eröffnete. Letztere verlangten, Mathias
möge, seinem Versprechen gemäß, K. Georg bei dem Papste
das gewünschte Gehör verschaffen und zu seiner Aussöhnung
mitwirken. Nach langen Debatten schloß Mathias damit: die
Böhmen möchten ihre Forderungen schriftlich vorlegen, worauf er auch schriftlich antworten werde. Doch hat sich von
diesem Schriftwechsel nichts mehr erhalten, als ein von Rovarella den böhmischen Gesandten übergebener Zettel folgenden Inhalts: „Nachstehendes fordert man vom Könige
von Böhmen, wenn er wenigstens als König sterben und in
seinem Lande Frieden haben will: 1) Daß er selbst mit seinen
Hausgenossen sich zum heiligen katholischen Glauben und der
allgemeinen Kirche bekehre, und allen Artikeln entsage, welche
die heil. Mutter Kirche verwirft. 2) Daß er die geistlichen
Güter herausgebe und in den früheren Stand setze, und wenn
einige verpfändet sind, sie wieder auslöse. 3) Daß der König
von Ungarn in Prag einen Erzbischof, Aebte, Pröpste und
Seelsorger einsetze, zur Emporbringung des Gottesdienstes

---

389) Kaum glaublich erscheint, was bei dieser Gelegenheit Galeotus
Martius berichtet, obgleich er Augenzeuge war. Rovarella soll in
Mathias gedrungen haben, die nach Olmütz gekommenen Söhne
und Räthe des böhmischen Königs festzunehmen und zu Pfande zu
behalten, um damit dem Kriege ein Ende zu machen; denn ohne
sie werde der Vater und Herr nicht Krieg führen können, sie aber
wären ohne sicheres Geleite nach Olmütz gekommen. Galeotus
rechnet es Mathias zu hohem Ruhme an, daß er sich dazu nicht
bereden ließ. S. Galeotus Martius de dictis et factis Matthiae
regis, cap. I, p. 227.

und Ausrottung der Ketzerei. 4) Daß Georg im Verein mit unserm Könige allen Fleiß anwende, um die Bekehrung des irregeleiteten Volkes zu Wege zu bringen. 5) Daß er den Erzketzer Rokycana uns überliefere, und daß irgend ein Mittel erfunden werde, wie der Woiwode (Čupor) bereits unterrichtet ist. 6) Georg nehme den König von Ungarn alsogleich an Sohnes statt an. 7) Der König von Ungarn behalte alles, was er inne hat, und sei fortan Beschützer. 8) Georg befehle allen den Seinigen alsogleich, dem Könige von Ungarn den Eid zu leisten. 9) So lange er lebe, solle er König sein und heißen, und mit dem Titel auch die Einkünfte genießen. 10) Der Kaiser habe Frieden, und 11) die den Katholiken abgenommenen Güter sollen zurückgestellt werden." Rovarella scheint in diesen Artikeln seinerseits noch eine große Concession erblickt zu haben: K. Georg mußte aber daraus erkennen, welch' weiten Weg er noch vor sich hatte, um nach Rom zu gelangen. Die Unterhandlung gerieth dadurch auf einige Tage in's Stocken, bis am 15 April von Seite K. Georgs der Wunsch gemeldet wurde, mit dem Legaten Rovarella persönlich zusammenzukommen und unmittelbar zu verhandeln. Dieser aber weigerte sich zu ihm zu gehen und sandte an seiner Statt den Graner Erzbischof Johann Vitéz, von dessen Verrichtungen aber nichts weiter bekannt ist. [390]

Wie sehr K. Georg die Herstellung des Friedens am Herzen lag, beweist vorzugsweise ein Schritt, der sein Herz wohl die größte Uiberwindung gekostet haben wird, und zu

---

390) Das Einzige, was sich auf diese Verhandlung zu beziehen scheint, sind die Worte des Markgrafen Albrecht in einem Briefe vom 9 Juli 1469: „Ob der Erzbischof zu Prag nicht hundert tausend guldein gelts (d. i. Einkünfte) hat, gibt uns wenig zu schicken und wollen unerstochen darumb sein, wo wirs mit eren mögen vertragen bleiben: dann es sich itzund sunst an nichte gestoßen hat, als wir bericht sind." Archiv für österr. Gesch. Bd. VII, 1851, S. 50.

1469 dem er sich dennoch entschloß, indem er seine zwei Räthe,
Peter Kbulinec von Ostromǐr, einen Husſiten, und Beneš
13 Apr. von Weitmil, einen Katholiken, am 13 April zu Zbeněk von
Sternberg ſandte, um zu verſuchen, ob eine Ausgleichung
mit ihm nicht möglich wäre. Als Letztere in deſſen Her=
berge nach Olmütz kamen, baten ſie ihn, er möchte da=
hin wirken, daß die Eintracht wiederhergeſtellt werde und
möchte darin auf das gemeine Wohl der Krone wie des
Volkes von Böhmen Bedacht nehmen, wie er ſolches vor=
mals auch gethan. Er antwortete: „Euch iſt allen wohl
bekannt, wie ich vor allen Andern Ehre, Nutz und Frommen
der Krone zu fördern geſucht und darin weder Mühe noch
Arbeit geſpart habe.“ Hierauf ſagte Kbulinec: „Und ſo
lange Ihr es thatet, gnädiger Herr, ſtand es wohl im König=
reich und Euer Gnaden wurde als ein zweiter König und
als ein Vater des Reichs angeſehen: da Ihr Euch aber
abwandtet und wider das Königreich ſetztet, habt Ihr es
wieder ins Verderben geſtürzt.“ Sternberg erwiederte: „Kbu=
linec! nicht ich habe dem Lande Verderben zugefügt, ſondern
euer Herr und ihr, da es bekannt iſt, wie ihr meine Schlöſſer
berannt und den Krieg begonnen habt, und ich genöthigt
war, mich der Gewalt zu wehren. Doch hat das alles euer
Herr zu Wege gebracht durch ſeine falſchen Eide, und der
gerechte Himmel hat es über euch verhängt, weil euer Herr,
der verfluchte, mit ſeinen Helfern unſern einſt gnädigſten
Herrn König Ladiſlaw auf ſchändliche Weiſe um's Leben ge=
bracht hat, [391] wie es aller Welt bekannt iſt, und ſo weit

391) Als K. Ladiſlaw ſtarb, befand ſich Herr Zbeněk als Geſandter in
Frankreich, und konnte alſo über die Art des Todes K. Ladiſlaws
nichts aus eigener Anſchauung oder Erfahrung wiſſen und be=
zeugen. Gewann er die Ueberzeugung von Podiebrads Schuld und
Verbrechen bald nach ſeiner Rückkunft, ſo wird es unbegreiflich,
wie er ohne Verbrechen ſelbſt ihm bei der Königswahl die erſte
Stimme geben und ſo viele Jahre lang ſein vornehmſter Rath

unser Leben reicht, nicht ungerochen bleiben soll." Kdulinec: 1469
„Gnädiger Herr! wollet nicht so heftig und so ernst gegen
unsern und Euern Herrn auftreten, sondern lieber rathen und
helfen, daß Friede und Eintracht wieder hergestellt werden."
Sternberg: „Soll es zum Frieden und zur Eintracht kommen, so müßt ihr vorher glauben, wie andere Christen und
dem Papste gehorsam sein, sonst wäre es um den Frieden
geschehen. Alle Verschreibungen, Versprechungen, Eide, Compactate und dergleichen sind dazu nichts nütze. Wer für den
Frieden mit Ketzern spricht und läßt ihnen ihren Glauben,
ist ein verfeites Hurenkind." Hierauf wollte Herr Beneš
von Weitmil reden, aber Sternberg überschrie ihn und sagte:
„Schäme Dich, Beneš, in den Hals hinein, daß du selbst
gegen deinen Glauben Hilfe leistest; du bist ja ärger als ein
Jude oder ein Ketzer." Beneš bemerkte, er spreche und handle
nicht gegen den Glauben, sondern zum Besten seines Herrn.
„Und hörst du denn nicht, daß vom Glauben die Rede ist?"
herrschte ihn Zdeněk an. Beneš schwieg nun und Kdulinec
übernahm wieder das Wort: „Ihr behauptet, Herr, es werde
kein Friede im Lande, so lange wir nicht dasselbe glauben,
wie Ihr: doch ehe Ihr das zu Stande bringet, werdet Ihr,
sammt mir, längst im Himmel oder in der Hölle sein."
Zdeněk entgegnete: „Kdulinec! ich vermesse mich meines Eides
und meines Glaubens darüber, daß wenn ich nur zwei Jahre
lang aller der Streitkräfte mächtig bin, welche wir jetzt beisammen haben, unser gnädigster Herr und andere Herren
und Städte, so daß sie alle unter meinen Befehlen stünden,

bleiben konnte. Es scheint jedoch, er habe erst viel später aus dem
Hasse eine neue Ueberzeugung geschöpft, zumal jetzt, wo der Haupt-
urheber aller Lügen über K. Ladislaws Tod, Johann Roth, seit
Kurzem Bischof von Lavant, als kaiserlicher Gesandter eben nach
Olmütz gekommen war. Vgl. unser Zeugenverhör über den Tod
K. Ladislaws, Prag, 1857. 4.

37

1469 und wenn ich es in zwei Jahren nicht dahin bringe, daß
man euren Glauben im ganzen Königreich nicht offen nennen
dürfte, so möge man mich alsobald verbrennen." Inzwischen
brachte man ins Zimmer Getränke; und Zdenĕk, die Becher
den Gästen zum Zeichen hinreichend, daß sie gehen können,
rief: „Himmlischer Vater! vergib mir, daß ich mit den verfluch=
ten Ketzern trinke!" Und damit hatte das Gespräch ein Ende.

Andere Gedanken und Aussichten waren es, welche zu
dieser Zeit Zdenĕks und seiner Freunde Aufmerksamkeit in
7 April Anspruch nahmen. Schon am 7 April, während die Könige
mit einander im freien Felde sprachen, waren die Mitglieder
der katholischen Liga zum ersten Mal bei dem Legaten Rudolf
in Olmütz zusammengetreten und hatten von der Nothwendigkeit
zu sprechen begonnen, wieder einen König und Herrn zu haben.
Es fanden sich zwar auch solche, welche diese Sorge zu vertagen
riethen, so lange noch von dem Verlangen einer Reichshilfe
die Rede war, damit die deutschen Fürsten durch die Wahl
eines neuen Königs nicht etwa abgeschreckt und abwendig
gemacht würden. Dagegen eiferten aber insbesondere die
Städte, die nicht länger ohne einen Herrn bleiben wollten,
und baten den Legaten, diesen Gegenstand alsogleich in Er=
wägung ziehen zu lassen. Der Legat erlangte nur dadurch
einen Aufschub der Frage, daß er abzuwarten rieth, welchen
Erfolg die persönliche Besprechung der Könige haben werde.
12 Apr. Am 12 April versammelten sich dieselben Mitglieder der Liga
abermals. Da eröffnete nun Herr Zdenĕk von Sternberg
die Debatten mit folgender Rede: „Hochwürdige Väter, edle
Herren, gestrenge Ritter, ehrsame und weise Stadträthe!
Euch allen ist es wohl bekannt, wie wir aus Ermahnung
und Befehl des heiligen Vaters des Papstes von dem ver=
maledeiten Ketzer Georg abgefallen sind, und nach Anwei=
sung der Legaten Seiner Heiligkeit bereits zwei Jahre lang
große und schwere Kriege führen, mit Daransetzung unserer
Güter und Leben, so wie derer unserer Unterthanen. Ihr

wißt ja wohl, wie auch ich meine Schlösser verloren 1469 habe, und wie meine Güter so in Grund verdorben sind, daß mir immer noch fast mehr Schlösser als Dörfer geblieben sind. Es stellt sich die Nothwendigkeit heraus, daß wir die Sachen anders und besser als bisher angreifen und uns nicht mehr von der Schalkheit und Hinterlist des Abgesetzten zur Annahme von Beifrieden verleiten lassen, die uns noch nachtheiliger sind, als der Krieg selbst. Wir müssen vor allem dafür sorgen, daß die Unsrigen alle mit einträchtigem Sinne und vereinten Kräften aufseien und einander beistehen, und nicht, während die Einen streiten, die Andern zu Hause im Frieden sitzen. Wir werden nichts Stattliches zu Wege bringen und die Ketzerei nicht zu tilgen vermögen, wenn wir uns nicht einer besseren Ordnung befleißen; dieses aber scheint unerreichbar, so lange wir nicht alle mit einem gemeinschaftlichen Haupte versehen sind. Der durchlauchtigste König von Ungarn ist zwar unser Beschützer, aber es steht zu befürchten, daß er, zur Rückkehr in sein Königreich gezwungen, uns nicht etwa wieder verlasse. Wir können für die Wohlthat, daß er uns in seinen Schutz genommen, ihm keinen hinlänglichen Dank erweisen, noch auch einen Ersatz leisten, außer daß wir uns ihm selbst hingeben und ihn bitten, daß er die königliche Würde über uns und unser Land annehme, uns ein gnädiger Herr sei, und uns bei unsern Rechten und Freiheiten erhalte. Das ist mein Gutbünken und ganzer Wille: lasset mich wissen, was euch dabei genehm ist." Der erste, der seine Stimme abgab, war der Legat Rudolf als Bischof von Breslau; er sagte, was Herr Zdeněk, „unser oberster Hauptmann," gesprochen, sei vollkommen wahr, und etwas Vortheilhafteres, als er in Vorschlag gebracht, könne es nicht geben; darum trete er demselben ganz bei. Dann setzte Bischof Protas von Olmütz auseinander, welche große Opfer Mathias der Vertheidigung des wahren Glaubens bereits gebracht habe, und wie es die Billigkeit und Gerechtigkeit

1469 selbst forderte, daß er mit Hintansetzung jedes Anderen auf den Thron des Königreiches Böhmen erhoben würde. Nach ihm stimmte Herr Johann von Rosenberg ab und die andern Bannerherren von Böhmen und Mähren, darnach die böhmischen Prälaten, dann die Prälaten und Rathsherren von Breslau, die Rathsherren von Schweidnitz, hierauf die mährischen Städte, welche Herrn Zdeněk für seinen Vorschlag besonders dankten und sogleich die Bitte aussprachen, daß man mit den Ketzern nimmermehr einen Waffenstillstand schließen möge; die Städte Pilsen und Budweis schloßen die Abstimmung, so daß die Wahl Mathias schon an diesem Tage einstimmig erfolgte. Doch verbanden sich alle Anwesenden unter dem höchsten Banne, die Thatsache geheim zu halten, und Herr Zdeněk, der Legat Rudolf und einige der „Aeltesten" wurden gebeten, vor allem den Willen Seiner königlichen Majestät darüber zu erforschen. Da die Rede ging, Mathias trage kein Verlangen nach der böhmischen Krone, wohl aber nach dem Frieden, standen seine Wähler lange Zeit in großer Sorge. [392]

K. Mathias war Herr der Situation, und es läßt sich nicht läugnen, daß er seine Chancen zu benützen verstand.
13 Apr. Am 13 April gab er keine andere Antwort, als daß er mit seinen Getreuen darüber zu Rathe gehen müsse. Tags dar-
14 Apr. auf empfing er Herrn Zdeněk, den Bischof Protas und einige der „Aeltesten" unter den Wählern, und ließ sich mit ihnen

392) Eschenloer sagt davon S. 156: „Alles Volk in Bekümmerniß stunde, und vor Augen nichts gewisseres war, denn Freundschaft zwischen Mathia und dem Ketzer. Es ist nicht zu beschreiben, was Betrübniß dem Legaten, den christlichen Behmischen Herren und Städten entstunde, Niemand mochte Matthiä Meinung erkennen." — Derselbe berichtet, es seien der Legat Rudolf, Bischof Protas, Herr Zdeněk und Johann Zajce von Hasenburg erwählt worden, um mit dem Könige über seine Wahl zu unterhandeln; diese scheinen es also gewesen zu sein, welche unsere Quelle mit dem Namen der Aeltesten (die Elsten) bezeichnet.

in eine Verhandlung ein. Er dankte ihnen sehr für den **1469**
Beweis ihrer guten Gesinnung, meinte aber ihren Wünschen
aus vielerlei Gründen nicht willfahren zu können. Als sie
darauf um so inständiger in ihn drangen, sprach er: „Ihr
könnt es selbst einsehen, wenn ich die Krone annähme und
mich einen König von Böhmen schriebe, daß ich dann bedacht sein müßte, das Land mit dem Schwert zu erobern
und die Ketzerei auszurotten. Nun ist es bekannt, wie Kaiser Sigmund seligen Andenkens und andere Könige und Fürsten ein Gleiches zu thun vornahmen und es nicht durchzuführen vermochten. Papst und Kaiser haben uns bisher
geholfen, später würden sie sagen, Mathias ist König von
Böhmen, er helfe sich selbst, wie er kann. Ich aber habe
daheim mit den Türken vollauf zu thun. Darum kann ich
in eure Wünsche nicht eingehen, außer ihr bürget mir sammt
den Legaten dafür, daß mir von den deutschen Fürsten eine
Hilfe mit 12,000 Reisigen zukomme, die da sechs Monate
lang bei mir in Böhmen ausharren, oder noch lieber, daß
sie mir an Geld so viel beisteuern, als sie auf die Unter-
haltung einer solchen Zahl von Söldnern verwenden müßten,
was etwa 250,000 Gulden betragen würde." „Gnädigster
König!" rief Sternberg aus, „geruhe Ew. Majestät etwas
abzulassen, die Summe ist unerschwinglich." „Herr Zbeněk!"
erwiederte der König, „damit Ihr sehet, daß an mir nichts
abgehen soll, so erwäget nur, wenn die Deutschen mit
eigenem Volke und unter ihren eigenen Heerführern Hilfe
leisten, daß dann ein Jeder seine Eroberung wird für sich
behalten wollen und die Krone Böhmen zerstückelt werden müßte. Das wünschte ich euch keineswegs. Nun
will ich euch meine ganze Meinung eröffnen: sprecht
mit den Legaten, daß sie mir an Subsidien von allen
Ländern insgesammt 200,000 Gulden zusichern, und ich
besetze das Königreich, tilge die Ketzerei und werde weder von ihnen noch vom heiligen Vater dem Papste auch

1469 nicht einen Pfennig mehr verlangen." Als diese Reden noch
am selben Tage den Wählern mitgetheilt wurden, wußten
sie keinen andern Rath, als die Legaten zu bitten, daß sie
auf die Vorschläge des Königs eingehen; Bischof Protas
übernahm den Auftrag, sie und namentlich Rovarella dazu
zu bereden. Aber auch damit stieß man auf unerwartete
Schwierigkeiten und Aufschübe. Rovarella sagte, er habe
bezüglich der Wahl eines neuen Königs keinerlei Auftrag
vom Papste und könne deshalb keinen Theil daran nehmen;
der andere Legat habe dazu die Vollmacht, er möge sie also
allein gebrauchen u. s. w. Da man auf diese Weise zögerte,
17 Apr. ließ Mathias am 17 April fragen, warum man ihm keine
Antwort gebe, ob man ihn denn schon vergessen habe? Als
die Wähler deshalb beim Legaten Rudolf zusammenkamen,
erzählte Dieser, wie viel er mit Rovarella schon gesprochen
habe, ohne ihn überreden zu können. Rovarella habe dem
Könige selbst eröffnet, nach des Papstes Geheiß, wie viel
Geld für ihn vorhanden war, und habe zugleich zu erwägen
gegeben, wie sehr die deutschen Fürsten sich der Ausfuhr von
Geld aus ihren Ländern widersetzten und es vorzögen, ihre
Leute dafür selbst auszurüsten; aus dem Grunde sei die Zusicherung der verlangten Summe eine Unmöglichkeit. Doch
könnten und wollten beide Legaten dem Könige dafür stehen,
daß sie es nicht werden an Fleiß fehlen lassen, wie bei dem
Papste, so auch beim Kaiser und den Kurfürsten, daß ihm
die größtmögliche Hilfe an Geld wie an Leuten geleistet
werde. Hierauf gingen beide Legaten und alle Wähler zusammen zum Könige, und baten, daß er sich entschließe, König von Böhmen zu werden, freilich ohne die gedachte Bedingung. Zdenĕk von Sternberg insbesondere schilderte den
beklagenswerthen Zustand der böhmischen Krone, welcher Mathias allein zur vorigen Blüthe wieder zu verhelfen im Stande
sei; sie aber wollten alle seine treuen und gehorsamen Helfer
bei dem Werke sein, auch Gut und Blut dabei nicht sparen.

Mathias fragte, ob das ihrer Aller Wille und Wort wäre? 1469
Es riefen alle laut: ja, so ist es. Er entgegnete hierauf:
„Herr Zdeněk, die Sache, die ihr von mir begehret, ist groß
und bedarf reifer Ueberlegung. Ich will meine Räthe und
die Legaten zu Rathe ziehen und euch dann gnädige Antwort
ertheilen." Zdeněk bat abermals, der König möchte seine
Getreuen nicht durch neue Aufschübe in Betrübniß setzen;
„Euer Majestät werden," so sprach er, „milder mit uns verfahren, wenn Sie uns alle auf der Stelle hängen lassen,
als wenn Sie noch länger in Ihrem Widerstande beharren,"
und ermahnte die Legaten, ihre Bitten mit den seinigen zu
vereinen, was auch alsogleich erfolgte. Mathias nahm nun
Herrn Zdeněk in ein besonderes Gemach mit sich, und nach
einer Weile rief Zdeněk auch die andern „Aeltesten" dahin;
endlich kam Letzterer zu den übrigen wieder zurück, und sagte,
Seine Majestät heiße alle gutes Muthes sein, er werde ihnen
seine Antwort deutsch und böhmisch schriftlich geben, und es
sei alle Aussicht, daß sie bald wieder einen König und Herrn
haben werden. So war denn Mathias Wahl schon am 17
April vollendet und auch angenommen; [393] alles, was noch
weiter folgte, waren bloße Cerimonien.

Die Wirkung dieses Vorganges offenbarte sich gleich in
K. Mathias Benehmen bei der letzten Zusammenkunft, die
er am 20 April mit K. Georg hatte. Etwa eine Meile 20 Apr.
weit von Olmütz waren im freien Felde Gezelte für beide
Könige und deren Gefolge vorbereitet, deren es von jeder
Seite an tausend Personen geben mochte. K. Georg war
der erste am Platze, und ging nach langem Warten, als
Mathias endlich sich näherte, zu seiner Begrüßung ihm entgegen, in Begleitung beider schlesischen Fürsten und seiner

393) Ein Beweis dafür liegt auch in dem Umstande, daß die Breslauer
bereits am Sonntage Cantate (30 April) Mathias Erhebung auf
den böhmischen Thron mit endlosen Freudenfesten feierten. (MS.
lat. von Eschenloer und daraus bei Klose, l. c. p. 55.)

1469 vornehmsten Barone. Der höflichen Sitte der Zeit gemäß hätte Mathias gleich beim Ansichtigwerden K. Georgs vom Rosse steigen und ihm gleichfalls entgegengehen sollen: er gab aber seinem Rosse die Sporen und flog, gleichsam als könnte er den scheu gewordenen Gaul nicht halten, ohne Georg auch nur zu grüßen, unmittelbar seinem Zelte zu. Doch war dieses Spiel, das er zu Ergötzung seiner Getreuen aufführte, [394] nicht das einzige Zeichen, aus dem man seine wahre Gesinnung hätte errathen können, wenn man auch nicht gewußt haben mag, daß er bei diesen Besuchen nicht anders, als mit einem Panzerhemde unter dem Gewande zu erscheinen pflegte. Er stellte sich nun freilich wieder freundlich und ergeben, bedeckte mit heiterem Scherz, nach seiner Gewohnheit, seine Gedanken, und sprach laut, er werde schon „Kelchner wie Oblater" dahin zu bringen wissen, daß sie einander gute Freunde werden. Bei der gemeinsamen Tafel mußten, der Kurzweil wegen, vor den Augen der ganzen Gesellschaft, die Narren beider Könige, gleichsam zur Parodie des beiderseitigen Krieges, miteinander ringen. Der Böhme soll höher gewachsen, der Ungar mehr untersetzter Gestalt, und der Sieg lange Zeit zweifelhaft gewesen sein; als aber Jemand dem Böhmen seine Hand vorstreckte, um ihn am Falle zu hindern, und dafür von Zdeněk von Sternberg eine Ohrfeige erhielt, da fehlte nicht viel, daß das Ringen der Narren in einen ernsten Kampf aller Anwesenden ausgeartet wäre. Natürlich konnte das Werk der Aussöhnung der Gemüther aus solchen Vorgängen keine Kraft schöpfen; zu einer ernsten Verhandlung schritt man gar nicht, und die Könige gingen in nicht größerer Freundschaft auseinander,

---

394) „Matthias prallte vor ihm (Girsik) weg, sam er das Pferd nicht halden möchte, grüßte Girsiken nicht, stige ab in sein Gezelt. Girsik ginge zurücke mit Schand und Verdrißen. Dies erfreute unser christlich Teile, und gabe Unmut, Zorn und Schande den Ketzern." Eschenloer, II, 159.

als sie zusammengekommen waren; auch sahen sie einander 1469
seitdem in dieser Welt nicht wieder. [395]

K. Georg verließ Sternberg am 22. April und wartete 22 Apr.
in Mährisch-Neustadt auf einen endlichen Abschluß des definitiven Vertrags, um dessentwillen er abermals Albrecht
Kostka und Beneš von Weitmil nach Olmütz abfertigte. In
den Artikeln, welche Diese vorlegten, wurde Rovarella's
Zettel ganz und gar ignorirt, dagegen aber verlangt, 1) daß
die Legaten den über die Utraquisten verhängten Bann aufheben und deren Verketzerung in alle Zukunft verbieten sollen; 2) daß die böhmischen Katholiken des Interdicts entbunden, und der Gottesdienst den Baronen wie den Städten
allenthalben freigegeben werde; 3) daß man den Gesandten,
welche K. Georg nach Rom zu schicken beabsichtige, die nöthigen Geleitsbriefe verschaffe; 4) daß K. Mathias bei dem
Papste die nöthigen Schritte thue, damit diese Sendeboten
„Erhörung" finden; 5) daß dem Abte des Klosters Hradisch
seine Propsteien und Güter zurückerstattet werden, und 6) daß
der Waffenstillstand bis Pfingsten 1470 verlängert und die
im Kriege Gefangenen bis dahin beiderseits freigelassen werden u. s. w. Offenbar waren diese Artikel nur ein Nachhall
der Zusagen und Verträge von Wilemow; sie konnten jedoch
keine Aussicht haben, angenommen zu werden, sobald Mathias mit den Legaten und der katholischen Liga darüber zu
Rathe ging. Es waren abermals Gesandte des Königs von
Polen nach Olmütz gekommen, und wirkten nach Kräften zur

395) Bonfini, der überhaupt die Zeitdaten auf die wunderbarste Weise
über einander wirft, setzt auch dieses Ringen der Narren, das er
umständlich schildert (Decad. II, lib. II, pag. 435), gleich an den
Anfang des Kriegs, und doch schon nach der Herausforderung zum
Zweikampf, welche erst 1470 erfolgte. Doch könnte man noch eher
an der Thatsache selbst, als an deren richtigem Datum zweifeln.
Ein Narr K. Georgs, Bruder Johann Paleček, ist den Freunden
böhmischer Literatur nicht unbekannt; es läßt sich nicht sagen, ob
er oder ein Anderer der Ringer gewesen.

1469 Ausgleichung und zum Frieden mit: doch blieb ihre Bemühung abermals erfolglos. Ueber den mehrtägigen sehr heftigen Streit, der da folgte, fehlt es uns an Detailnachrichten; Mathias entschuldigte sich, er habe keine Macht über
die Legaten und könne sie zu nichts nöthigen; nach Rom
wollte er zwar eine Botschaft senden, doch mehr um Belehrung einzuholen als um Fürsprache einzulegen. Der Waffenstillstand wurde nur bis zum Neujahr 1470 verlängert und
den Gefangenen die Termine bewilligt; auch kam man überein, daß die von den Ungarn vor den Städten Hradisch,
Ostrau und Tynec [396] errichteten Basteien zwar in statu
quo verbleiben, die Zufuhr jedoch den Bürgern durchaus
frei stehen sollte. Der Vertrag wurde abermals nicht
unter Schrift und Siegel ausgewechselt, da Mathias seinen ehemaligen Schwiegervater auch jetzt nicht mit dem
Titel eines Königs beehren durfte; man begnügte sich
beiderseits ihn nur mit Wort und Handschlag zu bestätigen. Die Ergebnisse desselben wurden der katholischen Liga
1 Mai am 1 Mai kundgemacht; und obgleich es einige gab, die
den Waffenstillstand verwünschten, so billigte ihn doch die
Mehrzahl mit sichtbarem Vergnügen. [397]

Die am selben Tage wiederholte Klage der Ligamit-
glieder, die durchaus einen König zu haben wünschten, veranlaßte Mathias zu dem Versprechen, daß er schon über-
morgen eine definitive und gnädige Antwort geben werde;
die beigefügte Einladung zu einem Gast- und Festmal beim
Könige an jenem Tage ließ über den günstigen Laut dersel-

396) Die Gränzstadt Tynec, jetzt ein Dorf am Ufer der March zwischen
Lundenburg und Holitsch gelegen, gehörte den Rittern von Mos-
now, welche, obgleich ehemals rebellisch, in diesen Jahren dem
Könige Georg treu ergeben blieben.

397) Tagebuch des Ungenannten zum 22 Apr. bis 1 Mai. Die Artikel
des Friedensschlusses gibt Eschenloer's MS. lat. fol. an. Ein undatirtes Schreiben der böhmischen an die ungarischen Stände im
MS. Sternb. p. 298, 743.

ben keinen Zweifel aufkommen. Darum versammelten sich 1469
Mittwoch den 3 Mai früh Morgens alle Prälaten, Herren 3 Mai
und Städteboten in der Domkirche von Olmütz, wo die
Handlung des Tages mit einer feierlichen Messe vom heiligen Geist begann. Nach der Messe ließ Zdenèk von Sternberg alle böhmischen Herren zusammentreten und sprach zuerst von der Nothwendigkeit, sich mit einem christlichen Haupt
und König zu versehen, der da besser als der verfluchte Georg
das Gemeinwohl besorge und alle Stände bei ihren Rechten
und Freiheiten erhalte. Damit solches ordentlich und glücklich zu Stande gebracht werde, ermahnte er alle und Jeden,
aus innigem Herzen ein Pater noster zu beten, sammelte
dann die Stimmen der Wähler, ordnete allgemeines Schweigen an, verkündigte laut, der durchlauchtigste König Mathias
von Ungarn sei einhellig zum Könige von Böhmen gewählt
worden, und fragte alle, ob das auch ihr Wille und Wort sei?
Alle bejahten es mit lauter Stimme. Darauf begaben sich
alle Wähler sammt den Legaten zum Könige in dessen Hof,
und brachten ihn in den Dom. Nachdem er dort im Chor
seinen Sitz genommen, eröffnete ihm Herr Zdenèk, wie er
gewählt worden sei, und bat im Namen der Anwesenden so
wie der ganzen Krone von Böhmen, Seine Majestät möchte
ihnen ein gnädiger König und Herr sein. Mathias antwortete: „In Berücksichtigung eurer demüthigen Bitte wollen wir, Gott dem allmächtigen zu Lob und Ehre, dem römischen Stuhle zu Gefallen, zur Stärkung des christlichen
Glaubens und zu Nutz und Frommen der löblichen Krone
Böhmens also thun und euer König und Herr sein." Nun
dankte Herr Zdenèk wieder im Namen Aller sehr fleißig,
gebot dann mit erhobener Stimme allgemeines Schweigen
und sprach: „Prälaten, Herren, Ritterschaft und Städte! Wir
haben den durchlauchtigsten Herrn Mathias König von Ungarn zum Könige von Böhmen erwählt und aufgenommen:
sagt, ist das euer Wille und euer Wort?" „Ja, es ist"

1469 antworteten alle laut, und Frage und Antwort wurden drei=
mal wiederholt. Gleich darauf nahmen der Erzbischof von
Gran und der Legat Rudolf ihm den gewöhnlichen Eid der
Könige von Böhmen auf dem heil. Evangelium ab, und es
ertönte ein freudiges Te deum laudamus im Dome. Eine
Krönung fand nicht Statt, aber die Barone leisteten also=
gleich die gewöhnliche Huldigung und der König vertheilte
noch am selben Tage die obersten Hof= und Landesämter in
partibus an sie: Zdenĕk von Sternberg wurde oberster Haupt=
mann des Königreichs Böhmen, Johann von Rosenberg
Oberstlandkämmerer, Johann ·Zajic Oberstkanzler, Bohuslaw
von Schwamberg Obersthofmeister, Ulrich Zajic Oberstland=
richter, Burian von Guttenstein Hoflehnrichter, Wilhelm von
Ilburg Landesunterkämmerer, Heinrich von Neuhaus Oberst=
kämmerer des Königs, Dobrohost von Ronsperg königl. Pro=
curator, Johann von Wrable Oberstlandschreiber. [398] Der
Rest des Tages verging in großartigen Festlichkeiten und
Vergnügungen. Aus unterirdischen Röhren floß auf den
Olmützer Marktplätzen Wein für Arm und Reich in Fülle;
zur Tafel mit 400 Gedecken war aus Ungarn des Königs
Gold= und Silbergeräthe herbeigeschafft worden, dessen Werth
die Kenner über 200.000 Gulden schätzten. Die Freude aller
katholischen Bundesgenossen war groß, denn Mathias königs=
licher Titel in Böhmen galt ihnen als neue Bürgschaft des
nahen Sieges; mit Jubel wurde die That des 3 Mai nach
allen Ländern hin berichtet, als der Anfang einer neuen

---

398) Ueber den Wahlact vom 3 Mai gibt der Ungenannte, als Augen=
zeuge, bessere Nachrichten als Eschenloer, II, 160 fg. Die Verthei=
lung der neuen Landes= und Hofämter ist wieder im latein. MS.
Eschenloer's richtiger als sonst irgendwo angegeben. Der böhmische
Annalist (Staŕ letopisowé, S. 199), nennt den Vorgang „über=
aus lächerlich," denn es sei Mathias „gar sehr hart angekommen,
nach Prag oder nach Karlstein zu gelangen, um sich der böhmi=
schen Krone zu bemächtigen, damit sein Titel eine Wahrheit und
nicht eine Lüge würde."

Aera. Mathias ſelbſt forderte die Schleſier und Lauſitzer auf, 1469
nach Breslau, wohin er ſich nächſtens begeben werde, zu
kommen, um ihm dort als böhmiſchem Könige zu huldigen;
den Mähren und Böhmen ſetzte er zu gleichem Zwecke einen
Landtag nach Brünn auf den 24 Juni an. In den darüber
erlaſſenen Schreiben legte er ſich jedoch den Titel eines Königs von Böhmen noch nicht bei; als die Barone ihn mit
Verwunderung um den Grund dieſer Zurückhaltung befragten,
antwortete er, die Zeit dazu wäre noch nicht gekommen. 399

Ueberblickt und erwägt man alle Beſtrebungen und
Handlungen Mathias' in dieſer Zeit, ſo läßt ſich nicht zweifeln, daß die Erlangung der böhmiſchen Krone nicht das
letzte Ziel ſeines Ehrgeizes war, ſondern daß ſie ihm nur
als Staffel dienen ſollte zu einer noch glänzenderen Erhebung — auf den Thron des römiſchen Reichs. Als König
von Böhmen wurde er ein Reichsfürſt und der Kurfürſten
Collega, und erleichterte ſich ungemein den weiteren Schritt
zum erſehnten Gipfel irdiſcher Herrlichkeit. Als Beweiſe
ſolcher Abſichten dienen ſeine eifrigen Bemühungen, nicht
allein den Kaiſer wieder für ſich zu gewinnen, ſondern auch
ſich mit dem Kurfürſten Friedrich von Brandenburg, mit den
Herzogen von Baiern und insbeſondere auch mit dem Pfalzgrafen Friedrich innig zu befreunden. Den Kurfürſten von
Brandenburg hatte er ſchon in der Mitte des Monats März
um eine perſönliche Zuſammenkunft bitten laſſen, und zumeiſt
ihm zu Liebe, der nur bis Breslau entgegenzukommen ſich
erbot, trat auch er die Reiſe dahin an, obgleich der Zweck
dieſer Reiſe öffentlich dahin angegeben wurde, daß auf dem
Breslauer Tage alle zwiſchen ſeinen neuen Unterthanen beſtehenden Irrungen beſeitigt und von ihnen auch die Huldigung entgegengenommen werden ſollte. Mathias kam auch

399) Eſchenloer l. c. Mathias nahm erſt nach der in Breslau empfangenen Huldigung zu Anfange Juni in ſeinen Erläſſen den Titel
eines Königs von Böhmen an.

1469 mit. dem glänzenden Gefolge päpstlicher Legaten und kaiser=
licher Gesandten, seiner vornehmsten Würdenträger und Hof=
leute und einer Schaar von etwa 2000 Reisigen schon am
25 Mai 25 Mai vor Breslau an, hielt aber wegen einer von einem
Astrologen ihm zugekommenen Warnung seinen Einzug da=
31 Mai selbst erst am 26 Mai, und schon am 31 Mai leisteten ihm
die Breslauer die Huldigung als Unterthanen. Ihre Stadt
floß über in Freude und Stolz, daß sie die erste Veranlassung
zu der großen Wandlung gegeben, von welcher sie sich ein
Wohlsein und einen Ruhm ohne Maß und Ende versprach.
Breslau soll innerhalb seiner Mauern nie so viel Pracht und
Glanz erblickt haben, als bei der Fronleichnamsprocession am
1 Juni 1 Juni dieses Jahres. Sechs Fürsten trugen den Himmel,
unter welchem der Legat Rudolf das Heiligthum in Händen
hielt, hinter ihm schritten Mathias, zu seiner Seite der Kur=
fürst Friedrich und Rovarella, dann folgte eine lange Reihe
von Prälaten, Fürsten und hohen Herrschaften. Die Huldi=
gung wurde jedoch von Seite der Fürsten und Stände von
Schlesien und der beiden Lausitzen nicht ganz freiwillig ge=
leistet; wenigstens hatten mehrere damit warten wollen, bis
er ordnungsgemäß gekrönt sein würde: aber Mathias ließ
ausrufen, wer nicht freiwillig komme, werde mit wehrhafter
Hand heimgesucht und zur Huldigung genöthigt werden. [400]
Markgraf Friedrich versagte dem Könige seine Kurstimme
nicht, obgleich er sich darüber erst mit den andern Kurfürsten
in's Einvernehmen setzen wollte; aber zu einem engeren
Freundschafts= und Waffenbund mit ihm, der jedenfalls nur
gegen die Böhmen und Polen gerichtet sein konnte, ließ er
sich weder durch seine Bitten, noch durch das Zureden und

400) Die Görlitzer Abgesandten schrieben an den Rath ihrer Stadt aus
Breslau am 3 Juni: „Unser her konig ohne sewmen wil die houl=
dung haben. Wird ijmand hinder sich zihen, so ist hij heerfart usz=
gerufen und Buchsen groß und klein geladen, den wird unser her
der konig boheyme suchen." Sculteti annal. Gorlic. II, 255.

den Rath der päpstlichen und kaiserlichen Botschafter bewegen. [401] Es sandte Mathias auch nach Polen die Herren
Johann Zajic von Hasenburg und Dobeš Černohorský von
Boskowic, um K. Kazimir wegen seiner Annahme der böhmischen Krone, auf welche Letzterer Ansprüche machte, zu besänftigen: doch auch sie kehrten mit einer „kühlen" Antwort
zurück. Besser gelang die Unterhandlung mit dem Hause
Bayern, das offen Partei für Mathias als König von Böhmen ergriff, und bald auch in eine besondere Einung mit ihm
gegen den ehemaligen Bundesgenossen, nun „abgesetzten Zi-
žik" trat. [402]

Es läßt sich nicht positiv angeben, weder wann und
wie K. Georg von Mathias' neuem arglistigen Streiche
Kenntniß erhielt, noch mit welchen Gefühlen er sie aufnahm;
denn von böhmischer Seite ist uns diesfalls gar nichts überliefert worden. Bei den Gegnern heißt es, er habe diesem
Wechsel ziemlich gleichgiltig zugesehen, ja sogar darüber zu

401) Dlugoš p. 442: Marchio.— a Mathia rege rogatus, ut videlicet
illi vocem pro imperio daret; quod se facile marchio facturum
respondit etc. In dem Bericht, welchen Kurfürst Friedrich seinem
Bruder, Markgrafen Albrecht, am 17 Juni über seine Verrichtungen in Breslau abstattete (Kais. Buch v. Const. Höfler, S. 191—4),
ist zwar von der Werbung um die Kurstimme keine Rede, aber die
früheren Briefe (S. 186 fg. ebdas.) stellen es außer Zweifel, daß
das ein Hauptgegenstand der dortigen Verhandlung gewesen.

402) Im k. bairischen Staatsarchive in München ist die im fürstlichen
Rathe am 21 Juli 1469 beschlossene Instruction der Gesandten
enthalten, welche zur Abschließung eines Defensivbündnisses gegen
Georg zu Mathias ziehen sollten. Darin wird ausdrücklich gesagt,
die Herzoge Ludwig und Albrecht und Pfalzgraf Friedrich erkennen
Mathias als König von Böhmen an und seien willig, ihm und
sich gegenseitig Hilfe zu leisten, wenn sie von Georg angegriffen
würden. Dafür verband sich Mathias auch allen drei genannten
Fürsten zu gleicher Hilfeleistung, durch eine zu Preßburg am 2 Sept.
1469 ausgestellte Urkunde. (Bair. St. Arch. X, 180, 181 und
Kremer's Urkund. S. 401.)

1469 scherzen sich erlaubt. „Machen sie (so soll er gesprochen haben) in Olmütz einen König von Böhmen, so machen wir in Prag deren vier, und dann wird es ihrer sechs geben; wir wissen ja, daß es auch mehrere Könige von Ungarn gibt, und kennen Leute, die sich Könige von Jerusalem nennen, ohne auch nur eine Handvoll Erde dort zu besitzen." Aber nach seinem späteren Benehmen zu schließen, muß man bekennen, daß die hinterlistigen Vorgänge in Olmütz in seinem Gemüthe einen tiefen, schmerzlichen, unauslöschlichen Eindruck hinterlassen haben. Nicht unwichtig ist das Zeugniß, welches Gregor von Heim-
4 Juli burg in einem am 4 Juli an den Markgrafen Albrecht von Brandenburg gerichteten Briefe ablegte: „Unser König hat dem Könige von Ungarn gegen den Rath und Willen aller seiner Getreuen trauen wollen: jetzt sieht er ein, daß er sich selbst betrogen hat. Ich habe nie einen Mann von großem Muthe den Frieden mehr lieben gesehen: doch hat er nun erfahren, daß er sich ihn erkämpfen muß und nicht mit Geduld und Güte zu erlangen vermag. Des Schadens kann er sich wohl erholen. Die Mährer und Schlesier haben es schon erfahren, daß ihnen eine ungarische Befriedung, wenn sie sie je erlangen, schwerer zu ertragen ist, als ein böhmischer Zank." [403] Von dieser Zeit an ist in des Königs Gesinnung und Benehmen eine große Veränderung wahrzunehmen; jetzt erst kam ihm jene höhere Energie, die er schon im Beginne der Irrungen hätte entwickeln sollen. Bis dahin war er meist gewohnt abzuwarten, was die Feinde gegen ihn unternehmen würden, und sich auf bloßen Widerstand zu beschränken: jetzt

---

403) Heimburg's eigene Worte sind: „Ich gesahe nhy keinen großmutigen Mann lieber frid haben: doch hat er nu erlernet, das er den fride erkriegen muß und nit mit gedult oder gutigkeit erlangen mag. — So haben Merher und Slesinger auch erlernet, das in ein ungerisch frid, ob sie den joch erlangen mochten, schwerer zu ertragen und zu verdulden were, denn ein Behemisch gezenk." (Kaiserl. Buch von C. Höfler, S. 202.)

ergriff er die Initiative selbst, überging zur Offensive und 1469
begann mit ungemeinem Nachdruck die Feinde aufzusuchen
und in die Enge zu treiben. Er hatte seitdem kein größeres
Verlangen, als an Mathias für die erlittene Kränkung Rache
zu nehmen; um dieses einen Zweckes willen schien er willig,
alle anderen Hoffnungen aufzugeben, alle Wünsche zu er=
füllen und sich mit allen übrigen Feinden auszusöhnen. Das
auffallendste Zeichen seiner tiefen Umstimmung war der nun=
mehr definitiv gefaßte Entschluß über seinen Thronfolger.
Längst schon konnte er nicht ohne wahres Herzleid auf den
blutigen Kampf blicken, den er für seine und seiner Unter=
thanen Gewissensfreiheit zu führen gezwungen war; gar oft
mag er sich vorgestellt haben, daß die königliche Macht und
Würde doch kein hinreichender Ersatz war für die Wider=
wärtigkeiten und Unbilden, die er sammt seinem Volke er=
tragen mußte. Wehrte ihm auch die persönliche Ehre, ihr
deshalb kleinmüthig zu entsagen, so lernte er doch sie nicht
so hoch schätzen, daß er seinen Kindern nicht eine minder
stürmische Stellung gewünscht hätte, als ihm zu Theil ge=
worden war. Flüchtige Gedanken der Art reiften zu dieser
Zeit zu bestimmten Entschlüssen und Handlungen. Den Thron
gab er schon darum nicht auf, weil er mit ihm zugleich auch
aller Hoffnung wie jedem Wunsche, Mathias Verrath zu
strafen, hätte entsagen müssen: aber die definitive Ausschlie=
ßung seiner Söhne von der Thronfolge versprach der ersehn=
ten Rache Vorschub zu leisten, und er säumte nicht länger,
sie zu einer vollendeten Thatsache zu machen.

   Der zu Anfange des Junimonats in **P r a g** gehalten Anfang
L a n d t a g ist insbesondere durch zwei Erfolge denkwürdig Juni
geworden, die durch ihn in's Leben traten: eine radikale
M ü n z r e f o r m und die Wahl eines polnischen Prinzen zum
Thronfolger in Böhmen. Leider kennen wir auch nur die
nackten Thatsachen allein, ohne über ihre Veranlassung, ihr
Werden und dessen Umstände irgend etwas Näheres angeben

1469 zu können. In der Schrift, welche am 5 Juni den im Saale
5 Juni der Königin versammelten Ständen übergeben und dann als
Landesgesetz in die Landtafel eingetragen wurde, sagte der
König, daß, wie groß und schwer auch der Aufwand war,
den er zu Beschirmung der Krone des Landes führen mußte,
er gleichwohl willig war, auch mit eigenem Nachtheil und
Schaden dem allgemeinen Wohle ein Opfer zu bringen, zu
welchem keiner seiner Vorgänger sich bewegen ließ: daß die
Münze nämlich fortan ganz in dem Maße und nach den
Grundsätzen wieder geschlagen werde, wie sie einst unter König Wenzel bestimmt worden waren: namentlich daß 24 böhmische Groschen abermals einem ungarischen Gulden (d. i.
einem jetzigen k. k. Ducaten), und 18 einem rheinischen
Gulden gleich kommen sollten; von der Scheidemünze sollten
12 Pfennige einen Groschen und zwei Heller einen Pfennig
werth sein. Wegen der Tilgung der alten Münze wurden
in allen königlichen Städten Wechselstuben errichtet, in welchen der König versprach, 14 alte Pfennige gegen 12 neue,
d. i. für einen Groschen annehmen zu lassen; für den Werth
der alten Groschen in den bisherigen Schuldverschreibungen
aber wurde zum ersten Mal eine Art ganz moderner halb-
jähriger Wandel-Scala vorgeschrieben. Diese wichtige Veränderung wurde auch wirklich durchgeführt,[404] und es ist
eine in den Annalen des Münzwesens gewiß bemerkenswerthe Erscheinung, daß eine so wohlthätige Reform inmitten
der Stürme, welche den Staat bis in seinen Grundlagen

---

404) Einen Beweis dafür findet man in der alten Landesordnung lit.
S. 31—32, und in der darauf bezüglichen Verordnung K. Wladislaws vom J. 1489; man sieht daraus zugleich, daß die Prägung
der neuen Münze wirklich schon seit 1469 Montag S. Bonifacius-
tag d. i. den 5 Juni (vgl. Archiv český IV, 437) und nicht erst
1470 in der Fastenzeit begann, wie Ab. Voigt (Beschreibung böhm.
Münzen, II, 282) angibt, obgleich die wirkliche Intabulirung jener
Beschlüsse erst 1470 erfolgt sein mag.

erschütterten, zu Stande gebracht wurde. Freilich wurde ihr 1469
Zustandekommen durch den außerordentlichen und schmerzlichen
Umstand erleichtert, daß der auswärtige Handel in Böhmen
durch den vom Papste darauf gelegten Bann ganz barnieder
lag, und man daher dem beschränkten Münzbedürfnisse des
Inlands um so eher genügen konnte. Möglich ist es über=
dies, daß König Georg einen Antrieb dazu auch aus seiner
Rivalität gegen Mathias schöpfte: denn auch letzterer hatte
zu gleicher Zeit seine neue Münze für die Mährer, Schlesier
und Lausitzer zu schlagen begonnen, welche in diesen Ländern
bald große und allgemeine Unzufriedenheit erregte. Georg
verbot gleichzeitig aufs strengste jeden Gebrauch fremder
Münzen in seinem Lande, mit einziger Ausnahme der neuen
Groschen seiner „lieben Freunde," der Herzoge von Sachsen,
deren Werth zugleich auf die Hälfte des Werths der böh=
mischen Groschen bestimmt wurde.

Die Wahl des polnischen Prinzen Wladislaw als
Thronfolger von Böhmen wurde zunächst mit der
Kränklichkeit und Leibesbürde K. Georgs motivirt, welche in
dem Maße zugenommen habe, daß selbst jede Bewegung ihm
täglich beschwerlicher wurde: doch wußte es die ganze Welt,
daß politische und nicht Sanitätsrücksichten sie veranlaßten;
sie hatte den Zweck, den Böhmen Polens nicht sowohl Neutra=
lität, als vielmehr Beistand zu sichern, wie solches auch bald
hernach in den an K. Kazimirs Hofe vorgelegten Bedingun=
gen näher bestimmt wurde. Ueberdies wurden dabei folgende
Klauseln und Wünsche formulirt: daß König Georg bis zu
seinem Tode allein regiere, daß seiner Witwe und seinen
Kindern die ihnen in der Krone Böhmen zustehenden Be=
sitzungen und Rechte ungeschmälert bleiben, daß Kazimir und
sein Sohn bei dem Papste für die Aussöhnung der Utra=
quisten und deren Frieden thätig sei, daß in den Landes=
und Hofämtern diejenigen, die sie wirklich inne hatten, be=
stätigt, nicht aber die Olmützer Prätendenten zugelassen wer=

38*

1469 den u. dgl. m. Endlich wurde hinzugefügt, wir wissen nicht, ob vom ganzen Landtage oder nur vom Könige allein, daß Prinz Wladislaw sich mit der jüngsten, damals erst eilfjäh‍rigen Tochter des Königs, Ludmila, verlobe. Als Gesandte darüber wurden nach Polen abgefertigt Herr Stibor Towa‍cowsky von Cimburg, Beneš von Weitmil und der Secretär des Königs Paul Propst am Zderaz; sie erreichten Kazimir

Juli zu Radom in der ersten Hälfte des Julimonats. Die Freude, die der polnische Hof über diese Nachricht empfand, wurde durch die geforderte Verlobung mit der böhmischen Prinzessin sehr getrübt: nicht allein Wladislaws Mutter, die Königin Elisabeth, sondern auch dessen Erzieher, Canonicus und Ge‍schichtschreiber Dlugoš, entsetzten sich über den bloßen Ge‍danken, daß ihr Liebling sich einst mit einer Ketzerin von Vaters‍ und Mutterseite her vermischen sollte. [405] Man wies daher den Antrag der Böhmen nicht zurück, sondern beschloß auf die Beseitigung der letzten Bedingung hinzuarbeiten und verlangte, daß Wladislaw auch schon bei Georgs Lebzeiten gekrönt werde; die finale Antwort vertagte man aber bis zu dem Reichstag, der in nicht ferner Zeit zu Petrikau abge‍halten werden sollte. Durch solches Benehmen wurde die freundschaftliche Verbindung beider Höfe freilich nicht ge‍fördert, ja es gewann einigemal den Anschein, als sollte es von der geschehenen Wahl wieder abkommen. Doch erwies sich der Umstand von besonderer Bedeutung, daß Herr Sti‍bor Towacowsky bei dem häufigen Verkehr, den er mit dem Prinzen Wladislaw pflegte, ihn liebgewann und fortan dessen entschiedener Anhänger wurde. Mittlerweile fing Kazimir, zur Unterstützung des in Böhmen erworbenen Rechts, in seinem

405) Bei Besprechung dieses Gegenstandes bedient sich Dlugoš (S. 446) folgender Ausdrücke: Nulli satis praeter paucos (also doch Einige) haec placebat conditio, ut princeps nobilis haereticae se mi‍sceret feminae, utriusque parentis abdomen fastidiendum redo‍liturae etc.

Reiche stark zu rüsten an; und K. Mathias, der nach der 1469
Ursache dieser Rüstungen fragen ließ, erhielt zur Antwort,
der König von Polen sei über das, was er thue, Niemanden
Rechenschaft schuldig. So trübte sich das Verhältniß zwischen
den Königen von Polen und Ungarn seitdem immer mehr,
und es kam auch von dem Tage ab, der am 8 September
zu Käsmarkt zum Zwecke ihrer nähern Befreundung hatte
gehalten werden sollen.

Wir erfahren, daß Herzog Albrecht von Sachsen schon
im Monate Juni Versuche gemacht, eine Versöhnung des
Kaisers mit König Georg zu Stande zu bringen, und daß
er deshalb auch persönlich bis nach Gratz sich begeben hatte:
aber das Werk wollte diesmal noch nicht gelingen, da Mathias
ihm mit der Anerbietung zuvorkam, dem Kaiser in dessen hoher
Noth schnelle und ausgiebige Hilfe zu leisten. [406] Die Lage
des Letzteren war nämlich in dieser Zeit wirklich mitleidenswerth
geworden. In der Steiermark erneuerten sich, durch das Mißvergnügen und den Aufstand der Einwohner, dieselben Scenen,
die man in Oesterreich in den Jahren 1452 und 1462 gesehen hatte: nur stand an der Spitze der Empörung jetzt
derselbe Andreas Baumkircher, dem der Kaiser vormals seinen
Schutz und seine Erhaltung vorzugsweise zu danken gehabt
hatte. Baumkircher nahm in seinen Dienst einige tausend
böhmische und polnische Söldner auf: doch scheint es nicht,
daß er mit K. Georg in irgend einer Verbindung oder Einverständniß gestanden habe, da er kaum einige Monate später
sich als Diener des Königs von Ungarn erwies. Gegen ihn
bediente sich der Kaiser der Hilfe Johann Holub's, auch
eines Böhmen und ehemaligen Hauptmanns der Brüderrotten, der jedoch schon seit zehn Jahren im Dienste Herzog
Ludwigs von Bayern stand. Baumkircher und Holub führten

---

406) Schreiben des Markgrafen Albrecht von Brandenburg vom 1 Juli
im Kaiserl. Buch von C. Höfler S. 195. Auch einige Privatbriefe
in Sculteti annal. Gorlic.

1469 mit abwechselndem Glücke Krieg mit einander; in Folge
dieser Unruhen standen alle Länder von Oesterreichs Gränzen
bis nach Triest hin in stürmischer Bewegung. Um aber das
Maß des Uebels voll zu machen, erfolgte ganz unerwartet
auch der erste verheerende Einfall eines Türkenheeres in die
Ländergebiete des Kaisers. Zu Anfange des Monats Juni
brach aus Bosnien über Kroatien ein Schwarm von etwa
16000 dieser Unholde nach Krain ein, drang bis gegen Cilly
vor, verwüstete wo er hinkam alles, tödtete eine Unzahl wehr-
loser Christen, und führte deren etwa 8000 in die Gefangenschaft; im September wurde der Einfall nach Slavonien
ebenso straflos, aber noch verderblicher wiederholt — ein
Fingerzeig Gottes zur Warnung für die Christen, daß sie in
sich gehen und einander gegenseitig lieber ertragen als morden
sollten. In dieser Noth verlangte und erhielt der Kaiser einerseits von den bayrischen Fürsten, andererseits von König Mathias Hilfe, und die von uns oben erwähnte Befreundung
Bayerns und Ungarns in dieser Zeit wurde durch diese Mitwirkung sehr befördert, obgleich mit Baumkircher eine Uebereinkunft zu Stande gekommen war, bevor noch Johann Vitéz
und Rovarella, welche Mathias zu diesem Zwecke abgeordnet
hatte, an Ort und Stelle anlangen konnten. [407]

Die politische Stellung und Gesinnung der meisten
Reichsfürsten dieser Zeit überhaupt, und des siegreichen Pfalzgrafen Friedrich insbesondere, sind bisher sehr unaufgeklärt.

407) Die vorhandenen Berichte über den doppelten Türkeneinfall dieses
Jahres, der in Deutschland und Italien große Besorgnisse erregte,
hat Gr. Teleki IV, 147—49 zusammengestellt. Vgl. auch Markgraf
Albrechts erwähntes Schreiben vom 1 Juli. K. Mathias schrieb
an den Legaten Rudolf von Wischau aus am 21 Juli 1469: Mi-
simus etiam his diebus ex Brunna ad ser^{mum} D. Imperatorem
D. Johannem archiepiscopum Strigoniensem una cum D. Legato, ad providendum et procurandum vel subsidia et com-
ponendum bellum imperatori motum. Quod tamen ut percepimus jam esse dicitur modis aliquibus compositum (MS.)

Des letzteren alte Mißhelligkeit und Streit mit dem Kaiser 1469
hatte aus Anlaß der kaiserlichen Wallfahrt nach Rom neue
Nahrung erhalten, da er alten Satzungen gemäß in des
Kaisers Abwesenheit die Führung des Reichsvikariates in
Anspruch nahm, und eine Anerkennung seines diesfälligen
Rechtes von Seite des Kaisers ihm verweigert wurde. Gewiß
ist, daß er in der alten Freundschaft mit den Herzogen von
Bayern, seinen Vettern, so wie auch mit dem Hause Bur=
gund beharrte; überdies schloß er am 8 Juli einen Bund 8 Juli
mit den Herzogen Ernst und Albrecht von Sachsen, welche
dabei ihre freundschaftliche Stellung zu K. Georg zu wahren
nicht unterließen: und doch vereinigte er sich auch am 21 Juli 21 Juli
mit seinen bayrischen Vettern, um mit ihnen zugleich in ein
Schutzbündniß mit K. Mathias zu treten. [408]

Diese zweideutige Stellung des Pfalzgrafen war von
besonderer Bedeutung in der Frage der römischen Königswahl,
welche nicht aufhörte, die kurfürstlichen Höfe in Deutschland
zu beschäftigen. Wir haben bereits dargestellt, wie sowohl
K. Mathias, als auch Herzog Karl der Kühne von Bur=
gund jetzt um dieselbe Erhebung, wie König Georg vor neun
Jahren, sich bewarben, und sich mit der Hoffnung schmeichel=
ten, einst an die Stelle des Kaisers zu treten, als verstände
es sich von selbst, daß das Reich eine Art kaiserlichen Coad=
jutors, unter dem Titel eines römischen Königs, nicht ent=
behren könne. K. Georg, der noch nach dem bei Wilemow
geschlossenen Vertrage die Ansprüche Mathias unterstützt
hatte, kehrte nach der Olmützer Wahl sich nicht nur gegen
ihn, sondern begann auch um so eifriger sich zu Gunsten
seines Rivalen zu verwenden. Sein Hauptagent an den
Höfen von Burgund und Frankreich war der schon erwähnte
Johann Span von Barnstein, wie es scheint, ein Mährer
von Geburt, der im Laufe dieses Jahres einige Botschaften

408) Siehe C. J. Kremer Urkunden zur Geschichte Friedrichs I u. s. w.
    S. 398—403 und obige Anmerkung 402.

1469 hin und her verrichtete, von deren Inhalt wir keine Detail-
kenntniß haben; nur so viel wissen wir, daß K. Georg die
Fürsprache beider Herrscher, von Frankreich und von Burgund, bei Papst Paul II für sich in Anspruch nahm und
2 Juli auch erlangte. Am 2 Juli fertigte er überdies Georg von
Stein, jetzt seinen Rath, an Karl den Kühnen ab, um über
des Letzteren Beförderung auf den römischen Thron zu verhandeln. K. Georg erbot sich dazu mitzuwirken, wäre es
auch gegen des Kaisers Willen, da man auf dessen Absetzung
schon nicht undeutlich hinarbeiten zu wollen schien, und sollte
für seine Bemühung in der Sache 100,000 rheinische Gulden aus dem burgundischen Schatze erhalten. Wir werden
später angeben, was bis jetzt in dieser dunklen Angelegenheit
bekannt ist, welche einer vollständigeren Beleuchtung aus den
Archiven des Abendlandes sehr bedürftig ist. [409] In Frankreich ergab sich in diesem Jahre ein dem Könige von Böhmen günstiger Wechsel durch die Entdeckung der Verrätherei
des ersten Ministers, Cardinal Jean de la Balue, den Ludwig XI einkerkern ließ, indem nun auch der französische Hof
mit dem römischen Stuhle in einen Streit über die Grenzen
der geistlichen Macht und Immunität gegenüber der Staats-
gewalt gerieth; doch bei der ungemeinen Mäßigung und Umsicht, mit welcher die Curie in diesem Falle verfuhr, konnten
die Böhmen nur geringen Vortheil davon ziehen. Cardinal
de la Balue war derselbe, der im J. 1464 als Bischof von
Evreur und des Königs Beichtvater den böhmischen Gesandten am meisten entgegengearbeitet und die Realisirung der
Idee vom allgemeinen Fürstenparlamente vorzugsweise hin-
tertrieben hatte; nun brachte er volle 11 Jahre (1469—1480)

---

409) Markgraf Albrechts Schreiben vom 1 Juli im Kaiserl. Buch von
  Höfler S. 195. Mémoires de Phil. de Commines ed. Godefroi,
  Bruxelles 1723, V, 378. M. de Barante Histoire des ducs de
  Bourgogne: Charles le Téméraire l. II. J. G. Droysen Geschichte
  d. preuß. Politik, II, 365—68.

in einem eisernen Käfig zu, den er zur Strafe schwerer Verbrecher selbst soll haben erbauen lassen.

Aber nicht im Auslande allein trat Georg Mathias als Feind entgegen: auch inmitten Ungarns suchte er ihm Ungemach und Widerwärtigkeiten zu bereiten, indem er die vielen Keime des Mißvergnügens seiner Unterthanen zu benützen und zu fördern sich entschloß. Mathias ungemeine Energie als Herrscher kam dem gemeinen Volke in Ungarn trefflich zu Statten: die Häupter der Nation berührte sie dagegen oft sehr schmerzlich. Er wußte freilich sich auch edel und großmüthig zu zeigen, wo er es als zweckmäßig erkannte: aber sein angeborner Hochmuth und unbeugsamer Wille, der auf keinen Stand, kein Alter und Geschlecht Rücksicht nahm, so wie sein oft ausgelassener Humor, in welchem er auch an seine ersten Räthe, achtbare Greise und Helden, die gleichen Zumuthungen wie an seine Hofnarren stellte, [410] kränkte und stieß viele Gemüther von ihm ab, und machte ihn auch oft unleiblich. Dazu gesellte sich auch unfeiner Mißbrauch seiner überlegenen Stellung gegenüber dem schönen Geschlechte, worüber insbesondere während seiner Anwesenheit in Olmütz und Breslau die anstößigsten Gerüchte in Umlauf kamen. [411] Dazu das wiederholte Fordern der Hilfe gegen

---

410) Belege dafür hat man freilich nicht bei Galeotus Martius zu suchen, wohl aber in den noch unedirten böhmischen vertrauten Briefen Mathias, welche Wenzel Břežan in seine Genealogien der Häuser Sternberg und Schwamberg (MS.) aufgenommen hat.

411) Ungarische Schriftsteller sind nicht einig, ob das, was Gregoriancz über Mathias Benehmen gegen Niklas Bánfi und dessen Gemalin berichtete, Wahrheit oder Dichtung sei. Vgl. Katona, XV, 361—66. Teleki, IV, 73—4 u. a. m. Dlugoß aber gedenkt der allgemeinen Sage in Breslau (p. 442), daß Mathias novis quotidie vacando, ut publice ferebatur, nuptiis etc. und es ist bekannt, daß sein natürlicher Sohn Johann Corvin in dieser Zeit erzeugt wurde. Ulrich Kalenice von Kalenic behauptet in seinem satyrischen Briefe (MS. biblioth. Jenens.), in Olmütz hätten einige Geistliche öffent-

1469 die Böhmen und die Vernachläſſigung des Schutzes gegen die Türken: dies alles erzeugte und verbreitete den Geiſt der Unzufriedenheit in Ungarn in ſolchem Maße, daß ſeine Feinde, und unter ihnen nun auch K. Georg, ſich mit der Hoffnung ſchmeicheln konnten, ihn nicht allein vom böhmiſchen, ſondern auch vom ungariſchen Throne zu ſtoßen, zumal Kazimir und Georg bereit waren, ſich zu dem Zwecke die Hände zu rei‐ chen. Die Häupter der ungariſchen Mißvergnügten dieſer Zeit ſcheinen Niklas Vardai und einige Grafen von St. Ge‐ orgen und Pöſing geweſen zu ſein: [412] doch wußte Mathias alle dieſe Anſchläge immer bei Zeiten zu entdecken und zu vereiteln, und ſich ſomit auf ſeinem Throne je länger je mehr zu befeſtigen.

Endlich das letzte und ſicherſte Mittel K. Georgs, um Rache an Mathias zu nehmen, war die offene Waffenge‐ walt. Die Erbitterung über den zu Olmütz geſpielten Verrath war im böhmiſchen Volke allgemein, und der Prager Land‐ tag ſchrieb, nachdem er von den in Breslau geforderten und angenommenen Huldigungen Kenntniß erhielt, an K. Mathias und die ungariſchen Stände über dieſen Vertrags‐ und Treu‐ bruch Briefe, welche die Stelle förmlicher Abſagebriefe ver‐ traten. Auch ſcheint es, daß eine große Hilfe von Seite des Landes zur Führung des neuen Krieges bewilligt wurde, 8 Juli der ſchon um Kiliani (8 Juli) an mehren Orten in Böhmen, Schleſien und Mähren gleichzeitig wieder ausbrach. Mathias hatte im Vertrauen auf den in Olmütz geſchloſſenen Waffen‐ ſtillſtand ſein Heer größtentheils entlaſſen. Als er daher von Breslau, das er am 5 Juli verlaſſen, zu dem Landtage kam,

lich verkündet, daß die Jungfrauen, die mit ihm Umgang gepflo‐ gen, doch rein und unbefleckt geblieben u. ſ. w.

412) Briefe Gregors von Heimburg vom 28 Juli u. 22 Aug. in Kai‐ ſerl. Buch von Höfler S. 210 u. 215. Heimburg machte ſich und dem Markgrafen Albrecht Hoffnung, es könnte Prinz Heinrich dereinſt ſogar den ungariſchen Thron beſteigen.

ben er den Böhmen und Mährern nach Brünn ausgeschrie= 1469
ben hatte, und plötzlich von allen Seiten Nachrichten über
Wiedereröffnung der Feindseligkeiten einlangten, unterließ auch
er nicht über Verrath und Treubruch von Seite der Ketzer
zu klagen, befahl allen den Seinen von Brünn aus schon
am 17 Juli zu den Waffen wieder zu greifen, und fertigte 17 Juli
Zdeněk von Sternberg zu gleichem Zwecke nach Böhmen ab.
Dem Legaten Rudolf, der über die schutz= und hilflose Lage
seines Bisthums in der neuen Gefahr beweglich klagte, ent=
schuldigte sich Mathias in einem zu Wischau am 21 Juli 21 Juli
gegebenen Schreiben, nur die Schwierigkeit der Einquar=
tirung habe ihn gehindert, Truppen in Schlesien zurückzu=
lassen: nun aber wolle er solche ungesäumt schicken und ihnen
auftragen, sich ganz unter des Legaten Befehle und zu dessen
Verfügung zu stellen. Er fügte die Nachricht bei, daß nach=
dem er den neuen Ausbruch des Krieges erfahren, er sogleich
den Brünner Landtag aufgelöst und mit Aufgebung der Reise,
die er nach Ungarn anzutreten Willens war, ein neues Heer
bei Wischau zu sammeln begonnen habe, mit welchem er un=
gesäumt vor Tobitschau, den Hauptsitz der Ketzer, wo der=
malen auch Victorin sich aufhalte, zu rücken beabsichtige. [413]
Mittlerweile wüthete der Krieg schon an unzähligen Orten.
Peter Eschenloer schildert ihn wie folgt: „Es wurde den
Ketzern von den Polen Hilfe zugesagt und großer Trost ge=

413) Die undatirten Briefe der böhmischen Stände gibt das MS. Sternb.
p. 298, 743. Das Schreiben K. Mathias vom 17 Juli im Wit=
tingauer Archive. Scultetus (III, 282) führt Mathias Brief vom
21 Juli irrig zum J. 1470 an. Mathias sagt darin: Dietam Brun-
nensem dissolvimus, et iter quod capere Ungariam versus in-
tendebamus intermisimus, et in Wischau reversi, gentes no-
stras in unum hic congregamus. — Proposuimus — castra
prope Thowatzaw locare, quam arcem haeretici pro digniore
habent, ibique Victorinus ille pro praesenti moram trahit etc.
Herr Stibor dürfte um diese Zeit noch nicht aus Polen zurück=
gekehrt gewesen sein.

1469 geben; worauf sie sich verließen und K. Mathias absagten.
Als dieser von Breslau nach Mähren gekommen war, fand
er da Viktorin mit starker Macht und neben ihm die mäh=
rischen Landherren insgesammt in Bereitschaft zu streiten,
welche K. Mathias großen grausamen Schaden thaten. Des=
gleichen war auch Jirik in Böhmen mit seinem Heere auf
und belegte die Schlösser der Herren von Hasenburg. Von
Glatz machte man Einfälle in das Breslauer Bisthum und
das Kloster Heinrichau, das gründlich zerstört wurde; auch
sonst überall in Schlesien brannten, mordeten und plünderten
die Feinde mit aller Grausamkeit. Große Betrübniß erhob
sich wieder in Schlesien; König Mathias, der neulich noch
Freude und Trost war, wurde jetzt verflucht, und wider die
Breslauer erhob sich das alte Schelten durch alle diese Lande;
niemand setzte sich den Ketzern entgegen, jedermann sah nur
auf den König hin, weshalb die Ketzer sehr die Oberhand
gewannen. Viele Schlesier, besonders in den Landen Schweid=
nitz und Jauer, einten sich mit ihnen heimlich, obgleich sie
noch kurz vorher K. Mathias geschworen hatten. Alle Für=
sten in Schlesien, auch die Sechsstädte und die Lausitz, saßen
stille, alle wurden zweifelhaft, alle wackelten sie. Nur die
Breslauer nahmen Söldner auf und sandten einige dem Bi=
schof gegen Patschkau, andere gen Reichenbach und Franken=
stein, wo die Ketzer den größten Schaden thaten." Erst in
dieser Zeit geschah es, daß K. Georg den Herren von Ha=
senburg die Burg Engelhaus abnahm und Budin so wie
andere Schlösser mehr berannte. [414] Im Süden Böhmens
erlitt insbesondere der Herr von Rosenberg bedeutende Schä=

414) Die unweit von Karlsbad gelegene Burg Engelhaus oder Engels=
burg hatte K. Georg am 15 Mai 1461 Herrn Zbynek Zajic von
Hasenburg verschrieben. Zach. Theobald setzt ihre Einnahme in's
Jahr 1468 (III, cap. 18, p. 106), aber Gregor von Heimburg's
Angabe im Briefe vom 28 Juli 1469 (bei Höfler S. 209) ist
verläßlicher.

ben, und das Heer des „Prager Königs" (so hieß K. Georg 1469
jetzt bei den minder erbitterten Katholiken der ungarischen
Partei) erlaubte sich sogar Einfälle nach Oesterreich und ins
Passauer Bisthum: doch auch den Herren Sternberg und
Rosenberg gelang es, Ritter Wlachs Feste Březi zu erobern, [415] welche auch heutzutage noch Wlachs Březi (Wla-
chowo Březi — Wällisch-Birken) heißt. Mehrere Mitglieder
der Liga suchten der Gefahr damit zu entgehen, daß sie die
Abrede trafen, die Waffen weder gegen Georg noch gegen
Mathias führen zu wollen, was von K. Georg unschwer
bewilligt wurde.

Der Erfolg der böhmischen Waffen wurde auf kurze Zeit
durch das herbe Schicksal, welches den Prinzen Victorin in
Mähren traf, unterbrochen. Sein Schwager, [416] Herr Heinrich von Lipa, Böhmens Erb-Landmarschall und Herr auf
Mährisch-Kromau, war, wie wir schon oben bemerkten, nach
der Katastrophe von Trebitsch einer der Ersten gewesen,
welche sich mit K. Mathias verglichen und von ihm Frieden
genossen. Prinz Victorin trat mit ihm in Unterhandlung,
auf daß er ihm sein Städtchen Wesseli abtrete, welches an
der March, etwa zwei Meilen unterhalb Hradisch gelegen,

415) Nach dem Zeugnisse einiger gleichzeitigen Briefe im Wittingauer
Archive.

416) Trotz mehrjährigen Bemühungen haben wir nicht erforschen können,
wer eigentlich Heinrichs von Lipa erste Gemalin gewesen: denn
die gewöhnliche Annahme, es sei Barbara von Kunstat, eine Tochter, oder wie Wenzel Březan sagt, Schwester K. Georgs, erman-
gelt aller Begründung. Eine Schwester K. Georgs hatte Heinrich Berka von Duba, Herr auf Lipa (Böhm. Leipe) zur Gemalin:
daher die Verwechslung. Die gleichzeitigen Quellen, namentlich
Gr. Heimburg's Briefe (vom 20 und 26 Aug. l. c. p. 213—17)
und Staři letopisowé (p. 199) nennen Herrn Heinrich einen
Schwager Victorins allein und nicht der ganzen königlichen Familie. So wie nun Prinz Victorin in erster Ehe eine Tochter
Ptačet's zur Gemalin hatte, so scheint es bei Herrn Heinrich von
Lipa derselbe Fall gewesen zu sein.

1469 für den Schutz sowohl dieser Stadt, als der Stadt Ostrau, welche beide von den Ungarn belagert wurden, von nicht geringer Wichtigkeit war. Als der Herr von Lipa darauf ein=
27 Juli ging, ritten beide Schwäger am 27 Juli unter dem Geleite von etwa 300 Reisigen nach Wesseli: doch waren sie kaum hinein= gekommen, als das Städtchen von allen Seiten zu brennen begann, aus dem Schlosse Schwärme bewaffneter Ungarn hervorbrachen und Herr Heinrich sein Heil in einem Schiffe, das die March hinab fuhr, suchte. Die Böhmen schlugen sich zwar aus dem Städtchen wieder heraus, wurden aber im offenen Felde von einer weit überlegenen feindlichen Schaar überfallen und alle entweder gefangen oder erschla= gen. Prinz Victorin hatte auch hier noch nebst zwei andern Gefährten sich mit dem Schwert in der Hand den Weg ins Freie gebahnt: aber in den Feldern erschöpft herumirrend, fiel er endlich doch in feindliche Hände und wurde zu König Mathias geführt. Es war dieser Prinz wegen seines Hel= denmuthes und ritterlichen Geistes ein Liebling nicht nur seines Vaters, sondern der ganzen böhmischen Ritterschaft und insbesondere aller derer geworden, denen Verwegenheit, Gefahr= und Todesverachtung als erste Tugend des Kriegers galt: aber er brachte durch Wiederholung derselben Unbeson= nenheit und Unvorsichtigkeit, wie bei Trebitsch, sich und sein Vaterland in Unheil, und verhalf dem umsichtigeren Feinde zu dessen bedeutendsten Siegen. Es wurde seit jeher gestrit= ten, ob der Herr von Lipa dabei wissentlich einen Verrath begangen; die öffentliche Meinung in Böhmen sprach ihn schuldig und ließ sich durch die Zeugnisse nicht irre machen, welche er später für seine Unschuld anführte. [417] Mathias behandelte seinen ehemals lieben Schwager anständig und

---

417) Zu den eben angeführten Quellen, den Briefen Gregor Heim= burg's und Starí letopisowé muß auch noch ein auf Klingenberg 27 Aug. 1469 gegebener Brief (Archiv český, I, 233) hinzuge= zählt werden. Pešina's Apologie für Heinrich von Lipa (Mars

ließ ihn zuerst nach Trentschin, dann auf die Burg Wyße=
hrad (Blindenburg) an der Donau bringen, wo er alle Be=
quemlichkeit genoß, welche mit dem Loose eines scharf über=
wachten Gefangenen verträglich war. Die Gefangennehmung
des vornehmsten Heerführers der Ketzer wurde in vielen
Ländern als ein großer Sieg der Katholiken und des Glau=
bens selbst gefeiert; sein Vater, so hieß es, hatte seine rechte
Hand im Kriege verloren, war daher schon überwunden und
weitern Widerstandes unfähig. Nun läßt sich freilich an des
Vaters großem Schmerz über den so empfindlichen Verlust
nicht zweifeln: doch minderte dies nicht, sondern erhöhte noch
seine Entschlossenheit zum Kriege, und die ganze Verände=
rung bestand darin, daß er fortan um einen tapfern Vor=
kämpfer weniger zählte, aber auch um einen Feldherrn weni=
ger, der ihm noch mehr Schaden verursacht, als Nutzen ein=
gebracht hatte. Ueber diesen Gegenstand schrieb Gregor von
Heimburg dem Markgrafen Albrecht von Brandenburg am
26 Aug. die richtige Bemerkung: „Des Prinzen Victorin Ge=
fangenschaft bringt nicht mehr Schaden, als wie es der Vater
wägt: der steht aber ganz ungebeugt und unverändert da.
Ja es läßt sich darin selbst einiger Vortheil wahrnehmen:
denn hätte unser König alle seine vergangenen Kriege in
dreien Jahren durch Hauptleute geführt, sie möchten glückli=
cher ergangen sein. Ein ernstlicher Hauptmann hätte nicht
verschlafen, so daß die Schlesier aus Frankenstein bei kurzer
Nacht entfliehen konnten; ein bedächtiger Heerführer hätte
nicht gestattet, daß Herzog Victorin mit seinem Schwager
in ein Städtchen ritt, ohne alle Häuser und Ställe und be=
sonders das Schloß über demselben untersucht zu haben, da
der Feind so nahe war. Es ist nicht genug, daß Herzog
Victorin muthig ist, es gehören auch andere Eigenschaften

Morav. p. 846) fiele mehr in's Gewicht, wenn dieser Schriftsteller
bei Schilderung der Ereignisse von 1468—1470 nicht fast ebenso
viele Fehler begangen als Angaben vorgebracht hätte.

1469 dazu." Wir wollen noch bemerken, daß derselbe Dr. Gregor, der den Prinzen so streng, aber nicht ungerecht beurtheilte, früher für ihn eine kleine lateinische Abhandlung über die Kriegs= kunst verfaßt hatte, worin er ihn insbesondere auf die Noth= wendigkeit der Vorsicht im Kriege aufmerksam machte. [418]

Diese schmerzliche Episode äußerte auf den Fortgang des Kriegs nicht diejenige Wirkung, welche sich die Feinde ver= sprochen hatten: im Gegentheil erwies sich das Kriegsglück den Böhmen je länger je günstiger. Mathias beorderte zum Schutze Schlesiens seinen stattlichsten Heerführer Franz von Hag, und befahl insbesondere den Lausitzern nachdrücklich, zur Rettung der Schlösser der Herren Zajic nach Böhmen auf= zubrechen. Dem unter der einfachen Bezeichnung „Herr Franz" berühmt gewordenen Feldherrn verschaffte der Legat Rudolf die Aufnahme im Kloster von Braunau, welches dadurch mehr zu Grunde gerichtet worden sein soll, als wenn es die Feinde besetzt hätten. Von da suchte Franz die böhmischen Städte Jaromĕř, Königinhof, Königingrätz, ja selbst Jičin, mit Plünderung und Brandschatzung heim, eroberte und ver= heerte die Stadt Wünschelburg, erlitt jedoch vor Nachod, das er zu berennen versuchte, eine empfindliche Niederlage. Er rief auch die Schlesier zur Rettung der Zajic'schen Schlösser nach Böhmen herbei. Die Belagerung der Burgen Riesen= burg (Osek), Bubin, Skal, Nawarow, Trost und Kost fand mit großem Heere fast gleichzeitig Statt; vor Bubin lag Prinz Heinrich persönlich mit dem Ritter Niklas Střela von Rokyc, da man dort auch der Person und Familie des Herrn Johann Zajic, des neuen böhmischen Kanzlers, sich zu be= mächtigen und damit etwa den Prinzen Victorin auszulösen hoffte: doch es gelang Herrn Zajic, ins Freie zu gelan= gen und sich dem Heere anzuschließen, welches sich gegen

418) Heimburg's Schrift de militia et de re publica ad ducem Vic= torinum steht im MS. Sternb p. 524—542 lateinisch und böh= misch. Es scheint ein unvollendetes Werk geblieben zu sein.

Ende August unter den Befehlen Jaroslaws von Sternberg 1469
bei Zittau sammelte. Die Burg Skal der Herren Zajice
ergab sich am 28 Aug.[419] Die von Breslau, Schweidnitz, 28 Aug.
Jauer und Herr Friedrich von Bieberstein kamen gen Zittau
am 29 Aug. worauf am 30 das ganze Heer, etwa 4000 29 u. 30
Trabanten und 750 Reisige, bei Habendorf auf dem Wege August
nach Reichenberg lagerte und am 31 Aug. etwa 1200 Fuß=
knechte zur Rettung nach Nawarow entsandte. Da jedoch
an diesem Tage Nachricht kam, die Böhmen naheten bereits
mit großer Macht, so warfen die Breslauer, von Schrecken
ergriffen, die ersten sich in die Flucht, und das ganze Heer
stob auseinander; nur die Lausitzer kehrten in ihre frühere
Stellung nach Zittau zurück, und wandten sich dann zur Be=
lagerung der Burg Tollenstein in Böhmen.[420] Mittlerweile
hatten Prinz Heinrich und Herr Skrela Budin aufgegeben
und rückten vor Zittau, wo sie am 6 September bei den 6 Sept.
Mühlen auf der Neisse den Feinden eine furchtbare Nieder=
lage beibrachten, 246 Zittauer gefangen nahmen und große

419) Die zwei Burgen des Namens Skal im Bunzlauer Kreise, das
heutige Groß= und Kleinskal, waren im J. 1469 im Besitze, die
eine des Herrn Skastny (Felix) von Waldstein, die andere der
Herrn Zajice; es ist aber bis heute nicht möglich mit Sicherheit
zu bestimmen, ob Skal der Zajice das heutige Groß= oder Kleinskal
zu nennen sei, da Zeugnisse und Gründe für beides vorhanden sind.
Wir halten jedoch Kleinskal für wahrscheinlicher, dessen Burg ehe=
mals auch Wranow hieß.

420) Außer dem, was Eschenloer und die Fortsetzer des Joh. von Guben
darüber berichten, besitzen wir noch vier Briefe vom 27 Aug. bis
1 Sept., welche Görlitzer Bürger, die der Unternehmung beiwohn=
ten, an ihren Stadtrath richteten und Scultetus bewahrt hat (MS.).
Letztgenannte Quellen beide stimmen in der Angabe überein, daß
die Breslauer durch ihren panischen Schrecken diese ganze Heer=
fahrt zu nichte machten, wovon aber Eschenloer, sei es aus Scham,
sei es aus Vorsicht, nicht einmal eine Ahnung zuläßt. Freilich ist
das nicht der einzige Beweis seiner, vielleicht unfreiwilligen, Par=
teilichkeit.

1469 Schäden verursachten; Tags darauf brannten sie Friedland
und Seidenberg aus und zogen dann gegen Lauban und
Bunzlau fast ohne Widerstand weiter. Franz von Hag eilte
zwar den Seinigen zu Hilfe, wie es scheint, erst nach deren
Niederlage, doch fühlte er sich so schwach, daß er die Feinde
anzugreifen sich nicht getraute. Es wiederholten sich nun in
Schlesien die Scenen des ersten Hussitenkrieges, namentlich
von den Jahren 1428 und 1429, wo die Böhmen wie ein
unwiderstehlicher Strom, weite Gegenden überschwemmten und
die Einwohner mit schweren Schatzungen nöthigten sich „ab-
zubingen," um ihre Häuser und Felder unversehrt zu erhalten.
Auch jetzt bingte Alles ab von Lauban an bis gegen Strehlen und Nimtsch: kein Fürst und keine Stadt .stellte sich zur
Wehr ins Feld, selbst Prälaten kamen, um Lösegeld für ihre
Wohnungen und Habe anzubieten. Diese so offenkundige Unwiderstehlichkeit der Feinde, die man gering zu schätzen sich
gewöhnt hatte, brachte nach allen Seiten einen mächtigen
Eindruck hervor, und die Breslauer begannen selbst hinter
ihren Stadtmauern zu zittern. Dlugoš behauptet, die Führer
des böhmischen Heeres bei dieser Fahrt wären bloße Bürger
gewesen, namentlich die Bürgermeister Samuel von Prag
und Johann Černý von Königingrätz: das kann jedoch nur
von einer Heeresabtheilung gelten, da nach allen andern
Berichten es außer Zweifel steht, daß Prinz Heinrich und
Herr Střela die ganze Heerfahrt leiteten, welche mit Beute
jeder Art überladen, bei Frankenstein vorbei über Glatz vor
Wenceslai nach Böhmen zurückkehrte. Nur eine Abtheilung
zog weiter, dem Troppauer Hauptmann Bernard Birka zu
Hilfe, der die Fürsten in Oberschlesien mit Krieg heimsuchte,
weil auch sie Mathias gehuldigt hatten, was sie nur zu
bald zu bereuen Ursache fanden. [421]

---

421) Dlugoš p. 447, 448. Eschenloer S. 181—3. Staři letopisowé
S. 200. Briefe bei Scultetus (MS.) Die Fürsten von Oberschle-

König Mathias hatte den ganzen Monat September 1469 in Ungarn zugebracht, um sowohl neue und größere Hilfe von seinen Ständen zu sollicitiren, als auch ihre Unzufriedenheit zu beschwichtigen und die bösen Absichten Einiger zu vereiteln. Im Oktober kehrte er mit einem frischen Heere wieder nach Mähren zurück, und vereinigte nun alle seine Streitkräfte, um die königliche Stadt H r a b i s c h am March-flusse wirksamer als bisher zu belagern. Bei der denkwür-digen Belagerung dieser Stadt weiß man in der That nicht, worüber man sich mehr zu wundern habe: ob über die Ta-pferkeit und Standhaftigkeit der Bürger, welche einem zehn-jährigen Andrängen eines übermächtigen Feindes erfolgreich trotzten, oder über den Stumpfsinn und die Trägheit der damaligen Mit- und Nachwelt, welche uns über einen so heldenmüthigen Kampf auch nicht die geringste Detailkunde überliefert haben. [422] Hrabisch war schon seit lange mit feindlichen Basteien umgürtet, welche auch in Folge des Ol-mützer Waffenstillstandes erhalten wurden, obgleich die freie Zufuhr der Stadt zugesichert worden war. Bei dem neuen Ausbruch des Krieges im Juli hatten die Bürger sich mit Vorräthen nicht hinlänglich versehen, so daß sich schon zu Michaelis (29 Sept.) der Mangel bei ihnen wieder fühl- 29 Sept bar machte. K. Georg sandte zwar im Oktober der Stadt hundert Wägen zu, mit nur mäßiger Ladung, damit sie um so beweglicher wären, und gab ihnen 300 Reisige mit 600

sten huldigten Mathias schriftlich zu Olmütz am 10 Aug. 1469. Sommersberg, I, 1054.

422) Was Pešina's Mars Morav. bietet, ist einerseits äußerst dürftig, andererseits mehr als verdächtig, da dieser Schriftsteller die Ge-wohnheit hatte, das Wenige, was er wußte, aus bloßer Combina-tion nicht allein in's Ungemessene zu erweitern, sondern auch Daten und Namen aus dem Stegreif einzuflechten. Was daher in der Geschichte dieser Jahre keine andere Auctorität für sich hat, als die seinige, kann von einem umsichtigen Forscher nicht als That-sache angenommen werden.

1469 Fußknechten zum Geleite: als aber Mathias davon Kenntniß erhielt, ließ er den Zug mit überlegener Macht überfallen, so daß die Truppen sich zwar in die Stadt durchschlugen, jedoch mit Zurücklassung der Kammerwägen. Die Noth der Stadt wurde dadurch nicht gemindert, sondern noch vermehrt: daher traf man die Abrede, sich dem Könige von Ungarn zu ergeben, wenn binnen sechs Wochen aus Böhmen keine Rettung mit wehrhafter Hand erfolge. Als solches K. Georg erfuhr, sammelte auch er seine Streitkräfte und sandte sie unter der Führung des Prinzen Heinrich nach Mähren. Dieses Heer verheerte bei seinem Zuge alle Güter derjenigen, welche Mathias gehuldigt hatten, auf's grausamste, so daß ihr Weheruf weit und breit zu hören war. Es gelangte vor Hradisch in den letzten Octobertagen, erstürmte eine der Basteien im ersten Anlauf, tödtete ihre ganze aus 200 Mann bestehende Besatzung, und speiste durch diese Oeffnung die Stadt im Ueberflusse. Mathias Hauptquartier befand sich damals in Ungarisch-Brod. Um ihn zu einer entscheidenden 2 Nov. Schlacht herauszulocken, traf am 2 November Prinz Heinrich Anstalten wie zum Rückzuge nach Böhmen: dann aber warf er sich plötzlich auf die ungarischen Heerhaufen, deren fünf in der Nähe aufgestellt waren, und schlug einen nach dem andern, so daß bald die ganze ungarische Streitmacht die Flucht ergriff, welcher Mathias vergeblich zu wehren suchte und endlich auch selbst sich anschließen mußte. Die Böhmen verfolgten die fliehenden Feinde bis über Ungarisch-Brod, erschlugen und fingen ihrer noch eine große Menge und errangen an diesem Tage einen vollständigen und glänzenden Sieg. Mathias soll, voll Zorn und Gram, erst in Ungarisch-Skalitz Halt gemacht haben. Unter den Gefangenen dieses Tages waren die vornehmsten ein Graf von St. Georgen und Pösing, Georg Sohn Herrn Zdeněks von Sternberg, Dobeš Černohorský von Boskowic, ein Bruder des Bischofs Protas und viele andere Herren und Ritter. Doch kostete der Sieg

auch von böhmischer Seite manches Opfer, und man sagt, 1469
es sei auch ein Herr von Pernstein in der Feinde Gefangenschaft gerathen. In Folge dieser Schlacht unternahmen
die Böhmen verheerende Streifzüge nach Ungarn, durch welche
insbesondere das Waagthal viel zu leiden hatte. Mathias bat
zwar um einen Waffenstillstand: da man ihm aber zur Bedingung stellte, daß er dem Titel eines Königs von Böhmen entsage und alle ungarischen Besatzungen aus Mähren und Schlesien zurückziehe, so stockte die Unterhandlung
gleich im Anfange. Erst gegen Ende des Novembermonats Ende
Nov.
kehrte das siegreiche böhmische Heer aus Mähren wieder
heim, [423] und eine furchtbare Kälte, derengleichen es keine
Gedenkmänner gab und die am St. Andreastag beginnend
ohne Nachlaß bis zum Beginn des Aprilmonats anhielt,
hinderte fortan jede bedeutendere Kriegsunternehmung von
beiden Seiten.

423) In seinem lateinischen Autograph gibt Eschenloer zwar andere
und kürzere, aber bestimmtere und richtigere Nachrichten von den
Kämpfen bei Hradisch, als in dem bekannten deutschen Werke. Wie
er überhaupt für Mathias sehr eingenommen war, so suchte er
auch überall dessen Unfälle zu mildern und zu bedecken, und nur
in Bezug auf der Breslauer thörichten Ungestüm entschlüpfte ihm
(S. 190) einmal das Bekenntniß „die Ketzer trieben hier in die
Flucht einen großmächtigen König." Dlugoß hat (p 449) gleichfalls bessere Angaben, als die Staří letopisowé selbst, welche (S.
200—1) nicht einmal von der Anwesenheit des Prinzen Heinrich
in der Schlacht wissen. In einem Familienkalender der Herzoge
von Münsterberg aus dem XVI Jahrhunderte fanden wir, daß das
Andenken an Prinz Heinrichs Sieg bei dessen Nachkommen alljährlich am 2 Nov. gefeiert zu werden pflegte; daher ist am Datum des Tages, welches übrigens auch Eschenloer angibt, nicht zu
zweifeln. Vor allem ist aber hier König Georgs Zeugniß in seinem
Schreiben vom 30 Juli 1470 (s. unten) von Bedeutung. Daß
Mathias um einen Waffenstillstand bat, bezeugt auch Georg von
Stein in seinem Aufsatze vom Januar 1470 (s. unten). Darum
mag immerhin als wahr gelten, was Pešina's Mars Mor. p. 851
fg. darüber beibringt.

Durch die letzten Siege besserten sich die böhmischen
Zustände und Verhältnisse ungemein. Auch die hartnäckigsten,
zelotischesten Ketzerfresser wurden endlich der Ueberzeugung
zugänglich, daß deren Ausrottung durch das Schwert, ja
selbst deren Bezwingung unmöglich, und es daher nöthig
war, sie zu toleriren und sich mit ihnen zu vergleichen. Die
klügeren unter den Feinden sannen auch schon bei Zeiten auf
Mittel, wie sie sich mit K. Georg wieder auf guten Fuß
stellen könnten. Unter den schlesischen Fürsten war der Herzog
von Ratibor der erste, der öffentlich auf seine Seite übertrat.
Die Stände der Lande Schweidnitz und Jauer suchten auf
ihrem Tage zu Jauer auf Luciä (13 December) in einen
Vergleich der Art mit ihm zu treten, daß er sie die Neutra=
lität genießen lasse, was er jedoch nicht bewilligen wollte.
Dagegen mehrte sich die Zahl der katholischen Bundesgenossen
in Böhmen, denen er es zugestand; es waren darunter na=
mentlich die Herren von Guttenstein, von Schwamberg und
Dobrohost von Ronsperg. Die Brüder von Hasenburg traten
in einen einjährigen Frieden mit dem Könige und retteten
damit ihre Schlösser; ein Gleiches that auch Herr Johann
von Rosenberg. Hanuß von Kolowrat, Herr von Zbirow,
der vor zwei Jahren in den geistlichen Stand getreten und
seitdem Prager Propst und Administrator des Erzbisthums
geworden war, klagte in einem rührenden Schreiben vom
19 November an die Legaten Rudolf und Rovarella über
den traurigen Zustand seiner Kirche, welche unter dem schar=
fen Interdict je länger je schmerzlicher zu leiden hatte. Ganze
Gemeinden, schrieb er, schlossen sich, da ihnen der Gottes=
dienst verweigert wurde, an die Utraquisten an, und die treu=
gebliebenen zeigten sich allenthalben uneinig und mißvergnügt,
indem die Klostergeistlichen sich überall bereitwilliger erwie=
sen, die Messe zu lesen und die Sacramente zu spenden, als
seine weltliche Geistlichkeit; darum bat und verlangte er, daß
ihm entweder eine größere Dispensationsfreiheit verliehen

ober lieber der ganze Kelch einer so schmerzlichen Function 1469
von ihm genommen werde. [424] Bemerkenswerth war auch
der Wechsel in der Gesinnung der Breslauer und des Le=
gaten Rudolf. Diese ehemals übermüthigen und ungestümen
Urheber des Kriegs waren jetzt die Ersten, welche ihr Werk
bereueten und verdammten. Eschenloer hat uns das An=
denken zweier interessanten Gespräche der vornehmsten Män=
ner in Schlesien aufbewahrt: des einen im Kloster zu St.
Vincenz, bei Gelegenheit der Einführung eines neuen Abtes
daselbst am 26 December, das andere im Kloster von Tre= 26 Dec.
bnitz einige Tage später. Gegenstand derselben waren die
öffentlichen Leiden und das Verderben des Landes, da in
ganz Schlesien, wie es heißt, von nichts als „Morden, Bren=
nen, Rauben und Fahen" die Rede war. Was die Feinde
nicht thaten, das vollbrachten die Freunde in der Feinde
Namen, und es gab keinen Winkel im Lande, wo man auch
nur über's Feld hätte sicher gehen können. Darum bekannte
der Legat, Bischof Rudolf, laut und offen, wie der heilige
Vater in der Sache Ziriks übel unterrichtet worden sei, und wie
er selbst, wenn er bei seiner ersten Ankunft in Breslau ge=
wußt hätte, was er seitdem erfahren, es nimmermehr hätte
zu einem Kriege kommen lassen. Mit Thränen in den Augen
klagte er, das ganze Anheben gegen die Ketzer sei thöricht
gewesen, man habe ihre Macht nicht gehörig bedacht und
die Urheber des Kriegs hätten ihre Seele mit schwerer Sünde
belastet. In einer schönen Rede, jedoch voll Trauer, legte er
auseinander, wie es nicht allein gestattet, sondern geboten
sei, mit den Ketzern in Frieden zu leben, und erklärte, wie
es auch jetzt nichts Besseres gäbe, als Frieden mit ihnen zu
haben. Unter den Anwesenden war auch Dr. Tempelfeld, der
in seinen Predigten ehemals in die tiefste Hölle jeden zu
verdammen pflegte, wer nur vom Frieden mit den Ketzern

424) Das Schreiben ist in den alten Consistorialacten im Archive des
    Prager Domcapitels enthalten.

1469 zu sprechen wagte. Jetzt schwieg er und sprach nichts mehr,
als: „ach Gott! wer hätte sich so großer Macht bei ihnen
versehen?" Darum wurde jetzt mit reuigem Herzen des Bischofs Jost gedacht, wie er gleich im Anfange so weise und
getreulich jedem Blutvergießen zuvorzukommen gesucht und
welche Widerwärtigkeiten er dafür zu leiden gehabt habe;
man segnete jetzt das Andenken des Mannes von propheti-
schem Geiste. Auf dem Tage im Kloster zu Trebnitz war
auch Herzog Konrad der Schwarze von Oels gegenwärtig,
der am längsten bei K. Georg ausgehalten, endlich aber auch
Mathias gehuldigt hatte. Auch hier erwog man, welcher
guten Zeiten man sich in Schlesien zu erfreuen gehabt hätte,
wäre nicht der unheilvolle Krieg dazwischen gekommen. Als
aber einer der Gäste hinwarf, es wäre dies eine Plage von
Gott, die nach der Lehre der Sternseher, Planeten am Himmel voraus verkündet hätten, schrie Herzog Konrad ihn an:
„Was fabelst du da von Planeten am Himmel, die Niemanden etwas Böses thun? Wären nicht die zwei vermaledeiten Planeten in Breslau, der Propst (Düster) und Cantor
(Tempelfeld), hätte sie vor zwanzig Jahren der Teufel ge-
holt, so hätten wir diese Kriege nicht. Sie sind die Teufels-
Planeten, die durch ihren Muthwillen uns noch alle an den
Bettelstab bringen werden." Die ganze Versammlung lachte
über diesen Einfall, darunter auch ein Genosse der beiden
Planeten, Domherr von Breslau. [425]

Ein nicht minder sprechendes Zeichen des Wechsels der
öffentlichen Meinung bietet der Hinblick auf das in dieser
Zeit dahin schwindende Kreuzerwesen in Böhmen. Wir

---

425) Eschenloer, II, S. 194—196. Im lateinischen Autograph (fol 396)
führt derselbe Schriftsteller an, wie schon seit dem Herbste 1469
die Prediger in den Kirchen von Breslau anfingen, das Volk zu
Gebeten um den Frieden zu ermahnen, da ganz Schlesien insbesondere von den ebenso häufigen als verderblichen Einfällen der
Glatzer Besatzung unsäglich viel zu leiden gehabt habe.

haben schon an gehörigen Orten gedacht, wie diese Land-
plage seit 1467 die Leiden des gemeinen Volkes zu mehren
kam und 1468 den Höhepunkt ihrer verderbenschwangern
Wirksamkeit erreichte; seit dem Herbste 1469 hört aber fast
plötzlich jede Erwähnung derselben auf. Das Benehmen
dieser Kreuzer wird von gleichzeitigen böhmischen Schriftstellern mit den gräßlichsten Farben geschildert; für den Geist
der Zeit ist aber nicht der Inhalt allein, sondern auch die
Form und der Ton ihrer Darstellung bezeichnend. „Die
Kreuzer," so heißt es, „trugen auf ihren Kleidern angenähte
Kreuze vom rothen Tuche, damit man sie daran erkenne.
Sie nahmen keinen Sold, aber tödteten wegen des heiligen
Kelches alle Böhmen ohne Unterschied, auch Kinder, denen
sie die Köpfe abschnitten und diese dann einander wie Kohl-
häupter zuwarfen; sie mordeten auch alte Greise und Mütter-
chen in den Spitälern, wem sie nur immer Blut abzapfen
mochten, in welchem sie dann ihre Hände wuschen, in der
Meinung, aller Sünden damit los zu werden. Und wenn
sie irgendwo mit den Böhmen sich schlugen und einen von
ihnen erschlugen, so warfen sich mehrere dieser deutschen
Kreuzer auf die Leiche hin und preßten ihr Blut ab, um
sich damit zu beschmieren und ihre Sünden los zu werden.
Denn es leitete sie dazu der Papst an, der seine Bulle darüber hergab, daß sie so handeln und sich im Blute pantschen
sollten; denn wer einen Böhmen umbringe und sich in
dessen Blute wasche, werde sogleich von allen Sünden gerei-
nigt, als wäre er ein so eben geborenes unschuldiges Kind-
lein; und werde Jemand in dem Kampfe erschlagen, so habe
der Papst den Himmel geöffnet, daß ein so erschlagener
Kreuzer, mit Umgehung des Fegefeuers, unmittelbar in den
Himmel gelange. Daher kam es, daß wie sie so den Böh-
menleichen und deren Blute nachliefen, auf einer einzigen
derselben oft drei, vier bis fünf Kreuzer zusammen erschlagen
wurden. So schlichen und schleppten sie sich in Böhmen nur

1469 in den Dörfern und offenen Städtchen umher, ihren Helden-
muth an Kindern, an Bauernweibern, an schwachen Greisen
kühlend, die sich etwa verspätet hatten und nicht zu den Ihrigen in die Posabky (Besatzungen — Lager) oder Kirchhöfe
flüchten konnten. Wo aber haben sie im offenen Felde jemals etwas ausgerichtet, und welches Schloß oder welche
Stadt haben sie mannhaft erobert? Nur mit Verrath gingen
sie um und die Bauern waren ihre Opfer. Darum sind sie
auch nie mit Ehren aus Böhmen heimgekehrt; vielmehr
brachen sie oft mit gewaltiger Macht ein, als wollten sie
alle Böhmen umbringen und das Land mit ihrem Geschlechte
besetzen, und wurden dann geschlagen oder flüchteten von
selbst auf verschiedenen Wegen aus Furcht, mit großer
Schande, mit Schaden und nicht geringer Kränkung." Und
obgleich der Krieg unter K. Georg nicht mehr jenen nationalen Anstrich hatte, womit der erste große Hussitenkrieg zugleich als ein Kampf zwischen Deutschthum und Slaventhum
bezeichnet war, so konnte doch auch jetzt nicht ganz vermieden werden, daß die nationalen Elemente sich, auf eine oft
neue und unerwartete Weise, in den Kampf mischten. Derselbe Annalist erzählt, wie nicht selten selbst die katholischen
Söldner verrätherische Angriffe auf ihre deutschen Mitkämpfer
sich erlaubten. Namentlich schildert er, wie die Haustruppen
der Herren Zajice bei Vertheidigung von Dur und Budin
gegen das Heer K. Georgs zu Handen K. Mathias (also
im Herbste 1469), „obgleich sie demselben Kriegsherrn angehörten, doch den Kreuzern gram waren; denn jedesmal, wo
sie erfuhren, daß diese eine Unternehmung in das Land in
geringer Zahl vorhatten, stellten sie sich verkleidet ihnen irgendwo zwischen Wäldern entgegen, überwältigten sie, und
nöthigten sie ihre Kreuze zu fressen; widerstand einer, so
wurde er zu Boden geworfen, ihm das Kreuz in den Hals
gestopft und gar viele erstickten daran. Auch als die Söldner
Zdenek Konopistky's von Sternberg in der Gegend von Ho-

tepnik mit Deutschen zusammen brannten, Gefangene machten
und mordeten, stand in einem Dorfe eine Mutter vor ihrer
Hütte mit ihrem Kind im Arme. Ein Deutscher wollte ihr
das Kind entwinden, um es zu morden; da sie es aber mit
der Hand wehrte, hieb er ihr die Hand ab. Die Mutter,
mehr um ihr Kind, als um ihr Leben besorgt, schützte dasselbe mit der zweiten Hand, und der ruchlose Deutsche hieb
ihr auch diese ab. Als dies ein böhmischer Edelknecht sah,
obgleich er dem Konopišter diente, ergriff ihn doch ein Herzleid
über solche Grausamkeit gegenüber seinem angestammten Volke,
und er rief dem Deutschen zu: Ha! so wollt ihr mit uns
umgehen! Und versetzte dem Kerl eins mit dem Balester, daß
er sogleich die Seele ausfurzte." „Solche und noch kläglichere
Auftritte fielen damals vor. In Turnau wurden eine Menge
Weiber umgebracht; in Kolowec (Kolautschen) hieben sie
vielen Kindern die Köpfe ab und warfen sie einander wie
Bälle zu. In den Nächten waren viele Feuersbrünste zu
sehen, da Brandstifter in den Dörfern umhergingen. Bis es
den, die solches sahen, wehmüthig ums Herz wurde, wenn
sie sich dessen nur erinnerten, und auch den Nachkommen der
Böhmen sollte es zu hören ein Jammer sein, so oft davon
Meldung geschieht." [426] So lauten die Worte des Annalisten.

Zu dem großen polnischen Reichstag, der zu Petrikau
um Allerheiligen hauptsächlich wegen der Angelegenheiten der
böhmischen Krone abgehalten wurde, kamen aus Böhmen

426) Staři letopisové S. 192—196. Indem wir dessen Worte stellenweise abgekürzt wiedergaben, vermieden wir es, deren natürliche
Härte und Roheit zu mildern, da letztere selbst als Denkmal ihrer
Zeit zu dienen geeignet sind. Es ist selbstverständlich, daß weder
der Papst, noch seine Legaten den Kreuzern Befehle gaben, sich im
Blute der Ketzer zu waschen: man sieht aber hier, in welchen
Sinn und welche Bedeutung jene Befehle übersetzt wurden, als sie
in den untersten Volksschichten zur Verwirklichung gelangten. Denn
die angeführten Thatsachen an sich lassen sich leider mit keinem
hinreichenden Grunde weder leugnen noch in Zweifel ziehen.

1469 einige der vornehmsten und angesehensten Männer: Wilhelm
von Riesenberg und Rabie der Oberstlandkämmerer, Johann
Towaćowský von Cimburg auf Jungbunzlau Herrn Stibors
Bruder, Albrecht Bezdružický von Kolowrat, Slawata von
Chlum und Koschumberg, Beneš von Weitmil, Paul Propst
von Zderaz, Heinrich Smlřický, Nikolaus Kaplěř von Sulewic und Winterberg, Martin Bořek von Hrádek, Čeněk
von Barchow, Bohuše von Drahobudic und die Boten der
Alt= und der Neustadt Prag, ferner die von Saaz und Brür,
6 Oct. zusammen auf 300 Rossen.   In der am 16 Oktober ihnen
ertheilten und eigenhändig unterschriebenen Vollmacht willigte
K. Georg ein, daß Wladislaw allenfalls auch bei seinen
Lebzeiten zum Könige von Böhmen gekrönt werden könne:
aber um so fester bestand er dann auf der Bedingung, daß
seine Tochter, als seine Verlobte, mit ihm zugleich · gekrönt
werde, und daß der junge König nicht früher, als nach des
Schwiegervaters Tode, die Regierung von Böhmen in die
eigene Hand übernehme.   Die Stände von Polen theilten
sich in der böhmischen Frage, nicht ohne Leidenschaft, in zwei
Parteien: die eine, von nationalen Gesinnungen beseelt, rieth
die vorgetragenen Bedingungen anzunehmen und sich mit den
Böhmen aufs innigste zu verbinden; die andere stellte sich
dem aus religiösen Gründen entgegen. Es wurden auf dem
Reichstage auch die von Rom zurückgekehrten Gesandten K.
Kazimirs gehört, die da berichteten, in welchen Streit sie
mit dem ungarischen Gesandten vor dem Papste gerathen
waren.   Mathias hatte nämlich an den heiligen Vater die
Bitte gestellt, ihm eine neue und besondere Krone zuzusen=
den, womit er sich als König von Böhmen krönen lassen
könnte, da es ihm unmöglich war, sich der auf dem Karl=
stein bewahrten zu bemächtigen.   Dagegen protestirten die
Polen und führten an, wie die böhmische Krone bereits den
Söhnen ihres Königs nicht allein dem Erbrecht, sondern
auch der in Prag vollzogenen Wahl gemäß gehöre. Paul II

soll erklärt haben, daß Mathias Wahl für Böhmen ohne 1469
sein Wissen und Wollen vor sich gegangen sei. Da er nun
weder den Letzteren durch eine direkte Versagung kränken,
noch auch Kazimir und die Polen von sich abstoßen wollte,
da sonst ihre Vereinigung mit den Ketzern zu befürchten gewesen wäre, so hüllte er sich in die Neutralität ein und gab
einigermaßen beiden Parteien Hoffnung. Den Polen versprach er namentlich, daß er zur näheren Erforschung ihrer
Angelegenheiten und Rechte einen eigenen Legaten zu ihnen
senden wolle, und verlangte, daß sie inzwischen mit Mathias
sich gegen die Ketzer verbinden sollten. In Folge dessen vertagte auch Kazimir in Petrikau seine Entscheidung bis zur
Ankunft des besagten Legaten. Damit aber die Hoffnungen
der Böhmen sich nicht gänzlich von ihm abwenden, ordnete
er nach Schlesien und vermuthlich auch in die andern Kronländer Botschaften mit dem Bedeuten ab, die Angelegenheiten der Krone Böhmen seien eine Erbangelegenheit seiner Söhne
geworden; er verlange daher Ersatz und Genugthuung für
alle dem Lande Böhmen zugefügten Schäden, und werde,
wofern man sie verweigere, allen friedlichen Verkehr der Polen mit diesen Ländern einstellen. [427]

Am Neujahrstage 1470 wurde in Prag ein offenes 1470
Manifest an alle weltlichen und geistlichen Reichsfürsten, so
wie an alle Reichsstädte erlassen, worin der König den Ver-

---

427) Ueber diesen Reichstag zu Petrikau berichtet Dlugoß (p. 452) nicht
objectiv, sondern im Sinne seiner ultrazelotischen Partei; richtiger
ist, was Eschenloer in seinem lateinischen Autograph darüber anführt. Das Datum bei Dlugoß „secunda die Octobris, quinta
mensis Octotobris" ist jedenfalls ein Lese- oder Druckfehler, anstatt
2—5 November. Die von K. Georg den Gesandten nach Polen
mitgegebene und in (schlechter) deutscher Uebersetzung bei Sommersberg I, 1033 gedruckte Vollmacht, trägt auch ein irriges Datum;
es soll heißen „Montag an S. Gallustag" (16 October) nicht an
S. Paulstag, der in diesem Jahre auch nicht auf einen Montag
fiel. Ueber das Uebrige vergleiche man Eschenloer, II, 191—2.

1470 lauf seiner Streitigkeiten mit dem römischen Stuhle wie mit dem böhmischen Herrenbunde umständlich schilderte, und Klage führte, wie über den Papst, der mit Verlassung des Weges der Barmherzigkeit nicht nur, sondern auch der Gerechtigkeit, nicht aufhörte, ihm großes Unrecht zuzufügen, so auch über das heil. römische Reich selbst, welches, obgleich oft zu Hilfe gerufen, niemals sich angelegen sein ließ, ihn als sein vorzüglichstes Mitglied in Wort oder That in Schutz zu nehmen. Es wurde in dem Schreiben bemerkt, wie bereits alle christlichen Königreiche „in Wollüstigkeit der Freiheit sich von dem römischen Reich ganz abgezogen haben" und sich ihm in keiner Weise mehr pflichtig erkennen, dagegen die böhmische Krone allein noch in einer Verbindung beharre, aus welcher das Reich namhaften Vortheil ziehe; wie denn noch vor nicht langer Zeit der Kaiser mit Gemalin und Kindern nur durch böhmische Hilfe von der Gefangennehmung bewahrt worden sei. Der König gab nun zu verstehen, wenn endlich auch Böhmen sich vom Reiche trenne, daß solches nicht aus seinem Willen, sondern zu seinem großen Leid erfolgen werde. Es wurden daher alle Fürsten und Städte ersucht, ein solches Ereigniß durch thätigere Theilnahme als bisher abzuwenden und vom Papste jenes öffentliche Gehör in einer angemessenen Versammlung zu verlangen, welches er schon seit Jahren vergeblich sollicitirte, oder einen andern und bessern Weg anzugeben, auf dem ihm und seinem Volke Gerechtigkeit und Friede zu Theil werden könnten. [428]

Es haben sich aus dieser Zeit zu wenig schriftliche Ueberlieferungen erhalten und der damalige Stand der Angelegenheiten des Reichs ist bisher zu dürftig bekannt, als daß sich über alle Absichten K. Georgs mit voller Sicher-

---

428) Das Exemplar dieses Manifestes, welches an den Erzbischof von Magdeburg gerichtet war, fanden wir im MS. univ. Lips. 1092, fol. 316—9. Ein anderes an die Stadt Regensburg gerichtetes erwähnt Gemeiner, Regensburg. Chronik, III, 460.

heit urtheilen ließe: immerhin ist aber ein Schluß von dem,
was wir wissen, auf wenigstens einen Theil dessen, was
bisher unbeachtet noch in ausländischen Archiven verborgen
liegen mag, nicht ohne Berechtigung. [429] Aus Ungarn kamen
um's Neujahr Nachrichten, wie es K. Mathias gelungen sei,
die Stände seines Königreichs zur Darbringung eines außer=
ordentlichen großen Opfers zu stimmen, indem sie ihm für
die Bedürfnisse des böhmischen und türkischen Krieges zu=
sammen eine Steuer von einem Gulden (Ducaten) von jeder
Porta, deren es im ganzen Lande 800.000 gegeben, bewil=
ligten; und da von Seite der Türken jetzt wieder keine Ge=
fahr drohte, so sollte dieser ganze Kriegsapparat im nächsten
Sommer gegen die Böhmen, zu schnellerer und wirksamerer
Beendigung des dortigen Krieges gerichtet werden. Nach
Beendigung dieses Ofner Landtags kam Mathias nach Preß=
burg, fertigte von dort einige Reiterschaaren in das südliche
Böhmen ab, und bereitete sich vor zum Kaiser nach Wien
„zur Beschließung aller noch nöthigen Dinge" zu reisen, auf
daß endlich der letzte und entscheidende Schlag mit vereinten
Kräften geführt werde. [430] K. Georg wußte, wie Mathias

429) Obgleich in der Geschichte des deutschen Volkes das ganze XV Jahr=
hundert in unglaublicher Weise vernachlässigt wird, so gilt dies
von dem Jahrzehent 1460—70 dennoch vorzugsweise, und auch
in diesem zumeist von den Jahren 1467—1470. Es ist, als hätten
deutsche Schriftsteller die Geschichte dieser Zeit auch nur zu be=
rühren sich gescheut. So hat z. B. J. J. Müller vom Regens=
burger Reichstag auch nicht eine Ahnung gehabt, und auch von
dem Congreß von Wien 1470 weiß er nicht mehr beizubringen,
als was er aus Hájek und Dlugoß schöpfte; auch gibt es nichts
dürftigeres, als alle bekannten Werke deutscher Historiker über diese
Jahre; der einzige J. G. Droysen macht in neuester Zeit eine
rühmliche Ausnahme. Es ist jedoch nicht zu zweifeln, daß ver=
schiedene deutsche Archive eine ansehnliche Menge Materialien für
die Geschichte dieser Zeit bieten würden, wenn sich nur bereitwil=
lige und aufopfernde Forscher dazu finden ließen.

430) Diese Nachricht schrieb Zdenkk von Sternberg an die Pilsner aus

1470 nach nichts so sehr verlangte, als nach der Macht und dem Titel eines römischen Königs an des Kaisers Statt, und das Benehmen des Kaisers ließ befürchten, daß er seinen Zweck erreichen könnte. Bemächtigte sich aber dieser energische Herrscher der kaiserlichen Macht im Reiche unter welchem Titel immer, so konnte das böhmische Volk ihm dann nicht länger widerstehen. Um diese Gefahr abzuwenden, war K. Georg kein Entschluß, kein Wagstück zu schwer: er sann auf eine gänzliche Umwälzung des Reiches, allenfalls mit Absetzung Kaiser Friedrichs und mit Erhebung Karls von Burgund auf den Thron, oder aber auf seinen Austritt aus dem Reichsverbande. Zur Durchführung dieser Pläne bediente er sich der Mitwirkung zweier energischen deutschen Männer, Gregors von Heimburg und Georgs von Stein, welche beide des Kaisers persönliche Feinde waren. Uns ist darüber nur bekannt, was Georg von Stein im Namen des Königs dem Markgrafen von Brandenburg anbot, um ihn für das Project zu gewinnen, welches allerdings ohne seine Mitwirkung unausführbar blieb. Der Markgraf stand wegen seiner nicht sowohl Liebe, als Gerechtigkeit gegenüber den Böhmen, schon seit 1467 in des Papstes Bann und des Kaisers Ungunst; jetzt entsagte sein älterer Bruder, Kurfürst Friedrich, der Regierung und trat ihm wie das Land, so auch die Kurfürstenwürde ab; um so größer stellte sich, wie die Nothwendigkeit, so auch die Hoffnung dar, ihn zu gewinnen. Stein bot ihm von Seite des Königs entweder die untere Lausitz (da die obere den Herzogen von Sachsen verschrieben werden sollte) oder das Egergebiet mit einigen Schlössern, oder 60.000 Gulden im Baaren an, wenn er in des Burgunders Erhebung

Budweis am 4 Januar 1470, dessen Schreiben J. G. Kloß im Auszuge mittheilt (MS.) Den Ofner Landtagsschluß gibt Pray IV, 61 fg. und nach ihm Andere. Doch war nach Zeugniß von Urkunden bei Gr. Teleki (IV, 166—7) Mathias am 27 Januar 1470 wieder in Ofen.

auf den römischen Thron willige, und verpflichtete sich über= 1470
dies, ihm verschiedene Freiheiten und Gnaden auszuwirken.
Der König werde, so hieß es, dafür sorgen, wenn der Bur=
gunder römischer König werde, daß die Regierung des Reichs
meist in seinen und des Markgrafen Händen verbleibe; ihm
sei an dieser Aenderung im Reich alles gelegen, und er wolle
zu ihrer Durchführung selbst Opfer bringen, da er nur auf
diese Art seinen Kindern fürstliche Rechte und Ehren sichern
könne. Der Pfalzgraf sei willig diese Pläne mit allen Kräf=
ten zu unterstützen: aber bisher sei er darum noch nicht ein=
mal angegangen worden. [431]

Während auf diese Weise, am Hofe des deutschen
Achilles, zu Gunsten des Herzogs von Burgund verhandelt
wurde, begann gleichzeitig in Wien ein viel glänzenderes
Tagen zu Gunsten eines andern Reichscandidaten, des Kö=
nigs Mathias von Ungarn. Es kamen zu diesem „Wiener
Congresse" außer mehreren Reichsfürsten auch die böhmischen
und mährischen Herren Sternberg, Rosenberg, Neuhaus, die
Brüder von Böttau, Dobeš von Boskowic und andere;
K. Mathias hielt daselbst seinen Einzug mit glänzendem
Gefolge um den 10 Februar. Die Verhandlungen dieses 10 Feb.
Tages stellten sich den utraquistischen Böhmen als bloße
verrätherische Anschläge gegen ihren König dar: nachdem
man aber den ganzen Fasching beisammen gewesen, verschwand
der ganze Spuk plötzlich wie ein Faschingsschwank, ohne
ein Andenken zu hinterlassen. Nur eine Scene daraus, frei=
lich aber eine hochwichtige, blieb der Nachwelt erinnerlich:
der Kaiser und der König von Ungarn brachen mit einander
vollständig, Mathias verließ Wien um den 10 März eilig 10
und im Zorne, und „Vater". und „Sohn" wurden fortan März

---

431) Ausführlicher handelt hievon J. G. Droysen in seiner Gesch. d.
preuß. Politik II, 367 fg. Die Urkunde des Weimarer Archivs,
auf welche er sich dabei bezieht, wurde von ihm auch uns mit=
getheilt.

1470 unversöhnliche Feinde bis zum Tode. Die äußerst dürftigen Denkmäler dieser Zeit geben für diesen großen und nachhaltigen Umschwung gar keinen Grund an,[432] wir aber werden kaum irren, wenn wir ihn in dem Widerstande suchen, auf welchen König Mathias ungeduldiges Verlangen stieß, des Kaisers nicht allein Schwiegersohn, sondern auch Nachfolger zu werden; gewiß ist wenigstens so viel, daß man erst seitdem gänzlich aufgehört hat, wie von der römischen Krone, so auch von der kaiserlichen Prinzessin Kunigunde, als Braut für Mathias, zu sprechen. Wenn diese bisher unbeachteten und unbekannten Verhältnisse und Vorfälle einst aus deutschen Archiven besser erforscht und beleuchtet sein werden, so zweifeln wir nicht, daß es sich herausstellen wird, wie der

432) Graf Teleki hat (IV, 164—171) alles zusammengestellt, was bisher über diesen Wiener Congreß bekannt war; man weiß weder, wann Mathias nach Wien kam, noch wann er abreiste, auch nicht welche Fürsten in Wien waren und worüber sie eigentlich verhandelten. Der einzige wohlunterrichtete Geschichtschreiber dieser Zeit, Dlugoš, sagt (p. 455), Mathias habe vom Kaiser nicht allein dessen Tochter Kunigunde als Braut, sondern auch die Zurückgabe der Summen verlangt, die er ihm in Folge des Vertrags vom 19 Juli 1463 habe zahlen müssen, ferner die der ungarischen Schlösser, die der Kaiser noch besaß, und endlich auch noch einen Ersatz für die Schäden, die der Kaiser dem Baumkircher verursacht habe: es liegt jedoch auf der Hand, daß er diese Forderungen nicht alle auf einmal stellte, sondern daß er erst dann auf die letzteren Punkte drang, nachdem die früheren (d. i. Kunigunde als Braut und die römische Königskrone) bereits abgeschlagen waren. Zdeněk von Sternberg gab in einem Briefe aus Wien vom 19 Februar seinem Sohne Jaroslaw Hoffnung, es werde wohl gegen die Ketzer alles glücklich von Statten gehen; am 15 März sprach man noch in Breslau, nach Berichten aus Wien, daß zwar die Verhandlungen in die Länge gezogen werden, daß jedoch der Kaiser und Mathias zusammen nach Deutschland ziehen sollten (Scultetus p. 283.) Vgl. Staří letopisové S. 281, und Pešina Mars Mor. p. 860. Am 17 März schrieb schon Mathias von Preßburg aus an den Herrn von Rosenberg (Witting. Archiv.)

staatskluge deutsche ·Achilles ihnen nicht nur nicht fremb 1470
blieb, sondern auch ihr Hauptförderer wurde. Denn unver=
kennbar bilden sich von dieser Zeit an unter den Herrschern
Mitteleuropas neue Combinationen, neue Allianzen; der Kaiser
sucht vor Allem sich mit Polen wieder zu befreunden, auch
andere Reichsfürsten an sich zu ziehen, sich mit Burgund auf
einen guten Fuß zu stellen und endlich auch mit dem bisher
verhaßten K. Georg sich zu versöhnen: und als allgemeiner
Vermittler dabei, als eine Art Priester der neuen Eintracht,
erscheint allenthalben Markgraf Albrecht. Er war es, der
wie vor neun Jahren, so auch jetzt, den dem deutschen Reiche
und den politischen Grundlagen desselben drohenden Umsturz
abwandte und K. Friedrich wieder auf seinem Throne schützte.
Doch werden wir diesen Gegenstand hier nicht weiter verfolgen,
sondern in der Folge nur noch so weit es nöthig wird, dar=
auf zurückkommen.

Die Wahrnehmung seiner gänzlich isolirten Stellung
und die Voraussicht, daß er im bevorstehenden Sommer einen
noch schwereren Kampf als je zu bestehen haben werde, ver=
anlaßten K. Georg bei Zeiten auf neue Mittel zum Schutze
seines Landes und seiner Unterthanen zu sinnen. Er legte
den Ständen auf dem in Prag in den Fastenquatember=
Tagen abgehaltenen Landtag einen Entwurf zu einer neuen
militärischen Organisation des Landes vor, zu einer Art
moderner Landwehr, wie sie die Zeitumstände forderten
und gestatteten. Durch den Landtagbeschluß vom 14 März 14
wurde in allen Kreisen Böhmens, welche in des Königs   März
Gehorsam verblieben waren, ein stehendes Heer unter den
Befehlen besonderer Kreishauptleute errichtet und mit allen
Kriegsbedürfnissen versehen, um jeden Augenblick in's Feld
rücken zu können. Zu dem Zwecke sollten, nach dem Zeug=
nisse der darüber aufgesetzten Urkunde, an Bewaffneten auf=
stellen: der Königgrätzer Kreis 1000 Mann, der Kaurimer
700, der Chrudimer 500, Caslauer 340, Wltawer eine nicht

1470 angegebene Zahl, der Schlaner 500, der Saazer und Rako=
nitzer zusammen 1000, der Leitmeritzer 550, Bunzlauer 300
Mann: von den übrigen Kreisen schweigt die Urkunde, sei
es, daß solche, wie der Pilsner und Bechiner, größtentheils
in feindlichen Händen sich befanden, sei es auch, daß sie, die
Urkunde, sich nur unvollständig erhalten hat. Es wurde zu=
gleich in jedem Kreise eine Commission zur Repartirung der
verschiedenen Beiträge errichtet, welche die einzelnen Bewoh=
ner dazu zu leisten hatten, und es mußte stets für den vollen
Bestand derselben gesorgt, daher bei jedem Abgange neue
Nachträge geliefert werden. Die Kreisgenossen wählten sich
ihren Feldhauptmann selbst, den obersten Feldherrn hatte je=
doch der König zu ernennen; ein bestimmter Sold wurde
von den Kreisinsassen wie dem Kreishauptmann so auch den
einzelnen Bewaffneten geleistet. Die Zahl der Reisigen be=
trug nur ein Zehntheil der Gesammtzahl der Schaaren, und
auf 20 Bewaffnete wurden in der Regel 1 Wagen, 2 Rei=
sige, ein Wagenführer, 13 Schützen und 4 Pafesner (große
Schildträger) gerechnet. Den kleineren Kriegsbedarf besorgte
der Kreis selbst; die gröberen Geschütze, und was dazu ge=
hörte, mußten die königlichen Städte, nach Ausmaß und An=
ordnung des Landesunterkämmerers, hergeben. Es versteht
sich von selbst, daß diese außerordentliche, zur Vertheidigung
der Kreise für jeden Augenblick bereit gehaltene Waffenmacht
nicht mit den gewöhnlichen Heeren zu verwechseln ist, die
theils aus königlichen Hofleuten und Söldnern, theils aus
den Bewaffneten des Volkes überhaupt bestehend, in den
Krieg nach wie vor geführt zu werden pflegten. [433]

433) Der Landtagsschluß vom 14 März, den wir im Archiv český
(IV, 441—444) haben abdrucken lassen, ist nicht allein dadurch
interessant, daß er auf die böhmische Kriegskunst einiges Licht wirft
(vgl. Časopis česk. Museum, 1828, II, 8 fg.), sondern auch weil
er uns eine Menge böhmischer Herren= und Ritterfamilien zur
Kenntniß bringt, die im J. 1470 bei K. Georg treu beharrten.

Es sind Ueberlieferungen vorhanden, wie im Frühling 1470 des Jahres 1470 auch ein Krieg aus Böhmen nach Bayern hin geführt wurde, zwar nicht von König Georg selbst, wohl aber von seinen Verbündeten und Unterthanen mit seiner Zustimmung und Hilfe. Der Erbmarschall und Hofmeister von Niederbayern, Hanns von Degenberg auf Nußberg, der bei dem Streite der herzoglichen Brüder von München betheiligt gewesen und von Herzog Albrecht vertrieben worden war, nahm seine Zuflucht zu König Georg, dessen Rath er schon 1466 geworden war und begann schon 1468 den Krieg nach Bayern mit böhmischer Hilfe; im J. 1470 verbanden sich mit ihm nicht allein Herzog Otto von Bayern, den Albrecht gleichfalls tief beleidigt hatte, sondern auch einige böhmische Barone, vormals Mitglieder der katholischen Liga, die sich mit König Georg verglichen hatten und denen er gestattete, ihre Waffen gegen Albrecht zu wenden; ja es wird berichtet, daß in diesem Waffenbund auch viele Herren aus Oesterreich, Steiermark, Kärnthen und Krain traten, welche dann gegen den Kaiser und gegen die Herzoge von Bayern vereint Krieg führten. Vergeblich bemühte sich der Legat Rovarella mit geistlichen Censuren die Leidenschaften zu zähmen und diesen übrigens wenig bekannten Krieg zu ersticken, der erst später ebenfalls durch Vermittlung des Markgrafen Albrecht beseitigt worden zu sein scheint. [434] Es war

434) Dr. Martin Mayr gab am 12 Januar 1470 dem Herzog Albrecht von München die Nachricht „das sich zwelff herren zu Behaym — vertragen haben, hinfüro den krieg die weyl der zu Behaym weret sthil zu sitzen vnd auff keiner parthey zu seyn" und weiter „das sich zehen behemisch herren — verainigt haben, in kurtz Ew. Gnaden Veind zu werden" u. s. w. Dann am 30 Juli machte er die ihm zugekommene Zeitung kund: „Auch haben vil herren im land zu Oesterreich vnd zu Karnten Krain Steyrmargten Vngern vnd zu Beheym ainen bund vnd Bruderschafft gemacht mit herrn Hansen von Degenberg zu ziehen wieder die Bayrischen fürsten vnd kaiser vnd künig, Ruck zu halten denselben." Der Rentmeister von

1470 dies freilich kein königlicher und auch kein nationaler Krieg, er griff aber in beide mannigfach hinein und trug nicht wenig bei, das Ansehen der böhmischen Heeresmacht zu erhöhen und die Feinde gelegentlich zu mehr Friedensliebe zu stimmen.

Der letzte blutige Kampf der Könige miteinander [435] begann in Mähren bald nach Ostern, als König Georg zur Speisung der Stadt Hradisch ein Heer von 5000, nach andern 8000 Bewaffneten, und darunter etwa 1000, nach andern 2000 Reisigen, unter den Befehlen der Hauptleute Hrabaně und Chotěřinsk̑ sandte. Mathias, der eben beabsichtigt hatte mit 4000 Reisigen über Trenčin nach Schlesien zu ziehen, wendete sich hierauf nach Mähren, und war na-

Straubing H. Winder schrieb am 6 Mai dem Herzoge: „Es ist die gemein Sag, daß sich herzog Ott zu ettlichen Behemen, als Teinez, Swanberg, Guttenstein und andern verbunden hab, die wellen Im wider Ew. Gnaden helfen. It. Hans Nusperger (d. i. Johann von Degenberg) hat den Hirsstein (ein böhmisches Schloß) eingenommen und herzog Ott hat ihn gespeist. Hans Nusperger sol von Prag bringen auf V oder VI tausend Mann" u. s. w. Vgl. Gemeiner regensb. Chron. III, 461—3.

435) Wir fanden darüber zwei gleichzeitige und etwas umständlichere Berichte: einen von böhmischer Seite, im Schreiben des Prinzen Heinrich (dd. Prag, 2 Oct. 1470) an seinen Schwiegervater den Markgrafen Albrecht von Brandenburg (Orig. im königl. geh. Cabinetsarchiv in Berlin) und einen katholischen, den das MS. univ. Lips. 1092 unter der Aufschrift „Nüwe zeitung" liefert. Ueberdies haben sich auch einige Schreiben darüber im königl. Reichsarchiv in München und bei Scultetus erhalten. Aus diesen Quellen haben wir detaillirtere und bestimmtere Nachrichten geschöpft, als Eschenloer und Dlugoš bieten. Eschenloer fehlt hauptsächlich darin, daß er „Jirik" gleich bei dem ersten Feldzug nach Mähren anwesend sein läßt, während wir wissen, daß er erst im Juli in den Krieg zog; überdies übertreibt er, nach seiner Gewohnheit, die Erfolge der Freunde und die Schäden der Feinde. Freilich Uebertreibungen dieser Art wurden von oben herab und absichtlich verbreitet, um den Kriegsmuth der Schlesier, Lausitzer u. s. w. nicht sinken zu lassen.

mentlich am 2 Mai in Ungarisch = Brod, dann in Kremsier 1470
und am 17 Mai in Brünn. Inzwischen gelang es den Böh= 17 Mai
men zwei Basteien bei Hradisch im Sturme zu nehmen, ihre
Besaßungen zu erschlagen oder gefangen zu nehmen und die
Stadt reichlich zu speisen. Als Mathias solches erfuhr, kehrte
er nach Ungarn zurück und brachte in Kurzem von dort ein
Heer von 8000 Mann zu Roß, 4000 zu Fuß; auch den
Schlesiern schickte er strenge Befehle zu, daß sie, alles bei
Seite lassend, mit ihrer ganzen Kriegsmacht nach Kremsier
ziehen, um sich da mit ihm zu vereinigen. Doch trat er,
ohne sie abzuwarten, am 19 Juni ins Feld, und zog vor 19 Juni
Hradisch, wo inzwischen in den fast täglich erneuerten Schar=
müßeln der Führer der Böhmen, Hraban̆e, selbst in feindliche
Gefangenschaft gerathen war. Die übrigen konnten seiner
großen Uebermacht nicht widerstehen und zogen sich bis
Göding zurück; eine ehemals königliche Stadt, welche jetzt
die Herren von Kunstat, treue Anhänger ihres „Vetters"
König Georgs, von demselben zu Pfande besaßen. Wäh=
rend eines etwa zweiwöchentlichen Lagers, auf diesen festen
Ort gestützt, unternahmen sie zwar mancherlei Fahrten nach
Ungarn, tief ins Waagthal, um dort zu rauben und zu
plündern: aber wegen nassen Wetters und der sumpfigen
Gegend litten sie vom Fieber und andern Krankheiten noch
mehr, als vom Feinde. Denn als Mathias ihnen nachrückte,
brachte er ihnen zwar, nach der Behauptung Einiger, am 29 29 Juni
Juni eine bedeutende Niederlage bei, nach dem Zeugnisse An=
derer aber war er außer Stande, ihnen irgend etwas anzu=
haben. [436] Doch wurde hier eine grause That verübt, die

436) Das erste behauptet Eschenloer; von dem zweiten sandte Dr. Martin Mayr dem Herzoge Albrecht von München am 30 Juli folgende ihm aus Oesterreich zugekommene „Hofmähre" zu: „Der
König von Bungern ligt mit seinem here bei Chunicz, vnd hat off
VII M. pfärt vnd III tausend zu fuß, vnd ist uffbrochen vor Göding, wann er denselben keczern nichcz hat abgewinnen mügen"
u. s. w. (Orig. im Archive von München.)

1470 wenigſtens in den Annalen des chriſtlichen Europa kaum ihres
gleichen finden dürfte. Wir haben ſchon oben berührt, wie
die in Mathias Heere dienenden Raizen, anſtatt des Soldes,
von ihm für jeden Feindeskopf, den ſie ihm präſentirten, je
einen Dukaten erhielten. Nun gelang es ihnen, eine böh=
miſche Bedeckung, welche nach Göding auf 30 Wägen Vor=
räthe führte, zu überfallen und zu bewältigen, und ſie prä=
ſentirten ihrem Könige auf einmal 585 Menſchenköpfe. Ma=
thias befahl ſie insgeſammt auf große Schleudern oder Wurf=
maſchinen legen und ins böhmiſche Lager, wie es heißt, zu
großem Entſetzen der Ketzer, hinüberſchleudern. Wir wüßten
nichts von dieſer Großthat, wenn die Feinde ſich ihrer, als
ſolchen, nicht ſelbſt gerühmt hätten. [437]

7 Juni   Durch ein in Kuttenberg am 7 Juni erlaſſenes Dekret
befahl K. Georg allen Kreiſen, allen Herren, Rittern und
23 Juni Städten in Waffen bereit zu ſein und am 23 Juni vor
Deutſchbrod ſich zu verſammeln, wo er auch perſönlich zu
ſein verſprach, um nach Mähren den Seinigen zu Hilfe zu
ziehen; mit Mundvorräthen ſollten alle auf 6 Wochen ſich
verſehen. Wir wiſſen nicht, aus welchen Gründen ſpäter
dieſe Friſt verlängert wurde; denn es iſt gewiß, daß in Prag
erſt am 22 Juni, anderswo, wie z. B. in Teplic erſt am
25 Juni öffentlich ausgerufen wurde, daß man am 3 Juli
ſich vor Deutſchbrod einfinden ſollte. Es kam nun ein ſo
bedeutendes Heer zuſammen, daß einige Ausländer es bis
auf 24000 Mann ſchätzten. Der König führte es ſelbſt und
zog damit in zwei Abtheilungen, nicht auf Göding, ſondern
auf Brünn los; daher verließ auch Mathias die Gegend
von Göding, und lagerte einige Tage lang in den Feldern
11 Juli bei dem Kloſter Kaunitz. Als er aber hier am 11 Juli die
Nachricht erhielt, daß auch das bei Göding geſtandene böh=
miſche Heer ſeine Stellung verlaſſen und an der March hin=

437) Eſchenloer S. 200—1. Im lateiniſchen Autograph (fol. 398)
        fügte er die Ausrufung hinzu: O grande spectaculum!

auf gegen Kremſier und Tobitſchau zu abgezogen ſei, um 1470
ſich da mit dem Heere des Königs zu vereinigen, entſchloß
er ſich plötzlich ihm nachzueilen und es vor ſeiner Vereini=
gung zu erdrücken. Er ließ daher in ſeinem Lager gleich
„auftrommeln und pauken“ und befahl ſeinen Reiſigen, etwa
6000 an Zahl, „ungegeſſen und ungetrunken“ bei Tag und
Nacht voraus gegen Tobitſchau zu traben; die Trabanten
und Wägen ſollten nachfolgen, ſo gut ſie konnten. Tags
darauf am 12 Juli erreichte man die Böhmen zwiſchen To= 12 Juli
bitſchau und Proßnitz, unweit Kralic, ſchon um 9 Uhr früh,
wo dieſe von einer Feindesgefahr ſich auch nicht träumen
ließen. Zum Glücke hielt der mächtig angeſchwollene Fluß
den Angriff etwas auf, und gönnte dem böhmiſchen Heer=
führer Wenzel Wlček einige Zeit, die Seinigen zu ordnen,
mit welchen er alſogleich den Rückzug gegen Tobitſchau an=
trat. So geſchah es, daß nur diejenigen in feindliche Hände
geriethen, die ſich verwahrloſt und nicht Zeit gehabt hatten,
ihre Zuflucht in der Wagenburg zu ſuchen. Solcher gab es
— wenn das, was Prinz Heinrich ſeinem Schwiegervater
Markgrafen Albrecht darüber berichtete, wahr iſt — nur 10
Wägen, 13 Spießer und etwa 150 Trabanten; aber in den
aus dem ungariſchen Lager gekommenen Zeitungen ſprach
man, in den einen von 650 Gefangenen, worunter 46 Spie=
ßer und unter dieſen wieder 20 ehrbare Knechte, von 200
Erſchlagenen, 1600 Wägen und 100 Pferden; in den an=
dern von 1000 Gefangenen, 200 Erſchlagenen, und 260
erbeuteten Wägen, was wir hier unentſchieden laſſen wollen.
Gewiß iſt, daß dieſer Sieg in allen Kirchen von Schleſien
mit einem lauten Te deum laudamus gefeiert wurde. Ma=
thias ruhte nur kurze Zeit bei Kralic aus, und eilte wieder
gegen Brünn, wo ernſtere Dinge ſich vorbereiteten. [438]

438) Das Schlachtfeld vom 12 Juli war nach böhmiſchen Quellen bei
Tobitſchau, nach deutſchen bei Kralic. Die böhmiſche Reimchronik
„vom Kriege mit Ungarn“ (Script. rer. Boh. III, 494), deren

1470   K. Georg langte am 16 Juli vor Brünn an, und
17 Juli lagerte Tags darauf bei dem Kloster Raigern. In seinem
Heere waren, wie es scheint, alle vornehmeren böhmischen
Barone anwesend; wenigstens werden der oberste Burggraf
Johann Jenec von Janowic auf Petersburg, der Oberstland=
kämmerer Wilhelm von Riesenberg und Rabie, dann Her=
mann von Wartenberg auf Zwiřetic, Ješek Swojanowský
von Boskowic und andere namentlich erwähnt. Doch ver=
mißte man Herrn Albrecht Kostka, weil er wegen der unse=
ligen Rolle, die er im vorigen Jahre zwischen den Königen
gespielt, in Böhmen viel gekränkt, bereits gänzlich zu Mathias
und zum katholischen Glauben übergetreten war. [439] Mathias,
der ein viel schwächeres Heer beisammen hatte, lagerte es
auf den Anhöhen bei Brünn in der Art, daß es sich auf
die Stadt und das Schloß Spielberg stützte. Keines der
beiden Heere machte sichtbare Anstalten zum Angriffe. Daher

Verfasser ein katholischer Böhme war, begeht selbst den Fehler,
K. Georg in diesem Kampfe bei Tobitschau als anwesend dar=
zustellen; sie fügt aber hinzu, „wäre (der katholische) Wenzel Wlček
nicht da gewesen, es wäre den Böhmen schlimm ergangen." Da
aber diese ganze böhm. Heeresabtheilung im Ganzen keine 1600
Wägen besaß, so muß man die Angabe der „Nüwe Zeitung" über
die Zahl der abgenommenen Wägen um etwa zwei Nullen kürzen.
Eschenloer wiederholte diejenigen Daten, welche der Stadtrath von
Olmütz an den von Breslau am 13 Juli schrieb. J. G. Kloß hat
das Schreiben erhalten (MS.)

439) In den Prager Consistorialacten (U, III, 15) steht ein Schreiben
des Administrators Hanuš von Kolowrat an den Pfarrer Valentin
zu Budin (dd. Zbiroh, 14 Dec. 1469), wo es heißt: Quia gene-
rosus Albertus Kostka infirmitate corporali gravatus mederi
cupit in anima, jacens in Teplicz: quare praesentibus damus
vobis auctoritatem absolvendi eum etc. Quamquam poenitentia
sera raro vera, tamen non desperandum etc. Derselbe Herr
Kostka kam am 8 April 1470 in den Besitz der Städte und Herr=
schaften Weißkirchen und Prerau, welche bis dahin Herr Stibor
von Cimburg innegehabt. (Orig.)

befahl K. Georg Herrn Wilhelm von Rabie und andern Ba- 1470
ronen von Mathias ein sicheres Geleit zu verlangen, und
wenn sie es erhalten, ihm eine Botschaft mit folgenden Worten zu eröffnen:

„Wiewohl Ihr, o König, unserm König und Herrn,
wider Gott und Recht, Gewalt angethan und seine Krone
angegriffen habt, mit Mord, Brand und mancherlei Schäden
und mit Unterjochung seiner Länder und Unterthanen, und
das Alles ohne Bewahrung Eurer Ehre, mit Hintansetzung
aller Freundschaftsgunst und der hohen Bande, die zwischen
Euch bestanden: so will doch unser König und Herr, aus
großem Leid über so viel unschuldiges Blut und so große
Verheerungen, denen er steuern möchte, mit Euch einen vollen Frieden haben und aufnehmen, und zwar in der Weise,
daß Ihr sogleich aus seinen Landen wegziehet und alles der
böhmischen Krone Angehörige, dessen Ihr Euch bemächtigt
habt, wieder zurückgebet; die Schäden, die von Euch geschehen, will unser König an das Erkenntniß der erlauchten
weltlichen Kurfürsten des heil. Reichs setzen, und nach demselben auch Euch gerecht werden.“ Wenn Mathias aber,
wie zu erwarten stand, auf diese Forderung nicht eingehe, so
sollten sie ihm weiter ausrichten: „Da Ihr Euren bösen
Vorsatz nicht aufgeben wollt, sondern Euch muthwilliger
Weise gegen die Person und das Leben des Königs, unseres
Herrn, erhoben habt, so will er und ist bereit, um das Vergießen so vieles unschuldigen Christenblutes zu hindern, sein
Leben an Euer Leben zu setzen und fordert Euch zu einem
Zweikampfe an einem geeigneten Orte zwischen den Heeren
mit gleicher Wehre und gleichem Harnisch auf. Doch da es
Euch bekannt ist, wie sehr unser König an Körperschwere
leidet, so verlangt er, daß ein anständiger ziemlich einge-
schränkter Ort zu dem Kampfe hergerichtet werde, damit ihr
einer vor dem andern nicht fliehen möget. Verhängt dann
Gott über unsern König, daß Ihr ihn überwindet, so ver-

1470 fügt über ihn nach Eurem Gutdünken; und er wird desgleichen thun, wenn er Sieger ist. Sollte aber auch dieses
Anerbieten Euch nicht genehm sein, so verlangt der König,
unser Herr, zur schnellen Beendigung dieses grausamen Krieges, sich mit Euch in eine Schlacht der Art einzulassen, daß
er an einem geräumigen Orte, über welchen Ihr übereinkommen werdet, vier Tage lang harren und niemanden wehren will, zu Euch zu stoßen, und ein Gleiches soll auch den
Unsern freistehen; fliehet dann nicht von den Eurigen weg,
wie es auch unser König nicht thun wird; und möge Gott
dem Gerechten helfen, damit die Verheerungen aufhören und
es Friede werde."

K. Mathias bot zwar den böhmischen Baronen Geleitsbriefe an, doch waren sie so gestellt, daß man sie nicht annehmen konnte: denn er nannte sich darin nicht nur einen
König von Böhmen, sondern auch ihren Herrn und sie seine
Unterthanen, wozu sie sich doch durch deren Annahme nicht
bekennen mochten. Inzwischen war das böhmische Heer am
19 Juli 19 Juli vor Raigern aufgebrochen, und setzte sich gegen
Kremsier aus zwei Gründen in Bewegung: erstens damit
die, welche von Göding gegen Tobitschau herangerückt waren, sich mit ihm vereinigen könnten; und zweitens um eine
Ueberrumpelung der Stadt Kremsier zu versuchen. Diese Stadt
war schon während des ersten Hussitenkrieges ein Hauptsitz
der Utraquisten in Mähren geworden: aber Ritter Nicolaus
von Ojnic, der sie zuletzt besessen, hatte sie im J. 1468 K.
Mathias mittelst Vergleichs um 13,000 Gulden abgetreten.
Seitdem stand darin eine ungarische Besatzung von 400
Reisigen und 700 Fußknechten: aber die Bürger, die noch
immer K. Georg anhingen, gaben ihm insgeheim Hoffnung,
ihn zu sich einzulassen. Der Anschlag wurde jedoch verrathen, die Ungarn schlugen den ersten Anlauf ab und behaupteten sich in der Stadt mit großer Grausamkeit; und zu
einer regelmäßigen Belagerung hatte K. Georg weder Zeit

noch Luft. Das schlesische Heer, welches unter den Befeh=
len des Herzogs von Liegnitz K. Mathias zu Hilfe zog,
etwa 2000 Bewaffnete, hatte inzwischen am 17 Juli Olmütz
verlassen, um vor Brünn zu rücken: als es aber unterwegs
auf die gegen Kremsier ziehende böhmische Heeresmacht stieß,
kehrte es in eiliger Flucht nach Olmütz wieder zurück. Unter
diesen und solchen Umständen verrichteten die Herren Wil=
helm von Rabie, Hermann Zwiřeticky, Jozef Swojanowský
und Beneš von Weitmil die ihnen von K. Georg auf=
erlegte Botschaft durch ein im Felde bei Kremsier, Sonntag
den 22 Juli datirtes Schreiben. Kurz darauf zog das ganze
böhmische Lager von Kremsier gegen Hradisch ab.

K. Mathias gab auf die obige Botschaft am 24 Juli
im Felde bei Brünn eine Antwort in folgender Fassung:
„Wir hatten euch einen Geleitsbrief gegeben, auf desgleichen
Leute wie ihr immer zu uns zu kommen pflegten, und wir
finden keinen Mangel an demselben. Ihr schreibt uns ehren=
rührig als hätten wir unsere Ehre gegen euren Herrn nicht
gewahrt: da es doch bekannt ist, daß wir solches mit unse=
rem offenen Briefe gegen seinen Sohn, Herrn Victorin ge=
than haben, als er unsern lieben Vater und Freund, den
Kaiser angriff, und wir ihn dann aus Oesterreich vertrieben.
Euer Herr hat ihn aber wieder gegen uns gerichtet und ist
neben ihm muthwillig unser Feind worden, ohne uns je=
mals gehörig abgesagt zu haben. Und als wir bei Laa,
nicht in der böhmischen Krone, sondern in Oesterreich lager=
ten, da ließen wir freundlich mit ihm über alle Beschwerden
reden, da wir sie lieber in Frieden, als durch Krieg abgethan
hätten; und an uns war da kein Gebrechen, sondern an
eurem Herrn und seinen damaligen Räthen, die dafür auch
schon ihren Lohn empfangen haben. Da uns nun da nichts
Billiges widerfahren konnte und euer Herr vor uns wich,
so zogen wir ihm als einem Feinde nach, Gott zu Ehren
und zum Schutze des christlichen Glaubens wie auch aller

1470 guten Christen der löblichen Krone Böhmen, welche damals
ohne König waren und um des heil. Glaubens willen großes Unrecht zu leiden hatten. Wir wundern uns sehr, daß
euer Herr die Verwegenheit hat, zu verlangen, daß wir aus
dem Lande ziehen und alles von uns Besetzte heraus geben
sollen. Wir sind zum Königreich ordentlich erwählt worden,
nach des heil. Vaters Gebote und mit kaiserlicher Zustimmung, und die ganze Christenheit erkennt uns als solchen in
Schrift und Wort an; auch hoffen wir zu Gott, diese
Würde in unserer Person besser zu bewahren, als er, und
nicht so leicht jemanden abzutreten. Will er daher um den
Ueberrest unserer Krone von Böhmen, den er noch inne hat,
auf den heil. Vater, auf den Kaiser und auf diejenigen
compromittiren, welche diese beiden Häupter der Christenheit
sich als Richter beigesellen werden, und leistet er uns Scha-
denersatz nach dem Ermessen der beiden Häupter, so wollen
wir euch als unsern Unterthanen Frieden und Gemach schaffen, und auch die Person eueres Herrn bis zu seinem Tode
so behandeln, daß er uns dafür wie hienieden, so auch in
der andern Welt zu danken haben wird. Eure Herausforderung zum Zweikampf mit eurem Herrn nehmen wir an
und freuen uns darauf, obgleich es sich dabei mit uns, ohne
Kränkung sei es gesagt, als einem christlichen Könige anders
verhält, als mit ihm, der des Reiches entsetzt und beraubt
ist. Wo ihr aber von irgend einem eingeschränkten Ort sprechet: wir wollen uns, so Gott will, auf ritterliche Weise
schlagen, an geziemenden Orten, wie ein christlicher König
in Harnisch nach ritterlicher Gewohnheit. Was ihr weiter
von dem Verderben des Landes, von Mord und Brand erwähnt: es ist doch offenbar, daß nicht von uns, sondern
von eurem Herrn und euch der erste Angriff auf die guten
Christen, zur Bedrückung der frommen Gläubigen und zur
Ketzerei ausgegangen ist: wir aber haben dem gewehrt,
thun es noch und werden es auch ferner thun, da wir wohl

einsehen, daß so lange diese schnöde Ketzerei eures Herrn 1470
und seiner Anhänger fortdauert, in der böhmischen Krone
weder Friede noch Eintracht stattfinden kann. Ihr behaup=
tet auch, wir wären gewohnt, christliches Blut zu vergießen:
darin geschieht uns Unrecht; denn es ist ketzerisches, heidni=
sches und anderer Ungläubigen Blut, das wir vergießen,
wie es uns ziemt und der ganzen Christenheit bekannt ist.
Und als ihr am Ende hoffärtig von einer Schlacht im freien
Felde schreibt: euer Herr hat schon vormals uns gesehen,
wo er vor uns wich und floh; wenn die Zeit kömmt, wird
er uns wieder sehen und fliehen wie zuvor, falls es ihm
nur möglich sein wird" u. s. w.

Die letzten Worte waren es insbesondere, welche K.
Georgs Gefühl zu lebhaft aufregten, als daß er sie hätte
ohne Antwort lassen können; die Kriegerehre und der Ruf
der Tapferkeit war in Böhmen ein Gut, das nicht einmal
ein ehrbarer Knecht, umsoweniger der König sich ungestraft
antasten lassen durfte. Er richtete daher am 30 Juli im 30 Juli
Felde bei Kunowic ein Schreiben an den Wojwoden von
Siebenbürgen Niklas Čupor von Monosló und an andere
ungrische Herren, und klagte ihnen zuerst, daß ihr Herr, den
er nun auch nicht mehr König nannte, auf dem Wege der
Missethaten fortzuschreiten gedachte, indem er keines der an=
gebotenen Mittel zum Frieden annahm, wohl aber durch
gottloses Lästern und Verketzern die früheren Unbilden und
Gewaltthaten noch zu überbieten suchte. Dann setzte er hin=
zu: „Auch schreibt euer Herr, wir wären vor ihm geflo=
hen: während es Gott zuvor und dann allen Menschen be=
kannt ist, daß wir niemals vor ihm geflohen, noch auch zu=
rückgewichen sind." Und nachdem er dargestellt, wie er ihm
vor Laa und vor Znaim vergebens Schlachten angeboten
habe, fuhr er fort: „Es ist auch bekannt, als wir vor Wi=
lemow standen, ob er sich getraut hat, sich mit uns im
Felde zu messen. Denn er erkannte seine Noth und half

1470 ſich mit Verſprechungen heraus, ſo daß wir ihn ſammt ſeinem
Heere gegen ſeine Angelobungen gleichſam aus unſern Händen
entließen. Dann hielt er nichts von dem, was er uns verſprochen hatte. Aber das iſt offenkundig, daß er vor dem erlauchten
Prinzen Heinrich, unſerm lieben Sohn, und vor unſern Truppen geflohen iſt von Hradiſch an bis nach Ungariſch-Brod und
hinter Ungariſch-Brod." Er ſchloß mit dem Wunſche, es möchte
den ungariſchen Herren erinnerlich bleiben, daß „nicht durch
uns, wohl aber durch euren Herrn an unſchuldigen Menſchen
Unrecht und verheerende Gewaltthat verübt wird, wider Gott
und Recht und wider alle die hohen Bande der Freundſchaft,
die unverletzt hätten zwiſchen uns beſtehen ſollen." [440]

Als König Georg dieſes im Lager bei Kunowic ſchrieb,
war ihm wohl bereits gelungen, was die bedeutendſte Waf-
ſenthat dieſes Sommers bildete: die Eroberung ſämmtlicher
um Hradiſch angelegten Baſteien, das Erſchlagen oder Bewältigen aller ihrer Beſatzungen und endlich das gänzliche
Zerſtören aller dieſer Werke, welche die treue und unüber-
windliche Stadt bereits in's dritte Jahr bedroht und be-
läſtigt hatten. Auch die anderen Städte an der March, welche
böhmiſche Beſatzungen hatten, wie Oſtrau, Tynec und vielleicht auch Göding, wurden in dieſen Tagen befreit und hinlänglich geſpeiſt; und die dortigen Einwohner genoßen einige
Zeit lang die ſo lang entbehrte volle Freiheit wieder. K. Georg
verſuchte allerlei Mittel und Wege, jedoch ſtets vergebens,
um Mathias von deſſen Stützpunkte Brünn ab und in's

---

440) Die hier erwähnten und kurz angeführten Schreiben haben wir
ihrem vollen Laute nach aus dem MS. Sternb. im Archiv česky
I, 485—492) abdrucken laſſen. In deutſcher und lateiniſcher Ueber-
ſetzung circulirten ſie bald auch als „Zeitungen" in ganz Deutſchland, jedoch nur das erſte und zweite; das dritte (vom 30 Juli)
fand man nicht für gut, unter den Chriſten bekannt werden zu
laſſen. Ein viertes Schreiben (das der böhm. Barone an K. Mathias, dd. im Felde bei Kunowic am 30 Juli) führen auch wir
hier nicht an, da es nichts Neues und Wichtiges bietet.

freie Feld zu ziehen, wo er ihn zu einer Schlacht hätte nö= 1470
thigen können. [441] Durch ein am 6 Aug. im Lager bei Wesseli 6 Aug.
gegebenes Schreiben benachrichtigte er die Kuttenberger, wie
er nicht allein mehre Heerfahrten nach Ungarn unternehmen
ließ, sondern auch selbst in jenes Land sich begab, um zu
sehen, ob das dortige Volk sich ihm vielleicht nicht anschlie=
ßen möchte. Am 11 Aug. lagerte er bei Malenowic, wohin 11Aug.
neue Gesandte des Königs von Polen zu ihm kamen, Jakob
Dubanskh und Stanislaw Štblowickh, deren glänzende Erbie=
tungen wir weiter unten näher angeben werden. Als er von
da weiter nach Norden zog, rückte auch Mathias mit seinem
Heere, das man auf 10000 Reisige und 8000 Fußknechte
zählte, von Brünn nach Olmütz, wo er namentlich in den 16—18
Tagen 16—18 Aug. sich befand. Das Wetter dieses Sommers August
war seit den Pfingstfeiertagen ungewöhnlich regnerisch und
kalt; in diesen letzten Tagen aber stellten die außerordentlich
angeschwollenen Flüsse den Bewegungen der Wagenburgen
noch größere Hindernisse in den Weg, als der Reiterei. Als
es nun den Anschein gewann, als wolle Georg weiter bis
in's Troppauer Land ziehen, nahm Mathias davon Ver=
anlassung, so wie er rasch und verwegen war in seinen Ent=
schlüssen, die Gelegenheit zur Ausführung einer militärischen
Großthat zu benützen.

441) Diesen Grund der verschiedenen Märsche und Züge seines Vaters
in diesem Sommer gibt Prinz Heinrich selbst an, wo er sagt:
„Indem hat sich vnser gn. herre der konig zu Behmen erhüben
vnd ist weiter von im (Mathias) gezogen, vnd hat in also von
den Steten vnd Slossern, darzu er sich durch vorteil gelegert hatt,
in das preit felt wollen bringen" ꝛc. Das Zerstören der Basteien
bei Hradisch bezeugen Prinz Heinrich, Eschenloer und Staři letopi=
sowé S. 202. Das Schreiben vom 6 Aug. hat Dobner (Monum.
II, 429) in latein. Uebersetzung drucken lassen, wo aber der Name
„Towaczow" wohl als Fehler anzunehmen ist. Das bei Eschenloer
fehlende Datum des Briefes von Zdeněk von Sternberg (S. 209)
ist zu ergänzen: Olmütz am 16 Aug. 1470.

41

1470   Noch am 18 Aug. stand das ungarische Heer, wie wir schon angezeigt, bei Olmütz; was weiter erfolgte, läßt sich nicht mehr alles nach Tagen bestimmen. Doch ist so viel bekannt, daß Mathias mit seinen Reisigen in drei Heersäulen plötzlich in Böhmen einbrach, über Mährisch-Triebau, Hohen-maut und Chrudim, wie vor anderthalb Jahren, bis gegen

25Aug. Čáslau, Kuttenberg und Kolin, wo er namentlich am 25 Aug. sich befand, ohne sich irgendwo mit Berennung der Städte oder Schlösser aufzuhalten, doch in breitem Strome alle Dörfer wie alle Gebäude einäschernd, welche seinen Reitern nur irgend erreichbar waren. Er hatte den Seinigen allen auf's Strengste verboten, aus den Reihen zu treten und in die Häuser zum Beutemachen einzufallen, damit sie bei sol-cher Plünderung nicht etwa in feindlichen Hinterhalt ge-riethen. In Folge dessen fing bald auch sein Heer selbst an Hunger und Durst zu leiden, da es alle Dörfer und Sitze mit allem, was in ihnen enthalten war, in Feuer aufgehen ließ. Das Jammergeschrei des armen Volkes ertönte allent-halben; und wie schnell auch der Zug der Feinde sein mochte, das Entsetzen und die Flucht der Verzweiflung kam ihnen noch zuvor, und trug auch nach Prag die erschütternde Kunde. In diesem kritischen Augenblick erwies sich die Errichtung der Kreislandwehr, welche auf dem letzten Landtag genehmigt worden war, als ein Werk der göttlichen Vorsehung. Ehe man sich dessen versah, war in Prag ein neues Heer auf den Beinen, an dessen Spitze Königin Johanna selbst sich stellte, und zog dem Feinde entgegen; von der andern Seite eilte auch K. Georg, als er das Vorgefallene erfahren, auf kürzerem Wege nach Böhmen zurück, und befahl schnell auf allen Gränzen Verhaue anzulegen, um die feindliche Reiterei, wo möglich, im Lande aufhalten und erdrücken zu können. Mathias erfreute sich der Siegeshoffnung nicht lange: da er das böhmische Volk durch seine Grausamkeit auf's grimmigste erbittert sah und fürchten mußte, am Ende von vorne wie

von rückwärts angegriffen zu werden, da überdieß die Erin- 1470
nerung an die vor anderthalb Jahren in derselben Gegend
bestandenen Gefahren lebhaft ihn ergriff, so trat er mit noch
größerer Hast den Rückzug an, als er herangekommen war.
Daß er dabei einen großen Theil seiner Reisigen einbüßte,
die auf ihren ermüdeten Rossen ihm nicht nachfolgen konnten
und von dem ergrimmten Landvolke unterwegs erschlagen
wurden, galt ihm weder als Strafe von Gott, noch als
Demüthigung vor den Menschen; hat doch die Unglücklichen
Niemand gezählt. Wir wissen nur so viel, daß er, der noch
am 25 Aug. bei Caslau gewesen, schon am 29 Aug. darauf 29 Aug.
im Felde bei Teltsch in Mähren wieder Briefe dictirte, nachdem er noch zuvor in Iglau längere Zeit ausgeruht haben
soll. Darnach ist leicht zu ermessen, ob seine Heerfahrt aus
Böhmen mehr dem Triumphzug eines Siegers, oder der
Flucht des vom Arm der Gerechtigkeit verfolgten Räubers
und Brandstifters ähnlich sah. [442]

442) Wir müssen über diese Heerfahrt, welche bald hernach in Deutschland wie in Rom als ein großer Siegeszug über die Ketzer dar
gestellt und gefeiert wurde, die wichtigsten Berichte der Zeitgenossen,
die darüber vorhanden sind, hieher setzen. Dlugoš erzählt (p. 457):
Georgius ad vastandum Silesiam iturum se disponebat. Quem
Matthias distenturus, solo equitatu contentus, in Bohemiam concito gradu procedens, plurimas villas circa Montes Kuthnos et
in circuitu flammis delevit. Sed dum et a fronte novo exercitu
per Joannam Irzikonis consortem comparato, et a tergo per
Irzikonem et ejus exercitum, qui illum alio quidem verum com-
pendiosiori itinere insequebatur, omnifariam conflicturus, urge-
retur, silvae insuper ad regrediendum stipitibus succisis a
Bohemis magno studio clauderentur: Matthias et sibi et suis
metuens, tumultuario itinere et concito gradu ex Bohemia se
evolvens, plures de suis, qui agmen fessis equis sequi non
poterant, hosti trucidandos reliquit; ad suosque reversus, exercitum et campum solvens, milites in praesidia locorum remisit,
nec eo anno, aerarii obstante defectu, exercitum comparare potuit. — Eschenloer schlüpft über diese ganze Heerfahrt in seinem

1470 deutschen Werke (S. 202) mit nur wenigen Worten leicht hinweg;
etwas umständlicher berichtet er darüber in seinem lateinischen Text
(fol. 443) mit folgenden Worten: „Nihil rex noster cum tanto
inaudito exercitu suo in Bohemia fecit, nisi ad 1400 villas,
oppidula et fora exussit, plures captivavit aut occidit sine dif-
ferentia sexus. — Fames expulit nostros, qui per plures dies
panem non habebant neque potum; qui habuit unum haustum
cerevisiae, potuit pro eo unam vaccam emere. — Noluit rex,
ut sui circa praedam sudarent et praedando manus hostium in-
ciderent, sed cum omnibus necessariis villae exustae fuerunt.
Non audebat rex noster cum omni sua potentia Girsicum cum
suo curruagio exspectare, qui in peditibus potentior erat. —
Magnus terror ex ista reversione surrexit; nihil enim certius
fuit, quam Girsicum nunc cum potentia in Slesiam venturum
etc. — Prinz Heinrich spricht darüber in seinem bereits erwähnten
Briefe: „Es hat sich mit regen begeben, das die wasser so groß
gewachsen sein, das wir mit der wagenburgk nit haben mügen
sobald über die wasser kommen. Alspald der vngrisch konig das
merkte vnd vernome, so ist er mit dem reisigen zewge von dan
(von Olomucz) gezogen hofwergkweiß, vnd ist durch Chrudeimer
kreis eilende mit demselben reisigen zewge geriten, vnd hat in
demselben kreis etwas dorffer abgebrandt, vnd also eilende an
nachtlager gein der Ygla zugezogen, als in fluchten, vnd etlich tag
dan geruet, weiter von dan gein Znoim gezogen. Vnd hat sust
kain andern schaden dem lande zugefugt, sunder so vil was ain
alb weip als mit praube hat tun mügen: oder was riterlichen
sachen berürt, das hat er nicht törren erpeiten noch üben" u. s. w. —
Von des Mathias Anwesenheit bei Kuttenberg am 25 Aug. zeugen
die Aufzeichnungen des Nikolaus Dačický im Časopis česk. Museum, 1827, IV, 77; sein Schreiben dd. im Felde bei Teltz, Mittwoch Johanns Enthauptung 1470, befindet sich im Breslauer Stadt-
archive. Vergl. übrigens Staří letopisowé S. 202 und 495—6.
Gemeiner regensb. Chronik, III, 471. Zwei Briefe im Wittingauer
Archive (MS.) und Papst Pauls II zwei Schreiben (dd. 31 Dec.
1470) in Müller's Reichstags-Theatrum, II, 345—7 u. a. m.

Zehntes Capitel.

Des Sturmes Erschöpfung und Ende.

(J. 1470—1471.)

Umschwung der öffentlichen Meinung. Der Tag von Villach. Erschreckende Fortschritte der Türkenmacht. Hoffnungslosigkeit des böhmischen Krieges. Reue der Breslauer und Schlesier. Unzufriedenheit in Ungarn. König Mathias und die Herren von Sternberg. Der Tag in Polna. Hoffnungen aus Rom. Streit vor dem Papst um die böhmische Krone. Sächsische Gesandtschaft in Rom. Tod M. Rokycana's. Tod K. Georgs. Zeugnisse und Bemerkungen über ihn.

Schon seit K. Mathias den Titel eines Königs von Böhmen angenommen hatte, bereitete sich in der öffentlichen Meinung der Christenheit eine bedeutende Umstimmung vor, und der gesammte Strom der Geschichte nahm abermals eine für K. Georg günstigere Richtung an, so daß, freilich nicht ohne seine Mitwirkung und Verdienste, seine Aussichten mit jedem Tage glücklicher sich gestalteten. Bei dem Anblick der mit jedem Jahre höher steigenden Türkengefahr, konnte selbst der gemeine Mann nicht umhin zu bemerken, wie thöricht der endlose Kampf war, der die besten Kräfte der Christenheit aufzehrte und vernichtete, und dort Wüsteneien schuf, wo für das ganze Abendland schützende Wälle sich erheben sollten. An die Höfe der Herrscher alle bahnte sich aber die Ueberzeugung den Weg, daß es Mathias nicht so sehr um die Unterdrückung der Ketzerei als vielmehr um

1470 die Vermehrung seiner Macht und Herrschaft zu thun war; sein Haschen nach der Krone des römischen Reichs machte den Kaiser wie die Fürsten auf die Gefahr aufmerksam, womit seine unersättliche Herrschbegier sie bedrohte. Die erste, zugleich kritische, Erscheinung dieses Verhältnisses hatte, wie wir bereits bemerkten, schon auf dem Wiener Congresse sich ergeben; ein noch sprechenderes Zeugniß bot dafür der Congreß von Villach, der zu Ende des Monats Juli Statt fand. Es kamen da einige der vorzüglichsten Freunde K. Georgs zum Kaiser zusammen: Markgraf Albrecht von Brandenburg, Herzog Sigmund von Tyrol, Gesandte des Königs von Polen und des Herzogs von Burgund und Räthe einiger Kurfürsten, worunter wohl die sächsischen zunächst zu verstehen sind. Leider sind uns von diesem Tage keine reicheren Nachrichten, als von dem von Wien, überliefert worden; wir wissen nur, daß Beschlüsse gefaßt wurden, welche K. Georgs Erhaltung auf dem Throne und die Beschränkung der zu weitgreifenden Gelüste König Mathias zum Zwecke hatten. [443] Die Hauptvollzieher dieser Beschlüsse sollten freilich die Könige Georg und Kazimir selbst sein; der durch seine Verträge und Zusagen an Mathias wie an

---

343) Von der Versammlung in Villach, wo Kaiser Friedrich nach dem Zeugnisse der Regesten vom 19 Juli bis 1 Aug. 1470 sich aufhielt, kennen wir nur den Bericht eines Zeitgenossen an den Rath der Stadt Regensburg, welchen Gemeiner aus den dortigen Stadtbüchern (Merkzettel Bl. 277 b) in seine regensb. Chronik (III, 470—1) mit folgenden Worten aufnahm: „Des Ketzers Sache steht in geistlicher und weltlicher Hinsicht gut. Zu Villach sind viele Herren, Herzog Sigmund von Oestreich, der Markgraf Albrecht von Brandenburg, des Königs von Polen Räthe, des Herzogs von Burgund Räthe und der Churfürsten treffliche Sendboten beim Kaiser gewesen, und haben die Einigung etlicher Sachen betrachtet. Der Ketzer wird nicht vertrieben werden, sondern regierender König bleiben. Dem Könige von Ungarn wird man ein Schl(inge?) streichen" u. s. w.

den Papst gebundene Kaiser nahm scheinbar auch ferner noch für den undankbaren „Sohn" Partei, was ihn jedoch keineswegs hinderte, insgeheim an der Untergrabung seiner Macht in Ungarn selbst mitthätig zu sein. Doch hatte schon die Thatsache allein große Bedeutung, daß im Rathe der Fürsten die Nothwendigkeit überwog, sich nicht länger von des Papstes Ruf und Willen leiten zu lassen, sondern unabhängig von den Forderungen der hierarchischen Gewalt das Gemeinwohl der Christenheit nach eigener Einsicht zu besorgen.

Wir wissen nicht, ob auch schon zum Tage nach Villach die Schreckensnachricht von dem am 12 Juli erfolgten Falle der Insel Negroponte gedrungen war, welche Venedig am 30 desselben Monats erreicht hatte; gewiß ist es, daß man der Katastrophe entgegen sehen konnte, da die Belagerung der Stadt Chalkis schon viele Wochen vorher begonnen hatte. Mohammed II hatte zu dieser Eroberung nicht weniger Streitkräfte, als ehemals zu der von Constantinopel vereinigt, und sie erfüllte auch die ganze Christenheit, insbesondere aber Italien, mit nicht geringerem Entsetzen, als jene; man sagte, es seien den Siegern auf dieser Insel so große Schätze an Gold und Edelsteinen in die Hände gefallen, daß die Christen, wenn sie sie auf Kriegsrüstungen hätten verwenden wollen, die Türken damit nicht allein zurück, sondern zugleich aus ganz Europa heraus hätten treiben können. [444] Der Fall von Negroponte weckte eine Zeit lang

444) In seinem latein. Autograph (fol. 442) sagt Eschenloer: In illis diebus Augusti Turcarum imperator armis obtinuit Nigropontum, insulam aptissimam sibi ad invadendum totam Christianitatem. Ex qua perditione tota Italia tremuit et perterrita fuit et maximus timor incussus papae et Romanis, lacrymae per totam Italiam fusae. — Dlugoš bemerkt p. 461: Quae clades non secus quam Byzantina fatalis Catholicis visa est, navigationem Catholicorum in periculum vertens et pluribus civitatibus atque regnis, et praesertim Italico, discrimen portendens. — Auri et

1470 in Europa um so mehr Ernst zum Kampfe gegen die Mo-
hammedaner, je mehr diese, durch wiederholte Einfälle in
die ungrischen und südslavischen Länder, den Schrecken ihres
Namens erhöhten. Der Papst und die Venetianer, welche
die Gefahr zunäch berührte, riefen vor Allem K. Mathias
zu Hilfe und boten ansehnliche Subsidien an: er aber kränkte
und stieß sie wieder mit der Forderung ab, daß man Dalmatien zuvor an die ungrische Krone abtreten müsse. In
diesen verhängnißvollen Wirren nahm gleichwohl das Gewicht
der Stellung und Macht des ungarischen Königs zu, als
des Hauptschildes der Christenheit gegen die Ungläubigen.

Der im Laufe des Sommers in Mähren mit Anstrengung aller Kräfte erneuerte Kampf, und insbesondere der
letzte so schnell und ruhmlos beendigte Streifzug der Ungarn
nach Böhmen, überzeugten endlich nicht allein fast die ganze
Welt, sondern auch K. Mathias selbst von der Hoffnungslosigkeit des begonnenen Krieges. Alles was dieser König
in den böhmischen Kronländern besaß, hatte sich ihm gleich
Anfangs, wie auf des Papstes Geheiß, so und noch mehr
aus nationalem und religiösem Hasse gegen die Böhmen,
von selbst ergeben; was er seit drei Jahren mit dem Schwert
in Mähren erobert hatte, wie Trebitsch, Spielberg und
Kloster Hradisch, war im Verhältniß zum Ganzen allzu
wenig, und wurde durch die Verluste mehr als aufgewogen,
welche seine Anhänger hatten in Böhmen erleiden müssen;
und noch immer erkannte wenigstens die Hälfte von Mähren Georg als ihren König an. Hatte aber Georgs letzte
Heerfahrt bewiesen, daß er unvermögend war, Mathias aus
seinen Ländern zu vertreiben, so kam es auch durch die
letzte ungarische Excursion an den Tag, daß Mathias im

argenti, gemmarum ceterarumque manerierum quantitas maxima
et stupenda illic reperta, von repressura solum Turcum ab ob-
sidione Nigropontis, si in militem fuisset erogata, sed etiam ex
Europa ejectura etc. — Das übrige bezeugt gleichfalls Dlugoß l. c.

eigentlichen Böhmen auch nicht einmal festen Fuß zu fassen 1470
im Stande war; die böhmische Wagenburg erwies sich eben
so wenig fähig, die Feinde zum Stehen zu bringen und zur
Schlacht zu zwingen, wie die ungarische Reiterei, die Städte
und Schlösser zu erobern. Darum stellte sich die Erscheinung für Mathias um so bedenklicher heraus, daß seine
neuen Unterthanen, nachdem sie schon ins vierte Jahr die
bitteren Früchte des Krieges in unerwartetem Maße zu kosten bekamen, ihr unbesonnenes Unternehmen zu bereuen und
sich ernstlich nach Aussöhnung und Frieden zu sehnen begannen.

X. Mathias brachte beinahe den ganzen Monat September in Znaim zu, vertheilte den Rest seines Heeres als
Besatzungen in die mährischen und böhmischen Städte, namentlich nach Brünn, Olmütz, Kremsier, Wischau, Iglau,
Polna, Budweis und Pilsen, trat überdies an Herrn Zdeněk von Sternberg etwa 2000 Reisige ab, und entließ die
Schlesier nach Hause. Damit gab er deutlich zu verstehen,
daß er nicht so bald wieder ins Feld zu treten beabsichtigte;
zumal er im Oktober nach Ungarn zurückkehrte und dort den
ganzen folgenden Winter zubrachte. [445] „Als nun die Schlesier vom Kriege heimkamen und ihren Landsleuten von dem
bedeutenden Heere und der großen Macht Jiřiks und seiner
Ketzer erzählten, welchen Mathias mit aller seiner Macht
oft hatte weichen müssen," — es ist Eschenloer, der dies
berichtet, — „und als sie schilderten, wie Mathias so gar

---

445) Nach dem Zeugnisse noch unedirter Urkunden befand sich Mathias
namentlich 2—20 Sept. in Znaim, dann 25 Oct. und 11 Nov.
in Preßburg, in Ofen aber vom 13 Dec. bis zum April 1471.
Von seiner Anwesenheit in Znaim in der Mitte Septembers gab
auch Johann von Rosenberg an den Bischof von Passau Nachricht (Witting. Archiv). Daher ist Eschenloer's Angabe (S. 209)
unrichtig, daß er von Iglau gleich nach Brünn und von da nach
Ungarn gezogen wäre.

1470 großen wunderbarlichen Zeug zu Roffe und zu Fuße gehabt
habe, lauter auserlesene Leute, und gleichwohl nicht hätte
Jiřík und die Seinen anzugreifen wagen dürfen: da entstand
in Breslau gar klägliches Leben, Schelten und Fluchen gegen
die Geistlichen, die man nun öffentlich Verführer nannte.
Die Frauen klagten über den Verlust ihrer Männer, da
von dem Breslauer Heere kaum die Hälfte wieder heimkehrte,
die andern Hungers und Frostes gestorben waren. Wegen
Aufnahme neuer Söldner mußte die Stadt Schulden machen.
Die Handwerker konnten von ihren Werken nichts anbringen, die Kaufleute keinen Handel treiben; die Jahrmärkte
lagen darnieder, aus Polen, aus Rußland, Litthauen und
Preußen kam niemand nach Breslau; die Edelleute der Für-
stenthümer Schweidnitz und Jauer nahmen uns unsere Güter,
wo sie konnten, und trieben sie aufs Lehnhaus, auf Polkenhain, Kynast und andere Schlösser. In ganz Schlesien, in
der Lausitz, den Sechsstädten, in Meißen, Sachsen und Polen erhob sich Schelten und Fluchen wider die Breslauer;
nirgends waren sie sicher, wo man ihrer habhaft wurde, da
war Leib und Gut verloren. O ein betrübtes Wesen war
da zu Breslau! Das gemeine Volk, das vormals Jeden verketzert und verfolgt hatte, der nur des Friedens gedachte, verlangte jetzt ungestüm einen Frieden, der unchristlich und un-
ehrlich war, und hätte sogar Jiřík als Herrn aufgenommen,
wenn die frommen Leute es nicht verhindert hätten." Eschenloer fügt nicht bei, was uns anderswoher bekannt ist, daß
außer den Besatzungen von Glatz und Troppau, welche die
treulosen Schlesier zu bedrängen nicht abließen, auch noch
ein besonderes Heer von etwa 4000 Bewaffneten unter
Wenzel Wlček zu ihnen gesandt wurde, welche im Fürsten-
thume Oppeln auf der einen Seite der Oder das Städtchen
Leschnitz und den Sitz Liebeschau besetzten, auf der andern
Seite Liebeschau gegenüber einen Tabor anlegten, beide Ufer
mit einer Brücke verbanden, von da nach allen Seiten hin

frei ſtreiften, da Niemand ſich zur Gegenwehr ſetzte, und ent- 1470
weder ſchwere Abgedinge nahmen, oder alles in Aſche legten,
was nicht durch uneinnehmbare Wälle geſchützt war. [446] In
Folge deſſen traten viele Edelleute auf die Seite K. Georgs
und machten ſich anheiſchig, gegen deſſen Feinde zu dienen.
Die Fürſten von Oels baten K. Kazimir, ſie mit ihm wie-
der auszuſöhnen. Auch heißt es, daß die böhmiſchen Trup-
pen allenthalben in Schleſien gute Aufnahme und willige
Unterſtützung fanden, wogegen die Breslauer im eigenen
Lande überall auf Gefahren und offene Feindſchaft ſtießen.
Und zu all dieſem Unheil geſellte ſich auch noch eine ſchwere
Münzplackerei, da die vorgeſchriebene Geltung der neuen in
Umlauf geſetzten Münzen ihrem innern Werthe nicht ent-
ſprach, daher auch aller Handelsverkehr zu ſtocken begann.
Um Rath und Hilfe zu ſchaffen, berief der Legat Rudolf
einen Tag nach Breslau auf den 25 October: wo nach 25 Oct.
kurzer Berathung beſchloſſen wurde, an K. Mathias eine
beſondere Geſandtſchaft zu richten, ihm den Zuſtand des Landes darzuſtellen, und ihn entweder um baldige Abhilfe durch
ſeine perſönliche Gegenwart, oder um die Erlaubniß zu bitten, mit Georg ſelbſt Frieden zu ſchließen; auch wurde Herzog Konrad der Schwarze von Oels erſucht, nach Böhmen
zu gehen und dort für die Schleſier einen Waffenſtillſtand
zu erwirken. [447] Vom letzteren kam es nun freilich wieder
ab, nicht allein weil Konrad der Schwarze ohne vorgängige Ver-
ſicherung nach Böhmen zu gehen ſich nicht getraute, ſondern
auch weil günſtigere Nachrichten von daher kamen, die wie

446) Dieſe Nachrichten gibt Dlugoß p 457.
447) Eſchenloer a. a. O. Als M. Johann Frauenburg, der Stadtſchreiber von Görlitz, dem Rathe dieſer Stadt aus Liegnitz am 26 Oct.
von dieſem Tage Nachricht gab, drückte er ſich darüber aus, wie
folgt: „So der Sleſier werbunge (bei K. Mathias) begreifflich ſein
wird und die Ochſen am Berge ſtehen, Got helffe uns“ u. ſ. w.
„Machet dieſe meyne Schriffte — nicht ſehr ſchalbar, ſo ſie deſs
uffs heimelichſte beſloſſen haben“ u. ſ. w. (Scultetus, III, 277.)

1470 gewöhnlich sehr übertrieben wurden, wie Zdeněk von Sternberg die Saazer, Launer, Schlauer und Taborer im Felde
geschlagen, einen großen Sieg über die Ketzer davongetragen
und sich auf dem Berge Ostromeč festgesetzt habe, von woher er alle Zufuhr nach Prag auf der Moldau sperren
könne. Die an K. Mathias abgefertigten Gesandten aber
wurden mit hoher Ungnade aufgenommen und kehrten unverrichteter Sachen wieder nach Hause. [448]

1471   K. Mathias Lage verschlimmerte sich zu dieser Zeit
sichtbar nach allen Seiten. Die Unzufriedenheit in Ungarn
griff außerordentlich um sich, da sie sowohl von Kaiser Friedrichs als von K. Kazimirs Seite genährt wurde; es ist bis
jetzt nicht hinlänglich aufgeklärt, woher und wie es kam,
daß an die Spitze der Mißvergnügten bald auch dessen bisher vertrauteste Räthe sich stellten, der Graner Erzbischof
Johann Vitéz und der Bischof von Fünfkirchen Janus Pannonius. Der Umstand, daß die Legaten Roварella und
Rüdesheim und der Bruder Gabriel Rongoni nicht aufhörten für Mathias wie vor dem Papste so vor aller
Welt eifrig Partei zu nehmen, kann zum Beweise dienen,
daß dieser Wechsel wenigstens nichts mit kirchlichen Verhältnissen zu schaffen gehabt habe. Doch nicht in Ungarn und
Schlesien allein, auch in Böhmen nahm unter den Seinigen
das Mißvergnügen zu; ja was das Auffallendste ist, selbst
das Haupt des Aufstandes, Zdeněk von Sternberg, fing
wie in der Liebe so auch in der Treue seines neuen Herrn
zu wanken an. Mathias hatte auf die Klage der Schlesier
vornehmlich mit der Absetzung seiner dortigen obersten Amt-
leute geantwortet, und darunter auch des Hauptmanns der

---

448) Nach Eschenloer's Zeugnisse S. 211—12. Es war in Schlesien
    beinahe Sitte geworden, den gesunkenen Muth der Einwohner mit
    Nachrichten von vermeintlichen großen Siegen der Sternberge in
    Böhmen zu heben, von welchen an Ort und Stelle kaum etwas
    bekannt war.

Länder Schweidnitz und Jauer, Ulrich von Hasenburg, und 1471
des Landvogts der Sechsstädte Jaroslaw von Sternberg,
deren Stellen er Franz von Hag und Herzog Friedrich von
Liegnitz einzunehmen befahl. Schon am 3 Januar 1471 3 Jan.
schrieb Zdeněk von Sternberg von Polna aus an die Sechsstädte, wie er vernehme, daß der Herzog von Liegnitz, nach
seiner Rückkehr aus Ofen, sich einer königlichen Verleihung
rühme, während es doch bekannt sei, daß er (Zdeněk) und
seine Söhne königliche Vorschreibungen nicht allein auf die
Vogtei, sondern auch auf alle Heimfälle, die sich in der
Lausitz ergeben würden, besitzen. Er gab ihnen daher zu wissen, daß er deshalb bereits eine besondere Botschaft an den
König gerichtet habe, und bat die Städte, sich dem Herzog
mit keinem Gelübde zu verbinden, so lange über seine Vorstellung nicht eine königliche Entscheidung erfolge; in ihren
von der Krone Böhmen bestätigten Landesstatuten sei ja vor-
gesorgt, daß bei ihnen kein Geistlicher und kein schlesischer
Fürst als Vogt eingesetzt werden dürfe. Doch wie groß auch
die Achtung war, in welcher Herr Zdeněk bei den Lausitzern
stand, sein Sohn Jaroslaw genoß gleichwohl ihre Liebe nicht;
man beschwerte sich, er sei zu hochmüthig und herrisch und
doch dabei weder thätig noch geschickt, mache es sich in allem
bequem und behandle die andern wie seine Hörigen; darum
hatte der Legat Rudolf schon seit lange ihn als einen Un-
fähigen von seinem Amte zu entfernen gesucht. Als nun dieser Bischof-Legat am 27 Januar als königlicher Commissär 27 Jan.
auf den nach Görlitz ausgeschriebenen Landtag kam, um die
Lausitzer zu neuen Opfern willig zu stimmen und ihnen den
neuen Landvogt vorzustellen, nahm er keinen Anstand, der
ganzen Versammlung kund zu geben, wie tief die Herren
Sternberge in der Gnade des Königs bereits gesunken seien.
Er erzählte namentlich am 29 Januar, der alte Herr habe 29 Jan.
sich nicht entblödet zu verlangen, daß einem seiner Söhne
Brünn sammt dem Spielberge, dem andern Olmütz mit dem

1471 Kloster Hradisch erblich verschrieben werde, worüber der König ganz empört gewesen sei; daß er sich nicht allein in Böhmen so benehme, als habe er und seine Söhne dort zu succediren, sondern daß er sich auch angemaßt habe, den Willen des Königs zu beherrschen; doch der König achte seiner gar nicht, wenn er auch zu Jicin wieder umkehre, es werde ihm eben so viel gelten, als wenn ihm ein Hund stürbe u. dgl. m. Umsonst protestirte daher Herr Jaroslaw, mit Berufung auf den König selbst, gegen seine Absetzung; umsonst berief sich Herr Kaspar von Nostiz auf das alte Recht der Lausitzer, keinen Prälaten und keinen Fürsten zum Landvogt zu haben: die Stände erwiesen sich dem Legaten noch mehr als dem Könige gehorsam und gefällig, und nahmen Herzog Friedrich als Vogt an. [449] Es unterliegt keinem Zweifel, daß der Legat-Bischof Rudolf von Rüdesheim aus persönlicher Abneigung gegen die Herren von Sternberg sich übertriebener Ausdrücke zu ihren Ungunsten bediente: [450] nichtsdestoweniger kann dieser ganze Vorfall als Beispiel und als Beweis dienen, wie schlüpfrig die Stellung der vornehmsten Räthe K. Mathias gewesen, und wie wenig es bedurfte, ihren völligen Sturz herbeizuführen. Inzwischen hatte Herr Zdeněk bei allen Utraquisten zu tiefen Haß gegen sich geweckt, als daß eine Aussöhnung zwischen ihm und ihnen möglich gewesen wäre, und er war somit genöthigt, seines Königs Ungnade wie Gnade zu tragen.

449) Gleichzeitige Quellennachrichten über diese Vorgänge hat Kloß in seiner Geschichte des Husitenkrieges in der Lausitz (MS.) aufbewahrt. Es ist bemerkenswerth, daß der um die Ehre sowohl K. Mathias als Herrn Zdeněks von Sternberg stets besorgte Eschenloer diesen Gegenstand ganz mit Stillschweigen überging.

450) In der gedachten Quelle über den in Görlitz am 27 Jan. bis 3 Febr. 1471 gehaltenen Landtag werden auch Gründe dieser Abneigung angegeben: „daß auch Herr Zdenko seine (des Legaten) petitiones honestas um das Schloß Edelstein und die Stadt Münsterberg verhindert hätte."

1471

Unter diesen Umständen gewinnt die unerwartete That=
sache um so mehr Bedeutung, daß Mathias durch das Mittel
desselben Herrn Zdenèks mit K. Georg eine neue Unter=
handlung zum Zwecke eines definitiven Friedensschlusses er=
öffnete. Leider besitzen wir auch darüber nur sehr dürftige
und einseitige Ueberlieferungen. Als Mathias sah, daß die
mißvergnügten ungarischen Stände von der Berufung eines
der Söhne Kazimirs auf den Thron ihres Vaterlandes zu
reden begannen, soll er aus Besorgniß, daß er es nicht mit
den Böhmen und den Polen zugleich zu thun bekomme, den
Entschluß gefaßt haben, sich mit K. Georg um jeden Preis
zu vergleichen; er soll zu dem Zwecke schon begonnen haben,
die Geneigtheit mancher Böhmen dazu mit Gold zu erkaufen.
Sein Antrag lautete dahin, daß Georg in ganz Böhmen
bis zum Tode allein regiere, aber von Mathias beerbt werde,
welcher dafür versprach, Prinz Victorin nicht allein in Frei=
heit zu setzen, sondern auch zum Herrn von ganz Mähren
oder Schlesien zu machen, und ihm und seinen Brüdern zu=
gleich die Thronfolge in Böhmen für den Fall zuzusichern,
daß er ohne männliche Erben stürbe. Man stellte dabei zu=
gleich in Aussicht, daß es Mathias leichter als Kazimir ge=
lingen dürfte, vom Papste für die Utraquisten Gnade und
die Bestätigung der Basler Compactaten zu erwirken. Zur
Verhandlung über diesen Antrag bevollmächtigte Mathias
den Bischof Protas von Olmütz und die Herren Zdenèk von
Sternberg und Albrecht Kostka; Georg sandte seinerseits
Wilhelm von Rabie, Peter Kdulinec und Beneš von Weitmil.
Es wird nicht angegeben, wann diese Unterhändler bei Herrn
von Sternberg in Polna zusammentraten; nur so viel er=
fahren wir, daß auf dem in Prag am S. Valentinstag
(14 Febr.) gehaltenen Landtag der Vorschlag nahe daran 14 Feb.
gewesen sein soll, definitiv angenommen zu werden, wenn
nicht die inzwischen von K. Kazimir angekommenen neuen
Gesandten es verhindert hätten. Es waren dies der polnische

1471 Kanzler Jakob Dubansky und der Abt vom heil. Kreuz, Michael, welche vom neuen Reichstag von Petrikau nach Rom
in den polnischen und böhmischen Angelegenheiten zugleich
abgefertigt worden waren, und die baldige Erledigung aller
böhmischen Wünsche wie in Rom so auch in Krakau bestimmt zusagten. K. Georg benützte gleichwohl diese Gelegenheit, um durch seinen Secretär Paul Propst von Zberaz,
der in diesen Tagen bis nach Lithauen hin gesandt wurde,
bei K. Kazimir auf schnelle und volle Annahme aller vom
Prager S. Bonifacius-Landtage 1469 gestellten Bedingungen
zu bringen, da er sonst nicht umhin könne, seinem Volke den
nach so langen und großen Leiden sehnsuchtsvoll erwarteten
Frieden durch einen Vergleich mit Mathias zu sichern. [451]

Man darf nicht unbeachtet lassen, welche Stimmung

451) Wir wissen von der ganzen Verhandlung nichts mehr, als was
Dlugos (p. 464) darüber anführt: dieses darf aber nicht anders
als cum grano salis verstanden und aufgefaßt werden. Wie wir
schon oft bemerkt haben, übertraf Dlugos im Hasse alles dessen,
was ihm nach Ketzerei roch, selbst seinen einst berühmten Meister,
Cardinal Zbyhněw Olešnicky. Dabei war er ein zu warmer Pa-
triot, als daß er nicht nach Möglichkeit zu bedecken gesucht hätte,
was nach seinem Ermessen den Polen und ihrem königlichen Hause
nicht zur Ehre und zum Frommen gereichte. Darum pflegte er
alles dasjenige zu verschweigen oder in seiner Bedeutung zu er-
mäßigen, worin die Polen sich den Husiten willfähriger erwiesen,
als er nach seinem Sinne billigen konnte. So wissen wir z. B.
aus Pauls II Briefen mit voller Sicherheit, daß polnische Gesandte den Böhmen die Bestätigung der Compactaten in Rom zu
erwirken versprachen, während sie nach Dlugos (p. 460) ihnen
nichts als Ermahnungen von Seite Kazimirs gebracht haben sollen,
ut erroribus abdicatis submisse se erga Sedem apostolicam ge-
rant. So steht es auch außer Zweifel, daß in diesen Jahren eine,
wenn auch nicht förmliche Verpflichtung, doch mehr oder weniger
bestimmte Zusage über Wladislaws künftige Verlobung mit Ludmila
Statt fand, wovon jedoch Dlugos auch nur den Gedanken ferne
von sich weist. Aus diesen Gründen konnten wir seinen Worten
(p. 464) keine andere Deutung geben, als wie oben geschehen.

und welches Benehmen sich unter diesen Verhältnissen an 1470
demjenigen Orte kund gab, von wo die stürmisch bewegten
Ereignisse ihren ersten und entscheidenden Anstoß erhielten.
Der größte, aber bezüglich des sittlichen Charakters auch der
achtbarste Gegner der Böhmen im Cardinals-Collegium, Johann Carvajal, war schon zu Ende des Jahres 1470 von
dieser Welt geschieden; zwei seiner Collegen, Jacob von
Pavia und Franz von Siena, welche beide ehemals von
Pius II mit dem Namen Piccolomini und mit dem Purpur-
mantel beehrt worden waren, beharrten zwar noch bei der
alten feindseligen Gesinnung, aber es fand sich in diesen
letzten Jahren doch auch ein Cardinal, dessen Name uns unbekannt ist, der sich nicht scheute, sich K. Georg freundlich
zu erweisen und sich seiner mehr oder weniger offen anzunehmen. Als er diese seine Gesinnung einem Gesandten
offenbarte, welchen die K. Georg noch immer treu gebliebenen böhmischen Katholiken neuerdings nach Rom abgefertigt hatten, zeigte sich der König darüber hocherfreut, und
schrieb ihm sogleich und bat, daß er vor Allem an der Aufhebung des über diese Treuen verhängten Bannes arbeiten
möchte. Er betheuerte, niemals die Absicht gehabt zu haben
den heiligen Vater zu verletzen, obgleich er dessen unverdien-
ten schweren Zorn zu tragen habe. Er bekannte sich neuerdings zum Gehorsam der römischen Kirche und sagte, wenn
er irgend worin abwich, daß solches in gutem Glauben geschehen sei, und daß er nie außerhalb der Kirche zu stehen,
gemeint habe, da er wohl wußte, daß es außer ihr kein Heil
gebe. Er sagte endlich, er sei zwar bereit gewesen, auch von
seiner Seite selbst Gesandte nach Rom zu schicken, doch habe
er das Werk der Aussöhnung mit dem apostolischen Stuhle
dem Könige Kazimir überlassen, der sich dazu seit lange willig
erbiete. [452] Doch war es K. Georg nicht mehr vergönnt,
auf diesem Wege zum Frieden zu gelangen.

452) Des Königs Worte waren (MS. Sternb. p. 739): Nempe ex

71   Der um die böhmische Krone zwischen Kazimir und
Mathias geführte Streit kam bei Papst Paul II auch in
dieser Zeit noch nicht zur Entscheidung. Es entschuldigte
zwar der in dieser Angelegenheit nach Polen abgesandte Legat den heiligen Vater (im Mai 1470), daß es ihm unmöglich sei, K. Mathias alles Recht auf Böhmen abzuspre-
chen, da er der Eroberung dieses Landes so viele Mühe und
Unkosten zum Opfer gebracht habe: aber mit dem Urtheil-
spruch, welcher dem polnischen Hofe alle Aussicht benommen
hätte, wurde noch lange gezögert. Legat Rovarella hörte
mittlerweile nicht auf, K. Mathias nicht nur die Hoffnung,
sondern auch die bestimmte Zusicherung zu geben, daß für
ihn weder die apostolische Bestätigung, noch auch eine böhmische Krone ausbleiben werde. Gegen Ende des Jahres
1470 fertigten beide, Mathias und Rovarella, den Bruder
Gabriel Rongoni nach Rom mit der Beschwerde ab, daß die
polnischen Gesandten während ihres Verweilens im Lager
der Ketzer bei Hradisch (eigentlich bei Malenowic, im August
1470), Georg im Namen Kazimirs und anderer Fürsten
versprachen, vom apostolischen Stuhle die Bestätigung der
Compactaten zu erwirken, woraus die Ketzer neue Hoffnungen und neuen Muth geschöpft hätten. Die Verwegenheit
der Fürsten, die sich solchergestalt einen entscheidénden Ein-

animo numquam Sanctitatem ipsius exacerbavimus, et tristes
Beatissimae Sedis sentimus iras. Profitemur dilucide, sacro-
sanctam Romanam ecclesiam universis praelatam esse ecclesiis
et totius orbis praecipuum obtinere magistratum, ipsumque
Sanctmum Dominum nostrum Jesu Christi credimus esse vica-
rium ac beati piscatoris successorem, omniumque sacramento-
rum ecclesiae praecipuum dispensatorem; in unitate fidei orthodoxae commoramur, et extra ecclesiam catholicam fatemur
non esse spem salutis. Si qua sunt residua, in quibus causa-
mur ab unitate catholica exorbitasse, credimus nos bonae fidei
esse possessorem etc. Dieses undatirte Schreiben könnte wohl auch
schon 1469—70 gegeben worden sein.

fluß auf die Entschließungen des apostolischen Stuhles an- 1471
maßten, gab Paul II ein großes Aergerniß, und er verwies
dieselbe ihren Urhebern sehr strenge in den Schreiben, die er
am 31 Dec. 1470 darüber an sie richtete, doch mit dem
Beifügen, daß er von Kazimirs, des wahrhaft frommen Königs, völliger Unschuld dabei überzeugt sei. Dann ermahnte
er am 14 Januar 1471 den Kaiser, seinem Vertrage mit 14 Jan.
Mathias treu zu bleiben, da ihre Eintracht und Einigung
wegen der steigenden Türkengefahr höchst nothwendig sei;
Mathias aber sandte er, anstatt der gewünschten böhmischen
Krone, eine eigene Mütze und ein geweihtes Schwert, das
er gegen die Feinde der Kirche gebrauchen sollte. Mathias
war dadurch zwar hocherfreut, aber doch nicht zufrieden-
gestellt. [453]

In den letztgenannten Handlungen und Worten war
noch nichts zu bemerken, was auf ein Milderwerden des
Sinnes von Seite des apostolischen Stuhles gegenüber K.
Georg hätte gedeutet werden können: doch erfolgte endlich
auch dieses, nur leider schon zu spät. In der Faschingszeit
des Jahres 1471 wurde in Prag die Vermälung des Prinzen Hynek, jüngsten Sohnes des Königs, mit der Prinzessin
Katharina, Tochter Herzog Wilhelms von Sachsen gefeiert.
Die Fürsten des letzteren Hauses, welches dadurch in eine
noch innigere Verbindung mit dem böhmischen Hofe trat,
hatten zwar im Verein mit einigen andern schon lange sich
bemüht, irgend einen Vergleich zwischen dem Papste und

453) Dlugoš p. 455. Die vom Papste an die Könige Kazimir und
Mathias und auch an den Legaten Rovarella am 31 Dec. 1470
(nach Handschriften am 1 Januar 1471) erlassenen Schreiben findet
man im Reichstags=Theatrum, II, 345—7; das Schreiben desselben
vom 14 Januar bei Raynaldi ad h. a. §. 2, an Mathias vom
selben Tage ebdas. §. 41 und bei Pray, IV, 68, Katona, XI, 467
u. a. m. Nach Raynaldi's Zeugnisse l. c. §. 42 waren der Sendung an Mathias auch 18000 Ducaten an Subsidien beigefügt.

1471 K. Georg zu Wege zu bringen: doch erst seit dem Congreß von Villach nahm ihre Bemühung größeren Ernst und höhere Bedeutung an. [454] Zu diesem Zwecke kehrte man zu den Mitteln und Maßregeln zurück, welche schon früher, namentlich im Herbste 1465, in Vorschlag gebracht und mit dem Namen der Tyrnauer Abrede bezeichnet worden waren. Ueberdies sollte und wollte K. Georg die Erklärung von sich geben, es sei ganz unwahr, was Böswillige ihm bei seiner Rede auf dem Prager Landtage am 12 Aug. 1462 in den Mund legen wollten, als hätte er das Communiciren unter beiderlei Gestalten für unerläßlich zum Seelenheil erklärt. Auf dem Grunde solcher Eingaben, welche auch Kaiser Friedrich billigte und unterstützte, verlangte man eine wenigstens zeitweilige Suspension des über K. Georg und sein Volk verhängten Bannes und die Absendung eines hohen Prälaten nach Böhmen zur Vollendung der nöthigen Richtigung und Reform. Die Gesandten der Herzoge von Sachsen, welche diese Gesuche und Vorschläge überbrachten, gelangten erst um den 20 März nach Rom. Nun ist es eine allerdings bedeutende und denkwürdige Thatsache, daß sowohl

20
März

454) In einem Schreiben des Prager Domdechants Johann von Krumau an den Legaten Rovarella (dd. Krumau 12 März 1471, Orig. in Wittingau) wird darüber Klage geführt, daß die böhmischen katholischen Herren einer nach dem andern mit den Ketzern Frieden schließen; dux etiam Misnensis filiam suam filio haeretici Hynkoni nomine hoc carnisprivio in matrimonium tradidit. Quid sibi vult haec copula? etc. Necessaria etiam ex Misna, sal, ferrum, species etc. ad Pragam et ceteras civitates haeretico subjectas mittuntur; fama etiam est, quod et Norimbergenses et Ratisbonenses eadem necessaria mitterent etc. — Gregor von Heimburg hatte schon am 6 Febr. 1470 geschrieben, „meine herrn herzoge Albrecht von Sachsen und herzog Ot von Baiern werden in diesen vasten zum Papst reyten, eine verhorung zu erlangen,“ — was freilich später unterblieb. (Kaiserl. Buch von Const. Höfler S. 219.)

der Papst als die Cardinäle diesen Vorschlag nicht mehr, 1471
wie zuvor, unbedingt zurückwiesen, sondern in ernste Ueberlegung zogen. Sie hatten kurz vorhin auf den großen Reichstag nach Regensburg den Cardinal Franz Piccolomini von
Siena abgesendet, der unterwegs die sächsischen Gesandten
begegnete und viel mit ihnen verhandelte. Es wurde daher
vom Papste im Rathe der Cardinäle am 8 April beschlossen, 8 April
daß der Cardinal von Siena nach oder bei dem Regensburger Reichstage auch die böhmische Angelegenheit in Verhandlung nehme und sie, wo möglich, dem ersehnten Ziel des
Friedens und der Einigung zuführe. [455]

Auf diese Weise begann der, noch unlängst ganz düstere
und schwarze Himmel, sich nach allen Seiten hin zu klären,
und der unbändige Sturm wich, nachdem er sich aller seiner
Blitze und Orkane entladen, der Hoffnung einer um so wohl-
thuenderen Stille, je grimmiger das frühere Toben gewesen.
Es fehlte nichts mehr, als ein Fortschreiten auf der neu be-
tretenen Bahn, daß die Tage der Blüthe und des Segens
wiederkehrten. Doch da griff in die Ereignisse ein Wille von
oben ein, der weder Schranken noch Vorschriften kennt, und
rief den ausgezeichneten Dulder und Helden in dem Augen-
blicke vom Schauplatze ab, wo er nach Ausleerung des Lei-
denskelches bis auf den Grund, neues Wohlsein und neuen
Ruhm schaffen und genießen sollte. Das Schicksal, so scheint
es, hat dem Böhmen die Rolle nicht so des Siegers, als
vielmehr des Märtyrers zugewiesen.

455) Die Hauptquelle über diese Verhandlungen ist Raynaldi ad ann.
1471, §. 15—27, und aus ihm Müller's Reichstags-Theatrum,
II, 431—34. Von dem Zusammentreffen der sächsischen Gesandten
mit dem Cardinal Franz von Siena auf der Reise spricht Augu-
stinus Patricius bei Raynaldi l. c. §. 4: In publicis diversoriis
apud Paleam flumen in oratores ducum Saxoniae offendimus,
qui Romam petebant annuente Caesare compositionem rerum
Bohemicarum Pontifici suasuri; qui diu cum legato locuti sunt.
Von der Thrauner Abrede im J. 1465 s. oben bei diesem Jahre.

Am 22 Februar ſtarb in Prag M. Johann Rokycana, der erwählte einzige Erzbiſchof der Utraquiſten, der ſchon ſeit einem halben Jahrhunderte an der Spitze ihrer Kirche ſtand, all ihr geiſtiges Leben regelte und vertrat und alle Bewegungen geleitet hatte. Da wir an gehörigen Orten von ſeinen Handlungen wie von ſeinem Charakter ziemlich ausführlich geſprochen haben, ſo wollen wir darauf hier nicht wieder zurückkommen. Bezüglich ſeines Körpers wird er als ein Mann von anſehnlicher, doch nicht zu hoher Ge= ſtalt, breitſchulterig und umfangreich, mit mächtiger Bruſt und einer Glatze am Vorderkopf geſchildert. Da er im J. 1447 fünfzigjährig geweſen, ſo erreichte er ein Alter von 74 Jahren. In den letzten 20 Jahren ſeines Lebens wurde von ihm oft das Gerücht verbreitet, er ſei vom Schlage gerührt worden: doch war deßhalb kein Fehler an ihm zu bemerken, außer daß er manchmal ſtotterte. Im Umgange war er gegen jedermann leutſelig und leicht zugänglich. Der alte Annaliſt ſagt von ihm, er ſei der Sohn eines armen Schmieds in der Vorſtadt von Rokycan geweſen, und Gott habe durch ihn große Dinge vollbracht und hinterlaſſen. „Es fürchteten ihn,“ ſo ſagt er, „Einheimiſche wie Fremde, König, Königin und die Barone; denn er ſelbſt fürchtete Gott den Herrn und war fleißig in Gebeten bei Tag und Nacht ſchon von Jugend auf. Er wurde in der Teyner Kirche beſtattet, und dem Begräbniſſe wohnte die Königin, die Fürſten und viele Herren und Edelleute bei.“ Es iſt in der That ſchwer zu ſagen, was ihm in dieſer Welt mehr zu Theil wurde, ob Liebe und Verehrung oder Haß und Verabſcheuung. Gewiß hat das ganze XV Jahrhundert kei= nen Mann geſehen, gegen welchen ſich mehr Zungen und Federn in Bewegung geſetzt hätten, als gegen ihn. Nach dem Zeugniſſe ſeiner Jünger hatte er als Heiliger gelebt und war als Seliger geſtorben; nach dem der Gegner aber führte er ein gottloſes, verbrecheriſches Leben und ſtarb in

Verzweiflung. [456] Man hat jedoch, so viel uns bekannt, 1471
außer dem ihm schuld gegebenen ketzerischen Starrsinn, —
über welchen das Urtheil unserer Zeit von dem der seinigen
zum Theil abweicht, — keine Thatsache geltend zu machen
gewußt, welche sein Andenken in sittlicher Beziehung trüben
könnte. Daß die utraquistischen k. Städte den Katholiken eben
so, wie die katholischen den Utraquisten wehrten, sich bei
ihnen anzusiedeln und Bürgerrechte zu genießen, war freilich
unedel, geschah aber auch ohne Rokycana's Willen und Be=
fehl, da unverdächtige Zeugnisse über seine ungewöhnliche
Toleranz in Religionsangelegenheiten vorhanden sind. Bei
späteren Schriftstellern mußte Rokycana häufig auch für K.
Georg herhalten: denn man legte den ganzen Widerstand,
welchen K. Georg Rom entgegenstellte, den zudringlichen
Einflüsterungen Rokycana's zur Last; aller gute Rath, so
hieß es, war bei dem Könige vergeblich, da Rokycana alle
seine Entschlüsse beherrschte. Wir hören die Rede wohl,
vermissen aber die entsprechenden Thatsachen; auch ist uns
K. Georg nicht als so geistunmündig bekannt, daß er sich
wie ein Kind hätte von wem immer bereden und leiten lassen.

Ist die Ueberlieferung wahr, daß K. Georg Rokycana
noch auf dessen Sterbebette besucht habe, so war das ohne
Zweifel sein letzter Gang auf dieser Welt gewesen: denn
vier Wochen später, Freitag den 22 März, folgte auch er 22
März

---

456) Einige, wie z. B. der Mönch Johann Wodnianský (Aquensis) und
Sigmund Dechant von Bunzlau, verbreiteten später wirklich das
Gerücht, er sei vor seinem Tode zur Erkenntniß seiner schweren
Schuld als Volksverführer gekommen und habe sie auch in Ver=
zweiflung laut bekannt: wenn aber solches auf Wahrheit und
offenbarer Thatsache beruhte, so hätten diesen Umstand gewiß weder
der Prager Domdechant Johann von Krumau in seinem Briefe
an den Legaten Rovarella vom 12 März 1471, noch auch Peter
Eschenloer verschwiegen, der ausdrücklich sagt, Rokycana sei „in seiner
Ketzerei verstockt" gestorben; und auch bei andern Schriftstellern
fänden sich Spuren davon.

1471 ihm ins Grab nach. Auch von der Ursache und den Um=
ständen seines Todes ist uns nichts mehr überliefert worden,
als daß er an der Wassersucht starb, und daß seine von
Natur schwere und massive Gestalt durch das Anschwellen
aller Glieder und der Füße insbesondere zuletzt der Unförm=
lichkeit verfallen war. Als der Leiche die Eingeweide ent=
nommen wurden, fand man die Leber halb verdorben und
einen Gallenstein in der Größe eines Taubeneies, den Bauch
aber auf eine Spanne weit mit Fett überwachsen. Die Leiche
lag im Hauptsaale des königlichen Hofes auf der Altstadt
den Sonnabend und Sonntag über zur öffentlichen Schau
25
März ausgestellt; Montags den 25 März wurde sie in den königs
lichen Gräbern bei St. Veit auf dem Prager Schlosse be=
stattet. Da man über die Person des Thronfolgers unge=
wiß war, so trat der königliche Rath zusammen und beschloß
vorläufig alle Angelegenheiten in der bisherigen Weise fort=
zuführen; die vollziehende Gewalt blieb vorzugsweise in den
Händen des Prinzen Heinrich, als ersten Hüters der Krone
und der Landeskleinode, und in denen des Samuel von Hra=
bek und Walečow, als Landesunterkämmerers und Bürger=
meisters von Prag zugleich. [457]

Der so schnell auf einander erfolgte Tod der beiden
utraquistischen Häupter, des geistlichen wie des weltlichen,
konnte nicht anders als tiefergreifend auf eine Nation wir=
ken, welche ihre Existenz so zu sagen gegen die ganze Welt
zu schützen hatte und an Männern solcher Größe eben nicht

---

457) Gregors von Heimburg Schreiben aus Prag vom 27 März 1471
herausg. von C. Höfler im Oesterr. Archiv, XII, 347. Dlugoš p.
465. Procop Lupač Ephemeris u. D. A. z Weleslawina Kalen=
dář historický zum 22 u. 25 März. Staří letopisowé sagen S.
203 : Er wurde auf dem Prager Schlosse im neuen Chor neben
K. Ladislaw an der Seite zur St. Wenzelscapelle bestattet; aber
seine Eingeweide wurden mit dem Gefäße bei der Mutter Gottes
am Teyn neben dem Grabe M. Rokycanas beigesetzt.

reich war; denn wie der gleichzeitige Annalist sich ausdrückt,
so hatten beide, jener mit dem Wort, dieser mit dem Schwert
Christi Kelch beschützt, und der König insbesondere „war bis
in den Tod standhaft befunden worden im Empfangen sei=
nes theueren Blutes." Es ist daher kein Wunder, daß ins=
besondere bei des Königs Verscheiden Weinen und Jammern
durch ganz Prag erscholl, und daß bei seinem Leichenbegäng=
niß noch mehr tiefe Trauer als Pracht herrschte. Doch nicht
allein die Utraquisten, auch viele Katholiken beweinten einen
Herrscher, von welchem es insgemein hieß, Böhmen habe
seines Gleichen nicht gehabt und werde ihn auch nicht mehr
haben: denn wie er aus dem Schooße der Nation von selbst
hervorgegangen war, so stand er ihr auch nie fremd gegen=
über, wurde ihr vielmehr vor allen Andern ein weiser und
sorgsamer Vater. [458]

Nachdem wir in der Erzählung der Ereignisse selbst
viele Angaben der Zeitgenossen über die Eigenthümlichkeiten
seines Geistes und Körpers angeführt haben, so wollen wir
dieselben hier nicht mehr wiederholen, sondern nur mit eini=
gen vermehren, die noch unerwähnt geblieben sind. Herr
Stibor von Cimburg bezeichnete ihn als „einen natürlichen
Weisen, ohne schriftliche Schärfung des Sinnes, (d. i. ohne
Gelehrsamkeit;) es sei der Ruf von ihm ergangen bis an die
äußersten Gränzen der Welt, wie hoch er alle Nachbarn an
Weisheit und Gerechtigkeit überragte, so daß der menschliche
Verstand seinen Einsichten kaum zu folgen vermochte, und
daß die Streitfragen, die vor ihn gelangten, bei ihm ein
zureichenderes Urtheil als irgendwo zu finden pflegten; über=
dies sei er ein Gegner der Stolzen, den Untergebenen ein

---

458) Unwahrscheinlich ist, was einige spätere Schriftsteller von den An=
ständen erzählen, die das Begraben K. Georgs in der (katholischen)
S. Veitskirche gefunden haben soll. Wer hätte diese denn erhoben,
da das Prager Domcapitel, wie alle Feinde des Königs, Prag längst
verlassen hatten?

1471 Beschützer und ein Bändiger der Ungehorsamen gewesen; die
Schmeichler wies er zurück, die Treuen schirmte er, war
freigebig gegen seine Diener, ein warmer Menschenfreund,
von festem Charakter und unermüdeter Thätigkeit" u. s. w.
Auch einer seiner Hauptgegner, der polnische Geschichtschrei-
ber Dlugoß, der aus übermäßigem Zelotismus in ihm den
Ketzer zu verfolgen nicht aufhörte, bekannte dennoch, die
Böhmen hätten seinen Verlust vorzüglich deshalb bedauert,
„daß er sich nie rasch erwiesen, Menschenblut zu vergießen."
Der Prager Canonicus M. Paul Židek bezeugt, er habe
sich bezüglich des andern Geschlechts unbescholten benommen,
und habe auch die Sitte gehabt, jedesmal nach der Tafel
Audienzen auch dem Aermsten zu ertheilen, der zu ihm um
Gerechtigkeit oder um Hilfe flehend kam. Minder vorthil-
haft ist die Bemerkung Gregors von Heimburg, daß er insbesondere in späterer Zeit „je länger je kärger" wurde —
seitdem es nämlich entschieden war, daß seine Söhne den
Thron nach ihm nicht erben würden: ein von dem Grund-
satze der Nichterblichkeit der Kronen überall untrennbarer
Uebelstand. [459]

Auch über des Königs Regierung und die Ideen, von
welchen er sich dabei leiten ließ, haben wir bereits alles zusammengestellt, was aus gleichzeitigen und glaubwürdigen
Quellen zu schöpfen möglich war; der Leser ist dadurch in
den Stand gesetzt, sich ein gerechtes und wohl auch ein ein-
gehenderes und treffenderes Urtheil selbst zu bilden, als es

---

459) Die hier angeführten Worte Herrn Stibors stehen in der Vorrede
seines Buches Hádáni prawdy a lži u. s. w. Dlugoß sagt p. 466:
ex eo maxime a suis desideratus, quod in sanguine humano
fundendo non agebat se praecipitem. In Paul Židek's für König Georg geschriebenem Werke Zpráwowna (MS. in der Bibl. des
Prager Domcapitels) stehen die betreffenden Stellen auf S. 56 u.
69. Von des Königs Kargheit spricht Gregor von Heimburg im
Schreiben vom 6 Febr. 1470 (Höfler's Kaiserl. Buch, S. 219.)

uns zu entwerfen gelingen möchte. Wir wollen uns daher 1471
weder in diesen Gegenstand, noch auch in die Erörterung
der bis heute streitigen Frage einlassen, ob Georg von Podiebrad nach der Lehre der katholischen Kirche ein wirklicher
Ketzer gewesen, oder nicht. [460] Wir schließen· mit der Hin-
weisung auf einige Gesichtspunkte, die bei der Untersuchung,
ob Georg von Podiebrad im großen Drama der Weltgeschichte eine bemerkenswerthe Rolle, und welche, zugedacht
gewesen, nicht zu umgehen wären.

Einer der Dichter des XVI Jahrhunderts, Johann Jacob Manlius, versuchte es König Georgs Figur in der Geschichte mit folgendem Dystichon zu zeichnen:

Nil aquilae, nil Roma minax, nil arma valebant
Pannonis: invito sceptra vel orbe tuli.

Doch wie treffend auch der heldenmüthige Kampf des Königs mit den Hauptmächten des Mittelalters, dem Kaiser
und dem Papste, so wie mit dem stärksten Vorkämpfer ihrer
beider, dem Könige von Ungarn, charakterisirt ist: so genügt
doch die bloße Berücksichtigung der Personen, und nicht auch
der Verhältnisse und Grundsätze, die dabei hauptsächlich im
Spiele waren, hier keineswegs; denn nicht darum führte
man Krieg gegen Georg, weil er König, sondern weil er
dem römischen Hof ungehorsam war. Sein Ungehorsam war
aber die Folge nicht etwa muthwilliger Laune, sondern der
gegebenen Verhältnisse, der Nothwendigkeit, das politische
Recht der Neuzeit in Böhmen zu schirmen, welches die kirchliche Auctorität von den Staatsangelegenheiten ausschloß und
den Beruf der Kirche, nach allen Seiten hin giltige Ent-

---

460) Es wird genügen, wenn wir darüber auf das Urtheil zweier böhmischen Historiker hinweisen, welche beide dem Jesuiten-Orden angehörten. F. Pubitschka sagt (Gesch. Bd. IX, S. 273): Balbin
(siehe dessen Epitome p. 559) — „wollte von einer Ketzerei König
Georgs nichts wissen. Auch ich will ihn der Ketzerei, die ihm zugemuthet war, nicht geradezu beschuldigen" u. s. w.

1471 scheidungen zu treffen, nicht anerkannte. Wir haben bereits
oben bemerkt, daß Böhmen der erste Laienstaat der Christen=
heit geworden war, daß es also thatsächlich zuerst die Bahn
betrat, auf welcher gegenwärtig alle christlichen Staaten, mit
Ausnahme etwa des einzigen Kirchenstaates allein, sich be=
finden. Die Geschichte überhaupt gibt Zeugniß, wie jeder
sociale Culturfortschritt mit Opfern erkauft werden muß,
welche für die Urheber stets mehr oder minder schmerzhaft
sich gestalten. Auch K. Georg war bei der Geltendmachung
seines Principes gezwungen, demselben nicht nur sein häus=
liches und persönliches Glück, sondern auch den Frieden und
Flor des Landes, das Ziel seines sehnlichsten Strebens von
Jugend auf, zum Opfer zu bringen. Und wie ehemals M.
Johann Hus für das in Anspruch genommene Recht der
freien Forschung und persönlichen Ueberzeugung in Glau=
benssachen, welches in unsern Tagen bereits alle Welt ge=
nießt, zu leiden hatte, so wurde auch Georg von Podiebrad,
der für seine Emancipation aus der hierarchischen Bevor=
mundung so schwer büßen mußte, ein Märtyrer der Idee
des modernen Staates. Es ist kein Zweifel, daß wenn die
römische Curie im Kampfe mit ihm nicht die Erfahrung von
der Unwiderstehlichkeit des neuen Elementes bereits gemacht
hätte, sie in den großen Umwälzungen des XVI Jahrhun=
derts sich nicht hätte von blutigen Versuchen abhalten lassen,
dieselben mit aller Macht wieder rückgängig zu machen.

Nicht geringer, obgleich fast nur negativer Art, ist die
Bedeutung der Geschichte K. Georgs in der verhängnißvollen
türkischen Frage. Die Historiker des Halbmondreiches spre=
chen zwar nicht von ihm, ja sie scheinen kaum seinen Namen
zu kennen: und doch ist es gewiß, daß zur Ausbreitung der
Macht der Sultane in Europa, und insbesondere in den
Donauländern, nichts wesentlicher beigetragen hat, als der
zwischen dem römischen Hofe und K. Georg ausgebrochene
unselige Streit. Wir wollen auf der von mehreren Aus=

ländern im Zeitalter Podiebrads oft und laut geäußerten 1471
Meinung nicht bestehen, daß wenn man ihn an die Spitze
des gesammten Christenheeres gegen die Mohamedaner ge=
stellt hätte, er unzweifelhaft ein Wiederhersteller der Herr=
schaft des Kreuzes in Constantinopel geworden wäre; das
Glück der Waffen war von jeher überall mehr oder weniger
zweifelhaft und wird es auch immer bleiben: Niemand wird
aber in Zweifel ziehen können, daß wenn der vorzüglichste
Schirmvogt der Christenheit von damals, König Mathias
von Ungarn, seine Kräfte nicht in eben so erfolglosem als
unrühmlichem Kampfe mit den utraquistischen Böhmen ver=
geudet und erschöpft hätte, er in der Zurückstauung der Tür=
kenfluth auf der Thracischen Halbinsel, wo sie noch neu und
nicht festgewurzelt war, ungleich größere Verdienste und hö=
heren Ruhm hätte gewinnen können. Es ist nicht eitel Ver=
muthung, wenn wir behaupten, daß Ungarn den Mißgriff
und die Schuld seines gepriesensten Königs hinterdrein durch
ein beinahe zweihundertjähriges blutiges Leiden abzubüßen
hatte. Und daneben läßt sich auch nicht verschweigen, daß
jene zwei Männer, die vom Anbeginn in Eifer und Thätig=
keit für die Zurückweisung der Türken aus Europa allen
Zeitgenossen vorangingen, Johann von Capistran und Aeneas
Sylvius, ihnen selbst vorzugsweise den Weg bis in das
Herz der Christenheit dadurch bahnten, daß sie die Aufhe=
bung der Basler Compactaten zuerst und zunächst herbei=
führten, und damit all' dem endlosen Jammer Thür und
Thor öffneten, welcher dieser unseligen That auf dem Fuße
folgte.

stehen konnte; indem die Einen auf Seiten der Kirche für
den Glauben einstehend, die Anderen an ihrem vom Papste
abgesetzten König festhaltend, einen grausen Krieg mit einander führten, und Blutvergießen, Schlachten, Mord, Raub
und Brand, Schändung der Frauen und Jungfrauen, und
andere Unthaten mehr an der Tagesordnung waren. Während nun im Volke darüber verschieden gesprochen wurde
fand ich mich einmal zufällig in Gesellschaft vornehmer und
angesehener Männer, welche an Weisheit und Bildung andere
zu übertreffen scheinen: es waren Zbeněk von Sternberg,
der von der Kirche zum obersten Heerführer ernannt worden,
Wilhelm von Rabie, ein katholischer Baron von hohem Ansehen, und Johann von Schwamberg, Großmeister des Strako-
nicer Ritterordens, der zwischen ihnen gleichsam als Mittler
dastand. Als sie mich erblickten, fragten sie: warum, Johann,
kamst du hieher aus den lateinischen Landen?

Rabstein. Ich wünsche in meiner Heimath den Studien in Ruhe obzuliegen.

Schwamberg. Da bist du ganz auf dem Irrwege. Beim
Kriegeslärm gibt es nicht Raum für ruhige Studien.

Zbeněk. Er ist nicht Schuld am Irrthume, denn wie
S. Hieronymus gesagt haben soll, bonus in foro, malus in
thoro, und umgekehrt. Dennoch wird er uns wie im Kriege
so im Frieden von Nutzen sein.

Rabstein. Den Krieg verabscheue ich allwegs.

Schwamberg. Ich möchte mich auch lieber des Friedens erfreuen, doch der päpstliche Legat befiehlt Krieg, und
wer nicht mithält, dem sperrt er die Kirche, den bannt
er, nimmt ihm seine Würden, und das alles im Namen des
heiligen Vaters.

Rabstein. Ich horche und erstarre vor Staunen. Herr
Zbeněk, man sagt, du leitest das Ganze, sage doch, wie geht
denn das zu?

Zbeněk. Weltbekannt ist der Husiten Ketzerei, die be-

reits von Concilien und Päpsten ordentlich verdammt wor=
den; ihr Beschützer, Georg von Podiebrad, einst König von
Böhmen, wurde vor Gericht geladen, und da er sich nicht
stellte, als Ketzer verurtheilt; der Krieg wurde ihm erklärt,
ich erhielt den Oberbefehl in demselben, und allen Gläubigen
wurde angeordnet, mir und nicht ihm Beistand zu leisten.

Rabstein. Ich will gewiß dem apostolischen Stuhle
stets Gehorsam leisten, aber diese Dinge erfüllen mich so
mit Verwunderung, daß ich nicht weiß, was ich dazu sagen
soll. Wie konnte denn jener Georg, als Ketzer, zur könig=
lichen Würde gelangen? Belehrt mich doch darüber, denn
ich war damals nicht im Lande anwesend.

Wilhelm. Solches könnte Zdeněk freilich am besten
selbst erklären, denn er war der erste Urheber des Ganzen
und auch der erste Wähler: da er nun aber so grimmig in's
Gegentheil sich verkehrt hat, so will ich dir's in Kürze sagen.
Als nach K. Albrechts Tode große Zwietracht im Lande
herrschte, wurde Georg von Kunstat und von Poděbrad das
Haupt einer Partei, und Zdeněk schloß sich ihm als Freund
an. Beide waren damals wie ein Herz und eine Hand;
beide bemächtigten sich Prags, vertrieben daraus die Katho=
liken, und setzten Rokycana wieder ein; und sich dann mit
Beute bereichernd, führten sie Ladislaw als erwählten, nicht
als Erbkönig in's Land ein. Als nach dessen Tode auf dem
Landtage es sich um einen neuen König handelte, und die
übrigen noch unschlüssig waren, wen sie wählen sollten, kniete
Zdeněk der erste vor Georg nieder und begrüßte ihn als König,
worauf sogleich das Volk zu rufen anfing: es lebe Georg,
König von Böhmen! Viele Katholiken murrten zwar dagegen,
die große Macht beider jedoch kennend, mußten sie schweigen.

Zdeněk. Aus Abneigung gegen mich mengt Wilhelm
Wahres und Falsches untereinander. Ich war freilich thätig
für Georg, aber nur deshalb, weil er dem apostolischen
Stuhle Gehorsam zusagte.

Wilhelm. Warum halfſt du ihm alſo katholiſche Prieſter vertreiben? Warum kämpfteſt du an ſeiner Seite gegen Ulrich von Roſenberg, gegen die Meißner und Andere? Damals hatte er ja dem Papſte noch keinen Eid des Gehorſams geſchworen.

Zdenẽk. Wenn gleich nicht dem Papſte, hatte er doch mir viel verſprochen.

Wilhelm. Da du aber das Gegentheil in ſeinen Handlungen wahrnahmſt, warum brachſt du nicht jeden Verkehr mit ihm ab, und ſtellteſt als Glaubenseiferer dich ihm entgegen?

Zdenẽk. Auch das wird zu ſeiner Zeit Antwort finden. Sagt mir nun aber, was ſollte ich thun, da mich der heilige Vater zum Anführer dieſes Kriegs beſtimmte?

Wilhelm. Entſchuldige, Zdenẽk, in dieſer Angelegenheit gab es noch etwas neben dem Auftrage des heiligen Vaters. Ich werde etwas weiter ausholen, und hoffe, du wirſt nicht läugnen, daß ich wahr ſpreche. Als Georg das Scepter mit mächtiger Hand ergriff, wohnteſt du nicht allen ſeinen Berathungen bei? Hieß er etwas gut, ſtimmteſt du bei, widerſprach er, warſt du auch dagegen; er nannte etwas weiß, du meinteſt, es ſei wie Schnee; fand er es ſchwarz, ſchien es dir ein Rabe. Mit ſeinem Willen plünderteſt du Kloſter- und Kirchenſtiftungen, beraubteſt das Erbe der Herren von Neuhaus, deiner Vettern von Sternberg, und derer von Smiřic, [a] und thateſt viel anderes, wovon ich ſchweigen will, um nicht zu Schmähungen Anlaß zu geben. Nachdem du nun ſchon großes Vermögen geſammelt hatteſt und innere

---

a) Im lateiniſchen Urtert lautet dieſe Stelle: Post auctore Georgio monasteriorum et ecclesiarum dos per te destructa est, hereditas dominorum de Nova domo, tuorum patruorum Sternbergensium, itemque illorum de Smirzicz expilata est etc. (Das MS. ſetzt „illorum de Stinguicz,“ durch irriges Leſen anſtatt „Smyrzicz.“) Zdenẽk von Sternberg wurde im Jahre 1453 Vormund der Waiſen

Unruhen kommen sahest, da die Empörung bei den Einen schon begonnen hatte, bei den Anderen bereits im Anzuge war, da setztest du täuschende Hoffnungen auf das Ungebührliche, versammeltest um dich neuerungssüchtige Genossen und schloßest mit ihnen eine Art neuen Bundes.

Zbeněk. Auf versteckte Weise greifst du meinen guten Ruf an, als wolltest du etwas Uebles bedecken. Wirst du so fortfahren, dann, meine Herren, werde auch ich nicht schweigen.

Rabstein und Schwamberg. Sprich offen, Wilhelm, und lasse alle rednerischen und sophistischen Bilder bei Seite.

Wilhelm. Ich werde also offen sagen, was ich verdecken wollte: nach neuer Erhebung, nach der königlichen Würde hat dich gelüstet.

Zbeněk. Gott ist mein Zeuge, daß solches nie mir in den Sinn gekommen! Wie hätte ich daran gedacht, da nur den weisesten, den wackersten der Männer solches mag gelingen? Habt ihr ein Beispiel doch an diesem Georg, der, weil unwürdig erhoben, mit Recht jetzt gestürzt wird. Damit mir nun nicht also auch geschehe, daß man mich mit größerer Schmach vom Throne stieße, als die Ehre wäre, mit der ich ihn bestiegen, so stelle ich mich mit meinem Stande zufrieden und trachte nicht nach Höherem. Für den katholischen Glauben jedoch alles zu leiden war ich stets bereit. Leute, die ihre Zunge nicht recht im Zaum zu halten wissen, reden allerlei: ich aber werde Unwahrheit mit der Wahrheit stets niederschlagen.

Wilhelm. Worte hören, die Thaten sehen wir. Ich will nur sagen, was du weiter noch gethan. Auf deinem

nach Johann von Smičic, nach welchen auch die Herrschaft Raudnic auf ihn überging. Mitvormund war Johann der Aeltere von Rabstein, ehemaliger Burggraf von Wyšehrad und sowohl des Kanzlers Prokop als des Propstes Johann des Jüngeren (des Verfassers dieses Gesprächs) leiblicher Bruder, nicht aber Vetter, wie wir bisher geglaubt.

Schlosse Grünberg, einem Klostergute, nach welchem du bei
deiner überschwänglichen Liebe zur Geistlichkeit, zum apostolischen Stuhl und zu Gott langtest, kamt ihr, der Breslauer
Bischof Jost, Johann von Rosenberg, beide Buriane von
Guttenstein, Bohuslaw von Schwamberg und Andere zusammen. Du, der du an Umsicht und Klugheit reich bist, über-
redetest sie leicht, daß vielerlei im Königreiche der Besserung
bedürfe, um die Leitung derselben in deine Hände zu bekommen; da sei die Münze, hier Rechte, dort Gott weiß
welche Freiheiten von Georg verletzt worden, riefest du und
versprachst sie zu schirmen, du, der du selbst ihr größter Zerstörer werden solltest; so geselltest du dir mächtige Genossen
bei und sannst auf Empörung. Wir aber, die wir den Frieden liebten und wohl merkten, wohin das alles ziele, wurden
nicht dazu gerufen, damit wir nicht hindernd in den Weg
träten. Aus Liebe zum Wohl des Vaterlandes kamen wir
dann, ich und einige Andere, in dem Städtchen Neuhaus
mit dir zusammen; unter anderen war auch unseres Johanns
leiblicher Bruder, der Kanzler Prokop da, ein Mann von
nicht geringer Gelehrsamkeit, Humanität und Klugheit. Als
die Berathung begann, fingst du nach deiner alten Sitte vor
allen zu reden an, und alles gegen Georg bereits Erwähnte
wurde mit großer Uebertreibung vorgetragen. Und als wir
erklärten, daß alles gut gemacht werden würde, wolltest du
dennoch kein Mittel zum Frieden annehmen; ja mit herri-
scher Machtfülle, als glänzte schon die Krone auf deinem
Haupte, verwarfst du alles, was wir fürs allgemeine Beste
festgestellt hatten; und was das bedeutendste ist, höret doch,
meine Herren und Freunde! als Zdeněk öffentlich gefragt
wurde, ob er um des katholischen Glaubens willen den Krieg
gegen die hussitische Ketzerei führen wolle, bekannte er öffentlich mit einem Eide, seine Sache sei es nicht für den Glauben
zu sorgen, das gehe den Papst an, er werde so wenig, wie
die Vorfahren, diese böhmischen Uebelstände zu beseitigen ver-

43*

mögen, ihm handle es sich aber um die Freiheit, um das
Recht und die Münze, damit sie so werden, wie das Land
sie brauche, das waren seine Worte. Vertragen sich diese
Aeußerungen mit deiner jetzigen Sprache? Sollen wir dir
eine oder zwei Zungen zumuthen? Steh' doch Rede, ich will
es gerne hören.

Zdeněk. Es gibt Menschen, die nicht im Stande sind
etwas vorzutragen, ohne zu lästern und zu verläumden. Ich
und meine Freunde haben keine unerlaubten Bünde geschlossen: da wir jedoch die mannigfachen Bedrückungen der
Katholiken sahen und bemerkten, wie Georg Gott und der
heiligen Kirche untreu geworden, achteten wir das allgemeine
Wohl höher als unser eigenes, und schloßen den Bund, den
du bezichtigst, in allen Ehren. Und wahrlich es war auf
dem Neuhauser Tage nicht räthlich, vor dir und anderen,
die ihr, wie die That zeigt, im Glauben schwankend geworden, des Bundes Geheimnisse zu enthüllen und Perlen den
Säuen vorzuwerfen; auch hatte ich damals noch keinen bestimmten Auftrag vom apostolischen Stuhle erhalten. Sobald
aber derselbe anlangte, beschloß ich, wie ein treuer Sohn
dem heiligen Vater gehorsam zu sein, und will auch, so weit
mein Leben reicht, seinem Befehl nachkommen. Warum wei-
gerst du dich zu gehorchen, der du für einen Katholiken dich
ausgibst?

Wilhelm. Bis ich dich als großen Prälaten erblicke,
werde auch ich dir folgen. Welch' ein Glück wird das für die
Prager Kirche sein, einen solchen Erzbischof zu haben! und
ich werde es endlich einsehen, daß du mit Recht Herr auf
Raudnic geworden bist, da uns ja von dort der Hort und
Meister des Glaubens gekommen. Hättet ihr jedoch das
Werk nach gemeinsamem Rathe angegriffen, und es nicht
mit unlauteren Denunciationen an den Papst befleckt, es
würden heute alle an dem mitwirken, was alle gutgeheißen
hätten.

Zbenĕk. Und sollten wir etwa dich und deines Gleichen zu Rathe ziehen?

Rabstein. Möge Wilhelm sich schützen, wie er kann;
ich halte allerdings dafür, daß es in diesem Lande viele
Katholiken gibt, die so gut Rath zu schaffen gewußt hätten, wie
ihr. Warum habt ihr ihnen euere Absichten nicht mitgetheilt?

Zbenĕk. Zu rechter Zeit schweigen ist zuweilen der
weiseste Rath.

Wilhelm. Ich will etwas noch schlimmeres sagen.
Zbenĕk hat die Verhandlung in Glaubenssachen allerdings
vielen Katholiken, aber solchen anvertraut und aufgetragen,
die leichtfertig, ungebildet, Landläufer und Diebe waren.

Zbenĕk. Das haben unsere geistlichen Vorsteher ge-
leitet, weise und ausgezeichnete Männer. Doch wie das
Sprichwort sagt, gäbe der Papst uns einen Stock zum
Herrn, auch dem müßten wir Folge leisten.

Wilhelm. Ich beschuldige nicht den Papst, sondern
euch, die ihr ihm falsch berichtet, und wenn Jemand, der
die Dinge besser kennt als ihr, anders urtheilt, ihn gleich
verdächtigt, ihn als Abtrünnigen, als Ketzerfreund denuncirt.
Darum ziehet ihr aus der Mitte des Pöbels gefügige Idio-
ten, wenn sie auch mit Doctortiteln sich schmücken, an euch
heran, empfehlet sie dem römischen Stuhle und benehmet
dadurch der Sache das Gewicht, welches ihr derselben erst
schaffen solltet.

Schwamberg. Wohin versteigst du dich, Wilhelm?
Der römische Stuhl handelt immer mit der besten Ueber-
zeugung und mit Weisheit, und es geziemt sich nicht, sein
Ansehen herabzusetzen.

Wilhelm. Ich erzähle Thatsachen, über das Recht
zu urtheilen bin ich nicht competent.

Zbenĕk. Das oberste Recht ist des Papstes Wille,
welchem um ihres Seelenheiles willen alle Menschen gehorchen sollen. Dies ist mein fester Grundsatz.

Rabstein. Zweifelsohne führt der apostolische Stuhl
seine Angelegenheiten so, daß man anderswo größere Weisheit kaum finden könnte. Die Menschen aber sind sterblich,
und wie viel Kunst die Weisheit besitzt das Böse zu hindern, so viel Kunst besitzt auch die Bosheit, um die Weisheit zu täuschen. Darum klingt der Grundsatz des Kirchen-
rechts nicht uneben, daß der Papst irren und beirren, vergessen und fehlen kann, die Kirche aber, Christi Braut, bleibt
immer unfehlbar. Ob in Zdeněks Sache der Papst oder jemand Anderer der Beirrende war, kann ich nicht sagen, da
ich mit derselben nicht genug vertraut bin.

Wilhelm. Ich führe nur Thatsachen zum Beweise
an, ihr mögt selbst darnach urtheilen. Habt ihr, meine Herren
und Freunde! je gehört, es sei im Recht begründet, daß
Kinder im Mutterleibe in Bann gethan, den Sterbenden
während des Interdicts die Absolution, außer für Geld, versagt, und das Interdict selbst auch da verkündigt werde, wo
keine Schuld stattgefunden?

Zdeněk. Davon weiß ich nichts. Sage, wo ist das
geschehen?

Wilhelm. Dergleichen ist genug geschehen; um Anderer zu geschweigen, hat euer Elias, nicht der Prophet am
Karmel, sondern der erlauchte Apostat der weißen Prämonstratenser, dem auf euere Bitten, seines besonderen Aberwitzes
wegen, die Verwaltung des ganzen Ordens anvertraut ward,
ähnliche Dinge nicht selten begangen. [b]

b) Der hier etwas uncorrecte und dunkle Urtext sagt: Helias vester,
     non tamen (MS. tantum) Carmelites propheta, sed illustris al-
     borum Praemonstratensium apostata (Ms. apostolus), cui ad
     vestras preces totius ordinis summa ob ejus singularem stolidi-
     tatem commissa fuit etc. Dieser (oben in der Geschichte oft-
     genannte) Elias, ein ehemaliger Husit, war jetzt zugleich Pfarrer
     in Neuhaus und Administrator des Leitomyschler Bisthums.

Schwamberg. Auch ich hörte solches von Vielen.

Zdenĕk. Eitel Geklatsch. Wo ward denn das Interdikt rechtswidrig publicirt?

Wilhelm. Ueberall, wo der Gutsherr, um Frieden zu haben, keiner der kriegführenden Parteien sich anschließt. Und ich will etwas noch Auffallenderes erwähnen: wer sich nicht als Zdenĕk's Freund und Lobredner erweist, wird offen mit dem Banne belegt.

Zdenĕk. Gottes, nicht mein ist die Ehre. Wer mir und dem Kriege Gottes, den ich führe flucht, flucht dem Statthalter Christi, folglich Christus Gott selbst, und verfällt nach S. Paul mit Recht dem Banne.

Wilhelm. Wäre das ein Krieg Gottes, den du führst! Es gäbe dann nicht so viel Raub, Mord, Brand, Klosterzerstörung und Jungfrauenschändung dabei. Ist denn das ein Krieg Gottes, in welchem das Chotĕschauer Nonnenkloster, das in so vielen vergangenen Stürmen erhalten blieb, nun in Schutt und Asche sank, und seine frommen Jungfrauen sammt ihrem Propste auf den Bettelstab kamen, indem ihr ganzes bewegliches und unbewegliches Vermögen von deinen Kriegern ausgeplündert wurde? Dasselbe thatst du dem Tepler Kloster, was sich kaum die Husiten, die Taborer und Wiklefisten erlaubt haben würden. Was soll ich dann sagen von Entblößungen ehrbarer Frauen, Ermordung von Säuglingen, von Niederbrennung ganz katholischer Dörfer, wegen der sich so manche Getreue aus Verzweiflung selbst erhängten? Bei allen Heiligen! das nennst Du einen Krieg Gottes? Solche Dinge geschehen auf Befehl des Statthalters Christi?

Zdenĕk. Durch das Schwert entstand diese Sekte, durch das Schwert muß sie untergehen. Menschlichkeit verdient der nicht, wer der Menschlichkeit unwürdig sich benimmt. Die Ketzer sind mit dem Banne belegt, das Kreuz

ist gegen sie verkündigt; hilft ein Katholik nicht gegen sie,
so hilft er ihnen, und verdient dieselbe Strafe, wie sie.

Wilhelm. Gott verlieh allen Thieren angeborne
Waffen, den Hirschen Geweihe, den Ebern Hauer, den Pferden Hufe, nur der Mensch wird nackt und waffenlos geboren: aber ihm wurde Vernunft zu Theil, die alle Waffen
ersetzt. Darum wollte Gott, daß wir alle unsere Angelegenheiten vernünftig einleiten, uns nicht thöricht in Gefahren
begeben, den Himmel nicht durch Ansprüche auf wunderthä-
tige Hilfe versuchen. Was ehemals der römische Kaiser, der
König von Ungarn und Böhmen im Verein mit vielen und
mächtigen Fürsten und Gemeinden kaum zu unternehmen sich
getraute, das wagt ihr allein, ohne alle fremde Hilfe, ohne
Rath und Zustimmung Anderer, welchen doch an der Ausrottung der Ketzerei nicht weniger als euch gelegen war.
Warum habt ihr den übrigen Baronen und dem Adel überhaupt eure Absichten nicht eröffnet? Warum, wenn die Gefahr eine allgemeine sein soll, wurden eure Berathungen und
Beschlüsse insgeheim zuwege gebracht? Aber, freilich wohl, unter
dem Deckel barg sich die Schlange. Der sollte König, jener
Erzbischof, ein anderer Kämmerer, ein vierter Kanzler werden. Die Hoffnung schlug fehl. Nun helfe, was helfen kann:
ihr erfaßt den Glauben, den manche von euch früher selbst
verfolgten, und weil es nun keine andere Hilfe mehr gibt,
so übt ihr mit Zdeněk unerhörte Grausamkeit und Tyrannei
aus. Das ist nicht der Weg, um das Königreich und den
Glauben zu reformiren und zu heben, sondern um sie zu
Grunde zu richten. O wüßte doch der Papst alles Uebel,
das ihr stiftet! wüßten doch wenigstens die Cardinäle und
Legaten darum! Ihr wißt es aber schlau zu verhindern.
Kömmt ein Legat, muß er nach euerem Rath außerhalb der
Gränzen herumziehen, doch nicht ins Land herein gelassen
werden, noch mit denen zusammen kommen, die es nicht mit
euch halten, damit eure Bubenstücke weder verrathen noch

gehindert werden; und will dennoch jemand mit der Wahrheit bis zu ihm bringen, so schreit ihr ihn gleich als Ketzer
und Abtrünnigen aus.

Zdeněk. Mir klingen schon die Ohren von all dem
Gewäsche, was du da vorgebracht; ich wollte Dir zürnen,
aber ich sehe, daß du von Natur aus nicht umhin kannst,
alles ins Böse zu verkehren. Nie strebte ich nach der Krone,
da ich aber das Unrecht sah, welches geübt wurde, stand ich
ein für die Wahrung unserer Rechte und Freiheiten. Später
kamen die apostolischen Befehle, die ich vollziehe, und bis
zum Blutvergießen zu vollziehen nicht aufhören werde, in
der Hoffnung, daß für den Verlust zeitlicher Güter mir Gott
mit seiner Gnade in der Ewigkeit lohnen werde. Ich läugne
nicht, daß einige Kirchen zerstört wurden, welche die Ketzer
durch ihre Besatzungen in Räuberhöhlen verwandelt hatten;
um größeres Uebel zu verhindern, haben wir gethan, was
durch die Umstände und Stürme der Zeit geboten war. Alles
Uebrige, was du noch vorbringst, ist nur Ausgeburt deiner
Dreistigkeit ohne Gleichen.

Wilhelm. Du lieber Gott! Wo wäre denn mehr
Dreistigkeit zu finden, als bei dem, der sich unterfängt, über
das Loos von Königreichen zu entscheiden, Könige zu vertreiben, und dann sich bemüht, unsere Augen kunstvoll zu
blenden? Und wenn du sagst, du habest apostolische Befehle erhalten, so weiß ich doch gewiß, daß sie nicht gekommen wären, wenn ihr sie nicht durch eure falschen, gottlosen
Berichte entlockt hättet.

Rabstein. Ich habe allerdings von höchst ausgezeichneten Vätern gehört, daß wenn dem Papste alle Schwierigkeiten der Unternehmung bekannt gemacht worden wären, er
in dieser Angelegenheit mit seinen Befehlen nicht so geeilt
hätte. Bekannt ist aber, daß Einige der Eurigen sehr dringend darum baten, und daß das Ganze als sehr leicht angesehen wurde. In diesem Glauben gab der römische Papst

feine Einwilligung; denn warum hätte er sie verweigern sollen? Hatte er doch längst es dahin zu bringen gesucht, daß die Stirne einiger Böhmen niedergedrückt werde. °)

Wilhelm. Ich berufe mich selbst auf Zeugen euerer ersten Verbindung, daß nicht alle deine Genossen solidarisch dich vom apostolischen Stuhle zum Anführer verlangten.

Zdeněk. Wie vielerlei Verbindungen du zählst, weiß ich nicht: ich kenne nur einen einzigen katholischen Bund zum Heile unserer Seelen. Meine Mitkämpfer für den Glauben wählten mich zeitweilig zu ihrem Führer; später ernannte mich der apostolische Stuhl aus eigenem Antriebe zum obersten Befehlshaber im Kriege.

Wilhelm. Die erste Verbindung wurde in Grün= berg geschlossen, wo vom Glauben noch keine Rede war. Einen zweiten Bund schloßt ihr, ihr neuen Glaubenshelden, in Olmütz mit dem Könige von Ungarn, zum Schutz der römischen Kirche. d) Nun verbinden sich Einige von euch schon zum dritten Male, um neutral zu bleiben und Frieden zu genießen. Um uns glauben zu machen, daß dich der Papst aus eigenem Antriebe zum Befehlshaber ernannte, bedürfte es mehrerer Beweise. Mit der feinsten Schlauheit brachtest du die Siegel aller deiner Genossen zusammen, um ein Schreiben im Namen aller, doch ohne ihr Wissen, zur Sättigung deines Ehrgeizes nach Rom, und wohin sonst es dir gefiel, senden zu können. Dobrohost von Rons= perg ging an den römischen Hof, und was er dort that,

c) Diese wichtige Stelle lautet im Original: Audivi certe patribus ex clarissimis, si haec res adeo difficilis nota reddita fuisset summo pontifici, numquam in hoc negotio adeo cito mandata forent. Sed petitum scimus cum instantia ab aliquibus ex ve-stris, facillimum judicatum. Credens concessit pontifex Roma-nus: quid enim denegaret? qui dudum illud, quatenus frons aliquorum contera ur Bohemorum, persuadere laborabat.

d) Es wird hier ohne Zweifel auf die Olmützer Verschreibung vom 22 Aug. 1468 angespielt.

ist wohlbekannt; was ferner dein abtrünniger Doctor Helias, was der Prior von S. Benigna, was Bruder Johann
von Kaden und ein ganzer Schwarm geringer Leute dort
zu verrichten hatten, war meines Wissens nicht dem Willen
Aller gemäß. Sechs Siegel hast du freilich selbst in deiner Gewalt.

Zdeněk. Wäre ich nicht so geduldig und nähme ich
keine Rücksicht auf die Gebrechlichkeit deines schwachen Körpers, du solltest die Schwere von Zdeněks Arm empfinden,
Wilhelm! Im Zweikampfe müßtest du mir deine Aussagen beweisen, oder ich lehrte dich mit Einschlagung deines
Mundes, wie es sich ziemt von edlen und starken Männern
zu reden. Freilich, an dem Gezirpe einer Grille ist nichts
gelegen.

Wilhelm. Er zürnt. Sage Einem die Wahrheit,
und er schlägt Dir den Kopf ein.

Zdeněk. Wohlan denn, Du Narr! Da Du es willst,
so möge das Schwert unseren Streit entscheiden!

Rabstein. Gott ist mein Zeuge, daß mir das Wohl
aller getreuen Katholiken sehr am Herzen liegt. Doch schon
in der Fremde hörte ich verschiedene Fürsten und große Herren sich beschweren, daß ein so schrecklicher Krieg ohne ihr
Wissen und ohne ihren Rath begonnen wurde; um so begreiflicher wird es, daß böhmische katholische Barone sich
dadurch verletzt fühlen. Hättest du doch früher alle zur Berathung berufen, und wä est du mit der Zustimmung Aller
ihr Führer geworden!

Zdeněk. Geschehenes ist nicht ungeschehen zu machen.
Doch das begonnene Werk wird mit Gottes Hilfe bald das
gewünschte Ziel erreichen.

Wilhelm. So gering achtest du die Zahl der Katholiken, damit du nur nach eigenem Gutdünken schalten könnest!

Zdeněk. Ihr habt zu gehorchen, wollet ihr anders
Katholiken bleiben, und der Papst hat zu befehlen; es sagt

der Topf nicht zum Töpfer: warum formst du mich also?
Nun doch, ihr werdet in Kurzem sehen, daß der durchlauchtigste römische Kaiser, der König von Ungarn und die Reichsfürsten mit mächtigen Heeren uns und unserem Glauben zu
Hilfe in dieses Königreich kommen werden.

Schwamberg (bei Seite, zu Rabstein). Was sagt da
Zdeněk, lieber Johann? Soll eine solche Menge Fremder zu
unserm Verderben in's Land kommen? Die richten ja die
Bauern zu Grunde, verwüsten die Felder, plündern alles
aus und nehmen vor Hunger bei Freund wie bei Feind: ob
sie aber damit das Kriegsgeschick entscheiden und die Feinde
in ihren Schlössern bewältigen werden, steht noch dahin.

Rabstein. Ich will laut sprechen, damit unser Ge-
flüster keinen Verdacht errege. Schwamberg frägt, ob wirklich
alle diese Mächte Zdeněk zu Hilfe kommen werden? Ich bemerke, daß davon schon lange die Rede ist, auch wendet der
Papst viel Mühe daran, daß es geschehe; darum wird auch
das Königreich jedem als Beute angeboten, der es erobern
mag. °) Viele Fürsten jedoch werden nicht kommen, weil sie
unzufrieden sind, wie ich schon bemerkte, und weil sie auch
für ihr eigenes Land fürchten. Erinnern wir uns, wie viele
ihrer zu Papst Martins Zeiten mit den Legaten und mit
großen Kriegsheeren unter dem Zeichen des Kreuzes herangekommen waren, welche dann nach Verlust von Ehre und
Gut, zur Schmach des katholischen Glaubens, sich glücklich priesen, wenn sie auf der Flucht nur das bloße Leben
retteten. Der König von Ungarn hat zwar alle böhmischen
Katholiken in seinen besonderen Schutz genommen: in der
betreffenden Urkunde gibt es aber eine Menge verdeckter
Klauseln und Ausflüchte, wenn man sie genauer durchsieht.
Er hat mit den Türken genug zu thun. Im vorigen Jahre
hat er zwar großen Kostenaufwand geführt, wir bekennen es,

e) Orig. Eas ob res regnum hoc occupanti concessum, praedae
exposuit est.

doch war der Nutzen für den Glauben nur gering, wir neh=
men es an dem Verderben der Katholiken wahr. Nun wird
er schon gleichgiltig, weil er ein Ungar ist; und ihr wißt, wie
weit man sich auf Glauben, Beständigkeit und Kriegsglück
der Ungarn, insbesondere den Böhmen gegenüber, verlassen
kann. [f]) Und wenn ihr etwa glaubt, daß er mit Gold helfen
werde, so weiß man, daß der Ungar auch Gold nicht ver=
geudet; und wie reich auch das Land an Goldadern ist, der
König hat dessen doch nie vollauf. Der polnische König hat
sich durch den Krieg mit Preußen entkräftet, ruht daher jetzt
aus, und läßt sich mit Georg in unbekannte geheime Ver=
bindungen ein. Der römische Kaiser ist nie kampfbereit und
seine Stände wissen kaum das gemeinste Raubgesindel ab=
zuwehren. Darum steht es bei Gott, ob sie kommen oder
nicht; ich wenigstens bezweifle es sehr.

Zdeněk. Wir wollen alle Hindernisse und Schwierig=
keiten ihres Kommens beseitigen; wir sorgen für Proviant
und ihre sonstige Nothdurft aufs Eifrigste.

Wilhelm. Mögen sie nur kommen, deshalb bist du
noch nicht Sieger; was schlecht begonnen, endet selten gut.

Schwamberg. Ich glaube es wird schwer sein, sie

---

[f]) Rex Hungariae Mathias omnes catholicos Bohemos suam in specia-
lem protectionem suscepit: sed in literis suis tacitae clausulae
facilesque latent evasiones, quemadmodum diligenter intuenti
apparet. Turcum hostem crucis — pertimescit. Multas expensas,
multas superiori anno idem rex fecit impensas: id fatemur
quidem, pauca tamen fidei exstat utilitas, catholicos destructos
aspicimus. Jam tepet, quoniam Hungarus est; Hunorum autem
quae virtus, quae constantia, quae praesertim contra Bohemum
victoria semper exstiterit, vos ipsi judicate etc. Aus dieser Stelle
erhellt es insbesondere, daß dieser Dialog im Jahre 1469 geschrie=
ben wurde, als man auf dem Reichstag zu Regensburg über einen
großen Heereszug aus Deutschland nach Böhmen verhandelte, und
K. Mathias noch nicht in Olmütz zum Könige von Böhmen ge=
wählt worden war.

alle zur Heerfahrt geneigt zu machen. Kömmt es aber dazu, so ist das Verderben des Landes gewiß, ihr Sieg ungewiß.

Rabstein. Nimm es nicht übel, Zbenêk, wenn ich sage, was ich denke. Nehmen wir an, daß, wie du sagst, mit dem Kaiser die Kur- und Reichsfürsten alle nach Böhmen ziehen, daß die Ungarn, Polen, Slowaken, Wälsche, und wenn du willst, auch die Franzosen, Engländer und andere mehr kommen: je größer ihre Zahl sein wird, um so eher werden sie müssen den Rückzug wieder antreten. Denn wo findet sich Nahrung für so viele, wo ganze Gegenden wüste, ganze Dörfer in Schutt liegen. Was dort an Speise und Futter war, wurde in die umschanzten Orte geschafft, welche an Georg halten, und deren Eroberung weder schnell, noch leicht erfolgen wird, selbst wenn den Christen die Türken helfen wollten. Denn außer der Hauptstadt Prag hat Georg in Böhmen allein 46 wohlbefestigte Städte inne; außer dem Prager Schlosse dienen ihm 72 mächtige Bergschlösser, ungerechnet die festen Sitze, welche durch Mauerwerk, Gräben oder Wasser geschützt sind. g) Glaubt ihr, es werde möglich sein, alle diese binnen einem Jahre zu erobern? Nicht einmal im Verlauf mehrerer Jahre, wie gewiß Jeder zugeben wird, der die böhmische Streitbarkeit und Macht kennt; reicht doch ein Jahr kaum hin, um ein einziges Schloß zu bezwingen. Da nun die Felder brach liegen, und die Getreidevorräthe alle in die festen Orte geschafft sind, deren Einnahme in kurzer Zeit unmöglich ist, so muß das Heer entweder große Vorräthe an Nahrungsmitteln selbst mitbringen (und die umliegenden Länder sind gewohnt, diese aus Böhmen zu beziehen) oder es bleibt ihm unverrichteter Dinge nur ein fluchtähnlicher Rückzug übrig. Ob das dem katho-

g) Post urbem regiam Pragam Georgio in sola Bohemia sex et XL bene munita exstant oppida; post arcem Pragensem duo et septuaginta fortissima montana habet castella, fortalitiis vallo, fossa aquisve munitis plerisque non numeratis.

lischen Glauben zu Nutz und Frommen gereichen wird, magst du, Zdeněk, selbst einsehen.

Zdeněk. Da du unter den Kirchenprälaten eine so hohe Stelle einnimmst, Rabstein, solltest du des Papstes Anordnungen nicht so leichtfertig beurtheilen; ich sage dir solches als Freund, es wäre mir unlieb, wenn deine hohe Würde Gefahr liefe. Noch immer weiß ich nicht, was du sinnest, da du dich neutral hältst und weder uns noch den Ketzern helfen willst. Längst sind über dich und über Schwamberg beim Legaten Beschwerden eingelaufen, daß ihr den Ketzern die Einfuhr des Salzes nicht wehret und auch gewisse Zusammenkünfte mit ihnen habt. Darum ermahne ich besonders dich, Rabstein, daß du nicht auf Wilhelms Wegen wandelst; denn wir wissen, was einem Prälaten ziemt. Gebt also beide diese Neutralität auf und verbindet euch dem apostolischen Befehl gemäß mit uns.

Schwamberg. Seitdem ich Großmeister in Strakonic geworden, gedachte ich nie anders, als den apostolischen Anordnungen nachzukommen: was aber unser Johann hier so schön aus einander gesetzt hat, ist die reine Wahrheit. Das meinem Orden gehörige Schloß hat sich bisher der Ketzer nur mit Mühe erwehrt, und ist derart gelegen, daß ich ihnen in keiner Weise schaden kann. Da ich also euch unnütz und ihnen stets preisgegeben bin, so verstehe ich nicht, warum ihr nach meinem Schaden so begierig sein solltet. Ich gebe den Feinden kein Salz, suche keine Einverständnisse mit ihnen, am Frieden aber ist mir gelegen, der euch freilich zuwider ist. Wer anders von mir spricht, sagt nicht die Wahrheit.

Rabstein. Ich habe unter diesen Verhältnissen mich stets gemäßigt benommen: jetzt aber erkenne ich die Wahrheit der Worte Wilhelms, daß ihr jeden einen Feind und Eintrachtsstörer nennet, der Frieden und Einigkeit sucht. Nie sprach ich etwas, was dem apostolischen Stuhle zum Nachtheil gereichte, und begreife wirklich nicht, wie meine Stellung

und Würde in Gefahr kommen könnte. Mein Gewissen ist
wenigstens ganz ruhig, und das genügt mir. Ihr wollt, wir
sollen Krieg führen, und doch haben wir keine Truppen,
noch auch die Mittel, sie irgendwoher zu nehmen. Ihr sagt
zwar, wir sollen fremde Soldaten als Besatzung einlassen:
es ist aber leichter ein Gut aus der Hand zu geben, als es
wieder zu erlangen. Die Raudnicer haben euer Kriegsvolk aufgenommen, und siehe da, nun befinden sich, die früher frei
waren, in der ärgsten Knechtschaft. Wir können aus unserm
Schloß keine Fouragirungsfahrten unternehmen, denn die
feindlichen Dörfer, die da waren, sind von euch längst ausgeplündert. So kann auch ich mit Schwamberg sagen: warum
sucht ihr meinen Schaden, der euch doch keinen Nutzen bringt?
Salz ließ ich niemandem führen, an Verträge mit den Feinden dachte ich nicht einmal. Darüber wundere ich mich aber,
wenn Georg mit seiner Familie Katholik werden und dem
heiligen Stuhle gehorchen wollte, warum solches nicht ohne
Krieg und Verderben angenommen werden könnte?

Schwamberg. Unlängst hörte ich von einem der hervorragendsten Männer der Kirche, das gehe nicht an, er
müsse wegen seines wiederholten Abfalls gestraft werden.

Rabstein. Abtrünnigkeit soll freilich gestraft werden,
aber die Umstände, Zeit, Ort und Personen, Gefahren in
der Sache, Rücksicht auf die Menschenmenge, heißen die
Strenge der Gesetze mildern; auch glaube ich, der Papst
selbst sei dem nicht abgeneigt. Aus seinem eigenen Munde
hörte ich, daß aus drei Dingen eines geschehen müsse: entweder geht der apostolische Stuhl zu Grunde, oder Georg
wird vertrieben, oder er wird ein guter Katholik. Dem Papste
würde jedenfalls schon durch Georgs Besserung Genüge geleistet werden, und es wäre nicht nöthig, das ganze Land
zu verwüsten und das Volk in Noth zu stürzen.

Zbeněk. Das machet mit dem Papst ab, wie ihr
könnt; was ich gesagt habe, sagte ich aus Freundschaft,

und nicht, um euch nahe zu treten. Erlangen wir, wie ich
hoffe, Hilfe aus der Fremde, von Königen und Fürsten, so
wird dies das beste sein; geschieht das nicht, so richten wir
die Ketzer und ihren Beschützer Georg mit Gottes Hilfe zu
Grunde, indem wir ihnen im Verlauf des langen Krieges
die Zufuhr von Salz und anderen Nothdürften abschneiden.

Wilhelm. Seht wie hartnäckig er ist, wie er alles
verwirft, was man ihm als gerecht nachweist! Umsonst be=
mühst Du Dich, Rabstein, er haßt den Frieden, setzt alle
seine Hoffnung auf die Waffen, als wäre er von Eisen,
und als ob ihm selbst nichts schaden könnte. Wer sich aufs
Schwert verläßt, kömmt durchs Schwert um.

Zdeněk. Es ist die Frage, wer hartnäckiger ist, ob
ich oder du; ich kann wenigstens ohne Prahlerei mich stark
und standhaft nennen. Was das Ende betrifft, mit dem
du drohst, das wird der Erfolg zeigen.

Schwamberg. Lassen wir allen Streit darüber. Er
glaubt, die Ketzerei lasse sich durch Verbot der Zufuhr aus=
tilgen: ich bin aber überzeugt, daß dies wenig zur Erobe=
rung der Festungen Georgs und seiner Anhänger helfen
werde.

Zdeněk. So urtheilst du? Du glaubst also, daß der
Hunger nicht zur Einnahme einer Festung beiträgt?

Rabstein. Dein Beweis ist nicht stichhältig genug.
Thue was du willst, du wirst die Zufuhr nie ganz verhin=
dern. Alle umliegenden Landschaften nähren sich von in
Böhmen erzeugtem Getreide und Fette, wofür die Böhmen
leicht Salz und andere Artikel erhalten, die sie nicht entbeh=
ren können. Also wird es auch ferner sein, da die Nach=
barn der Böhmen ohne deren Getreide nicht leben können.
Und willst du vernünftigen Vorstellungen nicht ganz unzu=
gänglich sein, Zdeněk, werde ich dir noch etwas gewichtige=
res sagen. Sie haben viele der Eurigen als Gefangene;
ihr habt deren freilich auch von ihrer Seite, ich läugne es

44

nicht; steigt aber unter ihnen die Noth aufs höchste, so werdet ihr eure Leute mit Salz loskaufen müssen; wie es ja allgemein bekannt ist, daß ihnen ihre Gefangenen nicht nur Salz, sondern auch Pfeffer, Safran und andere überseeische Waaren geliefert haben. Als die Klatauer Pflug gefangen nahmen, mußte er ihnen tausend große Maße Salz als Lösegeld geben; ähnliche Lasten werden auch den katholischen Dörfern auferlegt. Was ihr also erreicht habt, möget ihr überlegen. Früher haben die Städte Salz gekauft, jetzt haben sie es durch Abgedinge unentgeldlich, und die Bauern müssen es theuer zahlen. Ihr werdet sagen, ihr lasset eure Leute nicht mit Salz zahlen, — wenn sich das nur durchführen ließe! So lange der Krieg währt, bleibt der Sieg ungewiß, und in der Noth hilft sich jeder, wie und womit er kann.

Zdeněk. So meinst du? Wir sollen also die verdammte Ketzerei fortblühen lassen und uns nie bemühen, sie auszurotten?

Rabstein. Gewiß nicht! Wolltet ihr aber keine Schuld auf euch laden, hättet ihr andere Mittel ergreifen sollen; und wenn ihr klug seid, so schlagt ihr auch jetzt noch einen anderen Weg ein.

Schwamberg. Du sprichst wahr. Denn auch mein, — doch was sage ich mein? auch dein und unser aller Herr und Vater, der Bischof von Breslau, ein Mann von hoher Einsicht, rieth gar oft also, sowohl vor als nach Beginn dieses Krieges.

Rabstein. Ich kannte seine Person und seine Weisheit.

Zdeněk. Auch mir waren sein Sinn und seine Ansichten nicht unbekannt. Wie die Köpfe, so sind die Ansichten, und jeder thut, wie und was er für gut erkennt. Ich hielt an einem andern, glaubensgemäßeren Entschlusse fest.

Wilhelm. Du brauch dich nicht zu entschuldigen, wir wissen, daß du dich mit keinem Freunde des Friedens verträgst, und hast auch Grund dazu: der Krieg trägt dich empor, der Friede würde dich zu Unsers Gleichen, zum ein-

fachen Privatmann machen. Doch hüte dich, daß du nicht
verlierest, was du hast, während du nach dem Unerreichba-
ren ringst.

Zdenĕk. Es stünde dir besser an zu schweigen, Wilhelm! ich wenigstens werde ohne Rücksicht auf dein Murren
jedermann zum Kriege gegen den Erzketzer Georg antreiben.
Doch weiß ich nicht, warum ich es leiden soll, daß, da ich
diesen Krieg Gottes führe, diejenigen, die auch zu demselben
verpflichtet sind, meiner spotten.

Schwamberg. Mit den Waffen willst du also über
jeden herfallen, der den Frieden liebt, Georg zwar nicht
folgt, mit ihm aber auch nicht im Kriege ist? Dadurch wirst
du bewirken, daß sich viele gegen euch, als ihre Dränger,
wenden werden, die außerdem sich friedlich verhalten hätten.

Zdenĕk. Wir werden thun, wie ich gesagt. Unser
Feind wird auch als Feind des Glaubens erklärt werden;
denn wer nicht mit uns, ist gegen uns.

Schwamberg. Ich möchte rathen, daß du die Leute
lieber im Guten an dich zu ziehen suchtest, sonst stößt dein
harter Kopf auf noch härtere und weniger nachgiebige, wie
man schon an mehreren Katholiken sieht, die von euch beleidigt, nun schon zu Georg halten und ihr Gut schützen, auch
deshalb nicht verketzert, sondern vielmehr belobt werden.

Rabstein. Ich kenne kein Gesetz, das Jemanden nöthigte, zu seinem Schaden mit Ketzern Krieg zu führen. Ich
weiß zwar, daß es in den Rechten als Regel gilt, ein Herr
über ketzerische Unterthanen könne von der Kirche verhalten
werden, dieselben zu vertreiben: wo es sich aber um ein
ganzes Volk handelt und große Gefahr ist, dort muß man,
wie gesagt, anders verfahren.

Zdenĕk. Sprecht immerhin euern Ansichten gemäß.
Glaubst du denn aber nicht, du gelehrter Mann, daß der
Papst Kaiser und Könige absetzen könne? Ist ja doch jede
Herrschergewalt von Gott, als dessen Stellvertreter auf Erden

44*

jeder Katholik den Papst anerkennen muß. Ja er kann jeden
lösen und freisprechen, der einem gebannten Monarchen Treue
geschworen hat.   Gegen Georg wurde ein allgemeiner Krieg
in aller Ordnung verkündigt, den Kriegern ein bedeutender
Ablaß verliehen.   Hast du etwas dagegen einzuwenden?

Rabstein.   Ich weiß was du sagst, und was in die=
ser Hinsicht seit lange üblich ist; ich weiß, wie man gegen
Friedrich I und II, gegen Ludwig und gegen einige englische
Könige verfuhr; auch läugnet niemand, daß dieß alles im
kanonischen Rechte begründet ist. Wollte man aber die Sache
genauer untersuchen, könnte ich anführen, was der ausgezeich=
nete Accursius und andere Rechtslehrer dagegen einwenden:
da ich aber weiß, daß der Verstand der Auctorität weicht,
und die Gesetze sich nicht ungerne nach den heil. Canonen
richten,[h] will ich es auf sich beruhen lassen. Was alles das
für Folgen hatte, lesen wir in der Geschichte; ob aus der
Absetzung Georgs etwas Besseres erfolgen werde, kann nur
die Zeit lehren. Niemand bezweifelt, daß die Kirche den
Ketzern den Krieg ankündigen kann, und daß es des Kaisers
Pflicht ist, ihn zu führen.   Durch ihre Fahrläßigkeit haben
es die Kaiser dahin gebracht, daß die päpstliche Macht nun
auch das ausübt, was ursprünglich den Kaisern zustand, so
daß, da die weltliche Macht bereits zwischen Kaiser und
Papst getheilt ist, die Heerzüge gegen Ketzer nun mit ge=
meinschaftlicher Mühe und auf gemeinschaftliche Kosten aus=
gerüstet werden müssen.[i]   Auch wird weder der von euch
vergötterte Prager Dechant und Ignorant Hilarius, der
nun bereits eines jähen Todes verschieden, noch auch der
ganze Haufe eurer gemeinen Rechtsgelehrten, den Beweis

---

h) Quoniam cedit ratio auctoritati, legesque sacros canones non
   dedignantur imitari.

i) Eas ob res dominio jam temporali inter imperatorem et ecclesiam partito, sumptibus, laboribus et expensis communibus bella
   contra haereses agi debent.

herstellen können, daß Privatpersonen verpflichtet seien,[k] unter Verlust ihres Seelenheiles, unter einer Todsünde oder dem Banne, gegen die Feinde des apostolischen Stuhles auf eigene Kosten und Gefahr in den Krieg zu ziehen. In einen solchen Krieg zieht man freiwillig, anbefohlen kann es nicht werden. Habt ihr es je gesehen, daß man das Kreuz gegen die Ketzer oder Ungläubigen auf Befehl genommen hätte? wohl aber muntern die Prediger dazu auf, erheben das Verdienst und den Ablaß, und so nehmen die Einen aus Andacht das Kreuz, ohne daß deswegen die Anderen, die es nicht nehmen, verdammt wären. Wäre hierin keine Freiheit, wäre auch kein Verdienst bei der Folgeleistung. Ich begreife daher nicht, warum friedliche Katholiken, die den Feinden keinen Beistand leisten, mit dem Interdict belegt werden; vielleicht haben deine Gelehrten, Herr Zbeněk, andere Canones und stellen andere Glaubensregeln auf.

Schwamberg. Ich verstehe deine Rede wohl, und wundere mich nicht, wenn man denen den Krieg aufträgt, denen es die Mittel gestatten: warum geschieht aber solches uns, die wir keine Mittel dazu besitzen und vom Kriege nur unser eigenes Verderben zu erwarten haben?

Wilhelm. Das ist leicht einzusehen. Wenn Leute, die nur ihren Vortheil und nicht Christus suchen, durch ihren Uebermuth um alles gekommen sind, so beneiden sie diejenigen, die noch etwas besitzen, wollen daß es ihnen auch so ergehe, und kümmern sich um deren Gewinn oder Schaden nicht, wenn sie nur ihren Willen durchgesetzt haben.

Schwamberg. So reden wohl viele, ich weiß aber nicht, ob mit Recht. Ich füge nur bei, was ich gehört:

---

k) Nec probabit vester, quem vos veluti deum colebatis, Hilarius ignarus Pragensis decanus, jam perquam subita morte absumptus, aut omnis tuorum vulgaris juris consultorum turba — ad hoc privatas teneri personas etc. — (Der Domdechant Hilarius starb am 31 Dec. 1468.)

wenn jemand, der ihnen hilft, sein Gut dabei einbüßt, und dieses später den Feinden wieder abgenommen 'wird, daß man solches nicht dem früheren Besitzer zurückgebe, sondern als eine gemeinsame Beute behandle. Etwas dergleichen geschah beim Schlosse Frumstein.

Wilhelm. Größeres Unrecht noch geschah Popel bei Einnahme des Schlosses Rosenberg, welches er als Pfand besaß. Denn die Kriegsknechte Zdeněks und Johanns von Rosenberg erklärten dem Besitzer erst den Krieg, nachdem sie sich durch Verrath des Schlosses bereits bemächtigt hatten. [1]

Rabstein. Bedenke wohl, was du sprichst, denn eine solche Schändlichkeit geht nicht einmal unter Ungläubigen vor sich. Es gilt allgemein zu Recht, daß keine Fehde begonnen werde, ehe die Absage erfolgt ist, und daß man seine Zusagen erfülle; auch der Papst dispensirt nicht davon. Das Recht erlaubt zwar, einen Eid bei gerechter Furcht unerfüllt zu lassen; die böhmische Sitte hält aber die Regel fest, was man Jemanden einfach versprochen, sähe man darob auch den Tod vor sich, daß man gleich Marcus Regulus sich allen Qualen zu unterziehen und sein Versprechen zu halten habe. Was die Römer an dem einen Regulus bewunderten, durch diese Tugend zeichnet sich das ganze Geschlecht der Böhmen und ein großer Theil anderer Deutschen aus; [m] hüte dich

1) Es geschah solches am 9 Januar 1469, wie oben (in der Geschichtserzählung) schon dargestellt wurde. Der besondere Nachdruck, der hier auf diese That gelegt wird, kann mit als Beweis dienen, daß dieselbe in Zeit und Raum dem Verfasser nahe stand.

m) Das Original lautet etwas uncorrect: Jus concedit praestanti juramentum ob justum metum non servandum: consuetudo Boemorum promissi tenacissima illud conclusum habet, ut si simplicis stipulationis promissione alteri quid promiseris et ex facto mortem tibi certam esse non ignores, Marci more Reguli, ut promissis satis facias, gladiis, fustibus contibusque peracutis te objicere debes. Quod Romani in uno Marco Regulo mirabantur, hac virtute totum genus Bohemorum, magnaque pars aliorum Germanorum praepollet.

Zdeněk, daß sie dich nicht verlasse. Dieß sei gesagt in Beziehung auf Ketzer. Popel war aber stets Katholik und ein Freund des Friedens, nicht Ketzerfreund; obgleich man ihm jetzt, gleich wie einem Todten, da der Arme rechtlos ist und im Kerker schmachtet, allerlei nachreden kann. Ist aber, was Wilhelm erzählt hat, wahr, so wird es euch schwer werden, euch zu rechtfertigen.

Zdeněk. Auf diese langen Reden habe ich eine kurze Antwort. Der Papst befiehlt, was ihm gut dünkt; mögen hinterdrein diejenigen darüber streiten, die über Gebühr klüger sein wollen. Ich weiß wohl, daß unser Thun allerlei Nachrede erfährt; möge man uns immer hassen, wenn man nur fürchtet. [n]) Ich und Johann von Rosenberg sind unserer Pflicht des Gehorsams nachgekommen. Nun will ich aber ein Wort zu dir sprechen, Johann Rabstein! Einen großen Theil deines Lebens hast du in Studien zugebracht, und so hoch du nun auch stehst, dientest du treu dem apostolischen Stuhle, du würdest zweifelsohne noch höher steigen. Werden aber diese deine Reden in Rom bekannt, so fürchte ich, daß es um alle deine Hoffnungen geschehen sein wird. Darum rathe ich nochmals als Freund, lasse alle solche Reden bei Seite und überlasse alle Sorge in der Sache deinen Oberen.

Wilhelm. Ehe du ihm antwortest, Johann, höre mich ein wenig an: ich wollte schon schweigen: da nun aber, was früher verdeckt wurde, schon zum Vorschein kömmt, kann ich mich des Redens nicht enthalten. Erst läugnete Zdeněk, diesen unseligen Krieg, der ärger als ein Bürgerkrieg ist, aus bloßem Hochmuth zum Verderben des Vaterlandes begonnen zu haben: nun räth er dir selbst, mehr deine Erhebung im Auge zu haben, als das Vaterland, als die Wahrheit und das Gemeinwohl.

Zdeněk. Mit dir habe ich nichts zu schaffen, während ich mit meinem Freunde rede. Er möge mir selbst

---

n) Oderint, dum metuant — der bekannte lateinische Spruch.

antworten; du spare deine Reden für diejenigen, die ihrer
bedürfen.

Rabstein. Die Liebe zu eigenem Volke und zum Vaterlande ist die höchste Liebe. Durch sie zeichneten sich vormals die Römer aus, und im Geschlechte der Decier war
sie gleichsam erblich. Die Eltern geben uns nur das Leben:
das Vaterland aber erzieht uns und lehrt uns ein gutes
Leben führen. Wenn nun aber dieses Vaterland so grausam, so schändlich zerfleischt wird, wer, der gesunden Sinnes
ist, könnte das ohne Gram mit ansehen? Freilich sind es
einige der vornehmsten Männer, die solchen Jammer veranlaßten und fördern: sie sind aber von Leidenschaften so geblendet, daß sie das Recht vom Unrecht zu unterscheiden
weder im Stande noch Willens sind. Es gibt auch Leute
geringeren Standes, die, weil sie in der Heimat wenig gutes
genoßen und es im Frieden und bei Ordnung in derselben
zu nichts zu bringen vermochten, wenigstens bei Unruhen
und beim Verkommen Anderer etwas zu erhaschen gedenken.
Die Gränznachbarn, denen die böhmische Macht stets ein
Schrecken ist, sorgen nicht um den Wohlstand dieses Landes
und werden es nicht bedauern, wenn es dem Abgrunde des
Uebels verfällt. Den entfernteren Ausländern, die hier irgend
eine Würde besitzen, ist alles gleichgiltig, und ihre Heimat
ist immer dort, wo sie aus der Küche ein lieblicher Duft
anweht. Unsere Stellung aber ist eine andere. Wir sind
hier geboren und auferzogen zwischen den Gräbern unserer
Väter, die wir stets vor Augen haben; wir sind nicht ganz
arm noch unbedeutend, nicht träge und entartet, auch nicht
durch Leidenschaften so geblendet, daß wir nicht zu erkennen
vermöchten, was recht ist: wie wir geduldig zusehen könnten,
wie das Vaterland durch Mord, Brand, Raub und schlechte
Münze zu Grunde geht, das begreife ich nicht. Wäre noch
dieß alles zur Ausrottung der Ketzerei unerläßlich nothwendig, so müßten wir uns dabei resigniren: da sich aber dieses

auch ohne Feuer und ohne blutige Wunden durchführen läßt, so fürchte ich, daß euere Nachkommen selbst einst für solches Verderben werden büssen müssen. Ich fürchte mich übrigens nicht die Wahrheit zu sagen, sollte es mich auch die höchsten Würden kosten.

Zdeněk. Ich bin nicht dagegen, daß die Wahrheit gesprochen und das allgemeine Wohl in Erwägung gezogen werde: ich werde ja auch gehorchen, wenn der heilige Vater darein willigt.

Wilhelm. Vor Beginn des Krieges hättest du so sprechen sollen; ich weiß, daß der Papst zu allem Guten und Rechten seine Einwilligung gäbe, wenn ihr ihn nicht mit falschen Denuntiationen irreleitetet.

Rabstein. Ich hatte schon früher etwas sagen wollen, doch warst du eben aufgebracht: nun, da du es selbst verlangst, will ich mich ganz aussprechen. Zur Ausrottung der Ketzerei hätte man andere Mittel, nicht Feuer und Blutvergießen, in Anwendung bringen sollen, damit dies herrliche Königreich und das edle Volk der Böhmen nicht so unbarmherzig zu Grunde gerichtet würden. Wollte doch Gott selbst, wenn in Sodoma nur dreißig, ja zwanzig, ja nur zehn Gerechte wären gefunden worden, dieser Stadt schonen. Und wie viele heilige und gerechte Menschen verkommen in diesem Kriege und gehen zu Grunde, nicht von der Hand der Feinde, die dem Friedlichen nichts anhaben, sondern durch euch, euch sage ich, lieber Zdeněk! Wäre man anfangs umsichtig vorgegangen, man hätte unschädlicher Mittel zum Zwecke genug gefunden.

Schwamberg. Mit größerer Mäßigung wäre allerdings sowohl dem Vaterlande überhaupt als auch den einzelnen Einwohnern besser gedient gewesen. Leider hat das Nichtbeachten der Compactaten und des Eides Georgs alles in Verdacht gebracht, als könnte derjenige, der einmal schlimm gewesen, nie mehr gut werden.

Zbeněk. Mit diesen Worten hast du den eigentlichen Kern unsers ganzen Streites getroffen.

Rabstein. Und gibt es denn, neben Eid und Bürg-schaft, keine Art der Sicherstellung des Rechtes weiter? Warum verlangte man von Georg keine Geisel? Wie konn-ten die rechtsunkundigen Böhmen die große Schaar römischer Rechtsgelehrten täuschen? Auch hätten durch liebevolles Be-nehmen viele sich gewinnen lassen, die nun durch grausames Verfahren gereizt, Gegner und Feinde geworden sind, so daß aus dem großen Kriege und dem vielerlei Verderben, da die Feinde innerhalb der befestigten Orte sich halten, nichts als bloßes Wegelagern geworden ist.

Wilhelm. Das ist ihnen ja gerade recht, das Wege-lagern ist ihr Geschäft.

Zbeněk. Noch hörst du nicht auf, wie du begonnen. Schweige nun schon, ich bitte dich darum.

Wilhelm. Ich habe ausgeredet, und werde schweigen.

Zbeněk. Ich habe nun eure Meinung, ihr habt die meinige kennen gelernt. Bei Georg sind alle Mittel und Wege des Rechts verloren, er wird Gott nie treu werden. Ich halte es aber für angemessener, dem apostolischen Stuhle zu gehorchen, als euern Meinungen.

Rabstein. Was ich geredet habe, hatte mir Freund-schaft und Vaterlandsliebe eingegeben; nie fiel es mir ein, mich apostolischen Anordnungen zu widersetzen. Diesen werde ich am Ende immer mich fügen, allenfalls auch mit dem Verluste meines ganzen Vermögens, seien sie nun gerecht oder nicht. °)

Schwamberg. Auch ich gedenke nicht anders als ge-horsam zu sein bis zum letzten Blutstropfen, obgleich es mich sehr schmerzen wird, wenn ich sehe, daß mein Vaterland darunter leidet.

o) Pontificis summi — sententiam justam sive injustam omni cum reverentia obediendo suscipere non rejicio.

Rabstein. Es ist wahrlich eine beklagenswerthe Sache,
daß ein Schatz so vielen edlen Wesens, das Königreich Böhmen, ein so mächtiges Land und, bis auf eine geringe Zahl
Ketzer, so christliches Volk zu Grunde gehen soll. Blicken wir
auf die vormals glänzenden und herrlichen Religionsanstalten,
auf die reichen Klöster, auf die stattlichen Collegiat- und
Pfarrkirchen, die durch diesen unseligen Religionskrieg größtentheils in Schutt liegen, können wir uns da der Thränen,
der Seufzer erwehren? Wir lesen in den Schriften so manche
ergreifende Schilderung menschlicher Unfälle: schrecklichere als
die, welche unser Land betroffen, finden wir nicht. Wie viel
erschütternde Fälle von Sagunt gibt es da! wie viele Zer-
störungen Babylons! Bei Troja dauerte der Jammer zehn
Jahre, in Böhmen länger als zwanzig Jahre. Rom fiel, sich
eines Ueberfalles der Gallier nicht erwehrend: Prag trotzte
mehreren und schwereren, und steht noch ungebeugt da! Jeru-
salems Verderben schilderten Josephus und Hegesippus ausführlich: das Verderben Böhmens ist vergleichsweise viel
größer. Dieses Land hat eben so viel Feinde als Nachbarn;
denn überall zeigt sich der gemeine Mann gegen das mächtige Volk der Böhmen wuthentbrannt. Aber mit der Tapferkeit und Kraft ihres Volkes sich umgürtend, überragt Bohemia noch immer als Herrin die anderen Völker. ᵖ)

Schwamberg. Du hast das rechte Lob Böhmens ausgesprochen; und es gibt in der That in diesem Lande mehr
Lobenswerthes, als wir beide, du zu schildern, ich anzuhören
im Stande wären. Denn auch das ist nicht zu übersehen,
besonders während dieses Krieges, daß es die Ernährerin
und Lebensspenderin der umliegenden Gegenden ist. Man
sieht es ja, wie viel zeitliche Strafen den Deutschen auferlegt

p) Quot vicini regni, tot hostes; saevit enim animis contra Boemorum potentissimum populum ignobile vulgus. Haec autem
Boemia, fortitudinem et robur populi prae se gestans, veluti
domina inter ceteras eminet gentes.

werben, damit sie kein Salz nach Böhmen lassen: und dennoch geben sie Salz im Tausche für Getreide, dessen Mangel schon Manchen auszuwandern zwang.

Zdeněk. Von einer Hungersnoth bemerkt man bei den Nachbarn wenig; bei uns dagegen empfinden wir großen Mangel an Salz.

Rabstein. Ich will sagen, was ich selbst gesehen. In Meißen an der Gränze ist das Getreide so theuer, daß wegen des Nothschreis der armen Leute der päpstliche Legat für einige Zeit gestattete, Getreide für Salz einzutauschen.

Wilhelm. Da seht ihr, wie viel Unheil unter guten Vorwänden verübt wird, und wie auch die größte Büberei sich mit Glauben und Wahrheit zu bemänteln weiß.

Rabstein. Unsere älteren Leute, die das im Gedächt= nisse haben, behaupten, der gegenwärtige Krieg werde noch viel grausamer geführt, als es bei dem früheren, der schon so wild gewesen, der Fall war; sie bekennen, daß so lange die grimmen Taboriten im Lande schalteten, kein solches Wüthen mit Feuer und Schwert zu sehen war. q) Wer nun dazu Veranlassung gegeben, der sehe zu, daß er nicht in der Hölle dafür zu büßen habe.

Zdeněk. Da sehe ein jeder zu, der Böses übt.

Rabstein. Das ist eben meine Rede; gegen dich habe ich ja nichts.

Wilhelm. Wir wechseln hier Worte um Worte, und mittlerweile verkömmt unser armes Vaterland ganz und gar. Nun so ermannet euch, erhebt euch, ihr Freunde, und wendet dies Verderben von ihm ab! Euch kömmt das wohl zu, denn ihr seid Eingeborne und in geistlichen Würden hoch gestellt.

---

q) Hoc praesens bellum majores nostri asserunt, quorum adhuc viridis exstat memoria, praeteritis illis, atrocissimis quidem, longe tamen crudelius esse, et tantam igni ferroque sacram desolationem Taboritis tyrannidem exercentibus numquam fuisse fatentur etc.

Wenn ihr und andere weise Männer nicht dazwischen tretet, wird unser Land vollends zu Grunde gehen, oder sich mit noch größeren Bübereien und Ketzereien füllen als je.

Schwamberg. Sollen wir etwa mit Zdeněk um den Frieden handeln, der den Sieg schon wie in der Faust zu halten wähnt, und jeden einen Verderber der Christenheit und einen Ketzer schilt, der nur ein Wort vom Frieden vorbringt?

Wilhelm. Was werdet ihr also thun? Schon fängt ihr an, den Krieg zu loben, und rüstet euch, das Uebel, das ihr so eben noch verdammt habt, nun auch selbst zu thun. So wollt ihr nun, mit Erlaubniß zu reden, bei gesundem Verstande Narren werden.

Rabstein. Nicht wie Narren sprechen wir, Schwamberg und ich, sondern wie es unserm Stande geziemt. Wir sind Geistliche und dem apostolischen Stuhle zu allem verpflichtet; um des Gehorsams willen nehmen wir keinen Anstand, all unser Gut auch dem voraussichtlichen Verderben hinzuopfern; uns des eigenen Wollens in die Hände des Statthalters Christi entschlagend, sind wir bereit, auf seinen Befehl uns jedem möglichen Schaden auszusetzen.

Zdeněk. Nun kehrst du doch zur Wahrheit zurück! Sei aber gewiß, Rabstein, in Kurzem erblickst du nicht unser, sondern so Gott will, das Verderben der Feinde des Glaubens.

Wilhelm. Wenn also, Johann, deinen Worten gemäß, der Papst dir befiehlt, Ehebruch, Wucher, Mord und Diebstahl zu begehen, so wirst du das alles thun? Dies wird doch kein vernünftiger Christ gut heißen.

Rabstein. Mit deinen Schlüssen, Wilhelm, geräthst du auf Abwege. Ein anderes ist es mit dem Schaden an Gütern, ein anderes mit dem Schaden an der Seele; es gibt Dinge, die an sich böse sind, andere sind es nur unter gewissen Bedingungen. Das Gebot der Oberen müssen wir, auch wenn es ein ungerechtes ist, achten, nie aber Böses thun, sondern in Demuth und Unterwürfigkeit die Obrigkeit

berichten, damit sie vom Bösen abstehe. Der Verlust an Gütern ist kein Uebel an sich, führt die Seele nicht ins Verderben, darum müssen wir uns ihm auch mit unserm Schaden
unterziehen.

Schwamberg. Du trägst eine gute Lehre vor, aber
ihre Ausübung ist mit Schmerz und Trauer verbunden. Das
gut angewandte zeitliche Gut bildet, nach dem Urtheile alter
Weisen, auch ein Hilfsmittel der Tugend.

Rabstein. Ich leugne es nicht, aber das zeitliche Gut
läßt sich auch in ein ewiges umwandeln. Bei dem apostolischen Stuhle gilt jetzt der Wille an jedes weiteren Grundes
statt. Die Rechte lehren, daß wenn der Papst dergleichen
befiehlt, solches nicht alsogleich zu geschehen hat, sondern dem
heiligen Vater der Grund vorzulegen ist, warum es nicht
geschehen könne. Wir haben dies zwar schon öfter gethan,
der Papst besteht aber auf seiner Ansicht, daß man Feuer
und Schwert anwenden müsse. Wir bekennen, es ist dies
unser Verderben, es geschehe aber der Wille des heiligen
Stuhles; mögen wir zu Grunde gehen, dennoch werden
wir leben.

Wilhelm. Sonderbar ist doch dieser euer Gehorsam.
Ihr erkennet es an, daß es vom Uebel ist, und gleichwohl
bedenkt ihr euch nicht, all das Eurige in's Feuer zu werfen.
Gott verlangt doch nur einen vernünftigen Gehorsam von uns.

Zdeněk. Unter Ketzern lebend, hast du schon Ketzereien
ganz in dich gesogen. Der Grundsatz ist von den Concilien
längst verworfen worden. Unsere Freunde wissen recht gut,
was sie als gute Katholiken zu thun haben.

Wilhelm. Ueber Ketzerei entscheide, wer Zeit und Umstände zu unterscheiden versteht; ich weiß, daß ich ein Katholik bin.

Rabstein. Belehrungen über den Gehorsam findet man
in den Büchern genug; und auch wir haben nun schon
lange genug gestritten. Nur eines wiederhole ich: daß wir

aus Ergebenheit gegen den apostolischen Stuhl in eine ge=
fahrvolle Zeit gerathen sind, in welcher uns keine Zuflucht
mehr übrig bleibt, als zu dir, allmächtiger Gott! Wende
dein Angesicht zu uns und sei du unser Schutz und unsere
Hilfe! Wir wissen, daß der heilige Petrus dein Statthalter
auf Erden war, als dessen wahren Nachfolger wir den Papst
Paul II anerkennen, und daß ihm jedes Menschengeschöpf
um des eigenen Heiles willen ergeben sein soll. Ist es dein
Wille, erhalte uns bei unseren zeitlichen Gütern, auf daß
wir damit andere ewige Güter erwerben können: hast du
aber beschlossen, uns um unserer Sünden willen mit dem Ver=
luste jener zu strafen, so wollen wir auch das dankbar hinneh=
men, wenn du uns nur die ewigen Strafen erlassest. Reige
dein Antlitz deinen treuen Dienern zu, und verleihe uns ent=
weder zeitlichen Sieg, oder, für den Verlust des zeitlichen,
den Sieg in der Ewigkeit. Nicht uns, o Herr, nicht uns,
sondern dir sei Lob und Ruhm und Herrlichkeit auf ewig!
Willst du, daß wir siegen, so werden die Feinde nicht be=
stehen: willst du aber, daß wir gezüchtigt werden, so geschehe
dein Wille. Ist der Krieg gegen deinen Willen, offenbare
es und flöße es den Herzen unserer Vorgesetzten ein, damit
auch sie den Frieden liebgewinnen und das Volk der Christen
nicht länger so Verderbliches und Grausames zu leiden habe!

Schwamberg. Du hast gut gebetet, möge Gott der
Herr dein Gebet erhören! ich fürchte aber, daß alles dies
um unserer Sünden willen über uns verhängt ist.

Zdeněk. Ueber Gottes Gericht sollen wir den Mund
nicht gegen den Himmel erheben. Genug nun schon der
Worte; es ist Zeit, daß das Schwert das Seinige thue.
Ich ziehe hin, Gottes Krieg zu leiten, lebet wohl! Du aber,
Wilhelm, kehre doch einmal auf den Weg deiner Väter zurück!

Wilhelm. Ich bin vom rechten Wege nicht abgewi=
chen, du, Verirrter! brauchtest einen besseren Führer. Aber
auch ich gehe.

Schwamberg. Und was thun wir, lieber Johann?

Rabstein. Wir wollen nach Hause gehen und über die bösen Zeiten klagen.

Schwamberg. So lebe denn wohl, und bleibe mir stets ein Freund!

Rabstein. Der bleibe ich stets. Lebe wohl!

Und hiemit gingen wir von einander. Unter solchen Trübsalen und Kämpfen leben wir denn in diesem Lande, und schätzen dich, ausgezeichneter Mann! und Deinesgleichen glücklich, denen sowohl Zeit und Muße zu ihren Studien, als auch Ruhm und Ehre aus der Wissenschaft, und eine ganze gelehrte Akademie zum täglichen Umgange zu Theil wurden. Lebe wohl, mein lieber Johann Crassus!

Druckfehler.

Seite	Zeile		falsch	lies:
„	„	v. oben	daß es in Ungarn	daß es wie in Ungarn
„	„ 10	„ unten	Manes	„ Mannes
„ 29	„ 8	„ oben	Ojjř	„ Ojſř
„	„ 16	„ „	Cimburg	„ Cimburg
„	„	„ „	attentissime	„ attentissima
„	„ 11	„ „	divina	„ divino
„	„	„ „	Stibor	„ Stibor
„ 38	„ 16	„ „	Der Bresl. Bunbbr.	„ Den Br. B.
„	„ 15	„ „	Herr	„ Heer
„	„ 10	„ „	Martenburg	„ Wartenberg
„ 72—76	(Columnen)		1459	„ 1458
„ 76	Zeile	v. unten	Baumkirchen	„ Baumkircher
„	„ 1	„ „	Anmerk.	„ Anmerk.
„ 78	„ 6	„ „	S Anmerkung	„ S. Anmerkung 95
„ 81	„	„ oben	tönne	„ tenne
„	„	„ „	Zbenek	„ Zbynek
„	„ 10	„ „	Riesenburg	„ Riesenberg
„	„ 20	„ „	wurden	„ würden
„	„ 20	„ „	Roupow	„ Raupow
„ 88	„	„ unten	lahin	„ lehin
„ 94	„ 17	„ „	solcher Bedeut.	„ hoher Bedeutung
„	„	„ „	rozkázal	„ wzkázal
„ 107	„ 19	„ „	Priesterherrschaft	„ Priesterschaft
„	„ 16	„ oben	Tetschen	„ Teschen
„ 124	„	„ „	Versammlung	„ Versammlungen
„	„	„ unten	das fort, so so	„ das so fort, so
„ 128	„ 8	„ „	aber	„ über
„ 130	„	„ „	seinen	„ seinem
„	„	„ „	vor der Verb.	„ von der Verb.
„	„	„ „	Vgl. Anmerk.	„ Vgl. Anmerk.
„ 138	„ 8	„ „	Anmerkungen 91 und 93	„ Anmerkungen 92 und
„	„	„ „	Anmerk. 45	„ Anmerk. 46
„ 140	„	„ oben	so so	„ so
„ 145	„ 11	„ „	ertheiten	„ ertheilten
„	„	„ „	wieder zurück, die	„ wieder zurück; die
„	„	„ unten	videmus	„ videmur
„	„	„ „	tantum	„ tantum
„	„	„ „	Anmerk.	„ Anmerk. 70
„	„ 2	„ „	1561	„ 1461
„	„	„ „	Erbachs	„ Erlbachs
„ 163	(Columne)		1641	„ 1461
„	Zeile 16	v unten	führte	„ führte
„ 166	„	„ „	worden, er	„ worden; er
„	„	„ „	non	„ von
„	(Columne)		1460	„ 1461
„	Zeile	oben	einen Unvermög.	„ einem Unvermög.
„	„	„ „	Trecesima	„ Tricesima
„ 183	„	„ „	Irthume	„ Irrthume
„	„	„ „	wurden auch in Fr.	„ wurden in Fr.
„ 188	„	„ „	compromittirt	„ compromittirt
„	„	„ „	bes	„ bes

CPSIA information can be obtained
at www.ICGtesting.com
Printed in the USA
BVHW04*1451140918
527538BV00006B/106/P